L'ÉTAT
DES SCIENCES

ET DES TECHNIQUES

Édition 1983-1984

Sous la direction de Marcel Blanc

LA DÉCOUVERTE/MASPERO
BORÉAL EXPRESS

Paris/Montréal

Conception et direction :

Herbert Axelrad, Martine Barrère, Marcel Blanc, Benjamin Coriat, François Gèze, Olivier Pastré, Pierre Virolleaud.

Coordination et réalisation :

Marcel Blanc.

Collaborateurs :

Maria de Agostini, Martine Allain-Regnault, Jean-Marc Altwegg, Claude Amalric, Jean-Pierre Angelier, Erik Arnold, Freddy d'Artois, Raymond Avrillier, Martine Barrère, François de Beaufort, Brian Beckett, Gabriel Bergounioux, Marcel Blanc, Martine Blanc, Nicolas Borot, Robert Boyer, André Brahic, Sue Branford, Patrick Buat-Ménard, Pascal Byé, Michel Callon, Paula Ceccaldi, Jean-Jacques Chanaron, Georges Chapouthier, Jean-Marie Charon, François Chesnais, Jean-Pierre Claverie, Denis Clerc, Patrick Cohendet, Alain Cohen-Tannoudji, Dominique Commiot, Benjamin Coriat, Julian M. Cooper, Sylvie Crossman, Antoine Danchin, Yves David, Didier Depierre, Carlos Derbez, David Dickson, Aurore Dousset, Alain Dupas, Jean-Claude Duplessy, Bernard Equer, Dieter Ernst, John Evans, Henri Farreny, Marc Ferreti, Richard Ferrière, Pierre Ferron, Dominique Finon, Patrice Flichy, Gabriel Gachelin, Serge Gauthronet, Renaud Gicquel, Janine Glogowska, Rauf Gönenç, John Goormaghtig, André Gsponer, Marc Guillaume, Alastair Hay, Colette Hoffsaes, André Imbert, Alain d'Iribarne, Didier B. Isabelle, Martin Ince, Pierre-Alain Jayet, Alain Joxe, Basile Karlinsky, Annick Kerhervé, Tom Kitwood, Daniel Lacotte, Guy Lacroix, Yves Lasfargue, Roland de La Taille, Lucien Laubier, Yveline Lecler, Brigitte Lefèvre, Yves Le Pape, Pierre Lesca, Pierre Lévy, Claude Lorius, Gustave Massiah, Armand Mattelart, Georges Mazingue, Marie-Odile Mizier, Abraham A. Moles, Jenny de Montaigne, Éric Morin, Pierre Muller, Bernard Munsch, Saun Murphy, Christos Passadeos, Olivier Pastré, Michel Paty, Guy Pautot, François Pernet, Pascal Petit, Jean-Pierre Pharabod, Leonardo Pinsky, Michael Pollak, René Ponot, André-Yves Portnoff, Françoise Praderie, Denis Randet, Paul Reboux, Vera Rich, Max Rives, Jean-Pierre Rogel, Bernard Rosier, Jean-Christophe Sabroux, Jacques Sapir, Ziauddin Sardar, Catherine Sceautres, Thomas Schreiber, Monique Signore, Adrian J. Simmons, Peter Tahourdin, Frank Tenaille, Antoine Thiboumery, Cedric Thomas, Pierre Thuillier, Bernard Tissot, Roland Trotignon, Egizio Valceschini, Jacques Varet, André Vitalis, Roland C. Wagner, Jean-Claude Zerbib.

Traduction de l'anglais :

Joëlle Ayats, Dominique Boutel, Colette Casamatta, Michèle Médina, Richard Monier.

Index :

Joseph Harczy, Gilbert Varay.

Maquette et couverture :

Jacques Gaïotti.

Fabrication :

Monique Mory.

Dessins :

Avoine.

La publication de cet ouvrage a été encouragée par une subvention accordée au titre de la coopération franco-québécoise et par une aide de la Mission interministérielle de l'information scientifique et technique (MIDIST).

© Éditions La Découverte (Paris) et Éditions du Boréal Express (Montréal), 1983.
France : ISBN 2-7071-1424-3
Canada : ISBN 8-89052-080-3.
Dépôt légal : 4ᵉ trimestre 1983, Bibliothèque nationale du Québec.

AVANT-PROPOS

*M*icroprocesseur, laser, scanner, géothermie, biotechnologie... des mots comme ceux-ci sont
devenus en peu d'années familiers à tout le
monde (ou presque). Cela révèle un phénomène majeur
du monde contemporain : aujourd'hui, plus que jamais,
la science et la technique bouleversent la vie des gens,
les relations entre pays, les stratégies des entreprises...
Sommes-nous à l'aube d'une nouvelle révolution industrielle analogue à celle qui, fondée sur la machine à
vapeur, se développa au XIXᵉ siècle? Et surtout, est-il
vrai qu'une nouvelle croissance est possible grâce à la
nouvelle révolution scientifique des années quatre-
vingt? C'est ce que nous affirment bien des voix
autorisées. Mais on peut se demander si cela correspond à une réalité ou s'il ne s'agit que d'un optimisme
de commande. Il faut donc que chacun se forme son
opinion, indépendamment de l'oracle des experts. Et
d'abord cette fameuse révolution scientifique et technique, quelle est-elle?

C'est pour répondre en premier lieu à cette question
que L'état des sciences et des techniques a été
conçu. La plus grande partie de l'ouvrage est un
bilan des principales découvertes scientifiques et innovations techniques réalisées au début des années quatre-vingt : elle couvre l'ensemble des recherches, de
l'astrophysique à la biologie moléculaire, en passant
par la robotique, la micro-électronique, les énergies
nouvelles, la médecine... Pour autant, il ne s'agit pas
d'une encyclopédie au sens traditionnel du terme.
D'abord, le bilan présenté n'est pas exhaustif, même si
aucune discipline scientifique et technique majeure n'a
été laissée à l'écart. Les thèmes retenus en effet n'ont
pas été choisis en fonction de leur intérêt « académi-
que » mais en fonction de leur intérêt aux yeux du

grand public (en raison par exemple de l'impact prévisible sur la société, de telle ou telle découverte ou innovation).

Ensuite, le ton et l'esprit des articles est celui de la vulgarisation : un effort a été tout particulièrement fait pour rendre compréhensible à tout le monde l'information scientifique et technique, si souvent obscure pour le profane. De plus, on a veillé à ce que les explications ne soient jamais, pour autant, dénaturées et restent scientifiquement exactes. Les articles qui composent ce volume ont d'ailleurs été écrits par des spécialistes internationaux : chercheurs, universitaires, ingénieurs, journalistes spécialisés...

*E*t puis, cet ouvrage diffère aussi d'une encyclopédie d'une autre façon, encore plus fondamentale. Son but n'est pas uniquement de faire le bilan du progrès des connaissances et des réalisations techniques. Il est aussi d'évaluer comment ces progrès affectent déjà, ou vont affecter sous peu, la vie quotidienne des gens, leurs conditions de travail, les rapports entre partenaires sociaux ou entre pays... Il s'agit aussi de faire le tour des nombreux débats et prises de position que suscitent la science et la technique : ces dernières sont-elles socialement « neutres »? Promeuvent-elles le progrès social? Quels sont les objectifs des luttes contre le nucléaire ou l'informatique? Pourquoi envisager des technologies alternatives? ... Tout cela fait l'objet d'une autre grande partie de l'ouvrage, intitulée « Sciences, techniques et société ».

Enfin, si l'on se demande où va le « progrès scientifique et technique », on ne peut éviter de se demander aussi d'où il vient. Car ce serait trop simple (simpliste, même) de croire qu'il n'est que le fruit de l'amour de la connaissance ou de l'insatiable curiosité humaine. Aujourd'hui moins que jamais la recherche scientifique et technique ne peut se faire sans installations coûteuses et équipes nombreuses de spécialistes. Autrement dit, le progrès scientifique et technique dans les différents pays dépend fondamentalement des masses d'argent mises à la disposition des laboratoires. Alors, on ne peut éviter de se poser des questions : d'où viennent-elles? Vers quels types de recherches vont-elles préférentiellement? Qui fait ces choix et dans quels buts? La dernière partie de l'ouvrage, « Les déterminants du progrès », examine donc ce qui détermine et oriente le progrès scientifique et technique dans les différentes régions du monde.

L'état des sciences et des techniques *a été conçu sur le même modèle que les ouvrages de la collection « L'état du monde ». Ses 153 articles, écrits par 129 auteurs français, anglais, québécois, suisses, allemands... visent à donner dans un langage accessible les informations et les explications essentielles pour un très large public. Les sujets traités dans ces articles sont généralement précis et limités. Ils sont le plus souvent complétés par une bibliographie d'ouvrages et d'articles en français et en anglais. Pour le lecteur qui veut approfondir tout un domaine, des indications de pages dans le corps du texte renvoient aux articles traitant de sujets connexes dans d'autres parties de l'ouvrage.*

Quant aux idées et opinions sur la science et la technique exprimées dans ces articles, elles sont aussi diverses que leurs auteurs : certaines réaffirment la confiance dans le progrès scientifique et technique et croient en sa nécessité; d'autres le mettent sérieusement en doute et cherchent à en expliquer les ressorts politiques... Enfin, certains s'étonneront de voir la place accordée dans ce livre aux armes, aux questions militaires et aux techniques répressives. Il y a deux raisons principales à cela. D'une part, il est vrai que les découvertes scientifiques et les innovations techniques contribuent à modifier l'état des choses dans ces secteurs. Et il serait inutile (et même dangereux) d'ignorer que le « progrès », quoi qu'on en pense, c'est aussi cela... D'autre part, le rapport de la science et des militaires joue un rôle beaucoup plus déterminant qu'on ne le croit généralement dans le développement scientifique, technique, économique, et finalement, dans toute l'orientation de nos sociétés. N'est-il pas éclairant de savoir, par exemple, qu'en 1983 les États-Unis ont consacré à la recherche militaire 61,2 % du budget fédéral de recherche-développement contre seulement 3,5 % à l'avancement de la connaissance, c'est-à-dire de la recherche pure?

Marcel Blanc

Présentation et mode d'emploi

L'état des sciences et des techniques comprend quatre grandes parties.

1. Sciences, techniques et société

Cette partie examine comment les sciences et les techniques sont en train, au début des années quatre-vingt, de modifier de nombreux aspects de la société : vie quotidienne des individus, conditions de travail (emploi, durée, fatigue...), relations entre pays. Elle passe en revue les principales controverses et prises de positions suscitées par les sciences et les techniques et leurs impacts sociaux. Elle examine enfin les effets connus ou prévisibles sur les individus ou les populations des nouvelles techniques mises à la disposition des forces militaires ou répressives.

2. Calendrier scientifique

De janvier 1981 à juin 1983, les principales découvertes ou innovations dans tous les domaines ainsi que les événements importants de la politique scientifique sont signalés mois par mois au fur et à mesure qu'ils ont été annoncés.

3. Bilan des recherches

C'est la partie centrale de l'ouvrage, dans laquelle sont rapportées et expliquées les grandes avancées des sciences et des techniques dans la période située au tournant des années quatre-vingt. Cette partie est divisée en cinq rubriques :
● Sciences de la vie (biologie, médecine, agronomie, océanographie, écologie, anthropologie).
● Sciences et techniques de l'information et de la production (électronique, informatique, robotique, bureautique, techniques de la communication).
● Matériaux, énergie (sciences de la terre, océanologie, métallurgie, énergétique).
● Espace et cosmos (conquête de l'espace, planétologie, astronomie, cosmophysique, physique des hautes énergies).
● Les armes (nucléaires, spatiales, chimiques, biologiques).

Il est à noter que ce découpage des sciences et des techniques ne suit pas exactement le classement traditionnel que l'on trouve dans les encyclopédies ou les manuels universitaires. Ici, les diverses disciplines ont été rassemblées au sein de rubriques, qui, elles, répondent aux interrogations du grand public sur le progrès scientifique et technique.

4. Les déterminants du progrès

Cette partie examine les facteurs économiques et politiques qui déterminent les formes et le rythme du progrès scientifique et technique au niveau mondial. Elle est divisée en trois rubriques. La première compare l'effort de recherche entre les pays ou les firmes au moyen de tableaux statistiques des dépenses de recherche-développement. Des analyses commentées étendent ces comparaisons au niveau des politiques scientifiques suivies dans les diverses régions du monde (pays de l'OCDE, pays de l'Est, tiers monde). La deuxième rubrique examine les principaux rouages du financement, de l'organisation et du fonctionnement de la recherche-développement dans les différents pays. La troisième rubrique étudie les rapports entre l'économie et le progrès scientifique et technique.

5. Pour en savoir plus

Il s'agit d'un répertoire d'adresses utiles : principaux centres publics de recherche scientifique et de diffusion de l'innovation dans les pays francophones; principaux organismes internationaux se consacrant au développement des sciences et des techniques; principaux périodiques spécialisés en langue française.

6. Index

Les mots-clés permettent de retrouver l'information recherchée, soit au niveau d'un article qui traite le sujet, soit au niveau des articles qui mentionnent le mot-clé, soit au niveau du calendrier scientifique.

Comment l'utiliser ?

L'état des sciences et des techniques peut être utilisé de multiples façons. Le lecteur peut en effet pénétrer dans l'ouvrage soit par la table des matières, soit par l'index des mots-clés, soit par les renvois d'un article à l'autre. En effet, dans chaque article certains mots sont suivis d'un ou de plusieurs chiffres entre crochets. Il s'agit des pages où ce mot donne lieu à un développement dans un ou des autres articles. Pour un terme comme « microprocesseur », si l'on part de l'article sur les industries de l'électronique [488] où ce mot est mentionné, on pourra être renvoyé à l'article scientifique qui explique de quoi il s'agit [271], et de là, à l'impact social (la gadgétisation par les « puces » [21]; progrès technique et emploi [38]...) ou à la diffusion de la robotique industrielle [295]. Le système permet ainsi plusieurs cheminements du lecteur à travers l'ouvrage, complémentaires d'une lecture allant classiquement du début à la fin.

SCIENCES, TECHNIQUES ET SOCIÉTÉ

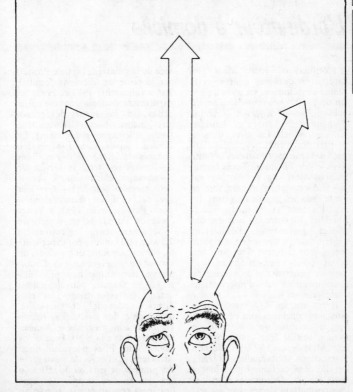

VIE QUOTIDIENNE

L'ordinateur à domicile

L'ordinateur entre dans les foyers : en quelques années, cette réalité s'est imposée au point qu'à la fin de 1982, l'hebdomadaire américain *Time* désignait comme l'« homme de l'année »... l'ordinateur individuel! En effet, dans la plupart des grands pays industrialisés, des micro-ordinateurs « familiaux » – de Thomson, Texas Instrument ou Atari – qui se branchent sur la « télé » couleur familiale, sont en vente dans les grands magasins, les supermarchés et même certaines librairies. En outre, au tournant des années quatre-vingt, l'ordinateur s'est introduit à domicile d'une autre façon, sous la forme d'un petit terminal : celui-ci permet aux particuliers de bénéficier d'un service de renseignements et d'informations « télématiques ».

Il est vrai qu'il y avait eu des pionniers : quelques dizaines de milliers de mordus de l'informatique avaient bricolé leur propre ordinateur. Mais depuis 1979, les télécommunications britanniques avaient installé dans certains foyers londoniens des petits terminaux d'ordinateur permettant de recevoir un service de télématique (appelé Prestel) sur le poste de télévision familial. Par la suite, entre 1981 et 1983, des expériences analogues ont été entreprises dans la plupart des grands pays industrialisés (Canada, Hollande, Allemagne, notamment). En France, depuis juin 1981, 1 200 abonnés du téléphone des environs de Rennes ont testé le service de l'« annuaire électronique » sur le petit terminal « minitel » que leur avaient fourni les télécommunications. Puis en juillet 1981, à Vélizy (près de Paris), et en septembre 1982, à Strasbourg, respectivement 2 500 et 600 familles ont expérimenté, sur leur terminal domestique, un service de renseignement et d'information télématique baptisé « Télétel ». Ces familles pouvaient ainsi obtenir les informations les plus diverses : nouvelles de l'actualité, programme des spectacles, renseignements administratifs ou bancaires, horaires de la S N C F ou d'Air France, etc. Elles pouvaient aussi participer, par l'envoi de messages, à des groupes de jeux ou de réflexion sur des thèmes donnés (groupes librement constitués par les participants à l'expérience). Elles pouvaient encore accéder à des jeux-vidéo proposés par des fabricants de jeux électroniques, ou à des programmes d'enseignement (grammaire, arithmétique, orthographe). Enfin, il est devenu de plus en plus fréquent en allant chez un médecin, un notaire ou un avocat, de voir celui-ci, au détour de la conversation, se tourner vers une petite machine dotée d'un clavier et d'un écran pour « l'interroger » sur tel ou tel point précis.

Comment en est-on arrivé là ? Une règle d'or préside désormais au développement de l'informatique : ses composants de base sont aujourd'hui les micro-processeurs, c'est-à-dire des circuits électroniques réalisant, sous un très faible encombrement, les « fonctions calculs » de base des ordinateurs [271]. Ces composants voient leur puissance croître régulièrement, alors que leur taille et leur coût ne cessent de s'abaisser, avec deux conséquences distinctes.

D'une part, des systèmes téléinformatiques font leur apparition. Il s'agit de gros ordinateurs, utilisés par exemple par la S N C F ou une banque, et qui sont reliés par voie téléphonique à des terminaux disséminés en de nombreuses agences du pays (ou même à l'étranger). Les employés de la banque ou de la S N C F peuvent créditer des comptes ou réserver des places directement depuis leur agence, en appelant l'ordinateur central. La télématique répond au même principe, à cette différence près que les usagers en sont les particuliers eux-mêmes et que les terminaux sont donc installés à leur domicile. Cela suppose que les services d'information offerts soient très variés et que les procédures d'accès et de lecture de celles-ci soient terriblement simplifiées.

D'autre part, les micro-processeurs permettent aujourd'hui l'apparition de micro-ordinateurs, appareils construits à partir d'un seul micro-processeur. Il existe une grande variété de micro-ordinateurs : la calculette programmable en est un type particulier, comme

l'est aussi l'ordinateur familial. Celui-ci est un appareil d'un faible encombrement, d'un prix accessible (aux alentours de 3 000 F), et peut se brancher sur les autres appareils du foyer, tels que le téléviseur, le magnétophone ou le magnétoscope.

Les handicaps de la télématique

Dans le domaine de la télématique, les simples particuliers peuvent donc désormais faire usage du vidéotex, c'est-à-dire recevoir des images formées de textes ou de graphismes divers : schémas, images stylisées, etc. Le vidéotex est diffusé, soit par voie hertzienne (comme à Pau, pour le système Antiope), soit par voie téléphonique (comme à Vélizy, pour le système Télétel). Les images du vidéotex peuvent être affichées soit sur l'écran du téléviseur familial (comme à Londres, Pau ou Vélizy), soit sur l'écran d'un petit terminal d'ordinateur, comme le minitel des usagers des environs de Rennes. De toute façon, dans le cas de l'affichage sur l'écran du téléviseur, l'usager dispose aussi d'un terminal couplé à cet appareil. Dans tous les cas, l'usager du vidéotex peut donc, au moyen de son terminal, faire apparaître sur son écran les informations qui l'intéressent plus particulièrement à un moment donné.

En fait, le vidéotex n'a pas jusqu'ici répondu aux espoirs de ses promoteurs. En Grande-Bretagne, le système Prestel a été boudé par les particuliers et on a dû le reconvertir en service télématique pour les entreprises. En France, à Vélizy, près d'un tiers des volontaires, désireux au départ de bénéficier de la télématique, ne se sont finalement pas servis de leur terminal [513]. Il semble que les gens aient été découragés, d'une part parce qu'il n'est pas si simple de se servir du terminal pour rechercher l'information dont on a besoin, et d'autre part parce que les informations et les services proposés sont relativement peu intéressants. Ce sont les jeux qui ont néanmoins été les plus demandés par les usagers de la télématique à Vélizy, puis, par ordre décroissant, les informations générales fournies sous forme de « journal », la messagerie (échanges de texte entre individus ou groupes) et les exercices éducatifs.

Jouer en famille

Dans le domaine des « micro-ordinateurs » individuels, on a observé un relatif échec des appareils qui devaient remplir des fonctions « domestiques ». Les fabricants espéraient qu'un ménage aurait pu se servir de cet appareil pour gérer son budget et planifier ses menus ou ses courses tout au long de la semaine (toutes tâches qui sont de simples transpositions de celles qui occupent les ordinateurs dans les entreprises). Mais les besoins en « gestion » des ménages ne justifient pas, en général, un tel recours à l'ordinateur. Et les foyers sont déjà bien encombrés d'appareils électroniques (chaîne Hifi, téléviseur, magnétoscope. etc.).

En fait, les seuls micro-ordinateurs « familiaux » qui rencontrent un certain succès sont ceux conçus pour les jeux « en famille » ou les programmes éducatifs. C'est pourquoi ils sont généralement distribués avec des bibliothèques de cassettes (ou de disquettes) préchargées de programmes de jeux ou d'éducation, accompagnés de leurs livrets. C'est d'ailleurs la raison pour laquelle les fabricants de micro-ordinateurs se lancent dans l'édition (c'est le cas de Texas Instruments) ou s'associent à des éditeurs (c'est le cas en France des associations Thomson-Nathan ou Atari-Hatier).

A l'avenir, le micro-ordinateur familial devrait avoir un compagnon, « le micro-ordinateur personnel », encore plus petit, moins cher, doté d'un écran plat et destiné à être transportable (en train, à l'hôtel...). C'est sur ce type d'appareil que travaille en France le Centre mondial informatique et ressources humaines de Jean-Jacques Servan-Schreiber. On peut en supposer l'apparition vers 1985...

Jean-Marie Charon

--- **BIBLIOGRAPHIE** ---

Ouvrages

LUSSATO B., *Le défi informatique*, Fayard, Paris, 1980.

NORA S. et MINC A., *L'informatisation de la société*, Seuil, Paris, 1980.

PAPERT S., *Le jaillissement de l'esprit, ordinateur et apprentissage*, Flammarion, Paris, 1981.

SCHWARTZ B., *L'informatique et l'éducation*, La Documentation française, Paris, 1981.

Actes du colloque « Informatique et société », La Documentation française, Paris, 1981.

Articles

« Informatique, matin, midi et soir », *Autrement*, n° 37, 1982.

« Informatique now », *Dialectiques*, n° 29, 1980.

La télévision venue de l'espace

Les premiers satellites qui furent lancés autour de la terre avaient pour vocation de renseigner les scientifiques sur la nature de l'univers. Au début des années quatre-vingt, bien que ces missions scientifiques n'aient pas été abandonnées, la tendance est aux applications utilitaires. L'espace, après la terre, est aussi devenu un champ d'exploitations commerciales. C'est ainsi qu'avec des satellites de télévision directe, va s'ouvrir une nouvelle ère pour les téléspectateurs : ceux-ci devraient pouvoir recevoir, dans de meilleures conditions, un nombre plus important de programmes.

Dès 1985, la République fédérale d'Allemagne en avril, suivie en juin par la France, seront les deux premiers pays au monde à disposer de satellites de télévision directe ou de télédiffusion : « TV. Sat » pour l'Allemagne et « TDF 1 » pour la France. Ce qui distingue les satellites de télévision « directe » des autres satellites de télécommunications [378] qui retransmettent des émissions de télévision (comme les émissions de « mondiovision »), c'est qu'ils pourront être captés « directement » par les antennes des téléspectateurs. Il faut rappeler que le système de transmission par la voie hertzienne normale exige au sol une multitude d'émetteurs et de réémetteurs. Malgré cet imposant quadrillage, on trouve dans tous les pays un nombre élevé de personnes qui ne reçoivent pas du tout, ou qui reçoivent avec une qualité médiocre, les émissions ainsi transmises. En France, par exemple, pour pallier ces difficultés de transmission dues en partie aux accidents du relief, il faudrait doubler l'ensemble des équipements hertziens utilisés par les trois chaînes françaises ! Financièrement, une telle solution ne peut être envisagée... Seul l'emploi de satellites, sortes de grands miroirs renvoyant les ondes hertziennes, permettra de régler ce problème, mais aussi de multiplier les possibilités de réception de tous les téléspectateurs.

Mais pourquoi les satellites de télévision directe n'ont-ils pas vu le jour plus tôt ? La réponse est simple : parce que l'on n'a pas su les réaliser avec les techniques antérieures. Car pour qu'un satellite puisse retransmettre à tout un pays, un, deux ou trois programmes de télévision, il faut qu'il dispose à bord d'une puissance électrique relativement élevée. Ce que la technologie jusqu'ici ne pouvait permettre. En vérité, un satellite de télévision directe n'est rien d'autre qu'un émetteur placé sur une orbite située à 36 000 kilomètres de la terre. On imagine aisément que pour que chaque téléspectateur puisse recevoir directement l'émission retransmise par le satellite, celui-ci doive disposer d'une forte puissance. Conséquences : les satellites de télévision directe seront de gros satellites (« TDF 1 » pèsera 2 050 kg au sol et plus de 1 000 kg sur son orbite); leurs puissances électriques seront très élevées (plus de 3 000 watts) et ils seront dotés de grandes antennes réémettrices et de grands panneaux solaires. Situés à 36 000 kilomètres de la terre sur une orbite dite géostationnaire, ils tourneront en effet à la même vitesse angulaire que notre planète et apparaîtront, de ce fait, immobiles dans le ciel pour un observateur terrestre. Ce qui évitera d'installer au sol des équipements sophistiqués et coûteux de repérage et de poursuite. Une simple antenne parabolique d'environ 90 cm de diamètre, couplée à une boîte noire électronique, sera suffisante pour capter les images envoyées de l'espace. Cette nouvelle antenne pourra être installée sur une façade, un toit ou dans un jardin. Son coût (y compris celui de la boîte noire) ne devrait pas dépasser 50 % du prix d'un téléviseur.

Une profusion de projets

Après l'Allemagne et la France, d'autres pays envisagent également de lancer des satellites de télévision directe. L'Agence spatiale européenne (ESA) en collaboration avec la Grande-Bretagne, l'Italie, les Pays-Bas, le Canada, l'Espagne, le Danemark et l'Autriche, travaille sur le projet « L. Sat » (« L » signifiant large). Puissant satellite, « L. Sat » permettra la retransmission de deux programmes de télévision, mais aussi de données et de télécommunications [378].

Les Suédois, pour leur part, étudient un satellite mixte télécommunication-télévision baptisé « Télé-X ». Les Anglais, mais cette fois-ci sans coopération extérieure, envisagent de lancer un satellite également mixte télécommunications-télévision et dénommé « Uni-Sat ». De même, les Suisses avec « Tel-Sat » et le Luxembourg avec « Lux-Sat » sont aussi dans la course. Tous ces projets verront-ils le jour ? Il est peu probable à moyen terme que tous les pays réalisent leurs ambitions. Mais il ne fait aucun doute en revanche que les satellites de télévision directe vont se multiplier dans l'espace.

Ainsi, les États-Unis qui depuis quelques années semblaient ne pas s'intéresser à ce créneau, ont révisé leur position en 1982 et rien n'empêche de penser que d'ici à 1985-1986, ils posséderont eux aussi un satellite de télévision directe. Tout comme le Japon qui avec son projet « BSE » pourrait à cette même époque disposer d'un tel outil.

Pour le téléspectateur français, quelles vont être les retombées de cette nouvelle étape de la conquête spatiale? Lorsque « TDF 1 » sera placé sur son orbite, les experts estiment que plus de 100 millions de téléspectateurs pourront le capter! Concrètement, « TDF 1 » devrait être reçu dans d'excellentes conditions par tous les téléspectateurs français, suisses, belges et luxembourgeois, et bien sûr aussi par ceux d'Andorre et de Monaco. Mais la zone couverte ne sera pas limitée à ces seuls pays. De forme elliptique, elle touchera également des téléspectateurs se trouvant situés au sud-ouest de la République fédérale d'Allemagne (Rhénanie et Palatinat), en Autriche (Vorarlberg), en Italie (Piémont et Lombardie), aux Pays-Bas (en presque totalité), en Angleterre (en presque totalité), en Irlande (pour une faible part) et en Espagne (dans le quart nord-est, Catalogne et Pays basque). Soit au total plus de 100 millions de téléspectateurs! De même, lorsque l'Allemagne, le Luxembourg, la Belgique, la Suisse, l'Autriche, l'Italie et les Pays-Bas seront en possession de leur propre satellite de télévision directe, les Français pourront aussi

BIBLIOGRAPHIE

Articles

DENIS-LEMPEREUR J., « L'Europe des satellites », *Sciences et vie*, numéro hors série, « La TV demain », 1982.

DURIEUX C., « TDF 1, satellite français de radiodiffusion », *L'aéronautique et l'astronautique*, n° 91, 1981.

Dossiers

Les satellites de diffusion directe, Édition TDF, Paris, 1981.
La télévision directe, Délégation interministérielle aux techniques audiovisuelles, Paris, 1980.

recevoir leurs différents programmes. Soit sept programmes de télévision en plus des programmes diffusés par « TDF 1 », à quoi il faut ajouter les trois programmes (TF1, A2 et FR3) dont dispose déjà la France. Il faudra naturellement équiper les téléviseurs d'une boîte noire capable de sélectionner toutes les émissions. Reste le problème du contenu de si nombreux programmes... et de la concurrence avec les programmes qui seront diffusés par câble [18]!

Antoine Thiboumery

La monnaie électronique : une révolution silencieuse

Alors que l'agriculture et l'industrie connaissent des bouleversements technologiques depuis près de deux siècles, ce n'est que depuis le milieu des années soixante-dix que la monnaie électronique a commencé à transformer le métier du banquier et du commerçant. Il existait bien auparavant certaines formes traditionnelles de monnaie électronique : ce sont notamment les « avis de prélèvements » (utilisés, par exemple, pour le paiement des impôts lorsque celui-ci est mensualisé) et les « titres universels de paiement » (TUP, utilisés pour les paiements de factures d'électricité ou de téléphone). Ces moyens de paiement sont traités, en effet, par des ordinateurs réalisant automatiquement les compensations entre banques. Mais c'est l'apparition au début des années soixante-dix des cartes de paiement qui marque la véritable date de naissance de la monnaie électronique.

Il existait en 1983 deux technologies concurrentes en matière de cartes. La première est celle des « cartes magnétiques », détenues par sept millions de Français (carte bleue, carte verte du Crédit agricole, CCP 24/24, etc.). Elles sont peu coûteuses à fabriquer (5 francs environ par carte), mais relativement peu fiables (possibilité de panne mais aussi de fraude : des informaticiens malintentionnés [111] peuvent en percer le code secret). C'est leur sécurité qui fait à l'inverse le charme des cartes dites « à mémoire »; elles possèdent un micro-circuit électronique (« puce », ou micro-processeur [271]) qui rend la lecture du code secret pratiquement impossible. Mise au point en 1975, cette technologie d'origine française, malgré son coût (100 francs en 1983 et 20 francs lorsque les cartes seront produites en très grande série), a fait l'objet de trois expériences en France (Blois, Lyon et Caen) et de deux autres aux États-Unis.

La concurrence entre ces deux types de cartes et un des enjeux stratégiques de la décennie quatre-vingt. Dans cette optique, la carte à mémoire a d'importants atouts : pratiquement « indétournable » et dotée d'importantes capacités de calcul et de mémorisation, elle a bien d'autres domaines d'application que le paiement : badge d'identification militaire, carnet de santé automatique... Cependant, au lieu de se faire concurrence, ces deux technologies peuvent se combiner : une carte équipée à la fois d'une « puce » et d'une piste magnétique, jouissant donc des avantages de l'une et de l'autre, est parfaitement envisageable.

Mais, qu'elles soient « à mémoire » ou « magnétiques », les cartes de paiement n'ont de conséquences monétaires qu'au travers des multiples automates bancaires qu'elles

permettent d'activer. Ceux-ci sont aujourd'hui au nombre de cinq :
– les « distributeurs automatiques de billets » (DAB), qui permettent d'effectuer des retraits d'espèces 24 heures sur 24;
– les « guichets automatiques de banque » (GAB), qui ajoutent à cette fonction la possibilité de déposer des espèces ou des chèques et d'effectuer des virements de compte à compte;
– les « terminaux points de vente » (TPV), caisses enregistreuses automatisées qui permettent, dans les magasins de détail, que soit débité automatiquement le compte du client au profit de celui du commerçant (une première expérience de ce type a été réalisée en 1979 par le CIC à Bourg-en-Bresse);
– les « terminaux financiers », installés dans les banques ou les entreprises, qui permettent une mise à jour automatique des informations comptables, et effectueront demain des transactions de toute nature;
– les « terminaux vidéotex » [10] enfin, semblables aux terminaux utilisés dans les expériences d'annuaire électronique, qui permettent d'effectuer les principales opérations bancaires à domicile.

La crise du chèque

Tels étaient au début des années quatre-vingt les principaux visages de la monnaie électronique. Mais le tableau ci-dessous montre que ces matériels ne connaissaient encore qu'une diffusion relativement limitée. Les freins à la diffusion de ces technologies nouvelles étaient en effet nombreux. Il y avait d'abord des freins techniques, liés à l'incompatibilité de certains matériels : les distributeurs automatiques de billets des différentes banques françaises n'acceptaient jusqu'en 1982 que les cartes de leurs clients. On trouvait ensuite des freins économiques : chaque guichet automatique de banque coûtait 500 000 F environ et n'était rentabilisé qu'au-delà de 3 500 transactions par mois. Enfin, existaient aussi des freins sociaux : des consommateurs américains ont, par exemple, refusé d'utiliser des terminaux « points de vente » débitant instantanément leur compte. D'autre part, certaines organisations syndicales s'opposaient au développement de la monnaie électronique, craignant les effets de l'automatisation sur l'emploi bancaire.

Malgré ces freins, la monnaie électronique semblait promise à un brillant avenir. La cause en est, en France tout au moins, une crise du chèque qui incite les banques à promouvoir des moyens de paiement moins coûteux : trois milliards de chèques ont été émis en 1982 (+ 15 % par rapport à 1981) dont le coût de traitement unitaire avoisine 7 francs (contre 1 franc environ pour la monnaie électronique). Cela constitue une pression à la rationalisation d'autant plus forte que l'on s'astreint à la désinflation... La « checkless society » n'est certes pas pour demain : les chèques devraient re-

DIFFUSION DE LA MONNAIE ÉLECTRONIQUE DANS LES PRINCIPAUX PAYS DÉVELOPPÉS

(nombre de cartes détenues et nombre d'automates installés)

	ÉTATS-UNIS			JAPON			RFA			FRANCE		
	Cartes *	DAB GAB	TPV	Cartes *	DAB GAB	TPV	Cartes *	DAB GAB	TPV	Cartes *	DAB GAB	TPV
1981	577	22 500	450 000	67	16 500	120 000	14	700	21 400	12	4 000	15 000
1986	n.d	112 000	950 000	n.d	49 000	n.d	n.d	3 500	77 000	n.d	11 000	57 000

* en millions

présenter encore 65-70 % des règlements scripturaux en 1990. Mais les enjeux de la monnaie électronique sont d'autant plus stratégiques qu'elle apparaît comme une issue possible à la crise actuelle du système de paiement français.

Quatre types d'enjeux

Les enjeux sont de quatre types.

– Les enjeux *industriels* : tandis que le marché européen des automates bancaires (D A B, G A B et T P V) devrait passer de 850 millions à 3 milliards de dollars entre 1981 et 1987, 21 % seulement des ordinateurs installés en France en 1981 l'étaient dans le secteur des banques et assurances. Dans ce domaine, la France est quasi absente en matière de gros ordinateurs (75 % du marché bancaire français est contrôlé par I B M et Burroughs) et de terminaux « point de vente » (taux de pénétration étrangère en France : 100 %...). Elle peut cependant exporter sa technologie en matière de « carte à mémoire » et de vidéotex (à supposer que les normes techniques françaises arrivent à s'imposer au niveau international [508]). Et elle dispose d'atouts importants dans le domaine des logiciels (programmation), (notamment la Stéria et la Sligos, filiales de la B N P et du Crédit Lyonnais).

– Les enjeux sociaux. L'automatisation des transactions financières menace l'emploi bancaire : en 1982, la Girard Bank américaine a ainsi fermé treize succursales lors de la mise en place de son réseau de guichets automatiques de banque. Dans ce domaine, le principal problème (en France surtout) tient à la très grande jeunesse du personnel bancaire : cela ne permet guère de compenser par des départs à la retraite les gains de productivité réalisés grâce aux automates bancaires. Un élément de solution ne peut venir que d'un très intense effort de formation : en 1983, les banques françaises allaient ainsi devoir recycler en dix ans plus de 100 000 personnes. Il était également nécessaire que baisse rapidement la durée du travail et que soit développé le travail à temps partiel.

– Les enjeux monétaires. Alors que la politique monétaire de tous les pays développés, sans exeption, est centrée sur le contrôle de la masse de monnaie en circulation, le développement de la monnaie électronique accroît le rôle d'une variable supposée jusque là constante : la vitesse de circulation de la monnaie. La vitesse de rotation des dépôts à vue dans les banques françaises est passée de 100 à 181 de 1970 à 1980. Cette évolution, que favorise incontestablement la diffusion de techniques de transfert automatique de fonds et qui traduit par ailleurs une rationalisation du comportement financier des ménages cherchant à se protéger contre l'inflation, rend caduque toute politique monétaire qui vise à contrôler les stocks et non les flux du type de celle menée par Reagan aux États-Unis bien sûr, mais aussi – au même moment – en France avec l'encadrement du crédit).

– Mais l'enjeu le plus fondamental de la monnaie électronique est d'ordre financier. Les multiples innovations technologiques dans ce domaine devraient, en effet, conduire à une remise en cause des frontières entre banques, commerce et industrie. De même que la banque a assuré sa domination à travers la généralisation du chèque, de même les nouveaux moyens de paiement que constituent les cartes offrent au commerce, voire à l'industrie, la possibilité de renforcer leur poids dans le contrôle des flux financiers. L'exemple américain est de ce point de vue significatif. Alors que la Citibank (la seconde banque américaine) renforçait sa présence dans le conseil de gestion aux entreprises par l'intermédiaire de sa filiale informatique Citishare, Sears and Roebuck, la première chaîne de grands magasins américains, était en 1983 en train de devenir le plus important conglomérat financier nord-américain. Qu'on en juge : 50 millions de cartes de paiement, 859 « points de vente » de services financiers, le contrôle d'une compagnie d'assurance (Beneficial) et d'une banque d'affaires (Dean Witter) et, depuis 1982, une expérience de télépaiement unique au monde (en collaboration avec ATT). Au moment où Carrefour lançait en France la carte « Pass » pour concurrencer les cartes de paiement bancaires, on était ainsi en droit de se demander si la monnaie électronique n'allait pas conduire à une complète redistribution des cartes dans le domaine financier...

Olivier Pastré

BIBLIOGRAPHIE

Ouvrages

GAUTRAS N., *La monnaie électronique*, Rapport au Conseil économique et social, Journal officiel, Paris, 1982.

Banque des règlements internationaux, *Payment Systems in Eleven Developped Countries*, Bâle, 1980.

FLANERY M.J., JAFFEE D.M., *The Economic Implications of an Electronic Monetary Transfer System*, Lexington, New York, 1979.

National Commission on Electronic Fund Transfer, *EET in the United States*, CPO, Washington, 1977.

CREI, *L'électronisation des flux monétaires* (sous la direction d'O. Pastré), Université Paris-XIII, 1983.

Articles

La revue *Banque* publie régulièrement des articles consacrés à la monnaie électronique et consacre chaque année un numéro spécial au thème « Banque et Informatique ».

De la télévision par câble à la vidéocommunication

Au début de 1984, 1 500 habitants de Biarritz devaient être reliés à un réseau de vidéocommunication : par leur prise téléphonique, ils peuvent recevoir des programmes de télévision; des programmes de radio en modulation de fréquences; des communications téléphoniques avec image de leur correspondant (visiophone)... Comment en est-on arrivé là ?

La télévision par câble, ou « télé-distribution », est née aux États-Unis à la fin des années quarante, afin de permettre aux familles qui ne recevaient pas l'ensemble des stations de télévision disponibles dans leur zone, de les capter dans de bonnes conditions. Sous cette forme, la télédistribution apparaît comme un simple prolongement de la télévision classique pour des zones géographiques ayant une mauvaise couverture hertzienne. Au milieu des années soixante-dix, 15 % des ménages américains étaient ainsi abonnés à de tels réseaux. Mais le câble a comme principal avantage de pouvoir véhiculer simultanément entre dix et trente canaux de télévision. Une fois donc les premières infrastructures établies, les réseaux américains ont commencé à proposer des chaînes spécialisées, à péage ou gratuites. Depuis 1978, ces nouvelles chaînes sont transmises à chaque réseau de télédistribution par l'intermédiaire de satellites de télécommunications [378].

En dehors de l'Amérique du Nord depuis le début des années soixante-dix, le câble s'est également développé dans les petits pays européens (Belgique, Pays-Bas, Suisse, Autriche). Dans ce cas, l'usage du câble est différent : il permet de recevoir des télévisions étrangères pour lesquelles il y a une forte demande. Ainsi, plus de la moitié des téléspectateurs wallons (qui sont câblés à 85 %) regardent chaque soir la télévision française ou luxembourgeoise.

En France, comme en Angleterre et en Allemagne, les réseaux de diffusion hertziens ont une bonne couverture du territoire et il n'y a pas, par ailleurs, de réelle demande pour les télévisions étrangères. Aussi jusqu'en 1982, la télédistribution française était très peu développée. Pourtant, dès 1973, le gouvernement français avait pris une première série de décisions pour lancer cette nouvelle technologie, sélectionnant dans ce but sept villes « expérimentales ». L'année suivante le nouveau président de la République interrompit ces projets. Un décret de 1977 précisa que les réseaux de câble ne pouvaient distribuer que les chaînes de télévision reçues normalement sur le site. Au contraire, la loi du 29 juillet 1982 sur la communication audiovisuelle libéralise l'utilisation de la télédistribution (des organismes publics locaux ou privés peuvent programmer des émissions). C'est dans le cadre de cette nouvelle loi, que le gouvernement a lancé, le 3 novembre 1982, un plan de cons-

truction des réseaux câblés. A peu près à la même date, l'Angleterre et l'Allemagne prenaient également des mesures pour développer le câble.

Le programme français s'inscrit dans un contexte d'établissement planifié des réseaux. D'ici la fin du siècle, il faudra en effet répondre à plusieurs demandes : celle venant des ménages en matière de télévision par câble, puis d'une deuxième ligne téléphonique, celle venant des entreprises dans le domaine de la télématique à haut débit, des téléconférences... Plutôt que d'installer des réseaux correspondant à chacun de ces usages, il a semblé préférable de confier à la Direction générale des télécommunications (DGT) la construction d'un seul réseau qui satisferait toutes ces utilisations. Il s'agit donc d'un réseau de *vidéocommunication,* qui sera construit en plusieurs étapes. La DGT installera tout d'abord des réseaux locaux puis les interconnectera pour constituer un réseau national.

Place aux collectivités locales

Sur le plan technique, on pouvait soit construire ces réseaux en câble coaxial (câble de cuivre classique) comme aux États-Unis ou en Belgique, soit miser sur des technologies plus performantes, actuellement en cours de développement. C'est cette seconde voie qui a été choisie en décidant de privilégier une nouvelle technique de distribution : les câbles en fibres optiques [315]. On donnait ainsi la possibilité aux industriels français d'investir dans ces technologies de pointe et de gagner des marchés à l'étranger.

Contrairement à ceux de télédistribution, un réseau de vidéocommunication est « multiservice » : il doit donc pouvoir offrir une gamme d'usages beaucoup plus diversifiée que la simple distribution de programmes de télévision. Ces services nouveaux nécessitent que l'usager puisse non seulement recevoir de l'information mais en émettre, afin de pouvoir dialoguer avec d'autres usagers ou avec des banques d'images. Pour pouvoir remplir ces différentes fonctions, les réseaux de vidéocommunication ont une structure en étoile (chaque usager est relié directement à un centre de distribution avec deux voies, l'une descendante – du centre à l'usager –, l'autre montante – de l'usager au centre –) analogue à celle des réseaux de télécommunications. Par contre les réseaux de télédistribution possèdent une structure arborescente (l'information circule de la station de tête vers les usagers à travers une série d'artères qui se subdivisent petit à petit).

En dépit de la proximité technique et administrative entre télécommunication et vidéocommunication, la D G T ne prétend pas assumer l'ensemble des tâches liées à ces nouveaux réseaux (programme d'émissions, etc.); elle se contente de les construire et de les louer à des sociétés d'exploitation locale. Ces entreprises, qui sont des sociétés d'économie mixte, sont créées à l'initiative des collectivités locales qui en sont l'un des principaux actionnaires. Les municipalités ont donc l'initiative du câblage; elles choisissent les quartiers qu'il conviendra de câbler en priorité. Pour confirmer leurs décisions, elles financent environ 30 % des investissements à titre d'avances remboursables.

Les collectivités locales sont également partie prenante, à travers les sociétés d'exploitation des réseaux locaux, de la conception et de l'organisation des programmes et des services de télédistribution (TV locale ou télématique locale). Si on note, par ailleurs, qu'elles jouent un rôle important dans le financement des radios locales et sont déjà les interlocuteurs privilégiés de la D G T pour la mise en place de la télématique, il apparaît que les collectivités locales sont l'un des partenaires essentiels du développement des nouveaux médias en France.

Plus d'images à consommer?

Tant au niveau technique qu'industriel et administratif, le plan français de vidéocommunication comporte des spécificités importantes par rapport aux systèmes de télédistribution existant dans d'au-

--- **BIBLIOGRAPHIE** ---

Ouvrages

FLICHY P., *Les Industries de l'imaginaire*, Presses universitaires de Grenoble, Grenoble, 1980.

Images pour le câble, Documentation française, Paris, 1983.

Dossiers

MEXANDEAU L., *Rapport sur l'accélération de l'équipement de la France en réseaux câblés*, Ministère des PTT, Paris, 1982.

Hunt Commitee Report on Cable Systems, Her Majesty's Stationery Office, Londres, 1982.

« Le câble », *Problèmes audiovisuels n° 7*, Documentation française, 1982.

« La télévision de demain », numéro spécial de *Sciences et Vie*, Paris, 1982.

tres pays. Mais l'originalité du modèle français du câble se limite-t-elle à la mise en place des réseaux ou se manifestera-t-elle également dans le domaine des programmes? Il est encore difficile de le dire dans la mesure où la montée en charge du plan câble sera lente : 1 500 usagers doivent être raccordés en 1984 (sur le site expérimental de Biarritz), 100 000 en 1985, 300 000 en 1986, 1 million en 1987. Quels programmes les réseaux de vidéocommunication vont-ils offrir : se contenteront-ils de diffuser les chaînes de télévision étrangères auxquelles s'ajouteront dans quelques années les chaînes par satellite [378]? De nouvelles chaînes vont-elles naître? Que programmeront-elles? La multiplication de ces chaînes ne va-t-elle pas entraîner une importation massive de programmes étrangers et notamment américains? Au contraire, utilisera-t-on les possibilités d'interactivité offertes par la vidéocommunication pour permettre au téléspectateur d'accéder aux émissions qu'il demande?

On le voit, les usages de la vidéocommunication restent encore fortement indéterminés. S'agit-il d'offrir plus d'images à consommer, ou d'autres images? La vidéocommunication sera-t-elle un nouveau médium qui suscitera la création de produits audiovisuels spécifiques, ou au contraire un nouveau système de distribution des images existantes? Mais le câble offre également d'autres possibilités, dans le domaine de l'éducation, des jeux vidéo, de la messagerie entre individus, de la vente par correspondance, des systèmes de surveillance... Il faut explorer ces différentes voies pour que le câble ne soit pas seulement un nouveau système technique mais également un nouvel instrument de culture.

Patrice Flichy

La gadgétisation par les puces

La société industrielle de l'Occident, dans sa fabrication indéfinie d'objets, outils de situations de plus en plus fines et d'actes de plus en plus complexes, a instauré une profusion d'objets fabriqués (800 000 objets divers aux Galeries Lafayette!). Cela désormais pose question à l'échelle individuelle : qu'en fait-on? Sont-ils vraiment les outils d'une quelconque situation réelle par laquelle l'individu acquiert momentanément une supériorité sur le monde? Plusieurs facteurs ont joué pour mettre en question progressivement les objets de *la vie quotidienne*.

Il y a eu d'abord la fabrication de série, qui a commencé avec la manufacture. A la fin du XXᵉ siècle, cette technique semble moins avoir pour but de fabriquer des objets pour répondre à des demandes, que de fabriquer des postes de travail pour les faire occuper par les ouvriers. Les usines sont-elles faites pour faire des presse-purées ou pour faire des emplois? Question qui se pose avec acuité au début des années quatre-vingt.

Il y a eu le passage de l'objet comme outil à l'objet comme prestige, bien dénoncé par Baudrillard. Celui-ci a montré que la fonction de l'outil détermine de moins en moins la fabrication. Bien plutôt, c'est la possession de cet outil, et donc de cette fonction, qui est la véritable motivation du citoyen de la société consommatoire. La fonction sociale d'être possesseur d'une chaîne haute fidélité se substitue à la fonction d'écouter de la musique dans de bonnes conditions.

Mais depuis la fin des années soixante-dix, le prestige prend une nouvelle dimension, celle du « miracle » technologique. Nous vivons l'invasion des « puces » : ce terme charmant a été imaginé pour désigner les micro-processeurs [271], ordinateurs spécialisés à l'échelle d'une fonction, lorsqu'ils ont atteint précisément la grosseur de cet aimable animal. Les puces adjoignent aux appareils domestiques, tant électroniques (le tuner, le téléviseur, la commande à distance) qu'à ceux qui, jusqu'à présent, sont restés de nature foncièrement mécanique ou électro-mécanique (la machine à laver, le réfrigérateur, le grille-pain, l'automobile), toute une série de fonctions supplémentaires, d'automatismes variés. Ceux-ci visent à nous épargner le dernier effort encore requis pour l'usage de ces appareils, « penser à ce que nous faisons », suivre correctement les étapes d'un processus, ne pas en oublier une avant d'en entreprendre une autre, devenir maître de séquences d'actions qui exigeraient de nous le plein temps et, surtout, la pleine conscience.

Que faire d'une puce cassée?

Nous voici donc à l'époque de la gadgétisation par les puces – puisqu'il faut bien employer ce terme qui a fait fortune. Une immense industrie s'amorce, qui se greffe littéralement sur l'industrie déjà existante. Derrière tout appareil, toute mécanique, tout système qui exige pour son utilisation une séquence définie d'actes dans un ordre donné – ce que les techniciens appellent légitimement un programme, et que les sociologues ont tendance à appeler un rituel technologique – se situera une industrie d'automatisation fournissant au consommateur, ou à l'utilisateur du système, des programmes tout préparés lui épargnant la peine légère mais obsédante de penser ce qu' « il » fait. Dans le cours du temps où la machine le fait, nulle peine, même légère, ne lui sera infligée ; merveilleuse reconquête d'un temps libre !

Les puces apportent donc une nouvelle source de prestige pour l'être consommateur, celle des merveilles de l'informatique et de l'automatique, appliquées à la vie quotidienne. Les robots sont parmi nous, disaient les auteurs de science-fiction... L'électronique s'est faite discrète pour envahir le monde : « Small is beautiful », Fritz Schumacher n'avait pas prévu cet aspect « kitsch » de la beauté dans la petitesse.

Pourtant, devant cette automatisation forcenée qui va se poursuivre inéluctablement au fil des remplacements des modèles et des outils anciens dans la sphère quotidienne, par de plus beaux, de plus modernes, de plus automatiques, le sociologue de la technique voit s'amorcer une chaîne de conséquences, qui rejaillit sur le comportement humain. Cette expérience, la société mécanisée l'avait déjà éprouvée sous une autre forme. Lorsque l'objet mécanique a pris le relais de l'objet artisanal, ce fut alors le problème de la *réparation* et du *dépannage*. Le consommateur, la ménagère se trouvèrent confrontés, dans la coquille de leur maison, à des appareils qu'ils ne dominaient plus. Auparavant, si la ménagère voyait se dégrader son hachoir ou son four à gaz, elle savait pourquoi et comment il fallait le réparer, qu'elle le fît elle-même ou qu'elle en chargeât un artisan ou un ouvrier, sur lesquels elle conservait ce que le psychologue appelle « la maîtrise cognitive ». Désormais, elle avait affaire aux carters fermés avec ces serrures rudimentaires que sont les boulons à six pans, aux moteurs ronflants qui refusaient de ronfler, aux câbleries et tuyauteries dont elle ne pouvait suivre les entrelacs... En bref, elle se trouvait *soumise* – accidentellement, s'entend – à la dictature du réparateur, du dépanneur, modestes héros de la civilisation mécanologique, sauveurs incontestés des intérieurs domestiques, accueillis avec d'autant plus de triomphe que la machine avait été plus révérée et s'était mieux incorporée dans la vie quotidienne.

Que dire alors devant ces triomphes de la technologie investis par les puces? Que faire s'ils sont défaillants, mal soudés, surchauffés, contusionnés, etc. Ô, détresses innombrables, frustrations, agressivités!

Rassurons-nous, les fabricants ont prévu tout cela. Il eût été trop imprudent pour eux de laisser l'individu face à sa frustration, même après avoir acheté l'appareil. Le fabricant s'engage à dépanner, à réparer, c'est l'idée de garantie calquée sur le modèle d'une « assurance sociale » de ces êtres mécaniques qui doivent vivre en symbiose avec nous.

Ainsi, tous nos gadgets sont garantis : le stylo-calculateur, la rôtissoire à ultra-fréquence, la machine à laver avec puce, tous ces merveilleux objets de la grande frénésie productrice – et donc consommatrice – nous sont vendus garantis. Ils nous apportent la sécurité mentale du petit papier écrit en lettres bleu-pâle et microscopiques sur fond confus, par lequel le fabricant nous jure fidélité au cas où, par hasard – mais qui pourrait y songer –, la puce serait morte, le micro-processeur dessoudé, le four carbonisé... Les pièces nous en seront remplacées *gratuitement*; nous ne sommes plus dépendants de l'être mécanique, nous pensons en être tout aussi

maître que de l'antique moulin à café. L'effroi que nous pourrions ressentir devant un objet magique dont la complexité nous dépasse est dûment compensé par la garantie.

La société de maintenance

En fait, la garantie se limite le plus souvent au remplacement gratuit des pièces défectueuses. Elle laisse de côté la main-d'œuvre nécessaire pour ce remplacement, et même si elle l'inclut, elle oublie la privation de jouissance, elle néglige les troubles et les traces qu'apporte le recours aux dépanneurs, elle néglige en bref les éléments de ce que la micro-psychologie appelle le *coût généralisé* d'une action : le temps, l'effort, le souci, la complication des démarches, les faux frais, toutes choses qui passent à la charge du consommateur, alors que, quand celui-ci s'est procuré une merveille programmée de la technologie, il a, dans sa candeur, crû acheter avant tout une « fonction » et non pas seulement un objet matériel.

Et le consommateur s'aperçoit aussi que le miracle technologique dû aux puces n'est pas qu'une métaphore, mais qu'il a quelque chose de transcendental : l'*intérieur des objets* échappe désormais au commun des hommes... C'est un « lieu sacré » auquel l'individu n'a nul accès et où se déroulent des processus auxquels il ne peut participer, car un formidable rempart d'outillages et de connaissances – possessions privilégiées de quelques spécialistes – l'en séparent.

Le consommateur est désormais dépendant du système social de dépannage, lequel se développe, s'hypertrophie en un réseau formé de la firme et ses sous-marques avec l'ensemble de ses points de vente, de ses ateliers, de ses stocks de pièces. Point de salut en dehors de la société de maintenance !

L'individu peut-il réagir à ce dernier stade de la technologisation de la vie quotidienne ? Il n'a aucune autre alternative à la dépendance technologique que l'ascétisme consommatoire. Or, l'ascétisme n'est guère de mise dans une société à dominance hédoniste. Pourquoi se priver de la cuisinière automatique, de la télévision télécommandée, des vertiges culturels du magnétoscope pour cette triviale raison qu'ils nous rendent dépendants de façon absolue du réseau des réparateurs : une telle idée est hors du sens du « Welfare State » *(État de bonheur)* !

L'individu paiera cette opulence de fonctions et de possibilités par une socialisation forcée, liée à sa dépendance nécessaire. Cultivé ou ignorant, intelligent ou stupide, connaisseur ou profane, il se trouve soumis aux réseaux qui produisent l'objet, le changent, le perfectionnent, et qui jugent, souverains, de la possibilité de le réparer. Le consommateur devient esclave social, il est lié par le tissu invisible des réparateurs et des garanties au système qui l'a produit. Il y a là une nouvelle situation du monde de la consommation.

Abraham A. Moles

L'évolution des modes de transport

En Europe, aux États-Unis et au Japon, l'automobile continue à se développer. La crise de l'énergie et l'encombrement des villes ont donc amené les autorités et les industriels à concevoir des systèmes nouveaux de transport tant au niveau urbain qu'interurbain.

C'est depuis la fin des années soixante que des systèmes de transport urbain automatiques ont été développés en Europe, au Japon et aux États-Unis. Leur objectif était de réduire les coûts d'exploitation, d'augmenter la vitesse commerciale et le confort, de présenter une meilleure possibilité d'insertion dans les réseaux urbains grâce à une taille plus réduite que les métros classiques et une plus grande attractivité grâce à des possibilités d'utilisation individuelle.

Où en est-on au début des années quatre-vingt ?

VAL, POMA 2000, ARAMIS

Parmi les systèmes développés en France, trois méritent une attention particulière : le VAL, le système POMA 2000, le système ARAMIS.

Le système VAL (Véhicule automatique léger) est conçu pour les agglomérations importantes ou de taille moyenne. Il se distingue d'un métro sur pneus classique essentiellement par son petit gabarit et par son automatisme intégral. Celui-ci représente un pas supplémentaire dans l'automatisation, puisqu'il assure même les quelques fonctions encore remplies par le conducteur dans un métro à pilotage automatique comme celui de Paris (marche en cas de perturbation, départ de station). Ainsi les opérateurs du poste central de commande de la ligne VAL sont informés de l'état des divers équipements du véhicule et peuvent commander la rentrée d'une rame au terminus en cas de panne d'un équipement. Ils peuvent même, dans les cas exceptionnels, commander l'accostage et le poussage automatique (à vitesse légèrement réduite) d'une rame en panne complète. Les quais de station sont séparés de la voie par des parois équipées de portes palières afin d'éviter le risque de chute de passagers sur la voie. Le système conçu à l'origine pour relier Lille à Villeneuve-d'Ascq a été choisi par la communauté urbaine comme métro de l'agglomération Lille-Roubaix (un million d'habitants). Le futur réseau pourrait comprendre quatre lignes. La première ligne devait être mise en service en 1983, les quatre premières stations l'ayant été dès 1982.

POMA 2000 (du nom de la société Pomagalski qui le construit) est un système où les véhicules sont tractés par câble et n'ont pas de moteur. Les contraintes d'adhérence liées à l'existence de roues motrices sont supprimées ; il est donc possible de gravir les pentes raides. Le câble permet aussi de simplifier la réalisation du système anticollision.

POMA 2000 a été choisi par la ville de Laon (40 000 habitants) qui possède une pente maximum de 13 % entre la ville basse et la ville haute. Il remplacera un vieux tramway à crémaillère. La ligne a 1,5 km de long et comprend trois stations. Trois véhicules de 34 places assises et debout devaient circuler à partir de début 1984 à deux minutes et demie d'intervalle aux heures de pointe.

ARAMIS (Arrangement en rames automatisées de modules indépendants en station) est un système à petites cabines de 4 à 10 places assises. Un nombre variable de cabines peut former des rames utilisant un couplage électronique sans liaison mécanique. Cela permet d'introduire ou de retirer des cabines aux bifurcations et aux stations en dérivation.

Ce système a été conçu pour des liaisons entre deux points ou comme moyen de transport à la demande (trajet sans correspondance ni arrêt intermédiaire) dans un réseau urbain complexe.

Après études et essais commencés en 1973, une version simplifiée devrait être expérimentée sur la « petite ceinture » autour de Paris dans les années quatre-vingt (date non fixée).

Un trottoir roulant ultra-rapide

En matière de transport urbain, il faut signaler aussi le Trax ou trottoir roulant accéléré, mode nouveau de transport pour les petites distances. En 1982, il était en cours de construction pour assurer une correspondance à la station de métro Invalides, sur une longueur de 175 mètres. L'ouverture au public était prévue pour 1983. L'entrée et la sortie des passagers s'effectuent à trois km/h comme sur les trottoirs roulants classiques, mais à l'exception de ces zones d'entrée-sortie suivies de zones à vitesse variable, le transport s'effectue à 12 km/h. Le plancher du trottoir roulant est constitué d'une succession de plaques d'aluminium. La variation de vitesse est assurée par une variation de distance entre ces plaques. Deux mains courantes synchronisées par rapport au plancher mobile offrent des plots de maintien aux passagers. Le débit maximum du Trax est de douze mille passagers par heure et par sens.

En République fédérale d'Alle-

Des autos qui consomment peu!

Le renchérissement du coût de l'énergie a amené les deux constructeurs français d'automobiles Peugeot et Renault à lancer, en concertation avec l'Agence pour les économies d'énergie, un important programme d'études visant à la réalisation de véhicules à basse consommation.

Partant de deux modèles existants, la Renault 18 et la Peugeot 305, les deux constructeurs ont sorti au printemps 1981 deux véhicules, ÈVE et VÉRA, dont la consommation moyenne était inférieure de 33 % à celle des modèles dont ils étaient issus (voir tableau).

Consommations conventionnelles (en litres aux 100 km)	Véhicule de base R 18 TL	Véhicule final « ÈVE »	Véhicule de base 305 G L	Véhicule final « VERA »
À 90 km/h	6,3	4,1	6,5	4,2
À 120 km/h	8,4	5,5	9,1	5,6
Sur circuit urbain	9,4	6,6	9,5	6,3

Dans le projet VÉRA (Véhicule économe de recherche appliquée), les ingénieurs de Peugeot ont fait porter leurs efforts sur trois points : les matériaux, l'électronique et l'aérodynamique.

Pour les matériaux, on a fait appel aux possibilités offertes par les plastiques, l'aluminium et les tôles à haute limite élastique. Parallèlement, les caractéristiques aérodynamiques ont été améliorées en

magne, trois systèmes ont été développés, au courant des années soixante-dix : le C. Bahn, le H. Bahn, le M. Bahn.

Le C. Bahn correspond à une famille de systèmes, comprenant soit des petites cabines de trois places assises, en service « à la demande »; soit des grandes cabines (30 à 40 places) pour un service de ligne régulier. Ce système est exploité depuis 1976 à l'hôpital de Ziegenhain.

Le H. Bahn comprend des cabines de 20 à 40 places, suspendues par une articulation à un boggie guidé à l'intérieur d'un caisson. Le H. Bahn est conçu pour un service à horaire programmé ou à la demande. Il peut être couplé en rame et doit pouvoir remplacer des réseaux d'autobus dans les centres villes. Il devait être

installé à Erlangen et était déjà en service fin 1982 sur le site universitaire de Dortmund.

Le M. Bahn ou Magnet Bahn ne roule pas sur roues, mais est sustenté à l'aide d'aimants fixés au chassis et exerçant leur force d'attraction en dessous de la voie. La propulsion est assurée par des champs électromagnétiques qui, par leur action sur les aimants du chassis mettent le véhicule en mouvement. L'installation du M. Bahn est prévue à Braunschweig (250 000 habitants) à partir de 1984.

Au Japon, de nombreux systèmes automatiques, souvent analogues au système VAL, ont été installés au début des années quatre-vingt dans des villes comme Kobé, Osaka, Yokohama. Ils peuvent transporter modifiant légèrement certaines surfaces et leur raccordement. Enfin au niveau du moteur, des améliorations ont été obtenues grâce à l'introduction d'un allumage électronique par cartographie et à une diminution des frottements internes.

Ce projet était poursuivi en 1982-83 (« VÉRA plus ») dans les directions suivantes : adaptation d'un moteur diesel suralimenté par turbo-compression; gain de poids supplémentaire grâce à l'utilisation de métaux composites [335] et de fibres à haute résistance pour les différentes pièces mécaniques; enfin élaboration d'un système d'arrêt automatique du moteur, combiné avec un volant d'inertie récupérant l'énergie en phase de décélération.

Dans le projet ÈVE (Éléments pour une voiture économe), les ingénieurs de Renault ont conçu le véhicule comme un laboratoire, dans lequel ont été testés un certain nombre d'innovations capables d'abaisser la consommation de carburant : aérodynamique et gestion du groupe motopropulseur.

En matière d'aérodynamique, on a procédé à des simulations en souffleries, d'abord à partir de maquettes à l'échelle 1/5, puis en vraie grandeur. En ce qui concerne le groupe motopropulseur, la gestion de la transmission a été étudiée afin de rendre son utilisation optimale : gestion de l'accélération par microprocesseur [271] déterminant la combinaison optimale du mélange gazeux air-essence en fonction du régime; rapport de transmission optimal grâce à un système à variateur évitant les à-coups.

Comme pour VÉRA, le projet « ÈVE Plus » est la continuation du projet ÈVE et portera notamment sur la récupération d'énergie au freinage grâce à un dispositif hydropneumatique et l'introduction d'un moteur diesel suralimenté.

André Imbert

10 à 12 000 personnes par heure et par sens de circulation.

Mais c'est aux États-Unis que les systèmes automatiques guidés urbains ont trouvé le plus d'application. La plupart de ces systèmes ont été mis en service dans des aéroports, des centres commerciaux, ou des parcs d'attraction, donc sur des distances relativement faibles. Deux systèmes bénéficié à la fois d'un site de plus grande envergure et de la construction de stations en dérivation; il s'agit du système Boeing construit à Morgantown pour relier la ville à l'université et du système Airtrans, construit à l'aéroport de Dallas.

Un projet de grande envergure, « Down Town People Mover », a été lancé dans les années soixante-dix afin d'étudier l'installation de systèmes automatiques dans le centre des grandes villes américaines. Comme dans d'autres pays, ce projet a été quelque peu retardé pour des raisons financières, mais il démarrait au début des années quatre-vingt pour les trois premières villes : Los Angeles, Miami et Detroit.

La technique française à l'honneur!

En matière de transport interurbain, c'est pour faire face à la double concurrence de l'automobile et de l'avion que les exploitants et les pouvoirs publics des grands pays industrialisés ont cherché à développer des systèmes capables d'atteindre des vitesses élevées (entre 300 et 500 km/h) et alimentés en énergie électrique.

Parmi les projets lancés en vue d'atteindre ces vitesses, certains reposaient sur des principes nouveaux de sustentation et de propulsion. D'autres ont conservé dans leurs grandes lignes les caractéristiques des systèmes ferroviaires classiques, en y apportant d'importantes améliorations.

Parmi les projets étudiés dans le but d'affranchir les véhicules du contact avec la voie, on a d'abord recouru, dans les années soixante-dix, à la technique du coussin d'air. Mais, après diverses expérimentations en France, en Grande-Bretagne et aux États-Unis, c'est finalement la sustentation et la propulsion électromagnétiques qui ont paru les mieux adaptées à une utilisation future.

La sustentation électromagnétique est basée sur des forces d'attraction ou de répulsion agissant entre des électro-aimants disposés dans le véhicule et des rails ferromagnétiques disposés sous la voie. La propulsion de ces systèmes est assurée par un moteur électrique linéaire dont deux variantes sont possibles : soit la voie elle-même contient les bobinages électriques, soit ceux-ci sont embarqués dans une voiture motrice. Un prototype japonais, le ML 500, a atteint la vitesse de 517 km/h sur la base d'essai de Miyasaki à la fin de 1979.

De leur côté, les systèmes ferroviaires classiques augmentaient notablement leur vitesse à la fin des années soixante-dix. Les chemins de fer japonais expérimentaient à cette époque un train pouvant atteindre 319 km/h. Mais la SNCF établissait un record mondial, avec une rame expérimentale du TGV atteignant 380 km/h. Pourtant, ce train conserve les techniques classiques du contact roue-rail et de la propulsion électrique. Mais il présente d'importantes améliorations en matière de poids, d'aérodynamique, de tenue de voie, de captation du courant, tous facteurs qui ont donné au nouveau train sa silhouette caractéristique.

L'innovation principale a porté sur la mise au point de boggies articulés disposés entre les voitures, ce qui a permis de réduire leur nombre (13 au lieu de 20), l'écartement entre les voitures (moins de tourbillons d'air) et la hauteur de celles-ci (3,42 m au lieu de 4,05 m), ce qui a entraîné une importante amélioration du coefficient de pénétration dans l'air. À 260 km/h, la consommation d'énergie par passager est la moitié de celle d'une voiture particulière.

Le TGV est entré en service fin septembre 1981, sur une nouvelle ligne Paris-Sud-Est. Avec des pointes de 260 km/h et une moyenne de

---

BIBLIOGRAPHIE

Articles

GERLAND W., « Automated Guideway Transit en Europe and Japon », in *Conference de Deabarn,* Michigan, septembre 1980.

SOULAS C., « Les systèmes automatiques guidés urbains », *Bulletin recherche transport,* n° 32, 1980.

« The Atlanta Airport, part II », *Elevator World,* juil. 1981.

Dossier

Proceedings International Symposium on Traffic and Transportation Technologies, JVA, Hambourg, 1979.

160 km/h, le TGV relie Paris à Lyon en 2 heures 40 minutes, temps qui devait être abaissé à 2 heures à partir de septembre 1983. Après un an d'exploitation, le trafic du TGV s'élevait à 5,6 millions de voyageurs, soit un doublement du trafic sur l'axe Paris-Lyon et une augmentation de 15 % sur l'ensemble du réseau Sud-Est.

Le succès de l'opération a amené la SNCF a étudier un projet de TGV Sud-Ouest, à destination de la Bretagne et de l'Aquitaine. Des études étaient également en cours en 1983 pour évaluer les possibilités d'une extension du réseau TGV vers le Nord, à destination de l'Angleterre et de la RFA.

Une extension de la technique du TGV à un réseau européen a été envisagée dans le cadre d'un projet de l'Union internationale des chemins de fer. Selon ce projet, un réseau de grandes « magistrales » pourrait être créé, représentant 5 800 km de voies nouvelles, où des trains « Europolitains » circuleraient à des vitesses de 250 à 300 km/h.

André Imbert

Messagerie électronique et téléconférence

Mettant en œuvre les ordinateurs et leur puissance de traitement de l'information, la « messagerie électronique » deviendra au cours des années quatre-vingt l'un des moyens de communication les plus répandus. Elle supprime en effet les inconvénients majeurs du téléphone, tout en apportant un large éventail de fonctions nouvelles.

La discussion face à face est certainement le type d'échange le plus agréable. Mais son efficacité est limitée : le dialogue n'est pas structuré, les rapports hiérarchiques et les conventions sociales contraignent l'expression... De nombreux facteurs provoquent malentendus et incompréhensions. En outre, obstacle majeur, les interlocuteurs doivent se trouver au même moment dans le même lieu. Certes, le téléphone supprime la contrainte spatiale, mais uniquement dans le cas d'un échange à deux. Et le téléphone maintient l'impératif de synchronie : les deux correspondants ne peuvent se parler que s'ils sont présents ensemble à chaque bout de la ligne. Le répondeurs téléphoniques apportent un début de solution, puisqu'ils stockent sur une bande magnétique les messages en l'absence du correspondant. C'est une première forme de communication en différé.

Beaucoup plus riche est la messagerie électronique. Ce nouveau service a commencé à apparaître dans les entreprises, dans le but d'accroître l'efficacité et la productivité du travail de bureau. On prévoit aussi le développement de la messagerie électronique à domicile, prolongeant en France le service « annuaire électronique » en cours d'installation par les PTT [10]. L'expérience Télétel de Vélizy [513] comprend déjà, depuis la fin de 1981, un service de messagerie électronique qui remporte un grand succès.

Sa mise en œuvre est aussi simple que celle d'un téléphone. L'usager dispose d'un terminal connecté à un ordinateur central par une prise téléphonique. Le terminal comporte un écran et un clavier de type machine à écrire. A partir du clavier, on se connecte au service de messagerie en tapant un nom de code. Un

---
BIBLIOGRAPHIE

Ouvrages

DE BLASIS J. P., *La bureautique, outils et applications,* Les éditions d'organisation, Paris, 1982.

MAIMAN M., *Télématique, introduction aux principes techniques,* Masson, Paris, 1982.

MATHELOT P. et Alii, *La bureautique,* PUF, Paris, 1982.

VERDIER E. *La bureautique,* La Découverte/Maspero, collection « Repères », Paris, 1983.

VUITTON, LECLERCQ, BOUVIER, *Demain la télématique,* La Documentation pratique, Paris, 1982.

« menu », c'est-à-dire une liste de fonctions proposées par le système, s'affiche alors sur l'écran. Par exemple : « 1. voulez-vous lire les messages reçus ? », « 2. Souhaitez-vous envoyer un message ? », etc. Après avoir tapé « 1 » sur le clavier, vous pourrez lire sur l'écran tous les messages qu'on vous a adressés. Et si votre terminal est équipé d'une imprimante, vous pourrez aussi demander leur impression automatique que sur papier. Pour envoyer des messages, il vous suffira de taper « 2 ». L'ordinateur répondra « prêt ». Puis vous taperez le texte du message sur le clavier, avec le ou les noms du ou des destinataires. Car rien n'interdit d'adresser la même information à un nombre quelconque de correspondants. D'où un gain de temps considérable. Notez aussi qu'il suffit de donner le nom de l'interlocuteur et non pas le numéro du terminal. Ainsi la personne appelée pourra lire ses messages sur n'importe quel terminal du réseau.

D'autre part, la transmission des informations le long du réseau est très rapide. Sa vitesse peut atteindre dix ou vingt fois celle de la voix sur le réseau téléphonique. Ce qui autorise l'envoi de textes très longs. Le volume d'informations sera seulement limité par la capacité de stockage de l'ordinateur pilotant le réseau. En effet, une fois tapés au clavier, les messages sont codés sous forme numérique : chaque caractère est représenté par un ensemble de huit chiffres binaires (« O » ou « 1 »), lesquels sont traduits physiquement en impulsions électriques, puis transportés par câble vers l'ordinateur. La machine identifie alors le nom de code du correspondant et enregistre le message dans une portion de disque magnétique appelée la « boîte aux lettres électronique » du correspondant. Pour lire le message, ce dernier indique son nom de code au système. L'ordinateur recherche sur le disque la « boîte aux lettres » affectée du même nom et envoie les informations vers le terminal qui l'a appelé.

La gestion d'un service de messagerie est assurée, dans l'ordinateur, par un ensemble de logiciels (programmes) spécialisés. Selon leur niveau d'élaboration, les messages stockés peuvent faire l'objet de traitements supplémentaires, notamment l'archivage et le classement permanent sur disque, la vérification de leur consultation par le destinataire après accusé de réception, etc.

Le développement le plus significatif de la messagerie électronique est certainement la téléconférence assistée par ordinateur. Dans un tel service, les abonnés constituent des groupes de travail à distance, ou des conférences électroniques. Les discussions, menées par terminal interposé, sont stockées sur disque magnétique pendant toute la durée de vie de la conférence. Elles forment ainsi une mémoire collective qui reste à la disposition permanente des membres du groupe. Les conférences sont créées à l'initiative de chaque utilisateur, qui compose lui-même le groupe et en réserve l'accès aux correspondants qu'il choisit.

La téléconférence assistée par ordinateur existe aux États-Unis depuis le début des années soixante-dix. Elle est utilisée aussi bien par les grandes entreprises, les chercheurs universitaires, les enseignants, que par les mouvements alternatifs (groupes de femmes, associations de recherches d'enfants fugueurs,...). En France, depuis avril 1983, un service ouvert au public a été mis en place par l'association « La télématique pour les gens ». Le réseau, baptisé « Thélème », propose une messagerie, un annuaire des membres, la téléconférence assistée par ordinateur et une bibliothèque de programmes qui permet aux abonnés dotés d'un micro-ordinateur de télécharger dans leur machine les logiciels de leur choix. Seul inconvénient : le coût élevé du service. En avril 1983, la cotisation annuelle variait de 100 F par an pour un particulier à 1000 F pour une entreprise, et le prix de l'heure de connexion s'élevait à 230 F en semaine et à 40 F le soir et pendant le week-end.

Dominique Commiot

Les pollutions de l'atmosphère

Pour la plupart d'entre nous, la pollution de l'air évoque une gêne immédiatement perceptible à l'odeur ou à la vue, comme la fumée de cigarette, les odeurs de cuisine, les gaz d'échappement d'une voiture, ou le panache d'une cheminée d'usine. Le besoin d'air pur du citadin partant en week-end à la campagne témoigne de la perception instinctive de la « qualité » des douze mètres cubes d'air que nous respirons en moyenne chaque jour.

La pollution de l'atmosphère par l'Homme a véritablement débuté avec l'usage du feu. Son accroissement a suivi le développement de l'humanité, avec un bond spectaculaire à partir de la révolution industrielle, dès le milieu du XVIIIe siècle. Le développement des villes, donc de la densité de population, a entraîné la multiplication des foyers de chauffage et de production d'énergie, d'où une production accrue de gaz sulfurés et de fumées. Dans certaines conditions atmosphériques, cette forme de pollution peut entraîner la formation de brouillards comme par exemple le fameux « smog acide » (ou « purée de pois ») qui sévit à Londres jusque dans les années cinquante.

Puis est venue l'automobile, et les gaz d'échappement des véhicules, principalement des oxydes d'azote et des hydrocarbures, ont à leur tour pollué l'atmosphère. Dans certaines régions urbaines (comme à Los Angeles), la permanence de concentrations élevées de ces gaz se traduit par la formation sous l'action de l'ensoleillement d'un brouillard appelé « photochimique oxydant » par les spécialistes.

C'est surtout depuis le début du XXe siècle que l'homme a vraiment pris conscience de son action sur la chimie de l'atmosphère et de l'agression qui en résultait sur sa santé. Les recherches toxicologiques et épidémiologiques ont petit à petit abouti à définir des doses maximales admissibles des polluants dans l'air. Parallèlement, l'installation progressive de réseaux de surveillance, ainsi que la mise en œuvre de politiques de réduction des émissions de particules et de gaz, tant au niveau national qu'international, ont eu pour résultat une amélioration sensible de la qualité de l'air dans certaines régions industrielles et urbaines au cours des dernières décennies. Ainsi le *Digest of Pollution Statistics*, publié en 1979, montre clairement l'amélioration obtenue au Royaume-Uni après l'adoption du « Clean Air Act » en 1956. Les concentrations de fumées dans les zones urbaines y ont pratiquement diminué des 4/5 depuis 1960 tandis que celle de l'anhydride sulfureux (SO_2) diminuait de moitié. Cette amélioration est due en grande partie à l'utilisation de combustibles solides non fumigènes (charbons « propres »), de gaz, d'électricité ou de fuel dans les immeubles d'habitation et autres. Bien que de telles améliorations soient coûteuses (les investissements industriels consacrés aux dispositifs anti-pollution représentent quelque 2 % du PNB aux États-Unis), on a assisté au cours de ces dernières années à un renforcement des contrôles et à l'établissement de nouvelles réglementations. La présence du plomb dans l'atmosphère a ainsi commencé à inquiéter l'opinion européenne, et on envisageait en 1983, tout comme cela a été fait en 1974 aux États-Unis, de réduire, voire de supprimer, l'emploi du plomb tétraéthyle dans les supercarburants pour automobiles.

Un holocauste écologique

Nous sommes cependant loin de l'air pur souhaité par tout un chacun, comme en témoigne l'ampleur des recherches menées pour déterminer les relations entre les sources de pollution et leurs effets possibles, non seulement sur nous-mêmes mais encore sur notre environnement. Les effets de la pollution atmosphérique ne font pas que menacer notre santé. Ainsi, la végétation est souvent une des premières victimes de la pollu-

tion. L'anhydride sulfureux peut être absorbé directement par les surfaces végétales et des effets de mortification des tissus végétaux peuvent intervenir pour des concentrations d'anhydride sulfureux 30 fois plus faibles que le seuil d'atteinte pour l'Homme.

La dissémination des polluants à plus ou moins grande distance des sources est capable de provoquer des nuisances qui, pour être moins spectaculaires qu'en région urbaine (dégradation des édifices et monuments), n'en sont pas moins insidieuses. C'est ainsi que l'anhydride sulfureux et les oxydes d'azote produits localement peuvent, véhiculés par les vents, voyager sur des centaines voire des milliers de kilomètres tout en se transformant progressivement en acide sulfurique et en acide nitrique dans les micro-gouttelettes nuageuses ou dans les gouttes de pluie. Les pluies acides qui retombent sur la Scandinavie proviennent en grande partie de ce type de pollution à distance, les régions sources étant l'Angleterre, le nord de la France et le bassin de la Ruhr. C'est une des conclusions du rapport final du programme de l'OCDE « Long Range Transport of Air Pollutants » publié en 1977 et mis en œuvre au début des années soixante-dix à la suite du constat, par les Suédois, d'une acidification progressive de leurs lacs et rivières. Plus récemment, les Canadiens se sont aperçus que les États-Unis sont responsables de la moitié des pluies acides qui retombent sur leur pays.

Certains effets sont d'ores et déjà catastrophiques au point qu'on a pu parler d'un véritable « holocauste écologique ». Par exemple, dans l'Ontario, 140 lacs devenus trop acides sont maintenant stériles. En quarante ans, des populations entières de poissons ont disparu. Les forêts ne sont pas moins touchées car les pluies acides (tout comme le dépôt des poussières apportées par le vent) ont pour effet de réduire la croissance des arbres et de détériorer les feuillages. Les sols aussi, en particulier ceux naturellement acides, sont sensibles aux accroissements d'acidité, ce qui les rendrait impropres à certaines cultures.

La prise de conscience du fait que l'espèce humaine est devenue un facteur de l'évolution future de notre environnement, à l'échelle régionale comme à l'échelle globale, a conduit de nombreux scientifiques à s'interroger sur notre propre survie et les moyens de l'assurer. Quelles sont donc ces catastrophes climatiques et écologiques auxquelles nous aurons à faire face? Comment évaluer la part de l'action de l'Homme sur les grands cycles globaux des éléments essentiels à la vie sur notre planète?

L'habitabilité de la planète en danger?

Nous savons depuis le début des années soixante-dix que l'activité humaine est capable de modifier le cycle de l'ozone atmosphérique et donc d'influer sur le taux de pénétration des rayons ultra-violets, à haut pouvoir cancérogène, dans la basse atmosphère. Cette modification peut résulter de l'injection directe ou de la pénétration dans la stratosphère (au-dessus de 15 km d'altitude) des gaz d'échappement des avions supersoniques, des gaz halogénés tels que les fréons (employés comme gaz propulseurs dans les bombes à aérosols domestiques) ainsi que d'une modification du cycle global des composés azotés (utilisation extensive des engrais). Tout ceci peut conduire à une diminution de l'ozone et donc de sa fonction d'« écran » aux ultra-violets. Cependant, l'accroissement continuel de la teneur de l'air en gaz carbonique (résultant aussi de l'activité humaine) engendre des effets sur l'atmosphère qui contrebalancent cette diminution.

Malheureusement, notre méconnaissance des phénomènes physiques, chimiques et biologiques qui régulent naturellement le cycle de l'ozone est telle que nous ne sommes pas encore capables de prédire avec certitude le bilan réel des activités humaines sur l'évolution actuelle de la couche d'ozone stratosphérique. La réponse est cependant urgente car les gaz responsables de cette évolution ont des temps de vie dans l'atmosphère de l'ordre de 50 à 200 ans : les effets dûs à l'activité humaine d'aujourd'hui persisteront donc plusieurs siècles.

Une autre grande question d'actualité est celle de la modification du climat par les activités humaines. Par effet de serre, le gaz carbonique présent dans l'air contribue à réchauffer l'atmosphère terrestre, les prédictions actuelles étant d'un réchauffement de quelques degrés au cours des prochaines décennies. Depuis 1979, un autre candidat sérieux au réchauffement est le méthane dû aux activités humaines. Il semble acquis maintenant que sa concentration dans l'air a doublé entre 1920 et 1980. L'effet sur le réchauffement de l'atmosphère pourrait être la moitié de celui attribué au gaz carbonique. Quant aux aérosols (micro-poussières industrielles...) engendrés par l'activité humaine, leurs effets sur le bilan radiatif de l'atmosphère sont encore très discutés.

La pollution de l'atmosphère à l'échelle globale affecte aussi le milieu marin. L'océan et l'atmosphère échangent non seulement de l'énergie mais encore de la matière. Ces échanges gouvernent le cycle de l'eau atmosphérique et régulent le cycle naturel de nombreux constituants mineurs de l'air (gaz carbonique, soufre). On sait peut-être moins que les polluants atmosphériques qui ont envahi toute l'atmosphère terrestre peuvent en retombant sur l'océan affecter la vie marine, tant en région côtière qu'en haute mer. Si l'on ignore encore comment l'océan digère tout ce qu'il reçoit de l'atmosphère, on sait que cette pollution perturbe déjà le cycle naturel des métaux lourds (réputés toxiques) dans l'océan. C'est notamment le cas du plomb dans tout l'hémisphère nord, où l'on estime à plus de 100 000 tonnes par an la retombée atmosphérique du plomb ayant pour origine les activités industrielles. Les travaux de C. Patterson et de son équipe aux États-Unis ont montré que, de ce fait, la concentration en plomb dissous dans les eaux de surface de l'Atlantique et du Pacifique nord était en 1980 quatre à dix fois plus élevée qu'avant l'ère industrielle.

Les apprentis sorciers que nous sommes seront-ils capables de préserver « l'habitabilité » de notre pla-nète au cours des prochaines décennies ? On peut à ce sujet être raisonnablement optimiste, pour autant que l'on donne aux scientifiques les moyens d'apporter les réponses aux questions brûlantes qui se posent, et qu'elles soient prises en compte par les instances de décision nationales et internationales. Les techniques nouvelles permettent maintenant de comprendre les perturbations des cycles naturels que provoque le développement industriel. Il faut savoir mettre à profit ce moyen de contrôler l'évolution de notre environnement avant que celle-ci ne devienne irréversible.

Patrick Buat-Ménard

BIBLIOGRAPHIE

Articles

AIMEDIEU P., « Les menaces sur l'ozone se confirment », *La Recherche*, n° 121, 1981.

BONSANG B., « Le soufre dans l'atmosphère », *La Recherche*, n° 137, 1982.

BUAT-MENARD P., « La pollution atmosphérique atteint-elle le fond des océans ? », *La Recherche*, n° 119, 1981.

DUPLESSY J.-C., Lambert G., « Le gaz carbonique, polluant majeur de l'atmosphère ? », *La Recherche*, n° 91, 1978.

FULLER H.I., « Une éthique de l'air pur », *Pollution atmosphérique*, n° 87, 1980.

LABEYRIE J., « Les aérosols », *La Recherche*, n° 87, 1978.

COWLING E.B., « Acid Precipitation in Historical Perspective », *Environmental Science and Technology*, vol. 16, 110 A, 1982.

La surconsommation de médicaments

« Il » feuillette le gros volume, la « Bible » des pharmaciens et des médecins, le *Dictionnaire Vidal* qui répertore l'ensemble des produits pharmaceutiques disponibles sur le marché de la maladie : quelque dix mille.

« Il » secoue la tête : « Pour les trois-quarts de ces médicaments, nous n'avons aucune idée de leurs effets réels ». Il rit, promenant ses yeux du côté des « psycho-stimulants » : « Le Nootropyl ! Ridicule, un médicament qui facilite la pensée! », Par hasard, il s'arrête au chapitre « cardiologie », à la rubrique « béta-bloqueurs ». Quatre grands groupes de produits, chacun censé prendre en compte une particularité de la constitution du patient à qui on le prescrit. Dans chaque groupe, une dizaine de noms : à la marque près, des produits identiques sinon que le second est un peu plus récent que le premier et que le troisième a pour auteur une firme pharmaceutique différente des deux premiers.

Sous les questions pressantes et naïves de la profane que je suis, « il » examine de plus près son *Vidal* puis enfin, il concède : « Oui. La libre concurrence fait qu'on fabrique, rien que pour cette rubrique, trente à quarante produits au lieu des trois ou quatre réellement nécessaires ».

« Il », c'est un pharmacologue, chef de travaux dans le département de pharmacologie d'un grand centre hospitalier universitaire à Paris.

Curieusement, en 1983, le cheval de bataille de l'hypermédicalisation de la santé ne s'enfourche plus comme dans les années soixante-dix. Et de grands pionniers comme un Henri Pradal, avec ses ouvrages *Les grands médicaments* et le *Marché de l'angoisse*, ou un Ivan Illich, auteur de *Némésis médicale*, dont la première phrase d'introduction jouait comme un détonateur (« L'entreprise médicale menace la santé »), font presque figure d'attendrissants ancêtres. En 1983, en France, la revue la plus récemment créée dans le domaine de l'information pharmaceutique – dont on dit qu'elle offre la meilleure critique de chaque produit nouvellement mis sur le marché – s'appelle *Prescrire;* elle s'adresse aux pharmaciens et aux médecins, non pas aux patients, et pourrait s'intituler « du bon usage de tous les médicaments ». Un de ses principaux rédacteurs parle du produit pharmaceutique comme du « risque », qu'il faut accepter, « de notre société ». Il récuse la justesse du terme « hypermédicalisation » de la santé pour lui préférer celui de « dysmédicalisation » : en bref, il

pense qu'on ne consomme pas trop de médicaments mais qu'on les consomme mal.

La fabrication de doublons

Pourtant, en filigrane de ce discours très contemporain sur la maladie et le médicament, des omissions, des phrases inquiètent : le patient-consommateur en est absent, son intérêt, son besoin n'est jamais évoqué. Ce généraliste affirme qu'une seule chose est sûre : « Il n'existe pas de médicament actif sans effet secondaire. » Tel pharmacologue, spécialisé dans l'étude des psychotropes, maintient qu'on « ignore encore complètement comment fonctionnent les trois-quarts de ces médicaments ». Et les chiffres sont là, inquiétants comme hier, alarmants toujours : huit mille tonnes de tranquillisants consommés en 1982 dans le monde. Entre dix-huit mois et trois ans, un enfant sur trois reçoit des calmants de façon régulière ou intermittente sous forme de sirop de Phénergan, de Méréprine ou de Théralène : calmants qui, à long terme peuvent créer une « dépendance » pour ces subtances et activer les structures psychiques considérées responsables de l'attrait pour des drogues comme le L S D et la morphine. La consommation pharmaceutique ne cesse d'augmenter, chaque nouveau médicament étant plus cher que celui qu'il remplace : deux-tiers des médicaments commercialisés ont moins de 15 ans, presque la moitié du chiffre d'affaires des laboratoires est réalisé avec des médicaments de cinq ans d'âge ou moins.

Chiffre alarmant entre tous : huit mille spécialités de médicaments sont vendues en France alors que, selon l'Organisation mondiale de la santé, deux cents seulement seraient nécessaires et efficaces. La situation française est loin d'être exceptionnelle : aux États-Unis, vingt-mille spécialités sont vendues, chaque médicament ayant en moyenne trente équivalents. Le Mexique, avec quatre-vingt mille spécialités, bat tous les records du monde...

Car l'industrie pharmaceutique obéit à une logique infernale, que les politiques gouvernementales en matière de santé ne savent, quand elles le veulent, que très partiellement freiner. Tout a commencé après la dernière guerre avec l'avènement de l'industrie pharmaceutique. Dans un climat d'euphorie alimenté alors par un consommateur enthousiaste, l'industrie prospère, les laboratoires essaiment, chacun veut sa part du gâteau : c'est le complexe du « Me-Too Drugs » selon le mot d'un pharmacologue, vivace en 1983 comme jamais. Pour ne pas être balayés par les prétendues innovations de leurs concurrents, les industriels de telle firme consacrent l'essentiel de leurs recherches à la fabrication de doublons qu'ils imposent aux pharmaciens et aux médecins grâce à un bataillon accru de « visiteurs médicaux », gratifiés de primes de rendement calculées sur leurs chiffres d'affaires.

Le complexe du « Me-Too Drugs » est en 1983 d'autant plus réel que le budget attribué à la recherche dans un laboratoire est lourd. Il faut aujourd'hui compter au moins quinze ans pour synthétiser une nouvelle molécule et obtenir du ministère de la Santé son autorisation de mise sur le marché (A M M), après avoir franchi toutes les étapes que la réglementation impose aujourd'hui à l'industrie des pays occidentaux.

La conscience du consommateur

Une loi s'impose donc : pour survivre, la plupart des laboratoires sont « condamnés », disent-ils, s'ils veulent continuer à synthétiser quelques produits neufs et « utiles », à fabriquer un tas de médicaments inutiles ou superflus, puisqu'ils constituent des doublons de produits existant déjà. En France ceci est même encouragé par le ministère de la Santé : la Commission d'autorisation de mise sur le marché, créée en 1978, n'exige pas qu'un nouveau médicament apporte un « plus » par rapport à celui qui existe déjà : mais seulement qu'il fasse « aussi bien ».

En conséquence, seuls les grands groupes pharmaceutiques peuvent se permettre de fabriquer beaucoup de « vrais » nouveaux produits, exerçant sur l'industrie pharmaceutique un monopole extrêmement nuisible pour le consommateur : cent firmes monopolisent aujourd'hui la production de 90 % des médicaments du monde et la compagnie géante Hoechst, numéro 1 mondial, est assurée quoi qu'il arrive de détenir pour tout nouveau produit le septième du marché sur terre !

Produire donc, produire coûte que coûte... Mais parfois, du moins dans les pays occidentaux, la conscience du consommateur va plus vite et fait entrave. Ainsi il y a quelques années, une polémique s'ouvrit en France sur le remboursement des médicaments ne présentant aucun intérêt détectable : les « protecteurs » du foie par exemple, les « veinotoniques », les flores intestinales. Le gouvernement, transigeant avec la colère des laboratoires, décida que ces produits, dits « de confort » ne seraient plus remboursés qu'à 40 % au lieu de 70 % comme pour les autres médicaments. Leur vente, depuis cette décision, ralentit considérablement et l'industrie redouble de ténacité pour obtenir la reconnaissance et le remboursement de nouveaux produits : il s'agit de compenser cette perte.

Tout en veillant, il va de soi, à assurer l'écoulement des produits remis en cause... sur les marchés du tiers monde. D'abord mobilisé dans la lutte pour la survie, celui-ci ne dispose pas des raffinements que peuvent s'offrir nos sociétés développées : un mouvement des consommateurs, l'accès à une information diversifiée, une législation rigoureuse de contrôle au niveau local et une réglementation des prix.

Alors, jouant sur l'absence de législation en matière pharmaceutique qui caractérise les structures gouvernementales du tiers monde, sur le laxisme de certains dirigeants et leur dépendance économique à l'égard du monde développé et des sociétés multinationales, sur les lacunes des médecins locaux, les grandes firmes déversent sur ces marchés de bonne aubaine, à des prix souvent exorbitants, leur marchandise excédentaire. Quelques précautions préalables : on voit disparaître des étiquettes ou des notices d'information remises avec les médicaments, la mention d'un effet secondaire dangereux. Plus banal, on inonde tel médecin d'échantillons gratuits du produit à vendre, lequel revend l'échantillon à son client. On achète le personnel médical de tel hôpital indonésien en offrant de prendre en charge les frais d'université de leurs enfants !...

Les médicaments dangereux vendus au tiers monde

Bref, on hypermédicalise le tiers monde. Parfois même on le tue : aux Philippines, un antibiotique très puissant, le « Chloramphénicol » est prescrit pour remédier à des infections allant de la grippe à l'acné. Le manuel pharmaceutique standard qu'utilisent les docteurs philippins ne mentionnent pas cet effet secondaire possible : une forme mortelle d'anémie. Et en Indonésie, le « Clioquinol », un médicament contre la diarrhée, se vend sur le bord des routes. Dès 1973, il était pourtant interdit au Japon et retiré du marché américain : il avait entraîné dans certains cas des douleurs abdominales très graves, engendré dans d'autres la perte de la vue et des dommages cérébraux...

Et pourtant, certains trouvent parfois la force de mettre un petit bâton dans les roues de cette infernale logique. Mais c'est seulement en attaquant le mal de l'hypermédica-

lisation et de la dysmédicalisation du tiers monde à sa source : en l'évaluant d'abord dans sa dimension politico-économique et en créant localement une structure alternative pour remplacer la loi des sociétés multinationales.

C'est le cas, au Bangla Desh, de la « Gonoshathaya Pharmaceuticals Limited », une usine pharmaceutique créée en 1974 par des médecins bengalais au sein d'un Centre de santé populaire localisé à Savar, à une cinquantaine de kilomètres de Dacca. Dans un pays où huit multinationales et leurs filiales se partagent 80 % du marché des médicaments, où 70 % des produits qu'elles importent sont totalement inutiles à une population dont 10 % à 15 % seulement a accès à la médecine moderne, cette usine pharmaceutique s'est fixée pour but de fournir 20 % du marché bengalais en médicaments essentiels sur la base de ces quatre principes : prix minimum (de 1/2 à 1/3 moins cher que les produits importés), qualité, fabrication limitée aux médicaments essentiels et pratique de vente responsable.

Enregistrée selon la Loi des associations charitables, cette usine pharmaceutique limite à 10 % les profits réalisés et réinvestit la moitié de ses bénéfices dans l'usine, l'autre moitié étant consacrée à la recherche pharmaceutique et à l'aide humanitaire.

Gonoshathaya Pharmaceuticals Limited produisait, en 1983, 13 spécialités pharmaceutiques seulement et travaillait à l'ouverture de 450 centres de santé similaires à travers le Bangla Desh, chacun abritant une boutique destinée à diffuser l'information médicale et les médicaments produits par l'usine.

Sylvie Crossman

TRAVAIL

TRAVAUX

Progrès technique et emploi : quel bilan?

L'histoire du progrès technique naît avec la révolution industrielle. Jusqu'à la seconde moitié du XVIIIe siècle, l'évolution des techniques ne s'inscrit pas dans un mouvement de profondes transformations des économies occidentales et ne provoque que des oppositions locales. Ce n'est que dans l'effervescence des mutations techniques de la révolution industrielle, où l'utilisation de l'énergie vapeur joue un rôle essentiel, que ces changements techniques vont apparaître avec toute leur ambivalence à leurs contemporains. D'un côté la machine expulse des travailleurs, détruit des formes anciennes de production, de l'autre elle permet un accroissement des capacités de production.

Au XXe siècle, on passe d'un refus généralisé de la machine à la recherche de son contrôle. Les vicissitudes d'un tel contrôle ressortent nettement des conflits sociaux de l'entre-deux-guerres où, plus que les machines, ce sont les méthodes de rationalisation de la production indus-

trielle (travail à la chaîne, etc.) qui sont en cause.

Le choc de la Seconde Guerre mondiale, la mobilisation qui suivit dans la période de reconstruction et que prolonge l'intervention accrue de l'État dans l'activité économique, comme les méthodes d'organisation du travail mises en place dans l'entre-deux-guerres, constituèrent les bases du développement impressionnant des capacités de production industrielle et des innovations de produits des « trente glorieuses » : 1945-1975. La croissance dans le même temps d'une consommation de masse et le plein-emploi qu'elle permit furent les garants de l'acceptation d'une évolution assez rapide des techniques et des produits.

Depuis la fin des années soixante, ce modèle s'essouffle. Les normes de production ouvrières instituées dans l'entre-deux-guerres sont remises en cause par les travailleurs. Par ailleurs, cette même organisation rationnelle du travail ne peut s'étendre que de façon limitée aux activités non industrielles. Qui plus est, l'accès hiérarchisé des nations au progrès technique qui contribuait à fonder la division internationale du travail se trouve bouleversé dans les années soixante-dix par l'émergence de « nouveaux pays industriels » [148].

Voilà à grands traits dans quel contexte historique se présente au milieu des années soixante-dix la « révolution des micro-processeurs » [271], c'est-à-dire l'utilisation dans un nombre de domaines de plus en plus nombreux des capacités de traiter et de mémoriser des quantités d'information dans des espaces de plus en plus restreints (10 000 composants occupaient 20 m³ en 1955, 2 m³ en 1965, 10^{-7} m³ en 1975, 2×10^{-9} m³ en 1983).

On n'analysera pas ici les effets sur l'emploi d'autres « révolutions techniques », qu'il s'agisse d'innovations dans la production d'énergie, de génie génétique, de biologie... Les véritables révolutions des techniques que peuvent porter à plus long terme (à l'orée du XXIᵉ siècle) les innovations dans ces domaines, les situent au-delà du champ d'une analyse progrès technique/emploi. Par contre, la révolution des micro-processeurs est déjà porteuse d'une profonde mutation de l'organisation sociale du travail.

L'automatisation informatisée touche de façon différente les fonctions de production, d'encadrement, d'études, de gestion, de commercialisation... et partant les secteurs de l'industrie ou des services. Les développements de l'automatisation *dans l'industrie* peuvent y remodeler la division du travail, autonomisant les fonctions tertiaires de l'industrie (étude, recherche, gestion) et recomposant les tâches ouvrières en supprimant, selon les besoins, tâches répétitives ou insalubres. L'informatisation des *activités tertiaires,* qui nécessite codages et normes, laisse entrevoir les possibilités d'une « socialisation » accrue de la production de services, qui semblait faire précédemment défaut. L'issue de telles transformations va dépendre de l'aptitude de chaque économie à accroître les biens matériels à sa disposition et à transformer le statut du travail salarié (entrées et sorties de vie active, durée du travail, garanties de revenu, gestion des qualifications...).

L'automatisation industrielle

On peut dresser un premier bilan des perspectives de diffusion de l'automatisation informatisée en distinguant les applications par secteur (industrie ou services) et par fonction (production ou gestion et commercialisation). *L'automatisation des fonctions de production dans l'industrie* se réalise par l'intermédiaire de trois types d'équipement : les « automatismes de process » où des ordinateurs assurent le contrôle de productions en continu, les machines-outils à commande numérique (MOCN) et les robots. L'implantation des « automatismes de process » est déjà très avancée en 1983 en Europe dans des secteurs comme la chimie (65 %), le pétrole (100 %), l'industrie pharmaceutique (50 %). En fait, l'ordinateur vient ici compléter une automatisation mécanique qui, avec ou sans informatique, eût réalisé l'essentiel des suppressions de postes de travail. La diffusion de la machine-outil à commande numérique a, par contre, un double effet spécifique sur l'emploi : elle réduit de 50 % le nombre de postes de travail et elle enlève au travail sur machine-outil ordinaire une large part de son savoir-faire.

Le parc français de machines-outils à commande numérique n'était en 1980 que de 10 500 unités (contre 70 000 aux États-Unis, 50 000 au Japon, 25 000 en RFA, 2 000 en Italie) et l'on prévoyait, avec l'aide de l'État, de porter ce nombre à 26 500 unités en 1985. Ceci correspondrait à l'équivalent de 8 000 postes de travail sur la période 1980-1985, ce qui reste encore marginal par rapport aux mouvements de l'emploi sur le million de machines-outils ordinaires.

Les robots [274] peuvent assurer un nombre plus varié de tâches (manipulation, usinage et montage, soudage, peinture, moulage...) dans les secteurs de l'automobile, de la mécanique, de la transformation des métaux, de l'électronique... En 1980, il y avait en France 0,7 robot " évolué " pour 10 000 travailleurs de l'industrie (0,3 en Grande-Bretagne, 0,9 en Italie, 1,1 en RFA, 1,6 aux États-Unis, 6 au Japon et 8 en Suède). La diffusion des robots est en plein essor, sous le double effet de la concurrence et des mesures de soutien prises par les gouvernements. Toutefois le coût de ces équipements (avec un prix moyen de 600 000 à 700 000 F en 1982) et les actions défensives des syndicats (un robot remplace de 3 à 5 postes de travail) peuvent contenir la diffusion de ces matériels. On prévoit néanmoins des taux de croissance annuels de 25 % à 50 %. De 1982 à 1987 ces investissements pourraient correspondre en France à l'équivalent de 80 000 postes de travail, soit 1,7 % des travailleurs de l'industrie.

L'atelier flexible automatisé [292] reste encore trop expérimental pour avoir dans les années 1983-1988 un impact sensible sur le volume de l'emploi : en 1981, on dénombrait un atelier flexible en France (il y en avait deux en 1983), 13 en RFA, 33 au Japon et 19 aux USA.

La conception assistée par ordinateur [283] accroît les capacités d'étude des ingénieurs. Une telle transformation affecte peu le niveau d'emploi dans les bureaux d'études industriels, mais pose le difficile problème d'une reconversion des dessinateurs.

La suppression des emplois féminins

L'automatisation des emplois de bureau [47] dans l'industrie et les services peut affecter environ la moitié des tâches de dactylos et employés non qualifiés, par l'introduction d'une vaste gamme de matériels (machines à traitement de texte, télécopieurs, micro-ordinateurs, micrographies, liaisons télématiques...). Sont donc concernés par ces investissements peu coûteux (70 000 F en 1982 en moyenne par unité de traitement de texte) des emplois surtout féminins où le taux de syndicalisation est faible, ce qui accroît la latitude laissée aux réorganisations (licenciements, développement de travaux à domicile, mises à temps partiel). D'où les estimations les plus alarmistes : 5 millions de dactylos licenciées entre 1980 et 1988 en Europe occidentale selon le Bureau international du travail ; 600 000 emplois de bureau en moins entre 1980 et 1983 au Royaume-Uni selon un syndicat d'employés, l'APEX. Les emplois de bureau du secteur industriel semblent les plus immédiatement visés. Une réduction du nombre des « cols blancs » était déjà sensible en 1983 dans les grandes firmes américaines (General Motors, Ford, Exxon, Xerox, Polaroïd...)

Le parc d'équipements est trop hétérogène pour être apprécié dans son ensemble et les estimations restent très fragiles. En 1977, Olivetti estimait à 85 000 le nombre de machines à traitement de texte aux États-Unis, à 9 800 en RFA, 3 100 en France et 3 000 au Royaume-Uni. Le taux de croissance de ce parc en Europe serait voisin de 25 % l'an entre 1980 et 1985, ce qui dans le cas de la France correspondrait à l'équivalent de 80 000 postes de personnel de secrétariat.

L'automatisation peut transformer les *emplois de production de certains services* comme les postes (automatisation du tri de courrier par lecture optique), les banques (tri et traitement automatisé des chèques, guichets automatiques [15]) et le commerce (gestion des stocks, lecture laser des étiquettes). Dans les banques, l'automatisation est déjà en cours depuis 1976 (de 1976 à 1982, le nombre de terminaux d'ordinateur a augmenté en Europe occidentale, au Japon et aux États-Unis au rythme de 20 % par an), ce qui a contribué à arrêter la croissance de l'emploi. L'organisation des travailleurs dans ce secteur limite par ailleurs les licenciements. Il en est de même dans les administrations des postes où l'automatisation du tri doit se faire progressivement, sans licenciements de la main-d'œuvre non qualifiée concernée. L'extension des services télématiques permettra d'autant moins de relâcher cette pression sur l'emploi que (outre les différences de qualification requise) le développement de la télécopie privée réduira le volume du courrier postal.

Dans le secteur du commerce, l'informatisation de la gestion des stocks, des approvisionnements et des ventes intervient à la fin des années soixante-dix dans le contexte d'une baisse de l'emploi liée au développement des grandes surfaces et des chaînes à succursales multiples. Là encore, les emplois menacés sont essentiellement tenus par des femmes peu qualifiées. La dispersion de ces emplois et la faible syndicalisation des employées risque de faciliter les suppressions de postes de travail permises par l'informatisation : le Bureau international du travail prévoyait en France et en RFA respectivement 250 000 et 300 000 pertes d'emploi de commerce entre 1980 et 1985.

40 % d'emplois supprimés

Associer à une machine un équivalent-poste de travail ne signifie pas que son installation supprime un même nombre d'emplois. Les gains de productivité – c'est-à-dire l'élévation du volume de production par tête – que procure à l'entreprise ou à la branche le nouveau matériel permet à la fois une augmentation des revenus (salaires et profits) et une baisse relative des prix. Ce mouvement des prix accroît la demande. Par ailleurs le surcroît d'activité de l'économie induit par l'achat de matériel et la hausse des salaires l'emporte sur l'effet dépressif de la baisse de revenus liée aux suppressions d'emplois. Il en résulte des créations d'emplois dans toutes les branches, qui compensent et au-delà, la réduction d'emplois initiale.

Il y a beaucoup de conditionnels dans ces enchaînements favorables et plusieurs « fuites » sont possibles. Primo, le déplacement de revenus et surtout les achats de machines peuvent se traduire par un surcroît d'importation sans augmentation correspondante des exportations. Secundo, la baisse relative des prix peut n'avoir que des effets trop faibles sur la demande de certains produits. Ainsi, diverses études s'appuyant sur les observations de la période 1960-1980, estiment que les effets « indirects » sur l'emploi total ne compensent que 60 % des postes supprimés. De telles estimations sont fragiles. La forte augmentation du chômage de 1975 à 1980 ne peut être attribuée à des changements technologiques. Toutefois une majorité d'experts prévoit un impact négatif sur l'emploi de la « révolution micro-électronique » dans les années quatre-vingt.

Par ailleurs, l'analyse précédente ne prend pas en compte la redistribution et l'expansion des marchés que provoque un produit nouveau. Mais le développement de la production de matériels électroniques ne crée pas directement beaucoup d'emplois : la forte croissance de la production des années soixante-dix a été assurée par un effectif constant (États-Unis, Japon) ou en baisse (G.-B), ce qu'explique en partie le développement de la production de matériel électronique requérant de la main-d'œuvre dans les nouvelles industries d'Asie du Sud-Est et d'Amérique du Sud [148]. Surtout, ces nouveaux matériels électroniques obligent des industries traditionnelles à adapter leurs produits (horlogerie, instruments de mesure, matériel d'impression, jouets...).

Dans un monde largement ouvert

aux échanges, l'acquisition du nouveau savoir-faire est une condition de survie pour les industries nationales dans leur ensemble. Aussi bien tous les États mènent-ils des politiques actives pour développer des productions locales de matériel micro-électronique et diffuser la nouvelle technologie, en particulier auprès des petites et moyennes entreprises où les coûts d'adaptation sont relativement plus élevés.

Dans cette optique, une politique de diffusion de l'électronique est un moindre mal pour l'emploi. Le bilan n'en reste pas moins lourd. Dans l'industrie, une poursuite de l'automatisation devrait contribuer à reproduire entre 1983 et 1988 les évolutions de la productivité de la période 1976-1982, ce qui, si la croissance de la production reste aussi modérée que précédemment, se traduirait par une baisse de l'emploi industriel touchant plus qu'auparavant les emplois de bureau (entre 1976 et 1982 les industries allemandes, françaises, anglaises et américaines ont déjà perdu respectivement 373 000, 538 000, 1 338 000 et 145 000 emplois). Mais surtout,

l'automatisation risque d'affecter les emplois de service où des créations compensaient normalement les suppressions de postes liées à l'automatisation mécanique et électronique du travail industriel. Dans les services publics, les banques et les postes-télécommunications, l'organisation des travailleurs garantit un relatif maintien de l'emploi. Dans les services privés et le commerce, qui représentent en moyenne 30 % de l'emploi total, l'automatisation peut entraîner une baisse de l'emploi nouvelle et importante. La suppression dans ces secteurs d'un poste de travail non qualifié sur quatre entre 1983 et 1988 correspondrait, après une (hypothétique) compensation, à des pertes d'emploi proches de 200 000 en RFA, en France et au Royaume-Uni et de 1 100 000 aux États-unis. Ces mouvements d'emploi sont d'un ordre de grandeur comparable à la moitié des créations d'emploi dans les services dans la période 1976-1982 (États-Unis exceptés, où le rapport est de 0,2).

Si la croissance de l'activité économique reste faible et de même nature que précédemment, aucun

---
BIBLIOGRAPHIE

Ouvrages

PASTRÉ O., *L'Informatisation et l'emploi*, La Découverte/Maspéro, collection « Repères », Paris, 1983.

SAUVY A., *La Machine et le chômage*, Dunod, Paris, 1980.

VERDIER E., *La Bureautique*, La Découverte/Maspero, collection « Repères », Paris, 1983.

Article

PASTRÉ O., MEYER D., TRUEL J. L., ZARADER R., « Informatisation, travail et emploi » in *Informatisation et emploi : menace ou mutation?* Documentation française, Paris, 1981.

Dossiers

Impacts des nouvelles technologies : emploi et milieu de travail, BIT, Genève, 1982.

Microélectronique, robotique et emploi, Collection « Politiques de l'information, de l'informatique et des communications », n° 7, OCDE, Paris, 1982.

secteur ne sera à même de créer les emplois requis par la croissance de la population active et la diminution continue des emplois de l'agriculture et de l'industrie. Pour éviter un chômage croissant touchant principalement les femmes et les personnes sans qualification, l'automatisation du tertiaire s'accompagnera sans doute d'une transformation de l'organisation du travail. Que ces innovations ne discriminent pas entre différentes catégories de main-d'œuvre constitue un enjeu majeur des années quatre-vingt.

Pascal Petit

Robots industriels et emploi : le cas japonais

C'est un fait qui paraît solidement établi : le Japon est le pays par excellence de la robotique, et c'est elle qui est à l'origine de la redoutable compétitivité manifestée par les Nippons sur le marché mondial.

Cette imagerie – qu'accompagnent souvent les discours admiratifs sur le « consensus » japonais [103] – laisse dans l'ombre quelques vérités essentielles qu'il est bon de rappeler. Sait-on par exemple que le premier robot fabriqué au Japon ne l'a été qu'en 1967 et qu'il n'était lui-même qu'une copie d'un robot américain fabriqué par Unimation dès 1962? Sait-on aussi qu'en 1979, sur 5 000 robots « intelligents » (c'est-à-dire des catégories C, D et E, selon la classification ci-dessous), plus de 3 000 fonctionnaient aux États-Unis, contre moins de 2 400 au Japon? Et sait-on enfin que le premier constructeur américain Unimation a un chiffre d'affaires qui dépasse d'environ 30 % celui de Kawazaki, le premier japonais?

Ces indications n'étant données que pour introduire quelques fissures dans la représentation donnée de la suprématie japonaise, il reste que le Japon est bien la terre privilégiée d'études de la robotique et d'examens de ses effets sur l'emploi : les années soixante-dix y ont été marquées par un formidable mouvement d'électronisation de la production industrielle.

Une première source de difficultés concerne les méthodes de comptage des robots. Il faut en effet distinguer différents types de matériels, dont les niveaux d'électronisation et de performance sont inégaux. Le tableau page suivante définit et classe les robots en même temps qu'il fournit des indications sur le pourcentage relatif des différents types de matériels utilisés au sein de l'économie japonaise.

Comme on peut le constater, ce sont les robots à séquence fixe (B1 : correspondant à un niveau technologique élémentaire) qui sont, en volume, de loin les plus répandus (67 % du stock total). Les matériels les plus sophistiqués (les catégories C, D, E) ne représentent à eux tous, toujours en volume, que 16 % du total. (Leur progression est néanmoins rapide : en 1979, ils ne représentaient que 10,6 % du total.) En valeur, les proportions sont modifiées du fait du coût unitaire très élevé des robots de haut de gamme (16 % du nombre des robots en 1980, mais 53 % du marché exprimé en valeur).

La progression du parc japonais de robots au cours des années soixante-dix (tous matériels confondus) a été spectaculaire : de 1 700 unités en 1970, on est passé à 4 400 en 1975 pour arriver à 19 800 en 1980. Si l'automobile reste de loin le secteur le plus consommateur de robots (38 % du total en 1979), ceux-ci se diffusent et pénètrent dans toutes les

Type de robot	Définition	Unités	Structure du parc en valeur
A. Manipulateur	Dispositif commandé directement par un opérateur humain	1 942 (10 %)	4 %
B. Robot séquentiel	Manipulateur fonctionnant selon une séquence et des conditions préétablies		
B1. à séquence fixe	la séquence et les conditions sont difficilement modifiables	13 438 (67 %)	31 %
B2. à séquence variable	la séquence et les conditions sont facilement variables	1 343 (7 %)	12 %
C. Robot à apprentissage (play back)	Manipulateur qui répète une séquence mémorisée après une séquence d'apprentissage réalisée par un opérateur humain	2 027 (10 %)	21 %
D. Robot à commande numérique	Manipulateur qui reçoit les ordres de séquence et de condition de travail de façon numérique	992 (5 %)	29 %
E. Robot intelligent	Robot réalisant lui-même des fonctions variées grâce à ses capacités d'actions et de perception sensorielles	131 (1 %)	3 %
TOTAL		19 873 (100 %)	100 %

Source : J I R A.

grandes branches de l'industrie.

Du côté des constructeurs, un point remarquable doit être souligné : dans son ensemble, le secteur est jugé, malgré son dynamisme, non rentable. Les quelque 150 constructeurs installés sur le marché japonais ne se maintiennent que pour une double raison : d'une part (et sauf dans un cas), le département robotique ne constitue que quelques pour cent du chiffre d'affaires des entreprises qui les produisent (les pertes sont compensées par les gains des autres activités) ; d'autre part, parce que, via le très puissant M I T I [447] et la J I R A (Japan Industrial Robot Association), des programmes « finalisés » assurent – au moyen de subventions et de débouchés garantis – la progression d'un secteur jugé clé pour l'avenir.

Le rôle du marché du travail

L'économie de travail, la volonté d'améliorer la qualité et la recherche d'une flexibilité toujours plus grande sont les causes premières de l'expansion de la robotique dans les entreprises japonaises. Mais il ne faut pas pour autant sous-estimer le rôle incitatif qu'ont joué la situation du marché du travail et le système d'emploi japonais, assez particulier.

– Le manque d'ouvriers qualifiés est une constante du marché du travail depuis les années soixante ; ce problème durement ressenti par les PME a probablement favorisé l'automatisation dans cette catégorie d'entreprises.

– L'élévation du niveau général d'éducation a réduit l'offre de jeunes sortant du premier cycle du lycée, alors que les entreprises avaient coutume de recruter leur main-d'œuvre ouvrière à ce niveau. Ceux qui ont suivi un cursus plus long répugnent aux travaux pénibles et dangereux et se tournent vers le tertiaire ou les emplois de gestion.

– Le vieillissement rapide de la population dans un système qui privilégie délibérément les jeunes, main-d'œuvre moins coûteuse, incite également à l'économie de travail.

– L'appartenance première à une entreprise plutôt qu'à un corps de métier, la garantie d'emploi pour les salariés bénéficiant de l'emploi à vie (environ 30 %) et une notion de qualification plus tournée vers la polyvalence, facilitent la mobilité interne et donc les restructurations liées aux mutations technologiques.

– Enfin, si la structure syndicale par entreprise ne signifie pas collusion avec la direction, elle a, par contre, contribué à la prise de conscience tardive d'un effet négatif sur l'emploi par l'absence de réflexions au niveau national. De plus, le syndicat d'entreprise ne regroupe que les travailleurs « réguliers », alors que les temporaires (souvent quasi-permanents), les saisonniers et les femmes sont les premiers visés par d'éventuelles réductions d'effectifs.

L'absence de données macro-économiques ne permet pas de chiffrer facilement l'effet direct de l'automatisation sur l'emploi. Les statistiques générales indiquent que l'industrie manufacturière une baisse de l'emploi dans les années soixante-dix pour les grandes entreprises (plus de 300 salariés), alors que les effectifs salariés par les petites et moyennes entreprises (PME) restent relativement stables. Globalement, de 1972 à 1978, alors que l'industrie manufacturière perd 788 548 salariés, les secteurs secondaire et tertiaire réunis augmentent de 3 501 560 personnes (dont 1 342 923 pour les services).

Les évolutions ne sont pas identiques pour toutes les branches de l'industrie manufacturière : il y a augmentation de l'emploi dans l'alimentaire, les machines électriques, le matériel de précision tandis que la mécanique générale, le traitement des métaux, la sidérurgie, la chimie, le textile... enregistrent une baisse.

Si le développement de la robotique dans les années soixante-dix n'a donc pas entraîné une chute brutale de l'emploi industriel, cela s'explique avant tout par le maintien d'une croissance soutenue dans des branches clés, où les gains de productivité se sont traduits par un développement des marchés.

A défaut de données générales de l'impact de la robotique sur l'emploi, les résultats d'une enquête (ministère du Travail, 1980) portant sur l'industrie mécanique et les effets de l'introduction de MOCN c'est à dire de machine-outil à commande numérique (catégorie D), apportent des informations intéressantes. La diminution des effectifs a été beaucoup plus élevée dans les grandes entreprises que dans les PME et entreprises intermédiaires qui ont fait l'effort d'améliorer leurs équipements. 29,2 % des entreprises (toutes tailles confondues) ont réduit leurs effectifs dans les départements concernés par l'investissement

(25,3 % par transfert des travailleurs vers d'autres départements et 3,9 % par ajustement de l'emploi, c'est-à-dire licenciements, non-réembauche, etc.).

24,4 % ont dû recruter du personnel ayant de nouvelles qualifications (surtout les entreprises de moins de 100 salariés). 10,9 % ont recruté directement des techniciens ou travailleurs qualifiés sur le marché du travail et 13,5 % ont recruté et formé des jeunes diplômés. 65,2 % des entreprises ont transféré d'autres travailleurs vers la profession d'opérateur de MOCN; 1,6 % ont choisi de se faire envoyer les travailleurs nécessaires par une autre entreprise et 13,5 % n'ont pris aucune mesure particulière. Ceci s'est accompagné d'une politique de formation vigoureuse : 50,4 % des entreprises ont recours à la formation interne, 66,7 % envoient leurs travailleurs en stage chez le fabricant de machines, et seulement 2,7 % s'adressent à des écoles spécialisées ou à des organismes de formation.

En ce qui concerne l'introduction de robots industriels, une enquête effectuée par le secrétariat d'État aux PME (1981) montre combien le recyclage et le transfert de poste est une solution couramment utilisée pour adapter la main-d'œuvre. Dans 27,4 % des entreprises, toute la main-d'œuvre ouvrière a été recyclée, tandis que dans 65,7 %, il y a eu à la fois recyclage et transfert de poste. 93,5 % de ces transferts sont dirigés vers d'autres processus de production; les transferts vers des tâches de gestion sont donc très rares.

La diffusion des automatismes au Japon s'est donc traduite par des mutations de l'emploi d'une certaine ampleur, tant sur le plan quantitatif que qualitatif (qualifications). Pour l'avenir, l'optimisme qui prévalait dans les milieux industriels japonais a fait place à l'inquiétude, pour plusieurs raisons.

— L'absorption des travailleurs en surplus par les services, sur laquelle comptaient beaucoup les Japonais, ne semble plus aussi évidente, surtout si l'informatisation s'accroît dans ce secteur.

— L'automatisation croissante des petites et moyennes industries, qui n'ont guère d'autre choix pour survivre, risque de limiter dans les années quatre-vingt leur capacité à

BIBLIOGRAPHIE

Ouvrage

SADAMOTO K., *Robots in the Japanese Economy*, Survey Japan, Tokyo, 1982.

Article

GÈZE F., « Automatisation, productivité, emploi : quelques réflexions sur le cas japonais », in ADEFI, *La Mutation technologique*, Economica, Paris, 1981.

Dossiers

CETIM, *L'Automatisation de la fabrication en moyenne et petite série*, Rapport de mission, 1979.

GÖNENC R., LECLER Y., *L'Electronisation industrielle au Japon*, Cahier du Centre de recherches sur le Japon contemporain, n° 2, 1982.

L'Impact de la micro-électronique, Commissariat général au Plan, Documentation française, Paris, 1982.

créer des emplois pour les laissés pour compte de l'automatisation des grandes entreprises.

– Le vieillissement de la main-d'œuvre, problème déjà délicat dans les années soixante-dix, est encore aggravé par l'automatisation, les travailleurs âgés s'adaptant difficilement aux nouvelles techniques de production.

Enfin, et surtout peut-être, la contraction du commerce mondial, à laquelle le Japon est devenu très sensible, risque de reporter à l'intérieur du pays des effets négatifs qui, jusque là, avaient été tenus à distance.

Benjamin Coriat,
Yveline Lecler

L'automatisation au bureau

Dans les pays occidentaux industrialisés, le secteur tertiaire fournit un pourcentage important des emplois. En Grande-Bretagne, par exemple, 20 % de la population active travaille dans des bureaux, tout particulièrement les femmes pour lesquelles ce type de travail représente 36 % des emplois.

L'automatisation n'avait que peu affecté le secteur tertiaire jusqu'à une date récente. Dans les bureaux, les instruments de base sont toujours des objets simples comme le stylo ou le papier, fruits d'un niveau technologique archaïque. S'y sont adjointes des inventions du XIXe siècle, comme la machine à écrire et le téléphone. Puis sont apparus, depuis les années soixante, les machines à calculer, les photocopieuses et les ordinateurs. Malgré le rôle croissant joué par ces machines, les employés de bureau en utilisaient encore peu à la fin des années soixante-dix. A cette époque, aux États-Unis et en Grande-Bretagne, les investissements en équipement et en machines par travailleur étaient dix fois plus importants dans l'industrie que dans les bureaux. D'où la part relativement importante de travail humain non mécanisé dans les bureaux, ouvrant un champ très large à une automatisation plus poussée.

Au début des années quatre-vingt, le nombre et la diversité des machines utilisées dans les bureaux ont commencé à croître, de sorte qu'un bureau moderne a toutes chances de posséder des machines de traitement de textes [306], des machines à écrire à mémoire, des photocopieuses « intelligentes » [309], un système de messagerie électronique [29], des télécopieurs et des ordinateurs de tailles diverses.

Tout cela est le résultat du développement de la micro-électronique [271], qui est la première technologie capable de traiter à bon marché de grandes quantités d'informations. On dirait qu'elle a été inventée tout exprès pour automatiser le travail de bureau, car le traitement de l'information est très précisément l'objet de ce dernier. Tout service reçoit de l'information de l'extérieur ou d'un autre service, la transforme en information nouvelle et la retransmet à un autre service ou à l'extérieur. Le processus de traitement de l'information dans un service se fait selon des règles édictées par l'encadrement, et avec l'aide d'une base de données.

Prenons pour exemple un service s'occupant du paiement des salaires : il reçoit des informations sur la quantité de travail fourni par chaque salarié. Il utilise une base de données pour connaître les indices des salaires et des diverses retenues (sécurité sociale, etc.) de façon à calculer la valeur de chaque salaire, et il envoie cette dernière information à la banque du salarié ou la transcrit sous forme d'un bulletin de salaire accompagnant le paiement en espèces. Les informations pertinentes (la somme totale des versements par exemple) sont transmises à la direction, qui peut envoyer de nouvelles instructions telles que des modifications du niveau des salaires.

L'électronique, sous la forme des ordinateurs, excelle dans le traitement et le stockage des données dont les bureaux ont besoin. Il serait donc tentant d'imaginer les bureaux de l'avenir vides de papier et donc vides d'hommes. Mais bien des obstacles s'opposent à une telle évolution. Il sera par exemple très difficile d'automatiser les processus de prises de décision par l'encadrement. Surtout, l'obstacle majeur à une automatisation complète se situe au niveau de la saisie de l'information par les systèmes électroniques (c'est-à-dire l'entrée de l'information dans ces systèmes). Ce travail est presque toujours effectué par des femmes, assises à des pupitres et dont le travail de frappe reste indispensable [55]. Certes, il est désormais possible de construire des machines qui « comprennent » un certain nombre de mots prononcés par une personne ou un petit nombre de personnes [287], mais le micro-processeur capable de comprendre toutes les paroles de n'importe qui n'est pas encore pour demain.

Autre problème : la sortie de l'information à destination de l'extérieur. L'information destinée à des êtres humains doit ordinairement être inscrite sur papier, tandis que celle destinée à un autre bureau informatisé peut parfois être transmise directement d'ordinateur à ordinateur. Ainsi, les grandes entreprises transmettent-elles souvent aux banques les ordres de débiter les salaires sous forme de bande magnétique et non d'un papier. Cela évite aux banques de retraduire en langage d'ordinateur l'information reçue sur papier.

De sombres perspectives pour l'emploi

Les prévisions ont toujours été sombres en ce qui concerne les effets de la micro-électronique sur l'emploi dans le secteur tertiaire. Quelques-unes de ces prévisions sont présentées dans le tableau ci-après. Curieu-

ESTIMATIONS DE L'IMPACT SUR L'EMPLOI TERTIAIRE
DE L'AUTOMATISATION

Source	Type d'emplois affectés	Nombre d'emplois affectés
SIEMENS, 1978	40 % des emplois de bureau exécutés par ordinateurs en Allemagne vers 1990.	2 millions d'emplois de dactylographie et de secrétariat supprimés.
(DANGELMAYER, 1978)	Révision du rapport : seulement 25 % (J. RADA, *The Impact of Microelectronics on Labour,* International Labour Office, 1981, p. 27).	
NORA et MINC, mai 1978	Emplois dans les banques et les assurances en France.	30 % de réduction des emplois dans les dix ans.
APEX, mars 1979	Dactylographie, secrétariat, emplois de bureau, rédacteurs de lettres et documents.	250 000 emplois en moins en 1983.

Source	Type d'emplois affectés	Nombre d'emplois affectés
BARRON et CURNOW, 1979	Secrétariat, dactylographie, emplois de bureau, cadres.	10 à 20 % de chômage dans les 15 ans.
JENKINS et SHERMAN, 1979	Emplois liés au traitement de l'information.	30 % de mutations vers 1990.
Philip VIRGO, 1979	– Services dans le secteur privé : personnel de bureau et administratif (notamment assurances, banques et immobilier).	40 % d'emplois menacés dans les années 80.
	– Services du secteur public :	Jusqu'à 2/3 de tous les emplois menacés.
SLEIGH et ALII, 1979	Assurances.	Baisse de l'offre d'emplois dans le domaine des petits emplois de bureau compensée par une hausse des offres d'emplois de niveau plus élevé dans le secteur informatique. Si la croissance n'est pas maintenue, l'emploi pourrait décliner de 15 % dans les 5 ans.
Emma BIRD, 1980	Secrétariat, dactylographie; vente par correspondance et service après-vente.	1979, 6 000 emplois de dactylo en moins dans la vente par correspondance, compensés partiellement (14 % de ce total) par de nouveaux emplois dans cette même branche et dans les services après-vente. Vers 1985, 21 000 emplois en moins (2 % des emplois de secrétariat et dactylographie) dans la vente par correspondance. Vers 1990, la perte d'emplois maximum envisagée dans cette branche sera de 170 000.
Anthony HYMAN, 1980	Secrétariat, dactylographie.	Les machines à traitement de textes rendront inutiles 60 à 70 % du personnel.
Metra International, 1980		
Times, 11.8.1980	Emplois de bureau.	60 à 70 % des emplois de bureau menacés à long terme.

sement, peu de choses ont été écrites sur la micro-électronique et l'emploi aux États-Unis, bien qu'il s'agisse du pays où l'automatisation des bureaux est la plus avancée. Les principales sources en la matière sont donc européennes, ce qui est regrettable, puisqu'en 1982 il y avait 350 000 systèmes de traitement de textes aux États-Unis contre 28 000 seulement en Grande-Bretagne, et des chiffres comparables en France et en Allemagne de l'Ouest.

Pendant la période de croissance économique rapide des années soixante et du début des années soixante-dix, les perspectives d'emploi dans le tertiaire restaient favorables. On avait mis en place de grands et coûteux ordinateurs centraux pour automatiser une partie du travail de bureau. Ils rendaient possibles de nouvelles activités et permettaient de développer les services, malgré les difficultés du recrutement dans ce secteur. De nouveaux emplois liés à l'informatique furent ainsi créés, surtout dans le domaine de la programmation. Un grand nombre de femmes ont été drainées vers les emplois de bureau pendant cette période. Mais là où les ordinateurs supprimaient des emplois, il s'agissait surtout d'emplois féminins, alors que les nouveaux emplois créés dans le domaine technique, moins nombreux d'ailleurs, tendaient à être occupés par des hommes. Ce schéma est resté valable avec l'apparition de nouvelles techniques d'automatisation.

Au cours des années soixante-dix, c'est le secteur des banques qui a probablement été à la pointe de l'automatisation. Entre 1970 et 1980, par exemple, le nombre de transactions effectuées par les banques britanniques a plus que doublé, tandis que l'emploi n'augmentait que de 26 %. Toujours dans les banques, l'emploi des femmes a augmenté plus vite que celui des hommes, celles-ci étant affectées en général à la saisie des données et à la comptabilité. Mais l'emploi dans le secteur bancaire a désormais peu de chance de s'accroître beaucoup, et certains observateurs s'attendent même à ce que l'automatisation les réduisent considérablement.

Au début des années quatre-vingt, de plus en plus de mini- et micro-ordinateurs sont apparus sur le marché, en même temps que des machines plus spécialisées, comme les systèmes de traitement de textes basés sur cette technologie. Cette période a coïncidé avec la généralisation de la dépression économique mondiale et ces deux facteurs semblent avoir mis un point final à la croissance de l'emploi dans le secteur tertiaire.

Les systèmes de traitement de textes réduisent le nombre d'emplois. Une enquête portant sur 278 firmes utilisatrices aux États-Unis a montré que si 30 % d'entre elles n'avaient pas modifié leur nombre d'employés, 50 % avaient réduit leur personnel de secrétariat. On retrouve les mêmes ordres de grandeur en Grande-Bretagne ou en France.

Les standards téléphonique informatisés de plus en plus sophistiqués exigent un nombre réduit d'opérateurs et les débuts de la messagerie électronique entraînent une réduction des emplois (ainsi, probablement, qu'une élévation des coûts) dans les services postaux.

D'autres formes d'automatisation affectent autant les emplois masculins que féminins. Ainsi dans les bureaux de dessins industriels, la conception assistée par ordinateur [283] rend les dessinateurs environ trois fois plus productifs qu'auparavant.

L'avenir, bien entendu, n'est jamais joué d'avance. Mais sans une croissance économique comme celle des années soixante et soixante-dix, qui permettrait de « recycler » les employés de bureaux devenus inutiles à cause de l'automatisation, et sans de nouvelles tâches à leur proposer sur une grande échelle, on peut difficilement éviter de conclure que le secteur tertiaire offrira dans l'avenir moins d'emplois qu'actuellement.

Erik Arnold

BIBLIOGRAPHIE

Ouvrages

ARNOLD E., SENKER P., *Designing the Future : The Implications of CAD Interactive Graphics for Employment and Skills in the British Engineering Industry*, Engineering Industry Training Board, Watford, 1982.

DEUTSCH, SHEA, EVANS, *Word Processing and Employment,* New York, 1975.

FAULKER W., ARNOLD E. (eds) *Smothered by Invention? Technology and Wowen's Lives,* Pluto Press, Londres, 1983.

NORA S. et MINC A., *L'informatisation de la société*, La Documentation française, Paris, 1978.

PASTRÉ O., *L'informatisation et l'emploi*, La Découverte/Maspero, collection « Repères », Paris, 1983.

SPRU studies, *Microelectronic and Women's Employment in Britain*, Science Policy Research Unit, Brighton, 1982.

VERDIER E., *La bureautique,* La Découverte/Maspero, collection « Repères », Paris, 1983.

La mécanisation de l'agriculture

Après les Etats-Unis, les chevaux-vapeur ont remplacé les attelages de bœufs et les chevaux de trait dans les campagnes européennes, en moins de trente ans. Les bidons de fuel ont pris la place des sacs d'avoine, des prairies et des luzernes. De 1960 à 1980, la population agricole de la Communauté européenne a été réduite de plus de moitié, tombant de 17 millions à moins de 8 millions en 1982. Le nombre de tracteurs a plus que doublé dans le même temps.

Parallélisme séduisant. Mais la relation n'est pas simple entre le départ des hommes et l'arrivée des machines. Des domaines entiers de la production agricole demeurent toujours hors de portée de la mécanisation. L'industrie du machinisme agricole a connu ses premières difficultés en 1965, quand les agriculteurs partaient en masse vers les villes. La crise qui l'a secouée en 1982 représente peut-être les prémices d'une nouvelle expansion.

D'abord cantonnés aux grandes exploitations du Middle-West ou du Bassin parisien, les tracteurs demeurèrent discrets avant-guerre en Europe occidentale. Il faut avouer que ces scarabées de fer et de fonte, traînant derrière eux des appareils cahotants, directement issus de la mécanisation agricole du siècle précédent, ne sont guère convaincants dans les exploitations morcelées des bocages, les collines ou les vallons. A l'époque où ils étaient encore nombreux, les paysans préféraient une autre mécanisation, celle liée à la traction animale longuement modifiée par les charrons locaux, adaptée au morcellement des terres, à la variété des cultures, aux exigences des petites propriétés de polyculture-élevage.

L'idée de génie des fabricants de tracteurs, ce fut la *miniaturisation*. Le petit tracteur Pony de 18-25 CV de Massey-Ferguson, inventé en 1936 aux États-Unis, en est le symbole. En Europe, à partir de 1948, ce petit tracteur va modifier les conditions de travail des paysans, mais surtout bouleverser les techniques et les spécificités agricoles. Il va imposer que les cultures se fassent sur de grandes surfaces et que les plantes s'adaptent à ces exigences : pousser en même temps, mûrir à la même période, ne pas se courber à tout propos. Outre cette simplification des systèmes culturaux, la tractorisation favorise également la consommation d'engrais chimiques, de produits phytosanitaires, de semences sélectionnées. Elle stimule ainsi indirectement le développement de l'industrie de l'alimentation animale car elle excelle pour labourer, semer, récolter les céréales qui iront nourrir les volailles et les porcs des élevages industriels.

A partir de 1965 cependant, commence le ralentissement des ventes de tracteurs et de machines agricoles. Cela accélère la concentration des firmes productrices. En 1982, quatre tracteurs sur cinq sortent des chaînes de Massey-Ferguson, John Deere, International Harvester, Ford ou Fiat. A l'échelon mondial, les mêmes contrôlent près de 70 % du marché. Quelques grandes entreprises spécialisées dans la fabrication des appareils de collecte de grain ou de fourrage s'imposent aussi à ce niveau. Mais que le marché est étroit pour faire vivre tout ce monde ! Alors, comment survivre sans vraiment innover ? Apparemment la recette est simple, on change les modèles très souvent, trop souvent même au gré des agriculteurs. On avait d'abord fait des ramasseuses-presse à basse densité (c'est-à-dire des machines permettant de ramasser le fourrage sous forme de balles de foin faiblement tassées). On passa ensuite à des ramasseuses-presse à moyenne, puis à haute densité (les balles de foin étaient moyennement, puis fortement tassées). Finalement, au début des années quatre-vingt, on arriva à des machines appelées « big baller », faisant des balles de foin de grande taille (1 m × 1 m), ou à des machines appelées « round baller » (faisant des balles non pas pressées, mais roulées).

La ronde des machines

Ainsi, on multiplie les machines spécialisées, puis on décide qu'elles ne sont plus assez performantes, qu'elles ne donnent plus de bons résultats. Chaque machine est utilisée de moins en moins longtemps dans l'année puisqu'elle travaille plus vite. Mais elle est aussi utilisée de moins en moins d'années puisque les « nouveaux » modèles chassent les anciens. Les conseillers agricoles les recommandent, les agents du Crédit agricole ne font référence qu'à eux, quand ils auront un crédit... mais les paysans les payent et les charges des emprunts contractés pèsent de plus en plus lourd.

Cette fuite en avant née avec la tractorisation n'est pas sans danger. Les constructeurs s'en sont aussi aperçus. Chaque nouveau modèle sorti étant plus performant, plus puissant – on fait quatre fois plus de travail avec un tracteur John Deere 120 CV à quatre roues motrices de 1980 qu'avec un Pony de 1955 – le risque de saturer le marché s'accroît. De plus, de nouvelles techniques de ramassage du fourrage ont fait leur apparition vers 1970 : au lieu de ramasser du foin, c'est-à-dire de l'herbe sèche, on ramasse de l'herbe verte grâce à des machines ressemblant à des tondeuses à gazon et appelées « ensileuses ». L'herbe verte est en effet stockée en l'état que l'on laisse fermenter. Ces nouvelles techniques risquent de rendre caduques les machines qui ramassent le foin (ramasseuses-presse, faucheuses, faneuses,...). Les premières ensileuses étaient tirées par tracteur,

mais elles risquent elles aussi d'être détrônées par l'arrivée d'ensileuses automotrices.

En fait, les limites de la première vague de mécanisation sont atteintes depuis le début des années soixante-dix. Si le chiffre d'affaires a augmenté, celui du nombre des principales machines agricoles, lui, n'a cessé de diminuer sur tous les grands marchés acheteurs. Les ventes mondiales de tracteurs ne devaient pas dépasser 700 000 unités en 1982, soit à peu près le même niveau qu'en 1981, mais 200 000 de moins qu'en 1977. Dans le tiers monde, les marchés devaient se raffermir un peu avec 328 000 unités contre 309 000 en 1981 (mais plus de 400 000 en 1976). Le parc de cinq millions d'unités qu'il fallait avoir selon les experts pour faire face à la demande alimentaire mondiale ne sera pas atteint. Les acheteurs du Sud n'ont pas relayé ceux de l'Europe occidentale ou des États-Unis. Non faute de besoin, mais faute de moyens... Les grands constructeurs mondiaux se débattent dans le rouge de leur bilan.

L'imperfection de la mécanisation

Ce marasme de l'industrie des machines agricoles met surtout en lumière toute l'imperfection des solutions mécaniques apportées à l'agriculture. Cette imperfection n'est pas très visible pour des productions comme le blé, la betterave, les oléagineux, car les agronomes ont sélectionné des souches qui se prêtent bien, par leurs caractères biologiques, aux opérations mécanisées. Mais dans des domaines comme l'élevage ou l'arboriculture, la mécanisation a peu pénétré.

Ces domaines sont encore largement tributaires des savoir-faire paysans, d'une main-d'œuvre nombreuse et mal payée, mais aussi de techniques qui échappent aux fabricants de machines. Les fruits, les légumes, et plus encore les bovins, ne se laissant pas facilement standardiser, et quand ils le sont, la mécanisation n'y est pas pour grand-chose. Ce qui apparaît comme marché fabuleux – puisque ces produits représentent plus de 60 % des achats alimentaires des pays riches et emploient plus de 70 % de leurs actifs agricoles – demeure hors de portée des vendeurs de biens d'équipement mécaniques. Les robots destinés à la cueillette des légumes sont ancore des araignées titubantes [274], engluées dans leurs bras articulés, ou des monstres d'acier capables de ramasser tomates et carottes mais accessibles aux seuls grands producteurs spécialisés.

Pragmatiques, les chimistes et les généticiens, mais aussi les agriculteurs, ont cherché ailleurs : dans l'amélioration des semences [253] permettant la simplification des travaux manuels puis mécaniques ; dans l'utilisation de nombreux produits de traitement économisant les multiples passages des tracteurs et des pulvérisateurs ; dans l'usage accru des herbicides, une meilleure connaissance de la vie bactérienne du sol diminuant les travaux de labour [251] ; dans les plastiques et l'irrigation permettant d'intensifier les cultures, d'éviter cette course en avant, de mieux produire tout en produisant plus et pourquoi pas avec moins de terre... Les ventes des gros engins ne s'arrêtent cependant pas. Elles vont toujours aux agricultures les plus riches en terre (à celles aussi où la terre n'est pas chère), et qui mettent en œuvre des méthodes de culture extensives.

Mais pour toutes les agricultures qui ont besoin de méthodes intensives – comme l'agriculture de montagne en Europe [95], ou celle de pays comme Israël et certains pays de l'Asie du Sud-Est –, ou pour les agricultures qui veulent retenir leur main-d'œuvre (réformes agraires au Mexique et en Bolivie), la mécanisation devra s'affiner, s'adapter aux progrès de la génétique, de la chimie, de la pharmacie. On peut espé-

---

BIBLIOGRAPHIE

Articles

BYÉ P., CHANARON J. J., « Blocages et perspectives de l'industrie du machinisme agricole », *Bulletin technique d'information du ministère de l'Agriculture*, Paris, 1er semestre 1983.

RASMUSSEN W., « La mécanisation de l'agriculture aux États-Unis », *Pour la science*, novembre 1982.

Dossiers

REBOUL C., « Déterminants économiques de la mécanisation de l'agriculture. L'accroissement du parc des tracteurs de grande puissance », *Institut national de la recherche agronomique, Série économie et sociologie rurales*, Paris, avril 1978.

CNEEMA (Centre national d'étude et d'expérimentation du machinisme agricole), *Conséquences de la motorisation de l'agriculture française de 1938 à nos jours*, Paris, 1977.

ONUDI (Organisation des Nations unies pour le développement industriel), *Étude mondiale sur l'industrie du machinisme agricole*, UNIDO-ICIS, Paris, 1979.

SAUTIER L., *L'industrie du machinisme agricole en Europe*, étude DAFSA, Paris, 1975.

rer que l'électronique et la micro-électronique lui donneront la souplesse nécessaire pour répondre à ces nouveaux besoins. On les voit déjà à l'œuvre en Hollande, au Danemark, dans la distribution automatique de l'alimentation animale, dans le contrôle des serres et des élevages hors-sol, dans le tri des fruits et légumes, dans la surveillance des tracteurs.

De dominante, la mécanisation deviendra dominée, de monolithique, elle redeviendra ce qu'elle était à l'origine : diversifiée. C'est à ce prix qu'elle connaîtra, après une phase de dure récession, une nouvelle expansion.

Pascal Byé
Egizio Valceschini

Travailler sur terminal d'ordinateur

L'informatisation fait beaucoup de bruit en cette fin de siècle. Parmi ses effets sur le travail, on parle surtout des conséquences sociales (emploi, qualification...). Mais que devient le travail au quotidien? Des recherches ergonomiques permettent d'amorcer des réponses. Évidemment, elles ne se contentent pas d'étudier le confort des chaises ou l'emplacement des néons. Elles analysent les effets du travail et ce que font réellement les gens.

Pour ne parler que des terminaux d'ordinateur (écran et clavier), on constate que, dans certaines conditions, ils mettent le corps à rude épreuve : fatigue des yeux, mal à la nuque, au dos. Ces problèmes sont étroitement liés à ce que fait l'opérateur, ce que l'on appelle « son activité ». Celle-ci est souvent méconnue ou non reconnue.

Au début de 1981, a lieu dans un centre de l'INSEE à Nantes une grève liée au contenu de cette activité. La direction introduit dans l'atelier de saisie un nouveau système dit « conversationnel ». Auparavant, l'ordinateur enregistrait ce que les opératrices transmettaient, il ne renvoyait les corrections que beaucoup plus tard. Maintenant, il gère la saisie, la contrôle et renvoie tout de suite les messages entachés d'erreur. Les opératrices disent : « Avant, on pouvait parler en tapant, maintenant on ne peut plus. On est prise par le matériel qui accapare

toute notre attention pendant des heures au point qu'en sortant le soir, on se dit : où j'en suis? J'en étais arrivée à mettre des bouts de papier dans mon porte-monnaie ou à faire des nœuds à mon mouchoir pour ne pas oublier quelque chose. Ça n'était pas mon habitude. »

Les opératrices revendiquent davantage de pauses. Elles ne sont pas contre le nouveau système. Elles s'opposent même à un retour à l'ancien. Elles veulent simplement que soit reconnu l'effort supplémentaire occasionné par le « conversationnel ».

Converser avec un ordinateur n'est pas si simple [300, 91]. On a souvent parlé de la rigidité des échanges : il faut suivre pas à pas les étapes imposées par la machine. De plus, les dialogues informatiques sont souvent mal conçus. Les réponses sont libellées dans le langage ordinaire. Mais l'ordinateur ne suit pas pour autant les règles habituelles de la conversation : lorsque l'on coopère avec quelqu'un, on s'attend à ce que ses réponses soient en rapport avec nos demandes, qu'il ne nous pose pas plusieurs fois de suite la même question, etc. Or, l'opérateur d'un terminal d'ordinateur se trouve souvent pris dans un véritable dialogue pathologique. Il doit se livrer à des acrobaties (mentales) pour comprendre ce que l'ordinateur a voulu dire. Ses réponses en effet paraissent tout à fait illogiques. Comment est-ce possible? Le programme lui est évidemment logique mais, s'il ne tient pas compte des règles de conversation, il renvoie sur l'écran des messages aberrants. Ces dialogues pathologiques peuvent paraître des anecdotes amusantes. Mais lorsque l'on sait que l'opérateur est responsable de la qualité et qu'il est soumis à un rendement, cela devient moins drôle.

Loin du réel

Ces contraintes sont toujours imposées sans tenir compte de la réalité. On retrouve un des vices de l'organisation classique du travail. Par exemple, pour le traitement d'une enquête, le rendement est calculé en comptabilisant le nombre des imprimés saisis et codifiés. Or, d'un imprimé à l'autre, les difficultés de codification varient considérablement. De même dans une imprimerie de journaux, le critère retenu est le nombre de signes saisis à l'heure sans tenir compte de la complexité des textes : quoi de plus différent pourtant qu'un article et une petite annonce !

A la pression du rendement s'ajoute l'effet d'entraînement de l'échange avec l'ordinateur. L'opérateur vient à peine de transmettre une information qu'un message apparaît. Il est sollicité sans répit par l'ordinateur. D'où les difficultés à contrôler soi-même sa vitesse de travail. Cela conduit à un assujettissement important au système informatique.

Autre aspect de l'informatisation dans le travail : l'abstraction. Il peut s'agir, par exemple, de codes informatiques comme pour la composition-correction des journaux [309]. Ces codes représentent des instructions typographiques. Mais ils n'ont aucun lien avec ce qu'ils signifient. Les correcteurs les mémorisent donc difficilement et une erreur peut avoir des conséquences importantes : « si l'on oublie un 6, au lieu de sortir une petite annonce, on risque

de sortir une affiche ! ». Le correcteur préfère alors quitter le terminal et vérifier lui-même à la sortie de la photocomposeuse [309] si le texte entre dans le cadre prévu.

Truffés de codes informatiques, les textes deviennent très difficiles à corriger. Leur structure est totalement bouleversée. Par exemple, le correcteur voit apparaître sur l'écran : « $PZ≠C1≠TGREMERCIEMENTS$PZ≠C2≠ ». Cette abstraction est souvent superflue, et l'état de la technique permettrait de l'éviter. Dans le cas de la composition-correction, des écrans « graphiques » peuvent présenter au correcteur la page du journal telle qu'elle sera imprimée.

Ces aberrations ont parfois des raisons cachées. L'informatique, c'est aussi un autre langage. On a demandé à un directeur de journal pourquoi les codes informatiques n'ont pas été calqués sur les codes typographiques, connus des ouvriers du livre. Réponse : le meilleur moyen de supprimer un métier est de supprimer son langage...

On entend dire parfois que l'informatique rend le travail plus intellectuel et même plus intelligent. Les exemples cités montrent que des problèmes nouveaux sont posés. Vont-ils dans le sens d'une nouvelle « professionnalité » [58]? Rien n'est moins évident. On constate surtout une transformation du travail qui n'est pas toujours là où les concepteurs l'attendaient.

Baisse de la qualité

Pour les créateurs d'un système informatique d'agence de presse, le terminal offre au journaliste des « fonctions adaptées à ses besoins » : par exemple, suppression de caractère, de mot, de paragraphe...

Et pourtant l'agence constate que si le nombre de dépêches a augmenté, leur style et leur contenu se sont détériorés. C'est que le travail de rédaction s'est modifié. Lorsque le journaliste reformule une dépêche sur machine à écrire, il la réécrit complètement, il appelle cela le « travail pensé ». En revanche, s'il utilise l'écran, il garde façon de la structure de la dépêche en ne faisant que des transformations locales. Ce sont justement les fonctions du terminal qui induisent cette façon de travailler. Si elles peuvent convenir à la dactylographie, elles ne répondent pas aux exigences de la conception de textes. Par exemple, il est difficile de transférer une séquence de mots d'un endroit à un autre. Il faut marquer le début et la fin de la séquence puis effectuer le transfert.

Fréquemment, de telles transformations du travail conduisent à une baisse de la qualité. De plus, les systèmes mal adaptés sont sous-utilisés. C'est souvent le cas des machines à traitement de textes [306], qui ne fonctionnent qu'à 30 % de leurs capacités. Tout ceci montre que si les technologies sont nouvelles, la conception du travail, elle, reste ancienne : on se contente de modèles simplistes de l'activité de travail, très éloignés de la réalité.

Comment résoudre les problèmes de conditions de travail posés par l'informatique ? D'abord mieux les connaître. Les conséquences du développement scientifique et technique interpellent la science. Par exemple, par des études sur la population des travailleurs « informatisés », on devrait mieux connaître les effets à court, moyen et long terme sur la vue, les relations interpersonnelles, etc. (études épidémiologiques). Ou alors, comprendre pourquoi le travail est « énervant », « fatigant » à travers des analyses fines des raisonnements des opérateurs face à l'ordinateur (cela concerne la psychologie, la psycholinguistique, la logique, ...).

Il faudrait ensuite que les systèmes informatiques soient conçus autrement [91] : les opérateurs devraient être associés à la conception – mais on ne pas simplement pour leur faire avaler la pilule informatique. Un changement culturel serait également nécessaire : pour que les sciences de l'homme aient une place entière dans la conception technique.

Ce n'est qu'après leur implantation que l'on s'interroge sur les effets des nouvelles technologies. Or, on crée aujourd'hui les situations de travail des vingt prochaines années. Pour sortir de la spirale, un renversement s'impose : faire de l'amélioration des conditions de travail un moteur du développement de l'informatique. On n'y est pas encore...

Leonardo Pinsky

BIBLIOGRAPHIE

Ouvrages

CFDT, *Les dégâts du progrès*, Seuil, Paris, 1977.

CFDT, *Le tertiaire éclaté*, Seuil, Paris, 1980.

VERDIER E., *La bureautique*, La Découverte/Maspero, Paris, 1983.

Articles

GUÉRIN F., DURAFFOURG J., LAVILLE A., « L'informatisation : le travail sur écran de visualisation », *Prévenir*, n° 2, 1980.

Dossiers

DURAFFOURG J. *et al.*, *Informatisation et transformation du travail*, Agence nationale pour l'amélioration des conditions de travail, coll. « études et recherches », 1982.

Numéros spéciaux de la revue *Le travail humain*, vol. 42, n° 2, et vol. 46, n° 2, 1983.

Que faire du travail qualifié?

Avec le développement de la crise au cours des années soixante-dix, tous les pays européens se sont préoccupés de lutter contre le chômage, en même temps que d'accroître la compétitivité de leur économie (de façon à augmenter leurs débouchés). Accroître la compétitivité signifie le plus souvent moderniser les entreprises, introduire de nouvelles machines, de nouvelles techniques. Cela implique que les gens qui vont utiliser ces nouvelles machines, mettre en œuvre ces nouvelles techniques, aient des qualifications elles aussi nouvelles. A moyen terme, dans tous les pays, les programmes d'éducation doivent donc inclure de nouvelles formations, correspondant à ces qualifications. Mais par ailleurs, la modernisation passe par des disparitions et des mutations d'emploi, ce qui implique des reconversions massives pour la population active. D'où la nécessité de politiques à plus court terme d'adaptation de la formation professionnelle des adultes et des jeunes. En 1983, bien peu de programmes pour les nouvelles formations professionnelles avaient encore été mis en place, dans la plupart des pays européens.

Parmi les nouvelles technologies, certaines jouent un rôle central : ce sont les technologies issues de la micro-électronique, telles que la télé-informatique [10], les robots [274], les micro-ordinateurs [10], etc. Toutes les activités, qu'elles soient industrielles, commerciales ou bancaires, seront touchées par elles, à plus ou moins brève échéance. Quelles transformations entraînent-elles au niveau des tâches au sein des entreprises? Au début de 1983, on pouvait faire les constatations suivantes, valables pour tous les pays d'Europe.

Les tâches de réalisation et d'exécution deviennent de moins en moins nombreuses et de plus en plus simples. Au contraire, les tâches de conception prennent de plus en plus d'importance. Il y a donc tendance à la réduction des effectifs de production, aussi bien dans l'industrie que dans les services, au profit des effectifs de recherche et d'étude. Il apparaît aussi des tâches nouvelles de pilotage et de contrôle de la production, à l'échelle d'un atelier (cas des « ateliers flexibles » [292], dans l'industrie mécanique), ou à l'échelle d'une usine (cas des raffineries, dans l'industrie pétrochimique). Il y a enfin forte augmentation des tâches de « maintenance » (entretien), car on demande aux ordinateurs et aux robots de fonctionner en permanence.

Une option pour les syndicats

Quel impact ces transformations des tâches ont-elles sur les qualifications? En septembre 1982, l'Institut allemand pour la formation professionnelle publiait les résultats d'une enquête sur cette question auprès des entreprises allemandes. Selon cette étude, certaines entreprises prévoyaient une baisse générale des qualifications, alors que d'autres s'attendaient à une élévation générale de ces qualifications. Il est en effet probable qu'il faudra envisager une requalification d'une partie de la population pour faire face aux nouvelles technologies. N'irait-on pas alors vers une polarisation, c'est-à-dire un système où les différences de qualification seraient encore plus accentuées qu'actuellement? En effet, les tâches d'exécution ne tendent-elles pas à être hyper-simplifiées, se bornant, à la limite, à être du type « presse-bouton », tandis que parallèlement, les tâches de conception demandent des connaissances de plus en plus grandes?

La question centrale est, en fait, de savoir comment la main-d'œuvre qualifiée qui existe dans tous les pays, aussi bien dans l'industrie que dans les services, va être traitée et renouvelée dans le contexte de ces nouvelles technologies.

Il y a en fait deux options possibles. Prenons l'exemple d'un « usineur », c'est-à-dire d'un ouvrier usinant des pièces grâce à une machine-outil. Avant l'introduction de la micro-électronique, la machine-outil classique exécutait des opérations commandées par le savoir-faire de l'ouvrier, en matière de tournage, fraisage, alésage... Avec l'avènement de la micro-électronique, les machines-outils sont du type « à commande numérique » et elles exécutent des instructions enregistrées sous forme de programmes et mises au point dans les bureaux d'étude. Que devient le rôle de l'opérateur de la machine-outil à commande numérique? Soit on ne lui donne qu'un pur rôle de « presse-bouton », et il est alors totalement déqualifié, soit on lui demande, par exemple, d'améliorer, de modifier, d'adapter le programme d'instructions de la machine, ou encore de l'entretenir ou la réparer, et dans ce dernier cas, on lui demande de nouvelles qualifications (en matière de programmation et d'électronique). Remarquons que dans cette deuxième option, les tâches d'exécution tendraient à rejoindre les tâches conceptuelles mises en œuvre dans les bureaux d'études. Cette option tend donc à battre en brèche les modèles d'organisation du travail de type taylorien (dont le travail à la chaîne est l'archétype bien connu). Or, on sait que ces modèles poussés à l'extrême ont engendré des effets inverses à ceux qu'ils recherchaient, c'est-à-dire une baisse de la production par suite du désintérêt, voire de l'hostilité pour le travail qu'ils engendrent chez les travailleurs. Il n'est donc pas étonnant de constater que cette deuxième option, qui tend à regrouper tâches d'exécution et tâches

conceptuelles, paraît être adoptée dans divers secteurs industriels, comme dans les unités hautement automatisées, par exemple cimenteries, pétrochimie. Mais il est certain que cette option ne se généralisera pas si elle n'est pas encouragée. Les syndicats européens sont décidés à se battre dans ce sens.

En fonction de ces perspectives d'évolution des qualifications, que dire des orientations possibles en matière de formation?

La conception du travail humain

Aucun des savoirs technologiques de base n'est périmé. En revanche, l'électronique doit être incorporée comme savoir de base et constituer un savoir spécialisé associé à d'autres, selon des modalités variées en fonction des applications. Il faudra aussi probablement généraliser l'enseignement de l'informatique et de la programmation.

Il y a aussi le problème de l'objet même des qualifications (c'est-à-dire en quelque sorte, de la définition des « professions »). Là aussi, il existe deux options. Reprenons l'exemple de l'usinage. En France, certains pensent qu'au « certificat d'aptitude professionnelle » de tourneur sur machine-outil classique, doit simplement se substituer un certificat d'aptitude professionnelle de tourneur sur machine-outil à commande numérique. D'autres pensent qu'il faut préserver une logique de « métier » où le savoir professionnel est étendu et polyvalent : dans cette optique, il devrait y avoir un « métier » d'usineur dans lequel des connaissances multiples en matière de tournage, d'alésage, de fraisage pourraient être appliquées sur machine-outil classique et sur machine-outil à commande numérique.

Pour conclure, il faut rappeler que les spécialistes de la formation professionnelle considèrent que leur rôle dépend beaucoup moins des nouvelles technologies que de la conception du travail humain. S'ils ne parviennent pas à former de nouveaux types de professionnels en relativement peu de temps, une nouvelle organisation du travail « en miettes » sera mise en place. Pour les formateurs européens, quatre voies d'actions principales existent - à l'heure actuelle :

– une information sur les nouvelles technologies à destination des actifs, avant qu'elles touchent les lieux de travail, ainsi que pour faciliter les choix de professions et de formation ;

– une adaptation à court terme et provisoire des qualifications aux besoins les plus urgents, problème de reconversion qui concerne principalement les entreprises ;

– une adaptation des programmes d'enseignement de la première formation professionnelle : celle-ci devrait comprendre une formation de base large, et être prolongée par des formations spécialisées ;

– une mise au point de nouvelles conceptions de la formation complémentaire en tenant compte des nouvelles exigences, pour améliorer la transition entre la première formation et la formation complémentaire, et accompagner une progression professionnelle.

Alain d'Iribarne

BIBLIOGRAPHIE

Ouvrages

CHILD J., LOVERIDGE R., *Conduite de l'entreprise, formation de capitaux, technologie et emploi,* University of Aston, Birmingham, 1981.

HAYES Ch., *Micro-electronics and Vocational Training in the European Community,* Chris Hayes Association, Londres, 1980.

Institut syndical européen, *L'impact de la micro-électronique sur l'emploi en Europe occidentale, dans les années 1980,* ISE, Bruxelles, 1980.

PASTRÉ O., *L'informatisation et l'emploi,* La Découverte/Maspero, Paris, 1983.

Articles

A. D'IRIBARNE, « Technologie et système de travail : l'évolution du travail face au développement des technologies », *L'évolution des systèmes de travail,* Éditions du CNRS, 1981.

Pool européen d'études et d'analyse (EPOS), « Changement social et technologie en Europe », *Bulletin d'information,* n° 6, Commission des communautés européennes, Bruxelles, 1982.

Dossier

SCHMIDT H., *Changements technologiques, emploi, qualification et formations professionnelles, exposé liminaire,* Bundesinstitut für Berufsbildung, Berlin, 1982.

L'impact des nouvelles techniques d'impression : le cas français

Le renouvellement des techniques d'édition et d'impression au cours des dernières années s'inscrit dans le contexte d'une énorme mutation technologique provoquée par l'électronique et les ordinateurs [309]. L'industrie graphique française l'a mal maîtrisé dans la plupart des secteurs de son activité, où les changements de mentalité ont été moins rapides que les progrès techniques. De grosses imprimeries ont disparu (Desfossé, Lang, Draeger, Hélio-Cachan, Hénon, etc.), ce qui s'est traduit, chez elles et leurs fournisseurs, par la mise à pied de professionnels qui n'ont pas tous retrouvé un emploi équivalent à celui qu'ils perdaient (compositeurs typo, conducteurs de machines typo, photograveurs,...) et n'ont pas réussi non plus à se reconvertir tous dans les branches connexes. Ce sont, en contrepartie, d'autres travailleurs qualifiés dans les postes suscités par les technologies nouvelles qui les ont remplacés (préparateurs de copie, photocompositeurs, électroniciens...). Globalement le volume de papier imprimé en France n'a guère changé au cours des années soixante-dix, en dépit d'une productivité améliorée, mais le nombre des salariés a diminué de 12 % en dix ans, du fait principalement du nombre trop élevé de travaux français imprimés hors des frontières (Italie, Belgique, R F A, Suisse, Espagne). 300 périodiques français, par exemple, imprimés à l'étranger, escamotent l'emploi de 2 000 travailleurs français. Des presses de haute productivité destinées à l'impression de livres, appelées presses Cameron, sont aussi apparues [309]. Cela peut être interprété de deux manières oppo-

sées. L'une défavorable : perte d'un certain nombre d'emplois pour chaque machine en service, fourniture d'un travail peut-être moins parfait. L'autre favorable : prix de revient abaissé, et possibilité de retirage à tout moment dans le délai minimum, ce qui se traduit par une diminution des invendus. Le bilan de l'utilisation des presses Cameron (qui assurent désormais la majorité de la production française de livres de littérature générale) est donc ambigu : elle a permis de maintenir à un niveau raisonnable le prix des livres (effet favorable à la lecture), mais elle a accru la dépendance des éditeurs par rapport à un nombre très limité d'imprimeurs, en situation de quasi-monopole (d'où une menace potentielle sur le pluralisme de l'écrit).

Il ne faut toutefois pas perdre de vue que les 125 000 tonnes de livres de littérature générale produits en France (en 1980) par 400 imprimeries spécialisées ne représentent que le dixième de l'ensemble des travaux de l'imprimerie de labeur. (Les neuf dixièmes restants correspondent à des livres scolaires, des livres scientifiques et techniques, des catalogues, des prospectus publicitaires, etc.) Cela tempère quelque peu les appréhensions suscitées par l'appétit des « Cameron », dont on comptait quatre exemplaires en France en 1983. D'autant qu'il n'est pas interdit d'espérer qu'une partie des ouvrages français de littérature générale tirés à l'étranger pourrait revenir à la Cameron si celle-ci continue d'accroître la qualité déjà plus qu'honnête de sa production.

Un autre sujet de préoccupation est celui des imprimeries dites « imprimeries-minute » car destinées à satisfaire le client sur l'instant [309]. Leur existence constitue-t-elle une menace pour les imprimeries traditionnelles ? Il faut savoir que ce sont ces dernières qui ont fait « la part du feu » en provoquant (partiellement) l'installation des imprimeries-minute par l'entremise de leur fédération. Cela en riposte à la prolifération des imprimeries « intégrées » dans les administrations privées et publiques (les secondes ne payant aucune taxe professionnlle, ni d'apprentissage, ni de formation continue). Les imprimeurs, en effet, voudraient récupérer la clientèle des administrations à leur profit ou sinon à celui des imprimeries-minute, qui sont de toute façon fiscalement et syndicalement mieux encadrées que les imprimeries « intégrées ». L'ennui est que l'imprimerie-minute cherche encore à se situer sur le marché. Elle n'a, par suite, trop souvent de minute que le nom, et fait attendre ses livraisons aussi longtemps que les imprimeries traditionnelles, alors que l'argument de défense des administrations est précisément la rapidité des services qu'elles obtiennent de leurs ateliers intégrés.

Le rôle des imprimantes à laser

Il n'empêche que, minute ou non, ce nouveau type d'entreprise pourra conduire à des imprimeries utilisant des imprimantes à laser [304] et spécialisées dans la micro-édition, telles que la société française Quantics [309]. Cela permettra alors l'existence de bon nombre de publications auxquelles on renonçait jusqu'alors vu leur prix de revient élevé (amortissable seulement, par les moyens classiques, avec un nombre d'exemplaires dont le client n'avait pas l'écoulement). C'est le cas par exemple des recueils de poésie édités

à compte d'auteur, des textes de « para-littérature » (fanzines) souvent diffusés sous forme de dactylogrammes, ou d'actes de colloques trop longtemps attendus. Tout cela, qui ne représente certes pas un tonnage de papier significatif, ne concurrence pas à proprement parler l'édition traditionnelle, mais répond à un besoin de communication, créateur par ailleurs d'emplois supplémentaires.

Les imprimeries munies d'imprimantes à laser sont susceptibles de traiter l'impression de documents constitués par des formulaires imprimés pré-établis et complétés dactylographiquement. Cela peut retirer du travail aux dactylos (qui frappaient les indications variables remplissant les formulaires). Mais là encore, cela ne peut nuire aux imprimeurs traditionnels.

Au contraire, cela devrait inciter ces derniers à proposer aux imprimeries possédant des imprimantes à laser de devenir leurs clients en utilisant davantage de formulaires pré-imprimés. Au cas où cet accord ne pourrait se faire, certains gros imprimeurs pourraient installer leurs propres imprimantes à laser en sortie de leurs rotatives pour inscrire sur les formulaires par eux imprimés les données variables fournies par leurs clients.

Au total, de nombreux aspects de l'évolution des techniques d'impression sont positifs. Il reste cependant un point noir, celui de la photocopie sauvage dont chacun connaît les abus. Malheureusement, c'est sans résultat que beaucoup d'éditeurs font suivre leur mention de copyright de : « ... La loi du 11 mars 1957 n'autorise aux termes des alinéas 2 et 3 de l'article 41 que les copies ou reproductions strictement réservées à l'usage privé du copiste et non destinées à une utilisation collective... » Il est bien évident que si des chapitres entiers d'ouvrages pouvant servir à des cours continuent à être reproduits par photocopie, à raison d'un exemplaire par élève, sous prétexte que ces ouvrages sont chers, la mévente de ceux-ci deviendra telle que les éditeurs renonceront à publier de nouveaux titres. Que photocopiera-t-on alors?

Autre conséquence culturelle trop méconnue du développement des nouvelles techniques : la dégradation de la qualité des textes imprimés. La photocomposition [309] permet de travailler mieux qu'on ne l'a jamais fait avec la composition au plomb, mais sa qualité typographique régresse – dans la presse surtout – par manque de rigueur. Pour enrayer cette dégradation, il faut redevenir exigeant, restaurer l'usage négligé ou ignoré des règles typographiques garantes de la lisibilité en même temps que gardienne de la langue. Il faut aussi se défier de l'esthétique douteuse des caractères dont les variantes penchées ou étroites ne sont pas obtenues par leur dessin spécialement étudié mais par des déformations optiques (anamorphoses), ce qui est plus expéditif et moins cher, mais esthétiquement critiquable. En photogravure, par contre, la qualité des images imprimées a certainement gagné avec les scanners électroniques [309] et la réduction – dans la proportion de 1 à 5 environ – des temps de fabrication, parfois incompatibles auparavant avec le respect des délais de livraison.

Pour résumer, ce dont souffre le plus l'industrie graphique française est son suréquipement, conséquence d'une fuite en avant pour survivre qui a conduit au résultat inverse, car les commandes n'ont pas augmenté : il y avait en 1983 deux fois et demie plus de matériel que ne le demandaient les besoins.

Pené Ponot

Progrès technique et durée de travail

Au cours des années soixante-dix, les travailleurs européens de l'industrie mécanique de précision, de l'automobile, de l'équipement de bureau, de l'électronique et d'une partie du secteur tertiaire (banques, assurances,...) se sont trouvés confrontés à d'importants changements techniques, du fait de l'introduction croissante de l'informatique et de la micro-électronique.

Ces changements ont eu des effets contradictoires sur l'emploi [38]. Certains postes de travail ont été éliminés, d'autres déqualifiés; des postes nouveaux ont par ailleurs été créés et d'autres revalorisés. Cependant, globalement, il y a eu rationalisation et réduction de la quantité de travail investie, dans la production au sein de ces secteurs. Sur un fond de croissance ralentie, voire de chute de la production, l'accroissement de productivité dû au changement technologique a été synonyme de moindre emploi dans ces secteurs. Ces pertes d'emploi n'ont pas été compensées par des créations d'emploi, dans d'autres industries ou services, dont beaucoup ont été sérieusement affectées par l'évolution de la division internationale du travail (textile et habillement), par la crise de l'énergie (sidérurgie et construction navale, par exemple), ou par la « rationalisation » (compressions de personnel dans les services publics et le bâtiment).

Dans un système économique fonctionnant rationnellement, les pertes d'emploi dues au changement technologique ne devraient constituer qu'un problème transitoire de transfert de travailleurs d'une activité à une autre. Si le système accordait la priorité à l'accroissement des capacités productives, les ouvriers déplacés iraient vers les industries produisant des biens d'équipement. S'il accordait la priorité à l'accroissement de la consommation, les ouvriers devraient aller vers les industries des biens de consommation. S'il considérait que les biens de consommation et d'équipement sont produits en quantité suffisante, les accroissements de productivité pourraient alors se traduire par une augmentation du temps libre, par le biais de la réduction du temps de travail.

Selon certains hommes politiques et économistes, ces résultats optimaux devraient être automatiquement atteints dans une économie de marché fonctionnant librement, le plein emploi coïncidant alors avec le progrès technologique. Pourtant, les plus grands économistes du XXᵉ siècle ont montré que cette théorie n'est pas correcte. D'abord, même des marchés « parfaits » et sans entrave n'aboutissent jamais à des résultats optimaux, car le temps et l'incertitude affectent les décisions économiques.

Réduction du temps de travail ou augmentation des salaires?

L'intervention croissante de l'État apparaît donc comme une condition nécessaire pour atteindre le plein emploi. En Europe occidentale, le mouvement syndical a défendu l'idée que les gouvernements devraient encourager les investissements créateurs d'emplois plutôt que ceux visant à rationnaliser la production en augmentant la productivité. Il a aussi réclamé le maintien du pouvoir d'achat, pour que l'expansion de la consommation incite à la création de nouveaux emplois malgré la crise. Mais les syndicats ont aussi revendiqué et négocié des réductions du temps de travail.

Ils ont avancé cette dernière revendication parce que la relance de la croissance économique par l'accroissement de la consommation et de l'investissement productif, si elle peut être une condition nécessaire de la réduction du chômage, n'est certainement pas une condition suffisante du retour au plein emploi tel qu'on le connaissait dans les pays industrialisés dans les années soixante et au début des années soixante-dix. A la fin de 1982, il y avait plus de 32 millions de chômeurs recensés dans les pays de l'OCDE (plus de 17 millions en Europe occidentale). L'Institut européen des syndicats a calculé qu'un retour au plein emploi vers 1990 exigerait, en chiffres nets, la création de 20 millions de nouveaux postes de travail en Europe occidentale. Si l'on ne compte, pour créer ces emplois, que sur une expansion de l'offre de travail due à la croissance, cela impliquerait des taux de croissance exceptionnels au regard des moyennes historiques, et prolongés sur plusieurs années : l'OCDE a calculé qu'il faut 3 à 4 % de croissance par an... simplement pour empêcher le chômage de croître. Dans ces conditions, il est clair qu'une réduction du temps de travail est nécessaire si l'on veut rétablir le plein emploi.

L'attention portée à la réduction du temps de travail par rapport à celle accordée à l'accroissement des salaires a varié selon les époques et les pays, mais la tendance globale est assez nette : il y a 100 ans, en Europe du Nord, le travailleur manuel moyen travaillait entre 65 et 70 heures par semaine, et avait peu ou pas de congés; aujourd'hui, dans la plus grande partie de l'Europe, on travaille environ 40 heures avec au moins 3 ou 4 semaines de congés payés par an. Du simple point de vue de l'offre de travail, cela représente plusieurs millions d'heures retirées du marché du travail.

Bien qu'une partie des gains de productivité dûs au progrès technologique ait été, par le passé, réalisée sous forme de réduction du temps de travail, il serait cependant erroné de supposer l'existence d'une relation simple et directe entre progrès technologique, durée du travail et emploi. L'effet d'une réduction du temps de travail sur l'emploi à court terme dépend beaucoup de la façon dont les entreprises feront face au progrès technologique, de ce qu'il adviendra des salaires et de la productivité, de l'évolution de la croissance et de ce qui se passera dans les autres entreprises et les autres pays.

Les employeurs et certains gouvernements ont soutenu que, dans les conditions actuelles de concurrence internationale, une réduction du temps de travail qui ne s'accompagnerait pas de pertes de salaires entraînerait en fait un risque pour l'emploi, à cause du danger que cela ferait courir à la compétitivité des entreprises. Et si les employeurs ne pouvaient diminuer les versements salariaux, ils essaieraient de compenser l'accroissement des coûts par une augmentation de la productivité : cela annulerait une bonne partie de l'effet créateur d'emplois de la diminution de la durée du travail.

Un objectif social

Quelle que soit l'importance des arguments économiques, il convient de souligner que les raisons essentielles de la réduction du temps de travail sont d'ordre social. Au XIXe siècle, les employeurs invoquaient les mêmes raisons (coût et compétitivité) pour résister aux demandes de réduction du temps de travail. On a pourtant vu le temps de travail se réduire constamment, et ce fut une source majeure de progrès social. De nos jours, l'utilisation du progrès technologique dans ce but devra rester un objectif social important. C'est ce que souligne la Confédération européenne des syndicats (CES) dans sa résolution du Congrès de mai 1982 : « La CES considère que la réduction du temps de travail n'est pas seulement un moyen de répartir l'emploi entre tous. [38]

C'est aussi une condition importante de l'évolution positive des modes de vie et de la promotion d'une activité économique assainie croissant durablement et davantage orientée vers l'auto-accomplissement de chacun ». Depuis 1978, des progrès significatifs ont été enregistrés en Europe de l'Ouest dans la voie de la réduction du temps de travail. Tous les aspects de la durée du travail ont été affectés : durée hebdomadaire, congés payés, heures supplémentaires, durée de la scolarité obligatoire, âge de la retraite. Les priorités ont été différentes selon les pays : dans certains, l'action a été centrée sur un seul aspect (la durée hebdomadaire en Belgique, par exemple), alors que dans d'autres, toute une série d'éléments ont été pris en compte (comme en France en 1982). Dans les pays scandinaves, la réduction de la semaine de travail à moins de 40 heures et l'extension des congés payés à 5 semaines pour bon nombre de travailleurs, avaient eu lieu au milieu des années soixante-dix : la durée du travail n'y a donc pas fait ensuite l'objet d'une aussi grande attention que dans d'autres pays.

Un rapport de l'Institut européen des syndicats sur le temps de travail en Europe de l'Ouest a souligné en 1982 les principales évolutions. En Autriche, on a introduit un congé annuel supplémentaire et abaissé l'âge de la retraite. En Belgique, on a réduit la durée hebdomadaire du travail dans de nombreux secteurs, et la majorité des gens travaille actuellement 38 heures, ou moins, par semaine. Au Danemark, la retraite volontaire est passée à 60 ans. En Espagne, la durée annuelle du travail est passée de 2 020 heures en 1979 à 1880 heures en 1982, et la cinquième semaine de congés payés se généralise. En Finlande, la cinquième semaine de congés payés a été accordée en 1982 à tous les travailleurs ayant un an d'ancienneté. En France, l'accord multi-branches du 17 juillet 1981, les négociations par branches qui ont suivi, et les décrets gouvernementaux de janvier 1982, ont abouti à l'application généralisée de la semaine de 39 heures et à une cinquième semaine de congés payés, ainsi qu'à certaines restrictions sur les heures supplémentaires. De plus, à la fin de 1983, les ouvriers travaillant en 3 × 8 devaient passer à la semaine de 35 heures, et en 1983, l'âge de retraite a été abaissé à 60 ans.

En Grande-Bretagne, les accords conclus ont donné à plus de 6,5 millions de travailleurs manuels – soit plus de la moitié – une semaine inférieure à 40 heures, ce dont la plupart des travailleurs non manuels bénéficiaient déjà depuis quelque temps. En outre, le total des congés annuels approche les 5 semaines.

En Grèce, la semaine de travail est passée en quelques années de 6 à 5 jours. Dans le secteur privé, elle est passée de 43 à 41 heures, alors que dans le secteur public, elle est déjà inférieure à 40 heures. Les congés payés ont été aussi augmentés d'un à deux jours, selon l'ancienneté.

En Italie, les accords passés pendant la période 1978-1980, ont conduit en général à l'obtention de la cinquième semaine de congés payés. La sixième semaine a été obtenue dans certaines branches en 1981. Les travailleurs en 3 × 8 ont aussi obtenu des réductions de leur semaine de travail à moins de 40 heures dans plusieurs secteurs (acier : 39 heures ; chimie : 37 heures 20 minutes). A cette réduction s'ajoute quelquefois le paiement de « ponts » qui se trouvent ainsi inclus dans le temps de travail.

Aux Pays-Bas, dans la plupart des branches, les congés payés annuels sont passés de 22,5 jours ouvrables en 1979 à 24,5 en 1982. Dans de nombreuses branches, des accords sur la retraite ont été conclus. Ils donnent généralement droit à la retraite à 62 ans avec 80 % du salaire brut. En outre, des congés supplémentaires ont été accordés aux travailleurs de plus de 55 ans.

En RFA, dans la plupart des secteurs, les congés annuels sont passés de 4 à 5 semaines en 1979. Nombre d'accords prévoyaient même pour 1982 ou 1983 une sixième semaine de congés payés, par exemple dans la chimie, la mécanique, la métallurgie et le textile. Des jours de congés supplémentaires ont été accordés aux travailleurs postés dans plusieurs secteurs, ainsi qu'aux travailleurs atteignant un certain âge.

La réduction du temps de travail a été aussi une priorité syndicale en Australie et en Nouvelle-Zélande, mais elle a fort peu retenu l'attention d'autres pays de l'OCDE, au premier rang desquels les États-Unis, où la semaine de travail moyen a peu changé depuis la fin de la Seconde Guerre mondiale, y compris au cours des années soixante-dix. C'est également le cas au Japon qui, comme les États-Unis a su tirer profit des bouleversements de l'économie mondiale dans cette dernière période. Mais lorsque la crise a commencé à frapper dans ces deux pays même les secteurs jugés jusqu'alors préservés, les syndicats ont commencé à s'intéresser de plus près aux effets du progrès technique sur l'emploi et aux perspectives de réduction de la durée du travail.

John Evans

BIBLIOGRAPHIE

Articles

TERIET B., « Technical Progress and the Arrangement of Working Time » *Labour and Society*, vol 7, n° 2, 1982.

Dossiers

La durée du travail en Europe occidentale en 1982, Institut syndical européen, Bruxelles, 1982.

Offre de main-d'œuvre, contraintes de la croissance et partage du travail, OCDE, Paris, 1982.

ENJEUX POLITIQUES

France, 1983 :
le doute nucléaire

Après plus de deux ans de gouvernement de gauche en France qu'en est-il de la contestation nucléaire? Que sont devenus les individus qui s'interrogeaient sur les justifications techniques, scientifiques, économiques, politiques du développement forcené de l'énergie nucléaire? Ceux à qui l'on collait bien vite l'étiquette d'antinucléaires, rendant ainsi impossible d'entrée de jeu toute discussion? Ceux qui, pendant des années, se sont heurtés à un système décisionnel particulièrement fermé dont l'extrême centralisme a empêché la participation de tous les acteurs sociaux? Ceux dont la demande de concertation était reçue par le mépris le plus profond d'un gouvernement qui, de Creys-Malville à Plogoff, leur opposa ses forces de l'ordre?

Ces individus, où sont-ils? Ils ont disparu, semble-t-il, disparu tranquillement – qui dans des agences gouvernementales, qui dans des commissions démocratiques, qui avec des contrats intéressants... Et pendant deux ans, tout a continué sur la lancée : la construction des centrales à eau légère, l'extension des usines de retraitement, la mise au point des surgénérateurs [   ], le stockage des déchets... tout s'est poursuivi selon l'ancienne logique. Mais, au cours de cette période, sans qu'on en prenne vraiment conscience, la situation a évolué progressivement. La situation énergétique tout d'abord qui fait que le nucléaire dans son cycle complet avec ses incertitudes technologiques, ses coûts ne fait plus l'unanimité à l'intérieur même des institutions qui en vivent. La situation politique ensuite qui, par l'installation d'une certaine démocratie résultant des contradictions au sein du gouvernement, a permis l'émergence au niveau officiel de ces idées mêmes qui, depuis des années, étaient débattues dans les milieux « contestataires ». Mais qu'adviendra-t-il de ces idées ?

Reprenons donc un peu le cours des événements depuis mai 1981. François Mitterrand est élu président de la République et il promet... de tenir les promesses qu'il avait faites pendant sa campagne électorale. En particulier, un grand débat sur l'énergie à l'automne. L'été 1981 se passe dans l'euphorie. Enfin on va pouvoir réfléchir sereinement sur l'énergie nucléaire. Devons-nous en faire ? Combien ? Quelles en seront les conséquences économiques, sociales, politiques ? Quelle filière faut-il privilégier ? Quel cycle du combustible choisir ? Quelle doctrine adopter pour l'exportation ?... Et puis l'automne arrive. Le débat a lieu : deux jours de discussion à l'Assemblée nationale. Et pour finir : un vote de confiance pour le gouvernement qui s'engage à supprimer quelques centrales... mais à continuer dans la voie du tout électrique, tout nucléaire, à poursuivre Super-Phénix, à promouvoir le retraitement... D'aucuns s'insurgent des modalités de ce pseudo-débat pour lequel seuls quelques rares députés ont pris le temps de faire un tour rapide dans deux ou trois centres nucléaires français et dont la population a été soigneusement tenue à l'écart... Des groupes d'écologistes s'indignent des fausses promesses... Et très vite on feint d'oublier que le grand débat n'a pas lieu. En fait dès cette époque, un premier groupe d'opposants au nucléaire est éliminé, groupe d'autant plus symbolique qu'il s'agit de la population de la région de Plogoff. Plogoff était en effet un des sites d'implantation de centrales que le gouvernement avait choisi d'abandonner. Ce n'est pas un hasard sans doute : car à Plogoff les paysans et ouvriers bretons s'étaient au cours des années précédentes fortement mobilisés contre la centrale et avaient violemment affronté les corps de CRS détachés sur le terrain. « On se serait cru en 40 » disaient certains vieux habitants alors que les femmes du pays, tricot sous le bras, allaient camper devant la mairie de Rennes pour réclamer le retour au pays des hommes emprisonnés. Respect de la démocratie, acte de sagesse, opportunisme... ? Toujours est-il que la décision est prise d'annuler définitivement toute étude de site à Plogoff.

D'une commission à une agence...

Puis l'hiver 1981 arrive, le groupe de travail sur la gestion du combustible irradié est créé sous la direction de l'académicien des sciences, Raymond Castaing. Sa vocation : être l'outil de travail du Conseil supérieur de la sûreté nucléaire qui a été élargi à des représentants des différentes « forces sociales de la nation ». La commission Castaing compte parmi ses membres un représentant du syndicat CFDT et un membre du GSIEN, Groupement des scientifiques pour l'information sur l'énergie nucléaire ; elle est chargée de réfléchir aux aspects techniques et scientifiques de la gestion du cycle du combustible nucléaire avec comme objectif un rapport d'évaluation de la gestion du combustible actuellement développée et des propositions éventuelles pour la fin 1982. Voici donc la CFDT et le GSIEN impliqués pour la première fois dans un groupe officiel. Implication qui pourrait ne pas être contestée, si elle n'était accompagnée d'un engagement mutuellement pris par les membres de la commission de non-divulgation à l'extérieur des travaux qu'elle mène à bien.

Janvier 1982, c'est le grand « Colloque sur la recherche et la technologie » organisé par Jean-Pierre Chevènement, alors ministre de la Recherche. De nombreux thèmes de réflexion sont proposés aux chercheurs dont, pour le sujet qui nous concerne, ceux de la responsabilité du scientifique et de la communication. On y parle beaucoup... souvent du rôle du scientifique en matière d'information sur l'énergie nucléaire, on s'accuse, on s'excuse, on se libère, on prend des résolutions, on y entend des promesses... Le colloque s'achève, l'argent rentre dans la plupart des caisses des organismes de recherche, les projets scientifiques reprennent... une certaine mobilisation demeure autour de la création dans les régions des centres de cultures scientifiques, de boutique de sciences [89]. Les forces s'épuisent contre l'inertie des structures administratives, le manque de financement, l'éparpillement des bonnes volontés... Et l'énergie nucléaire? On l'a oubliée, semble-t-il.

Février 1982, l'AFME, Agence française pour la maîtrise de l'énergie, est créée. A sa tête, Michel Rolland, ancien adjoint d'Edmond Maire, secrétaire général de la CFDT, responsable dans ce syndicat depuis de nombreuses années de l'énergie. L'AFME est chargée de promouvoir les économies d'énergie et d'impulser les recherches en matière d'énergies nouvelles. De quoi largement occuper les membres de la CFDT et du GSIEN que Michel Rolland a emmené avec lui. Ces derniers constituaient depuis de nombreuses années l'essentiel de ceux qui s'étaient battus pour que les critères de choix en matière d'énergie nucléaire soient connus de tous et débattus au grand jour. Et de fait, qui serait mieux apte à défendre les nouvelles énergies que ces « antinucléaires », qui seraient plus motivé pour en tirer le maximum? L'intention apparaît donc louable mais, en même temps, c'est le « doute nucléaire » qui perd encore des forces.

Parallèlement à la mise en place de ces nouvelles instances le problème de la contestation dans les régions se réglait, en particulier celui de Golfech. Golfech, site du Lot-et-Garonne où les tranches nucléaires prévues soulevaient une vive opposition dans la région. Pas un jour ne s'écoulait sans qu'un camion EDF ne soit retrouvé avec un pneu crevé, sans qu'un registre touchant à l'implantation du site ne brûle, sans qu'une barrière électrifiée ne soit cisaillée.

Des contrats miracles pour les régions

Et soudain, à la fin de 1981, le Conseil régional de Midi-Pyrénées, où la gauche est majoritaire, négocie avec EDF un contrat « miracle ». Outre l'emploi dans la mesure du possible de personnel local pour la construction de la centrale, sa formation permanente, l'aménagement du territoire, ce contrat stipule qu'EDF versera une participation importante à la région pour financer des opérations créatrices d'emploi liées à l'activité de la future centrale et des actions menées en faveur des énergies nouvelles. Ce financement sera assuré non seulement pendant la tenue du chantier mais aussi durant toute la vie de la centrale. Aussi, fière d'avoir gagné tous ces avantages et assuré un revenu certain à la région, l'opposition officielle accepte la centrale et les contestataires de Golfech rentrent dans les rangs.

Après Golfech, c'est d'un nouveau type de contrats dont vont bénéficier les régions : l'emploi privilégié d'une main-d'œuvre locale, sa formation... sont désormais assurés mais aussi une aide financière de l'État et d'EDF est garantie aux collectivités locales pour favoriser la création d'emplois et d'activités industrielles dans le voisinage des sites nucléaires. Cette participation au développement économique de la région se poursuivra pendant trois ans après la mise en service de la centrale. Ce sont ainsi les bénéfices importants qui reviendront à ces régions aux revenus souvent précaires, où est prévue l'installation de centrales nucléaires... bénéfices qui feront que le « doute nucléaire » sera de peu de poids dans la balance de la décision. Et si en 1983, quelques critiques du nucléaire se regroupaient encore à Nogent, seul le site de Chooz suscitait encore tous les mois le regroupement d'antinucléaires. A souligner cependant que ces manifestations franco-belges étaient aussi nourries par la colère que suscitait dans la région la fermeture de l'usine sidérurgique de Vireux.

C'est ainsi que, paisiblement, sans réelle anicroche, l'énergie nucléaire continue à s'installer en France. Fin 1982, les contrats nucléaires marchent bien. Bien, mais des imprévus techniques se produisent, des fermetures de centrales doivent être effectuées, le taux de fonctionnement est moins bon que prévu. Cependant, les Français n'ont pas lieu d'être inquiets! Ils n'ont pas non plus de raisons de se demander si le « tout nucléaire » sera tellement mieux que le « tout charbon », puis le « tout pétrole » tant décrié; ni si le « tout nucléaire, tout électrique » est la seule voie possible pour l'avenir énergétique français.

Deux bombes tranquilles

Et soudain, en janvier 1983, le rapport Castaing tombe, comme une petite bombe, sur les institutions françaises en charge du nucléaire, installées depuis si longtemps dans la certitude de leur choix et dans la quiétude de l'état de grâce. Et pourtant, c'est avec beaucoup de précautions et de grands égards que le groupe Castaing introduit le doute dans les esprits. Pas le doute sur l'efficacité du Commissariat à l'énergie atomique, ni sur ses compétences et sa rigueur mais le doute sur l'unicité de la voie choisie. Pour le CEA, un seul chemin semblait possible : l'uranium enrichi, les centrales à eau légère, le retraitement du combustible utilisé dans ces centrales, les surgénérateurs... Le retraitement permet de séparer au sein du combustible « brûlé », d'un côté l'uranium et le plutonium et de l'autre, des produits inutilisables qui constituent à proprement parler des déchets nucléaires [365]. Si cette étape technologique est indispensable à la fabrication du plutonium

utilisé dans les surgénérateurs, elle est présentée de surcroît en France comme la seule solution au problème des déchets nucléaires.

Mais, demande le rapport Castaing, pourquoi ne pas s'occuper directement du combustible « brûlé »? En effet, les produits les plus dangereux à long terme qu'il contient ne se retrouvent-ils pas aussi dans les déchets du retraitement? Nous ne ferions d'ailleurs en cela que reprendre des conclusions auxquelles sont déjà arrivés les Suédois, les Canadiens, les Allemands. Il ne s'agit pas de prendre des décisions, il importe seulement d'étudier des alternatives possibles. Il faut aussi, préconise le rapport Castaing, étudier plus sérieusement le problème des déchets dits de faible radioactivité, à l'heure actuelle stockés en surface, mais qui s'avèrent contenir des quantités non négligeables de corps à forte radioactivité. Il faut encore ouvrir des laboratoires souterrains pour comprendre le comportement dans des structures géologiques des déchets (ou combustibles) contenant des produits radioactifs à long terme... Des demandes simples, fondées souvent sur l'expérience des autres pays, établies à la demande du gouvernement par des scientifiques dont nul ne conteste la réputation de sérieux. Des demandes auxquelles la CEA devra répondre autrement que par des arguments d'autorité! Et puis, en mai 1983, une deuxième petite bombe éclate avec le rapport du groupe « énergie long terme » du commissariat général au Plan. Sa principale conclusion : nous produisons trop d'énergie et nous sommes suréquipés en centrales nucléaires. Il faut donc revoir le scénario énergétique français qui repose essentiellement aujourd'hui sur le développement de l'énergie nucléaire.

Au cours de l'année 1983, deux éléments importants ont été apportés au dossier électronucléaire. Une question : la voie nucléaire choisie par la France est-elle la seule et la meilleure possible? Une affirmation : nous produisons trop d'électricité. Un dossier fondamental n'a pas encore été publiquement ouvert : le dossier économique. Le coût du nucléaire, dans son cycle complet, n'a plus rien à voir avec celui qui était officiellement avancé pour justifier son développement.

Ce n'est certes pas une volonté politique qui a conduit à cette situation : c'est la technologie nucléaire elle-même qui a été porteuse de sa gloire et le sera sans doute de sa décadence. C'est aussi, il est vrai, l'ouverture démocratique apportée par le gouvernement de gauche qui a permis à des groupes d'experts de s'autonomiser et de faire sortir au grand jour des critiques qui jus-

qu'alors s'étaient heurtées à l'extrême centralisation des acteurs principaux. La recherche, l'expérimentation, le développement, la réglementation... tout est entre les mains d'institutions, publiques ou privées, dont l'interpénétration et les intérêts communs sont tels qu'un système décisionnel particulièrement fermé s'est instauré de longue date. Il faudra donc beaucoup de détermination au pouvoir politique pour braver les intérêts en jeu, alors même que l'opportunité était enfin offerte de repenser l'avenir énergétique français avant que la situation ne soit réellement catastrophique.

Martine Barrère

71

La contestation de l'informatique

La multiplication des ordinateurs, dans les années soixante, a d'abord suscité la peur des licenciements et du chômage : on craignait que la machine ne remplace les hommes, comme lors de la mécanisation industrielle du XIXᵉ siècle. Mais jusqu'en 1970, on n'a pas observé d'impact massif sur l'emploi, peut-être grâce à la vigilance des syndicats, sûrement grâce à l'expansion économique. C'est plus tard qu'a émergé le thème de la détérioration des conditions de travail par l'automatisation [55].

C'est donc dans une atmosphère optimiste, sans contestation, que se développèrent les systèmes informatiques jusqu'en 1970. Mais après cette date, naquit une inquiétude dans la plupart des pays industrialisés, portée par la presse écrite et par les milieux parlementaires, et reprise par une faible partie de l'opinion publique. Les citoyens avertis redoutaient le développement des fichiers informatiques [182], car ils pensaient que les données ainsi archivées ne pouvaient fournir que des images figées, grossières et dévitalisées des individus et qui servaient

néanmoins de base pour prendre les décisions.

Or, si les fichiers existaient avant l'ordinateur, celui-ci a décuplé ceux-là. Dans les années soixante-dix, les milieux parlementaires dénoncèrent un renforcement du pouvoir des technocrates de l'exécutif à travers les systèmes informatiques opaques aux non-spécialistes. Dans de nombreux pays, la presse souleva brusquement le problème à partir de prétextes divers : en R F A, on vit des titres comme dans *Der Spiegel* : « Un monde à la King-Kong » ; en France, dans *Le Monde* : « Safari ou la chasse aux Français » (SAFARI était un projet, à la fin des années soixante-dix, qui devait permettre l'interconnexion de tous les fichiers détenus par les différentes administrations).

De 1975 à 1978, la France a connu un véritable mouvement antifichage, à propos de GAMIN et du dossier scolaire. GAMIN était un système de fichage construit à partir des certificats de santé établis lors des visites obligatoires pour les nouveau-nés ; il visait à suivre les « enfants à risques ». Les travailleurs sociaux ont refusé massivement leur collaboration à ce système technocratique qu'ils jugeaient discriminant et malsain, tandis que les médecins, au nom du secret professionnel, gardaient pour eux une partie des informations. Le mouvement contre GAMIN n'a, au début, pas été suivi par les parents. Pourtant, ceux-ci se sont mobilisés quelques mois plus tard contre le fichage scolaire (le dossier scolaire « Haby ») qui devait permettre de « suivre » les élèves durant toute leur scolarité. Ces deux mouvements se sont alors mutuellement renforcés et ont permis une prise de conscience du danger de classer les gens, et surtout les enfants, selon des profils établis à partir de fichiers. Cette lutte fut assez forte pour faire renoncer au dossier scolaire automatisé (sans pour autant en supprimer les pratiques locales), et pour faire aménager le projet GAMIN. Mais elle a été menée surtout par les intellectuels et a peu touché « l'homme de la rue ». Celui-ci n'imagine que vaguement ce qu'est un fichier, accepte volontiers de livrer des renseignements pour obtenir les avantages auxquels il a droit et reste profondément sceptique sur les possibilités de contrôler l'administration.

Actions légales et illégales

Pourtant des lois ont été votées dans la plupart des pays industrialisés, visant à protéger la vie privée des citoyens contre les indiscrétions administratives et à rendre plus transparents les actes administratifs dans le cadre du fichage de certaines catégorie de la population : Privacy Act, dans la province du Manitoba au Canada (1970), loi du Land de Hesse en RFA (1970), loi sur la protection des données en Suède (1973), Privacy Act aux États-Unis (1974), loi informatique, fichiers et libertés, en France (6 janvier 1978).

Ces textes législatifs, qu'on tente d'harmoniser internationalement, rencontrent des difficultés juridiques énormes, la première étant la difficulté de définir les notions de secret, de propriété de l'information. Les moyens qu'ils inaugurent sont le droit d'accès (chaque individu a le droit de connaître les informations contenues sur lui dans un fichier), la déclaration (les administrations détentrices de fichiers portant sur des personnes doivent déclarer quels traitements ces fichiers leur appliquent). Les lois instituent aussi des responsables pour veiller à leur application : le Commissaire aux données en RFA, la Commission nationale de l'informatique et les libertés (CNIL) en France. Dotés de si faibles arguments juridiques, ces responsables ne servent guère qu'à écarter quelques abus criants et décerner des labels de « garantie de démocratie » à des systèmes discutables, alors même que la réflexion sur l'emploi de « profils » (pour classer les gens) n'avance guère. Ces lois sont cependant importantes dans la mesure où elles font peu à peu prendre conscience de l'importance du secret.

Certains réagissent à cet attentisme de façon violente. En France, dans la région de Toulouse, un groupe contestataire, le CLODO (Comité liquidant ou détournant des ordinateurs) a saboté quelques ordinateurs, au début des années quatrevingt. Aux Etats-Unis, durant l'année 1970, on avait dénombré 4 330 actions violentes contre des ordinateurs, sur tout le territoire. (Cependant, toutes ces actions n'étaient pas forcément politiques ; beaucoup pouvaient être motivées par le simple vandalisme...) Elles ont d'ailleurs eu plutôt comme effet de renforcer les mesures de protection des machines et des fichiers [111]. D'autres groupes ont tenté des coups spectaculaires sous la forme de vols de fichiers illégaux, dont ils ont publié des fiches. A Paris, en avril 1980, un groupe a volé le fichier de l'armée concernant les appelés connus pour leurs activités politiques. A

Toulouse encore, en février 1980, un groupe s'est emparé du fichier des voleurs du magasin Printafix. Ces actions ont donné bien sûr lieu à des articles à sensation dans la presse. Mais comment aller plus loin ?

Douter ou ne pas douter

Dans le cas des appelés français illégalement fichés, quelques personnes ont porté plainte à la C N I L, d'ailleurs soutenues par la Ligue des droits de l'homme. Depuis, la C N I L affirme avoir procédé aux rectifications nécessaires. On est là réduit à lui faire confiance (ainsi qu'à l'armée !)... Les plaintes dans ce domaine donnent souvent lieu à des avis contradictoires : lorsque la Ligue des droits de l'homme a dénoncé en 1982 le fichier de la gendarmerie comme copie artisanale du casier judiciaire, la C N I L l'a reconnu illégal, mais le Conseil d'État a affirmé le contraire. L'affaire a démontré l'incohérence de ce fichier, dont les informations ne sont pas contrôlées. Pourtant le gouvernement français, même socialiste, ne semble pas prêt à se priver d'un tel moyen de contrôle sur la population, malgré la suppression, symbolique, de la carte nationale d'identité automatisée par Gaston Deferre dès sont arrivée au ministère de l'Intérieur en mai 1981. Cette carte avait été dénoncée comme dangereuse par les partis et syndicats de gauche, bien qu'acceptée par la C N I L. Pourtant, le même système reste en application pour la carte de séjour des étrangers.

Depuis 1980 environ, une autre contestation se développe dans un autre domaine : critiquant l'informatique à cause de la centralisation qu'elle implique, elle veut retirer aux informaticiens le pouvoir qu'ils ont usurpé aux « utilisateurs ». On préconise alors la micro-informatique ou encore l'informatique « éclatée » ou « conviviale », que les utilisateurs peuvent s'approprier. Même si on ne peut qu'approuver certaines de ces analyses, parfois reprises par des écologistes, il faut bien constater qu'il s'agit d'une querelle d'experts : macro-informatique, centralisée ou répartie, et micro-informatique, iso-

---

BIBLIOGRAPHIE

Ouvrages

VITALIS A., *Informatique, pouvoir et libertés,* Economica, Paris, 1981.

Rapport informatique et libertés, La Documentation française, Paris, 1975.

Articles

HOFFSAES C., « Le système GAMIN ou l'informatique en échec », *Esprit,* n° 65, 1982.

MISSIKA J. L., FAIVRET H. Ph., « Informatique et libertés », *Les Temps modernes,* n° 373, 374, 375, 1977.

Tous les numéros de la revue *Terminal 19/84.*

Dossier

« L'observation des enfants et le fichage », *Éducation et Développement,* n° 136 (numéro spécial).

lée ou reliée à un réseau, sont plus complémentaires qu'antagonistes [108].

En fait, la contestation de l'informatique est difficile parce que le domaine est encore inexploré et en perpétuelle évolution. Le discours scientiste s'y déploie triomphalement et ceux qui émettent des doutes sont accusés d'être rétrogrades, voire traîtres ou déserteurs puisque l'informatique doit permettre de sortir de la crise! En France, c'est pourtant l'objectif du CIII (Centre d'information et d'initiative sur l'in-formatisation), qui s'est créé à partir du colloque « l'Informatisation contre la société? », organisé en décembre 1979 à Paris par douze revues de gauche. Depuis 1980, le CIII édite la revue *Terminal 19/84* et essaie d'animer un réseau, modeste mais vivant. En liaison avec les syndicats, partis et associations, il a pour ambition d'approfondir la réflexion, de diffuser les informations, de susciter des actions, bref d'activer un débat qui a bien du mal à éclore.

Colette Hoffsaes

Le contrôle politique de la technologie

Comme dans tous les domaines politiques, les choix et les décisions technologiques résultent des rapports de force entre une multitude d'acteurs collectifs et individuels, ainsi que des règles du jeu établies entre eux. Dès ses débuts au milieu des années soixante, le mouvement écologique et plus tard le mouvement antinucléaire [67] ne s'y sont pas trompés : si on veut influencer une politique, il ne suffit pas de disposer d'arguments convaincants, il faut aussi pouvoir s'insérer dans les procédures de décision; et si on veut changer une politique, changer les règles du jeu se révèle souvent être une condition indispensable. Qui décide? Qui a le pouvoir de définir ce qui est acceptable ou souhaitable? Qui est inclus et qui reste exclu du débat?

Dès le début de la révolution industrielle, les pouvoirs publics sont intervenus dans des décisions technologiques. L'action des inspections du travail et de l'hygiène et les procédures d'autorisation et de contrôle concernant certaines machines à haut risque en sont des exemples. À cela s'ajoutent depuis la deuxième moitié du XIXe siècle des règlementations concernant la pollution et le bruit. Mais les pouvoirs publics ne sont pas seulement intervenus pour contrôler les effets nocifs de telle ou telle technologie; dès la fin du siècle dernier, et massivement depuis la Deuxième Guerre mondiale, ils ont favorisé la mise en œuvre de nouvelles technologies par leurs politiques de recherche et de développement, des subventions, des avantages fiscaux ou le financement de grands projets pilotes. Mais ces décisions sont pendant longtemps restées l'affaire d'un nombre restreint de dirigeants et d'experts.

Lors des vingt dernières années, ces mécanismes ont été modifiés par l'évolution technique elle-même et les pressions sociales diverses. Des techniques de mesure de plus en plus élaborées ont rendu possible la détection et l'analyse de substances à faible dose, qui restaient incontrôlables auparavant. De plus, l'appareillage de contrôle continu de certains processus de production a permis une surveillance nettement plus efficace que les contrôles traditionnels par échantillonnage. En outre, une multitude de services ont été associés aux procédures d'évaluation de demandes d'autorisation de nouveaux produits ou de nouvelles installations industrielles, et de nouvelles administrations spécialisées ont même été créées. Aux États-Unis, par exemple, une vingtaine d'agences fédérales sur 25 qui interviennent dans les réglementations technologiques ont été créées depuis 1970. En Allemagne fédérale, on a moins créé d'institutions nouvelles, mais les services du ministère fédéral de l'Intérieur responsables de l'environnement ont complètement changé de nature après la promulgation des nouvelles lois sur la pollution de 1972-1974.

La France : un cas à part

Pour satisfaire les revendications d'une plus grande ouverture démocratique, des éléments de participation ont parfois été intégrés dans les procédures : auditions publiques, droits d'objection, plus larges possibilités de recours judiciaires. Le caractère conflictuel d'un nombre croissant de décisions techniques, du nucléaire aux déchets chimiques, des produits pharmaceutiques aux manipulations génétiques, reflète l'intervention dans les procédures de décision d'acteurs auparavant exclus (écologistes, individus faisant valoir leurs droits de voisinage).

À l'inverse de la France où ces conflits sont contenus par un système d'autorisation très fermé, des systèmes fédéraux (États-Unis ou RFA) ont été amenés à concevoir des procédures caractérisées par une compartimentation des problèmes. Ainsi, l'autorisation de construction d'une « installation classée » dépend en France de l'octroi de deux permis (permis de construire et autorisation de création) donnés par l'autorité gouvernementale, après examen des dossiers et avis des administrations concernées. Un corps technique de l'État, le corps des mines, joue un

rôle déterminant à toutes les étapes de ces décisions.

Aux États-Unis et en République fédérale d'Allemagne en revanche, les différents aspects d'un dossier soumis à examen – à savoir l'eau, l'air, la sécurité du travail, etc. – relèvent de la compétence d'administrations diverses, qui peuvent être amenées à discuter publiquement leurs points de vue divergents sur un projet. Le permis est donc décomposé en permis partiels, et l'obtention de l'un n'implique pas celle d'un autre : pour la construction d'installations classées, le nombre des permis exigés peut varier d'une dizaine, jusqu'à plus d'une centaine. Certains de ces permis peuvent être accordés en plusieurs tranches, ce qui laisse subsister une incertitude plus ou moins grande pendant toute la période de construction. Dans ce processus, les conflits potentiels peuvent être d'autant plus importants que le découpage des différents aspects d'un projet n'est jamais très net, et que des administrations peuvent s'affronter jusqu'à porter leur dispute devant le tribunal.

Le rôle des tribunaux

À ces conflits entre administrations s'ajoutent ceux qui proviennent de la « participation du public ». En effet, les procédures américaines et allemandes prévoient des auditions publiques et obligent l'administration à répondre à toutes les objections. Chaque acte administratif pouvant être contesté en justice, cet élargissement des droits d'intervention a ouvert les tribunaux aux opposants. Ces nouveaux dispositifs réglementaires ont eu pour effet de substituer à une situation de négociation entre le promoteur et l'administration un jeu complexe d'interactions auquel participent le promoteur, différentes administrations et une multitude de parties intervenantes.

Ainsi, dans le secteur le plus

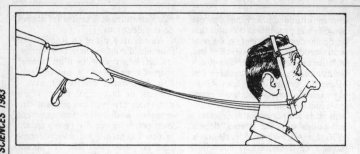

touché, celui de l'industrie nucléaire, les procédures d'autorisation ont contribué aux États-Unis à allonger le temps moyen de construction d'une centrale de 5 à 10 ans, et à multiplier les coûts par sept entre 1970 et 1978. Il n'est pas étonnant qu'on assiste, depuis 1974, à une chute des commandes de nouvelles centrales, voir à l'absence de nouvelles commandes et même à l'annulation de la plupart des commandes existantes après l'accident de Three Miles Island en 1979. En Allemagne, où la loi sur l'énergie atomique dans sa reformulation de 1976 donne une priorité absolue à la sécurité, les tribunaux administratifs ont pratiquement arrêté toute nouvelle construction depuis 1972. Ce n'est qu'en 1982 qu'un tribunal administratif a de nouveau rendu un jugement favorable à la construction d'une centrale, au vu de nouvelles données techniques. Dans certaines branches de l'industrie chimique et dans l'industrie pharmaceutique, les délais d'autorisation ont également provoqué l'abandon d'importants projets.

Participer, mais pas au dernier moment...

La capacité d'expertise est l'élément clé du jeu tactique très complexe qui caractérise les controverses technologiques. Incapables de mener des recherches empiriques détaillées sur tous les aspects d'un projet, les opposants se sont souvent contentés, avec l'aide de leurs experts, de livrer des critiques méthodologiques pointilleuses des expertises officielles, provenant souvent de centres de recherches industriels ou publics qui disposent d'un monopole d'investigation, du fait des coûts en jeu. Par la suite, les délibérations judiciaires ont mis en lumière le caractère souvent incomplet et douteux des expertises techniques à la base de décisions qui engagent le long terme.

Le développement de l'« anti-expertise » est donc souvent parti de la critique méthodologique des expertises officielles. Puis s'est constitué progressivement un réseau d'instituts universitaires et d'instituts autonomes qui se sont mis au service de groupes d'initiatives de citoyens. Le phénomène des « boutiques de sciences » [89] où des chercheurs de disciplines différentes réunissent leurs compétences pour répondre aux demandes sociales mal prises en compte par les pouvoirs publics, date du milieu des années soixante-dix. On observe une liaison de plus en plus étroite entre différents acteurs et des centres d'expertise, sans que ce phénomène puisse établir une égalité entre les promoteurs, l'administration et des initiatives moins bien organisées, plus pauvres en moyens financiers.

Cette transformation d'une négociation simple en un jeu stratégique complexe a ouvert la voie à une multitude de détournements tactiques. Ainsi, déposer des projets fantômes sur un site peut servir à distraire l'attention d'un autre site ; pousser l'administration à plus de sévérité peut être un moyen pour une firme puissante d'éliminer ses concurrents financièrement incapables de suivre... En un mot, la diversité des tactiques permises par la législation, qui cherchent à contourner les objectifs visés par celle-ci, a provoqué au début des années quatre-vingt un mouvement important du côté des promoteurs industriels, qui demandent la « dérégulation ». En même temps les succès enregistrés par les mouvements contestataires grâce à ces dispositifs nouveaux n'ont pas suffi à leur donner satisfaction : ils restent condamnés à un rôle de veto. N'intervenant qu'au tout dernier stade du développement d'une technologie, ils ne peuvent guère faire avancer les solutions alternatives auxquelles ils sont attachés.

Or, l'argument de la « dérégulation », présentée comme une condition de la politique de réindustrialisation, a d'autant plus de chances de s'imposer que la crise économique perdure. C'est en tout cas la logique de la politique suivie par l'administration Reagan aux États-Unis

[446] : celle-ci vise à restreindre les possibilités de participation, et à remplacer l'action de l'État par les mécanismes du marché et l'auto-contrôle du promoteur, uniquement tenu par sa responsabilité civile et financière en cas d'accident.

Du côté de ceux qui ont œuvré en faveur d'une démocratisation des procédures réglementaires, l'heure de la réflexion et de l'autocritique est également arrivé après une dizaine d'années d'expériences. Car la démocratisation limitée à la dernière phase de mise en œuvre d'une technologie semble bien créer des situations conflictuelles insolubles. L'importance des investissements passés pèse en effet lourdement sur l'administration et l'industrie. Au moment où le public est invité à participer, la plupart des options alternatives à la technologie en question ont déjà été éliminées. Un contrôle démocratique doit donc intervenir non pas à la fin, mais tout au long du processus de développement. Ceci pourrait contribuer à élargir les choix, tout en réduisant les risques d'une polarisation politique.

Michael Pollak

BIBLIOGRAPHIE

Ouvrages

LAGADEC, *La Civilisation du risque : catastrophe technologique et responsabilité sociale,* Seuil, Paris, 1981.

NELKIN D., (ed.), *Controversy : Politics of Technical Decisions,* Sage, Londres, 1979.

SALOMON J. J., *Prométhée empêtré. La résistance au changement technique,* Pergamon, Paris, 1981.

Articles

NELKIN D., POLLAK M. « Public Participation in Technological, Decisions : Reality or Grand Illusion », *Technology Review,* août-septembre, 1979.

POLLAK M., « La régulation technologique : le difficile mariage entre le droit et la technologie », *Revue française de science politique,* n° 2, 1982.

WYNNE B., « Redefining the Issues of Risk and Public Acceptance. The Social Viability of Technology », *Futures,* février 1983.

Les défis
des manipulations génétiques

« Tournant biologique du siècle », ou « nouvelle menace pour l'humanité » ? Tels étaient les titres ronflants de la grande presse durant les années soixante-dix, lorsque faisaient rage les controverses sur les manipulations génétiques.

Tout avait commencé en 1973 : cette année-là, des chercheurs américains avaient mis au point la technique des manipulations génétiques. Dès juillet 1974, une lettre signée par onze célèbres biologistes moléculaires américains paraissait sous le titre « le danger potentiel des molécules d'ADN recombinés », autrement dit des manipulations génétiques. Les molécules d'ADN sont en effet la substance chimique des gènes, c'est-à-dire des unités élémentaires de l'hérédité [206]. Quand on parle de molécules d'ADN recombinées, cela veut dire que l'on parle de gènes artificiellement « attachés » les uns aux autres, pour former un assortiment qui n'existe pas normalement dans le patrimoine génétique des êtres vivants. Ces gènes, artificiellement « raccordés » grâce à des techniques biochimiques, peuvent être en effet de provenances très diverses, et les manipulateurs génétiques peuvent ainsi créer des assortiments de gènes de grenouille avec des gènes d'araignée, ou des gènes d'homme avec des gènes de tomate! Ils peuvent aussi raccorder n'importe quel gène de n'importe quelle plante ou n'importe quel animal au patrimoine génétique des bactéries couramment utilisées comme « matériel » de laboratoire, les transformant en des hybrides génétiques, totalement « inédits » dans la nature. En d'autres termes, les biologistes se sentaient devenir de véritables Frankenstein, capables de créer des formes de vie nouvelles, ou pour le moins, de « reprogrammer » des êtres vivants.

Inquiets de la puissance de ces nouvelles techniques, ils annonçaient dans leur lettre de juillet 1974 un moratoire : suspension des recherches pour un an. Le NIH (National Institute of Health, administration américaine pour la santé) créait une commission d'études et subventionnait la conférence internationale d'Asilomar en février 1975. Celle-ci redonna le feu vert aux manipulations, dans le cadre des principes de sécurité qu'elle avait établis. Le groupe « Science for the people » fut le seul, au sein de cette conférence, à dire que les décisions appartenaient aussi à la population et non aux seuls scientifiques.

En avril 1975, le sénateur Edward Kennedy convoqua quatre scientifiques pour poser les problèmes soulevés par les manipulations génétiques devant une commission du Sénat. En juin 1976, le NIH publia des règles officielles de sécurité des manipulations génétiques, qui devaient servir de modèle aux règles adoptées dans tous les pays. En 1976 également, la question du contrôle de ces expériences par le public fut concrètement posée par l'initiative de la municipalité de Cambridge, voisine de l'université Harvard. Après deux réunions publiques du conseil de la ville, la municipalité mit en place un conseil de citoyens : celui-ci, après avoir écouté les arguments des scientifiques partisans et adversaires des manipulations génétiques, devait finalement accepter que ces expériences se fassent dans les locaux de Harvard, mais il imposa des conditions de sécurité plus rigoureuses que celles du NIH. D'autres municipalités américaines, telles San Diego (Californie), Madison (Wisconsin), Princeton (New

Jersey), Bloomington (Indiana) organisèrent des commissions d'étude ou des débats contradictoires publics, entre 1976 et 1977. En mars 1977, un vaste débat public fut organisé par la National Academy of Science, tandis que le Congrès américain procédait à des *hearings* (consultations publiques) durant trois jours.

Une expérience cruciale controversée

Dans les autres pays, les gouvernements demandèrent à leurs « savants » des rapports sur la question : le rapport Williams en Grande-Bretagne, par exemple (septembre 1976). En France, se constitua en 1975, une commission d'éthique et une commission de contrôle à la DGRST (Délégation générale à la recherche scientifique et technique). Tous les rapports de commissions des différents pays, souvent peu diffusés, évaluèrent les dangers, indiquèrent des normes de sécurité, mais posèrent rarement le problème de savoir si ces recherches devaient ou non se poursuivre. Autrement dit, les polémiques ne dépassèrent guère, dans ces pays, certains cercles restreints de scientifiques.

Au début des années quatre-vingt, le consensus était assez grand dans le milieu scientifique pour minimiser et même nier totalement les risques possibles. Autrement dit, alors qu'au début de la controverse, en 1974, beaucoup de biologistes craignaient que les manipulations génétiques ne créent des microbes pathogènes « inédits », capables de propager par inadvertance des épidémies (totalement nouvelles), de cancers ou de maladies encore inconnues, cette crainte a maintenant disparu. Est-ce à dire que la preuve a été faite que les manipulations génétiques ne comportaient pas ce type de risque ? Sheldon Krimsky, philosophe des

sciences et membre du Conseil des citoyens de la ville de Cambridge, a montré dans un livre publié en 1982 que le désir des biologistes de faire ces expériences a sûrement beaucoup plus joué que la démonstration rationnelle de l'absence de tout type de danger pathogène.

En particulier, deux expériences cruciales ont été réalisées par W.P. Rowe et M.A. Martin en 1978-79, dans des conditions « draconiennes » de sécurité à Fort Detrick (Maryland). Ces expériences étaient destinées à simuler la pire des situations qui pouvait se produire : il s'agissait de voir si des bactéries auxquelles on avait greffé le patrimoine génétique d'un virus cancérogène [239], étaient susceptibles ou non de provoquer le cancer chez des souris ou des hamsters. Le résultat fut que les bactéries ainsi manipulées n'étaient pas capables de provoquer le cancer. Cependant, le « matériel » génétique injecté peut, à lui seul, s'en montrer capable, dans certaines conditions.

Or, à partir de ces deux résultats, deux positions se firent jour : la majorité des biologistes estima que la preuve était faite que les bactéries « manipulées » étaient moins dangereuses que les virus pathogènes eux-mêmes. Une petite minorité estima, au contraire, qu'une partie de l'expérience montrait qu'il y avait risque d'un danger pathogène nouveau, dans certaines conditions. A partir de là, deux directions étaient possibles. La première position conduisait naturellement à alléger considérablement les règles de sécurité, voire à les abolir. La deuxième position conduisait, au minimum, à refaire et à approfondir les expériences visant à tester la sécurité (comme celles de Rowe et Martin), avant de modifier les règles de sécurité. Mais la deuxième position ne put pratiquement pas se faire entendre et la première triompha.

Le livre de Sheldon Krimsky montre qu'en fait, dès le début des controverses, il existait un fort courant parmi les biologistes, qui entendait bien soustraire les manipulations génétiques à tout contrôle public. Et, dès 1977, sous l'influence de ce courant, les règles de sécurité avaient déjà commencé à être révisées en baisse. L'expérience de Rowe et Martin ne fit qu'accélérer les choses, et au début des années quatre-vingt, il n'y a plus de contrôle contraignant de ces expériences, dans tous les pays. Les biologistes ne sont plus obligés de soumettre leurs projets d'expériences aux commissions nationales de sécurité. Il subsiste simplement des règles de bonne conduite des expériences et des recommandations rappelant, en quelque sorte, aux biologistes de « ne pas faire de mal ».

En conséquence de cette libéralisation, des centaines de laboratoires de recherche fondamentale de par le monde pratiquent maintenant les manipulations génétiques. Et depuis 1978-79, celles-ci sont devenues un outil important des biotechnologies [216].

Le danger de l'eugénisme

Restent enfin des problèmes éthiques qui deviennent de plus en plus pressants à mesure que progressent les techniques des manipulations génétiques [211]. En effet, le but avoué de nombreuses expériences est de guérir les « tares génétiques ». Ainsi, en octobre 1980, l'Américain Martin Cline a appliqué, pour la première fois, les manipulations génétiques à l'homme. Il s'agissait de guérir par « greffe » de gène des malades atteints d'une maladie héréditaire du sang. Mais Martin Cline fut vivement critiqué parce qu'il avait voulu « travailler » directement sur des êtres humains – en l'occurrence une Italienne et une Israélienne –, sans avoir préalablement testé son protocole expérimental sur des animaux. De plus, il commit une fraude vis-à-vis du comité de surveillance de l'Hôpital Hassadah à Jérusalem, en ne suivant pas le protocole d'expérience qu'il avait annoncé. Il

fut donc sanctionné pour toutes ces légèretés...

Le développement des manipulations génétiques, c'est-à-dire leurs applications aux organismes supérieurs et à l'homme, fait maintenant grandir le risque de voir apparaître un eugénisme positif, c'est-à-dire la tentation de vouloir améliorer génétiquement l'espèce humaine. Mais qui décidera des critères d'amélioration? Et en fonction de quels choix? Il est clair que l'eugénisme positif ne serait rien d'autre que la manipulation génétique de l'espèce humaine à des fins socio-politiques. Or, la crainte de l'eugénisme positif est renforcée par la réussite du clonage de la souris au début des années quatre-vingt [212].

Le clonage est une reproduction en série d'êtres génétiquement identiques – des jumeaux, si l'on veut. Se profile donc à l'horizon du XXIe siècle la possibilité technique de réaliser « Le Meilleur des mondes » prévu par Aldous Huxley, où les différentes catégories sociales sont génétiquement programmées pour remplir les fonctions qu'on attend d'elles. Or, cette idée est loin de déplaire à tout le monde, et J. Lederberg, prix Nobel de médecine, plaidait en 1966 en faveur du clonage humain : « Pourquoi, disait-il, ne pas copier directement un individu supérieur (sic) plutôt qu'encourir les aléas, y compris ceux de la détermination du sexe, liés à la reproduction sexuelle? ». Et J. Fletcher, de l'université de Virginie, disait en 1971 que « toutes les raisons de modifier l'humanité sont justifiées, y compris la nécessité de fabriquer au moyen de la bio-ingénierie, des êtres para-humains ou des hommes modifiés. »

Certes, cela est encore de la science-fiction. Mais avec les techniques de clonage des mammifères [212] et des manipulations génétiques des embryons d'organismes supérieurs [211], n'est-on pas sur la voie? Du reste, il est passé relativement inaperçu de l'opinion publique, que la première tentative de clonage humain a été réalisée en 1979 par

l'américain L.B. Shettles à l'université Columbia à New York. Cette tentative, il est vrai, a échoué à un stade précoce de la vie embryonnaire, mais il n'en reste pas moins qu'elle a été osée!

Les savants contrôlés?

Il faut rester très vigilants vis-à-vis de l'exploitation non-scientifique possible des avancées de la génétique, et il serait peut-être nécessaire de repenser à la proposition faite dans les années soixante-dix par G. Wald (prix Nobel de médecine) : déclarer inviolable le patrimoine génétique humain. Cela dit, ne serions-nous pas tous prêts à tout si l'on découvrait un quelconque gène de cancer, remplaçable par un gène sain?

Les biologistes ont une responsabilité particulière : ils sont les seuls à mettre au point les techniques et à détenir les informations. Entrent dans leurs préoccupations : leurs intérêts, leur prestige, leur carrière, le Nobel peut-être, ou plus simplement l'obtention de crédits et de personnel, ou la tranquillité de leur recherche personnelle. Or leurs travaux ont des implications sociales, qu'ils le veuillent ou non. Il serait donc nécessaire de trouver les structures permettant à chacun de comprendre, voir d'interpeller les biologistes : la recherche, là comme ailleurs (là, plus qu'ailleurs ?) ne devrait pas échapper au contrôle démocratique de la société. La liberté de la recherche est-elle un droit, même dans le cas où la survie de l'humanité pourrait être en danger ? En 1875, Cournot, mathématicien et philosophe français, disait déjà : « Il ne faut pas que l'autorité de la science, ou plutôt des savants, se montre arrogante et tyrannique. »

Les biologistes, qui occupent de plus en plus le devant de la scène scientifique, peuvent imposer aux sociétés et à eux-mêmes, l'idée qu'ils sont par excellence les spécialistes du traitement rationnel des problèmes de l'humanité, qu'ils peuvent répondre à tous nos manques. Ce scientisme, ou ce biologisme impérialiste, peut leur sembler aller de soi. Être contrôlé par la masse ? Mais elle est moins compétente qu'eux ! Se soumettre à des options politiques ou philosophiques élaborées par d'autres ? Mais les autres ne possèdent pas la parole théorique qui permet de changer la vie – entendez, l'ADN... Entre les vœux pieux des politiciens, des utopistes ou des moralistes du vulgum pecus, et la thaumaturgie bien réelle des savants, comment, pensent-ils, ne pas préférer soumettre l'humanité à l'autorité de la seconde ? C'est oublier que la communauté scientifique est elle-même traversée de contradictions, qu'on ne tient jamais à la fois tous les bouts de la rationalité, et que sans contre-pouvoirs, l'autorité de leur morceau de rationalité humaine a une vocation totalitaire.

Joëlle Ayats

BIBLIOGRAPHIE

Ouvrages

AYATS J., *La biologie, mode d'emploi*, Le Sycomore, Paris, 1983.

KRIMSKY S., *Genetic Alchemy*, The MIT Press, Cambridge, 1982.

MENDEL A., *Les manipulations génétiques*, Seuil, Paris, 1980.

RIFKIN J., HOWARD T., *Les apprentis sorciers*, Ramsay, Paris, 1979.

THUILLIER P., *Les biologistes vont-ils prendre le pouvoir?*, Complexe, Bruxelles, 1982.

Articles

BLAES N. et LUCIANI A., « Les manipulations génétiques », *Raison présente*, n° 57, 1981.

BLANC M., « Clonage des mammifères : le meilleur des mondes est-il pour demain? », *La Recherche*, n° 121, 1981.

DEUTSH J., « Manipulations génétiques : guérir le vertige des biologistes », *La Recherche*, n° 110, 1980.

Les scientifiques américains contre l'argent militaire

Sur les campus des universités américaines, commençaient à se dessiner au début des années quatre-vingt des mouvements qui faisaient écho aux manifestations des années soixante contre la guerre du Vietnam. Il s'agissait de protestations contre la décision prise par le département américain de la Défense d'accroître substantiellement la part de son financement de la recherche universitaire.

Les protestations n'ont cependant pas atteint la violence ou l'ampleur de celles des années antérieures. Il n'y a rien eu, par exemple, de comparable à la bataille rangée qui, au début des années soixante-dix, coûta la vie à un étudiant sur le campus du Wisconsin. Dix ans plus tard, on ne pouvait pas parler d'une opposition générale de la communauté scientifique aux plans du Pentagone. Mais ces protestations ont appris aux autorités administratives universitaires qu'il existait toujours au sein de la communauté scientifique une forte opposition à l'établissement de relations étroites avec les militaires. Fréquemment aussi, ces protestations ont servi de fer de lance aux mouvements pacifistes qui, par exemple, s'opposaient au développement de nouvelles armes chimiques [425] et nucléaires [430].

Dans les universités, l'opposition des scientifiques à la recherche militaire a eu deux cibles principales. La première d'entre elles était bien sûr de dénoncer la recherche faite par les universités – ou sous leurs auspices – directement pour satisfaire les demandes des militaires. Cette situation est d'ailleurs devenue moins fréquente, car beaucoup d'universités ont adopté des règlements internes qui leur interdisent d'accepter des contrats pour des recherches couvertes par le secret militaire.

Cependant, confrontés à des difficultés croissantes pour obtenir des crédits de recherche auprès des agences gouvernementales civiles, plusieurs universités ont eu tendance à reconsidérer cette politique.

Quelques-unes des protestations les plus fortes contre la participation directe des universités à la recherche militaire se sont élevées à l'Université de Californie. Celle-ci contrôle en effet deux des plus grands laboratoires nationaux de recherche sur les armes nucléaires, travaillant sous contrat avec le département de l'Énergie : le « Laboratoire national de Los Alamos » et le « Laboratoire scientifique Lawrence Livermore ».

Les liens entre l'Université de Californie et ces deux laboratoires, dont les travaux sur les armes nucléaires avaient largement été lancés à l'initiative des universitaires de Los Alamos durant la Seconde Guerre mondiale, ont toujours été une source de controverse. Par exemple, en 1979, plus de huit cents membres du personnel enseignant ont signé une pétition appelant à y mettre fin et affirmant que l'engagement dans les recherches sur les armes nucléaires, couvertes par le secret militaire, ne « répondait pas à la vocation de l'Université à faire une recherche désintéressée et à diffuser les connaissances ». Des protestataires ont fait remarquer que chacune des armes nucléaires de l'arsenal américain était conçue, développée et expérimentée dans ces deux laboratoires. Le professeur Schwartz, du département de Physique, déclarait sur le campus de Berkeley : « Ce ne sont pas des établissements proprement universitaires : ils font de la science à des fins militaires. »

Les membres protestataires du personnel enseignant de l'Université de Californie et leurs partisans – y compris l'ancien gouverneur de Californie Jerry Brown – ont essayé de persuader le conseil d'administration de l'Université de séparer complètement cette dernière des laboratoires en question ou bien de renforcer le contrôle que les universitaires peuvent exercer sur les programmes de recherche de ces laboratoires. Cependant, grâce à son contrat passé avec le département de l'Énergie, l'Université de Californie obtient plusieurs millions de dollars par an de crédits et, malgré les protestations, elle a décidé d'honorer ce contrat qui a été renouvelé début 1982.

84

Quand le Pentagone encourage les maths...

L'autre cible des protestations des universitaires a été les subventions attribuées par les militaires à la recherche fondamentale. Par exemple, à l'Université du Wisconsin, à Madison, des manifestations ont été organisées pour protester contre la décision prise par l'armée d'accroître considérablement son aide au Centre de recherches mathématiques de l'Université. En dépit des allégations du Pentagone prétendant que ces recherches n'étaient pas couvertes par le secret militaire et débouchaient sur des applications pacifiques, les étudiants protestataires ont fait remarquer que le Centre a mis au point bon nombre de techniques mathématiques nécessaires au guidage par ordinateur des nouveaux missiles nucléaires.

Dans une autre université, celle du Michigan, on a vu s'amplifier les protestations à l'encontre des crédits militaires. Cette université a en effet cherché à obtenir l'aide du Pentagone dans divers domaines, comme celui de la robotique. Les étudiants ont mené campagne contre ce qu'ils

dénonçaient comme le noyau d'un nouveau complexe université-industrie-armée. En 1982, ils ont notamment engagé un historien pour faire une enquête serrée sur l'aide apportée par le département de la Défense à l'université et à des firmes locales spécialisées dans les technologies de pointe et soutenant les projets de recherche de l'université.

Dans certains cas, les protestations se sont également élevées contre les propositions d'utiliser des crédits militaires pour financer des installations destinées à la recherche pure. Ainsi, en mars 1983, les enseignants et les membres du personnel du Centre de l'accélérateur linéaire de Standford (S L A C) sont entrés en conflit avec l'administration de l'Université qui voulait permettre, en échange de crédits, l'utilisation des électrons de l'un des deux anneaux de stockage pour une expérience du département de la Défense. Celle-ci devait, entre autres, servir à mettre au point des détecteurs de rayons X ultra-rapides, destinés à analyser les rayonnements produits au cours des essais d'armes nucléaires.

Quoique les implications ne soient pas directes, les scientifiques du S L A C ont pris conscience qu'elles suffisent à soulever des questions majeures d'éthique. Dans une lettre adressée au Comité directeur de la recherche à l'Université Standford, ils ont déclaré : « Pendant des années, nous avons expliqué aux visiteurs (écoliers, étudiants, ingénieurs, savants, juristes, journalistes) que nous sommes ici pour faire des recherches sur les propriétés fondamentales de la matière et que nous ne faisons pas de recherche militaire. Ce serait vraiment déplorable si, en raison de ces nouveaux travaux, notre bonne foi devait être suspectée. »

Les administrateurs universitaires qui vont réclamer des crédits à Washington ont prétendu, pour amadouer les officiels, que l'opposition antimilitariste était beaucoup plus faible que par le passé. Le président de l'Université de Rochester, par exemple, a déclaré devant un comité du Congrès, début 1981, « qu'il règne de nos jours un état d'esprit très différent parmi les étudiants et les enseignants sur le campus ». Le président de l'Université Rutgers à New Jersey a argué que les opposants à la collaboration avec les militaires étaient « peu nombreux ». Et le directeur des programmes de recherche fondamentale du Pentagone déclara à la même époque à un journaliste que « les problèmes soulevés dans les années soixante étaient bien finis ».

Mais ces déclarations trop confiantes ont rapidement reçu un démenti. A l'Université Rutgers, un responsable universitaire a mis en question la déclaration du président de l'Université en affirmant qu'il y avait beaucoup de personnes sur le campus qui s'opposeraient à toute tentative de transformer l'Université en un centre de recherche militaire et qui « voudraient bien que notre université prenne la tête d'un mouvement dans ce domaine ».

Jusqu'en 1983, l'opposition universitaire a fait peu de choses pour mettre fin à l'accroissement du budget de recherche militaire, même si certains signes montraient que le Pentagone commençait à prendre au sérieux la possibilité d'une crise. Mais le souvenir des conflits antérieurs demeure vivace tant chez les militaires que chez les universitaires. En commentant les nouvelles tentatives faites par la recherche militaire pour prendre appui dans les universités, le linguiste Noam Chomsky, l'un des critiques les plus virulents de l'intervention américaine au Vietnam, a déclaré : « Nous vivrions dans une société bien plus saine si le Pentagone ne jouait aucun rôle dans le financement de la recherche dans les universités ».

David Dickson

BIBLIOGRAPHIE

Ouvrage

ALLEN J. (ed.), *March 4 : Scientists, Science and Society*, MIT Press, Cambridge, 1970.

Articles

ANDERSON I., « Weapons Row Splits Particle Phycinists », *New Scientist*, 17 février 1983.

DICKSON D., « Anti-war Movements-heading for 1960's Revival ? », *Nature*, 19 avril 1979.

REINHOLD R., « Pentagone Renews Ties with College », *New York Times*, 13 mai 1980.

« Campus Military Research : its Foes are Many, not Few », *Chronicle of Higher Education*, 10 février 1982.

« Défense Department Boosts Research Spending », *Chemical and Engineering News*, 27 avril 1981.

Le tabou de la recherche militaire en France

La France est le troisième pays exportateur d'armes (après les États-Unis et l'URSS), et également le troisième pays pour l'importance du budget de recherche-développement militaire. Celui-ci représente probablement plus des 33 % officiellement annoncés du financement public de l'ensemble de la recherche-développement en France [451]. D'après les quelques données disponibles, différents auteurs ont estimé cette part entre 35 % et 55 %. Très probablement, le chiffre exact doit tourner autour de 50 %. Cela veut dire que la recherche à des fins militaires intervient dans la vie de très nombreux laboratoires des universités et des grands organismes de recherche français.

Mais les scientifiques n'en parlent pas, comme s'il s'agissait d'un tabou. Lors des différentes consultations régionales et nationales sur la recherche et la technologie en 1981-82, cette question ne fut pratiquement pas évoquée. Il y eut néanmoins aux assises régionales Rhône-Alpes, à Grenoble en novembre 1981, une commission chargée de discuter des « retombées civiles de la recherche militaire ». Pour partielle que fut cette expérience, passée inaperçue même lors de la synthèse nationale à Paris, son déroulement fut instructif : elle révéla où en étaient la politique du gouvernement français et les attitudes de la « communauté scientifique » concernant le financement, les thèmes et le fonctionnement de la recherche militaire.

La commission réunissait une vingtaine de scientifiques. Le thème de la discussion avait été volontairement limité aux « retombées civiles » de la recherche militaire, comme déjà dit : selon les déclarations mêmes des organisateurs, il était exclu de discuter des objectifs et des orientations de la recherche militaire.

Pourtant, il est bien connu – une abondante littérature l'a montré à la fin des années soixante – que les impératifs militaires tendent à dominer financièrement et idéologiquement la recherche scientifique. D'ailleurs, d'après les interventions mêmes des participants à cette commission, il était clair que les recherches faites pour le compte des militaires, dans les laboratoires d'université et de grands organismes (CNRS, etc.), comportaient des thèmes très variés :

– « discrétion et détection des sous-marins, capteurs ultrasons, transferts thermiques dans les échanges en double phases, magnétométrie et gyrométrie » ;

– « hydrodynamique, aérodynamisme, lutte contre les nuisances, bruits, vibrations, rayonnements et leurs détections » ;

– « transmissions, traitement du son, de l'image, sécurité des transmissions et des traitements de données, ... » ;

– « imagerie infrarouge pour détection, cibles et guidage des tirs, études optiques » ;

– « circuits intégrés, informatisation et miniaturisation, systèmes de simulation d'entraînement, télécommande, traitement de fichiers » ;

– « codage, compression, traitement et synthèse de la parole » ;

– « lasers de détection et de mesure » ;

– « mise au point de lasers systèmes d'armes, manipulation des gaz dangereux » ;

– « chimie des plasmas, irradiateurs, alliages rares, résistance des métaux... » ;

– « génie biologique et médical, irrigation sanguine tissulaire cérébrale, thermorégulation, confinement, molécules antifatigue, cycles veille-sommeil, études thermiques et métaboliques des grands brûlés ».

La science surveillée

Ce qui était remarquable était d'abord l'aspect apparemment anodin de nombre de ces études théoriques et même pratiques. (Un seul participant, chercheur connaissant bien son sujet puisque ancien militaire de métier, reconnut : « Il faut être franc, on sait très bien quelles armes sont derrière nos recherches. »)

D'autre part, on était frappé de la grande diversité des sciences mises à contribution : sciences de la communication, du langage, de l'organisation, du traitement de données ou de signal, mais aussi optique, mécanique, hydraulique, cartographie, météorologie. Cela ne révèlait-il pas les aspects multiformes de la technologie guerrière à l'heure du coup de Santiago, de l'Exocet des Malouines, de Sabra et Chatila ou de la guerre permanente au Salvador ?

Les interventions des participants révélèrent enfin que l'ensemble des sciences et de leurs progrès récents sont en fait surveillés, guettés par les militaires et en particulier par la DRET (Direction des recherches et études techniques, organisme directeur de la recherche militaire en France). « Percevoir les idées, les novations, à l'instant où elles se forment et se développent » tel est l'axe d'une « veille scientifique très vigilante » exercée par la DRET, au dire même des scientifiques participant à la commission. Ceux-ci d'ailleurs ne s'en offusquaient pas, bien au contraire.

Quant aux « retombées civiles des recherches militaires », ils ne purent avancer aucun exemple à ce sujet. Ils furent même obligés de constater, comme le mentionna d'ailleurs le rapport de la commission, que « les retombées civiles des recherches militaires ne sont pas faciles à évaluer. (...) Il est rare que les systèmes et matériels spécifiques étudiés pour l'armée soient directement transposables au secteur civil, en raison de leur finalité, de la rigueur des spécifications ou de leur coût ». Le rapport de la commission constata encore qu'à l'inverse, « les militaires trouvent souvent matière à nouveaux développements dans tel ou tel secteur qui a progressé sur des objectifs civils. (...) Ils profitent des études faites à l'occasion de problèmes difficiles et intéressants, étudiés indépendamment dans des laboratoires civils ».

Les chercheurs réunis à Grenoble rejoignaient ainsi sans le savoir un rapport de l'ONU sur la course aux armements publié en 1979, qui concluait qu' « en réalité les retombées militaires de la recherche civile ont été incomparablement plus importantes que les retombées civiles de la recherche militaire ».

La recherche militaire encensée

Mentionnons au passage le cynisme de certaines interventions des scientifiques travaillant dans l'industrie, quant aux retombées civiles de la recherche militaire : « Les retombées sont évidentes : notre société a accru son chiffre d'affaires de 60 % par an ». Mais d'autres scientifiques ne travaillant pas dans l'industrie mentionnaient non moins cyniquement : « C'est 60 % du budget de notre laboratoire qui provient des militaires. »

Au total, on peut dire que la recherche militaire fut largement encensée par les participants à cette commission. Et ils concluent leur rapport en disant que « la recherche militaire a un rôle initiateur et moteur important, elle permet une grande liberté d'utilisation des crédits, incite à des recherches fondamentales sur des sujets très intéressants, contribue à des performances extrêmes mais permet aussi à long terme le droit à l'échec ».

Bref, selon ces scientifiques, « les recherches militaires sont *irremplaçables* dans la dynamique scientifique générale » et il faudrait que « ses caractéristiques soient étendues à toute la recherche ».

Il y eut bien, lors de cette réunion à Grenoble, quelques interventions critiques. Mais elles furent censurées dans le rapport final. On peut naturellement poser la question : pourquoi la recherche militaire n'a-t-elle pas été plus largement critiquée, à Grenoble ou ailleurs? La faiblesse du mouvement pacifiste en France, le reflux des mouvements contestataires en milieu universitaire, la dépendance syndicale vis-à-vis des options gouvernementales depuis que la gauche est au pouvoir, le consensus des partis politiques traditionnels sur la « force de dissuasion » et sur « la technologie pour sortir de la crise », sont autant de conditions qui rendent difficile une approche critique des recherches militaires. Au début des années quatre-vingt, on assiste donc, dans ce contexte (mais également du fait de l'élargissement du champ des technologies utiles à la guerre), à une *dispersion* et une *banalisation* des recherches militaires.

Un institut pour la paix?

Il apparaissait donc urgent, après le Colloque national de la recherche, d'ouvrir le débat sur le rôle de la recherche militaire, de « remettre en question son utilité et sa place dans la société, de modifier les priorités et les orientations dans le domaine de la recherche-développement » comme l'indiquait en 1981 Marek Thee dans la revue de l'UNESCO. Des pistes ont d'ailleurs déjà été avancées pour cette remise en question. Ainsi, la revue *Interférences*, dans son numéro d'octobre 1981, avait mis en avant l'idée que « c'est autour de la *technique* que se concentre aujourd'hui le danger de guerre ». Et le rapport de l'ONU sur la course aux armements invitait les scientifiques à prendre conscience que « pour atteindre leur pleine efficacité, il faudrait que les mesures de limitation des armements portent sur des perfectionnements encore *en gestation,* c'est-à-dire qu'elles interviennent avant qu'on n'ait été accompli un travail important de recherche et de développement, et avant que les programmes n'aient pris leur propre élan sous l'effet des poussées

---

BIBLIOGRAPHIE

Ouvrages

CLARKE R., *La Course à la mort ou la technocratie de la guerre,* Seuil, Paris, 1972.

MENAHEM G., *La Science et le militaire,* Seuil, Paris, 1976.

Dossiers

« Entre guerre et paix », *Interférences,* n° 1, 1981.

« La science pourvoyeuse d'armes », *Impact* (revue de l'UNESCO), n° 1, 1981.

« Les conséquences économiques et sociales de la course aux armements », rapport de l'ONU publié dans *Courrier de l'UNESCO,* avril 1979.

Journées nationales Science et Défense, dossiers du ministère de la Défense, Paris, 1983.

politiques, institutionnelles et industrielles ».

Enfin, certains ont proposé en 1981 à Grenoble la création d'un « Institut de recherches pour la paix », s'inspirant du SIPRI de Stockholm (Institut pour la paix suédois), regroupant des chercheurs et des militants pacifistes, afin de :
– rendre visible et objet d'études critiques tout ce qui concerne les armes ;
– faire que la défense civile, les alternatives à l'armement, les reconversions pacifiques, soient l'objet d'études et de débats ;
– susciter dans l'enseignement et parmi les travailleurs de la recherche une prise de conscience sur la dissémination dans tous les secteurs scientifiques de la dynamique de militarisation.

Cette préoccupation de paix a d'ailleurs rencontré une des réflexions des auteurs du rapport général du Colloque national sur la recherche et la technologie qui évoquait l'éventualité d'une formalisation institutionnelle de recherches sur la paix. Ce rapport précisait aussi : « Qui ne se sent aujourd'hui, au travers de son activité de chercheur ou de technicien, d'industriel ou de commerçant, porteur d'une parcelle de la responsabilité mondiale vis-à-vis de la paix ? Qui refuserait d'y consacrer un peu plus d'énergie ? » Nous aimerions croire que l'on pourra compter pour cela sur d'autres que les chercheurs présents à Grenoble à l'automne 1981.

Raymond Avrillier

Les boutiques de sciences

A l'heure actuelle, les principaux utilisateurs de la recherche scientifique sont les grandes firmes industrielles et l'État. Serait-il possible de réorienter une partie de la recherche pour que d'autres acteurs sociaux puissent avoir accès à des connaissances adaptées à leurs besoins propres ? Les tentatives de fournir une réponse pratique à cette question, soulevée par les mouvements de contestation de la science depuis 1968, ont été jusqu'alors relativement limitées. Mais l'une d'entre elles paraît particulièrement prometteuse : c'est celle des « boutiques de sciences », qui tire son origine de l'expérience hollandaise. Une trentaine de ces structures, créées sous un gouvernement de gauche, existent depuis 1978, réparties dans toutes les grandes villes des Pays-Bas.

Le cas de la boutique d'Amsterdam est exemplaire. A son tableau d'honneur : 1 500 demandes traitées, des plus simples au plus complexes. Un fermier se demande pourquoi ses vaches avortent (on découvre que c'est à cause des effets toxicologiques des déchets d'une usine) ; une entreprise licencie 60 ouvriers : le syndicat demande à la boutique de faire une étude des arguments de la direction (la boutique découvre que la situation financière est plus positive qu'on ne le dit) ; une imprimerie réclame une analyse de produits chimiques irritant pour les yeux...

Pour qu'une demande faite à la boutique soit acceptée, il faut qu'elle reçoive l'accord du conseil d'administration (douze représentants des « usagers », dont six syndicalistes et un « ombudsman » nommé par le ministère de la Science et de la Technologie, et douze représentants de chercheurs universitaires). Les critères sont au nombre de trois : que l'individu, le groupe ou l'association ne dispose pas de moyens financiers qui lui permettraient de faire la recherche ;

que celle-ci n'ait aucun but lucratif; que les bénéficiaires soient capables d'utiliser les résultats pour améliorer leur propre situation. Le « feu vert » donné, un permanent de la boutique est désigné comme « médiateur ». C'est lui qui discute avec le « client », et contacte des chercheurs qualifiés. Une fois « client » et chercheurs d'accord, un contrat légitimise aux yeux de l'Université le travail d'investigation, pluridisciplinaire s'il y a lieu.

Car la singularité de l'expérience vient du fait qu'il ne s'agit pas d'initiatives marginales, mais bien de structures agréées par l'État néerlandais. La conséquence en est que tout chercheur – ou étudiant – volontaire pour travailler sur un projet a le droit de le faire en utilisant les

---

LES BOUTIQUES DE SCIENCES EN FRANCE EN 1983

- **Clermont-Ferrand :** Information scientifique et technique, 18, rue Clos-Notre-Dame, 63000 Clermont-Ferrand.

- **Grenoble :** N. Nechtschein, CENG, Boîte postale 85, 38040 Grenoble.

- **Marseille :** Office régional pour la socialisation de la science et la technologie, Université de Provence, 3, place Victor-Hugo, 13331 Marseille Cedex.

- **Lyon :** Boutique de sciences, Université Lyon-I, 69622 Villeurbanne.

- **Lille :** Bernard Maitte, Université Lille-I, bât. SN5, 59655 Villeneuve-d'Ascq Cedex.

- **Paris :** Boutique de sciences, UER de génétique, Université de Paris-VI, Tour 42-43, 4, place Jussieu, Paris Cedex 05.

- **Paris :** Atelier santé-travail, CLISACT, c/o Jean-Paul Fouillet, Appt. 96, 11, avenue Faidherbe, 93310 Pré-Saint-Gervais.

---

moyens de son laboratoire ou de son université. Le financement direct de la boutique (locaux et permanents) est assuré par l'administration centrale. De 1978 à 1983, plus d'un millier de chimistes, physiciens, biologistes, économistes, sociologues, etc., ont ainsi participé aux diverses contre-expertises ou enquêtes.

Décloisonner la science

En France, une dizaine de boutiques sont apparues en 1981 et 1982, auxquelles le ministère de la Recherche et de l'Industrie du gouvernement socialiste a accordé une oreille attentive, mais qui attendaient toujours en 1983 une reconnaissance pleine et entière. Elles sont nées du besoin de dépasser certaines expériences sectorielles réalisées dans les années soixante-dix. Qu'on se souvienne des travaux du « comité amiante » de la faculté des Sciences à Paris ; des études du Groupe de scientifiques pour l'information sur l'énergie nucléaire (GSIEN), qui contribuèrent à dissiper les ambiguïtés des informations officielles ; des débats sur la question des manipulations génétiques suscités par le Groupe information biologie ; de l'important travail réalisé par le Groupe information santé (GIS) aussi bien sur l'avortement et la contraception que sur le problème de l'intoxication par le plomb des ouvriers de la firme Pennaroya.

Cet éparpillement des recherches, mais aussi le hiatus constaté par de nombreux scientifiques entre leurs pratiques et les besoins sociaux, ont conduit les initiateurs des boutiques à envisager une convergence des compétences et un redéploiement de la recherche, menée jusqu'alors au seul profit de l'industrie. Pour peu que les pouvoirs publics s'y intéressent, cette orientation pourrait d'ailleurs stimuler – en amont et en aval – la recherche française, qui accuse dans certains domaines des retards sérieux sur ses voisines européennes (toxicologie, désulfuration, alternatives énergétiques, par exemple).

Si le bénévolat fut utile pour lancer de telles boutiques (chacune bénéficiait déjà en 1983 de la collaboration d'une centaine de scientifiques patentés), il est devenu nécessaire que d'autres institutions (collectivités locales, conseils régionaux, organismes nationaux comme le Centre d'études des systèmes et technologies avancées – CESTA) prennent le relais financier – encore que les moyens requis par les boutiques soient relativement modestes. Il faudrait surtout que l'État reconnaisse ces structures (sous la forme de groupements d'intérêt public ?), permettant ainsi leur accès aux laboratoires universitaires et de recherche publique (CNRS, INSERM, INRA, CEA, CNEXO, etc.), des mises en disponibilité de certains chercheurs pour des périodes limitées, et le décloisonnement des institutions en jeu.

En France, les armées financent 33 % de la recherche et les entreprises privées plus de 35 %. Les autres acteurs sociaux ne disposent que de faibles moyens – institution-

nels ou financiers – pour orienter la recherche dans des directions adaptées à leurs besoins. Cette distorsion a d'ailleurs été soulignée dans le rapport général du « Colloque sur la recherche et la technologie » (qui s'est tenu en 1982 à l'initiative du ministère de la Recherche et de l'Industrie) : « La science doit rester au contact de la société. » Les boutiques de sciences pourraient contribuer à la corriger. Dès lors, pourquoi l'État, qui stimule la recherche avec les subsides de la collectivité, ne financeraient-ils pas les études que celle-ci réclame (les premières boutiques ont croulé sous les demandes) en dehors des circuits traditionnels ? Une réponse positive à cette question, au-delà des résultats tangibles (gains collectifs apportés par la réduction des effets de la pollution ou des accidents du travail), pourrait avoir à plus long terme un autre effet heureux : que la production des connaissances scientifiques prenne une autre signification et devienne un outil décisif dans les relations sociales, enrichissant en retour les chercheurs eux-mêmes.

Frank Tenaille

L'informatique alternative contre le taylorisme

L'informatique se trouve au cœur du processus de restructuration de la production entamé dans les années cinquante. Car l'ordinateur peut être vu à la fois comme continuation des progrès du machinisme, comme nouvel outil de contrôle social et comme marchandise. Il s'inscrit dans le grand mouvement de complexification des machines : d'abord limitées au travail de la matière, leurs tâches s'étendent désormais, grâce à l'électronique, à un domaine jusque là réservé à l'homme,

le traitement de l'information.

Mais dans nos sociétés de classes, l'ordinateur s'insère dans les dispositifs complexes de domination qui permettent à un groupe restreint de contrôler les mécanismes sociaux. Ce n'est donc pas un hasard si la conception même et les modes d'utilisation des ordinateurs que nous connaissons intègrent *techniquement* la logique de cette domination, en étendant au domaine intellectuel les principes du « taylorisme » [58].

Au XIXe siècle, un patron, avec l'aide d'un encadrement restreint, pouvait surveiller l'ensemble de la production en réunissant les travailleurs sous son regard en un même lieu : l'entreprise. Le taylorisme s'est établi comme une réponse à la menace que faisait peser l'expansion et la complexification des technologies, sur la concentration du pouvoir dans l'entreprise. La méthode inhérente à la mécanisation qui consiste à décomposer les tâches pour pouvoir les imiter par des moyens artificiels, a été détournée, afin que les machines soient employées comme instrument d'asservissement des travailleurs, en réduisant au maximum la composante intellectuelle du travail manuel, de manière à instaurer une coupure stricte entre la décision et l'exécution. En restreignant ainsi l'autonomie des travailleurs, le taylorisme a permis un surcroît de concentration du pouvoir, alors que, par exemple la souplesse du moteur électrique rendait techniquement possible une décentralisation.

Aujourd'hui l'informatique rend possible de nouvelles formes de centralisation des décisions en rendant la concentration de l'information compatible avec une décentralisation physique. Ceci est obtenu par un filtrage actif des informations et l'utilisation des télécommunications (la fameuse télématique) [10]. L'ordinateur est susceptible de rétablir et d'étendre les conditions d'efficacité d'un pouvoir centralisé en autorisant une grande flexibilité pour l'exécution de normes dont le centre reste le seul maître. C'est pourquoi les ordinateurs ont d'abord été achetés par les multinationales et les États, qui y ont vu une réponse au dysfonctionnement induit par leur gigantisme et aux révoltes provoquées par la rigidité du taylorisme. De plus, les possibilités de l'ordinateur comme instrument d'encadrement débordent les lieux de production (usines et bureaux) et le contrôle des travailleurs : il entre désormais, grâce à la télématique, dans les cabinets d'avocats, de médecins ou d'architectes, et jusqu'au domicile des particuliers [10], contrôlant des rapports sociaux individualisés.

Pourtant l'informatique pourrait fournir des outils aux citoyens pour une plus grande participation à la gestion sociale. Mais le mode de fonctionnement des ordinateurs traditionnels rend impossible – ou du moins très difficile –, tout projet social quelque peu convivial, parce que l'utilisateur doit passer obligatoirement par un intermédiaire – l'informaticien – du fait du nombre et de la complexité des langages de programmation (plusieurs centaines si l'on considère les variantes des grands langages) [300].

Adapter les machines aux hommes

Quand on veut se servir d'un ordinateur, il faut le « programmer », c'est-à-dire lui fournir les instructions et les données à partir desquelles il va pouvoir travailler. Pour cela, il faut les écrire dans un langage qu'il est capable de « comprendre ». On va d'abord mettre au clair l'algorithme du problème, c'est-à-dire un schéma de résolution logique de celui-ci. Cela consiste à le décomposer en sous-problèmes moins complexes, jusqu'à ce qu'on aboutisse à une suite d'étapes suffisamment simples pour permettre l'utilisation des instructions de l'ordinateur. Ensuite seulement, on peut rédiger son programme. Théoriquement, ces deux étapes sont disjointes. La première, celle de la création de l'algorithme, est accessible à tout utilisateur pour peu qu'il sache ce qu'il veut faire et comment le faire. En fait, cette étape dépend étroitement de la seconde parce que le langage de la machine constitue un filtre pour l'expression du problème et lui impose toute une gamme de contraintes. Dans cette situation, l'utilisateur – artisan, commerçant, expert-comptable ou architecte – est obligé de faire appel au spécialiste, seul capable de réaliser les acrobaties nécessaires pour adapter l'algorithme au langage de la machine. Ainsi s'introduit une division préjudiciable entre celui qui connaît son problème mais est incapable de le programmer, et celui qui est le spécialiste de tel ou tel langage, mais possède souvent une vision superficielle du problème à résoudre.

Cette situation a pour origine l'architecture particulière des ordinateurs conçus aux États-Unis, en 1945, par Von Neumann, avec une technologie volumineuse, fragile et coûteuse. La situation s'est totalement inversée depuis. Le progrès constant des composants a permis la construction d'ordinateurs de plus en plus compacts, fiables, rapides et bon marché sans que, curieusement, l'architecture originale n'ait été modifiée (à quelques variantes près). Dans l'ordinateur à la Von Neumann, le constructeur organise une fois pour toutes les règles de « connectivité » des circuits logiques. Or, résoudre un problème grâce à un ordinateur, c'est se servir de ces circuits logiques. L'utilisateur doit donc s'adapter aux règles de connectivité fixées par le constructeur et utiliser un répertoire particulier d'instruction permettant de mettre en œuvre ces règles (c'est ce répertoire qui constitue le langage de programmation). En fait, les règles de connectivité des circuits logiques d'un ordinateur sont fixées par le constructeur surtout en vue de types de travail auquel est destiné la machine (gestion, calcul scientifique...). C'est pourquoi tel type d'ordinateur n'est programmable qu'au moyen de tel langage de programmation [300]. Dans cette informatique, c'est l'homme qui doit adapter sa pensée aux possibilités de la machine.

Ne pourrait-on pas opérer à l'inverse et concevoir des ordinateurs dont l'utilisateur puisse adapter les circuits à ses besoins?

Un groupe d'informaticiens et de scientifiques français baptisé « Techniques et recherches alternatives en informatique » (T R A I) et dont certains membres participent au Centre d'information et d'initiative sur l'informatique (C I I I), a proposé en janvier 1982 un projet d'ordinateur adaptable : « la machine molle ».

Techniquement, l'une des raisons qui avait conduit les constructeurs d'ordinateurs traditionnels à fixer au moment de la construction les règles de connectivité des circuits logiques, tient au mode de stockage de l'information dans les mémoires : l'information significative y est représentée par des « mots » de longueur égale, c'est-à-dire par des séquences de signaux élémentaires, comprenant toujours le même nombre de signaux. Dans la « machine molle », au contraire, la longueur d'un mot peut varier. C'est ce qui crée son adaptabilité, les règles de connectivité des circuits logiques n'étant plus restreintes par cette condition limitante. L'utilisateur peut alors se servir des circuits logiques de l'ordinateur selon ses propres besoins, sans être « contraint » par un langage de programmation particulier. A la limite, l'utilisateur définit son propre langage, en vue de faciliter la solution de son problème.

Une voie pour le tiers monde

Il va de soi que si l'emploi d'ordinateurs adaptables se généralisait, une autre plaie de l'informatique disparaîtrait : la non-compatibilité entre les divers types ou les diverses générations d'ordinateurs (ce qui est bien utile aux constructeurs pour s'assurer tel ou tel « créneau » du marché et rendre leurs « clients » dépendants d'eux).

L'ordinateur adaptable n'est évidemment pas spécialisé dans une application particulière, et peut être employé à toutes les applications traditionnelles de l'informatique. Il peut être employé aussi à toute nouvelle application car la connectivité de ses circuits logiques peut toujours se modifier et s'étendre en ajoutant des circuits et des mémoires. Il est possible aussi de se servir sur cet ordinateur de programmes écrits avec des langages de programmation usuels (Fortran, PL 1, Pascal, etc.), à condition d'ajouter des compilateurs simplifiés (dictionnaires permettant de traduire les langages). D'ailleurs, puisque l'utilisateur de l'ordinateur est en mesure de créer son propre langage de programmation, il a les clés lui permettant de comprendre comment sont construits tous les langages de programmation. L'utilisateur de l'ordinateur adaptable n'est donc plus dépendant, ni des constructeurs, ni des spécialistes. De plus, en rendant l'informatique appropriable par les non-spécialistes, l'ordinateur adaptable permet aux travailleurs qui ont à se servir de matériels informatiques, d'intervenir, s'ils le désirent, sur les processus du travail et l'organisation de l'entreprise.

Pour une informatique alternative, ce ne sont pas les individus qui doivent s'adapter aux machines, mais les machines qui doivent s'adapter aux hommes. Il s'agit non seulement de libérer les travailleurs des tâches répétitives, mais également d'assurer aux hommes, sans distinction, la possibilité d'utiliser les machines pour développer leurs capacités créatrices et en tirer parti. Pour les pays du tiers monde, l'ordinateur adaptable lève deux importants obstacles à une utilisation « non traumatisante » de l'informatique, là où elle serait parfois utile. En assurant la compatibilité des ordinateurs, elle empêche le vieillissement artificiel du matériel provoqué par la création de nouveaux modèles d'ordinateurs « classiques », et permet d'agrandir progressivement son parc sans être obligé de recommencer à chaque fois tout ou partie de la programmation. Elle évite également de se trouver inféodé à une base anglaise car elle autorise une programmation à partir des langues et des « valeurs » locales.

Nous n'avons pas la naïveté de croire que la machine adaptable va résoudre les problèmes sociaux. Tout ce que nous prétendons, c'est que l'ordinateur de Von Neumann, en matérialisant des entraves à la libre expression, dresse des obstacles à une évolution vers une société plus démocratique, et que la « machine molle », parce qu'elle est appropriable par le public, tend à les réduire.

Guy Lacroix, Carlos Derbez

BIBLIOGRAPHIE

Ouvrages

COOLEY M., *Architect or Bee, the Human Technology Relationship*, Langley Technical Service, Slough.

GRANSTEDT I., *L'impasse industrielle*, Seuil, Paris, 1980.

MOREAU R., *Ainsi naquit l'informatique*, Dunod, Paris, 1982.

ROQUEPLO P., *Penser la technique*, Seuil, Paris, 1982.

Articles

BACKUS J., « Can Programming be Liberated From the Van Neumann Style ? A Functionnal Style and Its Algebra of Programs », *ACM*, vol. 21, n° 8, 1978.

BLANC M. Ch., « Le péché originel de notre informatique quotidienne. Présentation du système adaptable ; COOLEY M., « L'informatique, dernière parure du taylorisme » ; LACROIX G., « Informatique et contrôle social » ; SUCHARD A., « Comment la machine adaptable augmente les possibilités d'expression » (articles parus dans la revue *Terminal 19/84*, n° 9, 1982).

Un machinisme agricole alternatif

La mécanisation de l'agriculture telle qu'elle s'est développée aux États-Unis et en Europe occidentale depuis la Seconde Guerre mondiale, a produit des machines de plus en plus puissantes, spécialisées et sophistiquées [52]. Mais, parallèlement, les agriculteurs sont devenus de plus en plus dépendants des fabricants et des réseaux commerciaux et bancaires.

De plus, le machinisme agricole n'est véritablement adapté qu'à la grande culture extensive. Il ne prend pas en compte la diversité des conditions locales et sociales d'utilisation. Efficace le tracteur de 120 CV? Pas sur tous les sols, ni dans toutes les régions. Accessible ce tracteur? Pas pour tous les budgets.

C'est à l'occasion de la diffusion de la mécanisation dans les pays du tiers monde que les défauts du machinisme agricole développé au Nord sont apparus le plus crûment : la situation de dépendance de l'agriculture vis-à-vis des fabricants n'est nulle part mieux mise en lumière que dans ces pays du Sud, où l'on rencontre des machines immobilisées au bout du champ, faute de pièces et de réparateurs. C'est donc dans ces pays que se fait sentir le plus fortement le besoin de techniques « alternatives » plus simples, mieux maîtrisables par les paysans [118, 161].

Or, toutes proportions gardées, ces problèmes d'inadéquation du modèle dominant de mécanisation agricole et de recherche d'une alternative, existent aussi dans certaines régions des pays du Nord, comme les régions montagneuses, par exemple.

Aussi, les conditions dans lesquelles est né, en 1981, un tracteur « alternatif » baptisé Yéti, dans la région de Grenoble, sont significatives. Un groupe de paysans de montagne (traditionnels et néo-ruraux)

de la région Dauphiné-Savoie se heurtait au manque de matériel adapté à l'agriculture de montagne. Par l'intermédiaire de l'association « Peuple et Culture », ils rencontrèrent Maurice Ogier, un ingénieur spécialisé dans la mise au point de technologies appropriées pour les pays du Sud. Et, plus précisément, Maurice Ogier avait, en 1975, mis au point un tracteur baptisé Le Pangolin, pour les paysans de la Côte-d'Ivoire. Ce tracteur est muni de chenilles, ce qui le rend robuste et utilisable dans des conditions de terrain extrêmement variées. De plus, il est de construction très simplifiée, ce qui le rend réparable très facilement, avec un matériel très limité : les paysans ivoiriens peuvent le réparer eux-mêmes dans un atelier du village.

Le Yéti répond aux mêmes principes : simplicité, ainsi que faible coût des choix techniques retenus (comme le système de transmission de la puissance aux chenilles). D'une puissance de 17 CV, il est adapté à une utilisation spécifique (fortes pentes, sols à faible portance) pour laquelle jusqu'ici l'industrie n'avait pas apporté de réponse satisfaisante, du moins pour les petites exploitations (et donc les petits budgets).

Il est destiné à être construit dans des ateliers artisanaux, ou même chez l'agriculteur lui-même. A cet effet, le matériel nécessaire à sa construction est limité à une perceuse 30 mm, une scie alternative 150 mm, un poste de soudure à l'arc, un touret à meuler, une meuleuse tronçonneuse, ainsi que l'outillage classique (clés, pinces, tarauds, filière,...). Certains éléments, trop complexes à construire au niveau artisanal sont issus de l'industrie (moteur, boîte,...). Cette combinaison produits industriels-construction artisanale permet de limiter les coûts (le Yéti revient à environ 40 000 F, alors que le tracteur « normal », couramment acheté par les agriculteurs des petites exploitations, revient à 150 000 F). De plus, le fait que le tracteur peut être construit par un artisan local (ou même éventuellement par l'agriculteur lui-même) renforce la maîtrise technique de l'agriculteur ainsi que son autonomie.

Certes, le *Yéti* ne remplacera jamais le tracteur industriel de grande série. Mais il correspond à un usage précis pour les utilisateurs spécialisés : nettoyage des petites étables, utilisation dans les secteurs difficiles d'accès ou à forte pente... De ce fait, il se prête bien à la construction et à l'utilisation en commun comme machine d'appoint. Au début de l'année 1982, huit *Yéti* étaient construits ou en construction chez les paysans du Dauphiné, des Pyrénées, du Massif central, de la Corse...

Pierre Muller
François Pernet

BIBLIOGRAPHIE

Articles

Le n° 1 de *Alternative paysanne*, septembre-octobre 1981 (et les numéros suivants).

L'agriculture biologique, au-delà de la prophétie

L'agriculture biologique est une pratique agricole revendiquée par 4 000 agriculteurs français (moins de 0,5 % du total) mais également par plusieurs centaines d'agriculteurs en Suisse, plusieurs milliers d'Allemands et d'Anglais, et de 20 à 40 000 agriculteurs aux États-Unis. Elle est fondée sur le refus des engrais chimiques et des pesticides, qu'elle remplace par des techniques qui se veulent plus écologiques (compostage des déchets organiques, introduction de légumineuses dans les rotations de culture, travail du sol à faible profondeur, etc.).

Malgré le petit nombre d'exploitations agricoles concernées, l'agriculture biologique provoque dans plusieurs pays occidentaux et depuis le début des années soixante, des débats, des polémiques, des recherches, et depuis peu des réglementations : c'est un fait social dont l'importance dépasse largement l'étendue de cette pratique. Il suscite la réflexion sur des questions qui touchent aux relations entre la recherche, l'évolution des techniques et les mouvements sociaux dans le secteur de la production agricole et son environnement.

En France, l'année 1982 a été riche d'événements pour l'agriculture biologique. En premier lieu, on doit retenir la rupture qui s'est opérée entre la Société Lemaire et les agriculteurs qui la suivaient jusque là. Cette société a joué un rôle décisif en tant que fournisseur de produits nécessaires aux agriculteurs (fertilisants, produits de traitement « naturels », etc.); elle leur assurait également un encadrement technique et commercial et organisait l'écoulement d'une partie de leur production (le blé en particulier, pour le réseau de boulangers qui fabriquent le « pain Lemaire »). De ce fait, elle occupait, dans un grand nombre de départements français, une position dominante et elle a marqué très profondément l'agriculture biologique française.

Pour faire face à ses difficultés, cette société tentait depuis quelques années d'assouplir les normes reconnues, notamment en matière d'engrais. En 1982, la majorité des agriculteurs qui acceptait jusque là son influence a refusé de persévérer dans la logique de la firme, pour retrouver la pureté originelle de leurs pratiques. Quand on connaît les relations quasi filiales et les liens de dépendance économique qui les unissaient depuis vingt ans, on mesure l'importance de cet événement.

De même que la Société Lemaire est la principale entreprise dans le secteur de l'agriculture biologique, Nature et Progrès est l'association la plus importante, qui regroupe plusieurs milliers de consommateurs militants et quelques centaines d'agriculteurs. Ce mouvement était animé depuis longtemps par une équipe dont l'engagement avait une dimension véritablement philosophique. Nombre d'entre eux subissait l'influence de groupements mystiques ou ésotériques. Ils conjuguaient un naturalisme très marqué à des conceptions politiques suffisamment floues pour accepter une certaine forme de tutelle de la part d'un parti de l'ancienne majorité giscardienne, le Centre démocratique et social (CDS) du ministre de l'Agriculture de l'époque, P. Méhaignerie. En 1982, un changement de majorité est intervenu à Nature et Progrès, sous l'impulsion d'une nouvelle génération de militants moins préoccupée de spiritualité que de pratiques et de techniques agricoles. Une nouvelle direction s'est mise en place qui s'est déclarée prête à l'ouverture et a engagé la discussion avec les organisations agricoles et les institutions de recherche comme l'Institut national de la recherche agronomique (INRA).

L'homologation de l'agriculture biologique

Dans le même temps, d'autres adhérents de Nature et Progrès ont pris l'initiative de la création d'un Institut technique de l'agriculture biologique (ITAB) qui se proposait de prendre en charge l'amélioration de techniques en liaison avec les chercheurs de l'INRA. Ils s'appuyaient pour cela sur les expériences déjà réalisées dans d'autres pays, et en particulier aux États-Unis où plusieurs États ont réglementé l'utilisation de l'appellation d'« agriculture organique » (qui est l'équivalent en langue anglaise de l'agriculture biologique).

Dans les instances gouvernementales françaises, on s'intéressait aussi à l'agriculture biologique en 1982-83. Au ministère de l'Agriculture, un recensement était organisé pour améliorer les statistiques disponibles. Plus de 3 000 agriculteurs furent ainsi repérés, mais, compte tenu des méthodes employées pour cette enquête, on peut estimer raisonnablement que la réalité est plus proche des 4 000.

Toujours dans ce ministère, on s'est préoccupé de mettre en application un décret adopté en 1981, avant le changement de majorité. Ce texte organise la mise en place d'une commission destinée à étudier les cahiers des charges de l'agriculture biologique, c'est-à-dire les chartes que les agriculteurs, transformateurs et distributeurs s'engagent à respecter pour bénéficier de cette appellation. Cette commission dite « d'homologation » mise en place en mai 1983, devait commencer à fonctionner en juillet 1983. Sa création annonçait en quelque sorte la normalisation de l'agriculture biologique, à la demande pressante, il faut le préciser, de la plupart de ceux qui s'y réfèrent. D'autres pays ont d'ailleurs précédé la France en ce domaine, et en particulier la Grande-Bretagne avec son International Institute of Biological Husbandry, fondé en 1975.

Enfin, pour clore ce panorama, il faut signaler qu'au ministère de la Recherche et de l'Industrie se discutait, depuis le mois de juillet 1982, un projet de programme pluriannuel sur l'agriculture biologique. Ce programme devait être adopté et mis en route dans le courant de l'année 1983. Il devait associer, sous la responsabilité de l'INRA, un grand nombre de partenaires de l'enseignement et de la recherche agronomique, mais également des partisans reconnus de l'agriculture biologique. Ce programme devrait permettre à terme une meilleure connaissance de l'intérêt et des limites de ce type de pratique.

La fin du manichéisme?

Quelle signification accorder à ces événements? Il faut rappeler tout d'abord que l'agriculture biologique a entretenu en France au cours des années soixante-dix des liens étroits avec le mouvement d'idées et de projets en faveur des technologies douces [118] et de l'écologie. Socialement et politiquement, la question du programme électronucléaire a été au centre de ce phénomène. L'agriculture biologique a cristallisé cette sensibilité dans le domaine de l'agriculture et de l'alimentation.

Cette cristallisation s'est faite plus souvent sur le mode religieux que sur le terrain social et politique : c'était la guerre de religion, le biologique, c'est-à-dire la vie, contre le chimique, c'est-à-dire la maladie et la mort. A certains égards, le mouvement avait une dimension prophétique, comme l'a bien montré le sociologue Alain Touraine à propos de la contestation anti-nucléaire.

La question que l'on peut se poser est la suivante : est-ce que ce type d'action peut ou non se constituer en mouvement social, c'est-à-dire se donner un projet de transformation du champ social là où il intervient et clarifier sa position face à des adversaires et des alliés potentiels? Il était

---

BIBLIOGRAPHIE

Ouvrages

BONNY S., LE PAPE Y., *Un système de production différent, l'agriculture biologique : quelques éléments pour l'étude de sa viabilité et sa reproductivité*, INRA, Grenoble, 1982.

LE PAPE Y., *L'Agriculture biologique (réalités et perspectives)*, INRA-IREP, Grenoble, 1980.

Articles

CAUDERON A., « Sur les approches écologiques de l'agriculture », *Agronomie*, 1 (8), 1981.

GAUTRONNEAU Y., SEBILLOTTE M. *et al.* « Une approche nouvelle de l'agriculture biologique », *Économie rurale*, n° 142, 1981.

LOCKERETZ W. *et al.*, « Organic Farming in the Corn Belt », *Science*, n° 211, 1981.

Dossier

STONEHOUSE B., *Biological Husbandry. A Scientific Approach to Organic Farming*. Colloque de Wye College (août 1980). Butterworths, Londres, 1980.

difficile en 1983 d'apporter une réponse nettement positive. La situation était pourtant favorable sur le plan politique : le ministère de l'Agriculture français souhaitait manifestement promouvoir une diversification des modèles de développement agricoles. Cette diversification correspond, de façon plus ou moins manifeste, aux préoccupations de certaines couches sociales agricoles qui n'ont pas bénéficié réellement des modèles technico-économiques diffusés avec insistance au cours des décennies précédentes [52]. En prenant clairement position face à cet enjeu, les partisans de l'agriculture biologique ont sans doute un rôle à jouer, grâce à l'expérience acquise.

À un autre niveau, ils sont également porteurs d'interrogations qui s'adressent aux institutions de recherches ; il est clair qu'on est en train de sortir de l'opposition manichéenne entre une science vraie, qui serait fondée sur la biologie, et une science qui n'invoquerait que la chimie. Une certaine forme d'obscurantisme, très présente dans les milieux de l'agriculture biologique, n'a plus cours aujourd'hui. Il s'agit donc maintenant de trouver des modalités nouvelles pour que ce courant d'idées et d'expériences puisse engager un dialogue, voire un travail commun, qui pourra être parfois conflictuel, avec les chercheurs et les laboratoires. Avec ceux qui, dans les institutions, souhaitent prendre en compte des préoccupations nouvelles, comme dans d'autres secteurs de l'activité scientifique.

L'avenir de l'agriculture biologique dépend, pour une part, de la réussite de cette collaboration avec la recherche. L'équilibre de certaines exploitations dépend en effet de disponibilités en matières organiques dans un environnement qui peut encore les sous-utiliser. Mais des réorientations se dessinent dans l'ensemble des agricultures occidentales, sous la pression notamment de préoccupations énergétiques. De ce fait, l'agriculture biologique va se trouver confrontée à une situation nouvelle qui lui impose une redéfinition. Faute de quoi, elle risque fort de perdre le bénéfice de l'intérêt qu'elle a suscité jusque là et de retrouver sa marginalité originelle.

Yves Le Pape

ENJEUX IDÉOLOGIQUES

SCIENCES
SOIR

Science et médias :
les nouveaux mythes
de la modernité

En consacrant plusieurs pages dans chacun de ses numéros aux ordinateurs, robots, métaux spéciaux, colonies spatiales ou laser, le magazine *Actuel* a été l'un des premiers à lancer en France le « Look High Tech » (pour haute technologie), mode qui s'est depuis largement développée dans les médias. Elle s'appuie sur plusieurs familles de thèmes spécifiques : il s'agit d'abord d'informer le public des nouveaux produits susceptibles d'une consommation de masse, et destinés à « s'implifier » la vie quotidienne : magnétoscopes, montres télévision [323], four à micro-ondes, appareils ménagers à microprocesseur [21] (la « puce Thomson »), etc.

Une deuxième famille de thèmes (robots [274], microscopes électroniques, lasers [427], fibres optiques [315]) vise des objets utilisés dans des applications industrielles et scientifiques, mais dont on nous suggère qu'ils concerneront un jour le grand public : « Le laser va bouleverser la vie quotidienne » lit-on dans la revue *Ça m'intéresse*. Enfin, les médias s'attachent à décrire des phénomènes plus généraux comme la bureautique [47], la télématique [10], la productique [292]... Cet engouement pour la technologie gagne même des sujets classiques qui défrayent la chronique depuis des décennies : les mystères de l'île de Pâques seraient ainsi éclaircis grâce à l'analyse par ordinateur des hiéroglyphes locaux menée par I B M.

Le fil conducteur de ces discours est bien sûr donné par l'électronique, et plus précisément par l'ordinateur, dont la miniaturisation suscite d'interminables chants : « On s'arrêtera dans la miniaturisation des " puces " le jour où l'on aura atteint la taille de l'atome et la vitesse de la lumière », titre *Actuel*. Comparée à l'électronique, la biotechnologie [216] (manipulation de l'AND [211], greffes d'organes [246], etc.) ne joue qu'un rôle second dans le discours « High Tech ». Pourquoi ces thèmes ont-ils pris tant d'importance dans les médias au tournant des années quatre-vingt? D'abord parce qu'ils expriment les interrogations d'une époque où le rythme des découvertes technologiques déconcerte les individus. D'autre part, plus trivialement, il ne faut pas négliger le fait que les nouveaux produits, issus d'industries en plein essor, sont sources de publicité. Or, celle-ci joue un rôle essentiel dans la survie de la plupart des médias : parler de tel magnétoscope ou de tel micro-ordinateur, c'est se donner la possibilité de négocier une publicité avec le constructeur, les revues d'informatique et de vidéo le savent bien. Cependant, au-delà des intérêts immédiats des professionnels, d'autres facteurs plus fondamentaux doivent être pris en compte. Dans la mesure où elles sont supposées aider les pays occidentaux à sortir de la crise économique, les nouvelles technologies sont perçues positivement par le public.

Mais les intérêts particuliers, comme les stratégies des États, sont loin d'expliquer totalement un tel engouement : la force principale du « High Tech » est de prendre ses racines dans l'inconscient des individus et des groupes. Il véhicule, en effet, un certain nombre de « formules-clés » tenues pour évidentes et jamais discutées : l'affirmation quasi-obsessionnelle que « tout est technologique » en est un exemple frappant. Une de ses variantes est : « L'électronique sera partout » (*Le Matin*). Déjà considérée comme la révolution des temps modernes, la technologie est de plus promue au rang de nouveau moteur de l'histoire [114]. A la recherche de « l'homme de l'année 1982 », l'hebdomadaire américain *Times* n'a trouvé... que l'ordinateur individuel [10] pour exprimer l'essence de l'époque : « Personne n'a mieux symbolisé l'année passée, personne n'aura autant d'importance au regard de l'histoire que cette machine. Il y a des occasions où le fait le plus significatif de l'année n'est pas un individu mais un processus dont la société entière reconnaît qu'il change le cours de tous les autres. »

Technologie, nouvelle magie

L'Humanité n'est donc plus maîtresse de son histoire, la technique enserre l'homme, y compris dans des domaines qui en paraissaient jusque-là très éloignés. Cette idée débouche sur un nouveau type de « sensationnel » qui débusque l'informatique là où on l'attend le moins : « Finis les petits Mickeys, aujourd'hui le merveilleux est technologique » explique la revue française *Science et Avenir* à propos du centre de loisir « High Tech » baptisé E P C O T (Experimental Prototype Community of To Morrow), ouvert en octobre 1982 en Floride par les productions Walt Disney. L'hebdomadaire américain *Info Wold* consacre un dossier à la religion et l'ordinateur. *Actuel* décrit le « laser taste-vin », et *Science et Vie*, la bête du Gévaudan soumise à l'ordinateur... Ces conception de la société et de l'histoire imprégnées de mécanisme se retrouvent également au niveau individuel : la psychanalyse ne fait plus recette, la psychologie laisse place à une réduction neuro-physiologique dans l'explication des comportements. En témoigne le succès des théories de la polarisation du cerveau entre côté droit et côté gauche [231]. Mais les technologies ne se contentent pas d'être omniprésentes : elles sont censées générer une ère nouvelle de notre planète où l'Homo sapiens se transformera en « Homo communicatus ». L'expansion des technologies à tous les domaines de la vie garantirait donc l'avènement d'une société de la communication et de l'information radicalement nouvelle.

Dans ces prédictions d'un avenir radieux, le progrès, dont la linéarité gêne, disparaît du vocabulaire au profit de la notion de « mutation » : les problèmes de transition et d'adaptation sociale n'ont pas de place. La revue *Newsweek*, imaginant la vie d'une famille en 1992, raconte comment « l'ordinateur relie les Smith au monde qui les entoure » grâce aux réseaux de câbles, satellites, etc. Le père, qui travaille à domicile, n'a plus qu'à « taper un code spécial sur le clavier de son ordinateur personnel afin de se brancher directement sur celui de son entreprise ».

Comment est-on passé du travail de bureau au travail à domicile, quels sont les changements sociaux qui ont découlé de ce choix, voilà le type de questions évacuées. Le politique disparaît au profit d'une scène refermée sur le familial et le privé, où l'individu est isolé devant sa machine ; telle une déesse toute-puissante, la puce veille sur l'humanité : « Pour la famille Smith, le microprocesseur n'est pas seulement une commodité ; il a sauvé la vie de M. Smith, victime d'une crise car-

diaque : on lui a implanté un " bio-puce " ».

Parmi ses multiples bienfaits, l'informatique apporte la Connaissance : le moment où l'individu, assis devant son terminal, consulte le Savoir, sans se déplacer, est le temps fort du scénario. Voilà le foyer devenu unité de lieu, et l'immobilité, l'aspiration fondamentale de l'humanité...

La croyance dans les vertus rédemptrices de la Science, sous-jacente au « High Tech », élimine-t-elle tout élément irrationnel ? En fait magie et scientisme se nourrissent l'un de l'autre. La magie est partout, c'est elle qui doit séduire le public : *Actuel* titre « Les mystères de l'informatique » ; *Science et avenir* conclut ainsi un article : « Sur le moment on ne peut que répéter : çà alors ! en se pinçant pour être sûr que l'on ne rêve pas ! ». Il ne s'agissait pourtant pas de tables tournantes, mais du centre EPCOT... Le discours perd ainsi tout sens pour tomber dans un flou spectaculaire et nébuleux. Il s'en dégage une fascination d'autant plus forte qu'elle piège le lecteur dans un jeu de miroirs en lui disant en substance : « Quelle magie, cette technologie

---

BIBLIOGRAPHIE

Ouvrages

BOSS J.F., KAPFERER J.N., *Les Français, la science et les médias ; une évaluation de l'impact de la vulgarisation*, La Documentation française, 1978.

JACQUARD A., *Au péril de la science*, Seuil, Paris, 1982.

ROQUEPLO P., *Penser la technique*, Seuil, Paris, 1983.

Ministère de la Recherche et de la Technologie, *Recherche et Technologie. Actes du Colloque national de janvier 1982*, La Documentation française, Paris, 1982.

Articles

« Les rhétoriques des technologies », *Traverses*, n° 26, 1982.

« Les médias face à la gauche... ou la gauche face aux médias ? », *Non !*, 1982.

scientifique, à l'origine d'applications si magiques... »

Au-delà des éléments mythiques, le « High Tech » laisse filtrer quelques inquiétudes. Elles tournent autour des robots et de l'intelligence artificielle [274]. Les robots vont-ils dépasser l'Homme? Cette question défraye la chronique. En revanche, les problèmes de l'histoire immédiate (les effets de l'informatique sur le chômage, par exemple) ne sont jamais traités sérieusement. Bien qu'il s'en défende, le discours de vulgarisation est donc traversé de parti pris idéologiques. A un moment où se pose de façon cruciale pour la société la maîtrise de ses choix technologiques, le « High Tech » ne risque-t-il pas d'obscurcir le débat?

Annick Kerhervé

La fascination du modèle technologique japonais

Au deuxième rang des puissances économiques non communistes, derrière les États-Unis, livrant à ceux-ci et aux vieux pays industrialisés d'Europe une bataille commerciale très rude, le Japon est devenu à la mode, au début des années quatre-vingt. Plus, il est devenu un modèle. On a voulu découvrir ses secrets pour les copier en matière d'organisation industrielle, commerciale, etc. Mais c'est surtout à travers ses produits et ses inventions, qui sont souvent les seuls éléments concrets que les étrangers connaissent de ce pays lointain, que s'est forgée une image, parfois simpliste, du Japon et de son modèle technologique.

Pourtant, le développement technologique japonais n'est pas un phénomène nouveau, survenu brutalement et explicable par quelques clichés. En particulier, l'image d'un Japon imitateur des techniques étrangères, capable seulement d'adapter ce qui a été inventé ailleurs, producteur d'objets de qualité médiocre, est complètement périmée. Si autrefois le Japon a importé massivement, des États-Unis notamment, des technologies qu'il ne maîtrisait pas, il les met au point lui-même aujourd'hui et devance ses concurrents dans bien des domaines à partir de sa propre recherche scientifique fondamentale.

C'est surtout la « filière électronique » qui a connu au Japon un essor exceptionnel depuis les années soixante. En dépit d'un léger ralentissement de la croissance par la suite, la production de ce secteur a centuplé en vingt ans. Au début des années quatre-vingt, alors que le marché japonais est à peu près saturé pour les biens courants, les industries électroniques déploient des efforts considérables pour innover et produire en série des appareils toujours plus perfectionnés (magnétoscopes, ordinateurs domestiques, automobiles électronisées, etc.). Ainsi, la production mondiale de matériel vidéo est presque exclusivement japonaise et la production de magnétoscopes dans ce pays (plus de 16 millions en 1982) dépasse largement celle des postes de télévision.

L'impératif d'être fort

La crise de l'énergie et ses implications économiques ont encore renforcé le dynamisme technologique du Japon. D'une part, en amont et en aval de la filière électronique, de nouvelles applications sont ou seront développées : télécommunications par satellite [378] et par câbles [315], circuits intégrés de haute capacité [271], informatique et robotique (en matière d'automatisation de la production et de robots « intelligents » [292, 274], la supériorité japonaise est aujourd'hui très nette et ne laisse pas d'inquiéter ses partenaires commerciaux, car cela constitue un facteur décisif de meilleure productivité). D'autre part, le Japon a mis en œuvre, pour préserver son autonomie, un ambitieux programme d'économie et de substitution d'énergie ainsi que de production d'énergies nouvelles : liquéfaction du charbon, générateurs électriques à haut rendement, moteur à hydrogène, énergie nucléaire, solaire, géothermique.

En outre, en dehors des filières électronique et énergétique, la technologie japonaise présente de multiples points forts, par exemple dans les domaines de l'aquaculture, de la microbiologie, de l'ultra-cryogénie, etc. On est donc en présence d'un développement de tous les secteurs de la technique à partir de filières stratégiques, qui place le Japon au meilleur rang dans de nombreux

domaines. Quels sont les ressorts principaux de ce développement ?

Au premier rang il faut placer un ensemble de contraintes : densité très élevée de la population, risques de catastrophes naturelles, rareté des matières premières. Ces contraintes font de l'économie japonaise une économie singulière qui doit impérativement prendre acte de sa position de faiblesse initiale pour acquérir une position de force. Concrètement, cela signifie que cette économie doit être compétitive pour pouvoir exporter et financer ainsi les importations d'énergie et de ressources naturelles qui lui manquent.

L'audace technologique est donc une parade à l'insécurité économique. Elle est au cœur des statégies industrielles et sociales qui sont mises en œuvre pour atteindre l'objectif de compétitivité. Les moyens du dynamisme technologique sont multiples et souvent originaux :

– une importation massive de technologies et de brevets : il ne faut pas oublier que le Japon, encore aujourd'hui, importe plus de technologies qu'il n'en exporte ;

– une forte priorité accordée à la recherche scientifique et technique qui représentait, en 1982, 2,5 % du

BIBLIOGRAPHIE

Ouvrages

HAYASHI T., *Historical Background of Technology Transfer, Transformation and Development in Japan*, United Nations University, Tokyo, 1979.

SAUTTER C., *Japon : le prix de la puissance*, Seuil, Paris, 1973.

SATOSHI K., *Japon, l'envers du miracle*, Maspero, Paris, 1982.

Articles

GÈZE F., « les rêves japonais du patronat français », *CFDT aujourd'hui*, n° 49, 1981.

GÈZE F., GINSBOURGER F., « Le défi japonais ramené à sa juste mesure », *Le Monde de l'économie*, 18 novembre 1980.

GINSBOURGER F., « Voyage au pays du consensus social », *Les Temps modernes*, février 1981.

PIANI R. et SAIAS M., « La nouvelle frontière industrielle », *Revue française de gestion*, n° 27/28, 1980.

revenu national et devrait croître encore [447] ;

— l'effort de recherche-développement est orchestré de façon originale par le célèbre M I T I (ministère du Commerce extérieur et de l'industrie) : sur les grands projets pilotes – comme par exemple le projet de circuits intégrés V L S I (Very Large Scale Integrated Circuits) [271] – le M I T I apporte beaucoup plus que la masse critique de moyens nécessaires. Les gros frais de la recherche fondamentale et appliquée sont ainsi partagés entre l'État et quelques grands groupes industriels, mais au-delà de cette coopération la concurrence reste vive au stade de la fabrication et de la commercialisation.

— D'une manière générale, le niveau hautement concurrentiel du marché japonais est un stimulant de la capacité innovatrice et la course à la baisse des coûts de production entraîne une amélioration constante des techniques. C'est ainsi en particulier que le Japon semble plus hospitalier à l'égard des robots de production et leur a déjà fait une place beaucoup plus grande que ses partenaires occidentaux.

— Les prouesses technologiques japonaises ont aussi un volet commercial : à travers les automobiles, les motos, les montres, les appareils de photo, les magnétoscopes aujourd'hui et demain peut-être à travers l'informatique et la télématique, le Japon a montré à quel point il était capable de s'adapter rapidement aux évolutions de la demande mondiale et d'investir les marchés de consommation grand public. De telles performances, qui inquiètent évidemment beaucoup les partenaires du Japon, s'expliquent en partie par le dynamisme des grandes sociétés de commerce, telles que Mitsubishi, et par l'intérêt que les Japonais accordent traditionnellement aux questions commerciales.

Plus généralement, le « modèle » technologique japonais a aussi, et peut-être surtout, une dimension culturelle. Un niveau de formation élevé, une curiosité intellectuelle qui ne privilégie pas nécessairement l'abstraction font que la technologie est honorée au Japon et constitue un enseignement à part entière dans les universités. Au total, il semble que la diffusion des technologies nouvelles au sein du public s'effectue beaucoup plus vite que dans les pays occidentaux.

Marc Guillaume

L'idéologie de la Révolution scientifique en URSS

L'optimisme « scientiste » est de mise dans les pays occidentaux au début des années quatre-vingt. Mais cette idéologie avait déjà régné en Occident antérieurement, dans les années soixante. A cette même époque, elle sévissait aussi en U R S S, avec une connotation particulière que peut résumer l'équation : progrès de la science = progrès des forces productives = progrès du socialisme.

Comme le sigle N E P (nouvelle politique économique) l'avait été dans les années vingt, la N T R (Révolution scientifique et technique) était le mot-clé du régime sous Khrouchtchev. La N T R devait permettre à l'URSS de réaliser son vieux rêve et de rattraper les États-Unis dans les années quatre-vingt, puis fournir les conditions du passage au communisme et à la société d'abondance pour l'an 2 000.

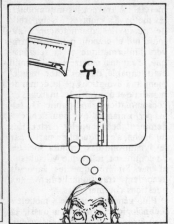

Après la nuit stalinienne, l'URSS renouait avec l'idée des années vingt, selon laquelle seul le socialisme pouvait permettre à la science son développement maximum et en mettre les acquisitions à la disposition de l'humanité entière. La NTR était la version moderne de la formule de Lénine, « le socialisme, c'est l'électrification, plus les soviets ».

Les idéologues khrouchtchéviens avaient attribué au progrès scientifique un rôle quasiment égal à celui de la lutte des classes (entendez : celui du Parti) dans le processus révolutionnaire global. La fusion entre la science et l'industrie allait supprimer le travail aliéné et transfigurer le prolétaire en un technicien supérieur, mieux, en chercheur. Dans le même temps, la différence ville/campagne allait s'estomper, puis disparaître. Plus concrètement, on crut que la NTR allait résoudre les problèmes insolubles de l'URSS, son retard agricole ou la résistance de l'industrie à l'introduction des innovations techniques. On crut aussi que, mathématisé et informatisé, le Plan allait, enfin, devenir un système cohérent et rationnel de gestion. Bref, l'heure était bien à « la science à la barre ».

Pour une fois, la doctrine officielle, promulguée dès la fin des années

cinquante, rencontrait l'adhésion des intéressés, en l'occurrence, les scientifiques. Certes, les institutions politiques mises en place autour de la science n'avaient pas été abolies, mais simplement mises en sommeil. La différence pourtant était énorme. En quelques années, les scientifiques réussirent à secouer la tutelle des idéologues fous qui avaient condamné la relativité einsteinienne, la génétique mendelienne [208], le théorème de Bernouilli, la théorie de la résonnance en cristallographie, la cybernétique, etc.; qui avaient imposé la conception selon laquelle toute la science moderne reposait sur des découvertes russes; qui avaient édifié un rideau de fer entre la science occidentale et la science soviétique, lui faisant ainsi prendre des années de retard. Cette période de liberté, certes toute relative, a été aussi celle des plus grands triomphes de la science soviétique, tel l'envoi dans l'espace du premier satellite en 1957, puis du premier satellite habité en 1961 [399], etc. Pendant quelques années, les Soviétiques ont pu croire qu'ils étaient devenus l'aile marchante de la science mondiale, ou sur le point de le devenir.

La militarisation de la science

C'est cette vague d'optimisme qui a nourri la génération des scientifiques qui allaient entrer en dissidence dans les années soixante-dix, lorsque vint la réaction brejnévienne et la mise en veilleuse de la NTR et de l'optimisme « scientiste » qui la portait. La politique scientifique de la nouvelle équipe au pouvoir au Kremlin, à partir de 1964, consista à restaurer intégralement la prééminence du Parti. Progressivement, le terme même de NTR disparut : il a aujourd'hui laissé place au sigle plus modeste de NTP, ce qui veut dire « progrès scientifique et technique ».

Aujourd'hui, l'URSS entretient

avec la science des rapports originaux. Parmi les grands pays industriels, c'est celui où les délais de l'innovation sont les plus longs [467]. Mais dans ce climat général de lenteur, le secteur le plus rapide est l'armée. Pendant les deux décennies d'immobilisme brejnévien, seule l'armée a subi une modernisation complète, même si cette modernisation est toute relative, comparée à la modernisation à l'Occident (on l'a bien vu au Liban en juin 1982, où le matériel soviétique fut mis en déconfiture par le matériel américain). Du même coup, puisque l'armée était devenue son meilleur client, la science, sous Brejnev, s'est militarisée encore davantage. D'après les observations des scientifiques dissidents, au cours de ces vingt dernières années, le nombre de laboratoires « fermés », c'est-à-dire travaillant pour l'armée, a doublé. La recherche a été subordonnée à l'armée et lui a, de plus en plus, emprunté sa structure [467].

Dans l'idéologie de la période khroutchévienne, la science était destinée à embrayer sur l'ensemble de la société soviétique pour la révolutionner. Sous Brejnev, c'est un schéma presque inverse qui a agi. La militarisation de la science a répété sur une plus grande échelle, même si c'est sous une forme moins extrême, la figure la plus sinistre de l'arsenal « scientifique » de Staline : le laboratoire-prison où travaillent des scientifiques-bagnards. (Ce type de laboratoire est baptisé « charachka », et a été bien décrit par Soljénitsyne dans son livre *Le Premier cercle*.)

L'URSS n'a jamais su établir avec ses scientifiques cette relation harmonieuse que le socialisme « scientifique » semblait promettre. Pour faire travailler, malgré lui, le milieu scientifique hostile des années vingt, les bolcheviks avaient mis au point un modèle inquisitorial de relation science-État. Dans ses variations, ce modèle n'a cessé d'osciller depuis entre deux références : la prison ou la caserne.

Basile Karlinsky

BIBLIOGRAPHIE

Ouvrages

MEDVEDEV J., *Grandeur et chute de Lyssenko*, Gallimard, Paris, 1971.

MEDVEDEV J., *Savants soviétiques et relations internationales*, Julliard, Paris, 1970.

POPOVSKI M., *URSS : la science manipulée*, Mazarine, Paris, 1979.

RICHTA R. (et une équipe de l'Académie des sciences de Tchécoslovaquie), *La civilisation au carrefour. Implications sociales et humaines de la révolution scientifique et technique*, Anthropos, Paris, 1969.

SAKHAROV A., *La liberté intellectuelle et la coexistence*, Gallimard, Paris, 1969.

ZALESKI E. *et al.*, *La politique de la science en URSS*, OCDE, Paris, 1969.

Article

PIGNON D., *et al.*, « L'URSS et la science », *Les Temps modernes*, n° 406, 1980.

Technologies de pointe et formes sociales

Le nucléaire [67] et l'informatique [71, 111] sont deux technologies de pointe visant la maîtrise de ce que la culture des pays capitalistes développés considère comme les deux aliments vitaux du système social : l'énergie et l'information. Ces deux technologies sont intimement liées à des choix politiques et sociaux.

En ce qui concerne l'énergie nucléaire, les mouvements écologistes et anti-nucléaires affirment que le « tout nucléaire » ferait pencher la société vers encore plus de centralisme, de bureaucratie technocratique, de contrôle policier et d'obsession de la sécurité. Au contraire, les diverses « énergies douces » (énergie solaire, éolienne...) favoriseraient la démocratie de base, l'autogestion et la décentralisation. Il y aurait donc une sorte d'adéquation entre technologies et formes sociales. Le solaire, par exemple, léger, dispersable en petites unités, adaptable aux situations et aux besoins locaux, appropriable par les usagers, serait plutôt porteur d'autogestion. Le nucléaire, gigantesque, très lourd, obligatoirement géré par une autorité centrale, loin des spécificités locales, traitant l'usager comme un consommateur passif, serait plutôt porteur de l'État autoritaire.

En fait, la violence sociale n'a pas attendu l'arrivée des technologies dures. On a vu des formes sociales terriblement oppressives n'utiliser que des technologies douces – que l'on pense au haut Moyen Âge occidental. Et on a vu également des sociétés dont les communautés de base avaient une réelle autonomie, utiliser des technologies « lourdes » et centralisées, en matière d'irrigation, par exemple, comme dans le Maghreb médiéval.

Le choix nucléaire n'est pas seulement un facteur réel de renforcement de l'État bureaucratique, technocratique et policier, mais aussi un révélateur et un instrument de légitimation.

– Un révélateur : les décisions réellement importantes mettant en jeu l'avenir du pays, les choix graves et irréversibles, échappent parfois totalement au pouvoir des populations concernées. Le degré de participation des citoyens au débat nucléaire pourrait être utilisé comme indice de la démocratie. L'éventail va de l'absence totale de consultation (France) au référendum (Autriche, Suède, Suisse), en passant par des possibilités de recours devant les tribunaux (Japon, Allemagne, États-Unis, etc.) et des discussions au niveau des assemblées représentatives du pays (Royaume-Uni, États-Unis, Hollande, Länders en R F A). L'atome civil n'est pas nécessairement le domaine réservé des technocrates et des grands groupes industriels.

– Un instrument de légitimation : la centrale nucléaire est l'endroit où le pouvoir reçoit sa légitimation de la science. En ce lieu protégé, surveillé, aseptisé, les grands prêtres de la science et de la technique s'affairent autour du cœur du réacteur où le mystère de la « transsubstantiation » de la matière en énergie s'accomplit journellement. Par la centrale (déjà le mot en dit long) et avec l'aide de la science, l'État fournit l'énergie à la société, il lui dispense la vie. Par la bombe, autre face du nucléaire, il menace de mort la société. Le nucléaire, c'est le pouvoir absolu de vie et de mort de l'État sur le social.

Pouvoir de vie : dispenser l'énergie presque indépendamment des sources naturelles, des stocks limités contenus dans le sous-sol et des aléas climatiques. L'État seul, avec l'aide de la science, transmute la matière en énergie. La société tend à devenir totalement dépendante de cette énergie « dure » fournie par l'État. (Ceci doit être nuancé pour les pays où la distribution de l'électricité n'est pas un monopole d'État.)

Pouvoir de mort : grâce à l'équilibre de la terreur, les pouvoirs de mort des États « atomiques » se légitiment, s'appuient, se renforcent, se justifient les uns aux autres. On n'a pas encore vu d'État disposant de l'arme atomique se faire renverser. Le nucléaire est peut-être le facteur déterminant de ce qu'il faudra désormais appeler l'*irréversibilité de l'État*.

La technologie nucléaire est indissolublement liée à une société, à un imaginaire social, qui mesure le progrès, le bonheur, la civilisation, à la quantité d'énergie consommée par habitant. Le contenu social exprimé par le nucléaire serait que le bien-être est proportionnel à la consommation d'énergie et que cette consommation *doit* croître ou au moins se maintenir à son niveau actuel. Cette idée ne date que d'un siècle ou deux, et elle est très probablement fausse. Comme le montrent abondamment de nombreux exemples historiques (Athènes classique, l'Italie renaissante,...), ni le bonheur, ni le degré de raffinement d'une civilisation ne sont proportionnels à la quantité d'énergie physique disponible. Ce fait évident ne peut être accepté parce qu'il heurte profondément l'idéologie de la croissance, c'est-à-dire la nécessité de croissance de l'économie capitaliste, autrement dit, l'érection de l'économie comme fin suprême de la vie sociale.

Une autogestion apparente et totalitaire

Comme le nucléaire, l'informatique répond à l'exigence de croissance indéfinie du capitalisme, et ceci de deux manières. Première-

ment, par la mécanisation et l'augmentation de la productivité dans le secteur tertiaire (gestion, services, enseignement, etc.) : grâce à l'informatique, le processus de mécanisation et de rationalisation qui n'avait touché jusque-là que l'agriculture et l'industrie, s'étend maintenant à la quasi-totalité des activités humaines. Sans l'informatique, le gonflement monstrueux des travaux de gestion et de traitement de l'information aurait constitué un goulot d'étranglement rendant impossible la poursuite de la croissance économique. De plus, l'informatique permet une reconversion du capitalisme en période de récession.

On a l'habitude d'opposer la micro-informatique (celle des micro-ordinateurs individuels) souple, autonomisante, démocratique et autogestionnaire, à la macro-informatique (celle des gros ordinateurs centraux), bureaucratique, centralisée, lourde et autoritaire. Il s'avère en fait que l'informatique répartie, décentralisée ou autonome, représente sans le face technologique de la formule organisationnelle la plus efficace et la plus rentable. La macro- et la micro-informatique ne s'opposent pas, elles sont complémentaires.

Avec l'interconnexion généralisée des ordinateurs et les systèmes informatisés en « temps réel » (absence de délais de réponse), les métaphores spatiales pour décrire les phénomènes organisationnels telles que « centre » ou « périphérie » ne sont plus pertinentes. La téléinformatique rend chaque point d'un réseau aussi proche que possible de n'importe quel autre. Les questions se posent alors en terme de synchronisation, d'intégration logique et de finalité globale des systèmes. La disparition de l'espace dans une société entièrement informatisée serait l'aboutissement logique d'une longue histoire technologique dont la visée explicite a toujours été précisément de vaincre l'espace. On pourrait même imaginer des unités de base d'une organisation n'entretenant entre elles aucune communication, mais portant chacune en son sein un modèle de simulation du monde extérieur, une mémoire et l'horloge nécessaire à la synchronisation avec l'ensemble. On aurait ainsi le comble de l'autogestion apparente combinée à l'intégration logique la plus totalitaire. Cette forme d'organisation aurait l'« avantage » de supprimer tous les inconvénients de la communication : saturation des canaux, fragilité des lignes, risques d'erreurs de transmission, bruits, etc.

Les esprits optimistes font observer aux inquiets que le régime nazi ne disposait pas d'ordinateurs, tandis que la Suède, dont l'administration est entièrement informatisée, n'a pas la réputation d'être un pays de féroce dictature. Certes. Mais la multiplication des fichiers automatisés et leur interconnexion possible confèrent aux États qui en disposent un pouvoir considérable et une quasi-omniscience au sujet des populations qu'ils contrôlent [71, 111]. Indépendamment de la possibilité d'une dictature répressive ouverte, la mise en fiche toujours plus fouillée, précise et proliférante de la population s'inscrit dans une perspective étatique de gestion totale de la société. Les catégories de gens sur lesquelles on dispose du plus grand nombre de renseignements automatisés sont aussi les plus démunies politiquement et socialement : enfants, étrangers, militaires du contingent, assistés sociaux, etc. Plus petite sera la parcelle de pouvoir dont vous disposerez dans la société, plus vous serez fichés, répertoriés, profilés, gérés, informatisés.

Communication n'est pas communauté

Le pouvoir, agent actif de l'informatisation, reste anonyme derrière les systèmes, les programmes, les questionnaires, les interminables attentes et les guichets successifs qui le rendent inaccessible. Soulignons deux points importants dans l'évolution des formes de pouvoir liées à l'informatique : l'élimination du rapport de force et le phénomène d'ordre par la communication.

– Devant un terminal d'ordinateur, à l'interface d'un système d'information automatisé, aucun coup de force, aucune transgression n'est plus possible. Soit votre question (ou votre réponse) est prévue et intégrée par la machine, soit elle est incompatible avec le système qui la considère comme une erreur ou un simple bruit sans signification. Le choix

BIBLIOGRAPHIE

Ouvrages

LUSSATO B., *Le défi informatique,* Fayard, Paris, 1981.

NORA S., MINC A., *Rapport sur l'informatisation de la société,* Documentation française, Paris, 1978.

SADOULET B., *Choix énergétiques, choix de société,* Chronique sociale, Paris, 1982.

SALOMON J. J., *Prométhée empêtré,* Pergamon, Paris, 1981.

Articles

LÉVY P., « L'informatique et l'Occident », *Esprit,* juillet-août 1982.

Voir également les dossiers de la revue *Terminal 19/84* (1, rue Keller, 75011 Paris).

fondamental revient alors pour l'individu à émettre des informations pertinentes pour le système ou ne pas exister. Certes, on peut toujours utiliser ou détourner le système à son profit (voir les nombreuses variantes de fraude informatique). Mais à chaque substitution d'un rapport homme-machine à un rapport homme-homme, c'est une possibilité de contestation, au sens d'une fracture ouverte des règles sociales admises, qui disparaît.

– L'informatique vient renforcer la tendance du pouvoir politique à mettre en ordre la société, non plus en lui imposant des contraintes, mais en recueillant sur le social le maximum d'information possible, sous forme de recensement, sondages, enquêtes, statistiques, etc. Le pouvoir d'État veut faire parler le social, mais uniquement dans la langue de l'État. Plus il dispose d'information sur la société, plus la société *s'ordonne* du point de vue du pouvoir. L'informatique est une gigantesque machine à enregistrer et ordonner le social. Cette *information remontante* n'a rien à voir avec la démocratie. La Commission nationale de l'informatique et des libertés, en France, suivant ainsi les juristes anglo-américains, ne s'y est pas trompée puisqu'elle a inséré – dans

son rapport pour l'année 1981 – le droit au silence et le droit de ne pas émettre d'information, dans la définition nouvelle de la liberté d'expression.

Parallèlement à l'idéologie de la bonne énergie porteuse de bien-être, l'informatique est valorisée par une idéologie de la bonne information et de la bonne communication. Nous aurions besoin de toujours plus d'information, nous ne communiquerions jamais assez. Bien entendu, le fond de l'affaire est qu'information et communication sont de gigantesques industries et de fabuleux marchés. Plus nous sommes branchés sur les réseaux de communication, plus nous sommes isolés. Communication n'est pas communauté, information n'est pas pensée. Les technologies de pointe telles que le nucléaire et l'informatique prétendent nous servir de l'énergie et de l'information, il est possible qu'elles nous y asservissent du même coup.

L'informatique, comme le nucléaire, n'engendrent pas de formes sociales radicalement nouvelles, mais prolongent et cristallisent des tendances à l'œuvre depuis déjà longtemps dans nos sociétés.

Pierre Lévy

L'obsession de la sécurité informatique

Selon une certaine image d'Épinal, les ordinateurs paraissent dotés d'une infaillibilité « surhumaine » ; ils semblent pouvoir démêler les problèmes les plus complexes ou assurer des missions de surveillance difficiles, là où l'esprit humain se fatiguerait et accumulerait les erreurs... La réalité est bien différente et les professionnels de l'informatique savent depuis longtemps que les

erreurs et les pannes sont nombreuses dans les systèmes informatiques, sans compter les fraudes et les sabotages (lesquels comptent pour 10 % des incidents de fonctionnement).

C'est pour répondre à l'inquiétude de ses clients qu'IBM entreprit en 1972 une vaste étude visant à trouver des parades pour limiter ces risques. De même, en 1976, la compagnie franco-américaine CII/Honeywell-Bull introduisit des procédures de protection dans ses systèmes d'exploitation. Mais ce n'est qu'avec la publication, en 1978, d'un rapport du ministère suédois de la Défense sur « la vulnérabilité d'une société informatisée » que les questions de sécurité furent traitées dans toute leur ampleur. Le diagnostic était sévère. L'informatisation y était en effet considérée comme un facteur de fragilisation de nos sociétés, lesquelles ont atteint, sans vraiment en prendre conscience, un seuil de vulnérabilité inacceptable. Au début des années quatre-vingt, le thème de la sécurité informatique était souvent repris et un congrès mondial de « la protection et de la sécurité informatique » s'est tenu à Cannes en février 1983.

Sans reprendre le détail de la démonstration des experts suédois, on retiendra trois grandes causes de vulnérabilité d'une société informatisée. La première concerne la concentration des informations et des moyens de les traiter. Pour qui veut déstabiliser le corps social, les gros centres de calcul constituent des cibles toutes trouvées. Points névralgiques de l'organisation moderne, leur mise hors circuit entraîne une désorganisation immédiate, et sur une large échelle. On comprend

dans ces conditions que ces gros centres aient été l'objet d'une vigilance particulière, d'autant que les actes de violence – simple vandalisme ou attentats politiques – contre les ordinateurs s'avèrent assez nombreux [71]. L'Italie s'est d'ailleurs dotée d'une législation criminelle spéciale en matière d'actes terroristes contre les centres informatiques.

Une panne ou une grève dans ces services aboutissent également à une paralysie totale, comme l'ont montré en France certains mouvements revendicatifs dans les banques en 1974 où quelques dizaines de spécialistes ont pu bloquer la marche normale d'énormes organisations. Par ailleurs, les fichiers centraux sur la population et leurs possibilités d'interconnexion constituent, en cas de guerre ou de crise grave, des menaces de première grandeur, les législations protectrices « informatique et libertés » étant en la circonstance totalement inefficaces. Entre les mains d'une puissance étrangère ou de groupes mal intentionnés, ces fichiers sont de formidables moyens de contrôle ou de chantage. (Si bien peu de Juifs hollandais ont pu échapper aux nazis, c'est aussi parce que l'administration hollandaise d'avant-guerre avait commencé, bien avant

BIBLIOGRAPHIE

Ouvrages

ELLUL J., *Le système technicien,* Calmann-Lévy, Paris, 1977.
Rapport Sark sur « la vulnérabilité d'une société informatisée, ministère suédois de la Défense, Stockholm, 1978.

Articles

COSTE A., LAPRIE J. C., « Des ordinateurs " non-stop " », *La Recherche,* n° 140, 1983.
HAZERA J.C., « La sécurité informatique, bientôt à la mode », *La Recherche,* n° 113, 1980.
JOINET L., « Les pièges liberticides de l'informatique », *Le Monde diplomatique,* n° 300, 1979.
PORTE G., « Les escrocs de l'informatique », *Le Monde,* 27-28 février 1983.

l'avènement des ordinateurs, un fichage poussé de la population.) Le stockage d'informations apparemment plus anodines dans les banques de données (sur les entreprises, sur les transports, sur les sources d'énergie, ...) peut également se révéler fort utile pour un agresseur éventuel.

Des effets pervers

Le deuxième danger provient de l'interdépendance des systèmes. L'intégration permise par l'informatique ne présente pas que des avantages. Elle a l'inconvénient de créer des chaînes de dépendance qui répercutent sur tous les systèmes la panne ou la désorganisation d'un seul, outre le risque d'une indisponibilité du réseau de transmission des données.

La technicité et l'opacité des systèmes est une troisième cause de fragilisation. Elles font courir au pays un double risque : un risque de dépendance technologique et un risque de dépendance par rapport aux spécialistes-informaticiens. A l'exception des Etats-Unis et du Japon qui disposent d'une compétence informatique complète, tous les autres pays peuvent un jour, en cas de blocus, manquer de pièces de rechange ou se voir opposer un refus suite à une demande de réparation. Bien souvent, les personnels qui remplissent des fonctions vitales dans les centres de calcul, ingénieurs ou analystes-programmeurs, sont les seuls à pouvoir maîtriser les applications dont ils ont la charge. Cela laisse l'utilisateur relativement démuni et le met à la merci de leurs négligences, de leurs indélicatesses (voire de leurs chantages). Depuis les années soixante, de nombreuses affaires de « délinquance informatique » ont éclaté (le cas typique était le détournement d'argent, grâce à la manipulation du programme de l'ordinateur d'un service comptable). Depuis le rapport suédois, des mesures ont été prises dans tous les pays : règles de sécurité à respecter dans le traitement des données confidentielles, prise en compte de l'éventualité de circonstances exceptionnelles, planification des cas d'urgence, etc.

On peut se demander toutefois si le thème de l'insécurité, en prenant une importance excessive, n'engendre pas des effets pervers. Une première perversion vient d'une autonomisation croissante du problème de la sécurité, traité de plus en plus en soi et comme allant de soi. Il existe aujourd'hui une véritable industrie de la sécurité avec ses entreprises, ses marchés, ses produits spécialisés (systèmes de codage, logiciels spéciaux, cryptographie des données, systèmes de protection des locaux, ...). Un développement de cette industrie est très probable dans un système économique qui vit aussi des déséquilibres, des nuisances et des pollutions qu'il produit. Restant à la surface des choses, la logique « sécuritaire » se contente de traiter le besoin de sécurité en évitant de s'interroger sur ses causes profondes. A cet égard, le rôle de l'informatique est très ambigu. En proposant un nouveau mode de régulation basé sur le traitement automatique de l'information, elle rend viables de grands ensembles administratifs et techniques menacés, sans elle, de graves dysfonctionnements. Elle permet ainsi une fuite en avant technique à une société complexe et donc fragile, mais cela au prix d'une supercomplexité (ajout d'un nouveau secteur spécialisé dans le traitement des données) et en bloquant toute recherche d'alternatives. Après tout, plutôt que d'essayer d'assurer la bonne marche de systèmes complexes, ne serait-il pas plus efficace de réduire la complexité de ces systèmes, pour les rendre moins fragiles ?

Des quartiers de haute sécurité

L'obsession de la sécurité mène aussi à un alourdissement du contrôle social notamment en ce qui concerne les informaticiens. Bien souvent le recrutement des hommes-clés d'un centre de calcul est fait à partir de critères professionnels mais aussi extra-professionnels (tests psychologiques, enquêtes policières, ...). Les grands centres apparaissent de plus en plus comme des quartiers de haute sécurité où les travailleurs sont surveillés en permanence (surveillance des accès, des déplacements et de leur durée, par un autocommutateur programmable avec un contrôle visuel par circuit interne de télévision) et vivent à l'écart des centres urbains, derrière des clôtures électrifiées, isolés dans des équipes qui changent en permanence. On est devant des sortes de « bunkers », qui représentent une excroissance militaire au sein de la société civile d'autant plus inquiétante qu'aucun motif de défense ne la justifie.

Enfin, un autre type de perversion débouche sur un degré extrême de fragilité. Sous le prétexte d'éliminer le danger de la subjectivité humaine, on peut connecter entre elles les machines et s'en remettre à l'automatisme pur. En s'affranchissant de toute médiation humaine, l'automation devient auto-suffisance. Elle se prive dans le même temps de tout contrôle qualitatif. Un grain de sable dans l'engrenage et ce peut être la catastrophe. Aux États-Unis en 1980, des avions de combat sont partis tout seuls à la suite d'une erreur du système de détection de l'attaque ennemie, entièrement automatisé !

André Vitalis

Progrès technologique, progrès social?

Alors même que, dans la crise, se prépare une nouvelle « révolution technologique », le débat sur les enjeux considérables des mutations en perspective est d'une brûlante actualité. Spécialement en France, pays qui se propose de mettre en œuvre un important changement social.

Or, de quelque horizon qu'il vienne, le discours sur l'évolution sociale renvoie d'abord quasi-exclusivement à la question de la croissance (qui exprime l'aspect quantitatif de l'expansion de la production) et du développement économique (qui désigne les aspects structurels et qualitatifs liés à la croissance), et finalement au « progrès technique » ou au « développement des forces productives ». Considéré comme pur produit de la science, celui-ci se trouve en effet placé au centre d'un processus dont il constituerait le levier essentiel en même temps qu'inconscient.

Un tel type d'analyse repose en fait sur un double axiome implicite qui donne à la « croissance » et surtout au « progrès technique » un caractère d'universalité et de complète neutralité du point de vue social : le progrès technique existerait en soi, indépendamment du contexte historique et social au sein duquel il a pris naissance. Ce type de discours constitue le présupposé fondamental de toutes les théories économiques libérales et fait partie intégrante de l'idéologie dominante. Selon celle-ci, les hommes n'auraient qu'à s'adapter à un mouvement inexorable et à ses conséquences sociales inéluctables, en particulier la division parcellaire et hiérarchique du travail mise en œuvre par ce qui est abusivement désigné comme « organisation scientifique du travail ». Ce qui fait que ce ne serait plus du capital mais de la science elle-même que l'ordre industriel et la discipline de la production dériveraient...

Plus curieusement, cette approche a envahi la « critique de l'économie politique » que Marx voulait créer. Ainsi, les stratégies d'industrialisation planifiée expérimentée au XXᵉ siècle, d'abord en Union soviétique [455] puis en bien d'autres pays, ne se sont-elles préoccupées que d'accélérer et d' « intravertir » ou d' « autocentrer » (c'est-à-dire d'orienter vers la constitution d'un tissu industriel autonome axé prioritairement vers les besoins du pays) un « développement des forces productives » défini en termes technique et utilisant le « progrès technique » en provenance des pays capitalistes développés [148, 158]. Dans la mesure où il est considéré comme universel et socialement neutre, celui-ci reçoit en effet, *ipso facto* la propriété de « transférabilité », nouveau postulat.

Les résultats de ces politiques dans les pays dit « socialistes » comme dans certains pays « sous-développés » (dépendance technologique, reproduction du rapport salarial et des modes de division technique » et sociale du travail...), et la prise en considération de la spécificité des systèmes économiques, conduisent pourtant à questionner cet ensemble d'axiomes et en particulier la notion de « développement des forces productives » et le contenu du « développement économique » qui en découle.

Des machines pour dominer

Et on doit bien constater que la célèbre « loi de correspondance » (énoncée le plus explicitement par Marx, en 1859, dans le fameux avant-propos à la *Critique de l'économie politique*, et selon laquelle les rapports sociaux prévalant dans la production « correspondraient » au niveau atteint par le développement des forces productives) ne fait que l'exprimer le statut exorbitant que lui-même donne au fait technique. Pour Marx, l'histoire devient en effet en

quelque sorte celle du développement de *la* technique, grâce à laquelle l'homme se saisit du monde ; et le développement technologique se trouve investi par lui d'un véritable rôle libérateur, puisque viendrait un temps où il imposerait la rupture d'avec le capitalisme.

Particulièrement révélatrice de cette optique, est la position que Marx adopte face aux révoltes ouvrières contre les machines (le Mouvement luddiste). Celles-ci ont ponctué de leurs violentes pulsions la révolution industrielle du XVIIIᵉ et du début du XIXᵉ siècle, qui a vu la machine imposée par la force à la classe ouvrière, dans des conditions qui tendaient à la spolier de son savoir-faire. Marx décrit d'ailleurs parfaitement bien la subordination de l'ouvrier à la machine dans le cadre d'une « discipline de caserne » (subordination qu'il considère comme « un instrument raffiné d'exploitation »). Mais, en dépit de la grande subtilité et de la nouveauté de son analyse, il considère la technique comme « innocente des misères qu'elle entraîne » et il estime que les ouvriers se sont trompés d'adversaires, qu'ils pratiquent « une forme grossière de révolte ».

Considérant le « progrès technique » comme bénéfique en soi et son déroulement comme univoque, il estimait que la machine n'écraserait l'homme que dans la mesure où son usage serait perverti par l'emploi qu'en fait le capitaliste. Ce dernier asservit effectivement l'homme à la machine et tente de justifier par elle la prétendue « division technique du travail ».

Mais, Marx – et avec lui nombre de ses disciples – ne voyait pas ce que Taylor et surtout Ford verront et appliqueront systématiquement au profit du capital : la machine elle-même, et plus encore les systèmes techniques et les ensembles complexes de machines, peuvent être non seulement mis en œuvre mais *conçus* comme des instruments de domination et de contrôle social. Les systèmes mécaniques organisant la ligne de montage en sont l'exemple le plus marquant, puisqu'ils ont précisément été élaborés pour atomiser le travail ouvrier, le priver de tout aspect créateur en le réduisant à un geste répétitif, le soumettre à une surveillance de tous les instants. (Marx ne voyait d'ailleurs pas non plus que la forme donnée aux grandes innovations techniques façonne la demande dans un sens qui contribue au processus de reproduction sociale.)

C'est ainsi que l'usine capitaliste, avec sa hiérarchie et sa discipline, n'est pas un objet technique mais un système social, une « mégamachine sociale », à la fois lieu de production économique et de reproduction du rapport salarial. Les instruments de travail plus ou moins sophistiqués qu'elle met en œuvre ne peuvent donc être interprétés indépendamment de cette finalité qui a marqué de son sceau leur conception même.

L'innovation comme production sociale

Se trouvant ainsi façonnée par les exigences des rapports sociaux, la production des innovations ne peut être comprise sans prendre en compte les conjonctures sociales – en particulier celles de tensions et de luttes – qui lui ont donné naissance. Et le « niveau » de développement des forces productives ne peut être apprécié indépendamment des rapports sociaux, pour deux raisons principales :

– d'une part, parce que la production des innovations à partir des connaissances disponibles est orientée à tout moment par ceux qui en détiennent les clés, c'est-à-dire par la classe qui contrôle les moyens de production et le surplus économique (ainsi le système « fordiste » de machines, qui permet la ligne de montage, fut-il conçu et mis en place par les grands capitaines d'industrie) ; de ce fait, ce développement se

trouve modelé conformément aux intérêts de cette classe ;

– d'autre part, parce que les forces productives sont indissociables de la division du travail par laquelle elles sont concrètement mises en œuvre dans l'usine. Or, il est maintenant démontré que cette division « technique » répond davantage à des impératifs sociaux (contrôle de la force de travail) qu'à des exigences techniques.

Aucune technique, aucune force productive nouvelle n'a jamais été mise en œuvre autrement que par des hommes au service de leurs intérêts. Et, dans une société de classes, cela signifie en fonction des intérêts de la classe qui détient la capacité de transformer une découverte en innovation. C'est ainsi que, parmi les innovations possibles, des choix sont opérés (en fonction de ces intérêts) qui soient propres à apporter une solution (temporaire) aux contradictions économiques et sociales montantes, dans le cadre de conjonctures sociales particulières dont l'analyse devient indispensable à la compréhension du phénomène.

Dès lors, les changements techniques que nous connaissons ne représentent plus *le* « progrès technique » comme phénomène universel, mais une des formes contingentes que celui-ci peut prendre pour un ensemble donné de connaissances. Et cette innovation répond à une exigence fondamentale : la perpétuation des rapports sociaux dominants. D'où ce point essentiel pour l'élaboration d'un projet de changement social : un ensemble technique adapté aux exigences de rapports d'exploitation ne l'est pas nécessairement aux exigences propres à des rapports sociaux refusant l'exploitation ; on ne peut construire une société autogestionnaire et « conviviale » avec les matrices d'une société de classes... L'exemple de l'architecture même des ordinateurs et des modifications à leur apporter pour pratiquer une informatique « désaliénée », est de ce point de vue particulièrement significatif [91].

Changer de société, changer de technique

Si le changement technique ne peut donc être considéré – comme le font tous les discours dominants – comme un facteur autonome, univoque et socialement neutre, parler de « progrès » technique constitue un jugement de valeur et non un concept scientifique. En quoi peut-on, en effet, estimer que tout changement dans les procédés techniques (improprement considéré comme fruit d'une logique interne au développement de la technique) constituerait un progrès pour tous, du seul fait qu'il accroît la productivité apparente du travail (notion qui inclut son intensification...) ?

Vouloir bâtir une stratégie de développement « autocentré » et/ou une société profondément différente, rompant avec l'exploitation de l'homme par l'homme, implique donc une reconsidération radicale des systèmes techniques dominants.

On doit admettre que ceux-ci ne sont pas transférables, puisque tout transfert de systèmes techniques entraîne celui des matrices sociales qui les ont fait naître. D'où la nécessaire remise en cause des orientations données à la recherche scientifique et technologique, et la mise au point de techniques subordonnées aux exigences du nouveau projet social. Ce qui retourne complètement la logique du discours mystificateur dominant, scientiste et techniciste, qui invite les hommes et les sociétés à s'adapter à un « progrès technique » qui s'imposerait « naturellement » à eux : dans cette optique, le changement social ne serait qu'une stratégie d'adaptation à une grande révolution technologique qui serait par essence libératrice.

Elle ne pourra en fait le devenir que si l'action consciente des peuples a la capacité et la lucidité de l'asservir pour lui désigner d'autres finalités et, par conséquent, d'autres modalités.

Bernard Rosier

BIBLIOGRAPHIE

Ouvrages

Axelos K., *Marx, penseur de la technique,* Minuit, Paris, 1981.

Coriat B., *Science, technique et capital,* Seuil, Paris, 1976.

Dockès P., Rosier B., *Rythmes économiques ; crises et changement social,* La Découverte/Maspero, Paris, 1983.

Gorz A. (éd.), *Critique de la division du travail,* Seuil, Paris, 1973 (en particulier les contributions de A. Gorz et de Saint-Marglin).

Numford L., *Le mythe de la machine,* Payot, Paris, 1974.

Articles

Perrot M., « Les problèmes de main-d'œuvre industrielle », *Histoire générale des techniques,* tome V, PUF, Paris, 1968.

Rosier B., « Le développement économique : processus univoque ou produit spécifique d'un système économique ? », *Économies et sociétés,* Cahiers ISMEA, 1982.

Rosier B., « Repères pour la transition au socialisme », in *Analyses de la transition,* PUL, Lyon, 1981.

Les technologies alternatives

La déception devant les technologies « avancées », et la recherche de technologies alternatives sont des phénomènes relativement récents, mais qui ont pris une grande extension. Ils sont dûs, entre autres, au mouvement écologiste, au mouvement pacifiste, et aux luttes des travailleurs pour produire des biens socialement utiles et pour résister à leur déqualification progressive. Cette tendance exprime une prise de conscience du fait que la « révolution scientifique et technique » des décennies qui ont suivi la Deuxième Guerre mondiale n'avait pas tenu ses promesses. Dans le tiers monde, bien des gens se sont rendu compte que l'importation de « technologie avancée » [148] accroît généralement la dépendance, entraîne de lourdes dépenses, ouvre relativement peu de nouveaux emplois et n'incite pas à développer l'innovation locale.

On a proposé de nombreuses épithètes pour qualifier les technologies alternatives : « douces », « intermédiaires », « conviviales », « radicales », « libératrices » ou « appropriées ». L'idée générale est que le mode occidental d'industrialisation est porteur d'un modèle de développement économique et social qui n'est valable ni universellement, ni même dans des cas particuliers. Dans l'extrême-gauche, certains théoriciens vont plus loin : ils affirment qu'une transformation radicale de la société devrait impliquer bien plus qu'un simple changement dans les rapports sociaux de production, et que les pratiques technologiques créées sous le règne du capitalisme moderne, si grande que soit leur capacité productive, ne sont pas adaptées à une société socialiste [114], sans parler même du communisme.

Mais les racines du mouvement visant à développer des technologies alternatives plongent dans un passé plus lointain. En Occident, on peut les faire remonter aux idées et aux pratiques des anarchistes et utopistes du XIXe siècle, et même aux conflits antérieurs qui ont accompagné la naissance du capitalisme industriel. Pour certains pays du tiers monde d'aujourd'hui, on peut en trouver l'origine dans les tentatives faites pour préserver ou relancer les traditions locales face à la pénétration du colonialisme.

En Inde, par exemple, dès la fin du XIXe siècle, a existé un mouvement visant à maintenir les techniques indigènes face à la domination étrangère. Tout au long de la lutte pour l'indépendance, Gandhi a fait campagne pour le renouveau de la vie villageoise et des méthodes de production traditionnelles. En Afrique également, les arts et les métiers anciens n'ont jamais totalement disparu ; la notion d' « Ujamaa » introduite par Nyerere en Tanzanie impliquait une construction du socialisme intégrant les formes de relations sociales traditionnelles.

Mais l'exemple le plus significatif est peut-être celui de la Chine, où la technique avait atteint un haut degré d'élaboration avant que le pays passe sous domination occidentale. Une bonne partie de cette technique fut remise à l'honneur avec Mao Zedong, surtout après la rupture avec l'URSS en 1960. Le Parti communiste chinois mit alors l'accent sur le développement rural et sur le principe « compter sur ses propres forces », au niveau local comme au niveau national.

« Small is beautiful » ?

Les idées de Fritz Schumacher, développées dans les années soixante et résumées dans son livre *Small is beautiful,* ont particulièrement influencé les récents mouvements en faveur des « technologies alternatives ». Se fondant sur la science économique occidentale tout autant que sur le bouddhisme (tel qu'il l'a compris), Schumacher a suggéré que le travail n'a pas pour seul but de fournir des biens et des services répondant aux besoins, mais doit aussi faire s'exercer et s'épanouir les facultés humaines, et remplacer l'égoïsme par la coopération. Il a donc prôné une technologie à échelle réduite, « à visage humain », visant un maximum de satisfaction pour un minimum de consommation. Il est allé même jusqu'à dire que devaient être considérées comme mauvaises toutes les pratiques allant à l'encontre de ces critères, soit la majeure partie des pratiques industrielles modernes.

Dans l'idéal, les « technologies alternatives » devraient prioritairement satisfaire les besoins fondamentaux en eau, en nourriture, en logement, en matière de santé et d'habillement. Ensuite, elles devraient développer la qualification des travailleurs et non la réduire. Troisièmement, les méthodes de production alternatives devraient promouvoir des structures égalitaires plutôt que hiérarchisées, et permettre une réelle et importante coopération. Quatrièmement, elles devraient réduire au maximum les effets nocifs sur l'environnement en utilisant, par exemple, des matériaux locaux, des sources d'énergie renouvelables et non polluantes. Cinquièmement, les modèles technologiques alternatifs devraient être compatibles avec la justice sociale : partage équitable du pouvoir, des bénéfices et des charges, et participation aux décisions, toutes choses impliquant une forte décentralisation et le développement des caractéristiques et des cultures locales.

Dans le tiers monde, il y a des tentatives de promotion des « technologies alternatives ». L'une d'elles a consisté à faire renaître ou à promouvoir des techniques « traditionnelles » dans des domaines tels que l'agriculture, la poterie, la métallurgie, la briqueterie ou la production de sel. Il y a eu aussi essai d'adaptation de techniques modernes, généralement à une échelle réduite permettant d'utiliser une force de travail proportionnellement plus importante : par exemple pour la production de ciment, textiles, savons, sucre et produits chimiques simples. Un autre type d'essai de technologie alternative a été basé sur la conception de techniques nouvelles répondant à des besoins spécifiques : parmi elles, les éoliennes; l'utilisation de la biomasse [341] par des générateurs de gaz à partir de matières organiques (fumier, paille...); les pompes et chaudières à énergie solaire [356]; les unités d'épuration d'eau; les pompes actionnées par pédalage; les broyeurs à maïs. Tout cela a été le plus souvent réalisé sans être vraiment intégré aux politiques scientifiques et technologiques nationales et à l'enseignement dans les pays du tiers monde.

Quelque louables que soient leurs objectifs, les mouvements pour les « technologies alternatives » ne sont pas exempts de contradictions. Ils ont tendance à n'apporter que des solutions techniques à des problèmes spécifiques, sans examen critique des conditions économiques et sociales qui font partie intégrante de ces problèmes, et sans remettre en question l'état des choses existant. Par là, ils peuvent même favoriser l'apparition de nouvelles formes d'investissement capitaliste (dans des entreprises alternatives) ou de nouvelles formes de néocolonialisme dans les pays du tiers monde [148].

Tom Kitwood

La sociobiologie à l'assaut de la culture

Si le mot même de « sociobiologie » est connu du grand public, c'est à cause de la parution en 1975 d'un ouvrage de l'entomologiste américain Edward O. Wilson : *Sociobiology, the New Synthesis*. La sociobiologie, expliquait l'auteur, a pour objet l'étude biologique de tous les comportements sociaux. D'emblée apparaît l'importance de ce projet théorique : il signifie que les phénomènes sociaux traditionnellement étudiés par les historiens, les sociologues et autres anthropologues doivent désormais être expliqués dans le cadre de la biologie. La « synthèse » dont parle Wilson est essentiellement fondée sur le néodarwinisme [264] et met en œuvre des schémas empruntés à la génétique classique, à la génétique des populations, à l'écologie et à l'éthologie.

Lorsque parut la « somme » wilsonienne, les réactions furent nombreuses et parfois très vives. Pour les uns, en effet, il s'agissait d'une œuvre remarquable qui renouvelait totalement le sujet et permettait d'aborder de façon enfin « scientifique » l'étude des comportements humains. Mais d'autres, surtout sensibles à l'impérialisme culturel de Wilson, entreprirent de dénoncer les faiblesses d'une théorie qu'ils jugeaient dangereuse. Il faut bien dire que l'entomologiste de Havard n'y allait pas par quatre chemins : sous prétexte qu'il avait étudié avec un certain succès le comportement des insectes sociaux (abeilles, fourmis, termites), il proposait une interprétation biologique globale des conduites et des institutions humaines. Hors de la biologie, point de salut ! Tel était le principal message que diffusait en 1978 un ouvrage du même Wilson spécialement consacré à l'étude de l'homme, *On Human Nature*. L'auteur déclarait expressé-

ment que la planification future de l'humanité devait être confiée aux biologistes – et plus précisément aux sociobiologistes...

Pratiquement un réductionnisme d'une extrême hardiesse, il expliquait que la morale humaine ne pouvait être reconstruite que sur des bases biologiques. Les sciences humaines étaient vigoureusement critiquées (pour ne rien dire des religions, des philosophies, du marxisme et de tout ce qui ressemble à une réflexion politique). Sur le plan culturel, c'était une véritable prise de pouvoir. Wilson envisageait aussi de recourir à l'ingénierie génétique [211]. Un de ces jours, selon lui, la technocratie biologique réussira peut-être à créer « de nouveaux types de rapports sociaux » en injectant aux citoyens des gènes de gibbons à mains blanches ou des gènes d'abeilles. Les avantages seraient évidents : grâce aux gènes d'abeilles, précisément, tous les ouvriers deviendraient travailleurs (et plus aucune grève ne serait à craindre...).

Dans le sillage de Wilson, beaucoup d'autres ouvrages de sociobiologie parurent à la fin des années soixante-dix : ceux de l'Américain David Barash ou du britannique Richard Dawkins, par exemple. L'étiquette « sociobiologie » peut désigner des recherches très diverses (et en particulier les recherches de l'éthologie la plus classique). Ce qui caractérise la sociobiologie de Wilson et consorts (Barash, Dawkins, etc.), c'est la tendance au biologisme absolu : ils ne se contentent pas de dire que les comportements animaux et humains ont des aspects biologiques (ce sur quoi tout le monde serait d'accord) – ils suggèrent ou disent explicitement que *seules* comptent les explications biologiques. Ce qui disqualifie totalement

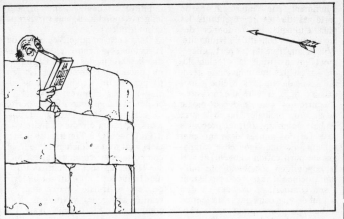

les études historiques ou sociologiques – et conduit à une idéologie « apolitique » tout à fait particulière...

Une aubaine pour les racistes

La sociobiologie d'Edward O. Wilson, cependant, ne doit certainement pas être réduite à une divagation marginale. Elle s'inscrit en effet dans une longue tradition de la science occidentale et met ouvertement en œuvre une « philosophie » que bien d'autres biologistes utilisent sous des formes plus nuancées. Darwin, en l'occurrence, constitue un repère essentiel. En 1871, il a publié *The Descent of Man (La descendance de l'Homme)*, un ouvrage dans lequel il appliquait sa théorie générale de l'évolution au cas particulier de l'espèce humaine. Symboliquement, ce livre était important : sur la base de connaissances (ou de prétendues connaissances) biologiques, Darwin proposait une certaine conception de l'homme, une certaine interprétation de sa nature et de son développement. Du point de vue scientifique, l'entreprise ne manquait pas d'intérêt (et Darwin, recourait d'ailleurs aux spéculations des ethnologues et des préhistoriens pour compléter ses propres spéculations évolutionnistes). Mais déjà apparaissaient de façon assez nette les signes d'un « biologisme » simpliste.

Ainsi Darwin affirmait-il sans ambage que la femme était moins intelligente, moins créative et moins courageuse que l'homme; et, ajoutait-il, il est douteux que la femme devienne un jour l'égale de l'homme. Au nom de sa science biologique, il diffusait bien d'autres messages contestables. Par exemple, il situait les « sauvages » entre les animaux et les « hommes civilisés ». Darwin lui-même n'y voyait sans doute pas malice. Mais enfin, il parlait expressément de « races inférieures ». Pour les racistes, c'était une aubaine! Aujourd'hui encore, à la frontière du néodarwinisme [264], se développent des interprétations idéologiques de ce genre. Darwin avait effectivement donné l'exemple : il avait expliqué, entre autres choses, que l'Homme faussait le jeu de la « sélection naturelle » en aidant les faibles et les tarés à survivre.

S'appuyant sur de telles remarques, Francis Galton (cousin de Darwin) créa l'eugénique afin d'empêcher l'espèce humaine de « dégénérer ». Impossible d'insister ici; mais il est assez clair que la biologie, depuis le XIXᵉ siècle, manifeste de grandes ambitions et intervient fréquemment, par l'intermédiaire de certaines de ses représentants les plus éminents, pour donner des leçons ou des conseils à l'Humanité. Wilson constitue un cas particulièrement voyant. Mais la « sociobiologie » n'est pas une nouveauté absolue – à beaucoup près. Même le mot existait déjà, à côté d'expressions concurrentes comme biosociologie ou anthropobiologie. Quand le prix Nobel McFarlane Burnet préconise à la fin des années dix-neuf cent soixante-dix une vigoureuse campagne de purification « eugénique », il se conduit en sociobiologiste militant (même s'il ne reprend pas le mot à son compte) ; et on peut en dire autant de tous ceux qui se servent de la biologie pour « prouver » la validité de leurs idées racistes ou sexistes. Edward Wilson n'est pas à proprement parler un sexiste ou un raciste militant ; mais malgré le libéralisme qu'il affiche, il diffuse des thèmes idéologiques qu'il est permis de trouver douteux et qui sont aisément récupérables pour le sexisme et le racisme ambiants.

La stratégie des gènes

Cela étant dit, la sociobiologie des Wilson et des Dawkins a aussi un contenu proprement scientifique. L'hypothèse fondamentale est de type darwinien : elle consiste à admettre que le développement des formes vivantes s'opère essentiellement grâce au jeu des mutations et de la sélection naturelle. Mais une modification très importante est introduite : au lieu que les « acteurs » de l'évolution biologique soient les individus (ou des groupes d'individus plus ou moins étendus), ce sont désormais les gènes qui sont considérés comme les unités fondamentales de la « lutte pour la vie ». Autrement dit, tout se passe comme si chaque gène se comportait de façon à se reproduire de façon maximale. L'évolution biologique, dans cette perspective, est le résultat des

impitoyables combats que mènent les gènes individuels pour survivre et se multiplier.

Dans cette optique, l'essentiel de la sociobiologie consiste donc à étudier la stratégie des gènes. Expliquer un phénomène biologique (et en particulier un « comportement social »), c'est montrer pourquoi et comment il contribue à la prospérité de certains gènes. Partout et toujours, de façon directe ou indirecte, il faut aboutir à l'intérêt du gène. Cela vaut tout spécialement pour un comportement comme l'altruisme, sur lequel les sociobiologistes insistent beaucoup : un individu biologique est « altruiste » parce que, en réalité, ses gènes y trouvent leur compte... Il se dévoue pour les autres, en apparence ; mais ce n'est qu'une façon détournée d'assurer la survie de ses gènes (par exemple en favorisant la survie de ses frères et sœurs). Ce type d'explication vaut en principe pour tous les comportements, quels qu'ils soient : religieux, esthétiques, politiques, économiques, etc. Comme le dit David Barash, « au commencement était le gène ». Et c'est également au gène que doit nous ramener toute explication biologique. Si l'on en croit Wilson, la Première Croisade avait ainsi pour objet de répandre au maximum certains gènes particuliers... Ou encore, comme l'enseigne Barash, le viol de femmes doit être expliqué par référence aux « nécessités » biologiques fondamentales : un violeur est « tout simplement » un individu qui essaye de reproduire ses gènes selon une stratégie particulière !

Or, comme l'ont remarqué certains critiques, il est toujours possible d'inventer des « histoires de gènes » pour expliquer n'importe quel comportement. Mais une « histoire de gènes », même vraisemblable, est loin de constituer une preuve ; et pour le moment, il demeure légitime de garder sur ce point un certain recul critique. Recul d'ailleurs justifié par diverses considérations théoriques.

D'autre part, l'idée que la « sélection naturelle » agirait essentiellement sur les gènes individuels est, du point de vue même de la biologie actuelle, éminemment contestable. Car, pour reprendre une formule d'un chef de file du néodarwinisme, Ernst Mayr, les gènes ne sont jamais des solistes : ils coopèrent, interagissent, travaillent en équipe avec les autres gènes du patrimoine génétique – et il y a donc de bonnes raisons de mettre en doute la sélection de gènes individuels.

Enfin, l'idée des sociobiologistes selon laquelle il existerait un gène pour chaque comportement – un gène de l'altruisme, un gène de la malveillance, un gène du conformisme, etc. – est extrêmement douteuse. À l'heure actuelle, « la science » n'a aucunement prouvé l'existence de tels gènes comportementaux. Bien sûr, certains comportements sont innés ; et il est possible que certains comportements pathologiques aient des causes génétiques. Mais il n'en résulte pas que *chaque* comportement soit sous le contrôle d'un gène particulier. Ici, encore, la théorie risque de se transformer en mythologie.

Il apparaît donc que les hypothèses sociobiologiques ne peuvent être aujourd'hui présentées comme des vérités objectives et définitives. Ce sont des hypothèses, précisément, avec tout ce que cette notion implique d'incertitude. Le postulat du « gène égoïste » (chaque gène ne pense qu'à sa survie...) peut rendre service. Mais il est trop tôt pour affirmer, en particulier, que tous les comportements sociaux peuvent être expliqués par référence à l'intérêt des gènes. Le réductionnisme sommaire pratiqué par Wilson, dans l'état actuel des connaissances, est scientifiquement mal étayé. Il repose surtout sur une conception extraordinairement superficielle de la vie sociale.

Une conception superficielle de la vie sociale

Rappelons rapidement comment se présente le raisonnement. En premier lieu, les institutions humaines (économiques, politiques, religieuses, culturelles, etc.) sont réduites à des ensembles de comportements individuels. Puis ces comportements sont interprétés à la lumière de ce que l'on peut appeler le « darwinisme du gène ». Grâce à cette double réduction, l'histoire humaine cesse d'être une réalité proprement

BIBLIOGRAPHIE

Ouvrages

DAWKINS R., *Le gène égoïste*, Mengès, Paris, 1978.

DAWKINS R., *The Extended Phenotype*, Freeman, San Francisco, 1981.

LUMSDEN C.J., WILSON E.O., *Genes, Mind and Culture*, Harvard University Press, Cambridge, 1981.

SAHLINS M., *Critique de la sociobiologie. Aspects anthropologiques*, Gallimard, Paris, 1980.

THUILLIER P., *Les biologistes vont-ils prendre le pouvoir? La sociobiologie en question*, Complexe, Bruxelles, 1981.

WILSON E.O., *Sociobiology : the New Synthetis*, The Belknap Press, Cambridge, 1975.

WILSON E.O., *L'humaine nature (Essai de sociobiologie)*, Stock, Paris, 1979.

sociale : elle ne relève plus de la sociologie ou de la science historique, mais de la théorie de l'évolution et de la génétique... On peut volontiers concéder que l'homme est une créature biologique et a donc beaucoup à apprendre de la biologie. Mais les « synthèses » de type wilsonien sont en fait des reconstructions sommaires, appauvrissantes et dogmatiques, dont le statut « scientifique » est incertain. La disproportion est énorme entre les prétentions affichées par Wilson (fournir à l'humanité une nouvelle éthique et une nouvelle politique) et la base théorique sur laquelle il s'appuie. Jusqu'à nouvel ordre, il semble donc légitime et même urgent de lutter contre l'impérialisme sociobiologique tel qu'il se manifeste dans des livres comme *L'humaine nature*.

Pierre Thuillier

La science-fiction : un révélateur

Jusqu'en 1945, la science-fiction (SF) s'est posée en héritière de Jules Verne, privilégiant l'aspect scientifique et technologique au détriment d'une perception plus humaine. Positivisme, foi aveugle dans le progrès la caractérisaient. Depuis la seconde guerre mondiale, la SF serait plutôt une continuation de l'œuvre d'H. G. Wells, autre précurseur : noire, pessimiste, pleine de doute et de méfiance.

La SF d'avant Hiroshima était essentiellement américaine, les auteurs de l'Ancien Monde pouvant se compter sur les doigts des deux mains : Rosny Aîné, Jean de la Hire et Gustave Le Rouge en France ; Conan Doyle et William Hodgson en Grande-Bretagne. Grossièrement, elle se subdivise en trois courants, parfois mêlés : la *fantasy*, le *space opera* et la *hard science*.

Nous passerons rapidement sur la *fantasy*, sous-genre non scientifique singularisé par l'utilisation – parfois abusive – d'archétypes appartenant à la littérature fantastique du siècle-dernier, aux légendes antiques ou médiévales, voire même aux contes de fées. Apparue de façon diffuse en Grande-Bretagne aux environs de 1900, elle connut un développement spectaculaire aux États-Unis dans les années vingt avec notamment Edgar Rice Burroughs (créateur de Tarzan et de John Carter), Abraham Merritt ou encore Robert E. Howard, père de Conan.

Le *space-opera*, sous-genre dominant à partir de 1928-29, n'était rien d'autre qu'une transposition galactique du western ou du roman de cape et d'épée : James Williamson, auteur de *La Légion de l'espace* (États-Unis, 1934), a reconnu s'être très librement inspiré des *Trois Mousquetaires*. Mais, contrairement à la *fantasy*, le *space opera* fait une très large place à la technologie et à la science – sans toutefois se soucier d'authenticité dans de nombreux cas ; c'est le domaine des termes nébuleux (hyperespace, géodyne, désintégrateur, disrupteur) et de la pseudo-science, l'explication des dits termes passant souvent par l'application de théories plus ou moins fumeuses étayées par un bavardage parfaitement apocryphe. A noter que la *hard science*, qui devint un courant à part entière vers 1935, grâce à John W. Campbell, rédacteur en chef d'*Astounding*, découlait logiquement du *space opera*, à cette différence près que la justification scientifique y était plus soignée. Nous en reparlerons.

6 juin 1945 : une bombe atomique larguée sur une ville du Japon – Hiroshima – anéantit en une fraction de seconde des milliers de personnes. Bien que Cleve Cartmill (auteur de seconde zone) eût publié en mars 1944 un texte, assez mauvais au demeurant, dont le thème était précisément la bombe atomique – ce qui lui avait d'ailleurs attiré des ennuis avec les services secrets, tant le principe évoqué par Cartmill présentait de similitudes avec le fameux Projet Manhattan –, Hiroshima fut un traumatisme pour le monde de la SF. Peut-être le plus grave de son histoire. Jusque là, la foi en la science était partagée par la quasi totalité des écrivains de SF. L'explosion du 6 juin balaye cette fois, introduit le doute, pour finalement entraîner une autre explosion : celle de la SF!

La « sociological-fiction »

La peur d'une apocalypse nucléaire se répand alors dans les magazines spécialisés. De nombreux textes « post-cataclysmiques » font leur apparition, sous la plume d'auteurs aussi divers qu'Alfred van Vogt (*L'Empire de l'atome,* États-Unis, 1946-50), Walter Miller (*Un cantique pour Leibowitz,* États-Unis, 1945), ou Henry Kuttner (*Vénus et le titan,* États-Unis, 1947). En France, où la SF refait son apparition vers 1949-50, il en va de même : les auteurs de la collection « Anticipation » – série populaire s'il en fut – vivent dans la terreur de l'holocauste atomique. Richard-Bessière et Jimmy Guieu conserveront jusqu'à nos jours leur terreur obsessionnelle de la Bombe, et même du cataclysme tout court. Par contre, en URSS, où le stalinisme reste vivace, la SF contribue toujours à la glorification du régime et, plus accessoirement, de la science soviétique.

Les années cinquante sont aussi celles de la dérision, de l'humour noir et souvent cruel de gens comme Robert Sheckley et Fredric Brown (tous les deux américains), grâce à la fondation d'une nouvelle revue, *Galaxy,* moins exigeante quant à l'aspect scientifique des textes. Pourtant, les auteurs de *space opera* traditionnel – Asimov, Clarke – voient leur succès grandir bien qu'ils écrivent de la *hard science.* A savoir : un sous-genre à très forte coloration technologique et à plausibilité scientifique maximale – traduction littérale : « science dure » –, que la prospérité économique de la charnière des années cinquante et soixante ainsi que l'engouement pour la conquête de l'espace, vont faire beaucoup se développer.

A côté de ces ironistes mordants et de ces continuateurs d'un courant déjà ancien, apparaissent des gens pour qui les initiales SF ne signifient plus science-fiction mais *speculative-fiction, sociological-fiction,* etc. Ils ont pour noms Philip K. Dick (qui voit en la science le symbole de l'exploitation de l'homme par l'homme et dont les personnages cherchent souvent refuge dans la drogue ou les univers factices), J. G. Ballard (chez qui science et technologie perdent tout pouvoir), Michaël Moorcock (qui, renouant avec la *fantasy* ou se lançant dans d'hallucinants exercices de style, parfois stériles, néglige purement et simplement l'aspect scientifique) ou, en France, Daniel Walther et Jean-Pierre Andrevon.

Désormais, la SF foisonne et bouillonne. Aux États-Unis, Zelazny, Delany, Cordwainer Smith, la prennent pour prétexte à des constructions poétiques teintées de théologie ou d'esthétisme. Robert Silverberg (américain lui aussi) insiste sur l'aspect psychologique des personnages (*L'Homme dans le labyrinthe,* 1968), recourant pour ce faire aux sciences humaines. Ce qui est frappant dans la SF de cette époque, c'est la coexistence de formes archaïques – *hard science, space opera* – et de nouvelles structures souvent à l'avant-garde de la littérature de recherche. Frank Herbert publie *Dune* en 1963, énorme roman tournant autour du thème de la lutte pour le pouvoir dans une société future aux règles bien précises. Robert Heinlein, qui a commencé sa carrière en 1939, change de manière et écrit *En terre étrangère* qui paraîtra en 1962, annonçant plus ou moins le phénomène hippie.

Plus tard, de l'autre côté de l'Atlantique, John Brunner écrit *Tous à Zanzibar*, roman expérimental remarquable, où l'éclatement de la linéarité permet de donner une vision d'ensemble d'un monde à venir tout en conservant un semblant de récit romanesque traditionnel intégré à un foisonnement de séquences uniquement descriptives. Spinrad, aux États-Unis, avec *Jack Barron et l'éternité*, rejoint en partie Dick – la technologie, dans ce livre, devenant uniquement un moyen pour ceux qui détiennent le pouvoir d'exploiter le reste de l'humanité. En France, encore un peu plus tard, Michel Jeury, avec *Le Temps incertain* (1973) et *Les Singes du temps* (1974), ira encore plus loin dans l'expérimentation structurelle, tandis que Philippe Curval mêle *hard science* et surréalisme dans *Cette chère humanité* (1975).

Le renouveau de la « hard science »

C'est toujours en France que se développera dans les années soixante-dix de la SF politique, qui se contente de faire passer un message donné – souvent pesant – au mépris du style et des idées de pure SF. Le courant politique refuse la science en tant que pouvoir et véhicule une idéologie gaucho-écologiste souvent confuse. De la multitude d'auteurs apparus avec lui, deux seulement ont su s'en dégager pour aller plus loin – Dominique Douay et Joël Houssin (*Blue*, 1982).

Aux États-Unis, les années 1970-75 voient le renouveau de la *hard science*, avec des auteurs très classiques (Larry Niven, Jerry Pournelle)

et d'autres plus dynamiques, qui intègrent la leçon des écrivains des années soixante – Varley, notamment. Herbert et Silverberg cessent d'écrire, Dick produit bien moins (il meurt au début de 1983), alors que d'autres, comme Zelazny, abandonnent leur première manière pour « faire du populaire ». En Grande-Bretagne, c'est l'arrivée de Ian Watson, seul représentant d'une *hard science* non technologique (*L'Enchâssement*, 1972), et de Christopher Priest (*Le Monde inverti*, 1974), deux des auteurs les plus importants de la décennie.

En 1983, le bilan est ambigu. On a, d'une part, une SF très « classique », représentée par les sous-genres suivants : la *hard science*, le *space opera* et l'*heroic fantasy*, comme dans les années trente – à cette différence près que les succès de films comme *La Guerre des étoiles* ou *Rencontres du troisième type* ont décuplé leur popularité –; et, d'autre part, une SF plus ambitieuse, moins accessible, d'avant-garde, avec David J. Skal aux États-Unis et Emmanuel Jouanne en France. De nouveaux thèmes sont apparus depuis 1945 : l'écologie, la sexualité, la drogue – et les modifications de la réalité qu'elle entraîne –, la dénonciation du racisme, des sectes (*Les miroirs de l'esprit* de Spinrad aux États-Unis; *Une secte comme beaucoup d'autres* de G. Morris en France, 1981 tous les deux), de la publicité, de la pollution, du pouvoir des médias...

La SF des années quatre-vingt est donc double et souffre de cette dualité. Mais, populaire ou expérimentale, elle a joué – et joue encore le rôle d'un révélateur et notamment des attitudes concernant la science et la technologie – Elle est un outil de réflexion témoin des excès et des défaillances d'une civilisation vacillante. Son évolution reflète avec perfection celle des mentalités. Et surtout, ainsi que l'a dit Michel Jeury : « La SF est l'outil littéraire le plus parfait que je connaisse. »

Alain Cohen-Tannoudji
et Roland C. Wagner

ENJEUX ÉTHIQUES ET PHILOSOPHIQUES

Bébés éprouvettes et dons d'embryons : quelle éthique ?

Un ovule prélevé dans l'ovaire d'une femme est fécondé en éprouvette ; l'œuf obtenu est replacé, de un à trois jours plus tard, dans l'utérus maternel après avoir accompli les tout premiers stades du développement embryonnaire : trois jours d'éprouvette pour neuf mois d'utérus, et voilà ce que les journalistes appellent un « bébé-éprouvette », terme bien sûr plus alléchant que celui de fécondation externe ! Le fait n'est certes pas banal puisqu'on peut désormais remédier ainsi à certaines stérilités du couple par ces techniques appelées FIVETE (fécondation in vitro et transplantation embryonnaire) [223], mais il n'est pas question encore de se passer de la mère qui reste « l'éprouvette » la mieux adaptée au développement embryonnaire de l'enfant !

Pour améliorer le rendement des FIVETE et éviter à une femme, en cas d'échec d'une première trans-plantation, des traitements et prélèvements successifs, la fécondation en éprouvette est appliquée à plusieurs œufs recueillis lors du prélèvement initial. Les embryons ainsi obtenus sont ensuite congelés et peuvent être conservés pour une durée illimitée. Ils peuvent ensuite être décongelés et replacés dans l'utérus de la mère. En mai 1983, une équipe australienne annonçait une première grossesse réalisée de cette façon.

La biologie, science de cette fin de siècle, a-t-elle enfin conquis la maîtrise de la reproduction humaine ? Un nouveau Rubicon biologique vient-il d'être franchi ? Quels espoirs et quelles craintes peut-on nourrir ? On peut sans doute attendre dans les années à venir une amélioration sensible de ces techniques de FIVETE et de congélation d'embryons. Dans les centres médicaux où elles sont mises en œuvre, les biologistes vont sans doute alors se trouver à la tête de réserves d'embryons (abusivement appelées banques) constituées par des embryons surnuméraires. Mais de tels embryons stockés pourraient, en théorie du moins, être alors transplantés à d'autres femmes que leurs mères naturelles ; ou bien servir de matériel d'expérience à des recherches médicales. Ils pourraient aussi être accidentellement détruits (par exemple dans un incendie...) ou endommagés.

Dans tous ces cas se posent des questions éthiques et juridiques : a-t-on le droit de transplanter un embryon chez une autre femme que la mère naturelle ? Donner un embryon, est-ce la même chose que donner du sperme (comme cela se fait dans les banques de sperme) ? Et si l'on fait une transplantation d'embryon à une autre femme que sa mère naturelle, qui sera reconnu comme parents ? les parents auteurs de l'embryon ou bien les parents adoptifs de l'embryon (c'est-à-dire le couple dont la femme va porter l'enfant) ? Et si un embryon est détruit accidentellement, les parents biologiques peuvent-ils porter plainte et demander réparation ?

La généralisation probable des techniques telles que la F I V E T E soulève donc une série d'interrogations « à tiroirs ». Se pose d'ores et déjà le problème de la définition de l'embryon humain : quand devient-il une « personne » aux sens éthique et légal ? Voilà qu'on retrouve, légèrement déplacé en amont, le problème déjà (encore) posé par l'avortement. Pas de problème cependant pour les F I V E T E : il est difficile de considérer l'œuf humain, la cellule-œuf, « en soi » comme une personne. Donc ce ne sont ni des manipulations sur l'homme, ni une violation des droits de l'homme.

Qui représente l'embryon ?

Quant aux manipulations biologiques telles que la congélation d'embryons, actuellement conduites en dehors de tout cadre législatif et réglementaire, elles apparaissent illégales : en France, le droit à la vie est reconnu à l'homme dès sa conception (lois des 17 janvier 1975 et 31 décembre 1979). Mais la personnalité juridique de l'embryon n'est que conditionnelle, puisqu'il y a possibilité d'avortement thérapeutique pendant les dix premières semaines de grossesse. On admet que, jusqu'à ce stade, l'embryon est dépourvu de deux caractères essentiels de la personnalité : la reconnaissance morphologique par autrui et la présence d'une conscience interne. Première ambiguïté : la manipulation d'embryons congelés est-elle illégale dès la fécondation ou dès la dixième semaine ? Ne sont-ils rien de plus que des amas de cellules comparables aux autres cellules humaines cultivées couramment en laboratoire ? On peut le penser si, et seulement si, on distingue la potentialité de devenir une personne dans des conditions favorables et la réalisation de cette potentialité.

En admettant que les congélations deviennent légales, qui aura pouvoir de décision sur l'avenir des embryons ? L'embryon, personne humaine potentielle, a droit à la vie, mais... n'a guère droit à la parole. Il doit donc être représenté juridiquement. Il semble difficile que le biologiste et le médecin ayant pratiqué la fécondation puissent revendiquer une quelconque « propriété », leur rôle étant resté technique. Les représentants « normaux » ne peuvent apparemment être que les parents. Il faudrait donc leur prévoir la possibilité légale de garder l'embryon pour leur propre usage, ou celle de le donner à l'institution médicale pour affectation à une autre mère ou à la recherche scientifique (peut-être une procédure d'abandon d'embryons ?). Reste à savoir encore qui pourra recevoir un embryon congelé. La Déclaration des droits de l'homme (article 16) et la Convention européenne des droits de l'homme (article 12) reconnaissent certes à chacun le droit de donner la vie, de fonder une famille. Pourtant en France, les CECOS (centres d'études et de conservation du sperme humain), autrement dit les banques de sperme, n'accordent les inséminations artificielles par donneur qu'aux femmes mariées, avec des conditions drastiques. Là encore, la loi devrait entériner le droit de toute femme – même célibataire – aux inséminations artificielles et aux transplantations d'embryons congelés, comme le fait la proposition de loi du sénateur Caillavet (1982). Elle devrait aussi éliminer certains risques de détournement, par exemple la sélection d'embryons (il existe déjà une banque de spermes de Nobel, pourquoi pas des embryons de Nobel, de classe sociale privilégiée, de couleur voulue?...) ou l'utilisation de mères-porteuses rémunérées.

Quant aux embryons objets d'expérience, il faudrait décider si l'on accepte que se poursuivent les recherches pour prolonger le développement « en éprouvette », éventuellement jusqu'à son terme. Décider surtout si l'on accepte le travail scientifique sur embryons ou sur cellules prélevées à l'embryon. Certains biologistes justifient ce type d'expérience en disant qu'il permettrait de mieux connaître les processus du développement humain, en particulier certaines caractéristiques spécifiques à l'homme (sensibilité aux médicaments, neurotransmetteurs, fonctions cérébrales supérieures, mécanismes de certaines affections), qui ne peuvent être comprises à partir des études sur l'animal.

Avoir son double en banque?

Des scientifiques avancent aussi d'autres justifications pour l'utilisation des embryons. Ainsi, les greffes de tissus fœtaux sont actuellement un recours thérapeutique efficace et irremplaçable pour certaines maladies. On guérit par greffe de foie fœtal plus de 50 % des enfants nés sans défense immunitaire, voués auparavant à la mort avant l'âge d'un an ou à une vie en « bulle stérile ». D'autres maladies dues à des déficits enzymatiques, et certaines maladies du sang, peuvent être traitées ainsi avec succès. Les tissus pour ces greffes sont actuellement prélevés sur des fœtus avortés, non viables, en état de « mort clinique », dont l'utilisation est en voie de réglementation (avant-projet de loi du 12 octobre 1982). A l'avenir, certains biologistes estiment que les embryons congelés pourraient, si leur développement pouvait être poursuivi « en éprouvette » jusqu'à l'âge voulu, constituer une réserve appréciable d'organes supplémentaires.

Dans le même ordre de projet futuriste d'utilisation d'embryons, certains scientifiques font remarquer qu'il serait possible de séparer un embryon en deux moitiés [212] et d'obtenir ainsi deux embryons, jumeaux vrais, rigoureusement semblables : l'un pourrait être replacé dans l'utérus de la mère, et l'autre gardé pour constituer une réserve de tissus pour des greffes éventuelles idéales (sans aucun risque de rejet) à son jumeau vivant. Avoir son « double » en banque, prêt à fournir du tissu cardiaque en cas d'infarctus, ou de la moëlle osseuse en cas de leucémie : voilà l'idée développée par le docteur Edwards, père du premier bébé éprouvette, au Congrès d'Annecy (1982), et qui lui valut de très vifs applaudissements de la part de ses confrères! Il est vrai que le Dr Edwards a la conscience tranquille : « Le seul principe qui doit être respecté, dit-il, est de ne pas faire de mal. » Et d'ailleurs, ajoute-t-il, « jamais l'opinion publique n'a pu arrêter le progrès scientifique ». Aussi coupe-t-il dès maintenant les embryons en deux pour tester sur l'un la qualité génétique de l'autre (ré-implanté), ou pour avoir un embryon supplémentaire de réserve prêt à être ré-implanté...

Il faudrait par ailleurs s'inquiéter des implications socio-politiques possibles d'un diagnostic prénatal trop poussé : détermination du sexe, des défauts, et même des potentialités génétiques. Car on pourrait ainsi aboutir à de véritables cartes d'identité génétiques avec évaluation des risques de maladies, etc. Et on pourrait être tenté d' « évaluer la qualité » des embryons, pour ne pas les implanter s'ils sont jugés « défectueux » (d'après quels critères?). Après l'idée de contrôle génétique, déjà discutable, pourrait donc bien venir celle de l'amélioration génétique de la qualité des œufs ou des embryons. Les techniques de recombinaison de l'ADN sont au point [211]. Appliquées à l'homme, elles pourraient dépasser facilement la simple finalité thérapeutique pour rejoindre des tentations eugénistes dont on connaît la vivacité. En France, la proposition de loi Caillavet tient compte de ces problèmes, proposant de « contrôler les recherches sur la reproduction humaine », de n'autoriser que les expériences à but thérapeutique et d'interdire toutes manipulations eugéniques ou sélectives.

L'aliénation du désir

Il sera nécessaire, au fur et à mesure des avancées technologiques, d'évaluer les risques et de définir les limites à ne pas franchir : ce qui est techniquement et scientifiquement possible peut ne pas être acceptable. Les commissions de bioéthique, dont la création (ou le développement) est prévue dans de nombreux pays, devraient pouvoir y aider. Vivement critiquée parfois, leur importance paraît indiscutable pour mener une réflexion collective et permettre un débat public. En France, un projet de décret en ce sens a été adopté en février 1983, créant un Comité consultatif national d'éthique pour les sciences de la vie et de la santé.

Ces problèmes, dont la solution dépend de choix moraux et politiques, ne sont guère repris par les médias, qui n'évoquent que l'exploit scientifique. A cet exploit, peut être faite une publicité bien supérieure à celle qu'aurait une campagne de prévention des infections menant aux stérilités tubaires, bien supérieure aussi à celle faite en général aux équipes médicales qui soignent les causes de stérilité.

Nous voilà donc spectateurs d'un face à face orchestré par les médias, entre une « Science » porteuse de promesses pour l'humanité et un ensemble éthico-juridique (oscillant de la résistance obscurantiste à l'adaptation éclairée). Mais au-delà de cette image d'Épinal, il n'en reste pas moins que ces techniques ont désormais acquis un droit de cité équivalent à celui du scanner ou des micro-ordinateurs. Et pourtant, la « Science » entre ainsi dans la chair des femmes d'une manière tout à fait inédite. Que signifie en effet une technique qui transforme une partie du corps des femmes (les ovules) en corps étrangers, manipulés en éprouvette, pour ensuite le leur rendre et répondre ainsi à leur désir d'avoir un

BIBLIOGRAPHIE

Articles

ESCOFFIER-LAMBIOTTE C., « Les faiseurs d'hommes », *Le Monde*, 20-21-22-23 avril 1983.

NAU J. Y., « La manipulation de la vie », *Le Monde*, 25 septembre 1982.

PANTHOU E., « Embryons humains congelés : qui sont les parents? », *La Recherche*, n° 137, 1982.

enfant à elles? Le classique « tu enfanteras dans la douleur » ne risque-t-il pas de se transformer subtilement en un « tu concevras dans la sophistication scientifique la plus grande », sans qu'on sorte vraiment d'une solide conception judéo-chrétienne de la reproduction? N'y a-t-il pas là un réel problème d'aliénation du désir et du corps, sans que cette question soit jamais verbalisée en des termes où l'on puisse se reconnaître, c'est-à-dire en termes de plaisir ou douleur, de désir ou de refus (d'enfant). N'est-il pas paradoxal que ces techniques aient pour but de permettre aux femmes d'accéder à la maternité, mais pour moyen de les déposséder (partiellement en tout cas) d'un processus qui leur était jusqu'à présent propre, puisqu'y règne désormais en maître un biologiste supposé tout savoir? C'est peut-être là la véritable « biocratie » : plus le pouvoir des biologistes prend l'apparence d'une médiation simplement « technique », et donc neutre, entre l'être humain et lui-même, plus sa neutralité et son innocuité sont contestables, et plus il tend à évacuer des questions qui n'ont rien à voir avec la technique. Les enjeux sont ici encore trop importants pour que les scientifiques soient seuls à prendre des décisions.

Joëlle Ayats

La responsabilité des scientifiques face aux catastrophes naturelles

Le 5 mai 1902, une commission d'enquête composée de notables locaux et nommée par le gouverneur de la Martinique, conclut à l'absence de danger pour la ville de Saint-Pierre, menacée par l'éruption déjà meurtrière de la toute proche montagne Pelée. Trois jours après, le volcan anéantit la cité et ses 28 000 habitants. Trois quarts de siècle plus tard, au cours de l'été 1976, des scientifiques mandatés par le préfet de la Guadeloupe, croyant à l'imminence d'un paroxysme éruptif de la Soufrière, cautionnent l'évacuation des 72 000 habitants de Basse-Terre et de sa région. Après trois mois sans que ne survienne la catastrophe attendue, le préfet, s'appuyant sur les conclusions d'une commission internationale d'experts réunie pour la circonstance, autorise le retour à la vie normale dans la zone auparavant interdite.

Maintenir autoritairement en place une population justement terrorisée, contrarier tout aussi autoritairement le désir légitime d'une communauté de réintégrer ses foyers, ou encore alerter juste à temps – comme l'ont fait les sismologues chinois à Haicheng en 1975 – plusieurs millions d'habitants de l'imminence d'un tremblement de terre, telles sont les décisions de protection civile auxquelles les scientifiques vont de plus en plus être appelés à participer. Ces décisions, que seul le pouvoir exécutif a la compétence de prendre et les moyens de faire appliquer, ne sont jamais de la responsabilité du seul spécialiste de telle ou telle discipline scientifique, auquel échappent bien souvent les données économiques, sociales et politiques qui, autant que les considérations techniques, les ont dictées. Cependant, conscients de l'importance souvent déterminante des avis qu'ils formulent, les scientifiques ne peuvent manquer de s'interroger sur l'étendue des responsabilités qu'ils seront amenés – ou ont eu déjà – à exercer dans ce domaine.

Si l'on mesure leur importance au

nombre des victimes qui leur sont imputables, les catastrophes naturelles se rangent de la façon suivante : inondations, tornades et cyclones tropicaux, séismes (tremblements de terre), avalanches et glissements de terrain, raz de marée (tsunami) et enfin éruptions volcaniques, par ordre décroissant. La prévision de ces catastrophes étant de plus en plus perçue comme une nécessité, il n'est pas douteux que des scientifiques, sans cesse plus nombreux, seront appelés à formuler des avis dans une situation de crise à laquelle ni leur formation, ni leur penchant pour l'académisme, cultivés dans des institutions ne privilégiant pas la recherche « finalisée », ne les ont préparés. Un responsable de protection civile est en droit, pourtant, de bénéficier d'un avis scientifique qui exclut l'incompétence, l'erreur ou même la fraude et qui puisse jouer pleinement le rôle qu'il en attend : une véritable assistance à la décision dans l'incertain.

Il est donc urgent que, dans ce domaine, la profession de prévisionniste – vocable déjà utilisé en météorologie et en économie – s'organise en se dotant, peut-être, d'un code de déontologie permettant d'écarter toute tentative de prévision « sauvage » aux conséquences parfois inattendues, sinon tragiques : par exemple, une saison touristique au Pérou ruinée par la prévision erronée d'un séisme pour l'été 1981. Cependant, si un tel code apparaît indispensable en médecine, car c'est le même praticien qui formule le pronostic et qui prend la décision thérapeutique – ce qui étend considérablement le champ de sa responsabilité – il ne serait pas sans inconvénient dans le domaine qui nous préoccupe ici : la prévision des catastrophes naturelles est encore un processus d'apprentissage qui pâtirait beaucoup plus d'un quelconque monopole. L'explosion du mont Saint-Helens (État de Washington) le 18 mai 1980, et les éruptions qui l'ont suivie, ont pleinement illustré ces difficultés : comment, en cas de crise, garantir la liberté de recherche tout en évitant

la confusion ? Jusqu'à présent, il n'a pas été trouvé de réponse vraiment satisfaisante à cette question.

Des désastres avant la fin du siècle

Qu'elle soit déterministe, probabiliste ou simplement empirique, toute prévision de catastrophe naturelle ne peut s'énoncer qu'en termes de probabilités. Mais si une catastrophe se produit, cela ne signifie pas que le prévisionniste, qui ne lui attribuait, par exemple, qu'une probabilité de 30 % se soit trompé. Cependant, la méthode utilisée par celui-ci pour parvenir à une telle estimation peut alors être mise en cause. Sans examiner en détail la procédure scientifique qui conduit un « expert » (terme employé par analogie avec l'expert judiciaire) à formuler sa prévision, et qui diffère pour chaque type de catastrophe, il convient d'insister ici sur deux de ses obligations méthodologiques :

1) une obligation de moyens qui consiste, pour l'expert, à procéder à l'ensemble des investigations qu'il lui est matériellement et techniquement possible de réaliser à l'époque considérée ;

2) une obligation de connaissance qui lui interdit d'ignorer des catastrophes similaires qui se sont produites dans le passé et ont été décrites dans la littérature scientifique normalement accessible.

Mais la responsabilité du prévisionniste ne se limite pas à la seule faute professionnelle. Il sait que des désastres majeurs surviendront avec la fin du siècle : d'immenses concentrations urbaines se sont développées de façon anarchique au voisinage immédiat de volcans redoutables ou dans des zones sismiques reconnues ; la déforestation a aggravé dans de nombreuses régions le risque d'inondation que n'arrivent plus à combattre les ouvrages hydrauliques existants ; des équipements industriels particulièrement sensibles – barrages, usines chimiques, centrales nucléaires – ont été implantés sous la menace directe de phénomènes telluriques (séismes, etc.) dévastateurs.

La pression démographique et le transfert de technologies inadaptées dans les pays du tiers monde ne font qu'augmenter, d'année en année, le bilan des catastrophes; cette tendance est encore plus frappante si l'on considère également la catastrophe « rampante » que constitue la famine, et qu'aucune « révolution verte » n'a jusqu'à présent pu enrayer. La science et la technique ne sont donc pas innocentes des conséquences de certaines catastrophes dites « naturelles ».

C'est donc plutôt dans le domaine de la prévention de ces catastrophes que la responsabilité du scientifique est engagée. S'il ignore encore, malgré les progrès significatifs réalisés dans les techniques de prévision, la date précise et l'importance du prochain tremblement de terre dans une zone sismique, l'instant exact du réveil d'un volcan actif ou la trajectoire du cyclone tropical à venir, le scientifique est convaincu qu'il se produiront un jour. Il a donc le devoir de porter cette certitude à la connaissance des « décideurs » et de la population dans son ensemble : celle-ci, convenablement informée, pourra intervenir utilement dans la prévision, interpréter au mieux un éventuel ordre d'évacuation et, le cas échéant, participer efficacement à l'organisation des secours.

Jean-Christophe Sabroux

BIBLIOGRAPHIE

Ouvrages

Booth B., Fitch F., *La terre en colère*, Seuil, Paris, 1980.

Loubat B., Pistolesi-Lafont A., *La Soufrière, à qui la faute?*, Presses de la Cité, Paris, 1977.

Roubault M., *Peut-on prévoir les catastrophes naturelles?*, PUF, Paris, 1970.

Thomas G., Witts M., *Le volcan arrive*, Robert Laffont, Paris, 1970.

Articles

Bostok D., « A Deontological Code for Volcanologists? » *Journal of Volcanology and Geothermal Research*, n° 4, 1978.

Kerr R.A., « Prediction of Huge Peruvian Quakes Quashed », *Science*, n° 211, 1981.

Kisslinger C., « A Code of Ethics for Earthquake Predictors? », *EOS*, n° 59, 1978.

Tazieff H., « Seismic and Volcanic Hazards », *Impact of Science on Society*, n° 32, 1982.

La science, ni bonne, ni mauvaise?

Après le bombardement atomique d'Hiroshima, le doute a envahi certains scientifiques et certains secteurs de l'opinion en ce qui concerne la « neutralité » de la science. En effet, c'était bien la recherche scientifique qui avait permis l'apparition du plus effroyable moyen de destruction et de mort que la surface de la terre ait jamais porté. Sans les recherches des physiciens depuis le début du XXe siècle, pour élucider la structure de la matière, la bombe atomique n'aurait jamais pu être conçue.

Cette prise de conscience amena dès lors de nombreux scientifiques à prôner la rupture de toutes les collaborations, directes ou indirectes, entre scientifiques et militaires. Et, dans les années soixante, pendant la guerre du Vietnam, les scientifiques américains qui menaient des recherches sous l'égide du Pentagone – comme ceux qui participaient à la division Jason de l'Institute for Defense Analysis – furent vivement pris à partie par leurs collègues ou les étudiants [83].

Depuis les années soixante, la crise sociale qui affecte tous les pays industrialisés a mis en avant des thèmes nouveaux : dangers de la pollution de l'environnement [31] ou de l'énergie nucléaire, besoins relatifs à la « qualité de la vie », à la « démocratie à la base »... C'est ainsi que le progrès technologique a été vivement critiqué [114, 118]. Mais aussi la question de la « neutralité » de la science a été de nouveau posée dans un contexte « civil », cette fois, et non plus seulement militaire : puisque la science est la source du progrès technologique, et que celui-ci peut avoir des conséquences néfastes, ne faut-il pas dénoncer toute collaboration entre scientifiques et industriels? Et plus généralement, puisque la science aboutit tôt ou tard, que les scientifiques

l'aient voulu ou non, à des applications « détestables », ne vaudrait-il pas mieux arrêter toute recherche scientifique?

À ces questions, nombreux sont ceux qui répondent que la science n'est en soi ni bonne ni mauvaise. Son impact sur la société, sur la vie des gens, dépendrait seulement des applications. Ce sont celles-ci qui feraient l'objet d'un choix, bon ou mauvais, au niveau des gouvernements (cas de l'énergie nucléaire, par exemple) ou au niveau des entreprises (cas des biotechnologies [216], par exemple). Par conséquent, il n'y aurait pas lieu de critiquer la science en tant que telle et ceux qui s'y adonnent ne seraient que d'affreux « obscurantistes ».

Mais cette position élude la question de la science comme projet culturel, c'est-à-dire comme état d'esprit et comme manière de se rapporter au monde. Le philosophe et historien des sciences Pierre Thuillier a bien fait remarquer que la science est née dans des circonstances historiques bien précises, c'est-à-dire au moment de la Renaissance en Occident au XVIe siècle. Ce sont les recherches en mécanique des ingénieurs de cette époque qui en jetèrent les bases. Or, ces recherches furent menées pour le besoin des entreprises militaires des grands seigneurs et du développement des entreprises industrielles de la bourgeoisie montante.

C'est peut-être Descartes qui a le mieux défini la nature profonde de la science en la situant dans le projet de rendre l'homme « maître et possesseur de la nature ». Autrement dit, la démarche scientifique peut bien se présenter au premier abord comme une tentative « innocente » de « connaître et expliquer rationnellement le monde ». Mais elle est inséparable d'un état d'esprit pour lequel « comprendre le monde, c'est conquérir le monde ». Il ne s'agit pas que d'une métaphore, mais bien d'un programme pratique d'appropriation et de domination du monde : ce programme a été précisément celui de l'Occident depuis la Renaissance, dans ses entreprises militaires, colonialistes et capitalistes.

Par ailleurs, comme l'a bien montré Pierre Thuillier, la science se caractérise aussi par un état d'esprit « réaliste et rationaliste ». Or, celui-ci a toujours présidé aux activités des entrepreneurs capitalistes dans leur visées expansionnistes (conquêtes de marchés, de débouchés commerciaux ; surclassement des concurrents...) : pour réussir en « affaires », il faut s'informer, comprendre, raisonner, calculer...

En raison de cet état d'esprit commun, il n'est pas surprenant qu'il y ait toujours eu des scientifiques – même si ce n'est pas tous – pour collaborer sans hésiter avec les entrepreneurs (ou les militaires). Et puisque la crise sociale des années soixante a été marquée par la montée des critiques à l'encontre de tous les types de domination (dans les relations de travail, entre les sexes, entre les « races », entre les pays,...), il n'est pas étonnant que la science ait été critiquée à son tour.

Élitiste et inhumaine

En tant que projet de maîtrise du monde, la science, comme le montre Pierre Thuillier, tend à s'imposer en cette fin du XXᵉ siècle comme savoir dominant, c'est-à-dire comme « le Savoir ». Tous les autres modes de connaissance – histoire, philosophie, religion – tendent à être disqualifiés. Il s'ensuit que les scientifiques sont de plus en plus appelés à se prononcer comme « les experts ». Ils sont d'ailleurs consultés par les gouvernements, les dirigeants, les médias, non seulement en matière d'orientation scientifique et technique (énergie, catastrophes naturelles [131], nouvelles technologies,...), mais de plus en plus sur des questions sociales (que faire en matière d'enseignement ou de tensions sociales ?). Ils vont d'ailleurs eux-mêmes au-devant de cette demande quand ils prétendent, comme les sociobiologistes, expliquer d'après des lois « biologiques » l'évolution des sociétés et les ressorts des interactions entre les individus [120].

Ce ne sont pas seulement les disciplines culturelles (comme l'his-

---

BIBLIOGRAPHIE

Ouvrages

Lévy-Leblond J.-M., Jaubert A., *(Auto)critique de la science,* Seuil, Paris, 1975.

Passmore J., *Science and Its Critics,* Rutgers, 1978.

Rose H., Rose S., *et al., L'idéologie de/dans la science,* Seuil, Paris, 1977.

Thuillier P., postface « Contre le scientisme » in *Le petit savant illustré,* Seuil, Paris, 1980.

Article

Thuillier P., « Science, antiscience, aristoscience », *La Recherche,* nᵒ 106, décembre 1979.

toire ou la philosophie) que la science tend à disqualifier et exclure, mais aussi l'« expérience » de la vie et des relations sociales que tout un chacun ressent et en fonction de quoi il se détermine. Ainsi la science paraît foncièrement porteuse d'un projet social anti-démocratique en ce sens qu'elle tend à rabaisser l'opinion du simple citoyen à un propos sans importance et à n'accorder de valeur qu'à la parole des experts. Cette dimension politique de la science est bien apparue dans les années soixante-dix, à l'occasion des polémiques engendrées par l'énergie nucléaire [67] ou les manipulations génétiques [78]. Beaucoup de scientifiques se montrèrent outrés d'avoir à rendre des comptes à de simples citoyens qui « n'y connaissaient rien ». C'est en ce sens

que la science est foncièrement élitiste.

Toujours en tant que projet de maîtrise du monde, la science promeut un mode de pensée qui prétend trouver des explications rationnelles à tous les phénomènes, à tous les événements, y compris ceux concernant les êtres humains. Elle tend dès lors à promouvoir des rapports sociaux basés exclusivement sur le rationnel, excluant tout ce qui dans l'homme est proprement irrationnel et profondément humain : le désir, l'amour fou, l'angoisse de la mort, le questionnement sur le sens de la vie. La science s'instaurant comme mode de pensée dominant est porteuse d'inhumain dans les rapports entre les hommes.

Marcel Blanc

Les fraudes scientifiques

L'amour esthétique de la création du savoir est loin aujourd'hui de dominer la recherche. Bien des motivations plus « humaines » ont décidé tel ou tel à se diriger dans cette direction : on trouvera ainsi (suivant les pays et les modes de recrutement) des chercheurs fonctionnaires, vedettes, entrepreneurs, financiers, voyageurs, collectionneurs de médailles ou de publications. L'argent et les honneurs intéressent tout autant que le savoir. Or, le recrutement des chercheurs a conduit à une telle augmentation de leur nombre (on en compte plus de 300 000 dans les diverses sciences de la vie, aux États-Unis) que la compétition pour ces appâts devient nécessairement féroce. Il faut être en vue, et pour cela obtenir des crédits importants, donc publier beaucoup (et le premier) et voyager beaucoup (pour être connu, grâce aux congrès, dans la communauté scientifique internationale).

Or, la croissance exponentielle du

nombre des publications ne peut se faire qu'aux dépens de la qualité du travail, au point même de rendre celui-ci impossible. On trouvera là, malheureusement, la source la plus fréquente des fraudes simples ou spectaculaires qui ont marqué ces dernières années la recherche scientifique. Car, on est ainsi conduit à publier trop vite un résultat insuffisamment établi. On trouve ainsi un nombre appréciable de publications inutiles ou nuisibles qui décrivent la découverte de tel ou tel phénomène, de telle ou telle molécule, dont il faudra ensuite établir la non-existence. Malheureusement, il y a pire !

En 1981, un jeune chercheur de 24 ans, M. Spector, présentait à l'un des congrès du prestigieux laboratoire de Cold Spring Harbor aux États-Unis, des résultats expérimentaux qui justifiaient une magnifique théorie de la transformation des cellules normales en cellules cancéreuses. Et il publiait ses résultats dans la revue la plus « à la mode » de la biologie cellulaire et moléculaire, *Cell*, publiée par le Massachusetts Institute of Technology. Au mois d'août de la même année, on apprenait que ces résultats spectaculaires avaient été entièrement fabriqués et que Spector n'avait même pas les titres universitaires qu'il avait annoncés à son entrée dans le laboratoire d'un chercheur honorablement connu de l'université Cornell, E. Racker. Mieux, et cela a été rarement mentionné, on sut que Spector avait déjà été convaincu de truquage dans le laboratoire précédent où il avait travaillé sur la photosynthèse! L'astuce de Spector avait été de remarquer que ce qui est admis comme *preuve expérimentale* en biologie moléculaire contemporaine est éminemment falsifiable : il s'agit pour l'essentiel de la détection sur une plaque photographique de taches laissées par les atomes radioactifs que l'on a introduits comme « marqueurs » dans les échantillons biologiques en cours d'étude. Mais cette détection ne permet pas en général de connaître le type de l'atome radioactif « marqueur » utilisé. D'où la possibilité de « truquage ».

Par un travail acharné, Spector s'employa à « fabriquer » des « résultats » expérimentaux reposant sur la détection de marqueurs radioactifs dans des tests biochimiques, résultats qui prouvaient que sa théorie de la transformation cancéreuse était exacte. Il put ainsi « produire » les données les plus convaincantes, et ce n'est qu'à la suite de soupçons d'un de ses collègues qui n'arrivait pas à reproduire ses résultats que Spector fut convaincu de fraude.

En médecine, aussi...

Dans le domaine médical les fraudes sont également fréquentes, et comme elles mettent en jeu la vie des malades, on s'étonne qu'il n'y ait pas plus de contrôles. Le plus classique correspond à des fraudes sur les statistiques (on trie les échecs d'un traitement, par exemple, en omettant les accidents qu'il a provoqués). C'est un cas malheureusement très fréquent en ce qui concerne les protocoles de traitement des cancers ou des maladies cardiovasculaires : il n'y a pas toujours fraude, d'ailleurs, mais mésusage de la statistique par des chercheurs incompétents.

Mais il arrive aussi que les résultats soient totalement inventés. En mai 1981, J.R. Darsee, un brillant cardiologue de 33 ans de la Medical School de Harvard fut convaincu d'avoir purement et simplement inventé une bonne partie des résultats qu'il avait publiés. Cela était d'autant plus grave qu'il s'agissait d'un sujet fort important en clinique cardiologique, à savoir la façon dont certains médicaments ou d'autres interventions permettent d'aider à rétablir l'état fonctionnel du muscle cardiaque après une attaque. Or, outre l'aspect déplaisant de la fraude, l'attitude des autorités de Harvard a été extrêmement discutable : il fallut attendre *six mois* pour que les officiels rendent publique cette fraude!

S'il ne faut pas encore réellement s'alarmer, il y a manifestement de plus en plus de fraudes scientifiques de toutes espèces au début des années quatre-vingt. Bien des raisons peuvent être avancées pour expliquer l'ampleur de ce phénomène : on doit d'abord remarquer qu'il n'y a pas solution de continuité entre fraude avérée et résultats obtenus par la méthode expérimentale. Tout chercheur sait qu'il y a de « bonnes » et de « mauvaises » expériences et seuls les résultats des premières seront pris en compte, mais il arrive que la démonstration soit difficile et que l'attente d'un résultat fasse pencher la balance...

Le véritable danger, comme le remarquait Claude Bernard dans son *Introduction à la médecine expérimentale,* vient de ce que la plupart des chercheurs tentent de justifier leurs hypothèses plutôt que de les réfuter. Tout protocole expérimental critique, destiné à mesurer l'inadéquation d'une hypothèse est, par destination, pratiquement insensible à la fraude et l'on ne peut que déplorer que 99 % des articles expérimentaux soient d'irréfutables confirmations d'hypothèses ou de simples catalogues de mesures. La tentation est grande en effet d'inventer purement et simplement des confirmations ou des tableaux de mesure pour accroître le nombre des publications.

Une autre tentation, plus perverse encore, et qui donne lieu aux fraudes les plus spectaculaires, est la recherche des honneurs, des médailles et des prix. Et l'on ne peut que considérer avec scepticisme le rôle prétendument positif de certains prix, comme celui créé par l'inventeur de la nitroglycérine (Nobel). Faute de Nobel, les médias cherchent les « nobélisables » ou ceux qui se disent tels, pour en dispenser les oracles. A l'inverse, l'usage politique des médias par les fervents de la course aux prix amène bien souvent la diffusion de résultats partiels, inappropriés, voire totalement erronés, avec des conséquences incalculables sur le contexte scientifique et intellectuel d'un pays. On ne peut donc s'étonner de la mise au jour, de plus en plus fréquente, de fraudes spectaculaires.

Mais si la motivation par les honneurs est nuisible, la formation d'un corps de fonctionnaires de la recherche n'est évidemment pas une solution, bien au contraire. C'est la passion intellectuelle qu'il faudrait encourager, l'invention et l'exploration, avec comme motivation l'émerveillement devant l'inattendu. Il faut savoir partir pour les Indes, même si l'on ne découvre que l'Amérique. Alors toute fraude deviendra inutile.

Antoine Danchin

BIBLIOGRAPHIE

Articles

BLANC M., CHAPOUTHIER G., DANCHIN A., « les fraudes scientifiques », *La Recherche,* n° 113, 1980.

BUDIANSKY S., « False Data Confessed », *Nature,* n° 301, 1983.

CULLITON B. J., « Fraud Inquiry Spreads Blame », *Science,* n° 219, 1983.

L'idéologie des tests de QI

Tout au long des années soixante-dix, une querelle s'est développée chez les psychologues et les généticiens, à la suite d'une publication du pédagogue américain Arthur Jensen. Celui-ci avait affirmé en 1969 que les Américains noirs ont en moyenne un quotient intellectuel (QI) de 15 points inférieur aux Américains blancs. C'était pour lui la preuve que les premiers sont génétiquement moins intelligents que les seconds. Or, il était évident qu'une telle conclusion était idéologiquement orientée : tous les généticiens ont fait remarquer qu'il était scientifiquement faux d'attribuer à l'hérédité la différence de QI entre Américains noirs et blancs. En effet, d'une part, l'héritabilité du QI n'est pas une donnée clairement démontrée. L'un des arguments les plus forts en faveur de l'héritabilité du QI avait été avancé par le psychologue britannique Cyril Burt : selon celui-ci des jumeaux vrais élevés séparément auraient présenté des QI identiques. Comme les jumeaux vrais possèdent exactement le même patrimoine héréditaire, cela aurait signifié que le QI est essentiellement déterminé génétiquement. Mais à la fin des années soixante-dix, il fut établi que Cyril Burt avait fraudé : ses jumeaux vrais séparés n'ont jamais existé, et il avait purement et simplement inventé ses résultats!

D'autre part, même si l'on admettait comme démontrée l'héritabilité du QI, on ne pourrait pas tirer la conclusion qu'en tirait Jensen sur les différences entre Américains noirs et blancs. En effet, par définition, la notion d'héritabilité ne permet de rapporter à une détermination génétique que les différences observées au *sein d'un groupe* d'individus connaissant les mêmes conditions de milieu. Elle ne peut au contraire rien dire sur le degré de détermination génétique des différences observées entre deux groupes connaissant des conditions de milieu différentes, ce qui est le cas des Américains noirs et blancs.

En fait, l'explication la plus évidente de la différence de 15 points de QI entre Américains noirs et blancs est justement qu'il s'agit d'un effet socioculturel : les Américains noirs sont en moyenne économiquement plus pauvres et culturellement plus défavorisés que les Américains blancs. Jensen devait le reconnaître dans un ouvrage publié en 1980, *Bias in Mental Testing.* Il est vrai que, comme l'a fait remarquer le biologiste américain Stephen Jay Gould, cet aveu est noyé au sein des huit cents pages de cet ouvrage, destinées à prouver que les tests de QI ne sont pas culturellement biaisés. Or, comme l'a bien montré S.-J. Gould, dans un article de la *New York Review of Books* du 1ᵉʳ mai 1980, les tests de QI peuvent bien être scientifiquement cohérents (c'est-à-dire qu'ils peuvent effective-ment permettre de mesurer les aptitudes de tous les individus selon une même échelle de valeur); cela n'empêche pas qu'ils peuvent parfaitement ne faire que révéler les inégalités socioculturelles des individus selon le groupe ethnique ou social auquel ils appartiennent.

Un concept artificiel

De fait, une différence dans les résultats aux tests de QI existe aussi entre classes populaires et classes « aisées », indépendamment des groupes ethniques. Les enfants d'ouvriers ont en moyenne une note de QI de 12 points inférieure à celle des enfants de cadres. En France, l'équipe de Michel Schiff de l'INSERM, a montré au début des années quatre-vingt qu'il n'y avait nulle détermination génétique à cela. En effet, cette équipe a pu observer les résultats aux tests de QI d'enfants d'ouvriers adoptés en bas âge par des familles de cadres : leurs résultats étaient identiques à ceux des enfants « normaux » des cadres. Tout ceci suggère fortement que la différence aux tests de QI entre Américains noirs et blancs est une différence de même nature que celle existant entre classes populaires et classes aisées.

Une autre question relative aux tests de QI est celle de savoir ce que mesurent réellement ces tests. S.-J. Gould a rappelé dans son livre *La mal-mesure de l'homme,* publié en 1983, que l'intelligence n'était pas une grandeur unidimensionnelle du même type que la force physique, par exemple. Le psychologue américain L. L. Thurstone avait, dès les années trente, montré que l'intelligence humaine comprend plusieurs registres. Un individu peut être « bon » en mathématiques et « mauvais » en aptitude linguistique, par exemple. Croire qu'il existe un facteur général d'intelligence, permettant à un individu de réussir également dans tous les domaines est un parti-pris idéologique. Le Q I est un concept artificiellement construit à partir de cette croyance.

Bon nombre de critiques ont fait d'ailleurs remarquer que les tests de Q I manifestent à l'évidence dans leur contenu ce parti-pris idéologique. Un certain nombre de questions dans ces tests ne font par exemple rien d'autre qu'explorer le degré de conformisme social de l'individu testé (en outre, il faut remarquer que le conformisme social est aussi supposé implicitement dans le fait même de se soumettre à l'épreuve : autrement dit, un enfant qui a une mauvaise note de Q I n'est peut être rien d'autre qu'un enfant qui se rebelle contre l'autorité de l'exami-

nateur, ce qui n'implique rien en ce qui concerne son « intelligence », bien au contraire!). Mais par-dessus tout, on peut dire que les épreuves proposées par les tests de Q I n'ont trait qu'aux aptitudes logiques. Tout se passe comme si l'on considérait qu'il y avait identité entre « intelligence » et « aptitude rationnelle ». C'est là un parti-pris idéologique évident, car on sait bien qu'il existe une autre forme d'intelligence, appelée « sensibilité » par André Breton. Mais à l'époque où l'on est prêt à reconnaître de l'intelligence aux ordinateurs, microprocesseurs et autres robots, il n'est pas étonnant que l'on ait tendance à l'oublier...

Marcel Blanc

BIBLIOGRAPHIE

Ouvrages

GOULD S.-J., *La Mal-mesure de l'homme*, Ramsay, Paris, 1983.

JENSEN A.R., *Bias in Mental Testing*, The Free Press, New York, 1980.

SCHIFF M., *L'Intelligence gaspillée*, Seuil, Paris, 1982.

TORT M., *Le Quotient intellectuel*, Maspero, Paris, 1977.

Article

GOULD S.-J., « Jensen Last Stand », *The New York Review of Books*, 1er mai 1980.

Le déterminisme remis en cause?

Le déterminisme serait-il dans une mauvaise passe? C'est ce dont on nous persuade de multiples côtés, et par les arguments les plus variés. Du colloque de Cordoue de 1979 (qui réunissait scientifiques, parapsychologues et penseurs mystiques) à l'annonce périodique de certains résultats de mécanique quantique, nous sommes sommés d'abandonner

cette « vue archaïque » selon laquelle les phénomènes de la nature seraient totalement déterminés, c'est-à-dire, finalement, réels et compréhensibles rationnellement.

Il est intéressant de remarquer que ce message est surtout véhiculé par les médias et qu'il ne correspond pas vraiment à un débat réel au sein de la communauté scientifique, ni en physique, ni en biologie, ni en philosophie des sciences. Dans les médias, le mythe d'Einstein – le « savant génial » – fait au début des années quatre-vingt l'objet d'un retournement. La science contemporaine, selon le nouveau message, prendrait en fait la pensée d'Einstein à rebours.

Ainsi, un article de la revue française *Sciences et Avenir* de décembre 1981 posait la question : « Et si Einstein s'était trompé en prétendant que la science pouvait fournir une image réaliste et logique du monde? » (Noter au passage que ce qui est en cause, c'est bien la rationalité et l'objectivité caractéristiques de la physique comme science.) « Une expérience capitale, poursuivait l'article, a lieu en ce moment à l'Institut d'optique d'Orsay ». « Un jeune chercheur, Alain Aspect » (une photographie pleine page nous le montre en gros plan, par un éclairage contrasté sur fond noir d'encre, qui confère à son sourire un air méphistophélique, présidant à l'alchimie de ses rayons laser), un jeune physicien, donc, « tente de départager deux monstres sacrés de la physique, Niels Bohr et Albert Einstein. (...) Ce qui se passe à Orsay, c'est peut-être la première expérience d'épistémologie appliquée » (sic).

L'enjeu est en effet de taille. Il s'agirait de départager la mécanique quantique (Bohr) et le réalisme (Einstein) – incidemment l'on oublie en général qu'Einstein était un des principaux fondateurs de la théorie quantique, et qu'il n'estimait pas que celle-ci était fausse : il la jugeait seulement insuffisante. La mécanique quantique, poursuit l'article, « nie toute réalité en dehors de l'expérience. Elle réduit la connaissance à l'observation ou, plus exactement, à l'observable. Enfin, et surtout, elle renonce à la grande synthèse explicative pour s'en tenir à une pure phénoménologie descriptive ». Cette formulation, typique des idées reçues, fait de la mécanique quantique – une théorie physique – ni plus ni moins qu'une philosophie de la connaissance : d'une telle équivalence, il résulte évidemment que les résultats d'expériences physiques sont aussi des résultats de philosophie – ou alors, la philosophie n'est rien. Remarquons ici que, dans cette transcription cavalière de l'enjeu du débat, se trouve la caricature d'un vrai problème : le rapport de la science à la philosophie. Et, certes, rien n'est plus naturel qu'un tel débat : mais il est un peu vite tranché ici!

Des objets physiques non locaux

Alain Aspect est pour sa part très conscient de l'exacte portée de son travail : « Il s'agit d'une expérience de physique, et rien de plus ». Mais c'est, indéniablement, une expérience importante, qu'on a pu comparer, pour la mécanique quantique, à ce que fut l'expérience de Michelson et Morley pour la relativité : elle constitue le test expérimental le plus décisif d'une propriété quantique fondamentale, l'*inséparabilité*.

Tentons de décrire l'inséparabilité en deux mots, ou, plutôt que de la décrire, d'en donner une idée (car elle n'est véritablement descriptible que par la théorie quantique même dont elle constitue, d'une certaine manière, une sorte de résumé) : deux particules quantiques en interaction (par exemple deux photons lumineux émis simultanément par un atome) sont indissociables l'une de l'autre par les quantités physiques qui les constituent, même lorsqu'elles n'entretiennent plus d'interaction et sont éloignées l'une de l'autre à des distances arbitraires. La théorie quantique traite sans difficulté de tels *systèmes étendus*, que le sens commun a du mal à se représenter. Si la notion d'objet a un sens, pense le sens commun pour lequel des objets réels sont toujours localisés, les deux objets une fois séparés sont indépendants.

L'expérience d'Aspect et de ses collaborateurs montre au contraire que la polarisation de l'un des photons, qui suit pourtant des lois de probabilité (on ne sait pas au départ si elle est orientée dans telle direction ou dans telle autre) est exactement corrélée à celle du second, qui suit aussi les lois de probabilité. Dans l'expérience d'Aspect – c'est là son originalité par rapport aux tests précédents –, il est pourtant impossible aux deux photons éloignés de se transmettre quelque signal physique que ce soit. Comment l'un peut-il alors déterminer sa direction de polarisation en fonction de celle de l'autre, se demande l'homme de bon sens ? Et l'on peut discourir pour savoir si l'homme – le questionneur – doit abandonner, tel Simplicio dans les *Discorsi* de Galilée, son bon sens (ou plus exactement son sens commun) au profit d'une rationalité plus exigeante – celle qui conçoit des « objets physiques » non-séparables et non-locaux, quantiques pour tout dire –, ou s'il doit premièrement délaisser le réalisme, c'est-à-dire l'objectivité de principe qui rapporte la science à la représentation d'une réalité extérieure, indépendante de la pensée.

Tels sont les termes effectifs d'un débat qui comporte des questions bien plus complexes que les réductions schématiques – débat qu'il est hors de question de poursuivre ici plus avant. Il est intéressant de voir comment le nouveau mythe véhiculé par les médias l'utilise, le déforme, le court-circuite en en proposant des traductions qui prétendent sauvegarder le sens commun, au mépris souvent du vrai bon sens, cet autre nom de la raison.

Les deux boutades d'Einstein

Le monde moderne a décidément trop pris au sérieux le mythe d'Einstein. La bombe, $E = mc^2$, passe encore. Mais qu'on cherche à vérifier ses boutades ! En l'occurrence, la nouvelle mythologie les prendrait plutôt à contrepied. On connaît les deux phrases en forme de boutade par lesquelles Einstein exprimait à des correspondants ses objections sur l'interprétation de la mécanique quantique. Contre une théorie qui serait seulement statistique : « Dieu ne joue pas aux dés », et contre une corrélation à distance qui serait acausale : « Ce serait de la télépathie ! » (acausale car ne répondant pas au principe de causalité, qui veut qu'une cause *précède* toujours l'effet observé). Deux états de choses parfaitement impensables et absurdes pour un tenant du réalisme, du rationalisme, et d'un matérialisme spinoziste.

Or, même le très sérieux article de Maurice Arvonny rendant compte dans *Le Monde* (du 15 décembre 1982) de l'expérience d'Aspect proposait comme manchette : « Dieu joue probablement aux dés » (avec, en surtitre : « l'expérimentation pourrait ruiner les espoirs d'Einstein »). Que l'information bien documentée elle-même sacrifie au genre – ne serait-ce que par un titre – est significatif. Sous une telle expression se profile une conception qui prend le contrepied de celle de l'exact déterminisme. Elle nous renvoie soit à l'idée d'une connaissance comme simple ensemble d'observations statistiques, soit à une inéluctable « incertitude » quantique, aux « fluctuations » prises dans un sens littéral, à un univers agité du microcosme, où les lois de probabilité qui expriment les résultats physiques seraient rapportées à une véritable *ontologie* du hasard.

L'autre boutade prise à rebours – le plus sérieusement du monde, mais non sans un fort parfum de charlatanisme – a conduit quelques scientifiques à considérer que l'indéterminisme et l'acausalité fonciers de la mécanique quantique constituent la justification théorique – la caution physique – de la parapsychologie : et de s'épancher largement sur ce sujet depuis le colloque de Cordoue, dans la presse et sur les ondes. On a vu, ces dernières années, un regain de la parapsychologie, de la méditation transcendantale, de l'astrologie, dans les médias du moins, en même temps que s'est amplifié quelque peu le phénomène des sectes : à l'une ou à l'autre de ces conceptions, des scientifiques – rares, et souvent « éloignés des affaires » mais au passé parfois prestigieux – apportent leur concours, et leur caution en fait des adeptes prisés, au siècle du prestige et du pouvoir de la science. Certaines de ces conceptions s'appuient sur l'anticausalité, d'autres – telle l'astrologie – sur une conception archaïque de la causalité. Mais souvent elles vont ensemble sans se préoccuper de cohérence, mues principalement par le souci d'exacerber l'importance de la subjectivité; les unes et les autres s'accompagnent, au « marché aux puces » des vieilles idées où l'on va chercher quelque oripeau plein du charme des choses désuètes auquel se chauffer, par quelque attirance affective, loin de la froide raison. Mais ces contrefaçons, qui se donnent pour prétexte tel problème peu commun ou spectaculaire des sciences d'aujourd'hui, ne sont pas si innocentes que leur aspect vieillot le donnerait à croire.

Du hasard qui fait le flou à l'irrationalisme, la gamme est vaste des investissements de l'imaginaire. A la raison, qui n'est point si froide, ni dans son exercice ni dans ses implications, de trier dans la moisson des problèmes, de choisir le grain des vraies questions et de jeter l'ivraie. Le mélange actuellement répandu est en tout cas, à n'en pas douter, caractéristique d'une époque et d'une société.

Michel Paty

BIBLIOGRAPHIE

Ouvrages

COSTA DE BEAUREGARD O. *et al.*, *La Physique moderne et les pouvoirs de l'esprit*, Hameau, Paris, 1980.

D'ESPAGNAT B., *A la recherche du réel*, Gauthier-Villars, Paris, 1979.

HOFFMANN B. et PATY M., *L'Etrange Histoire des quanta*, Seuil, Paris, 1981.

Science et conscience, les deux lectures de l'univers, Stock, Paris, 1980.

Articles

PATY M., « Science et non-science. Les nouveaux irrationalismes expliquent la science », *Universalia*, 1982, Encyclopedia Universalis.

« Un héraut de l'anti-temps, ou le rebours de la méthode », *Revue de synthèse*, IIIᵉ série, nº 105, janv.-mars 1982, et réponse de O. Costa de Beauregard, *ibid.*

« Des rumeurs d'incertitude », *Le genre humain*, nº 5, Fayard, Paris, 1982.

Dossier

« La parapsychologie, oui ou non? », *Raison Présente*, nº 56, 1980.

La sélection génétique à l'embauche

Dans *Le meilleur des mondes* d'Aldous Huxley, écrit en 1932, on conditionnait des travailleurs pour qu'ils résistent aux effets des produits chimiques toxiques. Aux yeux de certains chercheurs d'aujourd'hui, il existerait toutefois une solution plus élégante : identifier à l'aide de tests génétiques les individus particulièrement sensibles à ces produits dangereux et leur interdire tout emploi qui les mettrait en contact avec ces substances. A leur place, on engagerait des gens génétiquement triés sur le volet, qui risqueraient moins d'être atteints de cancers ou d'autres maladies.

Cette « solution d'avenir » en médecine du travail n'est pas une vision sortie d'un esprit futuriste. Il s'agit d'une hypothèse sérieusement discutée dans les milieux scientifiques. Une hypothèse rendue possible par l'état actuel des connaissances en génétique appliquée, et qui a ses défenseurs parmi ceux-là mêmes qui se préoccupent de la prévention de ces maladies.

L'introduction de tests génétiques à l'embauche n'est cependant pas sans poser de problèmes scientifiques, moraux et politiques dont on commence à peine à soupçonner l'ampleur. Pour être embauché, il faut souvent montrer qu'on a « la tête de l'emploi » : devra-t-on bientôt montrer qu'on a aussi « les gènes de l'emploi » ?

Pour bien situer le débat, il faut remonter au début des années soixante-dix, à ce qu'il convient d'appeler « l'affaire Du Pont », et rappeler ce qu'est l'anémie à cellules falciformes.

L'anémie à cellules falciformes, ou drépanocytose, est une maladie d'origine génétique, rare mais très souvent fatale. Les individus (dits homozygotes) qui ont hérité de *deux*

gènes produisant une molécule d'hémoglobine anormale (appelée H b S) en sont atteints : à cause de leur hémoglobine H b S, leurs globules rouges perdent leur forme ronde et leur souplesse originales. Ils deviennent rigides et s'allongent en forme de croissant ou de faux – d'où le qualificatif de falciforme. Déformées et durcies, les cellules malades s'empilent les unes sur les autres et peuvent bloquer le flot du sang vers les organes. Manquant d'oxygène, mal irrigués, les tissus vitaux s'anémient et meurent. De plus, les cellules malades sont fragiles et éclatent : le sang devient de ce fait pauvre en hémoglobine et moins capable de transporter l'oxygène (anémie).

Des cellules en forme de faux

La drépanocytose est, en fait, le type le plus courant d'anémie héréditaire du sang. En Amérique du Nord, elle a la particularité de se retrouver principalement chez les enfants noirs : environ 15 sur 10 000 enfants noirs des États-Unis en sont atteints. Un Noir américain sur 12, soit 8 % de cette population, est porteur *d'un seul* des deux gènes qui déclenchent la maladie. La plupart de ces gens, dits hétérozygotes, vivent une vie tout à fait normale malgré une légère anémie. Cependant, si deux hétérozygotes se marient, il est important qu'ils soient avertis des risques d'avoir des enfants homozygotes.

En 1972, le président Nixon débloquait 115 millions de dollars pour venir en aide aux victimes de l'anémie falciforme. Il voulait aussi relancer la recherche sur les causes et effets de la maladie et intensifier les programmes d'information, puisque l'information est manifestement la clé d'une bonne prévention dans ce cas. En juillet de la même année, le docteur Alston Meade, président de l'Association des employés noirs de Du Pont, un des trois grands trusts de la chimie aux États-Unis, demandait à son employeur de faire passer un test de détection du *gène* de l'anémie falciforme à tous ses collègues noirs afin qu'ils puissent être informés de leur situation sur une base individuelle. Cette demande fut acceptée et bientôt on administra ce test à tous les employés noirs de Du Pont ainsi qu'aux candidats à l'emploi. En 1983, ce programme de test génétique était toujours en vigueur.

La démarche du docteur Meade partait d'une bonne intention. Pourquoi, en effet, la compagnie Du Pont, dont les services médicaux sont bien équipés et puissants, n'aiderait-elle pas ses employés à savoir s'ils sont atteints ou non d'un défaut génétique mettant en danger leur progéniture éventuelle?

Quand Du Pont innove...

L'ennui, c'est que l'histoire ne s'arrête pas là. En 1978, Charles Reinhart, directeur du laboratoire de toxicologie de Du Pont, publiait un article dans le *Journal of Occupational Medicine*. Son propos, disait-il en introduction, était de discuter de « l'hypersensibilité en milieu de travail », un concept que le docteur Reinhart définissait ainsi : « C'est une condition médicale de sensibilité extrême ou anormalement élevée à des produits chimiques, des agents infectieux, ou des agents qui sont totalement inoffensifs pour les individus normaux. » Dans un passage consacré à l'anémie falciforme, le docteur Reinhart

écrivait : « A la compagnie Du Pont, nous offrons à tous nos employés noirs un test de détection du gène de l'anémie falciforme, à titre de service gracieux. Si le test est positif, nous leur demandons de vérifier avec leur médecin de famille ou avec un centre hospitalier voisin. A notre usine de Chamber Works, les hétérozygotes un peu anémiés qui ont un taux d'hémoglobine inférieur à 14 grammes par 100 millilitres de sang (le taux normal) ne sont pas admissibles à des postes qui impliquent la manipulation de composés azotés ou aminés; si leur taux d'hémoglobine est égal à 14 grammes par 100 millilitres, il n'y a pas de restriction. Nous engageons généralement des porteurs du gène de l'anémie falciforme qui remplissent par ailleurs nos critères d'embauche. »

La boucle était bouclée. On était parti de la demande d'un employé pour en savoir plus long sur un risque personnel de santé et on se retrouvait au beau milieu d'un débat scientifique sur l'hypersensibilité aux produits chimiques. Entre-temps, une question de planning familial s'était transformée en une question de relations de travail. Les Noirs de Du Pont étaient devenus le seul groupe ethnique ou racial à être singularisé à cause d'un risque particulier (*dixit* la compagnie) qu'il représenterait en milieu de travail.

Lorsque cette histoire a été révélée par le journaliste Richard Severo dans le *New York Times* en février 1980, cela n'a pas été sans créer certains remous. La version officielle de Du Pont est que ce test génétique est offert aux Noirs « à leur demande, et pour leur seule information et édification », et qu'aucune décision d'embauche n'est prise sur la base des résultats du test.

Alors, fausse alerte au tri génétique? Si cette histoire est chose du passé, et si aucune sélection génétique à l'embauche n'est pratiquée dans l'industrie en Amérique du Nord, pourquoi s'inquiéter? Pourquoi chercher des cas de discrimination raciale ou ethnique à l'embauche là où ils n'existent pas? A quoi bon évoquer des perspectives dignes du *Meilleur des mondes,* dans lesquelles nos gènes détermineraient seuls de notre capacité à occuper tel ou tel emploi, si tout ceci repose sur une science incertaine et futuriste, dont les applications sont encore plus impalpables?

59 projets et des escarmouches

Tels sont les arguments qui circulent dans les milieux de l'industrie et de la recherche. Et le journaliste qui, comme moi, a contacté les 14 plus importantes compagnies canadiennes de la chimie, de la pétrochimie et de la pharmacie sans en trouver une seule qui ait institué de tels tests génétiques à l'embauche est tenté de conclure que le débat sur le tri génétique est un faux débat. Ou du moins un débat tout à fait prématuré. Cette impression est renforcée lorsqu'on s'adresse aux syndicats : au Canada, leurs porte-parole déclarent volontiers qu'il y a un risque d'abus dans l'application des tests génétiques, mais ils avouent mal connaître ces tests très nouveaux et ils soulignent qu'ils ont bien d'autres chats à fouetter dans l'immédiat.

Reste cependant le rapport de l'Office of Technology Assessment (OTA) des États-Unis publié au début 1983, et les audiences tenues par un sous-comité du Congrès à l'automne 1982. On y apprenait que pas moins de 59 grandes compagnies américaines envisageaient de soumettre leurs employés à une forme ou une autre de tri génétique dans un proche avenir. En 1983, seulement six compagnies effectuaient à grande échelle ce type de tests. (Parmi elles, Du Pont, Dow Chemical et Johnson & Johnson.) Lorsque 50 grandes compagnies américaines songent sérieusement à instaurer une sélection génétique « dans un avenir prévisible », on peut penser

qu'il est temps d'en discuter.

Il y a déjà eu d'ailleurs quelques escarmouches sur ce front dans les trois dernières années. Ainsi, en 1980, un jeune Noir contesta devant les tribunaux un règlement de l'US Air Force qui lui interdisait d'entreprendre une carrière de pilote parce qu'il était porteur du gène de l'anémie falciforme. Quelques mois plus tard, l'Air Force supprimait ce règlement qui a tout de même été en vigueur dix ans. Les médecins de l'armée prétendaient que le gène pouvait déclencher une crise d'anémie grave dans un environnement où l'oxygène est raréfié – c'est le même argument dont le docteur Reinhart se servait pour exclure les porteurs du gène de certains postes de travail – mais ils n'ont pu prouver ce fait. Les autres cas portés devant les tribunaux concernent l'exclusion de certains postes de femmes en âge d'avoir des enfants : si le contexte est ici un peu différent, la mise à l'écart s'appuie bien sur une argumentation de type génétique, et l'issue de ces procès est attendue avec beaucoup d'impatience.

Des « lépreux du travail »

Pour l'instant, en tout cas, la parole est aux scientifiques. Ou, plus précisément, à cette fraction de la communauté scientifique préoccupée de recherches de pointe en médecine du travail.

Dès la fin des années cinquante, on avait réussi à démontrer qu'une réaction grave à un médicament, la primaquine, était due à une caractéristique génétique particulière. Pendant la guerre de Corée, en effet, certains soldats américains à qui on donnait de la primaquine contre la malaria avaient fait des crises d'hémolyse (destruction des globules rouges). Cette réaction, qualifiée d'« hypersensibilité », avait été attribuée à un défaut du métabolisme transmissible de façon héréditaire, connu sous le nom de déficience de la glucose 6-phosphate-déshydrogénase, ou G6PD pour les intimes.

Quelques années plus tard, plusieurs toxicologues en venaient à la conclusion que les gens atteints de déficience de la G6PD pouvaient très bien être victimes d'hémolyse s'ils étaient exposés à des produits chimiques de nature semblable à la primaquine (ainsi, de fait, qu'à une trentaine d'autres médicaments). Dès avril 1963, Herbert Stockinger et John Mountain publiaient un article scientifique sur l'hypersensibilité aux produits chimiques et claironnaient les bénéfices d'une prévention d'un nouveau genre : « Pour la première fois, nous avons la possibilité de faire une évaluation de sensibilité à l'examen d'embauche, et ainsi éviter à un travailleur d'être exposé à des substances auxquelles il est anormalement sensible. Il s'agit de toxicologie préventive du plus haut niveau. »

Dix ans plus tard, Stockinger et Scheel publiaient un autre article remarqué sur le sujet. Ils dressaient la liste de cinq caractéristiques génétiques qu'on devrait tester chez les travailleurs à l'embauche : le G6PD, le trait de l'anémie falciforme, la déficience AAT ou alpha, 1-antitrypsine (prédisposant à l'emphysème), ainsi que deux autres conditions médicales aux bases génétiques un peu plus floues, l'hypersensibilité au sulfure de carbone et celle aux isocyanates organiques.

L'article de Stockinger et Scheel suscita beaucoup d'intérêt, semble-t-il, puisqu'il a inspiré quelques programmes de surveillance génétique à grande échelle, notamment chez Dow et chez Du Pont. Mais dans un article bilan publié dans le *Journal of Occupational Medicine* en mai 1982, Gilbert Omenn ne faisait aucune recommandation pour l'introduction de tests génétiques dans l'industrie. Il se contentait de signaler quelques pistes de recherches intéressantes et mettait en garde son public scientifique : « En fait, l'étendue du débat est tout à fait hors de proportion avec les connaissances accumulées jusqu'ici, ainsi qu'avec les applications possibles en matière de tests. » Autrement dit : n'allons pas trop vite, notre science n'est pas mûre...

Ce ton tranchait sur l'enthousiasme de départ de Stockinger. En réalité, le tri génétique a été soumis à rude critique scientifique, l'argument principal étant que le lien entre les maladies du travail diagnostiquées et les caractères génétiques précités n'a pas été formellement démontré. Par ailleurs, des erreurs de diagnostic peuvent facilement se glisser.

Sur le plan de l'éthique, quelles sont les inquiétudes et objections ? Pour Sheldon Samuels, de la puissante centrale syndicale AFL-CIO, on risque de stigmatiser un groupe entier de travailleurs en créant des sortes de colonies de « lépreux du travail ». D'autant plus que certains traits génétiques se retrouvent en plus grande fréquence – ce point est important – dans des groupes ethniques ou raciaux minoritaires. Ainsi, on ouvre grande la porte à de nouvelles formes de discrimination, ou même de racisme scientifique.

« En pointant du doigt des gens mal adaptés au travail industriel dangereux, on détourne l'attention des priorités réelles et on évite de faire l'hygiène du milieu de travail, qui s'impose dans nombre d'usines ! » lance Samuel Epstein, un toxicologue réputé, auteur de *The Politics of Cancer*. Pour Epstein, les compagnies s'intéressent aux tests génétiques parce qu'elles y voient une solution moins coûteuse que de nettoyer les lieux de travail et aussi parce qu'elles désirent se protéger contre d'éventuelles poursuites. « Cette stratégie, qui consiste à blâmer la victime, doit être dénoncée », dit Epstein.

Alors, peut-on réellement refuser d'employer quelqu'un pour des raisons génétiques ? Et si c'était un cadre qui se voyait refuser un emploi ou une promotion, parce qu'il est porteur du gène familial de l'hypercholestérolémie, augmentant son risque de subir une attaque cardiaque ?

Jean-Pierre Rogel

RELATIONS INTERNATIONALES

Les transferts de technologie Nord-Sud

Le transfert international de technologie est devenu un facteur de plus en plus important de changements structurels de l'économie mondiale. Au cours des vingt dernières années, on a assisté au « redéploiement » de certaines industries hors de la zone OCDE (Organisation pour le développement et la coopération économique, qui regroupe 24 pays capitalistes développés) vers des pôles de croissance situés dans le tiers monde, plus particulièrement dans les prétendus « nouveaux pays industrialisés » (NPI). Les candidats prioritaires à ce type de restructuration industrielle ont été les produits et les étapes de production qui nécessitent une force de travail bon marché, instable et non-qualifiée (particulièrement dans le vêtement, les industries du cuir et de la chaussure, dans l'électronique grand public et l'assemblage des composants). De surcroît, certaines industries de base utilisant beaucoup d'énergie ou étant à l'origine d'une forte pollution, ainsi que certains

traitements de matières premières (particulièrement la pétrochimie de base, l'acier, la bauxite et l'aluminium, la pâte à papier et le papier) ont été aussi impliqués.

Dans le cadre de ce redéploiement, l'essentiel du matériel et des connaissances techniques et organisationnelles nécessaires à la conception et à la construction de ces moyens de production a dû être importé. Cela a été vrai aussi en ce qui concerne la gestion de la production, et certains services-clés.

Les transferts internationaux de technologie passent par trois mécanismes :

— accords de licence et offre de savoir-faire et de services techniques et commerciaux ;

— investissement étranger direct ;

— exportation de biens d'équipement et de projets industriels intégrés, spécialement de projets « clés en main ».

Les accords de licence et l'offre de savoir-faire se sont effectués à un coût généralement très élevé et ont été entourés d'une grande variété de restrictions, implicites et explicites, dans l'utilisation de ce savoir. Plus grave encore, leur nature a été radicalement sélective. Habituellement, il s'est agi d'un savoir-faire standardisé incluant quelquefois les connaissances nécessaires à une ingénierie d'adaptation. Mais l'accès à la connaissance du fonctionnement même des systèmes, dont un pays en voie de développement aurait besoin pour reproduire et améliorer la technologie importée, a été exclu, « à toutes fins utiles ».

Le transfert de technologie incorporé à l'investissement étranger direct concerne pour une large part les flux internes aux grandes multinationales. Il a été le mécanisme privilégié utilisé par les pays à fort taux de croissance comme le Brésil et le Mexique en Amérique latine, le groupe des pays de l'ASEAN en Asie du Sud-Est (Singapour, Taïwan, Malaisie, Corée du Sud, Hong-Kong) et la plupart des pays de la périphérie européenne, particulièrement l'Espagne et l'Irlande. Pour le reste du tiers monde, l'investissement étranger direct a considérablement baissé au cours des années soixante-dix.

L'aggravation des disparités mondiales

Des différences régionales importantes sont en effet apparues dans les pays du Sud. A un extrême, les firmes investissant dans des industries d'exportation « flottantes » et très mobiles de l'Asie du Sud-Est ont déployé des taux relativement bas d'investissement par travailleur. Ces taux étaient à un niveau intermédiaire pour les pays méditerranéens et l'Amérique latine, et ont atteint leur maxima dans les pays de l'OPEP et d'Afrique. Pour cette dernière catégorie, l'investissement a été en effet principalement dirigé vers l'industrie d'extraction des ressources minérales ainsi que vers quelques industries de transformation situées immédiatement en aval de celle-ci. (Ce type d'investissement est très capitalistique.) Pour les pays pauvres du sud du Sahara, qui dépendent généralement d'une ou deux ressources naturelles exportables, les conséquences ont été désastreuses. Non seulement leurs ressources ont été dilapidées, mais les firmes investisseuses n'ont utilisé que les techniques totalement transplantées de l'étranger. Ainsi, le transfert de technologie incorporé à l'investissement étranger direct a considérablement augmenté les disparités déjà importantes entre une poignée de pôles de croissance situés dans les quelques NPI et les pays de l'OPEP, et le reste du tiers monde.

Enfin, les pays en voie de développement ont été et restent très dépendants de l'importation de biens d'équipement. Selon des chiffres fournis par l'OCDE, les pays en voie de développement ont besoin en moyenne de 58 unités de biens d'équipement importés pour réaliser 1 000 unités de PNB. Pour la formation du capital dans l'industrie, cette dépendance est encore plus grande (même pour les NPI les plus prospères, l'étude de l'OCDE signale des rapports de 500 à 700). Il est important de noter que 90 % de ces importations proviennent des pays de l'OCDE.

Il existe manifestement une hiérarchie de dépendance dans les importations de biens d'équipement. Les cas les plus extrêmes concernent certains pays pétroliers du Moyen-Orient, comme l'Arabie Saoudite ou les pays du Golfe, qui dépendent pratiquement entièrement de l'importation des biens d'équipement. A l'opposé, on trouve des pays comme le Brésil, l'Argentine, l'Espagne, le Mexique ou l'Inde, où la production locale de biens d'équipement contribue beaucoup plus à la formation de capital (mais cette production locale dépend souvent à son tour de l'importation de biens d'équipement et de technologie).

149

L'obsolescence programmée de la technologie

Du point de vue du tiers monde, tous ces mécanismes ont entraîné des coûts économiques et sociaux très importants : en général, l'importation de technologies a impliqué un gâchis des ressources économiques locales déjà peu abondantes, et déformé les structures productives et sociales existantes. En fait, les modes de transfert de technologie prédominants ont multiplié plutôt qu'ils n'ont diminué les inégalités internationales.

Pourtant, la plupart des pays en voie de développement, y compris ceux qui se disent les plus socialistes, ont besoin aujourd'hui d'importations massives de technologie s'ils veulent augmenter leur production, leur productivité et leur potentiel de développement à long terme, à la fois dans l'industrie et dans l'agriculture. Ils ne peuvent donc guère se permettre de renoncer complètement à l'un ou l'autre de ces mécanismes.

Les leçons de l'histoire sont claires : du Chili au Mozambique, de Cuba au Vietnam, cela a toujours été la même chose. Suite à une révolution politique, un pays du tiers monde s'efforce de mettre en œuvre une stratégie de transition vers un mode de développement économique et social qui privilégie l'autonomie et les besoins des plus démunis. Tôt ou tard, la nécessité d'importer la technologie complexe tend à remettre en cause ces stratégies « alternatives ». Cependant, la dépendance technologique n'est pas cruciale *en soi*. Le véritable enjeu est plutôt celui des effets, pour la plupart indirects et à long terme, de la dépendance technologique sur les autres types de dépendance, économique, financière et politique, et sur la déformation structurelle des sociétés du tiers monde.

Le problème crucial est donc, pour ces pays, de s'assurer que l'importation de technologie n'aggravera pas leur dépendance : il faut donc que cette importation soit strictement sélective et qu'elle soit soumise de plus en plus aux besoins d'un développement autonome. C'est ce que nous avons appelé ailleurs « une stratégie de déconnexion technologique sélective ».

Les firmes privées des pays de l'OCDE ont de loin été la source principale de technologie destinée à la production industrielle dans les pays en voie de développement. Il s'agit surtout des firmes de six pays – les États-Unis, le Japon, la RFA, la France, l'Italie et la Grande-Bretagne, et à un degré moindre, des entreprises canadiennes, scandinaves, du Benelux et autrichiennes. Quelles ont donc été leurs motivations?

D'abord, ces firmes ont de plus en plus considéré l'exportation de technologie comme un moyen d'allonger le « cycle de vie » des technologies qui ont atteint un degré élevé de « maturité » ou bien qui vont devenir obsolètes dans un futur proche : le transfert international de technologie assure alors une fonction de *substitut à l'innovation*. De fait, une part importante de ces transferts consiste en technologies « mûres » ou obsolètes, qui, de plus, sont vendues à des prix très élevés.

Mais il ne faut pas surestimer le rôle de ce conservatisme technologique. Car les technologies dépassées ne sont pas les seules à être transférées aux pays en voie de développement. Des technologies de pointe ont été récemment transférées vers le tiers monde sur une grande échelle, comme les nouvelles technologies informatiques fondées sur la microélectronique. Ce transfert de technologies « modernes » n'en est pas moins un des rouages de la stratégie globale d' « *obsolescence planifiée* », comme le sont les exportations de technologies anciennes et obsolètes. Le contrôle quasi total exercé par une poignée de firmes privées sur les innovations de produits ou de processus leur permet en effet de programmer la durée de vie de ces innovations, en fonction de leur coût, des marchés susceptibles de les absorber, et bien sûr de l'impératif du profit.

Pénétrer les marchés protégés

La commercialisation, à l'échelle mondiale, de technologies s'est avérée un *instrument très efficace pour pénétrer les marchés protégés*. Du fait de la croissance ralentie du commerce mondial liée à la crise (de 9 % par an entre 1963 et 1973, cette croissance est passée à 4 % depuis 1974), surtout en ce qui concerne les échanges entre pays riches, et du fait de la stagnation du commerce Est-Ouest, l'ouverture de « nouvelles frontières » a dû se faire essentiellement dans le tiers monde, et plus particulièrement dans les pays de l'OPEP et certains NPI d'Amérique latine et d'Asie du Sud-Est. Trois types de « marchés en expansion » sont disponibles dans ces pays : la consommation privée de luxe, les marchés publics et les usines destinées à approvisionner le marché mondial. Comme ces marchés sont fortement protégés par des barrières douanières, l'exportation de technologie est le seul moyen de les pénétrer. Cette idée a été énoncée simplement par Thomas A. Callaghan Jr., industriel américain et conseiller influent de la politique d'exportation de technologie du gouvernement américain : « Les marchés qui sont fermés aux produits sont invariablement ouverts à la technologie. Même ceux qui sont extrêmement fermés s'ouvriront à la technologie occidentale. Il faut pour cela que les pays occidentaux leur accordent des crédits nécessaires à l'achat. Tant que les États-Unis représenteront le pouvoir technologique dominant dans le monde, même les marchés fermés seront ouverts à la technologie américaine ».

Enfin, le transfert international de technologie a été perçu de plus en plus par les instances dirigeantes des grandes entreprises comme un *instrument nécessaire et efficace pour déplacer la charge de l'énorme coût de la recherche-développement sur d'autres épaules, en particulier celles des partenaires les plus faibles.* Cette stratégie de « partage inégal des charges » a permis l'établissement de mécanismes très efficaces de transferts croissants de moyens financiers des pays en voie de développement vers les pays capitalistes industrialisés, à travers lesquels le tiers monde finance activement la R D aux États-Unis, en Europe occidentale et au Japon.

Relocalisation vers le Nord?

Du fait de la gravité de la crise économique mondiale, et de l'aggravation de la concurrence internationale qu'elle induit, les anciens schémas d'internationalisation de la production industrielle ont été remis en cause au début des années quatre-vingt, grâce notamment au développement des applications de la micro-électronique [271].

Prenons comme exemple l'industrie électronique elle-même qui, depuis le début des années soixante, s'était redéployée vers de nouveaux sites de production dans le tiers monde, tout particulièrement pour la production de composants électroniques [488]. Puisque l'informatique s'étend maintenant pratiquement à tous les stades de la conception, de la production, de l'application et de l'entretien des équipements électroniques, l'économie de la conception et de la fabrication des semi-conducteurs, des ordinateurs et des produits de consommation électronique a été soumise à un changement radical. L'industrie des semi-conducteurs, par exemple, qui était relativement peu capitaliste, voit désormais ses besoins en équipements croître de façon exponentielle, favorisant l'intégration et la concentration à l'échelle mondiale des firmes concernées.

Ainsi donc, de nouvelles formes et de nouveaux mécanismes d'internationalisation de la production sont en train de naître dans l'industrie électronique, que les théories actuelles sont incapables d'expliquer. L'introduction de nouvelles technologies permettant d'automatiser l'assemblage des composants électroniques, a certes joué un rôle important, mais, en fait, sensiblement différent de celui qu'on attendait à la fin des années soixante-dix : on pensait alors que la relocalisation vers le Nord de la production de composants électroniques et de biens de consommation électroniques serait l'évolution la plus évidente.

Début 1983, on sait que la réalité ne s'est pas pliée à cette prévision simpliste. En fait, *des changements dans les schémas d'implantation géographique* sont en train de prendre forme aux quatre niveaux suivants :

– des déplacements géographiques entre les grands pays de l'OCDE, c'est-à-dire surtout entre les États-Unis, le Japon et quelques centres de production en Europe occidentale ;

– des déplacements géographiques du centre vers la périphérie des régions de l'OCDE, spécialement vers l'Irlande, l'Écosse et le pays de Galles ;

– un passage à de nouveaux types d'investissement dans les « plateformes d'exportation » traditionnelles que sont Singapour, Taïwan, la Malaisie, la Corée du Sud et Hong-Kong.

– et enfin, des déplacements géographiques de ces derniers pays vers de nouveaux sites « offshore » comme les Philippines, quelques régions du bassin des Caraïbes, le Sri Lanka, la République populaire de Chine et le Bangla Desh.

Les déplacements géographiques à l'intérieur des régions de l'OCDE, en particulier vers la périphérie de l'Europe et vers le Japon constitueront les formes dominantes de la restructuration dans cette industrie au cours des années quatre-vingt. Mais les deux derniers modes de restructuration, à savoir la relocalisation Sud-Sud et Nord-Sud, sont appelés à prendre une importance croissante.

Ainsi on peut conclure que la fabrication de semi-conducteurs dans le tiers monde continuera à s'étendre, (tout au moins pour certaines familles de produits et pour ces étapes de la production qui ne sont pas essentielles à l'exercice du contrôle des systèmes), mais dans un nombre relativement faible de sites de production « exclusifs ». A la fois dans l'électronique grand public et les composants, *l'automatisation et le redéploiement industriel vers les pays en voie de développement ne constituent donc plus une alternative.* En fait, ces deux termes tendent plutôt à devenir complémentaires, l'automatisation jouant le rôle moteur. C'est que le tiers monde – ou du moins une partie de celui-ci – apparaît de plus en plus comme un espace nouveau pour le développement de l'informatisation [158].

Un défi pour les multinationales

Quels enseignements peut-on tirer de ce diagnostic plutôt déprimant, et quelles sont les perspectives pour les années quatre-vingt ? Liquidons tout d'abord un éventuel malentendu. En mettant l'accent sur l'importance croissante de la technique dans le développement économique et social, il ne faudrait pas tomber dans le piège du *déterminisme technologique.* Le moteur du système n'est pas la technologie mais le changement politique et social, c'est-à-dire fondamentalement la lutte de classes qui se déroule à la fois à l'intérieur d'une société donnée et à l'échelle internationale.

La présentation qui a été faite ici est biaisée par l'accent exclusif mis sur un type donné d'agent économi-

que, à savoir les très grandes firmes multinationales originaires des États-Unis, de l'Europe occidentale et du Japon. Cela nous a permis d'analyser la logique sous-jacente aux modes dominants de transfert international de technologie. En réalité, les choses sont bien plus complexes, et d'importantes résistances se font jour, au centre comme à la périphérie. Leur rôle est certainement appelé à se renforcer.

D'abord, les contraintes que fait peser la crise s'alourdissent. Le protectionnisme risque ainsi de devenir un problème majeur en se généralisant dans les années quatre-vingt. Et « l'âge d'or » du transfert international de technologie pourrait bientôt déboucher sur une nouvelle série de contradictions fondamentales, du fait de l'intense rivalité qui se développe entre les firmes américaines, japonaises et européennes.

Par ailleurs, il s'avère que le processus de transfert et de dissémination de la technologie, une fois lancé, érode de plus en plus la capacité des entreprises multinationales, y compris les plus puissantes, à contrôler cette technologie c'est-à-dire à se maintenir en position de domination technologique. Les raisons en sont évidentes : en dépit des coûts sociaux extrêmement élevés du

transfert de technologie pour les pays receveurs, un processus d'apprentissage, visant à recevoir et à adapter la technologie importée, est en cours dans un certain nombre de régions du tiers monde. Des techniques d' « ingénierie adaptative » se développent, qui pourraient réduire le coût réel des technologies importées et permettre à des entreprises locales d'ingénierie et de biens d'équipement de s'imposer sur le marché domestique et à l'étranger. Au moins potentiellement, cela pourrait signifier que dans un nombre croissant de domaines, la diffusion internationale de technologie pourrait s'accélérer, et que l'avantage relatif des entreprises des États-Unis, d'Europe occidentale et du Japon pourrait être sur ce plan remis en question. Deux faits essentiels peuvent être considérés comme acquis :

– *premièrement,* la multipolarisation de la concurrence internationale en matière de produits industriels ne peut plus être arrêtée et les firmes de pays tels que le Brésil, le Mexique, l'Argentine, l'Inde et la Corée du Sud feront de plus en plus partie du jeu. Il y a là, par conséquent, un défi considérable pour les firmes multinationales;

– *deuxièmement,* la concertation

entre pays de l'OCDE en vue de reconquérir une suprématie technologique risque d'échouer. Plutôt que d'accepter de s'adapter aux transformations qui s'annoncent à l'échelle internationale, les grands pays de l'OCDE vont essayer de se battre « chacun pour soi », ayant recours, si nécessaire, à des stratégies de fuite en avant et à des pratiques sauvages de concurrence technologique et de protectionnisme.

La lutte pour le contrôle de la technologie

Cela nous amène à un second point tout aussi important, qui va influencer les perspectives du transfert de technologie Nord-Sud. Au cours des années soixante-dix, le consensus sur l'utilité sociale de la science et de la technologie a commencé à s'effriter, en particulier dans les grands pays capitalistes. Les mouvements politiques qui cherchent à établir un contrôle social réel sur la technologie [74], et à résister aux systèmes scientistes dominants se sont en effet beaucoup développés. Dans les sociétés occidentales, les mouvements antinucléaires et pour le désarmement ont été d'importants catalyseurs ; de nouvelles formes de résistance à l'introduction par le haut des technologies se sont également développées au sein des syndicats. Et dans le tiers monde, un nombre croissant de gouvernements progressistes ou socialistes s'affirment désireux de soumettre la technologie aux besoins des plus pauvres et des plus défavorisés.

Aujourd'hui, le développement des technologies nouvelles demeure pratiquement toujours une prérogative exclusive des instances dirigeantes des grandes entreprises et des bureaucraties gouvernementales. Cependant, une utilisation de la technologie qui viole les droits des travailleurs et les besoins sociaux essentiels provoquera de plus en plus l'émergence de nouvelles formes de résistance. Mais sans une compréhension des forces motrices qui sont à l'origine de l'introduction des nouvelles technologies dans le cadre de la nouvelle division internationale du travail, il est difficile de réaliser un contrôle effectif des choix techniques et de s'assurer que les machines répondront aux besoins des peuples et non l'inverse.

Dieter Ernst

BIBLIOGRAPHIE

Ouvrages

ERNST D., *The Global Race in Microelectronics. Innovation and Corporate Strategies in a Period of Crisis*, Campus, Frankfurt am Main/New York, 1983.

ERNST D. (ed.), *The New International Division of Labour, Technology and Under-development. Consequences for the Third World*, Campus, Frankfurt am Main/New York, 1980.

PERRIN J., *Les Transferts de technologie*, La Découverte/Maspero, collection « Repères », Paris, 1983.

Article

ENST D. « Technology Policy and Transition Towards Self-Reliance : Some Basic Issues », *Socialism in the World*/Beograd, n° 30, 1982.

Les enjeux de l'Antarctique

Le 2 avril 1982, cinq mille fusiliers marins argentins prennent possession de l'archipel britannique des Falklands qu'ils appellent, eux, Malvinas, dérivé du nom Malouines donné par le Français Bougainville en 1763. Après la reconquête britannique, l'Assemblée générale de l'ONU vote le 4 novembre une résolution présentée par l'Argentine appelant à une solution pacifique de ce conflit de souveraineté, que certains ont appelé la « guerre de l'Antarctique ».

Situé vers 52° de latitude Sud et 60° de longitude Ouest, cet archipel pose en fait des problèmes qui sont très proches, géographiquement et par leur nature, de ceux que pose le « continent blanc » : nationalisme, intérêts stratégiques et économiques. Bien que Britanniques et Argentins revendiquent, avec d'autres (comme les Chiliens), aussi la péninsule Antarctique, située à 1 000 km de la pointe extrême de l'Amérique du Sud, le conflit n'a heureusement pas dépassé les 60° de latitude.

Cette barrière symbolique délimite la zone couverte par le traité de l'Antarctique. Signé en 1959, il est entré en vigueur le 23 juin 1961 pour une durée de trente ans. Douze nations (Afrique du Sud, Argentine, Australie, Belgique, Chili, États-Unis, France, Grande-Bretagne, Japon, Norvège, Nouvelle-Zélande et URSS) reconnaissent qu'il est de l'intérêt de toute l'humanité que l'Antarctique soit, pour toujours, utilisé à des fins pacifiques. Le traité interdit toute activité de type militaire et la réalisation d'explosions nucléaires aussi bien que le dépôt de déchets radioactifs. La liberté de la recherche scientifique y est garantie, ce qui implique le libre accès, l'échange de chercheurs et de résultats. Pour ce qui est des problèmes de souveraineté, ils ne sont pas réglés sur le fond car le traité se contente de geler les revendications territoriales. Il représente donc un compromis entre sept nations qui ont officiellement revendiqué, et parfois de façon contradictoire, un territoire et celles (principalement États-Unis et URSS, mais aussi Afrique du Sud, Belgique et Japon) qui ne reconnaissent aucune de ces prétentions et réservent leurs droits. Différents pays ont, depuis, signé ce traité ; la Pologne et la République fédérale d'Allemagne en sont devenus, en faisant partie du comité consultatif, membres à part entière. Mais ce traité reste muet sur un problème qui paraissait lointain et sans doute très difficile à régler : l'exploitation éventuelle des ressources de l'Antarctique.

C'est le succès de l'Année géophysique internationale qui a rendu possible la signature du traité. Organisée par le Conseil international des unions scientifiques, association non gouvernementale, elle a démarré en 1957. Au plus fort de la guerre froide, douze nations (celles qui élaboreront le traité) établissaient 48 stations en Antarctique, dont 7 à l'intérieur du continent. Il était devenu nécessaire de s'intéresser à ce continent dès lors que s'affirmait la volonté d'étudier dans son ensemble la planète Terre et son environnement. L'étude de cette zone apparaît particulièrement utile, aussi bien pour comprendre l'influence de l'énorme masse de glace sur le climat global, l'atmosphère et les océans que pour la compréhension des phénomènes (aurores, perturbations de l'ionosphère dont dépendent les télécommunications) liés à la présence du pôle géomagnétique.

Cette initiative des scientifiques a fait sortir l'Antarctique d'une longue période de quasi-isolement. Jusqu'au XIXᵉ siècle personne n'avait pris pied sur ce continent. Oublié ensuite pendant près de cinquante ans, sauf des phoquiers qui chassent à sa périphérie, l'exploration n'en commence que vers le début du XXᵉ siècle : prestige et fierté nationale, esprit d'aventure et curiosité scientifique sont les motivations d'expéditions discontinues mais qui utilisent des moyens mécaniques de plus en plus élaborés, en mer, au sol et aériens.

L'esprit de coopération et la qualité des résultats obtenus pendant l'Année géophysique sont exemplaires ; sous l'impulsion du SCAR (Comité scientifique pour le recherche antarctique), les recherches se poursuivent depuis de façon continue et concertée et s'étendent à des domaines presque vierges : la biologie animale et la géologie.

Du pétrole et des minerais

Le bilan de l'activité scientifique est éloquent. On sait maintenant que ce continent de 12,5 millions de km² est recouvert par une couche de glace dont l'épaisseur dépasse parfois 4 km. Variations du climat, éruptions volcaniques, explosions nucléaires, arrivées de poussières cosmiques, pollution industrielle ont laissé des empreintes dans ces couches de glace ; les chercheurs savent maintenant les déchiffrer pour reconstituer l'évolution de l'environnement de la planète. Si l'on prend en compte les plateformes de glace flottantes (1,5 million de km²), le volume de la glace est de l'ordre de 30 millions de km³ ; si elle fondait, le niveau des mers augmenterait de 60 à 70 m. De plus la glace de mer (formée par le gel de la couche artificielle de l'océan) couvre une surface qui varie entre les saisons de 3 à 20 millions de km² ; à son maximum, elle s'étend sur près de 3 000 km à partir du continent. Chaque année les grands glaciers de l'Antarctique débitent sous forme d'icebergs quelque 2 000 milliards de m³ d'eau douce que l'on rêve un jour d'utiliser, puisqu'elle représente

environ 2/3 de la consommation de l'humanité.

L'altitude de la surface atteint plus de 4 000 m dans les régions centrales, alors qu'elle est très faible vers la côte. C'est elle qui, avec la présence ou l'absence saisonnière du soleil, conditionne les températures ; les moyennes mensuelles les plus chaudes varient entre − 10° et − 35° et celles des mois les plus froids entre − 25° et − 70°. Les vents causés par l'air froid qui s'écoule de l'intérieur vers la côte peuvent y devenir très violents et dépassent assez fréquemment 100 km/heure ; avec la neige qu'ils entraînent, les blizzards de l'Antarctique sont terribles. En mer, les vents d'Ouest soufflent de façon continue, sans rencontrer aucun obstacle, et font de l'océan Austral l'un des plus agités du monde.

Seuls 2 % du continent Antarctique ne sont pas recouverts par la glace ; l'étude géologique a permis de montrer qu'il existait des quantités importantes de charbon et de fer dans les massifs montagneux. D'autres richesses minérales ont été trouvées ; cela n'est pas surprenant puisque l'Antarctique faisait partie à l'ère secondaire du Gondwanaland, vaste continent qui englobait notamment l'Afrique, l'Amérique du Sud et l'Australie. On y retrouve donc, bien que l'inventaire soit loin d'être terminé, du plomb et du cuivre comme au Pérou et au Chili, de l'uranium comme en Australie, etc. On ne sait si certains de ces gisements sont exploitables.

Mais, ce qui est peut-être plus intéressant, il existe certainement du pétrole dans les vastes bassins sédimentaires qui entourent l'Antarctique ; cela par analogie avec les ressources existant autour des continents qui appartenaient au Gondwanaland. On a de plus trouvé des traces d'hydrocarbures gazeux lors de quelques forages scientifiques réalisés en mer. Bien que les données manquent (l'exploration sismique n'avait officiellement pas démarré en 1982), des estimations de plusieurs dizaines de milliards de barils, comparables aux ressources de l'Alaska, ont été données. Avant même que l'inventaire des ressources minérales et en pétrole ait été réellement entrepris, et que la faisabilité et la rentabilité d'une exploitation dans un environnement naturel particulièrement hostile aient été évaluées, les spéculations se développaient et soulevaient des questions : à qui appartiendront ces ressources et comment sera réalisée leur exploitation ?

Les intérêts stratégiques

Le contraste est grand entre le monde sans vie du continent et l'océan, biologiquement très riche. De nombreux phoques, les baleines et les manchots Adélie et Empereur s'y nourrissent. Alors que les phoques sont protégés et la pêche à la baleine réglementée (après la quasi-extinction de certaines espèces), la principale richesse de l'océan Austral semble constituée par le krill, petites crevettes de quelques centimètres de long qui se regroupent en bancs que l'on trouve tout autour de l'Antarctique. On a parlé d'une masse annuelle exploitable de 100 à 150 millions de tonnes, soit deux fois le produit des pêches actuelles sur l'ensemble des océans. Même si ces chiffres sont très surestimés, il est vraisemblable que le krill antarctique puisse être une source importante de protéines pour l'humanité. L'exploitation a d'ailleurs commencé et certains produits en sont commercialisés, par exemple au Japon et en URSS. Encore modeste en 1983, (quelques centaines de tonnes), elle est contrôlée par la Convention sur les ressources vivantes de l'Antarctique ; celle-ci concerne aussi les poissons, dont la pêche a elle aussi démarré. Elle a été établie le 21 mai 1980, et rédigée de façon à permettre une interprétation ambiguë sur les questions de souveraineté.

Croisières et vols touristiques organisés de façon commerciale, spéculations sur les ressources minérales et en pétrole, voire en eau douce, début d'exploitation des ressources marines vivantes soumettent le traité de l'Antarctique à des pressions croissantes ; sans parler des intérêts stratégiques dont on parle peu mais qui concernent au moins les pays les plus proches. Les problèmes de souveraineté se présentent sous un nouvel éclairage avec la signature, le 10 décembre 1982, de la Convention du droit de la mer : elle pose pour l'Antarctique le problème de l'application de la notion de zones économiques exclusives, grâce auxquelles les pays côtiers ont la propriété de toutes les ressources jusqu'à 200 miles au large.

BIBLIOGRAPHIE

Ouvrage

Lorius C., *Antarctique : désert de glace*, Hachette Réalités, Paris, 1981.

Articles

Fifield R., « Antarctic Resources Beyond the Falklands », *New Scientist*, 27 mai 1982.

Rebeyrol Y., « L'Antarctique sera-t-il un Eldorado ? », *Le Monde*, 2 décembre 1979.

Robin G., « Curtain on Polar Research », *New Scientist*, 16 septembre 1982.

Des voix se sont élevées aux Nations-Unies pour réclamer un large partage des ressources antarctiques, considérées comme biens communs de l'humanité, voire leur réservation aux pays du tiers monde. Un certain nombre de pays contestent le contrôle de fait, basé sur la technicité et l'expérience acquise, des États qui constituent le « club » antarctique, même si le bilan de plus de vingt ans de « gestion » est considéré comme positif. Il reste à ce « club » à résoudre ses litiges internes et à faire des propositions qui puissent être assez largement acceptées.

Chercheurs, industriels et diplomates doivent aborder ensemble les problèmes, caractéristiques de notre temps, que pose l'Antarctique. Les philosophes français du XVIIIᵉ siècle approuvaient la cession aux Anglais du Canada, dans lequel ils ne voyaient que quelques arpents de neige ; au XIXᵉ siècle, les diplomates russes croyaient jouer un bon tour aux Américains en leur vendant l'Alaska. Aujourd'hui, nul ne semble songer à se désintéresser du futur du continent blanc. Encore terre internationale de la paix et de la science, espérons qu'il ne deviendra pas l'un des points chauds du globe.

Claude Lorius

La micro-informatique et le tiers monde

Pauvre informatique ! On lui en demande tant ! Comme fer de lance des technologies de pointe, les grandes nations industrielles déposent en elle l'espoir d'une sortie de crise rapide, la récupération d'une productivité perdue, le désir d'une nouvelle histoire pour une accumulation capitalistique sensiblement essoufflée. Aux pays dits du tiers monde, l'informatique offrirait enfin la réalisation de toutes les promesses non tenues par les autres révolutions technologiques, celle par exemple de la « révolution verte » dont les cendres ne sont pas encore refroidies. Alors que les nouvelles techniques agricoles (avec pesticides et nouveaux engrais) ne se sont pas encore remises du choc des résistances culturelles et sociales, on nous annonce déjà les miracles de la « révolution informatique » : dans une région du Venezuela pratiquant la culture du maïs et du blé et « où chaque village possède son ordinateur », l'informatique aurait permis d'accroître la production de plus d'un tiers. Ce que cet exemple publié dans la presse française à la fin de 1982 ne nous dit pas, c'est que la structure de propriété de la terre dans cette région est toujours sous le signe des latifundia. Il ne dit pas non plus que le Venezuela, jadis florissant en produits agricoles et entré un des derniers d'Amérique latine dans le processus d'industrialisation, doit importer plus de la moitié de ses aliments ! Miracle ni vrai, ni faux que cette « réussite vénézuelienne » qui, montée en épingle avec quelques cas semblables en Afrique, en Asie, en Amérique latine, nous fait croire que l'on est au seuil d'une nouvelle période dans la lutte contre la faim.

Paradoxe : les politiques de réindustrialisation de l'Occident, jour après jour, renforcent les alliances entre pays à haut développement technologique et creusent un nouvel écart structurel entre les nantis et les démunis. Au même moment, le discours tiers-mondiste sur les bienfaits des technologies micro-électroniques [271] se porte au mieux et occupe un espace important sur le terrain des représentations collectives.

Ceci est tellement vrai qu'il n'y a pratiquement pas moyen d'éviter le détour par ces célébrations dithyrambiques de l'ordinateur, – panacée souveraine contre le sous-développement. Une pareille idée a été colportée par des auteurs à grand succès comme le Français Servan Schreiber, l'Américain Alvin Toffler ou le Japonais Masuda : selon eux, il faudrait s'attendre à un bouleversement des inégalités et des déséquilibres mondiaux par le seul jeu de la « révolution du micro-processeur [271]». De plus, toujours selon les mêmes, les grandes lignes de démarcation gauche/droite, progressistes/conservateurs, pauvres/riches, etc., seraient désormais appelées à disparaître : il y aurait ceux qui continuent à penser selon les schémas archaïques hérités de l'ère industrielle et ceux qui, nouveaux visionnaires, misent dorénavant sur le déterminisme technologique de l'ère post-industrielle (que certains ont déjà appelée « ère de l'économie et de la société de l'information »).

Cette vision particulière d'une informatique salvatrice a pour premier effet d'oblitérer toute discussion sur la notion même de développement : dans cette optique, le progrès social n'est qu'une variable dépendante du progrès technique [114]. C'est une façon bien commode de conférer un nouveau souffle au modèle de croissance reposant sur une stratégie d'industrialisation continue et à sa philosophie productiviste. Comme on le sait, il s'agit d'un modèle de croissance sérieusement questionné, au Nord comme au Sud, par les individus et les groupes qui voient d'autres issues à la crise : par exemple, dans un développement moins lié aux impératifs technologiques et financiers d'un marché mondialisé et aux grandes firmes multinationales. Ce n'est ni plus ni moins ce que réclamaient les signataires de la « Déclaration de Mexico sur l'informatique, le développement et la paix », en juin 1981 : « l'informatique, conséquence du développement, en est un fac-

teur important. Sa maîtrise suppose une approche endogène et autonome du développement ».

L'innocence du micro-processeur

Le second effet de la croyance en « l'ordinateur rédempteur » est de donner à penser que ces petites machines ont la vertu suprême d'une immaculée conception. Le micro-processeur apparaît comme dépouillé de son histoire passée ou présente. Disparaît ainsi de l'horizon de la nouvelle ère technologique toute mention à la généalogie militaire du micro-processeur. La technique étant la locomotive de la société, sont complètement gommées la pesanteur des structures sociales et la dure réalité des rapports de force entre producteurs et consommateurs, entre nations riches et pauvres.

Qui plus est, en extirpant l'histoire, on vide de toute substance les concepts que l'on utilise et que l'on promeut à grand renfort de publicité. Révolution, décentralisation, nouvelle démocratie, participation, sont appelées à la rescousse pour jeter un trait d'équivalence entre décentralisation, informatique et déconcentration des pouvoirs, entre interface homme/machine et participation comme fin des inégalités sociales et culturelles, révolution technologique et révolution des rapports sociaux. Comme le concept de décentralisation, qui se réduit à une opposition entre rigidité et souplesse, toutes les notions évoquées ne sont plus que des coquilles vides, mal faites pour rendre compte des issues centrales du rapport informatique/développement, informatique/démocratie.

Dans ce qui, finalement, n'est qu'une fuite en avant technologique, lourde de son impensé social, tout rappel des déterminations structurelles dans la formation des usages des ordinateurs (macro ou micro) dérange. Les histoires particulières des processus d'informatisation, entre temps, avancent. Elles montrent que la « nouveauté sociale » d'une innovation technique n'est pas si évidente qu'on le dit. Elles signalent aussi que pour comprendre les utilisations qu'une société, une classe ou un groupe, fait de l'ordinateur, il faut tenir compte des grandes logiques sociales qui traversent chacune de ces réalités. Elles nous enseignent que les modèles d'implantation des systèmes informatiques sont agis par des acteurs sociaux multiples, qui ne sont pas nécessairement d'accord sur la nécessité de recourir à ces petites machines ou sur les usages qui en sont proposés. Car l'arrivée de la micro-informatique, que l'on nous présente comme le combat des faibles contre les puissants, ne se produit pas seulement au niveau des micro-structures, celle d'une association par exemple. Elle s'institutionalise et aide aussi les macro-structures à se reformuler.

Parmi ces acteurs, il y a d'abord des États. Tous ne sont pas forcément mus par l'idée de redistribution des richesses et des pouvoirs. Plus d'un s'emploie à mettre l'informatique au service des objectifs de la « sécurité nationale », qu'il ne

distingue guère du développement. Tous ne sont pas non plus en possession des mêmes atouts pour promouvoir la construction d'une industrie nationale de l'informatique. Les missionnaires de l'informatique ont tendance à croire que tous les pays du tiers monde constituent un vaste ensemble indistinct où l'Occident, pour résoudre ses problèmes de chômage, pourrait déverser toutes ses micro-machines, fabriquées par les ouvriers et ingénieurs japonais, européens, nord-américains. Or, qu'ont à voir les réalités du Brésil et de l'Inde (pays qui fabriquent déjà leurs micro-ordinateurs et commencent à les exporter) avec celles de la plupart des pays au sud du Sahara qui n'ont même pas le moyen de les acquérir ?

Il y a aussi les grandes multinationales, et les firmes de télécommunications, au-delà de leurs propres réseaux de communication destinés à faciliter leur production au niveau d'un marché mondialisé, exercent un contrôle sans partage de la haute technologie, des centraux électroniques, des satellites, des lanceurs, des systèmes informatiques. Et derrière ces grandes firmes multinationales de cette branche de l'électronique, il y a surtout la logique du modèle de

BIBLIOGRAPHIE

Ouvrages

GRESEA, *Du télégraphe au télétexte*, Éditions ouvrières, Paris, 1982.

KAROUI S., *L'Amérique, l'Europe et les autres à la recherche de l'informatique*, Les clés du monde, Paris, 1981.

MASUDA Y., *The Information Society as Post-industrial Society*, World Future Society, Bethesda, 1981.

MATTELART A., *Transnational and the Third World, Struggle for Culture*, South Hadley, 1983.

MATTELART A., SCHMUCLER H., *L'Ordinateur et le tiers monde, l'Amérique latine à l'heure des choix télématiques*, La Découverte/Maspero, Paris, 1983.

SERVAN-SCHREIBER J.J., *Le Défi mondial*, Fayard, Paris, 1980.

TOFFLER A., *La Troisième Vague*, Denoël/Gonthier, Paris, 1980.

développement transnational qui s'attaque aux particularités des États-nations et tente à travers l'internationalisation des réseaux d'assurer la plus grande fluidité dans l'échange des données dont elles ont besoin. Il y a enfin cette vaste zone souvent ignorée où se jouent les stratégies de résistance, groupes, peuples, qui revendiquent leur droit à l'autodétermination dans ce domaine et plus globalement leur droit à produire leur propre information.

Les demandes d'une informatique respectueuse des identités culturelles s'entrecroisent là avec les revendications pour « un nouvel ordre international de l'information » qui depuis 1975 sont devenues une plateforme de lutte pour le mouvement des non alignés.

Armand Mattelart

Technologies appropriées : aliénation ou libération du tiers monde?

« Ah! si tu m'avais proposé un char d'assaut, ça au moins c'est industrialisant! » C'est la réponse du directeur algérien d'une société nationale de construction mécanique à un ami, qui lui proposait, en 1978, de produire des petits tracteurs spécialement étudiés pour être réparables par des artisans de village [95].

À l'Est ou à l'Ouest, au Nord ou au Sud, l'identification entre technologies de pointe, sophistiquées de préférence, industrialisation, productivisme, progrès social, voire même socialisme est loin d'avoir disparu.

Pourtant, la remise en question a été rude. Les interrogations sont déjà anciennes sur la neutralité de la technique [114, 118]. La révolution culturelle en Chine, malgré ses péripéties et les images souvent phantasmées qui en sont issues, leur a redonné droit de cité et a rendu public le débat sur les conséquences des technologies sur les rapports sociaux. Les difficultés et les remises en cause des politiques d'industrialisation accélérée dans le tiers monde ont confirmé ces interrogations et relancé les deux débats mêlés et indissociables, celui sur les modèles technologiques, le rôle de la science et de la technique et celui sur les modèles d'industrialisation, les formes de développement des forces productives.

La grande croisade pour les technologies douces

Technologies douces, appropriées, adaptées [148]; le débat est ouvert depuis le début des années soixante. Il n'est pas toujours clair sur la définition de ces technologies : portent-elles sur les nouvelles façons de produire les mêmes produits ou sur la mise en avant de nouveaux produits et de nouveaux processus de production? De plus, à quoi doivent-elles être appropriées? À la « nature », à la tradition, aux rapports sociaux, à des objectifs de transformation non explicites?

Le débat s'est noué d'abord autour des techniques qui concernent les productions destinées au tiers monde : industries lourdes et secteurs de consommation traditionnels. Faut-il choisir des techniques de pointe, sophistiquées et difficiles à maîtriser ou leur préférer des techniques plus robustes, moins économes en travail et moins chères en capital? Très vite, il apparaît que le choix n'est pas celui des technologies; qu'il est déterminé par l'évolution de la spécialisation scientifique et technique dans la division internationale du travail. Ainsi, par exemple, la difficulté à créer le milieu technique indispensable à la maîtrise technologique est inséparable de la fuite des cerveaux, le fameux « brain drain » qui alimente les centres de recherche des pays déjà industrialisés. De même, beaucoup de technologies abandonnées dans les pays dominants et vendues dans le tiers monde [148] sont étranglées par le renchérissement ou la disparition des pièces de rechange et déclassées par les changements dans la normalisation des produits.

Dans la réalité du tiers monde, robustes ou sophistiquées, les technologies sont inadaptées en termes de productivité, d'emploi et de rapports sociaux; elles se heurtent aux mécanismes de domination extérieurs et à la résistance des sociétés traditionnelles à l'expansion du capitalisme et du salariat. Ainsi, le choix de nombreux responsables industriels du tiers monde pour les technologies les plus récentes n'est pas seulement dû à la fascination pour la dernière mode technique et à l'aliénation culturelle consécutive à la plupart des filières de formations techniques.

Le débat a déjà une histoire. La critique virulente des modèles d'industrialisation fondés sur les technologies de pointe s'est appuyée sur des échecs retentissants, l'expérimentation payée par le tiers monde et menée dans n'importe quelles conditions. Elle a mis en avant les tenants de « l'éco-développement » et de « l'autocentrage » qui ont dû dans un premier temps résister aux tentatives de récupération du type « small is beautiful », défendues, étrange retour des choses, par les libres échangistes et la Banque mondiale.

Ils sont aujourd'hui en butte à la contre-offensive de ceux qui rejettent dédaigneusement les technologies « sous-développées ».

À la grande croisade pour les technologies douces a succédé la mise en avant du pluralisme technologique, c'est-à-dire l'accroissement du stock de technologies dans lequel on peut choisir en fonction des situations concrètes. Cette position plus défensive ne doit pas faire oublier l'intérêt de la démarche et du travail réalisé : l'accroissement des technologies utilisables grâce aux recherches directes et à la sensibilisation du milieu des chercheurs, la prise de conscience élargie des différentes dimensions de la mise en œuvre des technologies, le recensement et la mise à disposition de nouvelles potentialités à travers des banques de données et des réseaux de chercheurs et de laboratoires, comme par exemple le réseau SATIS.

Le renouvellement du débat

En quelques années, le débat a changé de nature. A cela trois raisons essentielles.

— Les nouvelles technologies sont souvent très différentes de celles qui avaient été à l'origine du débat sur les techniques adaptées. Elles devraient être à la fois économes en travail et en capital. Il en est ainsi dans toutes les applications directes de l'informatique où les nouveaux matériels, aussi performants que les anciens, sont disponibles à des prix équivalents à ceux des matériels traditionnels. Déjà dans d'autres secteurs, cette évolution est amorcée. Dans les briqueteries, les nouveaux modèles à l'étude devraient permettre des économies de travail du même ordre que les installations les plus perfectionnées actuelles, pour un coût en capital équivalent à celui des briqueteries traditionnelles.

De plus, ces technologies ne sont pas beaucoup moins maîtrisables par les techniciens du tiers monde que par ceux des industries d'application des pays développés. En effet, le recours systématique aux « boîtes noires » empêchant les réparations sur place [21] met sur le même plan les ouvriers du tiers monde et ceux des secteurs traditionnels dans les pays industrialisés, souvent eux-mêmes immigrés.

— La crise a ouvert une période de concurrence aiguë pour la maîtrise des secteurs de pointe, qui aboutit à un nouveau découpage des secteurs productifs et à la subordination de tous les secteurs ou segments de secteurs traditionnels, même avancés. Ceux-là même que les pays du tiers monde pouvaient espérer gagner. Face à l'électronique de pointe, aux télécommunications, aux biotechnologies..., l'automobile ou les biens d'équipements traditionnels ne sont pas plus « secteurs d'entraînement » que la sidérurgie ou les textiles. C'est à l'intérieur de chaque secteur, comme par exemple les industries agro-alimentaires, que se fait aujourd'hui la différenciation. Et le résultat de cet affrontement en cours pour le contrôle des nouvelles productions va, en une génération, modifier les choix technologiques dans tous les secteurs.

— Les débats quant aux conséquences sur les rapports sociaux souffrent des échecs des expériences de construction du socialisme. Lutter contre les rapports capitalistes renforcés par les nouvelles technologies serait plus facile si on était capable de définir des rapports différents. Certes, c'est dans la lutte contre les rapports actuels et les conditions de leur transformation en cours, que de nouveaux rapports pourront être définis; mais les illusions et l'impatience des périodes passées pèsent sur la période actuelle. Par ailleurs, le délire rationalisant qui accompagne les nouvelles technologies et l'absence d'alternative politique globale se traduisent par une formidable montée de l'irrationnel, qui traverse tous les milieux et marque profondément les révoltes populaires.

Car il faut bien admettre qu'une nouvelle révolution scientifique et technique est amorcée et que, une fois de plus, la révolution politique et sociale n'est pas au rendez-vous. C'est dans le capitalisme que risque de se faire la transformation des rapports sociaux, démontrant ainsi que la relation entre construction du socialisme, indépendance nationale et développement des forces productives relève d'une volonté politique et de lutte et non d'une loi historique inéluctable.

BIBLIOGRAPHIE

Ouvrages

EMMANUEL A., *Technologies appropriées ou sous-développées?*, (suivi d'un débat avec Celso Furtado et H. Elsenhans), PUF-IRM, Paris, 1981.

LIPIETZ A., *Conflits de répartition et changements techniques dans la théorie marxiste*, CEPREMAP, Paris, 1980.

Articles

THERY D., *Tiers Monde*, n° 88, 1981.

EMMANUEL A., *Tiers Monde*, n° 93, 1983.

Tous les numéros de *Réseaux*, revue du GRET (Groupe de recherches et d'échanges technologiques).

Dossiers

OCDE, *Transferts technologiques Nord-Sud*, Paris, 1981.

« Technologies douces », *Autrement*, n° 27, 1980.

Qui peut contrôler les nouvelles technologies?

C'est là que l'on retrouve le débat, aujourd'hui central, que propulse avec brutalité l'économiste Arghiri Emmanuel, dans son livre sur les technologies appropriées paru en 1982. Les conclusions politiques qui semblent se dégager de ses travaux portent d'abord sur les firmes multinationales : celles-ci seraient seules capables de transférer des technologies sérieuses, de développer la production et de permettre l'élargissement de la classe ouvrière dans les pays du tiers monde. Par rapport aux autres entreprises existantes dans le tiers monde, elles peuvent payer des salaires plus élevés, accepter l'amélioration des conditions de travail, voire même les libertés syndicales. Bourgeoisie pour bourgeoisie, il n'est pas évident pour les combattre de s'appuyer sur les bourgeoisies nationales le plus souvent étriquées, spéculatives et incapables d'assurer le développement des forces productives. Évidemment ce type de raisonnement pourrait assez vite conduire à la subordination complète aux firmes multinationales et à la sous-estimation de l'intérêt des revendications nationales. Sans même parler de la pratique des firmes multi-nationales qui est loin de confirmer l'adéquation entre leurs intérêts et ceux des peuples du tiers monde [148].

Ceci étant, les arguments avancés valent qu'on s'y arrête, et la lutte contre les multinationales serait inefficace si elle se cantonnait à leur seule dénonciation, sans proposer de véritable solution alternative en matière de développement des forces productives.

A ce niveau, les technologies appropriées, même si elles peuvent y contribuer, ne sauraient constituer une réponse unique. D'autant que ce sont les pays et les firmes qui ont produit les technologies considérées aujourd'hui comme inappropriées qui vont pour l'essentiel assurer la production des technologies dites appropriées. Pour répondre à ces défis, la recherche de nouvelles technologies, quelle que soit leur destination, implique de soutenir la création dans le tiers monde de centres de recherches nombreux et équipés, disposant d'un minimum d'autonomie par rapport aux entreprises multinationales et aux États. elle doit aller de pair avec le développement de nouvelles formes de luttes dans les entreprises multinationales, et d'une réflexion sur le rapport entre les nouvelles technologies, l'organisation du travail et les rapports sociaux.

Gustave Massiah

Les transferts de technologie Est-Ouest

L'année 1982, à la suite des mesures d'embargo décidées par le gouvernement des États-Unis, et des conflits qu'elles ont provoqués avec ses alliés européens, a remis au premier plan la question des transferts de technologie entre l'« Est » et l'« Ouest ». Il ne faudrait pas croire, en effet, que ces transferts soient une réalité récente. Dès les années 1930, l'URSS a fait construire des usines « clefs en main » (par Ford à Gorki); elle a acheté des machines, des plans et des licences; enfin, elle a purement et simplement copié certains produits (comme le bombardier américain B-29 sous le nom de TU-4). Les transferts de technologie Est-Ouest sont donc une réalité ancienne et diversifiée.

Depuis 1950, le commerce Est-Ouest est placé sous la surveillance du COCOM (Coordinating Committee). Cet organisme, fonctionnant comme un « club » réglant à l'amiable les différents, est chargé de surveiller les transferts de technologie vers les pays communistes. Y participent les pays de l'Alliance atlantique et le Japon, c'est-à-dire la majorité des pays industrialisés de l'Ouest à l'exception de la Suède, de la Suisse, de l'Autriche et de la Finlande. Le COCOM, qui s'occupe non seulement des transactions avec les pays de l'Est mais aussi avec la Chine populaire et la Corée du Nord, opère à partir de trois listes.

La première concerne les produits directement militaires; la seconde, ceux qui sont en rapport avec l'énergie nucléaire et ses applications; la troisième concerne les autres biens industriels et commerciaux. Le nombre des produits sur ces listes varie en fonction des périodes de tension internationale. De 85, à la création du COCOM, il est passé à 285 en 1952 pour retomber à 118 en 1958; en 1983, il serait de l'ordre de 150.

Quant à l'efficacité d'un tel organisme, elle est discutable. D'abord parce que n'y participent pas des pays industriels comme la Suède, la Suisse ou des « nouveaux pays industriels », comme l'Inde, le Brésil, la Corée du Sud. Ensuite parce que l'expérience montre que les pays membres ont une conception « élastique » de la réglementation quand leurs intérêts commerciaux sont en jeu. Ainsi, en 1977, 1087 demandes d'exception furent déposées et 836 d'entre elles approuvées, dont 358 pour les États-Unis.

Quant aux opérations, elles peuvent être très diverses. Les plus répandues sont l'achat de machines complexes (comme les stations de pompage du gazoduc euro-sibérien) et la construction d'usines « clefs en main » dans des domaines variés comme l'automobile (Fiat et Renault), la production d'urée pour les engrais, ou encore la pétrochimie. Elles donnent parfois lieu à des opérations en sens inverse, comme l'achat, il y a quelques années, d'une presse hydraulique géante par la France à l'URSS, ou l'achat à ce dernier pays d'UDMH (carburant pour fusées) par Arianespace.

Une double nécessité

Si ce commerce a prospéré ces dernières années, c'est qu'il répondait à une double nécessité. Pour l'Est, il sert d'une part à combler les retards pris (et accumulés) par certains secteurs des industries nationales, en raison des choix de planification. Ainsi, dans l'automobile, la chimie des engrais, le matériel de forage, l'appel à la technologie occidentale sert à équilibrer le développement. D'autre part, ces transferts ont aussi une fonction plus générale, dans la mesure où la diffusion du progrès technique semble déficiente dans ces économies. L'expérience montre que les responsables industriels y sont plus conservateurs et que, même quand les bureaux d'études sont dynamiques, l'industrialisation de l'innovation y est lente. Les transferts de technologie tendent ainsi à ne plus être seulement une réponse à un déséquilibre provisoire, mais un besoin permanent et structurel.

Pour l'Ouest, ces accords répondent à la nécessité d'un élargissement du marché des biens manufacturés. Cette nécessité peut être impérative pour plusieurs raisons. La crise, bien entendu, en est une. On l'a bien vu lors du conflit opposant la France aux États-Unis, au printemps 1982. L'application de l'embargo décidé par Reagan sur les matériels destinés au gazoduc se serait soldée, dans notre pays, par plusieurs centaines de suppressions d'emplois. Mais il y avait aussi d'autres raisons.

Si un pays à technologie avancée s'aperçoit qu'elle est moins compétitive que celle de ses concurrents occidentaux, la tentation peut être forte de s'appuyer sur les contrats passés avec l'Est pour compenser la perte des autres marchés (c'est le cas de la France pour les machines-outils, par exemple). Enfin des raisons politiques, comme le maintien de branches de l'industrie nationale, le refus d'une certaine division du travail sur le plan mondial, et la volonté d'affirmer son indépendance politique peuvent aussi pousser un pays à développer ce type de relations commerciales.

Des deux côtés, semble-t-il, on a intérêt à ces échanges. Cela ne signifie pas, pour autant, qu'ils occupent une place considérable dans la structure du commerce des pays industrialisés de « l'Ouest », même si la plupart de données publiées s'arrêtent en 1979 ou 1980. En 1977, une statistique de l'ONU estimait que les ventes de biens d'équipements aux pays du « COMECON » représentaient 4,7 % des exportations de ces biens pour la France, 5,6 % pour la RFA, 2,6 % pour le Japon et 2,5 % pour la Grande-Bretagne. En apparence, le commerce des biens qui contiennent la technologie entre « l'Ouest » et « l'Est » ne représente qu'une faible part de ce marché particulier. Ces chiffres peuvent être trompeurs si l'on oublie que les fluctuations, tant dans les balances commerciales que dans l'évolution des marchés sont souvent, elles-mêmes, marginales. De ce point de vue, une part de 2 à 5 % peut être décisive pour rétablir un équilibre, voire pour faire survivre une branche. Mais, surtout, ils ne nous disent rien sur l'impact de ce commerce dans les pays du « COMECON ». En 1978, les achats de biens d'équipements aux pays occidentaux représentaient 15 % des importations polonaises, 14 % de celles de la Tchécoslovaquie et 13 % de celles de la Hongrie, d'après les sources de ces pays. Pour l'URSS, ces biens constituent environ 14 % de ses importations. En quantité, les sources soviétiques indiquent qu'en 1979, ce pays a acheté à l'extérieur l'équivalent de 16 % de sa production de moteurs électriques. Des sources occidentales (l'OCDE et la CIA) estiment que les biens d'équipements représentent en moyenne de 35 à 39 % des exportations des pays de l'OCDE vers l'URSS. Pour 1981, ces pourcentages étaient de 35 % pour la RFA et 21 % pour la France. Par ailleurs, les usines construites en URSS avec du matériel occidental pourraient être responsables de 40 % de la production soviétique d'engrais, de 80 % de celle des fibres synthétiques, et d'une part considérable (70 %) de celle des automobiles et des camions. Quant à l'effet sur l'économie globale, de ces importations, il est très discuté – suivant les sources il serait soit négligeable, soit il expliquerait jusqu'à 2 % de la croissance de l'URSS.

S'il répond à une double nécessité, le commerce de la technologie ne se heurte pas moins à des freins qui tendent à le limiter de plus en plus. Ils peuvent être politiques. L'idée que les transferts de technologie serviraient de « béquilles » aux économies plus ou moins délabrées des pays de l'Est commence à se faire jour. L'emploi des produits de ces transferts à des fins militaires a soulevé une inquiétude légitime. Le réacteur du MIG-15 était d'origine britannique, certains blindés que l'armée soviétique emploie en Afghanistan utilisent des technologies américaines ou italiennes, et les parachutistes polonais s'équipent d'un véhicule dérivé de la Fiat-127. Mais ce sont les ordinateurs et les composants électroniques, les véritables cœurs des armes modernes, qui posent le plus de problèmes.

Autre obstacle politique, la tentation de se servir de ces transferts comme d'un *levier* pour peser sur la politique soviétique. C'est pour « punir » l'URSS, au lendemain du coup de force du général Jaruzelski en Pologne, que l'administration américaine a pris la décision de faire fermer la Commission soviétique d'achat aux États-Unis, de suspendre les accords de licence concernant les matériels électroniques, de forage pétrolier et à haute technologie.

Que changent les transferts à l'Est?

Ces freins sont-ils efficaces? Le problème a bien été mis en lumière au printemps 1982. Tandis que l'administration Reagan demandait à certaines industries américaines de cesser leurs contrats avec l'URSS, la firme américaine Dresser n'arrivait pas à obtenir de sa filiale française Dresser-France qu'elle interrompe son contrat de livraison de compresseurs à l'URSS (dont celle-ci a besoin pour le gazoduc reliant la Sibérie à l'Europe). Dresser-France avait été réquisitionnée par le gouvernement français afin d'éviter des licenciements. Des cas analogues se sont produits en RFA, en Grande-Bretagne et en Italie. De manière plus générale, le refus de pays comme la Suède ou la Suisse de s'associer à une politique restrictive viderait cette dernière de son sens. Sans compter que certains pays, pouvant difficilement passer pour « pro-soviétiques », comme le Brésil, n'ont pas hésité à vendre à l'URSS du matériel militaire, construit à partir de licences européennes et américaines.

Plus subtil est l'obstacle proprement technique qui s'oppose à ces transferts. Contrairement à ce que l'on croit, ils ne réduisent pas l'écart en ce domaine entre l'Est et l'Ouest. Pour les ordinateurs, il s'est même accru *depuis* les transferts, car celui qui copie est toujours en retard. Des recherches universitaires, de même que les études de la CIA montrent que, dans le secteur civil comme dans le secteur militaire, l'écart se maintient. De plus, l'achat de machines et même d'usines « clefs en main » ne règle aucun problème si

BIBLIOGRAPHIE

Ouvrages

AMANN, COOPER et DAVIES, *The Technological Level of Soviet Industry,* Yale University Press, New Haven/Londres, 1977.

BERLINER J., *The Innovation Decision in Soviet Industry,* MIT Press, Cambridge, Mass., 1976.

SUTTON A. C., *Western Technology and Soviet Economic Development,* Hoover Institution, Stanford, 1973.

Joint Economic Committee, *Allocation of Resources in The Soviet Union and China,* US-GPO, Washington, 1979, 1980, 1981.

Office of Technology Assessment, *Technology and East-West Trade,* US-GPO, Washington, 1979.

ZALESKI E., WIENERT H., *Transfert de techniques entre l'Est et l'Ouest,* OCDE, Paris, 1980.

Articles

HESS L., « Les achats soviétiques d'usines clefs-en-main à l'Occident », *Courrier des pays de l'Est,* n° 257, 1981.

GÈZE F., GUTMAN P., « Les liens économiques entre l'Est et l'Ouest sont-ils irréversibles? », *Le Monde diplomatique,* mai 1980.

les productions en « amont » ne peuvent s'adapter aux nouvelles normes. Des ordinateurs suédois SAAB, achetés à grands frais par l'Union soviétique, sont ainsi restés deux ans inutilisés en raison de leur incompatibilité avec le système d'alimentation électronique local.

Sur une question qui est l'objet de virulentes controverses, il convient de ne pas oublier certaines vérités.

La technologie industrielle est inséparable de l'ensemble économique et social qui lui a donné le jour. Le retard qui existe dans les pays de l'Est provient non pas de l'incapacité des hommes, mais des choix sociaux et des rigidités qu'ils engendrent. L'achat de machines étrangères n'y changera rien.

Jacques Sapir

Les scientifiques et la lutte pour les droits de l'homme

Les « droits de l'Homme » sont les droits fondamentaux qui garantissent le respect de la dignité humaine dans toute société civilisée. Pendant des siècles, nombre d'entre eux ont été reconnus tacitement; certains ont été formellement explicités dans des textes comme la « Déclaration des droits de l'Homme et du citoyen » lors de la Révolution française, le « Bill of Rights » américain, ainsi que dans les Constitutions de la plupart des États modernes. Mais depuis la Seconde Guerre mondiale, ils ont été reformulés de manière bien plus précise, car on a considéré alors que leur respect serait un facteur essentiel du maintien de l'ordre et de la paix dans le monde. L'ONU (depuis sa charte de 1945 et la « Déclaration universelle des droits de l'Homme » de 1948), puis d'autres organisations mutinationales en Europe, en Amérique latine et en Afrique, ont œuvré pour l'établissement d'une série de conventions internationales. Celles-ci engagent juridiquement les États signataires à respecter les droits et les libertés de tous leurs citoyens à de nombreux niveaux, civil, politique, social et culturel.

Il est évidemment aussi vital de jouir de ces droits pour un scientifique, en tant qu'être humain, que pour quiconque. Cela dit, certains droits professionnels sont importants pour les scientifiques car, s'ils en sont privés, ils ne peuvent remplir correctement leur rôle dans la société. Or ces droits, bien que formellement garantis par les lois internationales, sont fréquemment violés dans bien des pays. Dans ces cas, lorsque des scientifiques se sentent tenus en conscience de prendre parti pour la défense des libertés et des droits de l'Homme, ils s'exposent eux-mêmes à de graves vicissitudes professionnelles ou personnelles. En voici quelques exemples.

1. *Liberté de mouvement :* il est essentiel pour un scientifique de se tenir au courant des avancées qui se font ailleurs, pour éviter de répéter inutilement des recherches, pour profiter de l'expérience accumulée afin de juger du sens de sa recherche... Pourtant, dans beaucoup de pays, particulièrement en URSS et chez ses alliés d'Europe orientale, les autorisations de voyages à l'étranger pour raisons professionnelles sont limitées, et ce pour des raisons idéologiques bien plus que scientifiques. Karel Culik, mathématicien et informaticien tchèque, indique que pendant des années, il n'a pas eu l'autorisation d'accepter les invitations pour participer à toute

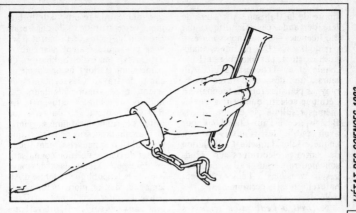

une série de conférences internationales, non plus que pour enseigner dans des universités étrangères, alors qu'il aurait pu ainsi améliorer sa formation et accroître le prestige scientifique de son pays. La raison en était que ses positions politiques s'étaient éloignées de celles de son gouvernement quelques années auparavant. En représaille, il fut exclu de la vie scientifique tchèque, interdit de publication, démis de ses fonctions et contraint à travailler comme chauffagiste pour nourrir sa famille.

2. *Liberté de communication :* comme la précédente, elle est essentielle aux scientifiques qui doivent avoir accès à toutes les publications, données et expériences de leur domaine. Pourtant, dans presque tous les pays d'Europe de l'Est, il est impossible de s'abonner à des revues étrangères ; de plus, pour accéder aux exemplaires qui parviennent parfois à certains instituts ou bibliothèques, il faut fournir un certificat de bonne couleur politique ! Même les publications librement importées peuvent être censurées : une édition de la revue américaine *Science,* reproduite en URSS, montre de vastes blancs correspondant à des articles supprimés ; et 14 des 51 numéros annuels de *Nature* ont été interdits en Tchécoslovaquie en 1982.

3. *Liberté d'accès :* c'est une extension de la liberté de mouvement. Un exemple typique des effets désastreux de sa restriction est l'interdiction faite aux scientifiques étrangers d'accéder à certains départements de recherches ou de rencontrer certains individus ; presque tous les pays pratiquent ce genre de procédé à des degrés divers. Récemment, les États-Unis ont montré une tendance de ce type [485] : en 1981, à Santa Barbara, lors d'une conférence sur les « mémoires à bulles », (Bubble Memory Conference), les organisateurs furent avertis en dernière minute qu'ils allaient encourir de graves pénalités si les délégués soviétiques invités étaient autorisés à assister à certaines séances ; ils furent donc « désinvités ».

4. *Liberté du choix de travail :* elle ne peut certes pas être un droit absolu dans le monde tel qu'il est, mais elle est violée quand un scientifique est démis de ses fonctions pour un motif autre qu'un échec scientifique, c'est-à-dire lorsqu'il a, par exemple, péché contre les normes idéologiques. Le cas le plus classique est celui des savants juifs qui ont demandé à émigrer hors d'URSS. Cette démarche, bien que n'étant pas un crime au regard de la loi soviétique, est traitée comme une preuve de manque de sens des responsabilités morale et sociale, à la

limite de la trahison. A la suite de leur demande, ces scientifiques ont été licenciés – ou au moins mutés – par douzaines. Des pratiques analogues existent, par exemple en Roumanie et en Tchécoslovaquie. Ailleurs, un désaccord avec l'employeur pour des raisons touchant à l'éthique scientifique peut avoir les mêmes résultats : le cas de Morris Baslow, licencié aux États-Unis pour avoir publié les résultats de son enquête selon laquelle l'installation de centrales électriques sur l'Hudson pourrait causer des dommages irréversibles à l'environnement naturel n'est certainement pas isolé.

5. *Droit à l'éducation selon ses capacités :* dans tous les pays soumis à un régime autoritaire, vous pouvez être excellent sur le plan universitaire, mais si vous (ou vos parents) êtes idéologiquement suspects, on vous mettra des bâtons dans les roues pour continuer vos études. En Roumanie et en Bulgarie, une recommandation du Parti est exigée. En URSS, si vous êtes Juif, on peut vous rendre les examens d'entrée d'une difficulté insurmontable. En Turquie, une nouvelle loi sur l'enseignement stipule que l'appartenance à un parti politique quel qu'il soit, ou même le fait d'en être sympathisant, peut entraîner l'expulsion d'une université et l'interdiction définitive de s'inscrire à toutes les autres. On pourrait considérer ce droit comme enfreint dans certains pays occidentaux développés, dans la mesure où l'appartenance à une couche sociale défavorisée – celle d'un ghetto noir pauvre, par exemple, – peut entraîner une insuffisance du bagage intellectuel nécessaire pour faire des études universitaires.

6. *Liberté d'opinion :* c'est peut-être la liberté parmi toutes la plus dangereuse à exercer publiquement. Exprimer honnêtement des opinions contraires à un dogme national peut vous condamner définitivement et mettre un terme à votre carrière scientifique. La formule du professeur B. J. Procharzka, directeur de l'Institut tchécoslovaque de physi-

que nucléaire, résume admirablement cette attitude : « Je chasserais Einstein lui-même de l'Institut si ses vues politiques étaient suspectes. » En URSS, on exile (Sakharov), on emprisonne (Orlov), ou on envoie en camp de travail (des centaines de scientifiques, comme d'ailleurs des milliers de simples citoyens). En RDA, Roumanie et Bulgarie, on utilise des sanctions du même genre, ou alors un processus de persécution plus subtil d'appauvrissement financier et de démoralisation conduisant au désespoir. Même dans des pays comme la République fédérale d'Allemagne, des opinions hétérodoxes peuvent jouer sur une carrière : grâce aux lois sur le « Berufsverbot » (interdiction professionnelle), tout fonctionnaire civil – c'est le cas de tous les personnels des universités publiques – peut être renvoyé pour la simple expression d'une sympathie pour le Parti communiste (pourtant légal).

Les exemples précédents ont été pris dans des pays qui ont signé les accords d'Helsinki, un des textes internationaux majeurs concernant les droits de l'Homme. Mais la persécution des opposants en Europe de l'Est paraît relativement légère en comparaison du sort qui leur est réservé dans certaines zones d'Amérique latine. En Argentine, la « disparition » organisée sur une vaste échelle de scientifiques engagés dans la défense des droits de l'Homme a fait l'objet d'une documentation précise. Pour 1981, une liste, pourtant incomplète, recense plus de 60 personnes dont on a perdu toute trace. En Uruguay, le professeur J. L. Massera, éminent mathématicien âgé de soixante-sept ans en 1983, était emprisonné depuis 1975 pour le seul motif qu'il a été autrefois député du Parti communiste – alors légal – et a eu le courage de ne pas se rétracter.

Au fur et à mesure que l'opinion publique internationale s'est rendu compte de l'extension et de l'horreur de ces violations des droits de l'Homme, les protestations, d'abord individuelles, ont été davantage organisées en vue d'une offensive institutionnalisée et plus concertée. La voie a été tracée par des organisations comme Amnesty International, et suivie de plus en plus par des groupements professionnels parmi lesquels les scientifiques occupent une place importante. Les académies nationales jouent un rôle de plus en plus actif. Le Comité pour les droits de l'Homme de l'Académie nationale des sciences américaine a ainsi envoyé une délégation en Argentine et en Uruguay pour demander des comptes aux autorités. L'Académie des sciences française a soutenu très activement les scientifiques soviétiques victimes de la répression; en novembre 1982, le président de la British Royal Society a révélé qu'il avait réclamé de son homologue soviétique des informations sur le sort des scientifiques (soviétiques) persécutés.

L'Académie royale de Suède – et beaucoup d'autres – ont été également actives, en public et en coulisse, ainsi que de nombreuses associations professionnelles scientifiques. Aux États-Unis, la Commission d'information sur la science et les droits de l'Homme, de l'Association américaine pour le progrès scientifique (AAAS), a réalisé des enquêtes objectives, des dossiers et des publications concernant le cas d'un grand nombre de scientifiques, ingénieurs, médecins et autres, victimes de régimes autoritaires en Europe, Amérique latine, Asie et Afrique. Elle n'a

pas hésité à divulguer des cas pris dans son propre pays. Le Conseil international des associations scientifiques, qui réunit les associations internationales de toutes les disciplines scientifiques majeures, a pris une position très ferme, ainsi que l'Association internationale des psychiatres qui s'oppose vigoureusement à l'usage de la psychiatrie à des fins répressives.

Le but de ce mouvement en plein essor est double. Il est d'abord de lever le voile d'ignorance pour que davantage de voix se fassent entendre et se joignent au concert de protestations. A cet égard, un nouveau pas devrait être franchi en 1984 avec la publication d'un recensement approfondi des violations des droits de l'homme dont sont victimes les scientifiques dans les 35 pays signataires des accords d'Helsinki (ce travail est mené sous l'égide de l'Airey Neave Memorial Trust de Grande-Bretagne).

Mais le but second et ultime est d'accroître la pression de l'opinion mondiale sur les États qui violent les droits de l'Homme, pour qu'ils se rendent compte non seulement de l'horreur suscitée par leurs actes, mais aussi des risques politiques et économiques que ces actes peuvent faire encourir aux relations, à la paix et à l'ordre internationaux – sans parler des dommages causés à la science de leur propre pays.

Peter Tahourdin

BIBLIOGRAPHIE

Ouvrages

BROWNLIE I., *Basic Documents on Human Rights*, Clarendon Press, Oxford, 1981.

SIEGHART P., *The International Law of Human Rights*, Clarendon Press, Oxford, 1983.

STOVER E., *Scientists and Human Rights in Argentina since 1976*, American Association for the Advancement of Science, Washington, 1981.

Dossier

Les rapports annuels et autres publications de *Amnesty International*.

Les grandes négociations et coopérations internationales

La période moderne est caractérisée par une volonté de plus en plus affirmée de la part des gouvernements de maîtriser les mécanismes de la croissance. Pour cela, il leur faut intervenir de manière consciente et délibérée dans tous les secteurs susceptibles de favoriser le développement économique et social de la nation. Or, tout le monde admet que la recherche scientifique et le développement technologique jouent un rôle moteur dans le processus de croissance. C'est pourquoi l'action des États dans ces domaines s'est considérablement renforcée au cours des trente dernières années. Au début des années quatre-vingt, tous les pays industrialisés et la plupart des pays en développement s'étaient dotés de structures administratives chargées d'élaborer des politiques scientifiques et technologiques.

Tout naturellement, une évolution analogue s'était produite au niveau international. La science et la technique se trouvaient même à l'ordre du jour des rencontres au plus haut niveau, comme en témoignent par exemple les propositions faites au sommet de Versailles en 1982 par le président Mitterrand aux six autres chefs d'État des grands pays industrialisés ; il s'agissait de « lancer un programme concerté de croissance par la technologie », qui « mette la technologie au service de l'emploi et des conditions de travail » en « favorisant ensemble l'épanouissement des cultures ».

Quelles sont les grandes lignes de la problématique scientifique et technologique au niveau des rapports entre gouvernements ? Quelles sont les principales discussions, négociations et coopérations qui intéressent dans ce domaine la communauté internationale ? C'est ce que nous allons voir succinctement, en nous limitant aux aspects multilatéraux de cette problématique, c'est-à-dire concernant les groupes de pays et les organisations internationales.

Les négociations à caractère juridique et économique

Le cadre juridique international qui régit les rapports entre les États a été mis en place à la fin de la Seconde Guerre mondiale et constitue aujourd'hui un mécanisme de régulation mal adapté à un monde qui a beaucoup évolué depuis lors.

Ainsi, de nombreux pays en développement ont acquis, depuis, leur indépendance et n'ont donc pas participé à l'élaboration de ce cadre. A leur demande, les organisations du système des Nations Unies ont pris comme objectif essentiel d'œuvrer à l'instauration d'un « Nouvel ordre économique international », plus juste et plus équitable. Sur le plan juridique, en matière de science et de technique, c'est la question du transfert de technologie entre le Nord et le Sud [148] qui a été, pendant les années soixante-dix, au centre des débats de la Conférence des Nations Unies sur le commerce et le développement (CNUCED). Mais peu de progrès ont été accomplis dans ce domaine. La VIe session de la CNUCED, tenue en juin 1983 à Belgrade, traitait toujours des points suivants : produits de base, commerce, questions financières. En revanche, le vote du projet de Traité du droit de la mer en avril 1982, qui représentait l'aboutissement de neuf années de dures négociations, a constitué pour le tiers monde un acquis important, notamment sur le plan scientifique et technique.

Sur le plan économique, les implications commerciales de la science et de la technique ont été, en 1981 et 1982, à l'ordre du jour des débats de l'Organisation de coopération économique et de développement (OCDE), qui regroupe les pays occidentaux, et du GATT (General Agreement on Traffic and Trade), qui règle les échanges commerciaux internationaux douaniers. La question était de savoir si les mesures de soutien des gouvernements en faveur des secteurs d'avenir ont pour effet, comme le soutiennent les États-Unis, de créer des distorsions qui viendraient fausser le jeu du libre-échange sur lequel reposent les conventions du GATT. L'Europe, quant à elle, estimait que les interventions des États pour promouvoir les produits de haute technologie se justifient par de multiples considérations : sortie de crise, indépendance nationale, développement économique et social... En réalité, derrière ce débat, qui a culminé lors de la Conférence ministérielle du GATT fin novembre 1982, se profilaient deux visions politiques opposées quant aux rôles respectifs de l'État et du secteur privé vis-à-vis de la recherche et du développement technologique.

Les implications géopolitiques de la science et de la technique

Il est maintenant généralement reconnu que le niveau de développement scientifique et technologique d'un pays constitue un facteur clé pour son indépendance nationale, car il détermine très largement son potentiel économique et militaire. C'est pourquoi la plupart des pays restent très vigilants sur les implications géopolitiques de la science et de la technique.

Les inégalités criantes entre le Nord et le Sud se retrouvent en matière de science et de technique : 90 % du potentiel scientifique est situé dans les pays développés. Devant cette situation, les pays en développement demandent que la coopération internationale les aide à développer leurs capacités d'innovation et de créativité et serve en priorité à renforcer leur potentiel scientifique et technologique endogène. A Vienne, en 1979, la Conférence des Nations Unies sur la science et la technique au service du développement (CNUSTD) décidait bien du lancement d'un plan d'action mondial en ce sens. Mais depuis lors, il n'a pas été possible de s'entendre pour lancer effectivement un système de financement qui donne à l'ONU les moyens d'agir efficacement. Un espoir d'aboutir avait été entrevu en 1982, à la suite d'un très net assouplissement de la position du groupe des 77, qui représente le tiers monde à l'ONU. Mais devant la décision de nombreux pays industrialisés de ne pas contribuer au mécanisme projeté, un accord véritable n'a pas pu se faire.

Dans le secteur énergétique, le plan d'action de Nairobi adopté en août 1981 par la Conférence des Nations Unies sur les sources d'énergie nouvelles et renouvelables (CNUSENR) n'avait pas encore obtenu, au début 1983, le soutien financier que les pays en développement réclamaient. Pourtant, l'Assemblée générale des Nations Unies avait finalement décidé, à sa session de 1982, de créer un « comité intergouvernemental pour la mise en valeur et l'utilisation des sources d'énergie nouvelles et renouvelables ». Ce comité devait être doté d'un secrétariat restreint.

Par ailleurs, la transformation de l'Organisation des Nations Unies pour le développement industriel (ONUDI) en institution spécialisée de l'ONU (au même titre que la FAO ou que l'AIEA) était encore retardée, début 1983, par des consultations sur la date d'entrée en vigueur. Ce retard pourrait se prolonger si certains grands pays industrialisés refusent d'apporter leur contribution financière à la nouvelle institution.

En résumé, les déclarations politiques ouvertes du Nord masquent une réalité beaucoup plus terne : les fortes contraintes financières auxquelles sont soumises les organisations multilatérales ont pour effet de limiter à la portion congrue les possibilités réelles de la coopération Nord-Sud en matière de science et de technique. C'est une des raisons pour lesquelles les pays en développement cherchent aussi à renforcer dans ce domaine les accords de coopération Sud-Sud.

Voyons maintenant la question des rapports Est-Ouest. Comme conséquence de la détente, la Conférence sur la sécurité et la coopération en Europe (CSCE), tenue en 1975 à Helsinki, avait donné à la coopération économique et technique entre l'Est et l'Ouest une impulsion nouvelle. Celle-ci s'était traduite sur le plan multilatéral par un net renforcement des activités de la Commission économique pour l'Europe des Nations Unies (CEE/NU). Toutefois, depuis les événements d'Afghanistan et de Pologne, les pays occidentaux se sont montrés beaucoup plus réticents pour coopérer avec les pays de l'Est, comme témoignent par exemple les difficultés financières que connaît l'institut viennois IIASA (International Institute for Applied System Analysis), du fait de la menace de retrait des États-Unis, alors qu'elle représente l'une des rares organisations internationales de coopération Est-Ouest.

Sur un plan plus général, les années 1981 et 1982 ont été marquées par la remise en cause des exportations de produits de technologie avancée vers les pays de l'Est [164]. Le public a suivi avec attention l'affaire du gazoduc sibérien, mais il connaît moins bien les travaux du Comité de coordination du contrôle multilatéral des échanges Est-Ouest (COCOM), regroupant les pays de l'OTAN (moins l'Islan-

de, plus le Japon), qui établit les listes de produits stratégiques nécessitant l'obtention d'une licence pour pouvoir être exportés vers l'Est. Le COCOM a d'une part beaucoup durci sa procédure d'octroi des licences, et d'autre part été le théâtre de difficiles négociations à propos de l'extension des listes.

La marge est en effet étroite entre la limitation des exportations de produits stratégiques pouvant être utilisés à des fins militaires et la mise en place de véritables sanctions économiques par le biais d'un embargo sur du matériel de haute technologie destiné à des applications civiles.

Les échanges d'informations

Les gouvernements, nous l'avons vu, cherchent à définir des politiques scientifiques et technologiques qui favorisent au mieux le développement économique et social national. Pour cela, les échanges d'informations sur les échecs obtenus par les pays tiers dans ce domaine peuvent constituer des références comparatives très utiles.

Au sein de l'OCDE [443], le comité de la politique scientifique et technologique (CPST) a précisément pour fonction principale de permettre ces échanges d'information entre les pays membres. Les orientations des travaux du CPST au début des années quatre-vingt concernaient plus particulièrement les domaines suivants :

– rapports entre la technologie, l'économie et la société : politiques nationales en faveur de l'innovation, influence du changement technologique sur la compétitivité, impact des biotechnologies, évaluation des conséquences sociales de la technologie ;

– système de la recherche : rapports entre la recherche universitaire et l'industrie, place de la recherche fondamentale ;

– dimensions internationales de la politique scientifique et technologique : coopération entre pays membres de l'OCDE, transferts de technologie entre l'Est et l'Ouest, relations avec les pays en développement ;

– indicateurs de science et de technologie : la publication et l'analyse des données relatives aux politiques nationales de la science et de la technique constituent une activité traditionnelle du CPST, qui intéresse beaucoup les gouvernements.

Par ailleurs, l'importance pour les pays de l'OCDE du développement de l'informatique et des communications a justifié la création en avril 1982 d'un comité de la politique de l'information, de l'informatique et des communications (CPIIC), qui ne constituait jusqu'alors qu'un simple groupe d'experts du CPST.

De la même manière, à l'Est, le conseil d'assistance économique mutuelle (CAEM) s'est doté d'un comité qui joue un rôle analogue à celui du CPST de l'OCDE. Pour sa part, le comité des conseillers des gouvernements de la CEE/NU pour la science et la technique permet, conformément aux recommandations de la CSCE, des échanges d'informations entre pays de l'Est et de l'Ouest sur leurs politiques scientifiques et technologiques.

Enfin, certains gouvernements souhaitent aussi promouvoir des activités de coopération scientifique multilatérale qui permettent alors à des chercheurs et des ingénieurs de nationalité différente de travailler ensemble sur certains sujets précis, et notamment dans les trois cas suivants :

– lorsqu'il s'agit de recherches à caractère international par nature, qu'un pays ne peut mener isolément, comme en matière météorologique [384] ou océanographique, les pays partenaires participant à des programmes internationaux, par exemple sous l'égide de l'Organisation météorologique mondiale (OMM) ou de l'UNESCO ;

– lorsque le coût très élevé des recherches justifie la mise en commun de moyens nationaux limités, ou dans le cadre d'une politique scientifique régionale, certains pays s'associant pour créer des centres de recherche multilatéraux. Actuellement, la plupart d'entre eux sont européens : Organisation européenne de recherche nucléaire (CERN), Laboratoire européen de biologie moléculaire (LEBM), Agence spatiale européenne (ASE), etc. [381] ;

– lorsqu'il s'agit de favoriser les échanges entre scientifiques grâce à l'octroi de bourses ou l'organisation de rencontres (écoles d'été, séminaires...). Il faut dans ce domaine citer les actions du secrétariat scientifique de l'OTAN, de la Communauté économique européenne (CEE), du CAEM, du Bureau international du travail (BIT), de l'Université des Nations Unies (UNU),...

Renaud Gicquel

BIBLIOGRAPHIE

Dossiers

MITTERRAND F., *Technologie, emploi et croissance. Rapport au sommet des pays industrialisés*, présidence de la République française, Paris, 1982.

« La Coopération scientifique internationale », *Problèmes politiques et sociaux*, n° 443, la Documentation française, Paris, 1982.

Rapport de la Conférence des Nations Unies sur la science et la technique au service du développement, document A/CONF.81/16, New York, 1979.

Publications du *Comité de la politique scientifique et technologique*, OCDE, Paris.

La prolifération des armes nucléaires

La prolifération nucléaire a deux formes. La prolifération « horizontale » est l'accession à l'arme atomique de pays « qui n'y ont pas droit », ce qui sous-entend que les grandes puissances nucléaires (États-Unis, URSS, Royaume-Uni, France et Chine) auraient reçu ce droit de l'histoire. Quant à la prolifération « verticale », dont il ne sera pas traité ici, c'est l'accumulation par ces cinq grandes puissances des moyens de destruction atomiques les plus effroyables et les plus sophistiqués. A partir de 1970, un certain nombre de pays ont signé le Traité de non prolifération (TNP), destiné à éviter la prolifération horizontale et à réduire la prolifération verticale. C'est l'Agence internationale de l'énergie atomique (AIEA) qui est chargée de faire respecter ce traité.

Il existe deux grandes catégories de bombes atomiques : celles basées sur la fission de l'atome (uranium ou plutonium) et celles basées sur la fusion (bombes à hydrogène). Pour le moment, le seul problème de prolifération qui se pose en termes concrets est celui des bombes à fission. Mais il ne faut pas écarter l'éventualité de la prolifération de la bombe à hydrogène.

La réalisation d'une bombe à fission atomique nécessite l'utilisation d'uranium ou de plutonium de nature particulière. Le minerai d'uranium trouvé dans la nature est un mélange de plusieurs isotopes, c'est-à-dire de plusieurs types d'uranium, différents par leur poids atomique. Le plus abondant de ces isotopes est l'uranium de poids atomique 238. Mais seul l'uranium de poids atomique 235 est susceptible de donner une réaction explosive de fission atomique. Or cet uranium ne figure que pour 0,7 % dans le mine-

rai naturel. Et il faut de 15 à 20 kilos d'uranium contenant au moins 90 % d'uranium 235, pour faire une seule bombe « performante ». La réalisation d'une bombe à uranium nécessite donc au préalable la construction d'une usine d'enrichissement dans laquelle le minerai d'uranium est progressivement enrichi en uranium 235. Différents procédés peuvent être mis en œuvre dans ce type d'usine : diffusion gazeuse, ultracentrifugation, tuyères, et bientôt lasers. Tous ces procédés ont en commun d'être très complexes et très coûteux. La diffusion gazeuse nécessite des installations gigantesques, et le nombre des pays qui l'utilisent (les cinq grandes puissances nucléaires) n'augmentera pas pendant longtemps. Les procédés d'ultracentrifugation et de tuyères sont plus accessibles et se prêtent sans doute mieux à la prolifération.

En ce qui concerne la bombe atomique au plutonium, le préalable est de disposer de réacteurs nucléaires (comme ceux qui figurent dans les centrales électronucléaires). En effet, le plutonium n'existe pas dans la nature : il est produit, sous plusieurs formes isotopiques, au sein de l'uranium utilisé dans les réacteurs nucléaires. Pour fabriquer une bombe à haut rendement, il faut utiliser environ 5 kg de plutonium contenant au moins 93 % de plutonium de poids atomique 239. Pour la réalisation de la bombe au plutonium, il faut donc disposer d'une usine de retraitement, dans laquelle on extrait le plutonium à partir du combustible usé de certains réacteurs nucléaires.

Le début de la prolifération horizontale remonte très exactement au mois de novembre 1956, lorsque Guy Mollet, sous la pression de certains politiciens (Maurice Bourgès-Maunoury, Abel Thomas et l'Is-raélien Shimon Pérès), du Commis-sariat à l'énergie atomique (Pierre Guillaumat, Bertrand Goldschmidt et Jules Horowitz) et du ministère de la Défense nationale, décida de faire accéder Israël à l'arme atomique. Dès 1958, le Commissariat à l'éner-gie atomique (CEA) entamait à Dimona, dans le Neguev, la cons-truction d'un réacteur à eau lourde de 25 MWth (mégawatts ther-miques) qui devait être terminé en 1962. En 1959, la société SGN (Saint-Gobain Nucléaire) commen-çait aussi à Dimona la construction d'un atelier de retraitement pour l'extraction du plutonium. De Gaul-le, mis au courant seulement après le début des travaux, fit donner à SGN l'ordre de les interrompre. SGN s'exécuta fin 1960, mais le lobby nucléaire s'arrangea clandes-tinement pour que l'atelier démarre en 1965.

Les 30 bombes d'Israël

Israël a eu la bombe dès 1966, et en a possédé au début des années quatre-vingt de 20 à 30. Pour ali-menter le réacteur de Dimona, Israël a détourné en 1968 un cargo transportant 200 tonnes d'uranium zaïrois. Puis Israël s'est fourni aux États-Unis et, à la suite d'un embargo du président Carter, s'ap-provisionnerait en Afrique du Sud. Israël, membre de l'AIEA, mais non signataire du TNP, a toujours refusé l'inspection des installations de Dimona; il a été expulsé de l'AIEA en septembre 1982, ce qui a entraîné la suspension de la partici-pation des États-Unis à cette orga-nisation, dont ils assuraient 25 % du budget.

Second épisode de la proliféra-tion: l'accession de l'Inde [460] à l'arme nucléaire. La construction par le Canada d'un réacteur à eau lourde de 40 MWth près de Bombay (1960) donna au grand physicien Bhabha la possibilité de convertir les

dirigeants de l'Inde à l'atome guer-rier, à la suite de l'explosion de la bombe chinoise en 1964. Grâce à une installation de retraitement fournie par les États-Unis, l'Inde a été en mesure de faire exploser une bombe atomique le 18 mai 1974. La France, par la voix d'André Giraud, patron du CEA, a été le seul pays à féliciter l'Inde. C'est aussi la France qui a accepté, en novembre 1982, de prendre en charge les fournitures d'uranium pour la centrale nucléaire indienne de Tarapur, en se conten-tant d'un contrôle très lâche.

L'affaire indienne a déclenché l'affaire pakistanaise. Dès 1972, Ali Bhutto, certainement au courant des préparatifs indiens, décidait de fa-briquer la bombe atomique. L'idée originelle était d'utiliser le pluto-nium produit dans un réacteur à eau lourde de 400 MWth fourni par le Canada. Pour le retraitement, le Pakistan passa simultanément deux commandes : à la Belgonucléaire, un petit atelier de retraitement capable de produire quelques kilos de pluto-nium par an, et à SGN (devenu Saint-Gobain Techniques Nouvel-les) une usine pouvant en fournir plusieurs centaines de kilos chaque année. Une pression américaine, exercée à partir de 1976, poussa Giscard d'Estaing à rompre le con-trat le 15 juin 1978, au grand dam de François-Xavier Poincet, patron de SGN. Jusqu'en 1979, SGN con-tinua de collaborer clandestinement avec le Pakistan; de plus SGN participait à l'atelier de la Belgonu-cléaire. Par ailleurs, grâce à une opération d'espionnage réalisée aux Pays-Bas, le Pakistan obtenait les plans de l'enrichissement de l'ura-nium par ultracentrifugation, puis achetait une bonne part des élé-ments nécessaires. Toutes les opéra-tions nucléaires du Pakistan ont été financées par les pays arabes riches, dont la Libye et surtout l'Arabie saoudite. La bombe pakistanaise devrait être prête au plus tard en 1984.

Passons maintenant à l'Extrême-Orient. Avant 1973, SGN avait déjà fourni à Taïwan un petit atelier

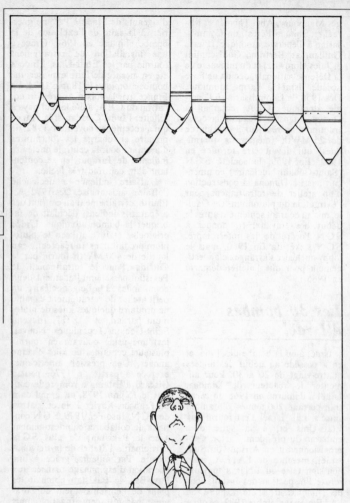

de retraitement. Un projet d'usine pouvant fournir plusieurs centaines de kilos par an, et dont Bertrand Goldschmidt était le promoteur, fut bloqué en 1973-74 par un veto américain, mais l'atelier permit à Taïwan d'obtenir 500 grammes de plutonium avant que les États-Unis ne le fassent démanteler en 1976-77. Il existerait une collaboration dans le domaine nucléaire militaire entre Taïwan, Israël et l'Afrique du Sud.

La Corée du Sud était très intéressée par les usines de SGN, mais la signature d'un contrat a été empêchée en 1975 par des pressions américaines sur Séoul. Mais au Japon, le CEA et SGN eurent le temps, avant l'arrivée de Carter au pouvoir, de construire au Japon l'usine de retraitement de Tokaï-Mura. Les essais devaient commencer en juillet 1977; les États-Unis les interdirent pendant deux mois, et depuis ils surveillent de près le fonctionnement de l'usine.

L'Afrique du Sud a-t-elle la bombe?

En Amérique latine et en Afrique du Sud, c'est la République fédérale d'Allemagne qui a développé la prolifération. En Argentine, la RFA a construit de 1968 à 1974 un réacteur à eau lourde de 1 000 MWth. Après avoir retraité à très petite échelle (c'est-à-dire en laboratoire) jusqu'en 1977, l'Argentine a construit une usine de retraitement qui devrait démarrer en 1983. Avec le Brésil [461], la RFA concluait en juin 1975 un énorme contrat : livraison de huit réacteurs nucléaires, d'une usine d'enrichissement et d'une usine de retraitement. Les réacteurs ont pris du retard et, suite à des pressions américaines, il semble qu'il n'y aura pas d'usines d'enrichissement et de retraitement. Mais des recherches sur la bombe atomique auraient lieu à San-José-dos-Campos.

Avec l'aide allemande, l'Afrique du Sud a développé un procédé d'enrichissement par tuyères. Moscou et Washington ont coopéré en août 1977 pour empêcher un essai nucléaire sud-africain dans le désert du Kalahari. Mais le 22 septembre 1979, le satellite américain Vela détectait un « double flash » typique d'une explosion nucléaire dans l'océan Indien, au voisinage de l'Afrique du Sud.

Au Moyen Orient, le don fait à Israël de l'arme atomique ne pouvait que déclencher la course à la bombe dans les pays voisins. Jacques Chirac lança en 1974 le programme qui devait aboutir à la construction du réacteur irakien, détruit par l'aviation israélienne le 7 juin 1981. Ce réacteur aurait permis de construire de l'ordre d'une bombe au plutonium par an. Mais il fallait que les atomistes irakiens déjouent la surveillance des techniciens français (présents sur le site jusqu'en 1989) et les inspections de l'AEIA. A ce propos s'est développée une longue polémique sur l'efficacité de ces inspections. La reconstruction de ce réacteur a été décidée à l'automne 1982, à la suite de tractations dont la clandestinité dément les propos tenus par François Mitterrand en juin 1981 : « Dans ce genre de choses, la meilleure garantie c'est qu'il n'y ait rien de secret et que s'exerce le contrôle de l'opinion publique elle-même. »

Jean-Pierre Pharabod

BIBLIOGRAPHIE

Ouvrages

PÉAN P., *Les deux bombes*, Fayard, Paris, 1982.

WEISSMAN S., KROSNEY H., *The islamic bomb*, Times, New York, 1982.

WINKLER T., *Nuclear Proliferation and The Third World*, Graduate Institute of International Studies, Genève, 1980.

Articles

BARRÈRE M., « Le nucléaire, l'énergie qui mène à la bombe », *La Recherche*, n° 127, 1981.

GSIEN, « Les filières de la prolifération nucléaire », *La Gazette nucléaire*, n° 45, 1981.

ARMÉE ET RÉPRESSION

La torture médicalisée

La roue et la « question », la baignoire et la « gégène », les os brisés et les ongles arrachés, tels sont les stéréotypes qu'évoque le mot torture. Au début des années quatre-vingt, ces images ne recouvrent plus qu'une partie de la réalité. Car si la torture physique, sanglante et bestiale existe toujours dans de nombreux pays, elle s'est néanmoins enrichie de méthodes nouvelles, « propres » celles-là et ne laissant pas de traces. En un mot, scientifiques. Et ce sont les sciences médicales qui contribuent au perfectionnement de ces méthodes. Le tortionnaire est maintenant volontiers revêtu de blouse blanche.

Les pouvoirs politiques qui ont institutionnalisé la torture ont tout intérêt à remplacer la panoplie traditionnelle d'instruments barbares par des méthodes moins salissantes et plus efficaces. Car il ne s'agit plus seulement d'obtenir des aveux ou d'arracher des renseignements. Il s'agit surtout de manipuler les cerveaux, de briser la personnalité des prisonniers, de désorienter et de neutraliser les volontés. La physiologie, la pharmacobiologie, la psychologie en fournissent les moyens. En URSS, mais aussi en Roumanie, des opposants, des croyants, des

candidats à l'émigration, se retrouvent dans des hôpitaux psychiatriques. Ainsi en décident les organes du pouvoir. Il s'agit là d'un acte policier, et l'hôpital a toutes les structures d'une prison ; mais ce sont les médecins experts qui, au cours de l'enquête, ont posé le diagnostic de psychopathie (70 % des cas) ou de schizophrénie (30 % des cas) assortie ou non de paranoïa. Pour étayer ce diagnostic, il suffit d'en énumérer les symptômes : « obsession psychotique de vérité » par exemple, ou « idée délirante de réformes sociales », car il n'y a qu'un dément socialement dangereux qui peut trouver matière à critique dans ces sociétés; il n'y a qu'un fou pour peindre des tableaux abstraits; il n'y a qu'un malade mental pour vouloir quitter ces pays. Une fois le « malade » interné, les psychiatres de l'établissement se chargent du traitement. Des drogues puissantes agissant sur le cerveau, des neuroleptiques majeurs, sont administrés à doses massives (et ce, sans adjonction de produits qui modèrent les effets secondaires pénibles et dangereux). On enferme volontiers ces patients avec de vrais psychopathes délirants. Ainsi, comme l'a rapporté le Dr A. Koriaguine, on fabrique des êtres malades, dont l'équilibre mental est fondamentalement rompu, la volonté est anéantie et qui sont prêts à toutes les manipulations, à tous les reniements.

En Espagne, de nombreux témoignages font état, non seulement de tortures barbares traditionnelles, mais également d'utilisation de drogues hallucinogènes. En voici un, rapporté lors du reportage de Jean Rey « la torture en pays basque espagnol » (Antenne 2, 1982) : « Après m'avoir fait toutes ces tortures, je me suis retrouvé au quartier de la Guardia Civil et ils m'ont donné un verre d'eau en disant que c'était bon pour l'estomac et j'ai vu au fond du verre comme des sortes de pastilles blanches pas complètement dissoutes. J'ai bu et après un moment j'ai commencé à avoir des hallucinations : j'ai vu des tableaux, des animaux, et l'animal que je voyais le plus souvent, c'était un crapaud. Ensuite, à travers les barreaux de la cellule, on voyait de la fumée blanche qui envahissait la pièce et qui nous abrutissait. »

Dans ce même pays, comme l'a rapporté le bulletin *Euskadi informations* en juillet 1982, sont employées également des méthodes psychologiques dites de privation sensorielle : silence et obscurité absolus alternant avec diffusion de bruits amplifiés (quelquefois cris de torturés) et lumière aveuglante et ininterrompue. On empêche également les prisonniers de satisfaire leurs besoins naturels, de dormir et de boire ; on profère des menaces de mort contre leurs proches. Les effets de toutes ces méthodes cumulées conduisent à un sentiment de dépersonnalisation, de perte d'identité, d'humiliation, dont les séquelles peuvent affecter de façon souvent définitive la personnalité et la vie sociale des victimes.

En Irlande du Nord et surtout en Allemange fédérale, les méthodes de privations sensorielles, largement expérimentées et mises au point, ont conduit plusieurs prisonniers au suicide.

Mêmes procédés en Afrique du Sud. Le Mémorandum intitulé « Les abus de la Police de sécurité envers les détenus politiques », publié le 30 septembre 1982 par le Comité de soutien des parents de détenus fait état de témoignages de 70 anciens prisonniers. Tous parlent de torture électrique, d'exercices physiques violents imposés sous menaces, et aussi de privation de sommeil, isolement, humiliations, menaces de mutilation et de mort.

Les détenus de droit commun, aussi

La répression judiciaire est aussi médicalisée dans certains pays. Au Pakistan, Ali Ghulam, âgé de 25 ans, a été condamné à l'amputation du poignet droit pour avoir volé une pendule dans une mosquée. En août 1982, la sentence devait être exécutée comme le prescrit la loi, par un médecin qualifié et sous anesthésie générale. Comment oublier les trois mains proprement coupées par des médecins de Nouakchott, en Mauritanie, en septembre 1980, largement présentées par les médias français ?

Selon les bulletins du 15 juillet 1982 et du 11 août 1982 d'Amnesty International, la flagellation, autre punition en usage courant au Pakistan, requiert également la présence obligatoire du médecin. Il examine la victime avant et pendant l'exécution de la sentence, la faisant interrompre si la victime risque de mourir et la faisant reprendre lorsqu'il estime qu'elle a suffisamment récupéré.

A la prison Libertad, en Uruguay, un psychologue, M. Britos, travaille depuis 1972. C'est un scientifique, secrétaire du département de psychologie de l'Institut de philosophie de Montevideo. Selon le bulletin *Uruguay information* du 27 avril 1981, ses méthodes sont adaptées à chaque individu. Les problèmes familiaux, sexuels, psychologiques de chacun deviennent, entre les mains de M. Britos, des armes de destruction individuelle des prisonniers. Il parle souvent d'égal à égal avec ceux d'entre eux qui, mentalement épuisés par la torture et l'incarcération, sont sur le point de « craquer ». Il leur propose au bon moment un accord de collaboration avec les autorités. Certains ne peuvent résister au harcèlement et à la peur de la torture. Parmi les moyens utilisés par ce psychologue, il faut signaler l'obligation qui est faite au prisonnier de changer de cellule pour être placé avec un détenu ayant de graves problèmes psychiatriques. Ainsi, pendant des mois, il partage avec un dément un espace de 6 m², et ce, 24 h sur 24 (avec une demi-heure de récréation par jour), craignant à chaque instant une crise, un suicide, un accès de violence incontrôlée. Les effets produits sont facile à imaginer : un déséquilibre nerveux grave, une angoisse permanente et, pour finir, une destruction de l'intégrité psychique.

Le 7 décembre 1982, à Huntsville (États-Unis), Charlie Brooks a été exécuté par l'injection d'une dose mortelle d'un barbiturique, le penthotal. C'est un médecin qui a déterminé la dose nécessaire du produit mortel ; c'est un médecin, le Dr Ralph Gray, qui « a ausculté le cœur avec un stéthoscope, secoué la tête et dit : encore deux minutes. Le Dr Bascom Bentlay, qui surveillait également le détenu, a examiné ses yeux avec une lampe électrique ». La veille, c'est encore l'un d'entre eux qui a examiné le condamné pour s'assurer que ses veines étaient en état de supporter l'injection. Ainsi, sous couvert d'humanitarisme, la peine capitale, cette torture suprême, se médicalise à son tour.

Dr Janine Glogowska

BIBLIOGRAPHIE

Articles

DRUCKER H., « Psychotropes et détention en hôpital psychiatrique pour causes politiques », *XIᵉ Congrès de l'Académie internationale de médecine légale et de médecine sociale*, Lyon, 27-30 août 1979.

KORIAGUINE A., « Patients malgré eux », *Psychiatries*, n° 46, 1981.

Amnesty International : documents divers 1981-1982.

« A propos de la torture », *Euskadi Information*, n° 16, 1982.

Informatique et maintien de l'ordre

Dans plusieurs pays, au début des années quatre-vingts, les services de police étaient équipés de moyens informatiques. C'était le cas de pays libéraux qui avaient connu un certain développement du terrorisme, comme l'Allemagne fédérale. Mais c'était aussi le cas de pays à régime autoritaire : Argentine, Tchécoslovaquie... En 1982, la France, touchée à son tour par une vague d'attentats, se dote d'un système informatique de fichage « anti-terroriste ». Qu'apportent réellement les ordinateurs à la police ? Pour s'en rendre compte, il est utile d'examiner d'abord un cas concret, celui de la République fédérale d'Allemagne : Wiesbaden, où se trouve le fichier central est, en effet, devenue

« La Mecque des criminalistes du monde entier », selon un mot du ministre de l'Intérieur, Maihofer.

Pour lutter contre la « bande à Baader », le B K A (Bundeskriminalamt) – une sorte de F B I allemand – a été doté de prérogatives nouvelles et de moyens financiers considérables (atteignant presque un milliard de francs en 1981). Cela lui a permis un recours systématique à l'informatique, structuré autour de deux grands systèmes : I N P O L (Informationssystem der Polizei) et N A-DIS (Nachrichtendienstliches Informationssystem). N A D I S est essentiellement une base de données bibliographiques, c'est-à-dire un répertoire des archives des différents services secrets civils et militaires. Grâce à N A D I S, n'importe quel service de police peut savoir, par exemple, pour tel sujet d'enquête, s'il existe des dossiers déjà constitués et où on peut se les procurer (dans quels locaux, dans quelles villes d'Allemagne ou d'Europe...) Ce type de système, dans la mesure où il est au point, permet de gagner un temps précieux dans le rapprochement de différents dossiers. (Cette opération peut, grâce à l'ordinateur, s'opérer en quelques secondes, au lieu de plusieurs jours.) Cependant, il reste tributaire du mode de classement des archives adopté avant l'introduction de l'ordinateur. De plus, il laisse entier les problèmes que constituent l'accessibilité et l'analyse des documents (même s'il en a été sélectionnée une tonne !).

I N P O L, en revanche, qui est implanté à Wiesbaden, est un système informatique complet dont les informations, gérées par de gros ordinateurs, sont stockées sur disques magnétiques, c'est-à-dire accessibles quasi instantanément. Ce système se subdivise principalement en :

1) un fichier pénitentiaire qui suit nominalement l'évolution de la population des prisons ;

2) une base de données bibliographiques des ouvrages de criminologie, outil d'érudition et de recherche ;

3) un index nominatif de trois millions et demi d'individus, contenant les personnes recherchées et indiquant où trouver les dossiers sur les personnes référencées ;

4) un système de dactyloscopie qui stocke les microfilms de 1 800 000 empreintes digitales et permet, grâce aux méthodes traditionnelles de classification, à un opérateur sur console de déterminer en quelques minutes si les empreintes qui lui sont soumises sont déjà connues.

5) le P I O S (Personen, Institutionen, Objekte, Sachen), un fichier d'enquête sur les personnes, institutions, objets, choses, qui possède des procédures d'analyse du contenu de ses 330 000 fiches et constitue un véritable essai de « limier électronique ».

183

Les contrôles d'identité assistés par ordinateur

Cependant, un fichier comportant 330 000 fiches, même si chacune d'entre elles ne renvoie en moyenne qu'à deux pages dactylographiées, ce qui est peu, cela fait quand même un milliard de caractères à lire. Pour tirer parti du contenu de ces fiches, il faut donc utiliser des programmes de recherches très sophistiquées, utilisant des opérations issues de la théorie des ensembles, de la logique formelle, etc. Mais ces programmes ne peuvent opérer que si l'on a préalablement structuré judicieusement l'information contenue dans les fiches : les possibilités du limier électronique sont ainsi limitées à l'utilisation de règles formelles de manipulation de l'information (à défaut de pouvoir en atteindre le sens). Et rien de fondamental ne pourra y être changé tant que la machine ne maîtrisera pas le langage humain. Big Brother est encore un peu plus lourd que l'air !

Le système INPOL peut être aussi utilisé pour le contrôle d'identité des personnes suspectes interpellées. Il est en effet relié à plusieurs milliers de terminaux (dont certains sont portables) situés aux endroits stratégiques : commissariats, postes frontières, aéroports...

L'Argentine a mis en œuvre, à partir de 1979, un fichier central à l'allemande en lui ajoutant la carte d'identité à piste magnétique (système Digicon). Les policiers argentins utilisent des terminaux placés dans leurs voitures et la piste magnétique, qui reproduit de manière codée les informations écrites sur la carte, leur évite le travail fastidieux de taper les noms sur le clavier, grâce à un lecteur magnétique incorporé.

En Irlande du Nord également, ainsi qu'à Londres, les autorités ont recours, depuis la fin des années soixante-dix, à un système informatique pour ficher les personnes arrêtées dans le cadre de la lutte contre l'IRA provisoire. Il faut cependant remarquer que les problèmes de fichage et d'identification deviennent beaucoup plus complexes dans les pays qui, comme l'Angleterre ou les États-Unis, ne délivrent pas de carte d'identité et où l'on peut changer de nom par simple déclaration au commissariat de police.

Le fichage informatique ne naît pas avec l'acquisition d'un ordinateur. La mise en place d'un limier électronique suppose qu'un important travail de fichage ait déjà été mis en place au préalable et qu'il existe une tradition du fichage manuel.

Au début des années quatre-vingts, la Tchécoslovaquie avait mis toute sa population sur cartes perforées dans un fichier central (ou deux, dont un pour la Slovaquie) gérés par des vieux ordinateurs soviétiques imités de la gamme IBM. Ce travail colossal, qui n'a été rendu possible que par les crédits quasi illimités attribués à la police et à l'armée, constitue probablement pour les pays de l'Est – qui ne manquent pas d'autres moyens – un banc d'essai. On peut cependant s'interroger sur la valeur opérationnelle d'un pareil monstre qui doit être bourré d'erreurs et très coûteux à gérer.

Le fichier antiterroriste français

L'exemple radicalement inverse est donné par les États-Unis, où chaque grande administration possède son propre service informatique. Ainsi la FBI, la CIA, le Trésor, l'Immigration, le Narcotic Bureau et la Food and Drug Administration disposent-ils chacun d'une armée d'analystes et de systèmes ultra-sophistiqués. Cette profusion de moyens ne suffit cependant pas à rendre leurs détenteurs omniscients. L'exemple en est fourni par la CIA qui, avant la révolution islamique en Iran, n'avait jamais cité le nom de Khomeiny, ni le mot « chiite », dans la masse de rapports qu'elle avait produits sur ce pays.

En France, la Commission nationale de l'informatique et des libertés [71] a donné le 30 novembre 1982 son accord à la constitution d'un fichier antiterroriste comprenant 60 000 références (individus, associations, lieux...). Le projet français est constitué de la manière suivante. Son noyau est formé par le sous-fichier « violence » des R.G. (Renseignements généraux), qui contient 2 000 noms. Ensuite, il pourra bénéficier du gigantesque capital de fiches de l'État : 22 millions de fiches manuelles aux Renseignements généraux ; deux millions à la gendarmerie ; et parmi les fichiers déjà informatisés : celui des véhicules volés (500 000 fiches) ; celui des personnes recherchées (400 000) et celui du contre-espionnage (1 200 000), auxquels s'ajoutent quelques autres de moindre importance.

Étant donné que la matière première abonde, le fichier anti-terroriste pose surtout le problème d'un tri judicieux. En France, le terrorisme est hétérogène et en 1982, plus de la moitié des attentats étaient dus à un terrorisme « importé », qu'il sera extrêmement difficile de mettre en fiches de façon efficace. Dans ces conditions, quelles seront les 60 000 références? Le plus probable, c'est que, comme en Allemagne, le fichage s'étendra à des personnes issues d'un milieu considéré comme terreau d'un terrorisme potentiel, d'où un glissement continu et incontrôlable du fichage vers les milieux de la contestation en général : les militants, les intellectuels, les associations et ligues de défense des droits de l'homme et du citoyen, etc. Avec du vieux, on fait du neuf!

Freddy d'Artois

BIBLIOGRAPHIE

Ouvrages

BÖLL H., GÜNTER W., *Rapports,* Maspero, Paris, 1980.

MATTELART A., *L'ordinateur et le tiers monde,* La Découverte/Maspero, Paris, 1983.

Université de Vincennes, *Le nouvel ordre intérieur,* Éditions Alain Moreau, Paris, 1980.

Progrès technique et doctrines stratégiques

Il n'est pas facile de décider si ce sont les nouvelles techniques qui ont modifié les stratégies ou si c'est la pensée stratégique qui guide la recherche scientifique par la course aux armements. Il y a un rapport entre les deux, mais quelle est la nature profonde de ce rapport? Tantôt la doctrine paraît en avance sur la technique, tantôt la technique en avance sur la doctrine; mais le vrai moteur de cette course de relais est ailleurs. Une recherche systématique sur cette question n'a jamais été entreprise; et pourtant c'est bien la forme générale de notre civilisation scientifique qui paraît en découler.

Depuis 1945, les armes sont sans cesse nouvelles et n'ont pas le temps d'être utilisées qu'elles sont déjà inutilisables. Cette obsolescence par le progrès général des sciences plutôt que par l'effort spécifique de l'adversaire est un phénomène nouveau et ne touche pas que l'armement nucléaire, toujours obsolète heureusement, et jamais utilisé. Mais nous sommes peut-être aujourd'hui à un tournant dans cette course si nouvelle. En effet, le rythme de l'innovation est devenu trop rapide pour être raisonnable. En outre, les « améliorations » tendent aujourd'hui vers des limites absolues :

– destruction de toute la planète (limite absolue de la politique humaine);

– vitesse de la lumière (limite absolue de la vitesse) – dans le cas des armes à laser [427];

– maîtrise de toutes les échelles de l'homicide depuis le meurtre individuel, la destruction d'un immeuble, d'un quartier, d'une ville, d'un peuple, de l'humanité (limite absolue de la discrimination opérationnelle);

– robotisation complète rendant pensable la guerre des machines dans le désert ou dans l'espace (limite de l'abstraction de la violence).

Par conséquent, il serait erroné de considérer notre époque comme une époque ordinaire et notre course aux armements comme une vieille habitude humaine. Tout y est nouveau : pas seulement *les nouveautés,* mais aussi *la* nouveauté ; la guerre imaginable ressemble de plus en plus aux combats imaginaires que seuls les dieux pouvaient mener dans les légendes. Éclairs, fins du monde, combats eschatologiques d'anges et de démons dans l'espace intersidéral, telles sont les légendes devenues concrètes.

Pour estimer donc l'apport des armes à la logique des combats, il faut distinguer trois familles de « progrès » stratégiques, qui sont parvenues aujourd'hui à des stades très différents de développement :

1) on assiste à ce que j'appellerais la fin de « l'explosivisme » (maîtrise des échelles d'explosions nucléaires);

2) on est en plein épanouissement du « guidage avec précision » (maîtrise de l'espace-temps par l'informatique);

3) on est au tout début de l' « instantanéité » (maîtrise de l'espace hors temps par les rayonnements laser, infrarouge, particules).

La fin de « l'explosivisme »

La fin des années cinquante et le début des années soixante avaient été l'époque de la maîtrise de toutes les explosions nucléaires, petites ou grandes. En 1959 déjà, les généraux

de division de l'OTAN avaient le droit de commander le feu de fusées tactiques miniaturisées (Davy Crockett) et de grenades atomiques. Mais c'était aussi l'époque où les Soviétiques, à l'inverse, mettaient au point des mégabombes thermonucléaires (50 mégatonnes ou plus). L'explosivisme atteignit alors son âge classique, avec l'association tête nucléaire – fusée intercontinentale. L'histoire parut se stabiliser avec l' « ère des fusées » de mise à feu de plus en plus rapide et de plus en plus précises.

Cependant, dès 1969 pour les États-Unis et dès 1975 pour l'URSS, à l'origine pour déjouer le développement des anti-missiles, ces fusées à longue portée (ICBM) ou à moyenne portée (IRBM) furent de plus en plus souvent dotées de têtes indépendantes guidables une par une sur des objectifs distincts en fin de parcours (ces têtes multiples sont appelées MIRV = Multiple Independently Retargetable Vehicle). C'est le système des têtes multiples qui permit de multiplier le nombre des objectifs militaires désignés dans le plan de feu nucléaire, sans augmentation du nombre global des fusées stratégiques (celui-ci est en effet gelé par les accords SALT II). Les MIRV américains ont été conditionnés par la capacité d'emport plutôt médiocre des fusées américaines par rapport aux fusées russes. En se multipliant dans l'ogive, les têtes diminuent de puissance. Cependant la miniaturisation, accompagnée d'un guidage terminal, permet à l'explosion par objectif ponctuel de diminuer de puissance sans perte d'efficacité. A la limite, si l'on pouvait atteindre une précision absolue pour chaque tête, *une explosion* non nucléaire deviendrait suffisante. Un cycle est donc presque terminé.

Du côté soviétique, le « mirvage » est moins un sous-produit de l'électronique de pointe qu'une façon de relever le défi quantitatif lancé par les États-Unis. Comme leurs fusées sont plus grosses, ils pourraient « gagner » la course en quantité de TNT emportée. Mais nous en sommes de toute manière à un niveau où les deux puissances peuvent détruire plusieurs fois toute la Terre. Gagner en quantité ne veut plus rien dire au-delà d'une certaine limite. Il n'en est pas de même des aspects qualitatifs : rapidité de mise à feu, précision. Seules ces qualités permettent de prétendre à une supériorité *opérationnelle,* c'est-à-dire à une menace vraisemblable d'emploi en premier, efficace et *désarmant* l'adversaire. C'est ainsi que, par la technique et en particulier l'informatique miniaturisée (microélectronique) [271], la stratégie défensive de dissuasion cède peu à peu la place à une stratégie offensive d'opération, en tout cas du côté américain, toujours en tête pour l'innovation, même si c'est au prix de la sécurité.

Le guidage avec précision

La précision a gagné du terrain, même avec les missiles balistiques qui ne sont guidés que pendant la phase de propulsion (il y a eu réduction de l'erreur circulaire probable par un facteur 20 entre 1954 et 1970) [419]. Mais le terme de « guidage avec précision » désigne aujourd'hui celui des missiles dont la visée est corrigée constamment en cours de route et en fin de parcours, et dont la précision n'est plus liée à la proximité du but à atteindre. Le type de guidage met en œuvre des techniques variées (inertie, radar, infrarouge), qui peuvent se relayer si les conditions optimum d'un système disparaissent. Il n'est possible en tout cas que grâce aux progrès de l'informatique et de sa miniaturisation. Il n'est nullement lié au nucléaire dont il est presque la négation. Amorcés avec le champ de bataille électronique de la guerre du Vietnam (1965-1975), confirmés pour les fusées anti-tanks au cours de la guerre du Kippour (1973) et de la guerre de Beyrouth (1982), testés de nouveau lors de la guerre des

Malouines (1982) pour l'Exocet associé au repérage par satellites (russe, américain) des navires de surface, les nouveaux types de guidage concernent toutes les échelles opérationnelles. Les « armes intelligentes » modifient essentiellement la définition spatiale de l'engagement et font de l'approche de l'ennemi un art plus technique que militaire, c'est-à-dire faisant davantage appel au savoir qu'au courage. Associé à des « ogives » non nécessairement explosives (implosion, arme chimique [425], rayonnement de neutrons [430]), le guidage modifie le rapport de la violence au politique. La mort peut dorénavant frapper de façon discriminatoire sur des surfaces délimitées ou même des populations précises (les tankistes souffriraient plus de la bombe à neutrons [430] que les civils).

Paradoxalement, c'est l'existence maintenant banalisée d'armes défensives intelligentes qui replace au premier plan des réflexions tactiques et stratégiques la possibilité de fonder une défense et même une dissuasion sur l'armement de milices non professionnelles, dispersées sur le territoire en profondeur. Le livre de Brossolet sur la « non-bataille », l'école allemande de la « technoguérilla » de Ahfeld, ont été relayés par les travaux de la « Commission pour une défense alternative », qui a réuni en Angleterre les spécialistes hostiles à la stratégie nucléaire.

A la concentration de feu offensive représentée par des accumulations de systèmes d'armes complexes et lourds, concentrant hommes, armes et blindages (tanks, avions, bateaux), on peut riposter à partir d'une dispersion des lanceurs, les rendant globalement peu vulnérables, la concentration au but des missiles étant assurée désormais dans le temps et l'espace par l'amélioration du guidage et des moyens de contrôle, commandement et communication (C 3) sur le champ de bataille. Fondé sur des milices et des réserves, ce système économique et permanent vise à une valeur dissuasive autant qu'opérationnelle, mais en tout cas défensive.

Le « guidage avec précision » peut également sous-tendre les opérations offensives classiques. C'est sur la base des missiles de croisière ou cruise-missiles (avions sans pilote naviguant en rase-mottes et guidés avec une extrême précision) [419] et de fusées à moyenne portée non nécessairement nucléaires que la doctrine Rogers [203] de l'« Air Land Battle 2000 » peut fournir la formule d'une guerre préemptive victorieuse contre les Soviétiques en Europe. En s'attaquant par surprise aux dispositifs soviétiques du « deuxième échelon » situés en Russie occidentale, les États-Unis pourraient démanteler tout à la fois la capacité soviétique de contre-attaque classique et celle de représaille nucléaire.

L'instantanéité

L'ère des fusées avait inauguré ce que le général Poirier appelle la « quasi-instantanéité » (40 minutes de délai pour la riposte dans le cas des ICBM; 16 minutes dans le cas des IRBM et SLBM, (missiles lancés à partir des sous-marins nucléaires). Cependant la réduction

d'alerte à quasi rien (5-6 minutes) ne pouvait venir que de la mise en batterie de fusées en position avancée (Cuba, fusées soviétiques SS-4 et SS-5 en 1962; Allemagne, fusées Pershing II, 1983).

Dans les années futures, l'instantanéité va affecter la défense. Des batteries de détecteurs infrarouges et de rayons laser [427], basées sur satellites pourraient repérer les fusées ennemies et les détruire dès leur départ. Mais le laser peut servir aussi à l'offensive anti-satellite, ce qui équivaudrait demain à la destruction de toute l'infrastructure défensive. On s'achemine ainsi vers la « guerre des étoiles ». Et ce n'est pas un rêve puisque l'effort prévu par le président Reagan dans un discours du 23 mars 1983, portant sur un programme dit de « la nouvelle frontière » (missile anti-balistique ou ABM, arme à laser, etc.), coûte déjà un milliard de dollars par an. Le programme soviétique de satellites de chasse et le programme américain de torpille spatiale [417] sont à l'ordre du jour d'une négociation qui déciderait de la limitation de la guerre dans l'espace. La révision du traité ABM, qui avait limité le nombre des systèmes anti-missiles dans le cadre des accords SALT I en 1972 [419], paraît dès lors menacé. C'est un résultat des percées technologiques tout autant que de

---
BIBLIOGRAPHIE

Ouvrages

BROSSOLET G., *Essai sur la non-bataille,* Berlin-Paris, 1975.

POIRIER L., *Des stratégies nucléaires,* Hachette, Paris, 1977.

Article

FINKELSTEIN J., « Les programmes militaires de Reagan », *Paix et conflits,* n° 2, Paris.

Dossiers

Military Balance, IISS, Londres, 1983.

SIPRI Yearbook, Stockholm, 1983.

Defense without the Bomb. The Report of the Alternative. Defense Commission, Taylor and Francis, Londres – New York, 1983.

« l'esprit opérationnel » des systèmes stratégiques confrontés.

Les perfectionnements nouveaux conduisent ainsi en général à une probabilité d'usage accrue des armements, qui cessent d'être des menaces d'apocalypse globale pour réaliser l'apocalypse locale. Les champs de bataille visés sont de préférence les pays du tiers monde et les nouveaux pays nucléaires ou puissances moyennes qui ne pourront pas saturer les nouveaux systèmes défensifs. La dissuasion française elle-même est à terme menacée, comme elle pourrait l'être en cas de percée technologique sur la détection sous-marine rendant les océans « transparents » et les sous-marins français vulnérables.

Il n'y a donc pas de doute que la technique influe sur les stratégies. Néanmoins, les stratégies sont toujours autre chose que la simple émanation des techniques ou des tactiques de combat. Une pensée stratégique regroupe les techniques en un système défensif ou offensif original. Comme l'objectif des armements, autrefois la sécurité, est devenu impossible à atteindre par cette voie, une stratégie visant la sécurité doit intégrer une part croissante de limitation des armements. Cette nouveauté stratégique découle des succès mêmes des inventeurs militaires, bénéficiant sans délai des progrès de la science fondamentale. Elle constitue une nouveauté encore mal perçue par le personnel politique, mais très accessible aux mouvements d'opinion qui désormais pèsent à la table des négociations en faveur de mesures raisonnables de limitation et de stratégies de désarmement.

Alain Joxe

189

Les effets sur l'homme des armes nucléaires

Lorsqu'on analyse les conséquences médicales des armes nucléaires, il faut absolument abandonner toutes les idées qu'on avait antérieurement au sujet des effets de la guerre. Pendant la Deuxième Guerre mondiale, des villes ont été soufflées et brûlées par des milliers de tonnes de bombes explosives et incendiaires, mais cela n'approche pas, même de loin, l'horreur d'un affrontement nucléaire. Non seulement les bombes atomiques possèdent une force explosive un millier ou un million de fois supérieure à celles des bombes conventionnelles, mais elles introduisent une dimension tout à fait nouvelle : celle des radiations. Et ces radiations peuvent entraîner la mort lente, l'altération du patrimoine génétique et des malformations congénitales, la destruction généralisée du bétail et des récoltes et, très probablement, la pollution de toute la planète, menaçant l'espèce humaine dans son ensemble.

Quand une bombe atomique explose, son énorme énergie est libérée sous trois formes : environ 50 % sous forme de souffle et de choc, 35 % en chaleur et radiation thermique, et 15 % en radiations nucléaires immédiates ou à plus long terme. Avec, par exemple, l'explosion à l'air libre d'une bombe d'une mégatonne (soit un million de tonnes d'équivalent-TNT, 50 fois la puissance de la bombe d'Hiroshima), le souffle est si violent que la pression atmosphérique double d'un seul coup et que le vent atteint des vitesses de 700 km/h. L'organisme humain, dont certaines cavités contiennent de l'air et dont certains organes sont très fragiles, va être soumis à une importante surpression. Les muscles vont se détacher des os; les poumons, les intestins et les tympans vont être perforés. Les artères vont être obstruées par des caillots de sang et des bulles d'air, ce qui va léser des organes vitaux comme le cœur et le cerveau. Sous l'effet du souffle, les corps sont brutalement projetés au sol ou contre les murs et violemment heurtés par des débris volants, comme des fragments de vitre. Il s'ensuit toutes sortes de lésions, fractures, hémorragies et traumastismes divers, s'ajoutant aux blessures très graves dues à la surpression.

Lors de l'explosion, se crée une boule de feu dont la température est comparable à celle du soleil, de l'ordre de plusieurs millions de degrés. Si l'on reprend l'exemple d'une bombe de 1 mégatonne, l'éclair causera des lésions de la rétine produisant une cécité temporelle chez les personnes situées à 50 km du lieu de l'explosion, et permanente pour celles situées à 30 km. A 18 km de l'explosion, la peau sera affectée de sérieuses brûlures avec boursouflures et cloques, tandis qu'en deçà, toute matière, vivante ou non, sera tout simplement volatilisée. Le nombre de brûlés, au-delà de 18 km, dépendra de la clarté de l'atmosphère, de la protection conférée par les vêtements et surtout du nombre de personnes se trouvant en plein air. De multiples incendies pourront éclater par l'inflammation du pétrole, de l'essence, du gaz de ville, etc., et un raz de marée de feu se propagera, comme à Hiroshima, consumant la ville entière. La diminution du taux d'oxygène de l'air qui s'ensuivra et les fumées toxiques asphyxieront la population, qu'elle ait ou non trouvé refuge dans des abris.

Paradoxalement, les radiations (divers types de rayons et neutrons) émises au moment de l'explosion, ne constituent pas initialement le danger principal : la plupart des êtres vivants qui y sont exposés meurent de toute façon à cause des effets du souffle et des brûlures. Ce n'est qu'avec les bombes à neutrons que l'effet de ces radiations sera significatif [430]. Ce sont les radiations

émises ultérieurement par les déchets et les retombées radioactives qui sont vraiment dangereuses. Des tonnes de débris radioactifs sont aspirées dans le « champignon atomique ». Celui-ci peut se déplacer sur de grandes distances et son contenu se déposera pendant des jours et des jours. Les effets des radiations sur le corps humain dépendront des parties atteintes. Si la peau est exposée aux particules radioactives, cela se traduira par des brûlures et des ulcérations à guérison lente. Si les particules sont inhalées ou ingérées, elles endommageront les alvéoles pulmonaires et iront se fixer, selon leurs affinités chimiques, dans la thyroïde, la moelle osseuse ou les muscles, en y induisant l'apparition de cancers au bout de quelques années.

La mort par les radiations

Si le corps entier est irradié, le sujet souffrira de symptômes dont la gravité sera fonction de la dose reçue. Les tissus les plus sensibles sont les ganglions lymphatiques et la rate (producteurs des globules blancs nécessaires à la défense anti-infectieuse), les cellules reproductrices des glandes génitales mâles et femelles, la moelle osseuse (où se forment les globules rouges et les plaquettes sanguines, éléments nécessaires à la coagulation du sang), ainsi que les viscères. Les premiers symptômes se manifestent par une extrême fatigue accompagnée de nausées, de vomissements et de diarrhée. Un répit de quelques jours, voire de quelques semaine peut alors susciter de faux espoirs. Mais l'évolution reprend avec diarrhée grave, chute des cheveux, hémorragies superficielles et internes, infections, fièvre, et souvent aboutit à la mort.

Les possibilités de survie dépendent de l'intensité des radiations reçues et de l'efficacité des soins médicaux. Au-dessous de 200 rads, la survie est probable ; entre 200 et 600 rads, il est possible de survivre avec un traitement adéquat qui nécessite des transfusions de sang et des greffes de moelle, mais ces matériaux ont peu de chance d'être alors disponibles. Au-dessus de 600 rads, il n'y a aucune chance de survie. L'irradiation de l'appareil génital peut entraîner la stérilité, la mort des fœtus ou des anomalies congénitales à la première génération ou aux générations suivantes.

En dehors de leurs effets physiques, les armes nucléaires ont aussi un terrible impact psychologique, comme on a pu s'en rendre compte chez les survivants d'Hiroshima et de Nagasaki : obnubilation de l'esprit (perte totale de tout sentiment, mécanisme psychologique jouant un rôle de protection) ; choc mental et perte d'initiative ; culpabilité d'avoir survécu ou de n'avoir pas réussi à secourir les blessés ; anxiété aiguë ou chronique ; agressivité comme mode d'existence. Les « Hibakusha », rescapés de la catastrophe nucléaire, nous donnent un avant-goût de nos souffrances si nous permettions qu'une guerre nucléaire ait lieu : traumatisés physiquement et mentalement, ils se retranchent souvent dans un isolement complet.

Pas d'aide médicale possible

Mais il y a encore les effets à plus long terme : la contamination de la nourriture et de l'eau, l'impossibilité de cultiver la région pendant longtemps, la mort probable par la faim. Sans oublier la dissolution des rapports sociaux et la loi de la jungle, la disparition des moyens de communication, des sources d'énergie, de l'équipement industriel et des hôpi-

taux. Pensons encore aux épidémies dues au développement de bactéries résistantes aux radiations, aux dommages causés à la couche d'ozone et à la catastrophe écologique que provoquera un excès de rayons ultraviolets. Après un conflit nucléaire, le monde sera plongé dans la barbarie, la misère et la maladie.

La plupart des médecins pensent qu'après une attaque nucléaire, les soins ne pourront être que rudimentaires et inefficaces. Prenons le cas d'une attaque de 10 à 11 mégatonnes sur une ville d'environ 7 millions d'habitants : en supposant même une protection relativement convenable, il y aura 4,5 millions de morts et 750 000 blessés uniquement par les effets de l'explosion et des radiations. En supposant qu'un pour cent seulement de la population se trouvait à l'extérieur, il faudrait compter 30 000 cas de brûlures graves. A Hiroshima, plus des trois quarts des hôpitaux, médecins et infirmières étaient hors d'état de service. Les fournitures en sang, plasma, analgésiques, calmants et antibiotiques seront pour ainsi dire inexistantes. La rupture des communications et le niveau dangereux des radiations rendront les secours impossibles pendant 10 à 20 jours. Même en temps de paix, il ne serait pas possible de traiter un tel nombre de cas. Dans un pays frappé par une guerre nucléaire, l'aide médicale devient donc une impossibilité totale. Les cas de brûlures à eux seuls, exigeraient 170 000 personnes soignantes, 800 tonnes de matériel dont des milliers de litres de plasma. On ne saurait même imaginer qu'une simple fraction de ces éléments existe.

Face à une « épidémie » d'aussi vaste proportion, une épidémie qui menace de détruire massivement la vie humaine, les médecins ne trouvent qu'une réponse logique : il faut la prévenir.

Dr Alex Poteliakhoff

Les effets des armes chimiques

Les agents chimiques actuellement stockés par les grandes puissances pour servir d'armes [425] peuvent toucher les êtres humains deux manières d'abord; ils sont tous capables de tuer; d'autre part, leurs effets ne sont pas limités à des cibles humaines et leur utilisation à grande échelle peut affecter toutes les espèces végétales et animales qui peuplent notre environnement.

Les gaz neurotoxiques font partie des composés les plus toxiques connus. Les pharmacologues définissent une dose de référence, la dose léthale 50 ou L D 50 : c'est la quantité dont on pense qu'elle a 50 % de chances de tuer un homme adulte. Pour les gaz neurotoxiques, la L D 50 est inférieure à 1 milligramme. Ce genre d'armes chimiques peut être répandu par l'explosion d'une bombe ou d'un obus, la contenant sous forme d'un liquide ou d'une vapeur invisibles. Ces émanations peuvent pénétrer dans l'organisme par les voies respiratoires ou par contact cutané. Une fois absorbés, ces composés atteignent le système nerveux et stoppent le contrôle des muscles en inhibant irréversiblement une enzyme cruciale de la commande nerveuse : l'acétylcholinestérase. Les symptômes d'intoxication par ces gaz comprennent sueur, vomissements, constriction de la cage thoracique, puis convulsions, coma et mort par asphyxie (due à la paralysie des muscles respiratoires), en quelques minutes. Le foie n'éliminant ces agents chimiques que lentement, une exposition répétée à des doses subléthales peut entraîner une accumulation jusqu'à la dose léthale.

Les mesures de protection militaire comprennent des équipements anti-gaz avec masques, et les soldats sont munis de seringues d'atropine, produit qui peut protéger la commande des muscles s'il est injecté dans les quelques secondes suivant l'exposition. En cas d'attaque chimique, on estime que les gaz neurotoxiques produiraient 22 fois plus de victimes civiles que de victimes militaires car son lieu d'action n'est pas circonscrit de manière précise : les personnes civiles se trouvant dans le vent seraient contaminées tout autant que les militaires et n'auraient pas de dispositifs de protection. La plupart des espèces animales seraient également affectées et les eaux souterraines polluées.

Le « gaz moutarde », bien que moins toxique (L D 50 = 12 mg), entraîne aussi la mort par asphyxie. C'est un agent vésicant (qui produit des ampoules sur la peau) : il traverse les vêtements et irrite la peau et les alvéoles pulmonaires, lesquels se remplissent de liquide. Le gaz moutarde est responsable de 70 % des victimes britanniques des gaz (180 000) pendant la Première Guerre mondiale. Ce gaz peut rester dans le sol et affecte tout organisme avec lequel il entre en contact.

Les autres agents chimiques ne sont pas considérés par les militaires comme pouvant menacer la vie humaine de manière significative. Les valeurs de la L D 50 du B Z (120 mg), des gaz lacrymogènes (1 800 à 8 000 mg) et des défoliants (3 500 à 350 000 mg) les rendent beaucoup moins toxiques que les gaz précédents, bien qu'ils puissent être mortels pour les vieillards et les infirmes. Les gaz lacrymogènes irritent les yeux, le nez et la gorge et à haute dose produisent des sensations de brûlure sur la peau et dans la poitrine. On a pu enregistrer de nombreux cas mortels à la suite de l'usage des gaz lacrymogènes dans les lieux clos.

Quant aux agents défoliants, ils détruisent surtout les plantes; (par exemple, les États-Unis ont utilisé 80 millions de litres de défoliants au Vietnam pendant neuf ans : 36 % des mangroves (végétation des bords de la mer) et 10 % de la forêt de l'intérieur ont été détruits. Mais la destruction des récoltes et de la couverture végétale amène aussi les habitants à fuir vers des zones exposées aux armes « conventionnelles ». Si l'épandage est fréquent, le pouvoir contaminant de ces agents peut s'accumuler. C'est ce qui s'est produit au Vietnam où des milliers de combattants et de non-combattants ont été exposés à cet agent cancérogène et abortif qu'est la dioxine, dont les effets se feront également sentir chez les générations futures puisque les cellules sexuelles y sont tout particulièrement sensibles.

Saun Murphy

Les effets des armes biologiques

Les armes biologiques sont constituées par des microbes capables de rendre les gens plus ou moins gravement malades ou de les tuer [423]. Ces armes sont redoutables parce qu'il suffit souvent de répandre de petites quantités de microbes pour déclencher de vastes épidémies.

L'Organisation mondiale de la santé (O M S) a publié en 1970 le rapport d'un groupe d'études sur les effets de la guerre biologique. Ce groupe a estimé que les armes biologiques pourraient vraisemblablement être utilisées contre des cibles militaires sélectives, dans des situations tactiquement bien précises, mais il a envisagé aussi l'éventualité de leur utilisation contre les populations civiles. Le groupe a pris l'exemple de l'anthrax, une maladie due à une bactérie, le staphylocoque, et se caractérisant par une accumulation de sortes de furoncles pouvant diffuser dans les tissus et conduire à la mort. Un seul bombardier pourrait contaminer une superficie de 60 km² ou davantage s'il y a du vent.

Si la cible était une ville de pays industrialisé avec une population de cinq millions d'habitants, le rapport estime que 100 000 personnes pourraient être tuées et 150 000 rendues invalides. Un traitement par antibiotiques pourrait réduire de 50 % le nombre de cas mortels dans un pays industrialisé. Mais il ne pourrait vraisemblablement en éviter que 5 % dans un pays du tiers monde : les ressources d'un pays pauvre seraient en effet insuffisantes pour que le traitement soit effectué à l'échelle requise. Même dans un pays développé, il n'est d'ailleurs nullement certain que les ressources médicales soient suffisantes ou que les stocks nécessaires d'antibiotiques soient disponibles. En effet, il y a beaucoup de chances pour que le microbe employé par l'attaquant soit de nature inconnue à l'attaqué. Il n'est pas impossible que, dans le cas d'une bactérie, les antibiotiques même à large spectre (agissant sur une grande variété de bactéries) ne puissent en venir à bout. Les recherches pour identifier le microbe et les moyens de le neutraliser (vaccins, sérums, antibiotiques) prendraient donc du temps. Les services médicaux seraient rapidement submergés, de sorte qu'à peine 30 % des gens touchés par la maladie pourraient être pris en charge.

Alastair Hay

CALENDRIER
SCIENTIFIQUE

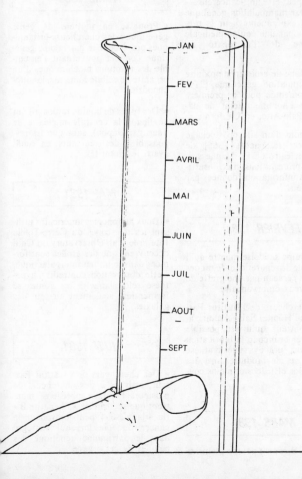

JANVIER 1981

• Le centre de recherches d'IBM à Yorktown (États-Unis) annonce la mise au point d'un miroir permettant de réfléchir les rayons X de manière mille fois plus efficace que les miroirs classiques. Cela ouvre la voie à la mise au point du laser à rayons X (et ainsi à une nouvelle arme anti-missile) [427].

• L'interféron – substance antivirale et peut-être anti-cancéreuse – produit par manipulation génétique [211] est expérimenté pour la première fois par une équipe médicale américaine de l'université du Texas.

• L'hormone de croissance produite par manipulation génétique [211] est expérimentée pour la première fois chez l'homme atteint de nanisme à Palo-Alto, en Californie.

• L'incendie d'un silo de stockage de déchets radioactifs [365] de l'usine nucléaire de La Hague suscite des protestations sur l'insuffisance des informations données par la direction.

FÉVRIER 1981

• Une équipe suédoise montre qu'il est possible de réparer chez le rat des lésions du cerveau par une greffe de tissu nerveux embryonnaire.

• Des chercheurs de l'Institut Pasteur et de l'Hôpital Saint-Antoine à Paris montrent qu'il est possible d'améliorer beaucoup la fabrication des vaccins, grâce à une synthèse chimique, et de produire ainsi des vaccins plus efficaces et moins coûteux.

MARS 1981

• L'URSS réussit pour la première fois à faire détruire un « satellite-cible » par un « satellite-chasseur » [417].

• De nouvelles « drogues » anti-cancéreuses – des immunotoxines – capables de tuer plus sélectivement les cellules cancéreuses que les médicaments classiques sont essayées avec succès « en éprouvette » [242].

AVRIL 1981

• Prouesse en matière de génie génétique : des chercheurs britanniques ont décodé le patrimoine génétique complet gouvernant l'ensemble des réactions biochimiques d'un organite de cellule humaine, la mitochondrie.

• Des fuites de liquide radioactif ont eu lieu à la centrale nucléaire de Tsuruga, (Japon), sans que les responsables des réacteurs en aient averti les autorités.

MAI 1981

• Deux astronomes américains utilisant les télescopes du Cerro-Tololo Interamerican Observatory au Chili découvrent que des étoiles sont formées dans le milieu intergalactique. Cette observation contredit l'hypothèse selon laquelle les étoiles se formeraient seulement au sein des galaxies.

JUIN 1981

• Des chercheurs de l'Institut Pasteur, associés à des chercheurs de plusieurs hôpitaux parisiens, montrent que le virus de « l'hépatite B » (la « jaunisse ») peut provoquer le cancer du foie lorsqu'il s'intègre dans le patrimoine génétique des cellules de cet organe.

• URSS : Victor Braïlovsky, mathématicien juif, animateur du séminaire des « exclus de la science », est condamné à cinq ans d'exil intérieur » [168].

JUILLET 1981

• Une éclipse totale du soleil est observée au Kazakhstan soviétique par une mission scientifique française travaillant en collaboration avec des collègues soviétiques. De nombreuses mesures ont pu être réalisées apportant des informations nouvelles sur la couronne solaire.

• Des chercheurs suisses et italiens ont trouvé une nouvelle méthode pour éliminer le sulfure d'hydrogène ($H_2 S$), gaz nauséabond et toxique répandu par de nombreuses industries dans l'atmosphère [31]. Leur procédé – qui est une dissociation de la molécule d'$H_2 S$ par la lumière, en présence d'un catalyseur – permet non seulement d'éliminer cette pollution, mais aussi de fournir de l'hydrogène et du soufre, tous deux réutilisables par l'industrie.

• La conserverie de légumes Bonduelle, dans le nord de la France, réalise une « première » en matière d' « énergie nouvelle » et de biotechnologie : elle fait fermenter ses eaux résiduelles par des bactéries et produit ainsi du méthane. Ce « biogaz » [341] lui permet d'économiser 20 % de sa consommation d'énergie annuelle.

AOÛT 1981

• Entrée en service de l'EISCAT, un important instrument d'étude de l'ionosphère, construit en Scandinavie par six pays européens, dont la France.

• La firme japonaise Sony présente un appareil photo à enregistrement magnétique sans pellicule.

• Des chercheurs britanniques de l'université de Leicester, en collaboration avec des laboratoires d'Imperial Chemical Industry, ont fabriqué par synthèse chimique un gène humain, celui de l'interféron. Ainsi le génie génétique ne se contente plus de greffer des gènes [211] mais devient capable de les fabriquer de toutes pièces, grâce aux progrès de la chimie des acides nucléiques.

• Un médecin de l'hôpital Cochin à Paris établit qu'une maladie cardiaque particulière (dite maladie de Barlow) n'est autre qu'une complication de la spasmophilie, lorsqu'elle n'est pas soignée et qu'elle est due à un manque de magnésium dans l'organisme.

• Des préhistoriens espagnols et américains rapportent la découverte à Santander en Espagne de la plus vieille sculpture du monde (datant d'environ 14 000 ans) : elle représente une tête mi-animale, mi-humaine, et pouvait peut-être servir à des rituels de chasse.

• La première conférence des Nations-Unies sur les énergies nouvelles et renouvelables, réunie à Nairobi (Kenya), adopte un programme d'action pour favoriser l'avènement d'une économie moins dépendante du pétrole. Mais les pays riches ne prennent aucun engagement financier pour encourager le développement énergétique du tiers monde.

SEPTEMBRE 1981

• Une équipe dijonnaise de l'INRA a mis au point une méthode de multiplication végétative (clonage) du rosier en éprouvette : par cette technique qui intéresse fort les horticulteurs, un seul plant peut donner entre 200 000 et 400 000 descendants en une année.

• Un paléontologue de l'université Paris-VI établit, sur différents types de squelettes trouvés en Palestine et datant d'environ 70 000 ans, que l'homme moderne n'est pas issu de l'« Homme de Néanderthal ». Celui-ci représente dans l'évolution humaine une branche éteinte sans descendance.

• Le Premier ministre annonce que la France continuera le développement de l'armement nucléaire stratégique ou tactique, y compris les études sur la bombe à neutrons. [430].

• L'Organisation mondiale de la santé projette une mobilisation internationale pour réaliser les essais sur l'Homme du vaccin contre la lèpre [244].

OCTOBRE 1981

• A l'observatoire de Kitt Peak (Arizona, États-Unis), les astronomes ont découvert un énorme espace vide dans la constellation de Bootes. Cette découverte apporte un nouvel indice sur la nature de l'univers primitif et son évolution jusqu'à nos jours [407].

• Le prix Nobel de physique 1981 est attribué pour moitié aux Américains Nicolas Bloembergen et Arthur Schawlow, pour leur contribution à la mise au point du laser et de ses applications physiques. L'autre moitié est attribuée au Suédois Kai Siegbann pour le développement de la spectroscopie électronique en vue de l'analyse chimique.

• Le prix Nobel de chimie est décerné à Kenishi Fukui (Japon) et Ronald Hoffmann (États-Unis) pour l'application en chimie de la mécanique quantique.

• Pour la première fois, une manipulation génétique réussit à faire fonctionner des gènes de lapins greffés dans le patrimoine génétique de souris. De plus, ces gènes greffés – gouvernant la synthèse de la globine, un composant du pigment des globules rouges – sont transmis à la descendance : une variété nouvelle de souris a donc été créée artificiellement [211].

• Un paléontologue américain trouve une série de mollusques fossiles très complète au bord du lac Turkana (Afrique de l'Est) : il établit ainsi que l'évolution des espèces peut bien se faire selon un mode saccadé (dit évolution par « équilibres ponctués »). Cela contredit le modèle néo-darwinien classique selon lequel les espèces évoluent lentement et continûment [264].

• Le prix Nobel de médecine est décerné à Roger W. Sperry, David D. Hubel (États-Unis) et Torsten N. Wiesel (Suède) pour leurs travaux en neurophysiologie.

• Le gouvernement français obtient la confiance des députés pour la construction de six des neufs réacteurs nucléaires prévus par le précédent gouvernement. De violentes manifestations anti-nucléaires à Paris et à Golfech ont précédé le débat à l'Assemblée nationale [67].

NOVEMBRE 1981

• Le circuit électronique le plus rapide au monde est mis au point au Laboratoire central de recherche de Thomson CSF (France). Il s'agit d'un circuit intégré d'un type spécial dont les utilisations seront nombreuses tant pour les télécommunications que pour les ordinateurs.

• Une paléontologue du Musée de l'Homme à Paris montre que le plus lointain ancêtre connu de l'Homme – l'Australopithèque de l'Afar – était encore capable de grimper aisément aux arbres. Bien qu'il marchât parfaitement debout, cet Hominidé, qui vivait en Afrique de l'Est il y a trois à quatre millions d'années, conservait donc encore certains traits d'une adaptation propre aux singes.

● Le président Mitterrand annonce la création d'un centre mondial pour le développement des usages sociaux de la micro-informatique.

DÉCEMBRE 1981

● La S N C F révèle qu'elle a utilisé un matériau nouveau [335], le polyamide, dans la construction de la voie ferrée empruntée par le T G V [24]. Il s'agit d'une matière plastique produite par Rhône-Poulenc et qui sert à donner de l'élasticité aux attaches de rails et à les rendre résistantes aux vibrations et à la compression exercée par le passage des trains.

● Un chercheur de l'I N R A produit des veaux jumeaux en coupant en deux un embryon sept jours après la fécondation. Cette technique, qui intéresse fort les éleveurs, permet ainsi d'augmenter le taux de reproduction des bovins [212].

● La commission « Informatique et Libertés » révèle que la gendarmerie détient des fichiers qui ne sont pas en conformité avec la loi [111].

JANVIER 1982

● Un sous-marin français du C N E X O observe de nombreuses sources d'eau chaude le long d'une « dorsale océanique » dans le Pacifique Est au large du Mexique, par 2 600 mètres de fond. (Une dorsale océanique est un lieu où s'écartent deux plaques de croûte terrestre [332].) Des dépôts de sulfures polymétalliques [330] peut-être exploitables et d'étranges animaux sous-

marins [262] accompagnent ces sources.

● Des neurobiologistes américains et japonais décrivent la séquence chimique d'une grosse molécule trouvée dans le système nerveux, la pro-enképhaline. Ce résultat devrait permettre de comprendre dans quelles circonstances les « morphines du cerveau » [228] – ou enképhalines – entrent en jeu dans le système nerveux.

● En France, les journées nationales du Colloque sur la recherche et la technologie sont ouvertes par le président Mitterrand qui déclare que, « pour sortir de la crise, la recherche peut être la clé du renouveau ». Ces journées font suite à de multiples consultations et réflexions menées depuis quatre mois dans toute la France, sur la science et ses enjeux.

FÉVRIER 1982

● Un chercheur américain de l'université de Stanford annonce la découverte du premier monopôle magnétique – un pôle nord sans pôle sud –, grâce à un détecteur constitué d'une boucle supraconductrice. C'est là le seul cas d'observation du monopôle magnétique prévu par la théorie de la grande unification des forces fondamentales de la physique [412].

● Des chercheurs de l'université de Lyon, associés à des ingénieurs de la Compagnie européenne d'accumulateurs et de la Société Brochier, mettent au point un matériau composite [335], fait d'une matrice de plomb, renforcée par des fibres de verre et des fibres de carbone. Un tel matériau permettrait de diviser par quatre le poids des électrodes des batteries de voitures.

● Une équipe marseillaise décrit dans le détail l'organisation d'un gène humain, dit gène H L A [206].

Ce gène a une grande importance pour la médecine car il gouverne la synthèse de signaux moléculaires contrôlant le rejet des greffes.

MARS 1982

• Deux sondes automatiques soviétiques, Venera-13 et Venera-14, prennent des photos en couleur et analysent des échantillons du sol de Vénus.

• Des chercheurs français de l'INRA montrent qu'une bactérie baptisée Agrobacterium rhizogenes peut être utilisée efficacement pour la manipulation génétique des plantes.

• Des chercheurs américains découvrent pour la première fois des fossiles de marsupiaux en Antarctique datant d'environ 50 millions d'années. Cela prouve que les ancêtres des kangourous ont bien pu migrer d'Amérique en Australie, en passant par l'Antarctique, comme on le supposait.

• Des médecins français de Villejuif montrent qu'un traitement par la vitamine A peut prévenir l'apparition du cancer du poumon chez les gros fumeurs.

AVRIL 1982

• Des travaux menés sur les virus de poulets et de souris montrent que les gènes responsables du cancer sont aussi des gènes intervenant normalement dans la vie des cellules, à certaines périodes de la vie [239].

• Une équipe de l'INSERM associés aux laboratoires pharmaceutiques Roussel-UCLAF présente une nouvelle pilule contraceptive révolutionnaire : consistant en une anti-

hormone, elle n'a besoin d'être prise que deux jours par mois (au lieu de 21 avec la pilule classique) [223].

MAI 1892

• Un géologue chilien découvre par observation aérienne deux volcans jusqu'alors inconnus, dans la péninsule antarctique. Ces volcans paraissent avoir été en activité il y a encore peu de temps.

• Des chercheurs strasbourgeois montrent qu'il est possible de réaliser un stockage chimique de l'énergie solaire : il s'agit de réduire le gaz carbonique en présence de vapeur d'eau par la lumière ultraviolette. Cette opération donne un gaz combustible, formé d'un mélange d'hydrogène et de monoxyde de carbone [372].

JUIN 1982

• Lancement du vaisseau spatial soviétique Soyouz T-6 pour un vol d'une semaine : un des trois cosmonautes est le colonel Jean-Loup Chrétien, premier Français et premier Européen de l'Ouest à séjourner dans l'espace.

• Quatrième et dernier vol d'essai de la navette spatiale « Columbia » [399]. Cette mission d'une semaine a pour la première fois des objectifs militaires. A son retour, Columbia atterrit sur la base d'Edwards en Californie, en présence du président Reagan.

• Des médecins français annoncent qu'ils ont réussi à porter à 65 % le taux de guérison du cancer des os, un cancer qui, au début des années soixante-dix était pratiquement toujours mortel à court terme. De leur côté, des médecins américains confirment qu'ils guérissent maintenant presque à coup sûr les malades atteints d'un cancer des ganglions lymphatiques, la maladie de Hodgkin.

JUILLET 1982

• Une expérience sur la polarisation de lumière, réalisée à l'Institut d'optique d'Orsay, confirme les prédictions de la mécanique quantique. Certains commentateurs estiment qu'elle donne tort à la position d'Einstein selon laquelle « Dieu ne joue pas aux dés » [140].

• Des chercheurs de l'ORSTOM, travaillant à Dakar, montrent qu'un engrais biologique consistant en une légumineuse tropicale permet de porter les rendements de riz au Sénégal de 2 t/ha à 6 t/ha.

• La commission baleinière internationale décide d'interdire la chasse à la baleine à partir de 1985 [259].

• En France, le premier des sept « programmes mobilisateurs » prévus par la loi d'orientation sur la recherche est consacré à l'essor des biotechnologies [216].

AOÛT 1982

• Des physiciens du laboratoire GSI à Darmstadt (RFA) annoncent la découverte d'un nouvel élément chimique de numéro atomique 109. C'est le plus lourd de tous les éléments connus à ce jour et il désintègre très rapidement.

• La compagnie française de génie génétique Transgène annonce la réussite d'une manipulation génétique qui ouvre de nouvelles possibilités de production d'un vaccin contre la rage.

SEPTEMBRE 1982

• Découverte par des radioastronomes de l'université de Berkeley (États-Unis) d'un nouveau pulsar (étoile à neutrons de 10 km de rayon, émettant des ondes radio par intermittence). Il présente la particularité d'avoir une période 20 à 100 fois plus courte que les trois cents autres pulsars découverts auparavant [403].

• Des fûts contenant la dioxine ayant provoqué la catastrophe de Seveso entrent clandestinement en France [256].

OCTOBRE 1982

• La comète de Halley, que les astronomes recherchaient vainement depuis plus d'un an, est découverte par des chercheurs du California Institute of Technology. Disparue depuis 1910, elle se déplace bien suivant la trajectoire prévue et sera à son éclat maximum en 1986.

• Des chercheurs grenoblois reconstituent, par l'observation d'une carotte de glace antarctique, quelques données du climat régnant à la fin du dernier âge glaciaire, il y a 18 000 ans. Ces données doivent permettre de tester les modèles mathématiques des climats dans des conditions très différentes de celles d'aujourd'hui [386].

• Le prix Nobel de physique est attribué à Kenneth Wilson de l'Université de Cornell (États-Unis) pour sa contribution à l'étude des phénomènes critiques (comme la transition entre les états solides et liquides...) qui a eu des applications dans de nombreuses branches de la physique.

• Le prix Nobel de chimie est

décerné au Britannique Aaron Klug pour ses travaux de cristallographie appliqués à la détermination de la forme des virus et des acides nucléiques.

• Des chercheurs américains montrent que, dans un cas de cancer de la vessie chez l'Homme, la maladie naît parce qu'un gène particulier figurant dans le patrimoine génétique des cellules normales a subi une mutation minime de sa séquence chimique.

• Le prix Nobel de médecine est attribué aux Suédois Sune K. Bergström et Bengt I. Samuelsson et au Britannique John R. Vane pour leurs travaux sur les prostaglandines, substances qui jouent notamment un rôle dans la coagulation du sang et les phénomènes d'inflammation.

NOVEMBRE 1982

• Le premier faisceau de particules est produit par l'accélérateur G A-N I L à Caen (France). Ce laboratoire national permet aux chercheurs français de poursuivre leurs études des propriétés de la structure des noyaux atomiques, en les bombardant avec des ions lourds.

• Des archéologues italiens et américains annoncent la découverte de 80 squelettes humains à Herculanum, près de Pompéi. Ces individus ont péri les 24 et 25 août de l'an 79, lors de l'éruption du Vésuve qui ensevelit Pompéi. Jusqu'ici, on pensait que, contrairement à ceux de cette dernière ville, les habitants d'Herculanum avaient réussi à échapper aux coulées volcaniques.

DÉCEMBRE 1982

• Deux cosmonautes soviétiques re-

gagnent la terre, après avoir établi un nouveau record de durée dans l'espace : ils sont restés 211 jours en orbite [399].

• De nombreux travaux concordants précisent comment peut naître un cancer à partir d'une cellule contenant à l'état normal un « gène de cancer » inactif. Pour que celui-ci devienne actif, il faut sans doute qu'il soit transféré dans une position anormale au sein du patrimoine génétique de la cellule (par le jeu d'une aberration chromosomique) [239].

• Des chercheurs américains ont, par manipulation génétique, obtenu des souris grosses comme des rats : pour cela, ils ont greffé à des œufs de souris le gène de l'hormone de croissance de rat. On s'attend à ce que cette technique soit, dans le futur, appliquée au bétail [211].

• Un cœur artificiel est greffé pour la première fois avec succès sur un homme, M. Barney B. Clark, par une équipe chirurgicale de Salt Lake City [246].

• Pour la première fois, aux États-Unis, un condamné à mort est exécuté par injection intraveineuse de barbiturique [180].

JANVIER 1983

• Deux groupes de physiciens européens travaillant au Centre européen de recherches nucléaires (Genève) annoncent la découverte d'une nouvelle particule, le W, boson chargé prévu par la théorie électrofaible [412].

• Un vaccin contre l'herpès (un virus qui donne des éruptions cutanées récurrentes) va être expérimenté chez l'Homme, aux États-

Unis et en France. Ce vaccin a été obtenu par manipulation génétique.

• Des neurobiologistes français (CNRS, Gif-sur-Yvette) mettent en évidence la présence dans le cerveau de molécules anxiogènes. Les tranquillisants anxiolytiques tels que le valium ont précisément pour effet d'annuler l'action de ces molécules.

• Le général Rogers, commandant suprême des forces alliées en Europe, déclare que les nouveaux plans d'attaque soviétiques imposent le développement de nouvelles catégories d'armes classiques [185].

• Avec le lancement du « deuxième plan composants électroniques », le gouvernement français espère équilibrer en 1986 la balance commerciale des industries de l'électronique, déficitaires de 12 milliards de francs en 1982 [451].

FÉVRIER 1983

• Une astronome de l'observatoire de Paris-Meudon, en collaboration avec des astronomes américains, met en évidence l'existence de molécules contenant de l'oxygène sur Titan, satellite de Saturne [389]. Cette découverte renforce l'idée que cet astre pourrait être le siège d'une chimie « prébiotique », dont l'étude permettrait d'éclairer quelque peu la question de l'origine de la vie.

• Lancement sur le marché européen du « compact disc », lecteur à laser de disques numériques [318].

• Un comité consultatif national d'éthique des sciences de la vie et de la santé est créé en France. Il aura pour mission de donner son avis sur les aspects moraux posés par les progrès de la biologie et de la médecine [127].

• Les ministres de l'environnement de la CEE interdisent l'importation des peaux de bébés phoques à partir d'octobre 1983 [259].

• URSS : Le mathématicien Valeri Senderov est condamné à 7 ans de camp, suivis de 5 ans de relégation, pour activités contre l'État. [168].

MARS 1983

• Des météorites inhabituelles ont été trouvées en Antarctique. Elles proviendraient de Mars ou de la Lune, si l'on en croit leurs caractéristiques géochimiques. Il s'agirait de fragments arrachés à ces astres au cours de violentes collisions avec de grosses météorites.

• Des chercheurs de Nancy montrent que l'on peut utiliser un four solaire pour dissocier la molécule d'eau à 2 700 °C, et obtenir ainsi de l'hydrogène, excellent combustible [356].

• Des médecins espagnols ont éclairci le mystère de l'huile toxique qui a provoqué plus de 300 morts en Espagne depuis 1981 : il s'agissait d'huile de colza dénaturée par de l'aniline. Cette dernière donne des anilides, c'est-à-dire des complexes avec les acides gras de l'huile. Les anilides se fixent dans l'organisme à la surface des cellules, des poumons, des muscles, des nerfs..., provoquant pneumonie et paralysies musculaires.

• Le président Reagan annonce son intention de développer de nouvelles armes à laser anti-missiles et anti-satellites [417].

AVRIL 1983

• Premier vol de la navette spatiale américaine Challenger (qui a succédé à Columbia). Deux de ses astronautes font une sortie dans l'espace. Mais le satellite TDRS-1 lancé depuis la navette est placé sur une mauvaise orbite.

• Découverte par des chercheurs britanniques d'une nouvelle hormone du métabolisme osseux : la katacalcine.

MAI 1983

• La NASA lance le satellite d'observation astronomique Exosat, consacré à l'étude des sources de rayons X célestes [395].

• En Sicile, la coulée de lave descendant de l'Etna est partiellement détournée à l'aide d'explosifs dans un chenal artificiel.

• Une équipe de recherche australienne annonce la première grossesse obtenue chez une femme après implantation d'un embryon conservé par congélation [223].

• Des virus pourraient jouer un rôle dans la genèse du « syndrome immuno-déficitaire acquis » (SIDA), qui frappe notamment la communauté homosexuelle américaine et européenne. Ces virus, selon des chercheurs français et américains, ressemblent aux virus connus pour provoquer des formes particulières de leucémie.

• Le groupe « long terme énergie », mis en place par le ministère du Plan, souligne le suréquipement de la France en centrales nucléaires.

JUIN 1983

• La sonde Pioneer 10, lancée le 10 mars 1972, sort du système solaire, après être passée au large de Pluton.

• Sally Ride, première Américaine dans l'espace à bord de la navette spatiale Challenger. Deux satellites de télécommunication sont placés en orbite et l'équipage de Challenger réussit la première récupération de satellite dans l'espace.

• Succès de la fusée européenne Ariane : le satellite européen de télécommunication ECS-1 [378] et le satellite Oscar-10, destiné aux radio-samateurs, sont mis sur orbite.

• Le JET, réacteur européen pour l'étude de la fusion thermonucléaire contrôlée, construit à Culham (Grande-Bretagne) est mis en service.

• Une équipe de physiciens européens annonce la découverte de la particule Z°, sœur des W mais de masse légèrement plus élevée, et également prévue par la théorie électro-faible [412].

• Des équipes américaines et britanniques annoncent l'identification d'une substance responsable de la prolifération maligne : elle est produite par un « gène de cancer » qui, à l'état normal, commande la synthèse de cette même substance – ou « platelet derived growth factor » – comme facteur de cicatrisation [239].

• La centrale solaire Thémis, construite par EDF, près de Targassonne dans les Pyrénées, est inaugurée : elle a une puissance maximale de 2,5 mégawatts [356].

BILAN DES RECHERCHES

SCIENCES DE LA VIE

Les surprises de la génétique moléculaire

Avec l'essor de la biologie moléculaire dans les années soixante, il est devenu de plus en plus évident aux biologistes que les gènes, ces « particules élémentaires » de l'hérédité, représentaient le « cœur du vivant ». La génétique moléculaire tendait ainsi à occuper en biologie le rôle que la physique nucléaire occupe en physique, puisque l'atome est, en quelque sorte, le cœur de la matière. Et d'ailleurs, comme, la physique nucléaire avait conduit à des applications industrielles nouvelles (comme les centrales nucléaires), la génétique moléculaire conduisait, elle aussi, vers la fin des années soixante-dix, à des applications industrielles nouvelles, comme les biotechnologies [216].

A cette même époque, certains biologistes moléculaires qui avaient été les pionniers de cette discipline, estimaient pourtant que l'Âge d'or des découvertes était passé et qu'il n'y avait plus rien à trouver dans ce domaine. On avait compris comment l'information génétique est « engrangée » dans les gènes, comment elle se conserve intégralement d'une génération à l'autre, comment

elle contrôle la « vie » des cellules...

Or, toutes ces connaissances avaient été acquises dans les années cinquante et soixante, grâce à des travaux effectués sur des bactéries. Et jusqu'à la fin des années soixante-dix, on croyait qu'elles étaient valables pour tous les êtres vivants, des plus simples, formés d'une seule cellule comme les bactéries, jusqu'aux plus complexes, formés de milliards de cellules comme les insectes ou les mammifères. « Ce qui est vrai pour la bactérie est vrai pour l'éléphant », disait Jacques Monod. Aussi, pour la grande majorité des biologistes moléculaires, ce fut une immense surprise de découvrir que cela n'était pas vrai, lorsqu'ils purent à la fin des années soixante-dix examiner les gènes des organismes multicellulaires.

La mémoire héréditaire des êtres vivants est stockée au sein des cellules dans des corpuscules appelés chromosomes. Chez les êtres multicellulaires, ces corpuscules sont bien souvent en forme de bâtonnets et toujours localisés dans le noyau des cellules. Schématiquement, les chromosomes portent, à la manière de perles enfilées sur un collier, les gènes. Ceux-ci ne sont pas seulement des « particules de l'hérédité » : ils ont aussi pour rôle de gouverner la « vie » cellulaire, c'est-à-dire l'ensemble des réactions biochimiques qui s'y déroulent constamment. Comment les gènes, localisés dans le noyau, peuvent-ils exercer un tel contrôle dans tout le reste de la cellule ? Il faut savoir que chacune des réactions biochimiques du métabolisme cellulaire n'a lieu qu'en présence d'une molécule appelée enzyme. On sait, depuis les années 1930, que chaque enzyme est une sorte de « déléguée » du gène au sein de la cellule. Les biologistes moléculaires, dans les années cinquante et soixante, ont éclairci comment se fait ce processus de « délégation », chez les bactéries. Chaque gène donne d'abord naissance à une molécule intermédiaire baptisée « ARN messager ». Celle-ci est « libre », c'est-à-dire qu'à la différence du gène qui est fixé à demeure sur le chromosome, elle peut « voyager » dans la cellule. Là, elle va donner à son tour naissance à la molécule finale, c'est-à-dire l'enzyme.

Les gènes en morceaux

Or, les biologistes moléculaires ont découvert, à partir de 1977-78, que ce processus de « délégation » comporte un stade supplémentaire chez les êtres multicellulaires et aussi chez les microbes uni-cellulaires qui, comme ces derniers (mais à la différence des bactéries) ont un noyau dans leurs cellules : c'est le cas de l'amibe ou de la levure de boulanger, par exemple. Chez tous ces êtres vivants appelés organismes eucaryotes, le gène donne d'abord naissance à une molécule d'ARN pré-messager. C'est celle-ci qui, à la suite d'une étape biochimique particulière tout à fait inattendue, donne l'ARN messager. Cette nouvelle

étape n'est pas du tout triviale. Si elle existe chez les organismes eucaryotes, c'est parce que leurs gènes, au lieu d'être d'un seul tenant, sont éclatés en morceaux.

Pour comprendre ce que cela veut dire, il faut d'abord rappeler comment l'information génétique est stockée dans les gènes et comment elle est mise en œuvre dans l'édification d'une enzyme. Chaque gène est constitué d'une grosse molécule d'acide désoxyribonucléique (ou ADN). Cette molécule est construite à partir d'éléments enchaînés les uns à la suite des autres, appelés nucléotides (chez les bactéries, un gène comporte en moyenne 1 000 nucléotides). L'ARN messager auquel le gène donne naissance est une molécule d'acide ribonucléique formée également d'un enchaînement de nucléotides, mais de nature chimique légèrement différente de celle des nucléotides du gène. Le processus par lequel le gène donne naissance à la molécule libre d'ARN messager est en réalité un processus de recopiage : la chaîne des nucléotides du gène est reproduite, par un processus biochimique particulier, sous forme d'une chaîne de nucléotides d'acide ribonucléique.

C'est aussi un processus de « recopiage » qui préside à la naissance de l'enzyme à partir de l'ARN messager. Une enzyme est une protéine, c'est-à-dire une grosse molécule formée de l'enchaînement les uns à la suite des autres d'éléments appelés acides aminés. La chaîne des nucléotides de l'ARN messager est recopiée, par un mécanisme biochimique, en une chaîne d'acides aminés, selon une loi de correspondance entre nucléotides et acides aminés, qui est appelée « code génétique ». Plus exactement, cette loi spécifie que chaque acide aminé de la molécule de l'enzyme représente une suite de trois nucléotides dans la molécule de l'ARN messager. Chez une bactérie, où un ARN messager moyen comporte environ 1 000 nucléotides (comme le gène), l'enzyme née de cet ARN messager comporte donc environ 300 acides aminés.

Chez les organismes eucaryotes, on a découvert au tournant des années quatre-vingt qu'il en va autrement : le gène peut comporter par exemple 6 000 nucléotides d'ADN. l'ARN pré-messager qui est le produit direct du « recopiage » du gène, comporte aussi 6 000 nucléotides. Mais l'ARN messager,

1984 : l'année Mendel

En 1884, mourait Gregor Mendel. Dans l'imagerie populaire, celui-ci est le père fondateur de la science de l'hérédité, la génétique. Né en 1822 d'une famille de paysans allemands installés en Silésie autrichienne, Johann Mendel devint moine augustin à Brünn (ou Brno, dans l'actuelle Tchécoslovaquie) et prit alors le nom de Gregor sous lequel il reste connu. Après avoir étudié à Vienne, il revint à son monastère d'origine où il se livra à des études détaillées de la descendance des plantes. Et c'est là qu'il découvrit, par une analyse soigneuse des résultats du croisement de plantes aux caractéristiques voisines (en particulier, de petits pois dont les fleurs peuvent, comme celles des pois de senteur, avoir diverses couleurs), les « lois » de l'hérédité, connues aujourd'hui sous le nom de « lois de Mendel ».

Contrairement à une idée souvent répandue, le travail de Mendel n'est pas un accident révolutionnaire arrivé par le hasard du génie. Il bénéficiait en réalité de l'œuvre de nombreux prédécesseurs, tant en botanique qu'en horticulture, ce qui lui permit de réaliser ses expériences.

Qui connaît encore, par exemple, Joseph Gottlieb Koelreuter né en Wurtemberg en 1733 (mort en 1806)? Ce professeur de botanique et conservateur du jardin botanique de Karlsruhe mit au point une technique, mise à profit ultérieurement par Mendel, de fertilisation artificielle des plantes. Mieux, comme Mendel, il se consacra à la genèse des plantes hybrides, et pratiqua de nombreuses expériences et observations que refit Mendel.

Mais, à la différence de Mendel, il ne sut pas relier l'ensemble de ses observations en un modèle théorique. En effet, Mendel, rompu aux calculs mathématiques, quantifia les résultats qu'il obtenait. Il s'aperçut ainsi qu'on pouvait imaginer une loi simple de transmission des caractères. Tout se passait comme si chaque caractère observable d'un individu était déterminé par deux « éléments » héréditaires, l'un fourni par la « mère », l'autre par le « père ». Ces éléments » ne se mélangeaient pas chez la plante issue de la fécondation et étaient susceptibles d'être transmis de nouveau indépendamment à la descendance de ce plant.

Ainsi, l'hérédité se manifestait comme une règle de transmission « d'éléments » abstraits, ce qui permettait de prédire la distribution des caractères dans les générations successives.

Mendel publia les résultats de ses longues expériences dans deux courts mémoires de la Société d'histoire naturelle de Brünn, en 1866. Ils restèrent longtemps ignorés, jusqu'à ce que trois biologistes, De Vries, Correns et Tschermak, montrent en 1900 que les résultats de Mendel s'accordaient parfaitement avec les leurs. C'est lui, ne comporte plus que 1 000 nucléotides (correspondant aux 300 acides aminés de l'enzyme). Donc, chez les organismes eucaryotes, il y a dans le gène des nucléotides surnuméraires. L'étape dans laquelle l'ARN pré-messager est converti en ARN messager est une étape d'élimination de ces nucléotides surnuméraires. Seuls restent

alors qu'est née la génétique contemporaine. Elle est d'abord restée un peu abstraite, portant sur l'étude statistique de la distribution des caractères dans les générations successives. Mais bientôt, les « éléments » postulés par Mendel commencèrent à être envisagés comme des objets concrets, c'est-à-dire des portions de chromosomes, ces corpuscules en forme de bâtonnets, observables au microscope dans le noyau des cellules.

C'est le biologiste américain Thomas H. Morgan qui, au début du XXᵉ siècle, poussa à sa perfection la génétique mendélienne. Il découvrit, en particulier, que certains « éléments » déterminant des caractères héréditaires différents pouvaient être transmis simultanément d'une génération à l'autre. On en déduisit que ces « éléments », dorénavant baptisés gènes, étaient portés par les mêmes chromosomes.

Où en sommes-nous au début des années quatre-vingt? Les expériences du biologiste américain Avery, en 1944, ont permis de reconnaître aux gènes une nature biochimique particulière : ce sont de grosses molécules d'acide désoxyribonucléique ou ADN. Cette découverte a été le point de départ du développement prodigieux de ce que l'on nomme aujourd'hui la génétique moléculaire. Pour cette génétique, le gène est devenu si concret qu'il est manipulable à loisir par les biologistes : les manipulations génétiques permettent de découper, de modifier, de transporter les gènes d'un organisme à l'autre et ainsi de modifier l'aspect, la viabilité ou le comportement des êtres vivants [211]. Par ailleurs, sous son aspect « transmission de caractères d'une génération à l'autre », elle a donné la « génétique des populations ». C'est sur cette discipline en particulier que repose l'étude de l'évolution génétique des espèces [264]. Elle prend alors en compte une notion essentielle introduite par De Vries, celle de *mutation*, qui traduit la variation physique de la nature des gènes.

L'agronome soviétique Lyssenko, bien connu pour son action malfaisante sous la direction de Staline, écrivait : « A en croire les mendéliens, il existe dans l'organisme, dans les cellules, une « substance spéciale de l'hérédité » composée de corpuscules (gènes). Les conditions de vie modifient l'organisme, mais non pas sa race, non pas la « substance de l'hérédité » (gènes). Il découle de la « loi » mendélienne de la pureté des gamètes qu'à partir de la fécondation de l'ovule, la « substance de l'hérédité » reste immuable pendant toute l'évolution de l'organisme. Cette conception de l'hérédité fondée sur l'idée métaphysique qu'il existe une « substance de l'hérédité » distincte de l'ensemble du corps (soma) de l'organisme, est un gros obstacle à la création de variétés et de races nouvelles dans la production des semences et l'élevage. » Mais l'histoire récente a brillamment donné raison à Mendel et ses successeurs...

Antoine Danchin

dans l'ARN messager les nucléotides nécessaires à la formation de l'enzyme. En définitive, on peut considérer qu'un gène d'organisme eucaryote est « en morceaux » : les morceaux « utiles » du gène sont séparés par des morceaux surnuméraires. Ceux-ci ont été baptisés *introns* en 1979. L'existence de ces introns est une véritable énigme pour les biologistes moléculaires : il n'y en a jamais chez les bactéries. Chez celles-ci, la suite des nucléotides d'un gène utilisé pour la formation d'une enzyme n'est jamais interrompue. Pourquoi donc les organismes eucaryotes conservent-ils des nucléotides surnuméraires dans leurs gènes, ce qui leur impose de les éliminer ensuite pour pouvoir former un ARN messager « fonctionnel » ?

La première idée qui est venue à l'esprit d'un certain nombre de biologistes fut que ces introns étaient de l'ADN « parasite » conservé dans les cellules depuis l'origine de la vie. Et au début des années quatre-vingt on a vu fleurir des théories sur l'« ADN égoïste », qui ne « s'occupe » que de se reproduire pour son propre compte au sein du patrimoine génétique, à côté de l'ADN utile à la vie des cellules.

Le contrôle des messages génétiques

Cependant, d'autres biologistes pensent que les introns peuvent jouer un rôle majeur dans la vie des cellules. Il y a au moins un cas où cela est démontré : en 1980, l'équipe de Piotr Slonimski (centre du CNRS à Gif-sur-Yvette) montrait que dans un gène « en morceaux » particulier de la levure de boulanger, un intron participait à la naissance d'une enzyme. Le plus étonnant est que cette enzyme, baptisée du nom d'ARN-maturase par Piotr Slonimski, a pour rôle précisément d'effectuer le travail d'élimination de certains introns du gène morcelé, et en particulier de l'intron dont elle émane.

Des travaux purement théoriques, effectués à la même période ont aussi suggéré que les introns pouvaient avoir des rôles très importants pour les organismes eucaryotes. Piotr Slonimski, en particulier, a proposé que le rôle des introns pour les gènes localisés dans les noyaux des cellules pouvaient peut-être se

BIBLIOGRAPHIE

Ouvrages

DANCHIN A., *Le code génétique,* Fayard, Paris, 1983.

MAYR E., *The Growth of Biological Thought,* The Belknap Press of Harvard University Press, Cambridge, 1982.

Articles

BLANC M., « Une mini-révolution en génétique moléculaire », *La Recherche,* n° 103, 1979.

DANCHIN A., « From Mitochondria to Nuclei : Regulation of Split Genes Expression », in *Cell Function and Differentiation, Part B,* p. 375-396, Alan R. Liss Inc., New York, 1982.

PAJOT P., « Le sens du non-dit des gènes », *La Recherche,* n° 110, 1980.

comprendre à partir de l'exemple particulier qu'il a trouvé chez la levure. Selon cette proposition, il se pourrait que dans le noyau des cellules, certains introns contribuent à donner naissance à des protéines-messagères ou m-protéines. Ces m-protéines viendraient se loger dans la membrane du noyau et contrôle-raient la transformation des molécules d'ARN pré-messager en molécules d'ARN messager, en même temps qu'à l'expulsion de ces dernières hors du noyau. En définitive, le jeu des m-protéines réparties à la surface du noyau pourrait avoir le rôle de contrôler les messages issus du patrimoine génétique à destination de la cellule. Dans une analyse théorique, nous avons montré, avec P. Slonimski, que cela pourrait expliquer comment les cellules, chez l'embryon, passent successivement par différents stades avant de devenir définitivement des cellules osseuses, nerveuses, sanguines...

Beaucoup de travaux ont aussi cherché à comprendre par quels processus biochimiques les introns étaient éliminés (on dit excisés) de la molécule d'ARN pré-messager. Un résultat extraordinaire a été publié sur ce thème à la fin de 1982 : Thomas Cech et ses collègues de

Boulder (Colorado, États-Unis) ont montré qu'un intron particulier d'un gène donné, a la propriété tout à fait étonnante de s'exciser tout seul et de contrôler le raccord des morceaux restants. Cette découverte est tout à fait révolutionnaire car elle démontre qu'un acide nucléique – ici, une petite chaîne d'ARN – peut effectuer un travail biochimique de catalyse, c'est-à-dire de scission et de raccord des molécules. On croyait jusqu'ici que seules les protéines étaient capables d'un tel travail. De plus, comme les processus de catalyse sont généralement réversibles, il faut supposer que certains acides nucléiques – telles que les chaînes de nucléotides constitutives de certains introns – doivent être capables de faire l'inverse de l'excision, c'est-à-dire de s'insérer dans une autre molécule d'acide nucléique. Autrement dit, certaines molécules d'acide nucléique sont capables d'une certaine « vie autonome » – se joindre à d'autres molécules, ou s'en disjoindre – sans le concours des enzymes protéiques. Cette propriété a peut-être eu un rôle important dans la genèse de la vie sur la terre, il y a quelque trois milliards d'années.

Antoine Danchin

Les manipulations génétiques passent au stade supérieur

Durant les années soixante-dix, les manipulations génétiques ont surtout consisté à greffer des gènes « étrangers » à des bactéries (ou à des micro-organismes comme la levure de boulanger). Au tournant des années quatre-vingt, elles sont passées à un stade supérieur : des gènes étrangers ont été greffés à des souris ou à des mouches. Il y a même eu une tentative de manipulation génétique sur l'homme. Pourquoi les

biologistes font-ils ces expériences et comment s'y prennent-ils ?

Dès l'origine, c'est-à-dire 1973, les manipulations génétiques ont été conçues comme des expériences permettant l'étude des gènes des animaux ou de l'homme. Les gènes sont les particules élémentaires de l'hérédité. Mais situés dans le noyau des cellules, ils en gouvernent aussi l'activité métabolique [206]. Il est impossible d'étudier directement

Le clonage,
ou la multiplication
en série des jumeaux

Au début des années quatre-vingt, des manipulations génétiques d'un type particulier ont été appliquées pour la première fois aux mammifères domestiques. Il ne s'agit plus de greffes de gènes, comme dans les manipulations génétiques au sens classique du terme, mais de clonage, c'est-à-dire de la multiplication en série des jumeaux. Les biologistes sont-ils en train de nous préparer les bases techniques d'un *Meilleur des mondes*, c'est-à-dire d'un monde humain peuplé de groupes nombreux de jumeaux, comme l'avait imaginé Aldous Huxley ?

Avant de voir l'état d'avancement des techniques de multiplication en série des jumeaux, disons en quoi il s'agit de manipulations génétiques. Il faut savoir que normalement chaque individu est doté, dès sa conception, d'une collection de gènes (son patrimoine génétique) qui lui est particulière et unique. Seuls les « vrais » jumeaux « naturels » représentent une exception à cette règle : ils sont deux exemplaires du même patrimoine génétique. Faire artificiellement des jumeaux ou des séries de jumeaux, c'est donc multiplier, par certaines manipulations, les exemplaires d'un même patrimoine génétique. Une série de jumeaux s'appelle technique-ment un clone ; la technique de production des jumeaux en série, le clonage. Il en existe, au début des années quatre-vingt, deux grands types.

Le premier type mime le procédé spontané de production de « vrais » jumeaux. Les « vrais » jumeaux naturels sont tout simple-ment issus de la division spontanée en deux moitiés distinctes d'un œuf fécondé ou d'un très jeune embryon dans l'utérus de la mère.

Ainsi, le biologiste britannique, S. Willasden, à Cambridge, a transposé aux animaux domestiques, une technique déjà appliquée à la souris depuis les années soixante. Il s'agit de diviser en deux (en éprouvette) des jeunes embryons de veau, de mouton ou de cheval et de les replacer dans l'utérus de femelles, qui donnent ainsi naissance à des jumeaux. Cette technique qui vise à permettre aux animaux domestiques de mettre bas plus de petits, a été aussi appliquée en France par J. P. Renard et J. P. Ozil, au laboratoire de l'INRA de Jouy-en-Josas. En 1982, S. Willasden était allé jusqu'à produire des séries de 4 à 5 moutons « jumeaux », en divisant l'embryon initial en quatre ou cinq parties.

Le deuxième type de clonage consiste par exemple chez la souris à prélever des noyaux de cellules d'une souris et à les greffer à des œufs de souris fécondés, et dont on a expulsé les noyaux. Chaque noyau greffé contient tout le patrimoine génétique de la souris don-neuse ; il se met à diriger, dès qu'il est greffé dans l'œuf receveur, le développement d'un embryon. Ceci peut aboutir, en théorie au moins, à la naissance d'une série de petites souris « jumelles » entre elles

(et jumelles aussi de la souris qui a donné les noyaux cellulaires). Une version simplifiée de ce type d'expérience aurait été réussie chez la souris, en 1980, par K. Illmensee et P. Hoppe, à l'université de Genève : si cette expérience n'était pas une fraude [136], comme on le soupçonnait début 1983, ce serait la première fois qu'on clone ainsi un mammifère par greffe de noyaux (alors que ce type de clonage est très courant chez les grenouilles). Il faut signaler toutefois que L. B. Shettles, de l'Université Columbia à New York, avait tenté une telle expérience chez l'homme en 1979. Cette expérience a échoué. On n'est pas près, en effet, de réussir le clonage d'un être humain : les seules transplantations de noyaux qui réussissent sont celles d'œuf à œuf ou d'embryon à œuf, chez les mammifères. Mais cette « expérience » était de toute façon éthiquement très discutable [78], dans la mesure où l'on sait que chez les grenouilles, les greffes de noyaux sur des œufs receveurs donnent fréquemment naissance à des sujets anormaux.

Marcel Blanc

dans les cellules d'un organisme entier comment ils exercent ce contrôle. Ils sont en effet beaucoup trop nombreux : des dizaines de milliers d'entre eux sont en activité dans chacune des milliards de cellules d'un mammifère.

Les premières expériences de manipulation génétique ont donc consisté à extraire, à isoler un gène donné hors du patrimoine génétique des cellules d'un organisme supérieur. Ce gène isolé, par exemple un gène de rat gouvernant la formation d'une hormone, l'insuline, est ensuite « greffé » à une bactérie. Celle-ci, en se divisant répétitivement, forme une colonie (un clone) dont chacune des milliers de cellules contient un exemplaire du gène de rat « greffé ». Les expérimentateurs ont donc ainsi à leur disposition des milliers d'exemplaires d'un gène particulier et peuvent alors l'étudier commodément. Ce type d'expérience a, par exemple, permis d'étudier les « gènes de cancer » [239].

Dans un deuxième temps, vers 1977-78, les biologistes ont essayé de faire fonctionner ces gènes étrangers greffés, dans des bactéries : ils ont ainsi pu effectivement obtenir des colonies de bactéries fabriquant de l'insuline ou de l'hormone de croissance... Ce type de manipulation génétique a été d'ailleurs appliqué à la production industrielle de substances biologiques telles que les hormones ou les interférons [216].

Mais les bactéries ne sont pas un organisme « adéquat » pour étudier le fonctionnement d'un gène d'organisme supérieur. C'est pourquoi les biologistes ont cherché à greffer les gènes qu'ils avaient isolés à des cellules animales ou végétales cultivées « en éprouvette ». Cette manipulation génétique est assez difficile à réaliser avec quelque chance de succès. Beaucoup d'efforts ont porté sur son amélioration. En 1980 et 1981, Capecchi aux États-Unis et Graessman à Berlin avaient réussi à mettre au point une technique efficace d'injection de gènes directement dans le noyau des cellules. Cependant, ce n'est pas tout d'introduire le gène, encore faut-il qu'il s'intègre dans le patrimoine génétique de la cellule hôte (ce qu'il fait en général au hasard) et s'y « exprime » (c'est-à-dire gouverne la synthèse d'une protéine). Il peut le faire spontanément. Il faut en général l'y aider et ceci est fait en greffant au gène, avant son introduction dans la cellule, des éléments génétiques (appelés « vecteurs ») qui stimulent son expression. Cette dernière « astuce » technique était en 1982 assez bien maîtrisée, et faire s'exprimer un gène dans une cellule d'organisme supérieur cultivée en éprouvette tend à ne plus être un problème.

BIBLIOGRAPHIE

Articles

KELLY F., « Les manipulations génétiques d'embryons », *La Recherche*, n° 135, 1982.

PALMITER R. D. *et al.*, « Dramatic Growth of Mice That Develop From Eggs Microinjected With Metallothioneingrowth Hormone Fusion Genes », *Nature*, n° 300, 1982.

SAUCLIÈRES G., « Manipulations génétiques, rencontre possible avec la médecine », *La Recherche*, n° 117, 1980.

WILLIAMSON B., « Gene Therapy », *Nature*, n° 300, 1982.

Ceci se révèle infiniment précieux pour les expérimentateurs qui cherchent à comprendre comment les gènes s'expriment normalement.

Des souris devenues géantes

Une situation particulièrement importante à cet égard est celle du développement embryonnaire. En effet, au stade tout à fait initial du développement embryonnaire d'un organisme, les gènes qui s'expriment ne sont pas les mêmes que ceux qui le font à des stades plus avancés du développement ou chez l'adulte. Des mécanismes génétiques de contrôle doivent exister dans les cellules permettant de sélectionner quels sont les gènes qui doivent s'exprimer aux différents stades. D'où l'idée, pour comprendre ces mécanismes, d'introduire des gènes facilement reconnaissables (par exemple des gènes de lapin) dans des embryons de souris, de suivre leur devenir et la façon dont ils s'expriment.

Les premières injections de gènes dans le noyau d'un œuf de souris juste fécondé remontent à 1980. Depuis cette date, de nombreuses expériences de ce type ont montré que le gène injecté s'intègre bien dans le patrimoine génétique de l'œuf. En effet, si l'œuf « manipulé » est replacé dans l'utérus d'une femelle, celle-ci donne le jour à des souriceaux dont toutes les cellules contiennent un exemplaire du gène greffé. Ils peuvent même le transmettre à leurs descendants.

En octobre 1981, T. Wagner, de l'université de l'Ohio, fit un pas de plus : il avait injecté un gène de globine, un des composants de l'hémoglobine (le pigment rouge des globules rouges) dans un œuf de souris. Le souriceau issu de cet œuf exhiba de la globine de lapin dans le pigment de ses globules rouges. Le gène injecté était donc non seulement présent dans les cellules du sang de la souris, mais en plus, il y fonctionnait, gouvernant la synthèse

de la protéine. Mais on ne savait pas très bien à quel facteur on devait cette réussite. En revanche, en février 1982, Brins et Palmiter, aux États-Unis, obtinrent dans le même type d'expérience, l'expression d'un gène « étranger » chez la souris issue d'un œuf injecté, et cette fois-ci la réussite était explicable : ils avaient adjoint au gène injecté un « vecteur » efficace. En décembre 1982, les mêmes auteurs ont obtenu de cette manière des souris géantes : ils avaient en effet injecté dans des embryons de souris le gène de l'hormone de croissance du rat (chez l'homme, un excès de cette hormone provoque le gigantisme, et son défaut le nanisme). Ce gène s'exprimait en grand excès chez ces souris (à cause de la structure même du gène injecté) et l'excès d'hormone a été responsable du gigantisme des souris manipulées. Cette expérience ouvre la porte, d'une part à la guérison de certaines maladies génétiques et, d'autre part, à la manipulation d'espèces animales supérieures, par exemple, à des fins agro-alimentaires (gros animaux de boucherie, etc.). Il n'en reste pas moins que d'énormes difficultés sont encore à vaincre.

Guérir les maladies héréditaires

La correction d'une « tare » génétique a toutefois été obtenue chez la mouche du vinaigre (la drosophile) : par des expériences d'injection de gènes dans l'œuf, la couleur rose anormale de l'œil d'une mouche héréditairement anormale a pu être remplacée par la couleur rouge normale.

La guérison des « tares » héréditaires dans l'espèce humaine est d'ailleurs un but des manipulations génétiques des années quatre-vingt. Dans un premier temps, ce sont certaines maladies héréditaires du sang qui font l'objet de tentatives de correction. Ces maladies sont dues à de l'hémoglobine anormale dans les globules rouges, ce qui rend ceux-ci incapables de transporter l'oxygène des poumons juqu'aux tissus. Si l'hémoglobine est anormale chez ces malades, c'est que leurs gènes gouvernant la synthèse du composant du pigment appelé globine, sont eux-mêmes anormaux. Ce sont donc des maladies graves que l'on ne sait pas soigner et qui entraînent souvent la mort des malades dans les vingt premières années de leur vie. Les manipulations génétiques peuvent peut-être permettre de les soigner, mais elles posent des problèmes d'éthique [78]. Le chercheur américain M. Cline fit cependant une tentative en 1980. Il injecta des gènes de globine normaux dans les cellules de la moelle osseuse de deux femmes malades (ces cellules sont responsables de la production des globules rouges) et réintroduisit les cellules « manipulées » dans le sang des malades. Cette expérience n'a eu, sur le plan thérapeutique, aucun effet ni positif, ni négatif. Mais elle a valu beaucoup d'ennuis à Cline parce qu'il avait agi avec trop de légèreté dans ce domaine qui relève, tout de même, de l'expérimentation sur l'homme [78].

Depuis 1980, on sait d'ailleurs que d'autres techniques que les manipu-lations génétiques sont envisageables pour remédier à des maladies héréditaires de l'hémoglobine. L'une d'elles a été essayée par des médecins américains en décembre 1982. Chez des malades atteints d'une maladie héréditaire de l'hémoglobine, ils ont injecté une substance, la 5-azacytidine. Cette substance a pour effet de forcer des gènes inactifs à s'exprimer. Or, chez tous les êtres humains, il existe plusieurs types de gènes de la globine. Certains d'entre eux ne s'expriment que durant la vie fœtale, puis sont mis « en sommeil ». Chez les malades en question, ce sont les gènes de la globine s'exprimant à l'âge adulte qui sont anormaux. Si on force les gènes fœtaux de la globine à se réveiller, les malades vont de nouveau disposer de globine normale dans leurs globules rouges. C'est ce qui s'est effectivement passé pour les malades traités à la 5-azacytidine. Cette expérience représente donc un premier pas vers une thérapeutique d'une maladie héréditaire : elle n'est pas directement une manipulation génétique, mais elle est fondée sur les connaissances récentes acquises en génétique moléculaire.

Gabriel Gachelin

Les biotechnologies

Le terme de « biotechnologies » englobe toutes les techniques qui permettent de tirer parti du monde animal ou végétal, microscopique ou non. Elles sont appliquées dans la plupart des pays industrialisés à des secteurs tels que la santé (produits pharmaceutiques, etc.), l'agroali-mentaire, l'agriculture, l'énergie et la dépollution. Vers la fin des années soixante-dix, elles ont bénéficié de la mise au point de nouvelles techniques issues de la recherche fonda-mentale telles que le génie génétique (manipulations génétiques) [211], le génie immunologique (fabrication d'anticorps purs) ou le génie enzymatique (utilisation des catalyseurs chimiques employés normalement par les cellules dans tous les êtres vivants).

D'autres techniques issues de la recherche fondamentale étaient déjà employées depuis un peu plus long-temps, telles que les transplantations d'embryons d'animaux domestiques ou la multiplication asexuée des végétaux. Et d'autres techniques plus anciennes, ou très anciennes, telles que les fermentations (des « élevages » de bactéries en grand nombre, en quelque sorte) ont reçu une nouvelle impulsion vers la fin des années soixante-dix, en raison de la demande dans les domaines de l'énergie et de la dépollution. Nous allons voir dans chacun des domaines énumérés, les avancées significatives au tournant des années quatre-vingt.

Dans le domaine de la santé, rappelons que les antibiotiques, la vitamine B12, ou les vaccins (polyomyélite, méningite...) sont produits depuis longtemps par fermentation. L'insuline utilisée dans le traitement du diabète (en 1969, il y avait 60 millions de diabétiques dans le monde, dont 4 millions traités par l'insuline) était, jusqu'à la fin des années soixante-dix, extraite du pancréas du porc. Une tonne de pancréas donne 100 g d'insuline humaine utilisable. Depuis le mois de juillet 1980, il existe une insuline humaine produite par génie génétique par la firme pharmaceutique américaine Eli Lilly. Celle-ci se sert du procédé mis au point par la société californienne Genentech. Ce procédé consiste à « greffer » à des bactéries le gène qui commande la formation de la molécule d'insuline dans les cellules. Les bactéries ainsi manipulées sont cultivées en fermenteurs et fabriquent donc l'insuline (substance qui leur est inutile mais qu'on les oblige ainsi à produire). L'insuline bactérienne est commercialisée en Grande-Bretagne, sous le nom d'*Humuline*, depuis la fin 1982. En France, elle devait l'être en 1983.

L'hormone de croissance a été, de même, l'objet d'une préparation industrielle par génie génétique. Le manque de cette hormone chez un enfant sur 5 000 environ, entraîne une forme de nanisme. Celui-ci est curable par l'injection de cette hormone, si le traitement est fait avant la puberté. Jusqu'à la fin des années soixante-dix, cette hormone était exclusivement préparée à partir de l'hypophyse (glande du cerveau prélevée sur des cadavres). Une hypophyse donne 4 à 6 mg d'hormone de croissance, ce qui représente la dose hebdomadaire d'un traitement qui doit durer dix ans. La société suédoise Kabivitrum produit, depuis août 1982, une hormone de croissance biosynthétique obtenue par génie génétique : le gène qui commande la synthèse de l'hormone a été greffé à des bactéries : en 7 heures et par litre de culture bactérienne, on obtient la quantité d'hormone de croissance correspondant à 60 hypophyses.

Le génie génétique a aussi permis la production par les bactéries des « interférons ». Il s'agit de substances d'intérêt médical. Les interférons sont en effet produits par les cellules des mammifères pour enrayer les maladies à virus. Chez des animaux d'expérience, ils semblent aussi capables d'enrayer la croissance de tumeurs cancéreuses. Les firmes multinationales Scherring-Plough et Hoffman-Laroche produisent en grande quantité des interférons par génie génétique depuis 1981. Ils ne sont pas vendus mais distribués à de nombreuses équipes médicales de par le monde, afin de mener des essais thérapeutiques. Des maladies telles que les rhumes, les herpès, le zona, la varicelle pourraient être traitées par interféron. Début 1983, Scherring-Plough demandait des autorisations de mise sur le marché dans divers pays.

Un sucre artificiel

Le génie immunologique permet la production industrielle d'anticorps extrêmement purs (anticorps monoclonaux). Ceux-ci sont utiles en médecine (ils permettent de diagnostiquer une grossesse, une infection latente, etc.) ou dans l'industrie pharmaceutique ou chimique (les anticorps peuvent être employés dans des colonnes de filtration pour retenir sélectivement tel ou tel produit intéressant). La technique a été mise au point pour la recherche fondamentale en 1975 :

elle consiste à fusionner en culture des cellules tumorales particulières et des globules blancs producteurs d'un type donné d'anticorps. Les cellules hybrides qui en résultent donnent une colonie cellulaire ou hybridome, produisant en grandes quantités et indéfiniment un type particulier d'anticorps dit monoclonal. La plupart des grandes firmes pharmaceutiques internationales se sont lancées dans cette production au début des années quatre-vingt.

L'industrie agroalimentaire se sert de micro-organismes (levures et bactéries) pour produire des protéines à usage alimentaire destinées aux animaux d'élevage (veau et porcelet, notamment) ou à l'homme (comme additif dans les sauces, les potages, la charcuterie...). Les firmes I C I en Grande-Bretagne, Hoechst en Allemagne, Lefrançois-Speichim ou Bell en France, sont quelques exemples bien connus d'entreprises industrielles de ce type.

Le génie génétique a fait une percée remarquable dans ce secteur. La société américaine de génie génétique Genex a, en 1982, fabriqué un gène totalement artificiel, capable de commander la synthèse d'une molécule, l'aspartame, qu'aucun être vivant ne fabrique. Or l'aspartame est susceptible de remplacer le sucre : il a un pouvoir sucrant deux cents fois supérieur au sucre! Greffé à des bactéries, le gène de l'aspartame pourra donc permettre la production industrielle de ce nouveau produit sucrant.

Enfin, le génie génétique va sans doute permettre de résoudre un problème aigu des fabricants de fromage. Pour faire du fromage, il faut ajouter des enzymes à du lait, comme le savent les agriculteurs depuis des millénaires. Certaines de ces enzymes – la présure – sont fournies par une certaine portion de l'estomac de jeunes veaux non sevrés. Or, la diminution de la consommation en viande de veau et l'augmentation de celle du fromage ont entraîné une pénurie de présure. Certains laboratoires ont donc cherché des substituts enzymatiques à la présure. Mais

ceux-ci provoquaient amertume et défauts de texture du fromage. C'est pourquoi différentes équipes ont cherché à obtenir l'une des enzymes de la présure, la chymosine, par génie génétique (Celltech en Grande-Bretagne en 1982, Dow Chemical aux États-Unis en 1983).

La fromagerie est aussi à la source de diverses entreprises biotechnologiques. Le « petit lait » ou lactosérum, résidu de la fabrication des fromages, était depuis des temps immémoriaux utilisé pour l'engraissage des porcs. Il est aujourd'hui récupéré par des industriels agroalimentaires qui en séparent les composants (par exemple, lactoprotéine ou lactose) grâce à des procédés biochimiques tels que l'ultrafiltration.

Un autre procédé pour extraire les lactoprotéines du petit lait consiste à hydrolyser le lactose, grâce à une enzyme, la lactase. Celle-ci est extraite d'un champignon unicellulaire microscopique *(Aspergillus niger)*. La société anglaise Corning a mis au point un système industriel dans lequel on fait passer le lactosérum dans une colonne contenant des billes de céramique poreuse portant à leur surface la lactase immobilisée. Début 1982, l'unité industrielle ainsi réalisée traitait 20 000 litres de lactosérum par jour, donnant des lactoprotéines utilisées dans la biscuiterie, la confiserie, etc.

La multiplication accélérée du bétail et des plantes

L'agriculture a vu se développer dans les années soixante-dix des procédés destinés à accélérer la multiplication des animaux et végétaux (par la voie de la reproduction sexuée ou non). Dans le cas des animaux, la technique privilégiée est le transfert d'embryons. Cela consiste à provoquer une superovulation (émission simultanée de plusieurs ovules) chez une vache aux qualités génétiques intéressantes. Elle est ensuite inséminée par du sperme de taureau (lequel aura pu être aussi sélectionné pour ses qualités génétiques). Les embryons résultant de la fécondation sont prélevés huit jours après, par lavage de l'utérus. Ils peuvent alors être transférés à d'autres vaches (de race indifférente) qui les porteront jusqu'à leur terme, dans 70 % des cas. Durant sa vie, une vache donneuse pourra engendrer jusqu'à 100 veaux (au lieu d'une dizaine)! Cette méthode est très utilisée en Amérique du Nord : de 20 transferts d'embryons en 1972, on est passé à 25 000 en 1980 et on en prévoit 500 000 en 1990. Cette méthode est applicable à la brebis, à la jument, à la chèvre, à la lapine... Les embryons peuvent être congelés et conservés pendant plusieurs mois pour faire des banques d'individus génétiquement sélectionnés. Un moyen supplémentaire pour augmenter la multiplication des animaux d'élevage est de couper les embryons en deux et de les réimplanter dans des mères-porteuses [212].

Chez les végétaux, la création de nouvelles variétés génétiques [253] a été accélérée par la réalisation de plantes « haploïdes », c'est-à-dire de plantes qui n'ont que la moitié du patrimoine génétique normal. Le procédé, mis au point dans les années soixante, consiste à régénérer une plante à partir de graines de pollens ou d'ovules, c'est-à-dire de cellules qui sont, à l'état normal, « haploïdes ». Cette technique a été appliquée pour la création de variétés nouvelles d'orge, de riz, de blé, de tabac, de pomme de terre ou de colza, et en 1982, d'aubergine ou de piments. En France, à l'INRA à Montfavet (près d'Avignon), on obtient, après culture in vitro de 100 anthères (les organes végétaux contenant les grains de pollens) d'aubergine, 5 à 30 plantes.

Dans d'autres cas, on accélère la multiplication des plantes et la mise au point de variétés nouvelles grâce à la multiplication asexuée (dite multiplication végétative ou clonage). Par exemple, toujours en France, le GERDAT (groupe de recherche sur l'agronomie tropicale) de Montpellier a obtenu en 1982 plusieurs milliers de plantules de caféiers, grâce à la culture en éprouvette d'un seul fragment de feuille de caféier. Le grand nombre de plants ainsi obtenu permettra en peu de temps le repeuplement et le remplacement des plants sensibles à la rouille (parasite du café) car on a pris soin de multiplier un plant de café résistant à cette maladie. La sélection génétique accélérée que permettent ces différentes techniques pourra même peut-être permettre de créer une variété de café « décaféiné » !

Se passer d'engrais

Enfin, en agronomie végétale, on espère grâce à la biologie fondamentale résoudre un problème important, celui de l'approvisionnement des plantes en matières azotées, indispensable à leur métabolisme. C'est ce qu'on appelle le problème de la fixation de l'azote par les plantes. Actuellement, il n'existe aucune espèce végétale capable d'extraire directement de l'atmosphère l'azote nécessaire à son métabolisme ; on lui en fournit donc sous une forme assimilable : les engrais. Mais ceux-ci coûtent cher à l'agriculteur. Il faut donc trouver une autre forme d'apport azoté.

Or, il existe des bactéries du genre *Rhizobium* vivant dans le sol et fixant l'azote atmosphérique. Elles peuvent se multiplier dans les racines des légumineuses (petits pois, etc.). Il s'établit alors entre bactéries et légumineuses une symbiose : la plante nourrit la bactérie et celle-ci lui procure l'azote assimilable. On espère pouvoir, par génie génétique, greffer aux céréales les « gènes » commandant la fixation de l'azote chez les bactéries du genre *Rhizobium*; ou bien, on espère manipuler génétiquement ces bactéries pour qu'elles acceptent de vivre en symbiose avec les céréales... Beaucoup de laboratoires de recherche fondamentale travaillent sur ce sujet de par le monde. Mais on ne s'attend pas à ce que ces recherches débouchent avant la fin du XXe siècle.

Enfin, les biotechnologies concernent aussi les secteurs de l'énergie [341] et de la dépollution. Par exemple, on fait fermenter par des bactéries particulières des déchets organiques : ordures, pelures, feuilles, etc. : elles produisent alors du méthane (ou biométhane) qui peut être utilisé comme gaz combustible. En Chine, cinq millions de fermenteurs ont été installés dans les installations agricoles au début des années quatre-vingt. En France, on peut citer comme réalisation la station d'épuration d'Achères près de Paris et les conserveries Bonduelle dans le Nord (celles-ci traitent ainsi, depuis 1982, les pelures des légumes utilisés pour les conserves : le biomé-

thane est utilisé pour chauffer l'eau des stérilisateurs).

Par ailleurs, la mise au point de carburants de substitution, après le choc pétrolier de 1973, a fait l'objet dans le monde entier de nombreux programmes. Aux États-Unis et au Brésil, on a cherché à obtenir de l'alcool éthylique par fermentation de plantes sucrières (betterave ou canne à sucre). Cet alcool peut être mélangé à de l'essence pour donner du « carburol » [344].

L'Institut français du pétrole a axé ses recherches sur la fermentation de tiges de maïs, de paille, de topinambours, de betteraves ou autres : dans ce procédé, on obtient un mélange acétone-butanol, autre variété de « carburol » [344]. Une usine pilote fonctionne à Solaize, près de Lyon, depuis 1982. Mais le carburant ainsi obtenu reste encore cher.

Paula Ceccaldi

BIBLIOGRAPHIE

Ouvrages

BULS A. T., HOLT G., LILLY M. D., *Biotechnologie,* OCDE, Paris, 1982.

Ministère de l'Industrie et de la Recherche, *Les bio-industries : opportunités pour les PMI,* La Documentation française, Paris, 1981.

PELISSOLO J. C., *La biotechnologie demain?,* La Documentation française, Paris, 1980.

DE ROSNAY J., *Biotechnologies et bioindustries,* Seuil-Documentation française, Paris, 1979.

SCRIBAN R., *Biotechnologie,* Lavoisier, Paris, 1982.

Articles

Tous les numéros de *Biofutur* depuis mars 1982, mensuel exclusivement consacré aux biotechnologies.

L'ÉTAT DES SCIENCES 1983
A QUOI SERVENT LES GROUPES SANGUINS?

221

A quoi servent les groupes sanguins?

Depuis la Seconde Guerre mondiale, il est devenu très courant de se faire déterminer son groupe sanguin. Chacun sait qu'il peut en effet être amené à recevoir ou à donner du sang, par exemple à la suite d'accidents d'automobiles ou dans certains cas de maladies. Connaissant les groupes A, B, AB ou O du donneur et du receveur, les médecins peuvent faire une transfusion dénuée de risque.

Depuis les années soixante-dix, la détermination d'autres groupes sanguins a commencé à devenir une pratique médicale courante : celle des groupes HLA. Par exemple, un rhumatologue suspectant qu'un de ses malades est atteint de « spondylarthrite ankylosante » (un rhumatisme siégeant au niveau de la colonne vertébrale), pourra chercher à savoir s'il ne serait pas du groupe HLA dénommé B 27. Au cas où il le serait, le diagnostic serait confirmé car les immunologistes ont constaté qu'il y a une très forte corrélation entre cette maladie et le groupe B 27.

Mais c'est surtout les équipes médicales effectuant des greffes – de rein, par exemple [246] – qui ont besoin de savoir quels sont les groupes HLA du donneur et du receveur. En effet, tout au long des années soixante et soixante-dix, les biologistes et les médecins se sont rendu compte que la compatibilité des groupes HLA entre donneur et receveur est un facteur de grande importance pour la réussite d'une greffe. C'est d'ailleurs pour cela que le biologiste français qui a découvert les groupes HLA, Jean Dausset, a reçu le prix Nobel en 1980.

Que représentent concrètement les groupes sanguins pour l'organisme? Ce sont des signaux portés par des molécules à la surface des cellules du sang, ou d'autres tissus d'ailleurs, comme nous allons le voir.

Dans le cas des groupes ABO, il y a un signal (ou antigène, en terme technique) caractéristique du groupe A, et un signal caractéristique du groupe B, que les spécialistes repèrent par des tests biologiques particuliers effectués sur les globules rouges du sang. Quant au groupe O, il correspond à l'absence de tout signal A ou B sur les globules rouges; à l'inverse, le groupe AB est formé par la présence simultanée des deux signaux A et B sur les globules rouges. Le nombre des groupes sanguins ABO est donc limité à quatre, en raison des quatre combinaisons possibles : présence ou absence du signal A; présence ou absence du signal B.

De leur côté, les groupes HLA sont repérés par des signaux portés par les globules blancs du sang. Le nombre des combinaisons possibles des groupes HLA définissant un type est gigantesque, bien supérieur au nombre total des êtres humains peuplant la terre. C'est que le type HLA d'un individu est formé par la présence simultanée sur les globules blancs de quatre ou cinq catégories de signaux, chacune comprenant de 8 à 42 éléments. A part les vrais jumeaux, il n'y a donc pas deux individus à avoir exactement le même type HLA.

Ces signaux, qu'ils soient des groupes ABO ou HLA sont « perçus » par les agents de la défense immunitaire, c'est-à-dire les petits globules blancs appelés lymphocytes, et les anticorps. Lymphocytes et anticorps sont capables de détruire des cellules porteuses de signaux ABO ou HLA qu'ils reconnaissent comme étrangers à l'organisme. Inversement, ces agents n'attaquent pas les cellules de l'organisme car celles-ci portent des signaux A B O ou H L A qu'ils reconnaissent comme « non-étrangers ».

Quand les médecins recherchent des donneurs de sang ou de rein présentant des groupes sanguins compatibles avec ceux des receveurs, c'est justement pour que les agents de la défense immunitaire reconnaissent sur les cellules sanguines ou rénales greffées des signaux A B O ou H L A qui leur paraîtront « non-étrangers ».

Voir les signaux

Bien qu'ils soient examinés sur les cellules du sang, les signaux des groupes A B O ou H L A ne sont nullement restreints à ces cellules. Ils sont présents sur tous les tissus de l'organisme. C'est pour cela que les signaux H L A repérés sur les globules blancs d'un donneur permettent de dire si son rein sera ou non attaqué par les agents immunitaires du receveur – et donc la greffe rejetée ou non. Toutefois, les signaux du groupe H L A ne figurent pas sur la surface des globules rouges. C'est pourquoi, lors des transfusions de sang, on n'a besoin de connaître que les signaux des groupes A B O.

Par ailleurs, bien que durant de nombreuses années, les biologistes aient considéré les groupes H L A comme facteurs primordiaux du succès ou du rejet des greffes, ils se sont aperçus vers la fin des années soixante que les groupes A B O pouvaient aussi jouer un rôle important dans ce domaine. Plus encore, des résultats rapportés dans un colloque international à Los Angeles en 1980 et basés sur la comparaison des résultats des greffes de rein effectuées dans les hôpitaux du monde entier, ont montré que d'autres groupes sanguins apparentés aux groupes A B O jouent aussi un rôle dans le rejet ou le succès des greffes. Et ce n'est pas étonnant puisque ces signaux A B O ou apparentés figurent sur tous les tissus de l'organisme. Ainsi, Rafael Oriol, à l'hôpital Broussais à Paris, a bien mis en évidence, en 1982-83, par des techniques nouvelles de marquage fluorescent des signaux de groupes A B O et des groupes apparentés, que les tissus rénaux exhibent fortement ces signaux et en grandes quantités.

On peut se demander à quoi servent les groupes sanguins à l'organisme en temps normal. Car, bien sûr, la nature n'a pas fait les groupes

---

BIBLIOGRAPHIE

Ouvrage

H L A 1982 (édité par Jean Dausset), Flammarion, Paris, 1982.

Articles

BACH J. F., « Les pionniers de l'immunogénétique », *La Recherche*, n° 117, 1980.

GACHELIN G., KOURILSKY Ph., « Les greffes d'organes à l'heure de la génétique moléculaire », *La Recherche*, n° 140, 1983.

OPELZ, TERASAKI P. I., « International Histocompatibility Workshop Study on Renal Transplantation », *Histocompatibility Testing 1980*, UCLA Tissue Typing Laboratory, Los Angeles, 1980.

ORIOL R., CARTRON J. P., CARTRON J., MULER C., « Biosynthesis of ABH and Lewis Antigens in Normal and Transplanted Kydneys, *Transplantation*, n° 29, 1980.

sanguins pour seulement permettre aux biologistes et aux médecins de réussir les greffes ou les transfusions. Au tournant des années quatre-vingt, on admettait que les signaux HLA ont, en temps normal, un rôle capital. Ils servent à guider les globules blancs dans leur lutte contre les virus et les autres agents infectieux (bactéries, parasites,...), et aussi contre les tumeurs cancéreuses. Les biologistes cherchent à comprendre plus en détail ces différents rôles, et grâce au génie génétique [211], ils ont isolé dans ce but les gènes commandant la formation des molécules qui, à la surface des cellules, portent des signaux HLA (une telle expérience a été faite par B. Jordan à Marseille en 1982).

Mais les signaux ABO pourraient bien avoir eux-aussi un rôle capital dans un autre domaine, celui de la formation des tissus et des organes par le jeu de la différenciation cellulaire. En effet, les recherches de R. Oriol en 1982, au moyen du marquage fluorescent des signaux ABO, montrent que dans un organe, comme la glande salivaire par exemple, des cellules à différents stades de fonctionnement portent des signaux ABO différents...

Marcel Blanc

Le contrôle de la reproduction humaine

Avec les mouvements féministes aux États-Unis et en Europe de l'Ouest, les années soixante-dix ont été marquées par de grands débats sur la contraception féminine : la « pilule », a été longuement, et tour à tour, critiquée et louée. Adeptes et détracteurs ont défilé à la tribune de l'histoire sociale et scientifique. Les années quatre-vingt en revanche, depuis la naissance de Louise Brown en juillet 1978 en Angleterre, ont un parfum de science-fiction, avec les « bébés éprouvettes » comme moyen de lutte contre la stérilité [127].

C'est que « la science » fournit désormais aussi bien les moyens de limiter la natalité que de remédier à l'impossibilité d'avoir un enfant. Au début des années quatre-vingt, les techniques de contrôle de la reproduction humaine voyaient apparaître de nouvelles « pilules » pour femmes, mais aussi les premières tentatives de « pilules » pour hommes. Et aussi de nouveaux moyens de lutte contre les stérilités féminines et masculines.

Voyons d'abord quel était l'état des techniques disponibles pour lutter contre la stérilité. Les stérilités féminines représentent 60 % de tous les cas de stérilité rencontrés en clinique (les 40 % restants étant, bien sûr, dus aux stérilités masculines). Parmi ces 60 %, 15 % sont dus à l'absence d'ovulation, 20 à 30 % à une anomalie des trompes (sortes de « conduits » qui permettent à l'ovule de gagner l'utérus), et 15 à 25 % à des causes mal définies.

Il est possible de remédier aux stérilités dues aux anomalies des trompes telles qu'obstruction, destruction partielle, etc., par la microchirurgie. Celle-ci, mise au point en 1959, n'est réellement pratiquée que depuis 1970, et consiste en la reconstitution de la trompe affectée. Les succès de cette technique sont variables (ils dépendent du niveau anatomique où se situait la lésion). Globalement, le taux de réussite de ce type d'intervention redonne à ces femmes stériles une fertilité de 18 % (sur 100 femmes opérées, 18 auront une grossesse après rapport sexuel au moment de l'ovulation). Cela peut paraître minime. Mais il faut savoir que la fertilité moyenne des couples humains n'est pas très élevée : on estime que sur 100 femmes ayant eu un rapport sexuel au moment de l'ovulation (le moment le plus favorable à la fécondation), seules 25 à 30 auront une grossesse débouchant sur une naissance (parce que la fécondation n'a pas eu lieu ou parce qu'il y a eu avortement spontané, événement fréquent surtout dans les trois premiers mois).

Chez l'homme, certaines stérilités sont dues au fait que les spermatozoïdes ne peuvent être évacués par les petits canaux dits « épididymaires » reliant le testicule à la prostate. Ces cas peuvent être aussi traités par microchirurgie, avec un taux de succès de 20 % (sur 100 couples dont l'homme a été ainsi traité, 20 seront en mesure d'avoir un enfant).

Lorsque la microchirurgie est impuissante ou inefficace à rétablir les possibilités de rencontre des cellules sexuelles, les couples ont maintenant la possibilité de tenter une FIVETE, c'est-à-dire une « fécondation *in vitro* et transplantation embryonnaire ».

Trois cents « bébés éprouvettes »

C'est ainsi qu'en 1959, pour la première fois, le biologiste R. Edwards (Grande-Bretagne) réussissait à féconder *in vitro*, c'est-à-dire hors de l'organisme, un ovule humain dans une éprouvette. Et c'est en juillet 1978 que naissait Louise Brown, grâce à Edwards et Steptoe. Après cette date, bien d'autres équipes ont tenté de reproduire cet exploit. Depuis, trois cents enfants au moins sont nés de par le monde en Grande-Bretagne, Australie, France, Allemagne, États-Unis... grâce à cette technique. En France, c'est le 24 février 1982 que naissait ainsi Amandine Favre, premier « bébé-éprou-

vette », dont les « pères scientifiques » étaient J. Testart et R. Frydman (de l'hôpital Antoine-Béclère, à Clamart).

Cette technique réalise la rencontre d'un ovule et de spermatozoïdes dans un tube. Il faut donc récupérer l'ovule juste avant son expulsion de l'ovaire. Pour ce faire, il est nécessaire de connaître le moment précis de l'ovulation afin de n'intervenir ni trop tôt (l'ovule ne serait pas fécondable), ni trop tard (l'ovule expulsé serait perdu dans la cavité abdominale). Des études des sécrétions hormonales précédant l'ovulation ont permis de déterminer précisément le moment auquel celle-ci survient au cours du cycle menstruel. Elle prend place 37 heures après le début d'une sécrétion d'hormone hypophysaire, baptisée du sigle LH.

En pratique, le protocole de l'intervention est le suivant : on administre d'abord, en début de cycle, une hormone analogue à une autre hormone hypophysaire, la FSH, qui a pour propriété de favoriser le développement de plusieurs follicules ovariens, dans lesquels se trouvent les ovules. On surveille ensuite les sécrétions hormonales œstrogéniques émises par l'ovaire, qui deviennent de plus en plus abondantes à mesure que l'on avance dans le cycle menstruel. Lorsque les niveaux de ces hormones prouvent que le moment est favorable, les patientes reçoivent alors une injection d'une hormone analogue à la LH. Elles sont opérées environ 35 heures après.

Elles subissent ce que l'on appelle une coelioscopie : une incision très petite de la paroi abdominale permet de voir les ovaires et d'introduire une aiguille grâce à laquelle les ovules sont aspirés. Ils sont alors immédiatement placés dans un milieu stérile et mis dans une étuve à 37 °C, à l'obscurité, où ils sont maintenus environ 6 heures. Pendant ce temps, le sperme obtenu par masturbation subit un traitement particulier pour le rendre fécondable. En effet, on sait que les spermatozoïdes émis lors d'un rapport sexuel – à raison de

60 millions par millilitre de sperme – subissent des modifications dans les voies génitales de la femme, rendant « fécondants » une certaine proportion d'entre eux. Dans la FIVETE, moins de 100 000 spermatozoïdes rendus artificiellement « fécondables » sont mis en contact avec l'ovule. L'œuf ainsi obtenu commence à se diviser; 45 heures après l'insémination, il comporte 4 cellules. Cet embryon est alors replacé dans l'utérus à l'aide d'un tube très fin. Le taux de réussite de la FIVETE est de 10 à 20 %, ce qui semble peu, mais n'est pourtant pas loin des taux de réussite « naturels » (25 à 30 % comme nous l'avons vu).

Que faire des embryons en trop?

Les femmes à qui l'on fait une FIVETE ont généralement plus d'un ovule prêt à être fécondé (puisqu'on leur administre une hormone dans ce but). Pour augmenter les chances de réussite, on tente de féconder *in vitro* le maximum d'ovules. On obtient ainsi plusieurs embryons pour une même femme, et deux en général sont replacés dans l'utérus de la mère (toujours pour maximiser les chances de réussite). Il reste donc souvent des embryons excédentaires.

La question se pose donc de savoir que faire de ces embryons. Cette question soulève d'énormes problèmes éthiques et la (ou les) réponse scientifique ne pourra se réaliser pleinement qu'après de nombreux débats et décisions prises au niveau national [127]. Une des réponses scientifiques déjà mise en pratique (en Australie) avec l'accord des parents, est la congélation dans l'azote liquide à − 196 °C des embryons excédentaires. Cette technique permet de mettre en attente ces embryons et de les replacer, après décongélation, dans l'utérus, au cours d'un cycle menstruel où la femme n'a subi aucune intervention ou perturbation qui pourraient avoir des effets néfastes sur l'implantation. Cette méthode, qui est très

pratiquée chez les espèces animales domestiques, n'a cependant encore donné naissance à aucun enfant.

Il ne faudrait pas croire que la FIVETE soit réservée exclusivement au traitement de certaines stérilités féminines. Elle peut aussi être un recours dans certains cas de stérilités masculines lorsque, par exemple le sperme du mari est peu « fécondant ». En effet cette technique comporte un traitement du sperme, comme nous l'avons vu. On peut se borner, pour remédier à ce type de stérilité masculine, à faire une insémination artificielle de la femme avec le sperme traité de son mari. Mais la difficulté à prévoir le moment de l'ovulation, et donc le moment idéal de l'insémination, fait dire que la FIVETE peut dans ce cas être une bonne méthode pour le traitement de ces stérilités masculines.

En ce qui concerne les stérilités féminines dues à une absence d'ovulation, de nouveaux remèdes sont devenus disponibles. Des équipes suédoises et néerlandaises ont, en 1980-81, traité ce type de stérilité grâce à l'administration d'une hormone hypothalamique baptisée du sigle de GnRH. En effet, cette hormone, si elle est administrée périodiquement pendant de brèves périodes au cours du cycle menstruel, peut favoriser l'ovulation.

En pratique, les patientes portent à la ceinture une mini-pompe programmable, injectant la GnRH dans un petit tuyau souple relié à la circulation veineuse de l'abdomen. Chez une dizaine de femmes ainsi traitées, l'ovulation s'est produite, suivie pour certaines d'une grossesse.

Une « pilule » révolutionnaire

Voyons maintenant les techniques contraceptives disponibles au début des années quatre-vingt. La « pilule » est largement utilisée dans tous les pays industrialisés. Sa très grande efficacité ne peut guère être améliorée. Les doses d'hormones ovariennes (œstrogènes et progestagènes) qu'elle contient ont été énormément réduites, diminuant ainsi les effets secondaires. Prise quotidiennement pendant 21 jours suivi d'un arrêt de 7 jours, elle supprime l'ovulation. Cependant, il n'en reste pas moins que certains effets secondaires subsistent, dont l'importance est d'ailleurs très controversée. Il faut reconnaître aussi que le mode d'emploi est contraignant (il ne faut pas oublier de prendre la pilule chaque jour).

Une nouvelle pilule « révolutionnaire » qui n'a besoin d'être prise que deux jours par mois, est en préparation. Elle a été présentée le 19 avril 1982 par le Pr Baulieu (INSERM, Kremlin-Bicêtre) à l'Académie des sciences de Paris, et sa commercialisation pourrait prendre effet aux environs de 1985. Dénommée pour le moment par son matricule, R U 486, cette nouvelle pilule est une anti-progestérone. Une partie de sa structure chimique ressemble en effet à la progestérone, qui est une hormone produite par l'ovaire en grande quantité pendant la période du cycle menstruel qui suit l'ovulation et qui joue un rôle essentiel dans la survie de l'embryon dans l'utérus. Le R U 486 se fixe sur le tissu utérin à la place de la progestérone et empêche ainsi son action. Dès lors, l'embryon ne peut plus se maintenir et est expulsé. Prise au 26 et 27ᵉ jours du cycle, le R U 486 interrompt donc une grossesse éventuelle. S'il n'y a pas de grossesse en cours, il précipite la venue des règles. Les premiers résultats étaient très encourageants, mais des tests devaient être poursuivis afin d'étudier les éventuels effets secondaires.

Une autre méthode contraceptive différente de la « pilule » a fait son apparition dès la fin des années soixante-dix en Suède, puis aux États-Unis, en Allemagne et au Canada. Il s'agit de l'administration chronique (c'est-à-dire chaque jour durant toute la période où l'on désire pratiquer la contraception) de l'hormone hypothalamique G n R H par vaporisations nasales (à raison de deux vaporisations par jour). Cette préparation hormonale, qui bloque l'ovulation, est connue sous le nom de « buserilin ». En 1982, elle n'avait encore été essayée que sur une centaine de femmes de par le monde, mais il est clair que les années à venir verront se développer cette forme de contraception.

Une méthode encore différente a été mise au point en Inde au début des années quatre-vingt. Elle fait appel à un procédé immunologique : il s'agit d'un anticorps très pur dirigé contre l'hormone hypothalamique G n R H (l'anticorps inactive l'hormone). Administré à une femme en tout début de grossesse, l'anticorps provoque un avortement précoce (car il interrompt indirectement la sécrétion hormonale nécessaire au maintien de l'embryon dans l'utérus). Dans une interview à une revue française de gynécologie, le professeur Pran Talwar (New Delhi) a déclaré, en octobre 1982, que ce procédé était au point chez l'animal. En France, l'Institut Pasteur et différentes firmes pharmaceutiques travaillaient sur ce sujet.

La « pilule » pour les hommes

Enfin, la contraception masculine fait ses premiers pas. Elle fait appel à deux techniques. L'une repose sur les vaporisations nasales chimiques de G n R H. Cette hormone hypothalamique peut en effet, administrée de manière continue, bloquer la fabrication des spermatozoïdes par le testicule. Mais elle bloque aussi la fabrication des hormones mâles. Il faut donc administrer de la testostérone en même temps, afin de maintenir la « libido ». Ce procédé a été essayé sur un petit nombre d'hommes en Suède, aux États-Unis, etc., mais les doses exactes à utiliser ne sont pas encore bien définies.

Dans plusieurs pays, des équipes de chercheurs mettent au point une « pilule » pour homme, avec le concours de volontaires. En France, les participants à ces expériences sont pour la plupart des militants de la contraception masculine regroupés autour de la revue ARDECOM (Association pour la recherche et le développement de la contraception masculine). La « pilule » pour hommes est composée d'une hormone femelle progestative (elle bloque la production de spermatozoïdes). Il faut la prendre à raison de deux comprimés par jour et se frictionner chaque jour avec une pommade à base d'hormone mâle, la testostérone (pour combattre les effets indésirables de l'hormone femelle). Cela représente donc beaucoup de contraintes, qui limitent l'utilisation de cette méthode à des personnes très motivées, du moins à son stade de développement en 1983.

En Chine, au courant des années soixante-dix, 4 000 hommes auraient expérimenté une « pilule » formée d'un composé chimique extrait du cotonnier, le gossypol. Selon des experts chinois, cette méthode aurait près de 100 % d'efficacité. Mais les experts occidentaux estiment que les critères de succès de leurs confrères chinois sont beaucoup trop laxistes : les Chinois estiment que la contraception masculine est réussie si le sperme ne contient plus que 4 millions de spermatozoïdes par millilitre – au lieu de 60 millions à l'état normal. Or avec ce chiffre, il est parfaitement possible de réussir une fécondation. De plus, 13 % des sujets ont présenté des effets secondaires gênants. Cependant, l'Organisation mondiale de la santé a lancé un programme de recherche sur ce sujet en 1982.

Il est important de noter que l'attitude adoptée face à la lutte contre la stérilité ou face à la contraception est différente selon les pays. Les pays industrialisés où les taux de natalité sont en baisse et qui développent une technologie de pointe peuvent s'offrir le « luxe » de la FIVETE. De leur côté, les pays du tiers monde où la natalité est galopante peuvent se satisfaire d'une contraception dont le taux d'échecs pourrait être de 20 %, ce qui est inconcevable dans les pays industrialisés où la demande est beaucoup plus individualisée.

Brigitte Lefèvre

BIBLIOGRAPHIE

Articles

FRASER H. M., « Antifertility Effects of GnRH », *Journal of Reproduction and Fertility*, n° 64, 1982.

HERRMANN W. *et al.*, « Effet d'un stéroïde anti-progestérone chez la femme : Interruption du cycle menstruel et de la grossesse au début », *Comptes rendus de l'Académie des sciences de Paris*, 1983.

PRASSAD M. R. N., DICZFALUSY E., « Gossypol (Human and Lab Mammels) », *International journal of andrology*, suppl. n° 5, 1982.

SOUFIR J. C., JOUANNET P., MARSON J., SOUMAH A., « Reversible Inhibition of Sperm Production and Gonadotrophin Secretion in Men Following Combine Oral Medroxyprogesterone Acetate and Percutaneous Testoterone Treatment », *Acta Endocrino logica*, 1983.

TESTART J., « La fécondation externe de l'œuf humain », *La Recherche*, n° 130, 1982.

Les morphines du cerveau

La découverte des morphines du cerveau est, sans aucun doute, l'une des découvertes les plus spectaculaires de la neurobiologie des années soixante-dix.

Tout le monde connaît la morphine, substance extraite du pavot et dont les propriétés pharmacologiques en font, à la fois, un puissant médicament contre la douleur et une drogue redoutable par la dépendance (le besoin) qu'elle entraîne chez les drogués. Le mode d'action de cette substance sur le cerveau resta longtemps mystérieux jusqu'à la découverte en 1973 de « récepteurs de la morphine » dans le cerveau, c'est-à-dire de structures chimiques cérébrales prêtes à accueillir la morphine et à modifier en conséquence le fonctionnement du cerveau. Ainsi aboutissait-on à un fait étonnant : il existait dans le système nerveux des mammifères et de l'homme des sites récepteurs pour une substance végétale avec laquelle le système nerveux n'avait normalement aucun contact ! Il était logique de penser qu'en temps normal, de tels récepteurs devaient se lier, non à la morphine du pavot, mais à des substances qui lui ressemblaient, de véritables morphines animales, présentes normalement dans le cerveau.

La recherche ultérieure confirma cette hypothèse : il existait dans le cerveau des molécules dont l'action ressemblait à celle de la morphine. Ces molécules furent progressivement isolées. En 1975 en Écosse, J. Hughes et H. Kosterlitz isolèrent deux petites molécules qu'ils appelèrent « enképhalines »; une série de molécules un peu plus grosses, appelées « endorphines » furent ensuite obtenues, notamment par Roger Guillemin et son équipe au Salk Institute (Californie). Fait remarquable, ces substances produites par le cerveau n'appartenaient pas à la même famille chimique que la mor-

phine elle-même. Alors que la morphine extraite du pavot est ce qu'on appelle un alcaloïde, les substances extraites du cerveau sont des *peptides,* c'est-à-dire des molécules de la familles des protéines, cette grande famille qui contient des substances aussi importantes pour l'organisme que les enzymes, les anticorps et beaucoup d'hormones. Mais les molécules de morphine végétale ou de morphine animale ont la même forme dans l'espace, ce qui leur permet de se lier aux mêmes récepteurs chimiques dans le cerveau.

On connaissait en 1983 une dizaine de ces peptides morphiniques cérébraux. Aux deux premières enképhalines trouvées par Hughes et Kosterlitz se sont ajoutées quatre substances voisines, portant à six le nombre des enképhalines. Quant aux endorphines, il en existe trois différentes (nommées alpha-, bêta- et gamma- endorphines) ainsi que quelques substances dérivées.

L'étude de ces substances a beaucoup progressé au début des années quatre-vingt. Alors qu'au moment de leur découverte, on avait pensé qu'enképhalines et endorphines étaient des substances très voisines, les recherches ultérieures ont clairement montré qu'elles appartenaient à deux familles de peptides nettement distinctes. Ainsi, elles ne se trouvent pas dans les mêmes régions du cerveau – et d'ailleurs les enképhalines sont présentes dans un nombre bien plus élevé d'endroits que les endorphines. Leur durée de vie est différente : les enképhalines ne sont stables que quelques minutes et ont donc une durée d'action très faible, alors que les endorphines restent stables plusieurs heures. Bien entendu, ni les unes ni les autres n'ont une action aussi longue que la morphine elle-même. C'est par cette action extrêmement longue, due au fait qu'elle n'est pas dégradée assez vite, que la morphine présente ses puissantes propriétés pharmacologiques. La morphine est, en quelque sorte, une endorphine anormale, dont l'organisme ne parvient pas à arrêter l'action.

Soigner les douleurs intraitables

On avait, à la fin 1982, quelques idées sur la manière dont prennent naissance ces peptides cérébraux dans le cerveau. Les endorphines sont issues d'une grosse molécule de stockage qui sert également au stockage de diverses hormones. Une molécule de stockage de certaines des six enképhalines connues a été isolée au début de 1982 par des équipes américaines et japonaises. Il reste à découvrir les autres molécules de stockage des enképhalines restantes. A partir de ces molécules de stockage, les peptides actifs sont libérés, au fur et à mesure des besoins de l'organisme, par l'action d'enzymes appropriées qui découpent en tronçons la molécule de stockage.

On peut se demander quels rôles jouent dans le cerveau les différentes enképhalines et endorphines. Il semble bien que plusieurs morphines du cerveau auraient une fonction antidouleur. Elles bloqueraient la circulation des « excitations douloureuses » le long des voies nerveuses et empêcheraient ainsi leur arrivée au cerveau. Les enképhalines auraient une telle action au niveau de l'entrée des messages sensoriels douloureux dans le système nerveux, notamment dans la moelle épinière, comme l'avaient suggéré dès 1977 les chercheurs britanniques Jessel et Iversen. Les endorphines agiraient plutôt au niveau des centres cérébraux.

Ainsi, dans un relais cérébral important du message douloureux appelé la région périaqueducale, la bêta-endorphine joue un rôle essentiel. Une stimulation électrique des voies nerveuses au niveau de ce relais abolit la douleur aussi bien chez l'animal que chez l'homme. Le

chercheur américain Hosobuchi a montré en 1979 que cette stimulation électrique entraînait une forte secrétion de bêta-endorphine. Cette découverte pourrait être appliquée au traitement des douleurs graves que les médicaments normaux n'arrivent pas à soigner : on peut envisager d'implanter, à demeure, dans le cerveau des malades présentant ces douleurs, des électrodes dont l'extrémité plonge dans la région périaqueducale. Le malade pourrait déclencher lui-même le stimulateur lors de la douleur. Des expériences préliminaires de ce type ont été réalisées par Hosobuchi à San Francisco, à la fin des années soixante-dix.

Un rôle dans les comportements émotionnels

D'autres travaux réalisés au début des années quatre-vingt, notamment par J. Rossier (CNRS de Gif-sur-Yvette) ont montré que les morphines du cerveau agissaient aussi sur diverses hormones. D'ailleurs, enképhalines et endorphines ne figurent pas seulement dans le cerveau : on en trouve aussi dans diverses glandes secrétant des hormones, comme l'hypophyse (une glande située à la base du cerveau) et dans la médullosurrénale (une glande située au-dessus du rein). A partir de ces glandes, enképhalines et endorphines seraient déversées dans le sang, dans certaines circonstances. Cela pourrait être le cas notamment lorsque l'organisme doit faire face à une agression.

Les morphines du cerveau ont également une action sur le psychisme et le comportement, que l'on commence à peine à entrevoir. A cet égard, l'une des endorphines – la gamma-endorphine – et un de ses dérivés, s'avèrent prometteurs. Le pharmacologue néerlandais David De Wied avait suggéré, dès 1979, que ces molécules pourraient avoir un rôle de calmant. Selon De Wied, des effets calmants de ces molécules avaient pu être mis en évidence chez des schizophrènes. Ces résultats méritent cependant d'être reproduits et confirmés. Quant à nous, nous avons pu montrer en 1982 chez la souris, en collaboration avec L. Prado de Carvalho et J. Rossier, que le dérivé de la gamma-endorphine semblait avoir des effets anti-anxiété. Des souris placées dans une situation éprouvante se comportent mieux après une injection de cette substance que des souris non traitées. Cependant les effets de cette

---

BIBLIOGRAPHIE

Ouvrage

CHAPOUTHIER G., MATRAS J. J., *Introduction au fonctionnement du système nerveux,* Éditions Medsi, Paris, 1982.

Articles

COSTA E., TRABUCCI M., « Neural Peptides and Neuronal Communication », *Biomedical Psychopharmacology,* vol. 22, Raven Press, New York, 1980.

HÖKFELT T., « Les messagers chimiques du cerveau », *La Recherche,* n° 122, 1981.

ROSSIER J., CHAPOUTHIER G., « Enképhalines et endorphines », *La Recherche,* n° 138, 1982.

substance ne sont pas les mêmes que ceux des tranquillisants traditionnels. D'autres recherches s'imposent donc, pour parvenir à une conception claire du rôle de ces molécules.

D'une façon générale, les morphines du cerveau sont très abondantes dans les régions cérébrales impliquées dans les réponses à une agression (glande hypophyse, hypothalamus); elles sont également très abondantes dans une partie du cerveau appelée « système limbique » et qui est le centre des émotions : les réactions de colère, rage, joie sont élaborées dans cette région. Pour toutes ces raisons, il est donc vraisemblable que les morphines du cerveau jouent un rôle essentiel dans les réactions émotionnelles de l'organisme.

Georges Chapouthier

Neuropsychologie : le cerveau a-t-il un sexe?

Depuis le début des années soixante-dix, on a assisté en neuropsychologie à l'apparition de nombreux travaux portant sur une éventuelle différence sexuelle dans l'organisation et le fonctionnement du cerveau. On sait que chez la plupart des sujets humains, la moitié gauche du cerveau (appelé hémisphère cérébral gauche) est plus spécialement consacrée aux fonctions du langage (reconnaissance et émission de la parole). Inversement, la moitié droite du cerveau (appelée hémisphère cérébral droit) est le plus souvent consacrée à des fonctions de perception de l'espace et des formes (orientation dans l'espace, perception visuelle, mais aussi tactile, de la forme des objets, etc.).

Or, d'après certains travaux de neuropsychologie, le cerveau des hommes montrerait une spécialisation des hémisphères cérébraux beaucoup plus tranchée que le cerveau des femmes : autrement dit, quand un homme parle ou écoute un discours, il ferait marcher uniquement son hémisphère gauche, tandis qu'une femme utiliserait son hémisphère gauche, mais aussi un peu son hémisphère droit. De même, quand un homme dessine ou examine un plan, il ferait marcher uniquement son hémisphère droit, alors qu'une femme ferait marcher son hémisphère droit, mais aussi un peu son hémisphère gauche. On dit que les hommes seraient mieux « latéralisés » que les femmes. Certains neuropsychologues considèrent que cette différence entre hommes et femmes est bien établie. Certains vulgarisateurs en ont déduit que cela aurait des conséquences sur les possibilités de réussite professionnelle de l'un et l'autre sexe : ils estiment notamment que les hommes, neuropsychologiquement plus « spécialisés », seraient plus capables que les femmes de devenir de « grands savants » (la science faisant appel au raisonnement, donc au langage) et de « grands artistes » (l'art, selon leur vue quelque peu « scientiste », faisant appel à la reconnaissance des formes).

Sur quoi reposent de telles spéculations? Les expériences auxquelles on se réfère toujours pour tenir ce genre de propos, sont celles qu'effectua, en 1975, la chercheuse canadienne Sandra Witelson, à Hamilton (Ontario). Cette chercheuse avait essayé de voir à quel hémisphère cérébral des garçons et des filles font appel pour mener à bien une reconnaissance de formes. Il faut savoir qu'il y a une règle simple du fonctionnement du système nerveux, selon laquelle les informations sensorielles perçues par la moitié gauche du corps sont traitées par l'hémisphère cérébral droit, et vice-versa.

Des observations non répliquées

Sandra Witelson demanda à des enfants d'âge scolaire de reconnaître des formes dans une expérience en deux temps : ils devaient d'abord toucher en même temps et hors de leur vue des formes découpées dans du carton et dénuées de sens (une pour chaque main) pendant dix secondes; ils devaient ensuite les retrouver visuellement au sein d'un lot de formes hétéroclites. Les garçons reconnaissaient alors plus de formes touchées avec leur main gauche (donc perçues par leur hémisphère droit), tandis que les filles reconnaissaient autant de formes touchées avec leur main droite qu'avec leur main gauche. L'auteur en avait conclu à une organisation différente du cerveau pour les fonctions spatiales chez les garçons et chez les filles. Cette étude a été et continue d'être largement citée par... les non-spécialistes (voir *Le Monde* du 3 novembre 1982). Ce qu'ils ignorent, en général, c'est que depuis cette expérience, d'autres chercheurs ont essayé de répliquer les observations de S. Witelson, mais n'ont abouti qu'à des résultats extrêmement contradictoires. En 1983, les neuropsychologues étaient donc fort réservés quant aux résultats obtenus chez le sujet normal lors de ces quinze dernières années, à l'aide de tests comparables à celui de Sandra Witelson.

Certains chercheurs ont essayé d'observer le fonctionnement des hémisphères cérébraux révélé par des méthodes plus directes, telles que la détection des changements de la circulation sanguine du cerveau, grâce à des substances radioactives injectées dans le sang. Par ce moyen,

Ruben Gur, à Philadelphie, a comparé en 1982 le fonctionnement des hémisphères cérébraux d'hommes et de femmes, lors de l'exécution de tâches verbales et de tâches de reconnaissances spatiales, Or, selon les résultats de Gur, ce sont les femmes qui paraissent avoir une plus nette spécialisation hémisphérique que les hommes!

En 1982, R. Holloway et C. de Lacoste-Utamsing, à l'université Columbia de New York, disaient avoir observé des différences sexuelles dans les dimensions de certaines structures anatomiques cérébrales : la partie postérieure, ou splenium, d'une structure reliant les deux hémisphères, appelée corps calleux, serait plus grande chez les femmes que chez les hommes. Selon ces chercheurs, cela indiquerait que les femmes font bien plus appel à un fonctionnement simultané des deux hémisphères, et seraient donc moins « latéralisées » que les hommes. Mais ils oubliaient que les neuro-anatomistes n'ont jamais pu établir de rapport certain entre la grosseur d'une partie du cerveau et son degré de fonctionnement. De plus, ils n'avaient observé qu'un nombre limité de cas (9 femmes et 14 hommes) et ne savaient pas si les sujets étudiés étaient droitiers ou gauchers (cela influe sur la distribution à gauche ou à droite des fonctions verbales ou spatiales, comme nous allons le voir).

Les gauchers sont différents

D'autres chercheurs se sont adressés aux données de la pathologie : lorsqu'une personne a une attaque cérébrale, cela peut entraîner des lésions de l'hémisphère gauche ou de l'hémisphère droit. Elle peut perdre alors ses capacités de parole ou de reconnaissance spatiale. La Canadienne Jeannette McGlone, à London (Ontario), a rapporté en 1980 des observations selon lesquelles davantage d'hommes que de femmes auraient des troubles du langage à la suite d'une lésion de l'hémisphère gauche. De même, davantage d'hommes que de femmes auraient des troubles de reconnaissance spatiale à la suite d'une lésion de l'hémisphère droit. Selon Jeannette McGlone, ces observations soutiendraient l'idée d'une plus grande « latéralisation » hémisphérique chez l'homme.

Mais des chercheurs canadiens travaillant aussi à London, A. Kertsez et A. Sheppard, ont montré en 1981 qu'il n'y avait aucune différence entre hommes et femmes dans les troubles des lésions hémisphériques droites ou gauches, dès lors que les sujets étaient comparés à âge égal, à lésions identiques, etc.

Si un dimorphisme sexuel existe dans le cerveau humain (ce qui reste à prouver), il est sans doute bien minime. En revanche une différence de latéralisation neuropsychologique semble exister entre droitiers et gauchers. Les gauchers (hommes ou femmes), se présentent comme une

population très hétérogène : il existe chez eux une plus grande bilatéralité hémisphérique des fonctions du langage et des fonctions spatiales, comme le montrent des études pathologiques. En 1981, nous avons d'ailleurs montré que la bilatéralisation des fonctions du langage semble surtout vraie chez eux lorsqu'il existe des antécédents de gauchers dans la famille.

A notre connaissance, il n'arrive pas souvent qu'on se pose des questions sur les possibilités de réussite des gauchers. Apparemment, le fait d'être gaucher n'est pas un facteur discriminatoire dans notre société. Pourtant, l'organisation des fonctions cérébrales des gauchers diffère beaucoup plus de celle des droitiers que l'organisation cérébrale des femmes comparée à celle des hommes !

Mais ce n'est que pour les femmes que cette différence éventuelle donne lieu à des spéculations qui essaient de justifier le rôle que chaque sexe a eu, et continue d'avoir, dans notre société.

Maria de Agostini

BIBLIOGRAPHIE

Ouvrages

HECAEN H., *Les gauchers : étude neuropsychologique*, PUF, Paris, 1983.
Le fait féminin, Fayard, Paris, 1978.

Articles

DE AGOSTINI M., « Les hommes et les femmes ont-ils la même organisation cérébrale ? », *La Recherche*, n° 96, 1979.

GUR R. *et al.*, « Sex and Handedness Differences in Cerebral Blood Flow During Rest and Cognitive Activity », *Science*, n° 217, 1982.

HECAEN H., DE AGOSTINI M., MONZON-MONTES A., « Cerebral Organization in Left-handers », *Brain and Language*, n° 12, 1981.

DE LACOSTE-UTAMSING Ch., HOLLOWAY R., « Sexual Dimorphism in Human Corpus Callosum », *Science*, n° 216, 1982.

MCGLONE J., « Sex Differences in Human Brain Asymmetry : a Critical Survey », *The Behavioral and Brain Sciences*, n° 3, 1980.

Le sixième sens

Les biologistes reconnaissent aux mammifères et aux oiseaux cinq sens : vue, ouïe, odorat, goût et toucher. Mais tout au long des années soixante-dix, se sont accumulées les preuves de l'existence d'un sixième sens chez de nombreux animaux : la perception du champ magnétique terrestre. Notamment, c'est ce sixième sens qui aide le pigeon voyageur à retrouver son pigeonnier.

Dès 1969, le biologiste américain W. Keeton, de Cornell University, avait observé que les pigeons, qui utilisent normalement la position du soleil pour se guider, arrivent à regagner leur gîte même par ciel couvert. Or, dans ce dernier cas, si on leur fait porter des aimants, ils ne retrouvent plus leur pigeonnier. Au cours des années soixante-dix, d'autres expériences montrèrent que, lors des éruptions solaires qui provoquent des changements importants et réguliers de l'intensité du champ magnétique terrestre, les pigeons semblent désorientés, même par temps clair.

De la même façon, les pigeons dont les pigeonniers se trouvent dans une zone d'anomalies magnétiques s'engagent dans une direction erronée si on les lâche depuis un autre lieu, car le gradient magnétique de ce dernier est différent de celui de la zone de leur pigeonnier. Le même phénomène est constaté, lorsque des pigeons habitués à des gradients magnétiques normaux sont lâchés dans des zones d'anomalies permanentes, causées par de grandes masses magnétiques (certains rochers contiennent beaucoup d'oxyde de fer). C. Walcott, de Cornell University, a constaté une corrélation entre l'amplitude de l'anomalie et le degré de perturbation des oiseaux. A partir de ces expériences, James L. Gould, de Princeton University, pense que les pigeons se guident, pour retourner au gîte, sur la modification de l'intensité du champ magnétique terrestre entre le pigeonnier et le lieu du lâcher.

Comment les pigeons peuvent-ils percevoir le champ magnétique terrestre ? Au tournant des années quatre-vingt, C. Walcott et J.L. Gould, puis D. Presti et J.D. Pettigrew, du California Institute of Technology, ont découvert des cristaux de magnétite (oxyde de fer Fe_3O_4) dans la partie antérieure de la tête et dans la région du cou, chez le pigeon. Ces cristaux de magnétite sont « aimantables » et peuvent, en théorie, s'orienter vers le nord, à la manière de l'aiguille d'une boussole. Mais on ne sait pas par quels mécanismes neurophysiologiques le pigeon peut percevoir l'information fournie par ces cristaux.

Au début des années quatre-vingt, des cristaux de magnétite ont été aussi trouvés dans la région antérieure du corps de nombreux animaux : thon, dauphin, mulot, chauve-souris, tortue de mer, papillon monarque (un papillon des États-Unis migrant sur 3 000 km). Et même chez l'homme ! En 1983, R.R. Baker, J.C. Mather et J.H. Kennaugh, de l'université de Manchester, ont en effet mis en évidence la présence de magnétite chez l'homme, dans les parois des sinus frontaux, au niveau de l'arcade sourcilière. Cela suggère que l'homme, pourrait bien lui aussi posséder ce sixième sens...

Les abeilles aussi paraissent être sensibles au champ magnétique terrestre. Par exemple, elles construisent dans une nouvelle ruche les alvéoles des rayons selon la même direction magnétique que dans la ruche de leurs parents. Dès 1972, H. Martin et M. Lindauer, de l'université de Würtzbourg en RFA, avaient montré que des champs magnétiques forts perturbent ce processus de construction. Mais la perception du champ magnétique terrestre doit aussi intervenir dans le sens de l'orientation qui permet aux butineuses de regagner la ruche : Martin et Lindauer ont montré en 1977 que les abeilles font, à certains moments, des erreurs dans les directions à suivre, erreurs qui sont les mêmes pour toutes les ouvrières, au même moment. Or, ces erreurs sont corrélées aux variations quotidiennes du champ magnétique terrestre. En 1978, J.L. Kirschvink du California Institute of Technology, montra, avec J.L. Gould, que les abeilles possèdent d'abondants cristaux de magnétite dans leur abdomen.

Les boussoles des bactéries

La perception du champ magnétique est aussi utilisée par des êtres vivants beaucoup plus simples, comme certaines bactéries vivant dans les vases des marais saumâtres. En 1975, lors d'observations au microscope de ces bactéries dans une goutte d'eau, R. Blakemore, de l'université du New Hampshire aux États-Unis, découvrait qu'elles se déplacent toujours dans la même direction, vers le nord. Quelle que soit la répartition de la lumière, les bactéries se regroupent au nord : le phototactisme (attraction par la lumière) est donc exclu. Si on approche un aimant permanent de la goutte d'eau, les bactéries s'agglutinent au pôle nord de l'aimant. Si on fait varier la direction du champ magnétique grâce à des électroaimants, les bactéries s'orientent différemment. A la fin des années soixante-dix, R. Blakemore et

A. Frankel montrèrent que ces bactéries contenaient des grains de magnétite de forme cubique ou octaédrique. Alignés en une ou deux chaînes parallèles, les grains de magnétite forment une fine aiguille aimantée. La force créée est suffisante pour orienter, selon la direction du champ géomagnétique, une bactérie qui se déplace dans une eau à température ambiante. Des expériences réalisées par R. Frankel, du Massachussets Institute of Technology, ont permis ensuite de comprendre en quoi la perception du nord magnétique est utile à ces bactéries.

Ces micro-organismes vivent en effet dans la vase, c'est-à-dire au fond des flaques d'eau, dans des milieux pauvres en oxygène. Or, le champ magnétique terrestre est orienté au nord et vers le bas dans l'hémisphère Nord, et au nord et vers le haut dans l'hémisphère Sud. Dans l'hémisphère Nord, les bactéries qui s'orientent vers le nord migrent donc vers les eaux profondes, vers les sédiments pauvres en oxygène. Leur magnétotactisme les empêche de migrer vers les eaux de surface, riches en oxygène. Dans l'hémisphère Sud, les bactéries sont orientées vers le sud pour se maintenir dans les eaux profondes. A l'équateur magnétique, comme au Brésil, par exemple, on trouve une égale quantité de bactéries orientées vers le nord et vers le sud. Enfin, en 1981 des chercheurs brésiliens annonçaient la découverte d'algues unicellulaires du genre *Chlamydomonas*, produisent des cristaux magnétiques et s'orientent dans le champ magnétique terrestre.

Nicolas Borot

---- BIBLIOGRAPHIE ----

Articles

BAKER R., MATHER G., KENNAUGH H., « Magnetic Bones in Human Sinuses », *Nature*, n° 301, 1983.

BLAKEMORE R. et FRANKEL R., « Le déplacement des bactéries dans un champ magnétique », *Pour la science*, n° 52, 1982.

GOULD J. L., « L'orientation des pigeons », *La Recherche*, n° 141, 1983.

Les nouvelles images du corps

La première image du corps humain, celle du squelette d'une main, a été obtenue en 1896 par l'Allemand Roentgen, grâce aux rayons X qu'il avait découverts l'année précédente. En effet les rayons X sont très absorbés par les os mais traversent facilement les muscles et la peau. Les images ainsi obtenues, enregistrées sur plaque photographique, constituent des radiographies. En quatre-vingts ans cette technique a fait d'énormes progrès, fruits des recherches en physique, en électronique et en informatique.

Toutefois, la radiographie ne nous donne que des images anatomiques et il fallut attendre les années soixante pour disposer d'une technique d'imagerie qui fournisse des informations sur le fonctionnement des organes : la médecine nucléaire. Un corps radioactif, ou radioélément, est injecté dans l'organisme soit directement sous forme d'ion, soit après fixation dans une molécule qui est alors dite « marquée ». Le radioélément ou la molécule marquée va se fixer sélectivement dans un organe : ainsi l'iode va se fixer sur la thyroïde. Il se désintègre ensuite en émettant des rayons gamma, frères jumeaux des rayons X, qui peuvent sortir du corps et être détectés de l'extérieur à l'aide d'un appareil approprié appelé une gamma-caméra, mise au point en 1960 par le physicien américain H. Anger.

Le médecin obtient ainsi, sur une photographie, une cartographie de la répartition du radioélément ou de la molécule marquée dans l'organe : c'est une scintigraphie. Du point de vue anatomique ces images sont de moins bonne qualité que des radiographies : sur ces dernières, il est possible de voir des détails ayant une dimension inférieure au millimètre, tandis que sur les scintigraphies la résolution est, au mieux, de l'ordre d'un demi-centimètre. Mais les scintigraphies présentent l'avantage de

fournir des informations sur l'état des tissus constituant l'organe. Ainsi le radioélément thallium 201, injecté par voie intraveineuse, se fixera sur les parties saines du muscle cardiaque, le myocarde, et non sur les parties mortifiées à la suite d'un infarctus.

La radiographie et la scintigraphie ont franchi une étape importante avec l'apparition des images numérisées visualisées sur un écran cathodique, en remplacement des images sur film photographique. Sur ces dernières, on observe une variation continue du noircissement, tandis qu'une image numérisée est divisée en petits carrés, appelés pixels. A chaque pixel est attribué un nombre proportionnel au noircissement de la partie correspondante de l'image : 0 pour le blanc et 1000 pour le noir ou inversement. Une telle image possède une définition inférieure à celle d'une photo classique, mais elle présente l'avantage de pouvoir être traitée par un système informatique tel qu'un minicalculateur. Ainsi la scintigraphie, qui était jusqu'alors simplement qualitative, est devenue une technique quantitative, permettant de suivre dans l'organisme le taux de fixation ou d'élimination d'une drogue.

Des coupes du corps

L'apparition sur le marché au cours des années soixante-dix de petits calculateurs puissants et peu couteux [271] a non seulement permis le développement des images numérisées, mais aussi l'apparition d'une technique nouvelle : la tomographie assistée par calculateur. Contrairement aux images classiques de radiographie et de scintigraphie qui sont des projections sur un plan d'une superposition de structures anatomiques, les tomographies sont des coupes du corps examiné. Une coupe s'obtient par une reconstruction mathématique à partir d'un ensemble de projections enregistrées en faisant tourner le détecteur autour du patient.

Deux types de sources peuvent être utilisées pour obtenir ces projections : soit une source externe constituée par un tube à rayon X, soit une source interne produite par un radioélément ou une molécule marquée fixés dans un organe. Les appareils de tomographie par transmission de rayon X, improprement appelés « scanner » par le public, ont été baptisés en français tomodensitomètres, car ils donnent une répartition des densités des tissus dans une coupe de l'organe examiné. Les tomodensitomètres sont d'usage courant dans les services de neurologie car ils permettent la localisation anatomique précise d'une tumeur.

La tomographie par émission de rayons gamma est réalisée comme la scintigraphie, mais en faisant tourner la « gamma caméra » autour du patient. Elle fournit des indications précieuses : par exemple en cardiologie, elle permet de déterminer le volume de la partie du muscle cardiaque ayant été « mortifié » par un infarctus et donc de formuler le pronostic sur l'avenir du malade. C'est une technique relativement peu coûteuse qui tend à se généraliser, mais qui présente l'inconvénient d'utiliser des molécules marquées qui sont seulement des substituts des molécules naturelles.

En effet, il n'existe pas de radioéléments émetteurs de rayons gamma pour les éléments chimiques constituant les molécules biologiques : carbone, azote et oxygène. Mais on sait fabriquer un isotope du carbone appelé carbone 11, qui est radioactif et émet des positrons, antiparticules des électrons (lesquels sont présents dans tous les atomes). Quand un positron est émis dans la matière, il s'annihile immédiatement avec un électron en émettant deux rayons gamma. Comme le carbone 11, l'azote 13 et l'oxygène 15 sont aussi des émetteurs de positrons. Si l'un d'eux est injecté dans l'organisme, la détection simultanée des deux rayons gamma permet de reconstruire la coupe de l'organe dans lequel s'est fixée la molécule marquée : c'est la tomographie par émission de positrons. Elle fournit, par exemple, des images permettant de suivre le devenir d'une molécule comme le glucose, qui fournit au cerveau l'énergie nécessaire à son fonctionnement. C'est une méthode puissante d'imagerie médicale, mais elle risque de rester une technique de recherches car elle implique des investissements importants.

Les ultrasons au chevet des malades

A côté de la radiologie, de la scintigraphie et des techniques tomographiques qui nécessitent des équipements lourds et coûteux, une technique plus légère s'est développée : l'échographie ultrasonore ou ultrasonographie. Elle peut se pratiquer avec des appareils légers et donc transportables par le médecin au chevet de ses malades. Dans cette technique, les ondes ultrasonores émises par un quartz donnent, par réflexion sur les différents plans anatomiques qu'elles rencontrent, des échos détectés par un récepteur qui reconstitue la coupe de l'organe examiné et la visualise sur un écran de télévision. L'ultrasonographie est utilisée pour l'étude anatomique des structures molles de l'abdomen, pour celle des mouvements du cœur et surtout pour la surveillance de la femme enceinte. Cet examen sans danger pour le fœtus permet au gynécologue de déterminer la position, le nombre et éventuellement le sexe des enfants à naître.

Depuis 1980, on a assisté à l'éclosion d'une nouvelle technique d'imagerie médicale : celle par résonance magnétique nucléaire (ou R M N). Certains noyaux atomiques présents en grande quantité dans le corps humain, comme l'hydrogène qui est un des constituants de l'eau, peuvent être excités de l'extérieur par des ondes similaires aux ondes radars. A la suite de cette excitation, les noyaux atomiques reviennent dans leur état normal en émettant des ondes dont les propriétés sont liées à la nature du noyau et à son environnement. La détection de ces signaux permet de reconstruire une coupe donnant la distribution des noyaux atomiques considérés dans l'organe examiné. C'est une méthode nouvelle de tomographie, donnant non seulement des images anatomiques presque aussi précises que celles obtenues avec les rayons X, mais aussi des informations sur la nature des tissus constituant l'organe. Elles permettent de différencier des tissus sains de tissus tumoraux. En 1982, les premiers appareils d'imagerie par R M N ont été commercialisés, mais il faudra attendre quelques années pour découvrir toutes les potentialités de cette technique.

Toutes ces méthodes d'imagerie médicale peuvent paraître, à première vue, concurrentes. En fait, elles sont plutôt complémentaires. A titre d'exemple, prenons le cas d'un patient pour lequel il y a une suspicion de tumeur cérébrale. La radiographie permet de la mettre en évidence. Mais elle nécessite une injection intra-artérielle qui présente un risque pour le patient, tandis que l'injection intra-veineuse d'un produit marqué avec un radioélément est sans danger : c'est pourquoi une scintigraphie sera pratiquée en premier lieu. Elle fournira une information sur la présence éventuelle de la tumeur, et si une intervention chirurgicale s'avère nécessaire, une tomographie par rayons X donnera une localisation anatomique précise. Enfin, les images par R M N permettront de différencier les tissus par leur comportement biochimique. On a ainsi pu mettre en évidence les régions du cerveau atteintes dans la sclérose en plaque, alors que la radiographie et la scintigraphie ne fournissent aucune indication.

Didier B. Isabelle

BIBLIOGRAPHIE

Ouvrage

REYNAUD C. et al. (sous la direction de), Comptes rendus du troisième Congrès mondial de médecine et biologie nucléaire, 4 vol., Pergamon Press, Paris, 1982,

Articles

ISABELLE D., VEYRE A., « L'imagerie médicale », La Recherche, n° 144, 1983.

ALAIS P., FINCK M., RICHARD B., « Les images ultrasonores », La Recherche, n° 101, 1979.

Cancer :
les clés de la biologie moléculaire

Qu'appelle-t-on un cancer ? A un certain moment, une cellule en un point quelconque de l'organisme, subit un changement « mystérieux », et se met à se diviser répétitivement. Elle va ainsi progressivement engendrer une colonie de cellules-filles, formant une masse au sein d'un tissu ou d'un organe : cette masse est une tumeur cancéreuse dès lors qu'elle est capable d'envahir l'organisme. Quelle est la nature de l'événement initial qui a transformé une cellule normale en cellule cancéreuse ? Et cet événement est-il toujours le même dans tous les cancers ? La biologie moléculaire, en 1981-82, a permis de répondre à une grande partie de ces questions, et c'est là un événement considérable dans la compréhension du cancer.

Une cellule cancéreuse est différente de la cellule normale dont elle provient par de nombreux traits de son métabolisme. Par exemple, les cellules d'un cancer du poumon sont issues d'une cellule de poumon. Pourtant, elles peuvent secréter des hormones qui sont normalement produites seulement par des cellules de l'hypophyse, une glande de la base du cerveau. Cela traduit, chez les cellules cancéreuses, une perturbation profonde des mécanismes qui règlent l'activité des cellules. Ces mécanismes résident, en dernière analyse, dans les gènes. Ceux-ci ne sont pas que les particules élémentaires de l'hérédité, comme on les appelle souvent [206]. Situés dans des corpuscules en forme de bâtonnets, appelés chromosomes, localisés dans le noyau des cellules, ils ont pour rôle de gouverner l'activité métabolique des cellules. Une cellule de foie d'un individu n'a pas la même activité métabolique qu'une cellule de cerveau du même individu, bien qu'elles possèdent toutes deux dans leur noyau exactement le même patrimoine héréditaire (c'est-à-dire la même collection de gènes). C'est que, dans la cellule de foie, un certain nombre de gènes du patrimoine génétique sont actifs et gouvernent les activités métaboliques particulières de la cellule de foie, tandis que les autres gènes du patrimoine génétique sont inactifs. Et dans une cellule de cerveau, c'est un autre groupe de gènes qui est actif tandis que, par exemple, les gènes actifs dans la cellule de foie sont ici au nombre des « inactifs ». Au tournant des années quatre-vingt, il est devenu clair que l'événement initial qui transforme une cellule normale en cellule cancéreuse n'est rien d'autre que l'entrée en activité malencontreuse d'un type de gène particulier, baptisé « gène de cancer ».

Ce résultat a d'abord été obtenu dans le cas de cancers expérimentaux chez les poulets ou des souris. On sait, en effet, provoquer en laboratoire des cancers chez ces animaux en les infectant par des virus cancérogènes (ces virus ne sont pas cancérogènes pour l'homme, et d'ailleurs, chez ce dernier, le cancer n'est pratiquement jamais dû à des virus). Dès 1978, des chercheurs américains, M.S. Collett et R.L. Errickson, avaient montré comment « s'y prend » un virus cancérogène pour induire, chez le poulet, un cancer, appelé « sarcome de Rous ». Le patrimoine génétique de ce virus s'incorpore au patrimoine génétique des cellules qu'il infecte. Collett et Errickson montrèrent que ce faisant, le virus apporte un « gène de cancer » aux cellules infectées. Dès lors qu'il se trouve au sein de celles-ci, le « gène de cancer » du virus s'active : il gouverne la synthèse d'une grande quantité d'une enzyme particulière (qui fixe du phosphore sur les protéines), ce qui rend « cancéreuses » les cellules infectées (c'est-à-dire qu'entre autres choses, elles se mettent à se diviser de manière incontrôlée). On devait s'apercevoir que la plupart des virus cancérogènes agissent de cette manière, et qu'ils possèdent dans leur patrimoine génétique un « gène de cancer » donné. A l'été 1982, les biologistes moléculaires avaient repéré une vingtaine de virus cancérogènes présentant chacun dans leur patrimoine génétique un « gène de cancer » différent.

Le rôle normal des gènes de cancer

Mais depuis 1979, ils avaient fait aussi une découverte étonnante : les « gènes de cancer » identifiés chez les virus cancérogènes figurent aussi dans les cellules normales (non cancéreuses) du poulet, de la souris et de beaucoup d'autres animaux. On peut se demander alors pourquoi ces cellules ne sont pas « cancéreuses » : la réponse est que leurs « gènes de cancer » sont inactifs, parce que les mécanismes cellulaires qui contrôlent l'entrée en activité ou l'entrée en « sommeil » des gènes, les ont mis dans la deuxième position. A l'inverse, si les virus cancérogènes sont capables d'induire des tumeurs chez la souris et le poulet, c'est parce que leurs « gènes de cancer » sont actifs au sein des cellules qu'ils infectent.

On peut aussi se demander pourquoi toutes les cellules normales contiennent des « gènes de cancer », ayant ainsi la potentialité de devenir cancéreuses. Il ne s'agit pas d'un caprice (maléfique) de la Nature ! En 1982, les biologistes moléculaires montraient, chez le poulet ou la souris, que les « gènes de cancer » des cellules normales, ont en réalité un rôle normal à certaines périodes de la vie et notamment au stade de l'embryon (mais aussi dans certaines

cellules de l'adulte). Autrement dit, à certaines périodes de la vie des cellules, ils s'activent normalement pour gouverner des synthèses biochimiques dont les cellules ont besoin à ce moment-là. Puis, au-delà de cette période, ils sont mis en sommeil.

C'est parce qu'ils sont, par erreur, rappelés à l'activité dans les cellules, qu'ils leur donnent alors un caractère cancéreux. Et une telle « erreur » pour « un gène de cancer » consiste, par exemple, à se « retrouver » au sein du patrimoine génétique d'un virus. Les virus cancérogènes, en effet, ont pour particularité lorsqu'ils « voyagent » de cellules en cellules, d'emporter avec eux des fragments du patrimoine génétique de leurs cellules-hôtes. Dans ces fragments peuvent se trouver des « gènes de cancer ». Dans le contexte du patrimoine génétique viral, ceux-ci peuvent alors devenir excessivement actifs dès lors que le virus infecte une cellule. En tout cas, une conclusion est claire : chez les animaux, les « gènes de cancer » des cellules et les « gènes de cancer » des virus cancérogènes sont une seule et même chose.

Les modifications des chromosomes

Chez l'homme, il a été montré en 1982 que les cellules normales possèdent bien aussi des « gènes de cancer ». Ceux-ci sont d'ailleurs très semblables aux « gènes de cancer » observés chez les animaux. En outre, il a été aussi montré en 1982 que ces « gènes de cancer » sont en activité au moins dans certaines tumeurs des malades cancéreux. Comme chez les animaux, ces gènes sont « au repos » dans les cellules normales.

Cependant, chez l'homme, il semble, dans certains cas, y avoir une légère différence entre le « gène de cancer » actif dans une tumeur et le « gène de cancer » inactif ou normalement actif durant la vie embryonnaire. En octobre 1982, le chercheur américain Weinberg montrait que le « gène de cancer » actif dans un cancer humain de la vessie différait au niveau d'un seul de ses éléments chimiques du « gène de cancer » figurant dans les cellules normales. Il en résulte que le « gène de cancer » en activité dans le cancer de la vessie gouverne la synthèse d'une protéine « anormale » par rapport à la protéine normalement synthétisée par le « gène de cancer » lors de la vie embryonnaire. Et c'est la présence de cette protéine anormale qui contribuerait à rendre des cellules de la vessie cancéreuses.

Comment, chez l'homme, un « gène de cancer » de cellule normale devient-il à un certain moment responsable d'un cancer ? Autrement dit, comment est-il malencontreusement rappelé à l'activité puisqu'il n'y a généralement pas chez l'homme d'intervention de virus cancérogènes, comme chez les animaux ? A la fin de l'année 1982, plusieurs groupes de chercheurs américains apportaient un début de réponse à cette question : dans certains cancers du sang – ou leucémies –, les « gènes de cancer » incriminés sont situés sur des morceaux de chromosomes qui se trouvent en position anormale dans les noyaux des cellules du sang (ces morceaux de chromosomes sont « greffés » sur d'autres chromosomes). Il est possible que ce soit de telles modifications de chromosomes qui conduisent chez l'homme à l'éveil de l'activité des « gènes de cancer ». Et de telles modifications de chromosomes peuvent être induites par les cancérogènes chimiques que nous rencontrons dans notre environnement [256].

Ces résultats indiquent une intéressante perspective : ne pourrait-on pas guérir le cancer en ramenant au repos les « gènes de cancer » malencontreusement rappelés à l'activité ?

Enfin en juin 1983, des chercheurs américains et britanniques faisaient une découverte tout à fait remarquable : la protéine produite par le « gène de cancer » d'un virus cancérogène chez le singe est exactement identique à une protéine normalement présente dans l'organisme et baptisée « platelet derived growth factor » ou P.D.G.F. Cette protéine est, à l'état normal, un facteur de cicatrisation, provoquant une activation intense de la multiplication cellulaire. En tant que produit d'un « gène de cancer », cette même protéine est sans nul doute responsable de la prolifération maligne.

Gabriel Gachelin

241

BIBLIOGRAPHIE

Ouvrages

WEISS R., TEICH N., VARMUS M. et COFFRIN J., *RNA Tumor Viruses*, Cold Spring Harbor, 1982.

La Recherche sur le cancer, Seuil, Paris, 1982.

Articles

COOPER G. M., « Cellular Transforming Genes », *Science*, n° 218, 1982.

DULBECCO R., « La nature du cancer », *La Recherche*, n° 139, 1982.

MULLER R. *et al.*, « Differential Expression of the Cellular Oncogenes During Pre and Postnatal Development of the Mouse », *Nature*, n° 299, 1982.

« News and Views », *Nature*, n° 300, 1982.

Les progrès dans le traitement des cancers

Au Congrès international sur le cancer qui s'est tenu à Seattle en septembre 1982, les cancérologues ont manifesté un certain optimisme. Le taux de guérison des cancers, toutes formes confondues, était passé à 45 % à la fin des années soixante-dix (par « guérison » d'un cancer, on entend qu'une période de cinq ans sans rechute s'est écoulée depuis le traitement). Ce taux n'était que de 35 % dix ans plus tôt.

En fait, ce chiffre global recouvre de fortes disparités. Il y a en effet, au début des années quatre-vingt, des cancers qui se soignent bien. Le cas le plus spectaculaire est celui de la maladie de Hodgkin, un cancer des ganglions lymphatiques : dans plusieurs centres américains (Stanford, Harvard, San Antonio), le taux de guérison est de 90 % et ce chiffre a été établi sur des centaines de malades, avec un suivi d'environ dix ans. Des cancers de la peau, du testicule, du sein (lorsqu'il n'a pas disséminé) atteignent aussi ce taux de 90 %.

D'autres cancers se soignent avec des taux de 70 %, ce qui est déjà très encourageant : c'est le cas du cancer du sein (lorsqu'il a un peu disséminé), de l'utérus, de la vessie. Le cancer des os, qui était toujours mortel à court terme avant les années soixante-dix, atteint presque ce chiffre : il arrive à 65 %, grâce à un nouveau protocole thérapeutique pratiqué en 1982 dans de nombreux centres français ainsi que l'a expliqué le cancérologue Claude Jasmin dans un congrès à Londres en juin 1982.

Tous ces succès sont cependant contrebalancés par le fait qu'ils concernent – à l'exception du cancer du sein – des cancers qui ne sont pas parmi les plus fréquents. En effet, dans le cas des cancers qui touchent le plus grand nombre, les résultats sont moins bons : ils tournent autour de la moyenne générale de 45 %, annoncée ci-dessus, en ce qui concerne les cancers du côlon et du rectum ou les leucémies chroniques de l'adulte. Ou alors, ils sont franchement en dessous, pour le cancer du poumon (15 %) ou de l'estomac (20 %).

Les progrès réalisés dans la décennie soixante-dix dans le traitement d'un certain nombre de cancers n'ont pas été obtenus par quelque découverte scientifique spectaculaire ou quelque coup d'éclat médical. Ils sont le résultat d'un raffinement progressif des protocoles des soins. Ceux-ci font maintenant généralement appel à une combinaison des trois types d'intervention : élimination chirurgicale de la tumeur; traitement complémentaire par les rayons (radiothérapie) et par les médicaments anti-tumoraux (chimiothérapie). Les cancérologues ne se querellent donc plus pour savoir s'ils peuvent se fonder sur l'une de ces trois techniques, à l'exclusion des deux autres.

De plus, chacune des trois techniques s'est perfectionnée. En chirurgie, par exemple, dans le cas du cancer du sein, l'intervention porte, chaque fois que cela est possible, seulement sur la tumeur et tente de conserver le sein. Si le sein doit être enlevé, en tout ou partie, une chirurgie esthétique de reconstruction est de plus en plus souvent prévue. Ces nouvelles attitudes chirurgicales sont importantes : une malade sera incitée à consulter plus tôt, si elle sait qu'elle n'aura pas à faire face automatiquement à une mutilation. Et plus elle consultera tôt, plus elle aura de chance de guérir (et aussi de conserver son sein).

La radiothérapie est devenue plus précise : la distribution des doses de rayonnement sur une région du corps est calculée par ordinateur. Les radiations utilisées sont plus puissantes (grâce aux accélérateurs de particules) et mieux dirigées.

Les progrès sont aussi venus de la détection plus précoce et plus fine des tumeurs, disséminées ou non, grâce aux nouvelles techniques d'imagerie médicale permises par le « scanner », les ultrasons... [236].

Comment améliorer la chimiothérapie

C'est à la chimiothérapie que l'on doit l'accroissement des taux de guérison dans les cancers des testicules, le cancer des os, la forme disséminée du cancer du sein, certains cas de la maladie de Hodgkin.

La technique qui tend à prévaloir est d'administrer plusieurs médicaments anti-tumoraux, soit en « cocktail », soit successivement. La raison en est que les cellules d'un même cancer ne sont pas toutes sensibles au même médicament. En associant plusieurs « drogues » anti-tumorales, on augmente les chances de détruire le maximum de cellules cancéreuses.

Au début des années quatre-vingt,

les cancérologues tentaient d'améliorer la chimiothérapie. De la même manière que l'on recherche sur un « antibiogramme » le « bon » antibiotique capable de détruire sélectivement un microbe infectieux, les cliniciens cherchent à réaliser des « chimiogrammes » pour trouver « le bon médicament anti-tumoral » bien adapté à la tumeur d'un patient particulier. Cela consiste à prélever des cellules cancéreuses chez un patient, à les mettre en culture, et à essayer divers médicaments antitumoraux jusqu'à trouver le plus efficace. Cette technique est prometteuse, mais la mise en culture des cellules d'une tumeur n'est pas facile à réaliser de manière courante.

Une autre manière d'augmenter l'efficacité de la chimiothérapie est d'administrer le médicament antitumoral aux cellules cancéreuses et à elles seules. Dans cette optique, une technique soulève beaucoup d'espoir : celles des immunotoxines. Il s'agit d'anticorps très purs (c'està-dire des anticorps monoclonaux) [216] spécifiquement capables de reconnaître des signaux moléculaires particuliers (ou antigènes) portés par la surface des cellules cancéreuses. Ces anticorps sont liés à des toxines telles que la ricine (extrait des graines de ricin) ou l'alpha-

BIBLIOGRAPHIE

Articles

BLANC M., « La longue marche des cancérologues », *La Recherche*, n° 138, 1982. .

CASELLAS P., GROS P., « Les anticorps armés », *La Recherche*, n° 130, 1982.

ESCOFFIER-LAMBIOTTE Cl., « Comprendre et traiter le cancer », *Le Monde*, 8 et 9 septembre 1982.

« De la prévention au traitement », *Fondamental*, n° 14, 1982.

Dossier

Decade of Discovery : Advances in Cancer Research 1971-1981, N I H Publ., 1981.

amanitine (extraite des champignons vénéneux). En théorie, le couple anticorps-toxines, délivré dans la circulation sanguine, s'arrêtera au niveau des cellules cancéreuses, à cause de leurs antigènes auxquels les anticorps « s'accrocheront ». La toxine sera délivrée alors à ces cellules et les tuera. En 1981-82, des expériences de ce type ont été réalisées « en éprouvette » dans de nombreux laboratoires, avec succès. Les premiers résultats chez l'animal sont aussi encourageants. Le problème est de savoir si les cellules d'un cancer particulier portent bien toutes le même antigène de façon à être toutes tuées par la même immuno-toxine.

D'autres méthodes en cours d'expérimentation consistent à tenter de stimuler le système immunitaire par des substances telles que l'interféron [216] pour que les globules blancs (lymphocytes, macrophages) augmentent leur capacité de destruction naturelle des cellules cancéreuses.

Marcel Blanc

Des vaccins pour le tiers monde?

Les maladies tropicales frappent ou menacent plus d'un milliard d'individus habitant pour la plupart des pays du tiers monde. En 1974, l'Organisation mondiale de la santé (OMS) a lancé, avec le soutien de laboratoires publics et privés, un programme spécial de recherche pour les maladies tropicales concernant en priorité le paludisme, les bilharzioses, les trypanosomiases, les filarioses, la leishmaniose et la lèpre. L'un des buts de ces recherches est notamment de mettre au point des vaccins contre ces maladies.

Les moyens de lutte dont on dispose actuellement sont en effet de deux ordres : d'une part, des agents chimiques, tel le DDT, susceptibles d'exterminer les animaux vecteurs (mouches, moustiques...) qui transmettent ces maladies à l'homme; d'autre part, des médicaments contre les micro-organismes, ou les parasites, agents directement responsables de ces maladies. Or, la résistance des vecteurs aux agents chimiques et des micro-organismes aux médicaments s'est accrue, au fil des années, de manière importante. A long terme donc, seule une prévention par des vaccins pourrait maîtriser ces maladies pour lesquelles il n'en existait encore aucun au début des années quatre-vingt.

En effet, la mise au point de vaccins contre les maladies tropicales progresse lentement pour diverses raisons. L'une d'elles tient à l'extrême difficulté, voire l'impossibilité, de cultiver à grande échelle les agents, bactéries ou parasites, responsables de ces affections. Or cette étape de culture massive est essentielle pour l'obtention d'un antigène spécifique du micro-organisme, capable de constituer un vaccin. Rappelons qu'en effet, toute vaccination consiste en l'administration à un homme ou un animal d'un antigène, c'est-à-dire d'une substance chimique caractéristique d'un micro-organisme. Le système immunitaire de l'animal ou de l'homme apprend ainsi à reconnaître cet antigène et à déclencher, lors de toute nouvelle infection, une réponse immunitaire (anticorps) qui détruit le micro-organisme portant l'antigène. Le sujet est alors immunisé contre la maladie.

A ce premier obstacle vient s'ajouter l'extraordinaire complexité de la biologie des parasites et de leurs rapports avec l'hôte humain. Conséquence d'une remarquable faculté d'adaptation, des mécanismes de survie de nature variée permettent aux parasites de déjouer les défenses immunitaires de l'homme. On imagine le défi que représente l'identification et l'isolement parmi des milliers d'autres, d'un antigène parasitaire capable d'induire chez l'animal puis chez l'homme, des anticorps protecteurs. Les années soixante-dix marquent un tournant important dans ce secteur de recherches. Le développement du génie génétique puis, quelques années plus tard, celui de la technique des hybridomes (production d'anticorps très purs) [216] auxquels vient s'ajouter la possibilité de cultiver certains parasites, changent radicalement les perspectives. Ces progrès mettent à la disposition des chercheurs des outils très performants et spécifiques pour l'isolement et la production des antigènes parasitaires. Grâce à ces outils, la conception de vaccins pour le tiers monde cesse d'apparaître comme une utopie.

C'est dans le domaine du paludisme que les travaux sur la voie d'un éventuel vaccin sont les plus avancés. Un pas décisif a été fait lorsqu'en 1976, on est parvenu à cultiver *in vitro* le *Plasmodium falciparum*, microbe responsable du paludisme humain. Les premiers résultats importants ont été obtenus en 1980 lorsque l'équipe de Nussenzweig (New York) isola, grâce à un anticorps pur (produit par la technique des hybridomes) un antigène du parasite capable d'immuniser des souris contre une infection par des sporozoïtes (ce sont les formes infectieuses du parasite injectées dans le sang par la piqûre d'un moustique).

D'autres recherches se poursuivent activement sur le stade ultérieur du parasite, les mérozoïtes, lesquels prolifèrent dans le foie. Plusieurs antigènes de mérozoïtes capables d'immuniser la souris ou le singe ont été identifiés en 1982 par diverses équipes en Grande-Bretagne, en Suisse et en France. Il restera à s'assurer que ces résultats s'appliquent à l'homme.

Bientôt, la vaccination contre la lèpre

Bien que les travaux soient à un stade moins avancé, les bilharzioses et les filarioses font actuellement l'objet de recherches similaires. Une équipe française (Institut Pasteur, Lille) a isolé et identifié en 1982 un antigène à la surface de la forme larvaire du ver responsable de la bilharziose intestinale. Il semble que cet antigène puisse jouer un rôle important dans la protection immunitaire. Si ce rôle devait être confirmé, la voie serait ouverte à la mise au point d'un vaccin.

Les infections à trypanosomes englobent la maladie du sommeil en Afrique (transmise par la mouche tsé-tsé) et la maladie de Chagas en Amérique du Sud (transmise par une punaise). Cette dernière maladie n'a pas de traitement spécifique, d'où l'intérêt que soulèvent les résul-

──────── BIBLIOGRAPHIE ────────

Ouvrage

Gentilini M., Duflo B., *Médecine tropicale*, Flammarion, Paris, 1977.

Articles

Blanc M., « Bientôt le vaccin contre la lèpre », *La Recherche*, n° 136, 1982.
Pereira da Silva L., « La vaccination contre le paludisme », *La Recherche*, n° 128, 1981.

tats obtenus par des chercheurs de la compagnie britannique Wellcome. En 1980, ils ont réussi à isoler un antigène membranaire (une glycoprotéine) avec lequel ils ont ensuite immunisé des souris. Ce vaccin protège les souris au moins six mois contre une infection parasitaire. La maladie du sommeil pose un problème particulièrement difficile. En effet, le parasite présente la caractéristique de modifier constamment ses antigènes de surface tout au long de l'évolution de la maladie. Les recherches se concentrent sur ce phénomène et la perspective d'un vaccin paraît très éloignée.

En définitive, la lèpre pourrait être le premier fléau du tiers monde susceptible d'être contrôlé par un vaccin. Cette grave affection qui concerne quinze millions de personnes est due au bacille de Hansen. En 1969, des chercheurs américains ont réussi à multiplier cette bactérie chez le tatou, petit mammifère édenté de l'Amérique méridionale. Cette étape décisive franchie, la préparation d'un vaccin constitué de bacilles tués par la chaleur a rapidement suivi. Les essais concluants, poursuivis chez l'animal, puis chez l'homme, ont décidé l'OMS à entreprendre, dès 1983, les études cliniques. Dans un premier temps, les doses nécessaires et la durée de l'immunité conférée par ce vaccin d'un type classique, seront étudiées sur des populations occidentales.

Dans un second temps seulement, l'efficacité thérapeutique sera évaluée sur des sujets exposés à la lèpre ou atteints d'une forme débutante de cette maladie. Dans la meilleure des hypothèses, l'efficacité du vaccin étant définitivement établie, des campagnes massives de vaccination pourraient être menées vers la fin de ce siècle.

Outre les maladies tropicales évoquées ci-dessus, il existe aussi une maladie fréquente en Afrique et en Extrême-Orient : l'hépatite virale de type B. Ce n'est qu'au début des années quatre-vingt qu'un vaccin a été mis au point par l'Institut Pasteur et la firme pharmaceutique américaine Merck. Au début de 1983, l'OMS décidait de soutenir les campagnes de vaccination contre l'hépatite B.

Les vaccins pour le tiers monde ne posent pas que des problèmes de réalisation technique. Des problèmes de coût, de solvabilité, de stratégie vaccinale et de personnels de santé qualifiés risquent de freiner, voire d'interdire, la mise en œuvre d'une action préventive. L'aide internationale, aussi généreuse soit-elle, restera vaine si elle ne trouve pas auprès des responsables de ces pays la ferme volonté politique d'entreprendre et de mener à bien, pour le bénéfice de leurs populations, des actions sanitaires d'envergure.

Catherine Sceautres

Greffes et organes artificiels

Barney Clark est mort à Salt Lake City le 23 mars 1983 après 112 jours d'une vie difficile, sans autonomie, en acceptant de participer à une expérience destinée à voir si une pompe de métal et de polyuréthane peut remplacer un cœur défaillant.

Le cœur artificiel sera sans doute un article à ajouter au catalogue des composants de l'homme « bionique »

de la fin du XXe siècle. Les changements d'organes ou de fonctions ne datent pas d'hier et les rêves sont anciens. Mais ce n'est véritablement qu'après la Deuxième Guerre mondiale que s'est développée la panoplie des organes artificiels. Il fallut attendre 1943 pour que le rein artificiel – appareil extérieur au corps, qui permet d'épurer le sang de ses déchets – devienne un appareil utilisable en clinique humaine grâce à l'ingéniosité et la ténacité de Wilhelm J. Kolff, en Hollande; le même qui, en 1983, supervisait aux États-Unis l'équipe du cœur artificiel de Salt Lake City. Et en septembre 1945, Kolff démontrait pour la première fois l'efficacité de l'hémodialyse – l'épuration du sang par le rein artificiel – en permettant à une malade de 67 ans, atteinte d'insuffisance rénale aiguë, mortelle, de survivre grâce à une séance de rein artificiel. Près de 40 ans plus tard, plus de 100 000 urémiques vivent dans le monde grâce à ce procédé, amélioré, mais toujours complètement externe.

En 1950, naît le premier cœur-poumon artificiel, machine externe qui, le temps d'une opération destinée à réparer le cœur ou les gros vaisseaux, remplace la pompe cardiaque et oxygène le sang. 32 ans plus tard, le premier cœur artificiel implanté à demeure (à l'exception de la source d'énergie de 150 kilos) est placé dans la poitrine d'un homme.

Pendant le même temps, les travaux sur les implantations d'organes et le traitement des rejets avancent doucement. Il faut se rappeler que c'est en 1952 que sont tentées en France et aux États-Unis, les premières greffes de reins chez de grands urémiques autrement condamnés. Les rejets systématiques d'abord enregistrés pousseront les chercheurs cliniciens à recourir dans le cas précis des reins, au don d'organes de jumeaux vrais quand cela est possible. Peu à peu, les essais de traitement immunodépresseur pour éviter les crises de rejet, la recherche de sujets appariés (mêmes groupes sanguins [221]), la possibilité de recourir au rein artificiel en cas d'échec, vont permettre de faire survivre un nombre croissant de ces malades dont la mort était certaine autrement.

Mais c'est la première greffe de cœur humain pratiquée en octobre 1967 par le chirurgien sud-africain Christian Barnard sur Louis Washkansky (survie : 17 jours), qui fit prendre réellement conscience au monde entier que les progrès de la médecine et de la biologie permettaient d'entrevoir la possibilité réelle d'une médecine de remplacement qui ne se limiterait pas au cas particulier des reins.

Quinze ans plus tard, il n'est pratiquement pas d'organe, ou plus exactement pas de fonction, que l'on n'ait essayé de pallier avec plus ou moins de succès. Il n'est plus de semaine où l'actualité ne fournisse l'occasion de voir un progrès dans le domaine des « pièces de rechange » naturelles ou artificielles. En voici un bilan sommaire et provisoire.

Un bilan provisoire

Cœur : au début des années quatre-vingt, les greffes l'emportent encore sur les organes artificiels d'assistance temporaire ou définitive. Plus de 500 transplantations ont été faites dans le monde, dont la majorité par l'équipe du docteur Norman Shumway à Stanford (États-Unis). La France, qui a connu comme le monde entier une « épidémie » de greffes en 1968 (10 équipes ont essayé, 3 ou 4 en font encore quelques-unes en 1983), détient le record mondial de survie après greffe cardiaque avec Emmanuel Vitria, de Marseille (opéré en novembre 1968, toujours en vie en 1983), équipe du docteur Henry). Pour ce qui concerne le cœur artificiel, 12 équipes dans le monde travaillent sur des projets d'appareils aux États-Unis, au Japon, en Union soviétique, en RFA, en Tchécoslovaquie et en France, où deux équipes sont dans la compétition, à Paris (hôpital Broussais) et à Marseille. Rien que pour les États-Unis, on évalue à 10 000 les patients qui pourraient bénéficier en 1990 d'un cœur artificiel à source d'énergie implantable (et rechargeable). C'est sur ce dernier point qu'achoppent pour l'instant les recherches.

Rein : en 1983, le doyen mondial des greffes de rein était américain. Il reçut vingt-sept ans plus tôt le rein de son frère jumeau vrai. En deuxième position, se situait le Français Georges Siméon, opéré en France à l'hôpital Necker le 30 mai 1959, et qui vivait toujours 24 ans plus tard. On estimait à 70 000 en 1983 les transplantations de reins dans le monde, dont la moitié en Europe ; la majorité a été effectuée à partir de reins de cadavres, plus ou moins appariés selon leurs groupes sanguins [221]. Les greffes de rein se font aujourd'hui sur des malades âgés de 2 à 50 ans.

Pour ce qui concerne le rein artificiel, 37 917 Européens et 40 000 Américains vivaient en 1981 avec des séances d'hémodyalise en centre hospitalier ou à domicile. Le traitement consiste en quatre séances d'hémodialyse, variant de 2 à 6 heures tous les deux ou trois jours. Ces dernières années, le « rein artificiel » portable par le patient et épurant le sang en continu, semble progresser, surtout en Amérique du Nord.

Des progrès semblent aussi en cours dans le domaine de la surveillance des greffés : des espoirs sont attendus des anticorps monoclonaux [216] et de la surveillance immunologique qui permet de capter les signes annonciateurs d'une crise de rejet. S'ils se confirment, ces résultats devraient pencher encore un peu plus en faveur de la transplantation rénale, d'autant que sur le plan financier, son coût est de très loin inférieur à celui de l'hémodialyse.

Pancréas : les contraintes des diabétiques (piqûres quotidiennes d'insuline) et leur nombre important (2 % des populations occidentales) poussent diabétologues et industriels à presser les recherches sur les pancréas artificiels, d'autant qu'en 1983, malgré une cinquantaine de tentatives dans le monde, aucun diabétique n'avait survécu à long terme avec un pancréas greffé fonctionnel.

Pour le moment, le pancréas artificiel totalement implantable reste hors de portée, sans doute pour des années encore. En revanche, le marché des pompes à insuline d'une autonomie de plusieurs jours permet déjà à nombre de patients de recevoir des doses d'insuline programmées à l'avance pour l'heure des repas.

Les premières pompes implantables ont déjà été posées chez des patients, notamment aux États-Unis (Albuquerque, Nouveau-Mexique) en Autriche et en France (Pr Mirouze et Selam, Montpellier). L'avenir est dans ces pompes, dont on peut encore améliorer la miniaturisation et la régulation, plutôt que dans un pancréas complet implantable. Une autre voie de recherches consiste à réaliser un pancréas hybride mi-naturel, mi-artificiel formé d'îlots de Langherans (cellules sécrétant l'insuline) cultivés dans des capillaires synthétiques implantés sous la peau. Des résultats prometteurs en laboratoire ont déjà été obtenus aux États-Unis (Brown University, Rhode Island), mais montrent qu'on est encore loin du terme.

Poumon : depuis le premier essai de transplantation effectué en 1963, une cinquantaine de greffes avaient été effectuées dans le monde en 1982, sans aucun succès de survie supérieur à une année. Ceci explique sans doute la multiplication des recherches entreprises sur les poumons artificiels, tels que des oxygénateurs à membrane semblables à une branchie de poisson, pour permettre que de grands insuffisants respiratoires connaissent une situation à peu près comparable à celle que connaissent les urémiques avec le rein artificiel. En attendant cette révolution-là, la technique de circulation extra-corporelle du cœur-poumon artificiel garde son actualité.

Foie : à la fin de 1982, plus de 400 transplantations hépatiques avaient été tentées dans le monde, dont 10 % avec une survie importante des patients, dont le foie greffé s'est révélé fonctionnel. Quant au foie artificiel, il n'est sûrement pas pour demain. Le foie est sans doute, après le cerveau, l'organe de l'Homme le plus complexe et donc

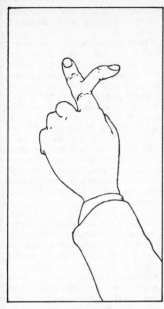

le plus difficile à remplacer. On était encore très loin en 1983 d'un appareil qui assure les quatre grandes fonctions de cette véritable usine chimique. Mais on savait déjà apporter une assistance hépatique artificielle pour l'une ou l'autre de ces fonctions. Et la fonction de détoxification pouvait d'ores et déjà être palliée avec un certain succès.

Le rêve des hépatologues serait de maintenir des patients en vie par épuration prolongée lorsque le foie est détruit, au moins le temps d'attendre une éventuelle transplantation. Le foie artificiel de l'avenir devra sans doute être plus complexe qu'une simple machine à épurer le sang, mais les difficultés de sa mise au point, son coût, en limitent dès le départ les recherches car chacun est conscient qu'il ne pourra jamais constituer un moyen de masse de remédier à la cirrhose du foie.

Sang : au début du XXᵉ siècle, les transfusions sanguines ont sans doute été les premières greffes réussies d'un organe, fût-il liquide. Toutefois, malgré la généralisation des dons du sang, la pénurie est importante et il est apparu utile et relativement plus facile que pour un organe solide, de mettre au point un produit de remplacement, doté d'une ou plusieurs fonctions essentielles du sang naturel. Des substituts de globules rouges, et de l'hémoglobine qu'ils véhiculent ont ainsi déjà été utilisés chez l'homme.

C'est en octobre 1979 qu'un sang artificiel composé de fluorocarbone a été utilisé pour la première fois chez un être humain, au Japon. Depuis, plusieurs pays dont les États-Unis, l'Allemagne, l'Union soviétique et la France ont effectué des tentatives. Mais on était encore loin en 1983 de retrouver par synthèse dans un même liquide tous les constituants cellulaires et plasmatiques du sang réel.

Membres : on sait faire des mains esthétiques mais inactives; on sait faire des mains artificielles actives (à commande électronique), mais inesthétiques. La réunion de ces deux techniques pour donner une main artificielle esthétique et active n'était pas encore abordable en 1983 et restait malheureusement du domaine du rêve pour tous les amputés. C'est sans doute un prototype mis au point en Yougoslavie dans les années soixante-dix qui s'en rapproche le plus.

Quant à la marche, de nombreux pays tentent de mettre au point des palliatifs, par une ingénierie bioélectronique complexe et coûteuse, dans l'espoir d'être les premiers à faire marcher les paralysés. Cela va du « piéton électronique » à la « culotte à marcher ». Dans un domaine voisin, commence à s'ouvrir le marché des prothèses articulaires (hanches, genoux, chevilles, épaules et, le plus difficile, doigts).

Peau : plusieurs voies de recherche sont explorées pour fabriquer une peau de remplacement, spécialement à l'usage des grands brûlés dont on sauve la vie alors que leur surface corporelle peut être lésée jusqu'à 85 à 90 % de la surface du corps. C'est essentiellement à la fonction de recouvrement que l'on s'attelle. Trois voies de recherche donnent des débuts de satisfaction : la culture de cellules du patient en éprouvette, la mise au point de peaux semi-artificielles (associant protéines et tissus animaux d'une part, et épiderme du receveur prélevé sur une région saine, d'autre part), enfin la préparation d'un revêtement entièrement synthétique, sorte de pansement provisoire. Ces trois sortes de peaux ont déjà été essayées avec succès chez des brûlés, même si des améliorations encore attendues (taille du lambeau, nature de la peau, prix de revient).

Organes des sens : divers essais d'yeux et d'oreille artificiels n'ont pas encore donné les résultats escomptés. Même si les caméras miniaturisées pour aveugles ont un peu déçu, les recherches en cours laissent penser que d'ici à l'an 2000, on aura trouvé le moyen bioélectronique de rendre, au moins partiellement, la vue aux aveugles et l'ouïe aux sourds. C'est sans doute au Japon et aux États-Unis (Silicon Valley) que les travaux sont les plus avancés. Des recherches françaises originales dans le domaine de la surdité (Chouard et Mac Leod à Paris) retiennent toutefois d'autant plus l'attention que les greffes de nerf sont pour le moment sans solution. Pour les opérés de la cataracte, le marché des cristallins artificiels s'est ouvert ces dernières années.

Plus de 10 000 personnes avaient déjà bénéficié de ces implants en 1983.

Outre ces secteurs plus ou moins avancés, il faut retenir la mise au point de biomatériaux remarquables (téflon, dacron, polyuréthane, carbone, etc.) sans lesquels la mise au point des prothèses et d'organes artificiels n'aurait pas été possible. Sans cesse, de nouveaux matériaux [335] sont fabriqués, essayés, de mieux en mieux tolérés, de plus en plus résistants, de plus en plus élastiques selon les cas. Mais en 1983, les substances idéales, soit inusables, soit au contraire résorbables à la demande sans problème, n'avaient pas encore été inventées.

Un secteur progresse cependant, celui des colles chirurgicales. Enfin, il convient de citer pour mémoire, et pêle-mêle, des tentatives de mise au point d'intestin artificiel, de muscle artificiel, de pénis artificiel, de sphincters artificiels, etc. Sans compter que la biologie moléculaire apporte aussi sa quote-part : on commence à fabriquer des gènes artificiels qui permettront de corriger des désordres biochimiques héréditaires (maladies en vue : thalassémie, hémophilie, diabète, myopathie, etc.) [211]. Il semble qu'à l'exception de la tête et de son contenu le cerveau, toutes les autres fonctions organiques pourront un jour ou l'autre être remplacées, fût-ce en 2050...

Martine Allain-Regnault

BIBLIOGRAPHIE

Ouvrages

Attali J., *L'ordre cannibale,* Grasset, Paris, 1978.

Bourget P., Blouin C., *Histoire de la médecine depuis 1940. Plus de progrès en 40 ans qu'en 40 siècles,* Presse de la cité, Paris, 1983.

Dossiers

Sciences et avenir, numéro spécial, n° 28, 1979.

Science et avenir, n° 413, 1981.

Agronomie : la lutte biologique contre les nuisibles

L'Organisation des Nations unies pour l'alimentation et l'agriculture (FAO) rapportait en 1981 que 20 à 40 % des récoltes à l'échelle mondiale sont encore perdus du fait des « nuisibles », c'est-à-dire des rongeurs, oiseaux, insectes et moisissures.

Pourtant on avait vu se généraliser au cours des trente dernières années la lutte chimique (insecticides, etc.) contre ces indésirables, avec quelque succès. Mais dans le même temps, cette lutte a entraîné l'apparition de difficultés nouvelles, telles que la pollution de l'environnement ou le développement de souches de nuisibles résistantes aux produits chimiques.

C'est pourquoi d'autres techniques d'intervention, et surtout une nouvelle stratégie de protection des plantes (phytosanitaire), ont été mises à l'étude depuis 1972. Dans une première étape, la mise en œuvre de cette stratégie a impliqué une modification de la lutte chimique : il s'agissait de recourir à des pesticides à faible répercussion écologique uniquement dans les cas où, compte tenu du niveau observé de pullulation des « nuisibles », il était prévisible que la rentabilité de la culture allait être compromise.

Une deuxième étape se prépare activement au début des années quatre-vingt et devrait marquer l'évolution des sciences et des techniques dans ce domaine particulier jusqu'à la fin du siècle. Il s'agit en effet d'intégrer aux techniques précédentes, des moyens de lutte biologique, de nouveaux procédés culturaux, et de limiter autant que faire se peut la lutte chimique. La lutte biologique consiste, selon l'Organisation internationale de lutte biologique (OILB), en « l'utilisation d'organismes vivants ou de leurs produits, pour empêcher ou réduire les pertes ou dommages causés par des organismes nuisibles ».

En avril 1982, 80 entomologistes de 27 pays différents se sont réunis à Antibes pour faire le point des connaissances sur un minuscule insecte dont les capacités originales retiennent de plus en plus l'attention des agronomes. Il s'agit d'une sorte de petite guêpe du genre *Trichogramma* qui présente la particularité de se développer à l'état de larve à l'intérieur des œufs d'autres insectes, des papillons principalement. Grâce à des organes sensoriels qui lui permettent de repérer les pistes « odorantes » laissées sur les végétaux par les papillons femelles à la recherche d'un site adéquat de ponte, le trichogramme découvre les œufs de ces papillons, y enfonce sa tarière et y dépose sa progéniture. Dès l'éclosion, les jeunes larves dévorent l'embryon de l'œuf-hôte, empêchant ainsi la naissance des chenilles nuisibles. De ce fait, les trichogrammes sont considérés comme des insectes utiles, à protéger, voire à favoriser.

L'élevage en masse d'un insecte

En pratique, la lutte biologique à l'aide des trichogrammes demande d'abord la mise au point de techniques d'élevage en masse. Ensuite, il faut, au moment et à l'endroit convenable, réaliser des lâchers massifs de l'insecte assurant une recolonisation permanente et intensive des cultures par celui-ci. Par exemple, pour lutter contre la pyrale du maïs, un papillon dont la chenille se développe à l'intérieur des cannes et des épis de maïs, l'Institut national de la recherche agronomique (INRA) préconise trois lâchers successifs de 50 000 trichogrammes par hectare, à des intervalles de temps de 7 à 10 jours.

La mise au point d'un élevage pilote d'une capacité de 5 à 600 millions de trichogrammes était en cours de réalisation à Antibes en 1983. Dans le même temps, les laboratoires de recherche exploraient la possibilité de multiplier ces précieux auxiliaires dans des œufs artificiels, constitués d'un mélange de divers produits complexes et de produits chimiques purs (ceci afin d'éviter d'avoir à produire en masse des œufs de papillon).

Les trichogrammes prennent de fait une place de plus en plus grande dans l'arsenal des moyens phytosanitaires mis en œuvre dans certains pays tels que l'URSS, le Mexique, la Chine et les États-Unis. En 1980, plus de 11 millions d'hectares de cultures de chou, tomate, betterave à sucre, cotonnier, céréales, arbres fruitiers ont été ainsi traités par ce procédé biologique en Union soviétique.

Lors du troisième colloque international sur la pathologie des invertébrés, qui s'est tenu en Grande-Bretagne, à Brighton, en septembre 1982, une place importante fut réservée à la présentation de résultats obtenus par l'emploi de champignons microscopiques pathogènes pour les insectes, dans le cadre de la lutte contre les insectes ravageurs des cultures, mais aussi contre les insectes vecteurs des maladies humaines [244]. Ces micro-organismes, spécifiquement actifs contre certains insectes, provoquent des maladies appelées mycoses qui conduisent à la mort par envahissement de tout l'organisme. L'évolution vers la mort est d'autant plus rapide que l'insecte a été au contact d'un nombre élevé de spores infectieuses (minuscules organes de reproduction et de dissémination des champignons, analogues aux graines des végétaux supérieurs). Il faut pour cela déverser dans les cultures de grandes quantités de ces spores. Le développement de cette lutte biologique particulière dépend donc beaucoup de l'industrialisation des procédés de multiplication du champignon microscopique.

Dans certaines régions tropicales, les micro-champignons trouvent des conditions climatiques favorables à leur expansion et à leur maintien d'une saison à l'autre, sans que les agriculteurs aient à intervenir. Mais

BIBLIOGRAPHIE

Ouvrages

Agriculture : horizon 2000, Organisation des Nations unies pour l'alimentation et l'agriculture, Rome, 1981.

Invertebrate Pathology and Microbial Control, Proceedings of the 3rd International Colloquium on Invertebrate Pathology, University of Sussex, Brighton, 1982.

Article

« La lutte biologique en protection des cultures », *Bulletin technique d'information du ministère de l'Agriculture,* nᵒˢ 332-333, Paris, 1978.

Dossier

« Les trichogrammes », Iᵉʳ Symposium international (Antibes, 20-23 avril 1982), *Les colloques de l'INRA,* n° 9, 1982.

le plus souvent, c'est à eux d'introduire périodiquement le champignon infectieux dans leurs cultures. En Chine, des techniques artisanales ont été mises au point pour lutter de la sorte contre la pyrale du maïs. Au Brésil, des ateliers pilotes sont construits également depuis 1978, dans les plantations de canne à sucre. En URSS, des laboratoires de production sont associés, depuis 1973, aux kolkhozes et des industries d'État sont chargées de la mise au point d'une préparation commerciale.

Un champignon étrangleur

En France, c'est à un champignon prédateur (c'est-à-dire qui se nourrit de proies) que les chercheurs de l'INRA ont eu recours, au début des années quatre-vingt, pour mettre au point un procédé de lutte biologique contre les nématodes (sorte de petits vers) ou anguillules, ravageur des cultures maraîchères. Il s'agit d'un champignon filamenteux commercialisé sous le nom de Royal 350, qui présente la particularité de posséder des organes adhésifs lui permettant de s'attacher à la surface des nématodes. Ses filaments emprisonnent, puis étranglent les vers, et les digèrent grâce à des enzymes. La préparation commerciale de ce champignon se présente sous la forme de granulés à incorporer au sol à raison de 140 g par m², un ou deux mois avant la plantation. Il est intéressant de souligner qu'à la différence d'un nématicide d'origine chimique, qui provoque une chute brutale des populations du ravageur, suivie d'une recontamination progressive des sols à partir des formes les plus profondes ayant échappé au traitement, le produit biologique reste actif plusieurs années, évitant des interventions coûteuses.

Cependant, ces quelques exemples ne doivent pas conduire à croire que la lutte biologique contre les nuisibles, aussi séduisante soit-elle, est en mesure d'apporter des solutions pratiques à tous les problèmes phytosanitaires. Le recours aux pesticides chimiques restera, en général, nécessaire. Il conviendra aux agriculteurs d'acquérir la sagesse de les utiliser à bon escient dans une stratégie globale des productions végétales, assurant à la fois la quantité et la qualité des produits et le respect de l'environnement.

Pierre Ferron

Agronomie : comment faire de nouvelles variétés

L'obtention de variétés nouvelles de plantes cultivées, ou plutôt de variétés génétiquement améliorées, est le moyen le plus économique pour accroître la production agricole. La seule amélioration génétique des plantes a été responsable de 50 % des progrès agronomiques réalisés depuis la Deuxième Guerre mondiale : ceux-ci ont fait passer les rendements du blé ou du maïs de 20 quintaux par hectare en 1945, à 55 quintaux par hectare au début des années quatre-vingt.

L'obtention de variétés génétiquement améliorées a été réalisée depuis des siècles par des techniques empiriques de sélection artificielle. Mais depuis 1945, la génétique quantitative et la génétique des populations ont permis la formulation d'une « théorie de la sélection ». Grâce à celle-ci, il est possible de prédire en fonction des résultats expérimentaux déjà acquis un progrès continu de la valeur des variétés offertes à l'agriculture pour toutes les espèces, aussi bien en qualité qu'en quantité. Il est également possible de formuler les stratégies de sélection les plus efficaces et les moins coûteuses en fonction des moyens dont on dispose, des particularités biologiques de chaque espèce et des objectifs qu'on se fixe.

Les progrès théoriques sur lesquels on se base, ont été obtenus pour une bonne part grâce aux expériences de sélection du maïs réalisées aux États-Unis, depuis 1946, et aux travaux théoriques de chercheurs américains. Mais depuis 1968, le relais est pris en France grâce aux travaux théoriques et expérimentaux des chercheurs de l'INRA (en particulier André Gallais).

Cet aspect de la question est mal connu, même des praticiens, d'une part à cause de la difficulté (plus apparente que réelle) des formulations mathématiques de la théorie de la sélection, et aussi parce que cette activité fondamentale de création de nouvelles variétés n'a pas, en soi, la rentabilité à court ou à moyen terme qui en rendrait la pratique intéressante pour les firmes privées de sélection. Celles-ci attendent donc que les services publics de recherche agronomique s'en chargent, pour en tirer profit ensuite !

C'est d'autant plus dommage que les résultats déjà acquis permettent d'assurer des gains annuels (en rendement et en d'autres caractères) de l'ordre de 1 à 3 %, et que les pouvoirs publics ont tendance à négliger le financement de ces recherches, qui manquent de l'attractivité nécessaire pour en faire de bons os à ronger pour les médias.

Les mêmes pouvoirs publics préfèrent, bien entendu, promouvoir les miraculeuses recettes du génie génétique, lequel a l'avantage de mieux nourrir les fantasmes et de se croire capable d'accélérer phénoménalement la mise au point des nouvelles variétés. En fait, il est vrai que le génie génétique arrive, au début des années quatre-vingt, à « greffer » des gènes à des cellules [211]. Dans le cas de l'amélioration des plantes, il est envisageable de « greffer » un gène jugé intéressant à une cellule d'une espèce végétale donnée, isolée « en éprouvette », et de regénérer une plante entière à partir de cette cellule transformée ; la plante aurait, dès lors, un caractère biologique nouveau, et ses graines constitueraient les semences d'une variété nouvelle. Ce parcours très simple est parsemé de multiples obstacles, mais ils ont été presque tous levés et on peut dire que le moment est proche où ce rêve sera réalisé.

Les gènes de résistance aux maladies

A quoi cela servira-t-il ? Malheureusement, sans doute pas à grand-chose dans le domaine appliqué. La sélection pour de nouvelles variétés porte en effet sur des caractères, comme le rendement, la valeur nutritive, la qualité gustative (on a déjà fait des progrès importants sur la pomme Golden, à l'INRA). Ces caractères sont contrôlés par des gènes très nombreux qu'il est impossible de repérer et d'isoler, donc de soumettre aux manipulations que l'on vient d'évoquer. Voilà qui est fort ennuyeux car cela signifie qu'une bonne partie de l'amélioration des plantes va échapper au génie génétique. C'est pourquoi, on voit les spécialistes de cette discipline, quand ils veulent la promouvoir, parler de gènes de résistance aux maladies. En effet, ils ont entendu dire que les maladies des plantes sont un des gros problèmes de la production agricole, et que dans beaucoup de cas, des gènes bien définis (et sans doute repérables, isolables et « greffables ») apportent aux plantes une résistance totale à leurs parasites. Il sera sans doute possible de « greffer » de tels gènes dans des plantes, dans un avenir assez proche.

Malheureusement, il y a long-temps que les sélectionneurs transfèrent aux plantes cultivées de tels caractères génétiques de résistance aux maladies. Cela est fait, il est vrai, par les moyens moins spectaculaires de la génétique la plus classique, celle de Mendel [208]. Et c'est dès 1963 qu'un pathologiste sud-africain, J. E. Van der Plank, a fait sa célébrité en écrivant un livre expliquant pourquoi la sélection de ce type de caractère génétique était vouée irrémédiablement à l'échec dans la pratique agricole : les parasites développent très rapidement des races nouvelles qui sont capables d'attaquer le nouveau caractère et de détruire les plantes. Un nombre respectable de catastrophes est là pour inciter les sélectionneurs à éviter, autant que faire se peut, ce type de caractère et à utiliser des résistances déterminées par de nombreux gènes et donc inaccessibles au génie génétique.

Est-ce à dire que pour les plantes cultivées, le génie génétique est sans intérêt? Loin de là, mais sans doute pas dans les applications spectaculaires qui font saliver les médias et les décideurs politiques. Par exemple, l'utilisation de « morceaux » d'ADN bien définis et radioactifs – le procédé de base du génie génétique – permet déjà de repérer l'infection des pommes de terre par un virus extrêmement dangereux, ou de guider le travail des sélectionneurs (en leur signalant la présence ou l'absence des gènes désirables chez les hybrides qu'ils créent).

Mais il y a bien d'autres technologies que le génie génétique. Grâce à des techniques de culture « en éprouvette » de tissus végétaux, mises au point par Morel à l'INRA dans les années cinquante, il est possible, à partir de fragments de tiges, de bourgeons, etc., de multiplier en grand nombre certaines espèces telles que les pommiers, rosiers, et autres. Ceci est d'autant plus intéressant que ces espèces ne se prêtent pas aux techniques traditionnelles de bouturage, contrairement à la vigne, par exemple. (Une branche de vigne plantée en terre peut prendre racine.)

D'autres techniques que le génie génétique

Une autre technique, mise au point par J. P. Nitsch et J. P. Bourgin à l'INRA dans les années soixante, est la régénération de plantes entières à partir de grains de pollens ou d'ovules en cultures. Cela fournit des variétés génétiquement stables en quelques mois, au lieu de quelques années par les processus classiques de sélection. Cette technique a été notamment appliquée au colza.

Une autre technique enfin, mise au point dans les années soixante-dix, aux États-Unis, au Japon, en Grande-Bretagne et en RFA, permet de réaliser des hybrides entre espèces qu'on ne peut croiser par la voie sexuelle normale. La technique consiste à fusionner « en éprouvette » des cellules végétales d'espèces différentes. Ces cellules végétales sont débarrassées de leurs parois rigides pour pouvoir fusionner : on les appelle des protoplastes. A partir des cellules hybrides en cultures, on peut ensuite essayer de régénérer la plante entière. Cette technique a été appliquée en 1978 à l'hybridation pomme de terre-tomate, ce qui a donné un plant de « pomate » (mais cette nouvelle espèce n'est pas sortie du laboratoire). La difficulté qui subsiste est celle de la régénération de plantes entières à partir des cellules fusionnées : elle n'était possible en 1983 que dans un nombre limité d'espèces.

Max Rives

La pollution par les cancérogènes chimiques

Au cours des années soixante-dix, une conviction s'est répandue chez les biologistes qui étudient les causes du cancer : cette maladie serait déclenchée, le plus souvent, par des substances chimiques rencontrées dans notre environnement. Il existe donc un problème de pollution par les cancérogènes chimiques, et c'est un problème crucial de notre époque puisque le nombre de morts par cancer ne cesse d'augmenter (ce nombre a autant augmenté durant la dernière décennie que durant les 35 dernières années). De quelles substances s'agit-il ? Où les rencontre-t-on ? Comment peuvent-elles provoquer le cancer ? Et comment peut-on s'en protéger ?

Il existe trois grandes catégories de substances chimiques capables de provoquer ou de favoriser l'apparition d'un cancer chez un individu. Ces diverses catégories correspondent à des modes d'action différents de ces substances, relativement à la cancérogénèse.

Rappelons tout d'abord comment la biologie moléculaire explique aujourd'hui l'origine de la plupart des cancers [239]. Il existe dans chacune des milliards de cellules qui composent un être humain (ou un animal), des molécules géantes d'acide désoxyribonucléique (ou ADN) constituant des chromosomes – corpuscules en formes de bâtonnet – au sein des noyaux des cellules. Ces molécules d'ADN contiennent l'information génétique, c'est-à-dire des instructions codées sous forme biochimique, capables de gouverner le métabolisme de chaque cellule. L'instruction élémentaire s'appelle le gène. On sait depuis quelques années, qu'il existe, dans toutes les cellules saines d'un être humain ou d'un animal, des « gènes de cancer », c'est-à-dire des instruc-

tions génétiques capables d'orienter le métabolisme cellulaire vers un état « cancéreux » (cet état implique que la cellule va se multiplier de manière incontrôlée). Normalement, ces « gènes de cancer » sont maintenus à l'état « dormant » dans les cellules saines de l'adulte. Un cancer débute lorsqu'une cellule chez l'adulte voit brusquement se réveiller un « gène de cancer ». Les mécanismes du réveil des « gènes de cancer » sont variés. Beaucoup d'entre eux reposent sur l'altération des molécules d'ADN, qu'ils s'agisse de modifications de portions de chromosomes ou de modifications plus ponctuelles de gènes.

Un inventaire à peine commencé

Une première catégorie de substances cancérogènes est constituée par des composés chimiques capables de donner dans les cellules où ils pénètrent, des molécules « offensives » pour les molécules d'ADN. Ces molécules sont offensives parce qu'elles altèrent les molécules d'ADN. On les appelle des cancérogènes ultimes car elles résultent de la transformation par des enzymes, au sein des cellules, des substances cancérogènes de cette première catégorie. Celles-ci sont, par exemple, des colorants de l'industrie chimique (amines et amides aromatiques, colorants azoïques). Il peut s'agir encore du chlorure de vinyle ou de ses dérivés tel que le chlorure de vinylidène : ces substances sont utilisées dans l'industrie des matières plastiques. Un produit voisin est le 2-chlorobutadiène, un composé utilisé dans l'industrie du caoutchouc. Les travailleurs de certaines industries chimiques sont donc particulièrement exposés à des substances cancérogènes.

D'autres substances appartenant à cette première catégorie se trouvent dans l'alimentation et peuvent donc toucher n'importe qui : il s'agit, par exemple, des nitrosamines. Ces produits, qui sont des cancérogènes ultimes, se forment dans l'estomac à partir des nitrates, lesquels sont les engrais qui peuvent polluer notablement certains aliments végétaux ou l'eau de boisson. Mais les nitrosamines peuvent se former encore dans l'intestin, à partir des nitrites, conservateurs contenus dans la charcuterie (souvent additionnés de salpêtre, c'est-à-dire des nitrates). Les nitrosamines peuvent encore être obtenues à partir des nitrates qui existent à l'état naturel dans la salive : dans ce dernier cas, la « pollution » cancérogène ne doit, exceptionnellement, rien à l'industrie humaine...! Signalons encore que la bière brune, notamment, contient de faibles quantités de nitrosamines. Par ailleurs, des moisissures poussant sur les cacahuètes ou les céréales peuvent donner de l'aflatoxine, une substance susceptible de donner des cancérogènes ultimes. Toujours dans cette catégorie, on trouve aussi des produits qui se forment lorsqu'on carbonise des matières animales ou végétales. Les parties « brûlées », « carbonisées » des viandes ou des poissons préparés en grillades, ou le pain grillé, sont donc cancérogènes...

Enfin, il y a toute la famille des hydrocarbures polycycliques contenus dans les fumées de cigarettes (goudrons), ou bien encore les fumées d'automobiles, d'industries des dérivés du pétrole, les suies des cheminées d'habitation, ou des centrales thermiques.

L'inventaire des substances capables de donner des cancérogènes ultimes est, en réalité, à peine commencé. Du point de vue chimique, notre environnement est composé de dizaines de milliers de molécules. Les biologistes disposent, depuis

1973, d'un test en laboratoire permettant de détecter rapidement si tel ou tel composé chimique est susceptible de donner des cancérogènes ultimes. Il s'agit du « test de Ames » (du nom de son inventeur). Il consiste à cultiver, dans de petites boîtes, des bactéries d'un genre particulier en présence d'enzymes de foie mammifères et de la substance à étudier. Si celle-ci est capable de donner, sous l'action des enzymes de foie, des cancérogènes ultimes, des bactéries mutantes (anormales) vont apparaître, et leur nombre sera directement lié au pouvoir cancérogène de la substance.

Comment agit la dioxine

La deuxième catégorie de substances cancérogènes est connue depuis moins longtemps. Un important article sur ces subtances a été publié en décembre 1982 dans le périodique *Cancer Research*. Il s'agit de substances dites inductrices d'enzymes : lorsqu'elles pénètrent dans les cellules, elles augmentent énormément l'activité des enzymes cellulaires capables de transformer les substances de la première catégorie en cancérogènes ultimes. Autrement dit, ces substances de deuxième catégorie ne sont pas directement cancérogènes par elles-mêmes, mais elles augmentent considérablement les risques cancérogènes lorsqu'on se trouve en milieu contaminé par les hydrocabures, l'aflatoxine, etc. Dans cette catégorie de substances inductrices d'enzymes, on trouve des médicaments tels que le phénobarbital (un médicament de la famille des barbituriques) ; le clofibrate, un médicament utilisé contre l'hypertension ; ou bien certains hydrocarbures contenus dans les fumées de cigarettes ; ou bien encore la dioxine (produit qui a pollué Seveso en Italie en 1976 et

Niagara Falls, aux États-Unis en 1980)... Le laboratoire de pharmacologie et de toxicologie fondamentale du CNRS à Toulouse a mis au point en 1982 un test ressemblant au test d'Ames, pour permettre de détecter dans notre environnement les substances de cette deuxième catégorie.

La troisième catégorie de substances cancérogènes est constituée parce qu'on appelle les « promoteurs ». Ces substances ne lèsent pas l'ADN, mais agissent par différents moyens : certaines stimulent la division cellulaire incontrôlée d'une cellule qui est devenue cancéreuse sous l'effet d'un cancérogène ultime. Elles accroissent donc considérablement les risques de voir se développer un cancer chez un individu (car un cancer n'est dangereux que lorsque la cellule initialement devenue cancéreuse est capable de donner des colonies cellulaires importantes et susceptibles de disséminer vers d'autres organes).

D'autres promoteurs ont pour effet de rendre l'ADN des cellules plus accessible aux cancérogènes ultimes. Dans cette troisième catégorie, on trouve des composés tels que les cyclamates (adoucissant sucrés des boissons telles que le Coca-Cola); la saccharine (un sucre de substitution pour les diabétiques;

toutefois, cette substance ne paraît active que chez le rat et non pas chez l'homme); des hormones, telles que certaines hormones femelles (œstrogènes,...); l'amiante; etc.

Actuellement, les laboratoires de pharmacologie recherchent s'il n'existe pas des substances capables de s'opposer aux différents types d'action de ces trois catégories de substances. Et fort heureusement, il s'avère qu'il existe de telles substances, que l'on trouve dans des plantes médicinales (l'Ochrosia), comme les ellepticines, ou dans des légumes (choux, choux-fleur, choux de Bruxelles), comme les isothiocyanates. Ces substances sont capables de bloquer la formation des cancérogènes ultimes dans les cellules. Des chercheurs américains se sont aperçus en 1982 que l'acide ellagique contenu dans les graines de raisin ou les fraises, est capable de détruire les cancérogènes ultimes des hydrocarbures. D'autres composés enfin, comme les dérivés de la vitamine A (laquelle se trouve dans le beurre ou les fruits et légumes rouges) sont capables de s'opposer aux promoteurs. Peut-être sera-t-on bientôt en mesure de prévenir, grâce à ces substances, les effets nocifs de la pollution par les cancérogènes...

Pierre Lesca

BIBLIOGRAPHIE

Articles

CONNEY A. H., « Induction of Microsomal Enzymes by Foreign Chemicals and Carcinogenesis by Polycyclic Aromatic Hydrocarbons », *Cancer Research*, n° 42, 1982.

DAUNE M. et FUCHS R., « La cancérogénèse chimique », *La Recherche*, n° 107, 1980.

DUBELCCO R., « La nature du cancer », *La Recherche*, n° 139, 1982.

LESCA P., « La prévention chimique du cancer », *La Recherche*, n° 107, 1980.

LESCA P., « La dioxine et le cancer », *La Recherche*, n° 114, 1980.

Écologie : l'extinction des espèces aujourd'hui

Le bilan des dernières décennies est éloquent : 1 % des espèces sauvages ont disparu, 10 à 12 % sont en danger grave, 30 % sont en très forte régression. Ce sont là des moyennes significatives à l'échelle du monde, mais aussi de l'Europe.

Ces chiffres montrent que notre patrimoine naturel est largement entamé ; ils ne font que traduire l'accélération de l'histoire de l'homme, son explosion démographique, son expansion territoriale, le développement de sa technologie et de ses moyens de déplacement. Nous assistons à un véritable envahissement de l'espace. De 1948 à 1980, la France par exemple, a perdu plus d'un million d'hectares au profit de l'urbanisation. En même temps, l'agriculture et l'élevage des ruminants domestiques mobilise des surfaces considérables, ce qui laisse d'autant moins de place disponible pour la faune et la flore sauvages. Les habitats naturels sont aussi attaqués par la multiplication des voies de communication, des grands équipements publics (centrales, barrages,...), les dépotoirs, les extractions de matériaux dans les dunes ou les rivières... Le tourisme et le camping s'accompagnent d'un excès de fréquentation de certains sites, ce qui entraîne piétinement de la flore et dérangement de la faune. Enfin, l'agriculture moderne, avec sa mécanisation [52], ses engrais chimiques, ses désherbants, ses insecticides, et l'industrie, avec ses polluants rejetés dans l'air [31], les rivières et les mers, modifient considérablement les habitats naturels.

La disparition des espèces avait commencé cependant dès avant l'ère industrielle. L'auroch (un gigantesque bovin de 2 mètres de haut), le bison d'Europe, le cheval sauvage ont disparu d'Europe occidentale entre le VIIe et le XVIe siècle. Le loup, qui comptait encore des milliers d'individus en France au début du XIXe siècle, a disparu dans ce pays en 1930. L'ours a disparu des Alpes françaises en 1921 et il n'en reste en 1982 qu'une quinzaine dans les Pyrénées. Toujours en France, le nombre des faucons pèlerins, victimes de la chasse puis des pesticides (l'ingestion de proies contaminées diminue le succès des couvées), a été réduit de trois fois en 20 ans et il a disparu de plusieurs régions. La cigogne blanche est passée de 200 couples après guerre à 15 à 20 couples en 1980, et seules une surveillance et des mesures attentives ont évité son extinction.

Au total, en France, au cours de l'époque historique, ont disparu 11 espèces de mammifères, 13 espèces d'oiseaux, 40 espèces de plantes. De plus, 400 espèces végétales – sur 4 000 – sont très menacées ; 52 espèces de mammifères – sur 105 – sont en danger ou en diminution inquiétante, ainsi que 140 espèces d'oiseaux nicheurs sur 270 ; 35 espèces de reptiles et amphibiens sur 83, 20 espèces de poissons d'eau douce sur 73.

L'arrêt de la chasse à la baleine

A l'échelle du monde, les mêmes types de menaces pèsent sur la vie sauvage dans tous les pays. L'opinion mondiale s'est récemment saisie du problème des cétacés (baleines et cachalots) qu'une chasse industrielle excessive menaçait gravement. Ainsi, la baleine franche du

Groënland a été presque exterminée dès le début du siècle; la population du rorqual bleu – le plus grand mammifère du monde qui peut atteindre un poids de 140 tonnes et 33 mètres de long – a décru de 300 000 en 1930 à 5 000 en 1975; le nombre de cachalots – chassés pour leur huile et le « spermaceti », corps gras utilisé en cosmétique et tannerie –, a régressé pendant la même période de 1 000 000 à 200 000. En 1981, tout commerce international de produits tirés des cétacés a été prohibé par les pays membres de la Convention sur le commerce international des espèces menacées. En 1982, la Commission baleinière internationale, chargée de fixer les quotas de chasse, a adopté le principe de la suspension de toute chasse à partir de 1985. Ces mesures de sauvegarde ont été obtenues sous la pression de l'opinion publique, bien informée et mobilisée par des associations spécialisées, comme *Greenpeace*.

Nombreuses sont les espèces pour lesquelles aucune mesure n'a été efficace. Le thylacine ou loup marsupial de Tasmanie, a sans doute disparu. Les lémuriens de Madagascar sont tous en danger à cause de la chasse et du déboisement. Les trois grands singes anthropomorphes (orang-outan, gorille et chimpanzé) sont gravement menacés par la chasse, les captures pour les zoos – en 1965, un dixième des orang-outangs s'y trouvait –, et la destruction de leur milieu, les grandes forêts tropicales, dont on estime qu'elles ont diminué de deux tiers en trente ans. Le tigre a disparu ou est devenu rare en Chine, à Bali, à Sumatra et à Java. Seule, l'Inde a un plan de protection du tigre (le « tiger project ») et cet animal pourra peut-être survivre dans les parcs nationaux nombreux et bien gérés de ce pays. Les trois espèces de rhinocéros d'Asie sont toutes en voie de disparition et ne survivent que grâce aux mêmes mesures; en Afrique, les deux espèces sont maintenant sauvées.

La liste rouge des espèces en danger est encore longue. Citons : le chameau sauvage de Mongolie, le daim d'Asie, plusieurs espèces de cerfs et d'antilopes, des bovins sauvages, comme l'anoa de Célèbes, le kouprey du Cambodge, ou le bison américain de forêt – cette espèce comptait 60 millions d'individus au début du XIXᵉ siècle, mais moins de 1 000 en 1890 (elle a été restaurée à 15 000 en 1980). Pour sauver l'oryx d'Arabie (sorte d'antilope), il a fallu capturer les 40 derniers survivants et les répartir dans des centres de reproduction en Arizona et en Arabie. En 1982, les premières générations ainsi obtenues ont été relâchées dans leur patrie d'origine. L'aigrette de Chine, l'ibis géant du Mékong, le cygne trompette d'Amérique, l'oie néné d'Hawaï, le condor, plusieurs faisans de Chine et d'Asie du Sud, les grandes grues d'Amérique et de Chine, des perroquets, des gobemouches... autant d'espèces disparues ou en danger. Et aussi les tortues marines; les crocodiles qui sont menacés en Asie, en Afrique et en Amérique du Sud du fait d'un braconnage, d'une contrebande et d'un commerce intensifs que les mesures internationales ne jugulent pas : plus d'un million de peaux ont été commercialisées en 1979, dont 750 000 pour le seul caïman à lunettes d'Amérique tropicale.

Pour un cadre de vie humain

En revanche, le problème du phoque du Groënland – celui-là même dont les « bébés-phoques » émeuvent tant l'opinion – n'est pas clair au plan scientifique. Certes, la population de phoque a diminué de plusieurs millions en cent ans, mais elle est encore relativement abondante : ce sont plutôt dans ce cas les méthodes d'abattage qui sont en cause. Plusieurs autres espèces de phoques sont néanmoins menacées, dont le phoque-moine de la Méditerranée qui a notamment disparu en

France des îles d'Hyères et de Corse. Le saumon en Europe, l'esturgeon et des espèces marines courantes comme le hareng, le thon et les grands crustacés ont été surexploités et leurs stocks réduits au point de rendre la pêche de moins en moins rentable. Il faut compléter ce panorama en évoquant les plantes des marais, des dunes, des déserts, des forêts tropicales : 10 % au moins de ces espèces sont en danger, de la fabuleuse *Welvitschia* (grande plante à fleur en forme de champignon) des déserts du Sud-Ouest africain aux orchidées sauvages, en passant par certains palmiers, le chou des Kerguelens ou de grands arbres comme le séquoia et le cèdre du Liban.

Les mesures de sauvegarde ont pourtant pris une ampleur considérable. Plusieurs pays protègent jusqu'à 10 % de leur territoire. La liste des réserves et parcs nationaux reconnus par les Nations Unies s'élevait à 1 205 pour 136 pays en 1967, mais ce chiffre est sûrement inférieur à la réalité puisque de nombreuses zones protégées ne répondent pas aux critères de cet organisme). En France, plus des deux tiers des mammifères et oiseaux sont protégés par la loi ; en 1973, 150 réserves où la chasse est interdite ont été créées sur les côtes pour les oiseaux migrateurs. En 10 ans, pas moins de six accords européens ou mondiaux ont été signés pour la protection de la faune et de la flore.

Ces différentes mesures ont plusieurs objectifs : les unes visent à la sauvegarde d'un petit échantillon du patrimoine (espèces et sites); les autres programment une planification préventive, dans le but de maintenir une certaine qualité de l'environnement naturel sur l'ensemble du territoire. Ces objectifs sont complémentaires puisque l'un tend à éviter les pertes irréversibles d'espèces et celle des milieux uniques ou remarquables; l'autre s'attache à maintenir un cadre de vie à l'échelle humaine, au niveau national, régional ou local. C'est dans cette perspective que le service national chargé de l'inventaire du patrimoine national français – le secrétariat de la Faune et de la Flore – a lancé en 1982 avec le ministère de l'Environnement un programme d'inventaire général des zones d'intérêt écologique. Le recensement est le fondement d'un système de surveillance continue des zones naturelles et des espèces sauvages qui pourrait être mis en place en 1983.

François de Beaufort

BIBLIOGRAPHIE

Ouvrages

BEAUFORT F. de, *Livre rouge des espèces menacées en France, Tome I : Vertébrés,* secrétariat de la Faune et de la Flore, Paris, 1983.

FISCHER J., *La vie sauvage en sursis,* Delachaux et Niestlé, Neuchâtel, 1970.

LEFEUVRE J. C., RAFFIN J. P., BEAUFORT F. de, *Protection, conservation de la nature et développement,* Colloque écologie et développement, CNRS, Paris, 1981.

IUCN, *The IUCN Plant Red Data Book,* Morges, 1978.

UICN, *Liste des Nations unies des parcs nationaux et réserves analogues,* Morges, 1967.

La vie au fond des océans

Dans l'océan Pacifique, au large des côtes Ouest de l'Amérique, des communautés animales exubérantes vivent à 2 500 mètres de profondeur autour des sources d'eau chaude qui jaillissent le long d'une sorte de chaîne de montagnes sous-marine : c'est la découverte la plus spectaculaire et la plus importante de ces dernières décennies en matière de biologie marine.

Les fonds sous-marins sont de vastes déserts : on savait depuis longtemps qu'on peut y trouver quelques rares animaux et cela jusqu'aux plus grandes profondeurs (plus de 10 000 mètres). Mais ces animaux (anémones, vers, petits crustacés, échinodermes,...) sont peu nombreux et de petite taille. C'est que la nourriture est rare : il n'y a pas de végétaux dans les fonds sous-marins, la lumière ne descendant pas au-delà de 100 mètres de profondeur.

Aussi, c'est avec une stupéfaction parfois teintée d'un réel scepticisme que les biologistes marins apprirent, en 1977, la découverte d'une riche communauté animale vivant à 2 500 mètres de profondeur. Cette communauté était associée aux sorties d'eau chaude qui avaient été trouvées par des géologues américains explorant, à bord du sous-marin *Alvin*, la dorsale (chaîne montagneuse) sous-marine du Pacifique oriental, au large des îles Galapagos (à 1000 km de la côte sud-américaine, au niveau de l'équateur). Ces géologues avaient observé des animaux variés, groupés autour du réseau de fissures et de crevasses d'où sort l'eau tiède (20 ° à 30 ° C) : des vers tubicoles (c'est-à-dire habitant dans un tube) atteignant plus de 1,50 m de longueur, des mollusques bivalves (c'est-à-dire des coquillages) dont la plus grande espèce mesurait 25 cm de longueur; des crabes de grande taille, etc. Et tous ces animaux étaient présents en grand nombre, les vers et les coquillages formant des touffes colorées sur les rochers. Bref, il y avait là un extraordinaire foisonnement de vie, une véritable oasis dans le désert désolé des fonds sous-marins.

Au printemps 1979, une équipe de biologistes américains put explorer en détail ce site, et y mener une série d'expériences destinées à mieux comprendre comment se nourrissent et survivent les principaux types d'animaux découverts. Au même moment, des géologues français et américains découvraient à 2 600 m de profondeur, dans une région de la chaîne montagneuse sous-marine du Pacifique oriental située par 21 ° de latitude Nord (au large du Mexique), des sources d'eau plus chaude (350 ° C). Au contact avec l'eau de mer froide, une partie des composés sulfurés contenus dans cette eau chaude se déposent pour former des édifices de sulfures polymétalliques (sulfures de fer, zinc, cuivre, plomb, etc.) en forme de termitières de plusieurs mètres de hauteur. Autour de ces cheminées d'où jaillit le panache noirâtre de l'eau de source chaude, la plupart des animaux découverts aux Galapagos étaient présents, mais accompagnés de nouvelles espèces adaptées à des températures plus élevées.

Vivre de l'énergie géothermique

En 1981, des équipes françaises découvraient une nouvelle source d'eau chaude, toujours dans la chaîne montagneuse sous-marine au large du Mexique, mais à 13 ° de latitude Nord. Ces deux sites (à 21 ° Nord et 13 ° Nord) ont fait l'objet d'exploration en plongée au début de l'année 1982, par deux équipes de biologistes marin français et américains, utilisant les deux sous-marins d'exploration profonde

Alvin (21° Nord) et *Cyana* (13° Nord).

A la suite de ces quelques missions, on sait comment la vie animale arrive à former des communautés exubérantes dans ces grandes profondeurs, loin de la lumière. Ce sont des bactéries qui tiennent, dans ces sites, le rôle d'aliment que jouent les végétaux à la surface de la terre. Mais au lieu de réaliser la photosynthèse comme le font les végétaux, c'est-à-dire la synthèse de matières organiques grâce à l'énergie de la lumière, les bactéries des sources d'eau chaude font ces synthèses en tirant leur énergie d'une réaction chimique : elles oxydent des composés sulfurés, lesquels se trouvent en grande quantité dans l'eau de source. On trouve ces bactéries en très grande abondance sur les surfaces rocheuses, dans les amas de sulfures polymétalliques, sur les parois des tubes des vers et les coquilles des mollusques, ainsi qu'en pleine eau.

On a d'abord pensé que les animaux se nourrissaient de ces bactéries collectées dans le milieu extérieur. La réalité est plus étonnante, puisqu'il s'agit d'une véritable symbiose entre les bactéries et les animaux. C'est le grand ver tubicole *Riftia* qui a fourni l'exemple le plus évolué d'une telle symbiose : à l'intérieur de son corps, un tissu particulier et richement vascularisé, le trophosome, est littéralement bourré de bactéries ; l'hydrogène sulfuré, l'oxygène et le dioxyde de carbone, indispensables au métabolisme des bactéries, sont véhiculés par le sang du ver jusqu'au trophosome. C'est au sein de ce dernier que les bactéries réalisent l'oxydation de l'hydrogène sulfuré et la synthèse des matières organiques dont elles ont besoin. Elle en cèdent aussi au ver qui a donc, lui aussi, ses besoins organiques satisfaits.

Des symbioses analogues existent chez les grands mollusques bivalves (la moule ou le grand coquillage *Calyptogena*). Chez le ver de Pompei, ainsi nommé par les observateurs parce qu'il vit autour des cheminées actives, les bactéries symbiotes sont fixées en colonies à certains endroits du corps.

En définitive, les communautés animales des profondeurs dépendent pour leur existence de l'énergie géothermique (qui donne naissance aux montagnes sous-marines et aux sources d'eau chaude), contrairement aux êtres vivants de la surface de la terre qui dépendent de l'énergie solaire. Là où les sources d'eau chaude sont taries, les communautés animales périssent : c'est ainsi que les biologistes ont observé de véritables cimetières de coquilles blanches de *Calyptogena* autour des cheminées inactives dans le site à 21° Nord.

On connaît encore imparfaitement le fonctionnement des bactéries vivant à l'état libre autour des sources : on sait cependant qu'elles vivent très bien et supportent des pressions de 250 kg/cm² et des températures de 300°C, en oxydant des sulfures et produisant du méthane. Si cette observation est confirmée, ces bactéries pourraient être utilisées dans des processus industriels biotechnologiques, pour produire du méthane ou dépolluer de leur soufre des rejets industriels.

Lucien Laubier

──────── *BIBLIOGRAPHIE* ────────
Articles

LAUBIER L., « Les communautés animales associées à l'hydrothermalisme sous-marin », *Revue du Palais de la Découverte,* vol. 10, n° 97, 1982.

LAUBIER L., « D'étranges animaux », *La Recherche,* n° 131, 1982.

HESSLER R., « Quand le soufre donne la vie », *La Recherche,* n° 131, 1982.

Le néodarwinisme à l'épreuve

L'année 1982 était le centième anniversaire de la mort de Charles Darwin, l'inventeur de la « théorie de l'évolution des espèces au moyen de la sélection naturelle ». Cette théorie a été modifiée au XXᵉ siècle et a donné, après la Seconde Guerre mondiale, ce qu'on appelle la théorie néodarwinienne de l'évolution. Celle-ci stipule que les espèces se modifient graduellement par l'adaptation des organismes aux conditions changeantes du milieu, grâce à la « survie des plus aptes » au fil des générations (= sélection naturelle), et peuvent ainsi conduire à la naissance de nouvelles espèces. Acceptée par le plus grand nombre, la théorie néodorwinienne joue un rôle particulièrement central en biologie, car elle peut expliquer beaucoup de phénomènes du monde, vivant (c'est un peu la « théorie unifiée » de la biologie). De nombreuses commémorations et manifestations scientifiques se déroulèrent donc de par le monde au printemps 1982. Mais peut-être que le colloque qui, sous l'égide du CNRS, se tint à Dijon du 10 au 14 mai 1982, fut le plus intéressant de tous ceux dédiés à la mémoire de Darwin.

En effet, la France avait été, depuis le XIXᵉ siècle, le pays qui s'était le plus opposé à la théorie darwinienne, puis néodarwinienne. De nombreux biologistes, parmi les plus influents, restèrent dans ce pays attachés à la théorie rivale de leur compatriote, J. B. de Lamarck. Ce n'est véritablement qu'au cours des années soixante-dix – donc avec vingt ou trente ans de retard sur la plupart des autres pays – que la théorie néodarwinienne accéda à une position dominante en France.

Or, entre-temps, de nombreuses critiques s'étaient fait jour, aux États-Unis, en Grande-Bretagne, au Japon, à l'encontre de la théorie néodarwinienne. Dans les années soixante, une théorie non-darwi-nienne de l'évolution avait été avancée par le généticien japonais M. Kimura; cette théorie reposait sur une nouvelle conception du changement progressif des caractères biologiques héréditaires des organismes, le *hasard* y tenant plus de place que la sélection naturelle. De même, dans les années soixante, des biologistes comme l'Australien M. J. D. White avaient rapporté des cas où le processus de naissance de nouvelles espèces ne devait rien à la sélection naturelle, mais reposait sur des modifications au *hasard* des chromosomes (les corpuscules cellulaires support du patrimoine génétique).

Et dans les années soixante-dix, ce furent des paléontologistes qui, à la suite des américains N. Eldredge et S. J. Gould, contestèrent la théorie néodarwinienne : selon eux, les documents paléontologiques ne montraient pas le processus de modification graduelle conduisant aux nouvelles espèces, comme le veut l'explication néodarwinienne classique. Au contraire, la plupart des espèces fossiles trouvées par les paléontologistes paraissent rester inchangées durant toute la période de leur existence (dans les temps préhistoriques). L'apparition des nouvelles espèces, à partir des espèces établies, se ferait brutalement (à l'échelle des temps géologiques, c'est-à-dire en quelques milliers ou dizaines de milliers d'années). La succession des espèces ne se ferait donc pas selon un modèle continu – comme le dit la théorie néodarwinienne classique – mais selon un modèle saccadé. Eldredge et Gould ont baptisé leur modèle d'évolution du nom d' « évolution par équilibres ponctués ». Celui-ci a suscité de nombreuses controverses chez les paléontologistes, mais n'a cessé de gagner du terrain. En 1981, le paléontologiste américain P. G. Williamson rapportait, après bien d'autres, un excellent exemple d'équilibre ponctué dans des séries de mollusques fossiles découverts à l'Est du lac Turkana (Kenya).

N. Eldredge et S. J. Gould étaient venus exposer leurs idées au colloque international de Dijon. On assista alors à un spectacle des plus curieux, impensable peu d'années auparavant : parce qu'ils mettaient en question le néodarwinisme, des chercheurs américains, venant d'un pays où le néodarwinisme est l'orthodoxie, se faisaient prendre à parti par leurs collègues français – d'un pays où le néodarwinisme avait été longtemps l'hérésie ! En fait, ce colloque montra bien la difficulté qu'ont les nouvelles idées à se faire comprendre. La plupart des biologistes interprètent les idées de El-dredge et Gould comme une modification mineure de la théorie néodarwinienne, et pas véritablement comme une contradiction. D'autres, estimant que cette remise en question sent le soufre, nient en bloc les nouvelles idées et les résultats qui les appuient ; et sans trop prendre la peine de les assimiler, ils apportent avec fougue des arguments contraires.

En fait, il est vrai que, de l'aveu même de ses promoteurs, le modèle des « équilibres ponctués » sent le soufre. Il implique, en effet, que certains caractères biologiques des organismes peuvent ne pas être dus à des adaptations à l'environnement (par le biais de la sélection naturelle), mais à des conséquences de la macroévolution (processus de remplacement global des espèces par d'autres dans le monde vivant). De cette façon, le modèle des « équilibres ponctués » rejoint le courant de critiques qui s'est fait jour en génétique dans les années soixante, à l'encontre de la sélection naturelle.

Ainsi, la réticence des biologistes français à admettre les idées de Eldredge et Gould tient sans doute au fait qu'ils craignent qu'en attaquant la notion de sélection naturelle, on ne fasse ressurgir le spectre du lamarckisme. Pourtant, S. J. Gould s'est efforcé de montrer, au début des années quatre-vingt, qu'une théorie synthétique non-darwinienne de l'évolution était en train de naître, et qu'elle n'avait rien de lamarckien.

Marcel Blanc

BIBLIOGRAPHIE

Ouvrages

DARWIN C., *L'origine des espèces,* Maspero, Paris, 1980.

DARWIN C., *Voyage d'un naturaliste autour du monde,* Maspero, Paris, 1982.

GOULD S. J., *Le pouce du panda,* Grasset, Paris, 1982.

THUILLIER P., *Darwin and Co,* Éditions Complexe, Bruxelles, 1981.

MILLER J., VAN LOON B., *Darwin pour débutants,* La Découverte, Maspero, Paris, 1982.

Articles

BLANC M., « Les théories de l'évolution aujourd'hui », *La Recherche,* n° 129, 1982.

ELDREDGE N., « La macroévolution », *La Recherche,* n° 133, 1982.

GOULD S. J., « Is a new and General Theory of Evolution Emerging ? », *Paleobiology,* n° 6 (1), 1980.

L'origine des Hominidés

En juin 1982, sous l'égide de l'Académie pontificale des sciences à Rome, des paléontologistes, des biochimistes, des généticiens sont parvenus à un compromis historique sur une question qui les divisait depuis plus d'une décennie. L'objet de la controverse était l'ancienneté de la séparation entre les Hominidés (les ancêtres préhistoriques de l'Homme moderne) et les grands singes (orang-outan, chimpanzé, gorille). Ce problème a une forte résonance émotionnelle : il tourne autour de la notion avancée par Darwin [264], il y a plus de cent ans, et qui a été popularisée par la formule « l'homme descend du singe ».

Aucun biologiste, depuis le XIXᵉ siècle, ne nie que les singes, et particulièrement les grands singes, partagent de nombreux traits anatomiques, physiologiques, comportementaux avec l'Homme moderne. Selon la théorie de l'évolution des espèces formulée par Darwin, cela signifie que les grands singes et l'Homme ont un ancêtre commun. Mais quel est cet ancêtre commun et à quel moment s'est effectuée la séparation entre la lignée menant à l'Homme et celle menant aux grands singes ? C'est ce que les paléontologistes devraient pouvoir dire d'après les os fossiles qu'ils ont recueillis dans toutes les régions du monde depuis plus d'un siècle.

Jusque dans les années soixante-dix, les paléontologistes n'hésitaient pas à dire que cette séparation était vieille de 20 à 35 millions d'années. Cette date était donc fort éloignée de la date d'apparition des premiers Hominidés dans les documents fossiles, c'est-à-dire des Australopithèques. Dans le courant des années soixante-dix, les plus vieux Australopithèques ont été découverts en Éthiopie (ils ont été baptisés Australopithèques de l'Afar) : leur âge était compris entre − 4 et − 3 millions d'années (ces chiffres négatifs indiquent que l'on compte à rebours, notre époque étant le temps zéro).

Dans la deuxième moitié des années soixante-dix, une précision fut ajoutée en ce qui concerne la séparation Hominidés-grands singes. Certains paléontologistes, à la suite de E.L. Simons (Duke University, Caroline du Nord) affirmèrent qu'un grand singe fossile du nom de *Ramapithèque* était l'ancêtre exclusif des Australopithèques (c'est-à-dire qu'il n'était pas en même temps l'ancêtre des grands singes actuels). Le *Ramapithèque* avait vécu, de l'Inde à l'Espagne, de − 13 à − 7 millions d'années. Donc la séparation entre la lignée Hominidée et les grands singes avait dû se faire pas plus tard que − 13 millions d'années.

Or, dès 1967, des biochimistes américains, V.M. Sarich et A.C. Wilson affirmaient que cette séparation n'était pas plus vieille que − 5 à − 7 millions d'années. Ils se fondaient pour affirmer cela sur des comparaisons chiffrées entre les protéines des différentes espèces de primates actuelles. Au cours des années soixante-dix, d'autres comparaisons de protéines montrèrent que sur le plan biochimique, Homme, chimpanzé, gorille sont vraiment très proches. Notamment, l'Homme et le chimpanzé ont en commun 99 % de leur matériel génétique. La parenté de ces espèces entre elles est presque aussi forte que celle qui existe entre les chevaux et les zèbres, et plus forte que celle entre les renards et les chiens.

Au début des années quatre-vingt, cette proximité fut confirmée par le Français B.D. Dutrillaux et l'Américain J.J. Yunis, lors de la comparaison fine des chromosomes de ces différentes espèces (les chromosomes sont des corpuscules en forme de bâtonnets au sein des noyaux cellulaires : ils représentent le patrimoine héréditaire). Et en 1981, une nouvelle étude de A.C. Wilson comparant les acides nucléiques des mitochondries – des corpuscules au sein du cytoplasme des cellules – donna de nouveau une date de – 5 millions d'années pour la séparation Hominidés-grands singes.

Un scénario plausible

Le colloque de Rome de juin 1982 a marqué la fin de cette divergence entre biochimistes et généticiens d'un côté, et paléontologistes de l'autre. D'une part, à la suite de D. Pilbeam (Harvard) et de P. Andrews (British Museum de Londres), les paléontologistes ont admis que le *Ramapithèque* n'était pas l'ancêtre des Hominidés, mais celui de l'orang-outang. D'autre part, ils ont admis que la séparation Hominidés – grands singes avait pu se faire entre – 5 et – 10 millions d'années. Ce n'est pas qu'ils aient eu de nouveaux documents fossiles pour justifier cette position. Mais il existe des données géologiques, comme l'a proposé Yves Coppens (musée de l'Homme, Paris) qui permettent de suggérer un scénario plausible de la séparation, il y a 7 millions d'années

environ, de la lignée des Hominidés et de celle du chimpanzé et du gorille.

Ce scénario postule qu'une population ancestrale de grands singes, vivant au cœur de l'Afrique, fut coupée en deux à cette époque par l'effondrement du Rift, le grand fossé géologique de l'Est africain (qui court du Mozambique à l'Éthiopie). La moitié de la population qui se trouva isolée dans la partie de l'Afrique à l'ouest du Rift, connut des conditions d'humidité beaucoup plus grandes que la moitié de la population isolée à l'est du Rift, le fossé ayant créé une barrière divisant en deux parties inégales le régime des précipitations. Tandis qu'à l'Ouest prospérait la forêt, à l'Est se développait la savane. La population de grands singes vivant à l'ouest s'adapta à la vie en forêt et donna le chimpanzé et le gorille. Celle vivant à l'Est donna des primates bipèdes et marcheurs adaptés à la vie en savane, c'est-à-dire les Hominidés.

A l'été 1982, le paléontologiste Richard Leakey trouvait au Kenya des fragments de primates fossiles datant de – 8 millions d'années. Ils pourraient donc permettre de confirmer ou d'infirmer ce scénario. Mais début 1983, l'étude de ces fragments n'était pas encore publiée.

Marcel Blanc

BIBLIOGRAPHIE

Articles

DE SAINT-BLANQUAT H., « Origines de l'homme : la nouvelle donnée », *sciences et avenir*, n° 429, 1982.

COPPENS Y., « Commencements de l'homme », *Le Débat*, n° 20, 1982.

ANDREW P., « Un ancêtre pour l'Orang-outan », *La Recherche*, n° 137, 1982.

INFORMATIQUE ET PRODUCTION

Les ordinateurs géants

Les ordinateurs géants sont les bêtes curieuses du monde de l'informatique. Ce sont les machines les plus puissantes du marché, qui peuvent brasser jusqu'à cinq milliards de chiffres par seconde pendant vingt heures de suite. Elles trouvent donc tout naturellement leur application dans les domaines scientifiques et techniques. Ces ordinateurs géants possèdent en effet une puissance et une rapidité de calcul qui s'avèrent inutiles dans les applications traditionnelles de gestion. Et il ne s'en vend qu'une petite vingtaine chaque année dans le monde, mais au prix unitaire d'une dizaine de millions de dollars !

Seules deux sociétés américaines conçoivent et fabriquent ces ordinateurs « pas comme les autres ». D'une part, Control Data (avec sa gamme Cyber et notamment le dernier-né, le Cyber 205). D'autre part, Cray Research, spécialisée uniquement sur ce segment de marché et dont le succès repose sur le génie

d'un homme : Seymour Cray, un ingénieur qui mit au point les premiers ordinateurs géants de la firme... Control Data !

En fait, ces ordinateurs géants n'ont, physiquement, rien de monstres. Le « Cray 1 » se présente comme un cylindre d'un bon mètre de diamètre et de deux mètres de haut. Schématiquement, l'intérieur du cylindre contient des plaquettes empilées. Et chaque plaquette supporte un nombre énorme de circuits intégrés qui sont autant d'unités de calcul ou de mémoire. Cet astucieux empilement des plaquettes constitue un des éléments qui donne sa très grande rapidité de calcul à l'ordinateur (250 millions d'opérations en une seconde : 30 fois plus rapide qu'un micro-ordinateur courant [10]).

Car il faut que la distance entre les circuits soit la plus faible possible, afin que le calcul soit le plus rapide possible. Véhiculés à la vitesse de la lumière (300 000 km/s), les signaux parcourent ainsi 30 cm en un milliardième de seconde (une nanoseconde). L'art consiste donc à ce que l'architecture du système (c'est le terme employé par les spécialistes) impose aux signaux le parcours le plus court pour exécuter une opération de base. Et sur le Cray 1, même pour faire transiter une information de la mémoire à l'unité de calcul, il ne faut que quelques nanosecondes.

La circulation des informations et la quantité d'électricité (qui se déplacent parmi les quelques centaines de kilomètres de fil et les sept cents sous-ensembles différents que contient la machine) nécessitent un refroidissement particulièrement élaboré. Un gaz spécialement étudié circule entre les plaquettes.

Des calculs simultanés

Outre ce souci de réduction de la distance qu'a à franchir l'information, une autre astuce dans l'architecture du système permet d'obtenir les fabuleuses rapidités de calcul de ces ordinateurs géants (appelés parfois super-ordinateurs). Cette astuce est directement liée à la façon dont l'ordinateur effectue la succession des opérations. Prenons l'exemple simple d'une suite d'addition. La machine ne résout pas intégralement chaque addition l'une après l'autre, mais avant même que le résultat de la première addition ne soit obtenu, la seconde addition démarre. Et ainsi de suite. Lorsque le résultat de la première addition est connu, celui-ci peut même s'engager dans l'étape suivante du traitement (définie par la programmation), alors que la seconde addition s'effectue. En d'autres termes, la machine sait réaliser des calculs simultanés (que l'on appelle encore calculs parallèles). Sur le Cray 1, une addition dure environ 63 nanosecondes.

Mais dans cette course aux performances, puissance de calcul, rapidité et capacité de mémorisation

(4 millions de mots pour le Cray 1), il ne faut pas oublier l'apport considérable de la micro-électronique, qui a permis la réalisation de circuits intégrés comme ceux qui figurent dans les micro-processeurs [197]. Les progrès de la miniaturisation ont permis, au cours de ces dix dernières années, d'assister au doublement des performances tous les dix-huit mois. Et ce, pour le même prix et le même encombrement. Dans les années soixante-dix, le circuit intégré a remplacé le « transistor » et, en 1982, on parvenait à loger plus de 500 000 composants sur un centimètre carré d'une plaquette de silicium. C'est ainsi que l'on peut trouver aujourd'hui sur le marché des petites calculatrices programmables de poche dont les performances valent largement celles du premier ordinateur, construit en 1945 par l'université de Pennsylvanie (il pesait 30 tonnes et avait coûté 750 000 dollars!). Bien sûr, les concepteurs d'ordinateurs géants savent utiliser ces circuits à haute intégration avec la plus parfaite ingéniosité.

Une fabuleuse réussite

Si les résultats de Control Data (avec sa gamme Cyber) sont satisfaisants, il reste que les ordinateurs géants ne constituent pas la plus grande activité de la firme américaine (Control Data vend d'autres types d'ordinateurs scientifiques, moins puissants, et des périphériques d'ordinateur tels que imprimantes, mémoires à disques, etc.). En revanche, Cray Research est « le » spécialiste du secteur. Sa réussite est foudroyante. La première machine est sortie de l'atelier en 1976; en 1981, Cray Research réalisait près de 102 millions de dollars de chiffre d'affaires pour 13 ordinateurs vendus. Ce qui portait à 32 le parc de machines installées par Cray Research dans le monde, contre une vingtaine pour Control Data. Et, en

1982, Cray devait vendre seize autres systèmes.

Ce parc des ordinateurs géants devrait croître très rapidement dans les toutes prochaines années. Le marché mondial potentiel, évalué à quelque cent clients en 1976, était probablement de plus de deux cents machines au début des années quatre-vingt. Dans ces conditions, rien d'étonnant à ce que les projets se multiplient. Ainsi, Marvin Minsky (l'un des grands spécialistes américains de l'intelligence artificielle [274]) envisageait en 1983 de se lancer sur ce marché. Mais surtout, Cray Research travaillait à la mise au point d'un nouvel ordinateur (baptisé Cray 2), qui devrait être six à douze fois plus rapide que le modèle précédent.

Le Cray 2 sera sûrement disponible en 1985. Le plus important problème qui restait à résoudre est celui du refroidissement (un gaz de composition particulière était étudié). Et pour l'horizon 1990, Cray Research aurait déjà dans ses cartons un système cent fois plus puissant que le Cray 1, avec des dimensions comparables à celles d'un gros poste de télévision! Là encore, les difficultés de refroidissement de la machine ne manqueront pas. Mais viendront également s'ajouter des problèmes de connexion du système aux unités périphériques d'entrées et de sorties.

L'énorme puissance de calcul de ces ordinateurs géants les prédisposent bien évidemment à tout ce qui touche les domaines scientifiques et techniques. Les premiers clients du Cray 1 ont été les laboratoires américains de recherche fondamentale subventionnés par l'État dans le domaine militaire et spatial [83]. Ces super-ordinateurs ont rapidement gagné l'industrie et plus précisément les grands groupes multinationaux, comme Mitsubishi ou Boeing. Mais on rencontre surtout ces ordinateurs géants dans la prévision météorologique [384], dans l'industrie aéronautique (où l'on peut ainsi remplacer les essais en soufflerie par leur simulation informatique), dans la recherche et l'exploitation pétrolière (analyse des sondages sismiques et modélisation des gisements), dans la physique nucléaire, dans le traitement des images émises par satellite [381], etc.

En France, l'installation du premier Cray 1 remonte à 1981. Il est installé à la direction des études et recherche d'EDF, à Clamart. En fait, l'EDF partage la puissance de calcul de ce système avec la CISI (une société de coconseils et services

---

BIBLIOGRAPHIE

Ouvrages

DEMARNE P., ROUQUEROL M., *Les ordinateurs*, PUF, Paris, 1982.

LE BOUCHER E., LORENZI J., *Mémoires volées*, Ramsay, Paris, 1979.

LUSSATO B., *Le défi informatique*, Fayard, Paris, 1981.

MOREAU R., *Ainsi naquit l'informatique*, Dunod, Paris, 1982.

NORA S., MINC A., *L'informatisation de la société*, La Documentation française, Paris, 1980.

Actes du colloque « informatique et société », La Documentation française, Paris, 1980.

Les chiffres clés de l'informatisation, La Documentation française, Paris, 1980.

en informatique, filiale du CEA). En 1983, il était fort probable que l'EDF et la CISI acquièrent chacune un nouvel ordinateur géant. Par ailleurs, le ministère de la Recherche et de l'Industrie a commandé un Cray 1 qui sera utilisable par plusieurs laboratoires. Il sera installé à l'École polytechnique, à Palaiseau. Enfin, la filiale française de Control Data a équipé, à la fin de 1982, son centre de calcul d'un Cyber 205. Ce centre est ouvert aux chercheurs et aux industriels français.

Daniel Lacotte

Où vont les microprocesseurs?

Les microprocesseurs sont à la base de la révolution technologique des années quatre-vingt, révolution aussi importante que celle apportée en son temps par la machine à vapeur. Ils sont présents partout : aussi bien dans la vie quotidienne (automobile [26], téléphone, électroménager [21], jeux, ascenseurs, distributeurs de billets, calculatrices de poche,...) que dans l'industrie (robots [295], ordinateurs [268]), dans les bureaux (machines à traiter les textes [306], télématique [10],...), dans les hôpitaux (surveillance des malades,...) ou les armements (systèmes de guidage [419])... Ils sont la clé de l'environnement professionnel et des loisirs de demain.

Le terme de microprocesseur désignait, au début des années soixante-dix, un composant électronique représentant sous un très faible volume l'« organe » qui est au cœur d'un ordinateur : le processeur, c'est-à-dire l'unité centrale de traitement logique de l'information. C'est en raison de sa taille très réduite que ce composant fut appelé microprocesseur. Concrètement, il s'agissait de circuits intégrés, c'est-à-dire d'un ensemble de minuscules circuits électroniques constitués de transistors microscopiques, implantés à la surface d'une pastille de silicium ne mesurant pas plus de quelques millimètres de côté, d'où son nom de « puce ». D'autres composants électroniques, représentant d'autres « organes » d'un ordinateur, tels que

l'unité « mémoire centrale » ou les unités gérant l'entrée et la sortie des données, etc., étaient aussi réalisés sur de telles « puces ». Associés à un microprocesseur, ces différents composants pouvaient constituer un ordinateur miniature.

A la fin des années soixante-dix, les différents « organes » d'un ordinateur purent être réalisés sur une seule et même pastille de silicium. Le terme de microprocesseur tendit alors à désigner cet ordinateur miniature lui-même. Celui-ci présente cependant deux différences majeures par rapport aux ordinateurs « normaux » : sa mémoire n'a qu'une très faible capacité et il est spécialisé dans une fonction. Très généralement cette fonction consiste à assurer la commande « intelligente » d'une machine particulière : étant donné telle situation, mettre en œuvre telle suite d'opérations.

Un cas facile à comprendre est celui de la machine à laver : étant donné les consignes de l'utilisateur, le système à microprocesseur commande le chauffage de l'eau et son maintien à la température désirée, la rotation du tambour pendant le temps nécessaire au lavage, l'évacuation de l'eau savonneuse à la fin du lavage et le remplissage de la cuve avec de l'eau claire pour le rinçage, etc. De même, dans l'industrie, des systèmes à microprocesseurs commandent des machines-outils (ce sont les machines-outils à commande numérique [295]), assurent l'optimisation du fonctionnement d'un moteur électrique ou d'une presse à injecter de la matière plastique, contrôlent la température et la pression régnant dans un fermenteur...

Apparus en 1970, les microprocesseurs ont fait l'objet d'une vive concurrence entre les groupes industriels qui les produisent – c'est-à-dire principalement des groupes américains comme Intel, Texas Instruments ou Motorola, et japonais, comme Toshiba, Hitachi ou Nec [488]. En 1982, on estimait à 150 millions la quantité de microprocesseurs vendus cette année-là.

La course à la miniaturisation

La concurrence a consisté essentiellement en une course à la miniaturisation des circuits électroniques assurant le traitement logique de l'information (appelés « circuits logiques » en raccourci). Fondamentalement, ces circuits sont constitués de transistors microscopiques, reliés les uns aux autres selon un schéma de câblage précis. Le premier microprocesseur d'Intel, baptisé 4004, intégrait (regroupait) 2 300 transistors sur un petit carré de silicium mesurant 7 mm de côté, soit une densité d'intégration de 5 000 transistors au cm². C'était en 1970. Il s'agissait de circuits intégrés à grandes échelles (Large Scale Integration, ou LSI). Or, depuis cette date, une loi de fait montre que la densité d'intégration des circuits et des transistors sur les pastilles de silicium a toujours doublé tous les 18 mois. Au début des années quatre-vingt, on en était à 500 000 transistors par centimètre carré. Ce sont des circuits intégrés à très grande échelle (Very Large Scale Integration, ou VLSI). Vers le milieu de la décennie, on devrait atteindre 4 000 000 de transistors au cm². Car ce qui coûte cher à la fabrication, c'est la surface de silicium utilisé et le nombre d'opé-

rations qu'il faut lui faire subir, et non pas le nombre des circuits logiques. Aussi cherche-t-on à en regrouper toujours davantage sur la même surface.

La réalisation des microscopiques circuits logiques demande, dans un premier temps, un travail de conception du schéma de l'implantation et du câblage des transistors. La conception d'un seul microprocesseur requiert la coopération d'une centaine d'ingénieurs de haut niveau, utilisant les services de la conception assistée par ordinateur [283]. Dans un deuxième temps, les circuits logiques sont réalisés par la combinaison de diverses opérations : d'abord un procédé de micro-photogravure, grâce à des rayons ultraviolets traversant les zones « ajourées » d'un masque, délimite le tracé des circuits à la surface d'une plaquette de silicium très pur, obtenu auparavant par des traitements physico-chimiques complexes. Ensuite, des impuretés sont implantées en certains points des circuits, réalisant les transistors microscopiques. Enfin, des couches de conducteur (de l'aluminium, par exemple) sont déposées dans les traits des circuits représentant le câblage, ceci afin de réaliser l'interconnexion des transistors.

Les progrès de la miniaturisation des circuits dépendent beaucoup de la technique de micro-photogravure. En 1980, la gravure par rayons ultraviolets permettait d'obtenir des motifs gravés de 3 à 4 microns (= millième de millimètre) de largeur. En 1983, cette même technique permettait la fabrication industrielle effective de circuits à motifs larges de 2 microns. En laboratoire, on savait déjà réaliser des motifs de largeur inférieure au micron, en employant des faisceaux d'ions ou d'électrons à la place des rayons ultra-violets. Des faisceaux de rayons X pourraient même permettre d'atteindre, en théorie, le domaine des quelques millièmes de microns (manomètres).

Cependant, les limites de la miniaturisation dépendent aussi de la taille minimale que peut avoir un transistor : celle-ci est de l'ordre du dixième de micron. Des circuits et des transistors de dimensions submicroniques pourraient donc être réalisables avec les techniques connues ou en cours d'expérimentation : à cette échelle, il serait possible de réaliser des circuits comprenant 250 millions de transistors au centimètre carré. Cependant, c'est seulement dans les années quatre-vingt-dix que le submicronique pourrait devenir le standard en fabrication. Les raisons de ce ralentissement sont multiples. Techniquement, il faut que les fabricants attendent les progrès de divers horizons avant de maîtriser cette dimension : matériau de base, machines de production, de test, sont les principales barrières rencontrées. Mais surtout, la complexité des « robots » déjà permise par les microprocesseurs réalisés avec les technologies disponibles au début des années quatre-vingt dépasse le besoin des industriels : il est déjà très difficile d'amortir des équipements très onéreux dans la courte période de leur vie commerciale (estimée à 2 ans...).

Les progrès de la miniaturisation de l'électronique ont permis, depuis 1976, de réaliser des systèmes informatiques entiers à microprocesseurs (comprenant le processeur, les organes d'entrée et de sortie, etc.) sur une seule « puce », comme nous l'avons déjà signalé. Le nombre des l'avons déjà signalé. Le nombre des transistors ne cessant d'augmenter dans de telles puces, il a fallu constamment élargir les voies de communications entre les transistors pour que l'information puisse être traitée rapidement. En 1970, le 4004 de Intel comportait des voies de communication à 4 pistes (cela signifie que le traitement de l'information se faisait simultanément sur 4 lignes de traitement). En 1972, les voies de communication sont passées à 8 pistes, puis 16 en 1980. En 1982, Intel, NCR et Hewlett-Packard fabriquaient chacun leur modèle de microprocesseur à 32 voies.

Vers des circuits ultra-rapides

Cependant, le nombre des voies de communication n'est pas le seul facteur qui détermine la rapidité de traitement de l'information. Il y a aussi le temps de transit des électrons. Heureusement, réduire les dimensions, c'est aussi raccourcir le temps de transit. La vitesse fait donc bon ménage avec la densité. Mais une autre limite intrinsèque doit être là aussi contournée. La mobilité des électrons – contrairement à une idée

--- **BIBLIOGRAPHIE** ---

Ouvrages

COUDERC J., *Initiation à la logique programmée et aux microprocesseurs*, CEPADUES, Toulouse, 1980.

GIROD D., DUBOIS R., *Au cœur des microprocesseurs*, Eyrolles, Paris, 1979.

LILERS H., *Du microprocesseur au micro-ordinateur*, Éditions Radio, Paris, 1982.

Articles

LARDY J. L., « La micro-électronique à très grande intégration », *La Recherche*, n° 116, 1980.

ZAKS R., « Les microprocesseurs : une intelligence programmée », *La Recherche*, n° 85, 1978.

Numéros spéciaux « Microélectronique » de *Télécom*, nᵒˢ 52 et 53, 1982.

répandue – n'est pas la même dans tous les corps. Et le silicium, de ce point de vue, est 4 à 6 fois plus lent que l'arseniure de gallium (AsGa), un matériau assez rare et difficile à élaborer, que l'on réserve aux circuits les plus rapides. Au tournant des années quatre-vingt, aux États-Unis, le département de la Défense a poussé les industries de l'électronique à la mise au point de tels circuits ultra-rapides (ou Very High Speed Intregrated Circuits, VHSIC), pour des systèmes à microprocesseurs assurant le guidage des missiles [419].

Deux voies de recherche que l'on commençait à peine à mentionner en 1983 peuvent avoir des conséquences absolument imprévisibles sur la technologie et les performances des microprocesseurs de demain. L'une est... la biologie : on imagine de partir de la molécule organique (protéine, etc.) et de construire sur elle des éléments bistables, base de tout circuit logique. On envisage aussi de rendre conductrices certaines protéines. Avantages espérés : une division par 100 des dimensions et des coûts de production réduits, car les protéines pourraient s'assembler en partie d'elles-mêmes. De plus, le « mur de la chaleur », dû à la dissipation thermique de tout circuit électrique, serait repoussé très loin. C'est aussi ce facteur qui limite la densité d'intégration des transistors que l'on savait réaliser en 1983. Ceux-ci consomment beaucoup de courant et l'échauffement produit risque de les détériorer. I B M et les Bell Laboratories (deux « grands » de la recherche mondiale en électronique) sont sur l'affaire. En 1983, il aurait déjà été possible d'intégrer des milliers de « portes » (éléments de circuits logiques) avec les techniques chimiques connues. Mais les problèmes pratiques à résoudre avant d'y parvenir restent vraiment énormes.

L'autre direction, plus immédiatement concevable, est celle de la conquête de la troisième dimension. Tous les grands laboratoires (Bell Laboratories aux États-Unis, Laboratoire d'ingéniérie de l'université de Tokyo, au Japon, le C N E T et le L E T I à Grenoble) travaillent dans cette direction. L'objectif est le même que dans le cas des microprocesseurs biologiques : intégrer davantage de circuits logiques dans des volumes de plus en plus petits. Ici, on empilerait les couches de circuits sur une pastille unique. Cependant, outre la dissipation thermique, une limitation n'est pas résolue : les interconnexions verticales sont très délicates à réaliser. Une étude japonaise, faite en 1982, prévoyait cependant la venue de ces circuits « volumiques » vers 1995.

Claude Amalric

L'intelligence artificielle

En première approximation, le but fondamental de l' « intelligence artificielle » est la conception de machines (de « robots ») qui suppléent l'Homme dans des fonctions dont on convient qu'elles nécessitent de l'intelligence. Cependant la reproduction par des machines d'une activité humaine que l'on arrive à parfaitement analyser et à interpréter dans un modèle mathématique ne relève pas forcément de l'intelligence artificielle mais plutôt de l'informatique en général (et éventuellement de la mécanique, de l'électronique, etc.). Tel est le cas, par exemple, de tâches aussi complexes que le dessin d'un profil d'aile d'avion (c'est la conception assistée par ordinateur [283]), le calcul d'une trajectoire de satellite ou l'établissement d'un bilan comptable. On réserve à l'intelligence artificielle le domaine de l'imitation de fonctions humaines dont on ne sait pas rigoureusement (pas encore) comment les humains les assurent. Par exemple : résoudre une collection de puzzles mathématiques ou physiques, comprendre une image, conduire une voiture, traduire une langue, diagnostiquer une maladie...

Jusqu'après la Seconde Guerre mondiale, les « machines intelligentes » n'ont été qu'un thème de science-fiction. Avec l'avènement des ordinateurs, elles ont commencé à devenir un thème spécifique de recherche scientifique. Plusieurs branches de l'intelligence artificielle se sont d'ailleurs constituées en disciplines relativement autonomes et font l'objet d'articles spécifiques dans ce volume : (« reconnaissance des formes » [280], « traduction assistée par ordinateur » [289]).

La vision artificielle

Vers la fin des années soixante-dix, l'intérêt pour l'intelligence artificielle s'est répandu hors des laboratoires de recherche et dans de nombreux secteurs de la société. Nombre d'entreprises d'envergure internationale telles que Xerox, Hewlett-Packard et Texas Instruments aux États-Unis, ou CGE en France, disposent de laboratoires en intelligence artificielle. Aux États-Unis, des entreprises spécialisées ont été créées, comme Machine Intelligence Inc., Automatics Inc. ou Technowledge. A Grenoble, en 1982, a été constituée la société ITMI (Industrie et technologie de la machine intelligente). Pourquoi un tel engouement ? En raison, simultanément, des progrès de l'informatique en général, de l'intelligence artificielle en particulier et de l'évolution socio-économique qui pousse à automatiser de nouvelles tâches.

Nous allons d'abord considérer les thèmes d'intelligence artificielle qui,

se prêtant assez directement à des applications importantes, ont suscité le plus d'efforts et rencontré le plus de succès ces dernières années : la vision artificielle, la compréhension automatique du langage naturel et les « systèmes-experts ».

La prolifération d'images d'origines diverses telles que les photographies et films médicaux ou les vues aériennes à des fins météorologiques, topographiques, géologiques ou militaires a donné corps à une spécialité informatique : le « traitement d'images ». Les spécialistes de cette discipline ont progressivement mis au point des techniques de codage de l'information visuelle permettant de la condenser sans l'appauvrir, des méthodes de restauration des images dégradées ou déformées et de corrélation d'images d'une même scène prise de points de vue ou à des instants différents, des dispositifs permettant d'apprécier les longueurs et les orientations d'éléments de contours, les aires, les principaux diamètres ou couleurs de régions d'images, etc.

Ces progrès des méthodes du traitement d'images ont conduit à l'introduction de capteurs et d'analyseurs capables de toutes ces performances dans des systèmes robotiques. En pratique, ceux-ci sont à présent employés dans l'industrie pour des tâches d' « inspection automatique » exploitant des caractéristiques relativement simples [280]. Il peut s'agir de surveiller un environnement à partir de vues échantillonnées ou encore d'examiner un à un les éléments d'un ensemble d'objets : vérification d'une production de pièces façonnées en série, tri de fruits, etc. Certaines tâches d'inspection ou d'autres types d'applications comme « l'assemblage automatique » posent encore des problèmes difficiles aux chercheurs. Tel est le cas de l'identification d'objets partiellement cachés, éventualité que l'on peut rencontrer par exemple lorsque des pièces arrivent en vrac sur le plan de travail du robot manipulateur. Tel est le cas, plus généralement, des problèmes d'analyse de scènes ou de compréhension d'images dans lesquelles il s'agit d'attribuer une signification à une image en fonction du contexte.

La compréhension automatique du langage naturel

Ce domaine a donné naissance à plusieurs types de recherches telles que la « reconnaissance de la parole » [287] et la « reconnaissance de l'écriture », ou la « synthèse vocale ». Celle-ci consiste à produire le message parlé correspondant à la lecture d'un texte quelconque sans que la machine dispose de l'enregistrement de toutes les phrases à prononcer, mais seulement en connaissant la prononciation de chacune des syllabes de la langue et des règles d'articulation. La « génération de langage naturel » se préoccupe de composer des phrases, puis des textes, sous forme écrite, à partir des langages internes dans lesquels s'expriment des machines (ordinateur, robot). On a ainsi créé des systèmes performants pour la synthèse vocale, pour la reconnaissance d'écriture d'imprimerie dans différents corps de caractères, pour la reconnaissance de la parole dans le cadre de petits ensembles de mots distincts prononcés par un seul et même locuteur [287].

Ainsi, dès 1981, il existait un prototype de voiture Renault R5 commandable par la voix, à partir d'un vocabulaire de quelques dizaines de mots, utilisables isolément les uns des autres. Depuis la fin des années soixante-dix, de nombreux travaux se sont concentrés le secteur de l'intelligence artificielle se sont concentrés sur la compréhension par des machines de langages naturels portant sur des « domaines limités de discours » : services de renseignements téléphoniques ou météorologiques, services de réservation de places, consultation de fichiers de petites annonces, production automatique de résumés (arrêts de justice, dépêches d'agences, ...). A terme, ce type de travaux pourrait faciliter la programmation d'ordinateurs et de machines en général par des non-informaticiens.

Le principe des « systèmes-experts » date de la fin des années soixante, mais leurs applications n'ont pris de l'ampleur que plus tard. Ce sont des programmes d'ordinateur destinés à remplacer l'homme ou tout au moins à l'assister dans des domaines où le savoir-faire des experts humains est reconnu, mais n'est pas suffisamment structuré pour qu'il en découle une méthode de travail parfaitement définie et rigoureuse, directement transposable sur ordinateur. On trouve des exemples de tels domaines dans les sciences de l'ingénieur (conception de gammes d'usinage, conception et conduite d'un plan de forage en prospection pétrolière), dans les sciences humaines ou sociales (orientation scolaire, organisation du travail), dans les sciences de la vie (diagnostic et traitement médicaux). Dans ces domaines, il est fait largement appel à des connaissances éparses, parcellaires, appelées « règles » telle que : « Si le malade présente de la fièvre et une augmentation de la vitesse de sédimentation du sang, alors il est fortement vraisemblable qu'il y ait infection microbienne. »

Les systèmes-experts

Pour une application particulière, par exemple le diagnostic de maladie bactérienne, on collecte un ensemble de ces règles (disons quelques centaines) auprès d'experts du domaine. Ces règles sont exploitées ensuite par la partie du système-expert appelée « machine à déduire » ou « moteur d'inférences » (inférer signifie produire de nouvelles informations à partir d'informations déjà possédées). En gardant le même moteur d'inférences, mais en chan-

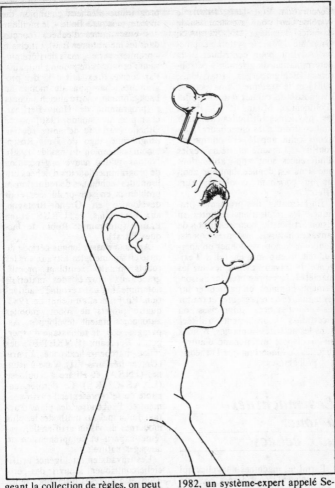

geant la collection de règles, on peut assez rapidement construire de nouveaux systèmes-experts. Par exemple, en gardant le moteur d'inférences du système-expert Mycin destiné au diagnostic médical (mis au point dès 1974 à l'Université de Stanford aux États-Unis), IBM a pu construire en quelques mois, en 1981, le système-expert Dart destiné au diagnostic des pannes d'ordinateur, tandis qu'Elf-Aquitaine a construit, en

1982, un système-expert appelé Secofor, pour le diagnostic des incidents de forage pétrolier.

Comme autres réalisations, rappelons que le Stanford Research Institute avait mis au point, en 1978, un système-expert en géologie appliqué à la prospection minière, nommé Prospector. Parmi les réalisations plus récentes, citons : le système R1 pour la conception de configurations d'ordinateurs (Digital Equipement

Corporation, États-Unis, 1980); le système Gari pour la conception de gammes d'usinage (ENSIMAG, Grenoble, 1981); le système Dipmeter Advisor pour contribuer à la détermination de gisements pétrolifères (Schlumberger, États-Unis, 1981) et le système Cama pour le diagnostic de pannes d'automobiles (Politecnico, Milan, 1982). Parmi les problèmes difficiles auxquels sont confrontés les chercheurs, indiquons celui appelé « résolution de conflits ». Lorsque plusieurs règles d'inférences sont applicables dans une situation donnée, laquelle choisir ou comment combiner leurs effets ?

En affrontant des problèmes pratiques, les réalisations récentes en vision artificielle, compréhension de langages naturels, systèmes-experts, dont nous venons de donner un aperçu, ont mieux mis en relief l'exigence de travaux théoriques sur les manières de représenter les raisonnements humains, en particulier sur les manières de représenter et traiter les connaissances imprécises ou incertaines couramment utilisées dans les activités humaines. Notons qu'on dispose maintenant d'autres théories de l'incertain que la théorie des probabilités.

Les machines à jouer aux échecs

Parmi les machines nouvelles qui sont souvent considérées comme « intelligentes » par le grand public, on trouve, bien sûr, les machines à jouer et les robots mobiles. Ces machines font appel à certaines techniques d'intelligence artificielle, notamment la « recherche heuristique dans les graphes », que nous ne pouvons aborder ici. Dans les machines à jouer, il s'agit de réaliser des programmes compétents pour des jeux réputés difficiles. Au début de 1983, il n'existait pas encore de

programme d'échecs champion du monde, puisque « Belle », le meilleur des programmes d'échecs (conçus dans les laboratoires Bell), est classé « première série », mais derrière plusieurs centaines de joueurs humains. Par contre, il existait déjà des programmes champions du monde au backgammon – notre ancien Jacquet : (programme de Hans Berliner, champion du monde 1980) ou en Othello (variante de notre réversi, programme Iago de Paul Rosenbloom, champion du monde 1980). Notons qu'une nouvelle génération de programmes joueurs d'échecs utilisant des techniques de réduction de problèmes en sous-problèmes était développée en Grande-Bretagne, aux États-Unis, en URSS et en France (programme Robin de Jacques Pitrat).

Après une assez longue période de mise en sommeil, les travaux sur les robots mobiles semblent promis, grâce aux progrès des matériels notamment, à une certaine réactivation. En France, au début de 1983, quatre projets de robots mobiles autonomes étaient développés : Asparagus, pour le ramassage d'asperges, à Bordeaux (ENSERB); des robots-marcheurs hexapodes, à Paris (Université Paris-VII), Vase à Rennes (INSA) et Hilare à Toulouse (LAAS-CNRS). Ce dernier, capable de se représenter l'environnement et d'engendrer des plans d'action, fait appel aux méthodes les plus modernes de vision artificielle, systèmes-experts et compréhension de langages naturels.

Les travaux en intelligence artificielle contribuent à ouvrir des perspectives à diverses disciplines telles la robotique [295], la bureautique [47], la conception assistée par ordinateur [283], l'interrogation des bases de données... Pour nous limiter à l'informatique de base, notons la percée opérée par des langages de programmation [300] tels que Lisp et Prolog, qui sont nés et ont été d'abord développés pour répondre aux besoins propres des chercheurs en intelligence artificielle. On dit que ce sont des « langages à vocation symbolique » (plutôt qu'à « vocation numérique ») car ils permettent, mieux que d'autres, de représenter des opérations sur des symboles de concepts (tels que les mots d'une langue naturelle, par exemple). Les langages plus classiques sont aptes, avant tout, au traitement des informations numériques.

Au début de 1983, Lisp et Prolog étaient disponibles sur la plupart des grands ordinateurs. Lisp était déjà accessible sur beaucoup d'ordinateurs individuels parmi les plus populaires tandis que Prolog commençait à l'être. Notons que Prolog a été choisi comme langage de base du très ambitieux projet national japonais d' « ordinateurs de cinquième génération » lancé en 1981 par le ministère de l'Industrie japonais [447]. Ce projet d'ordinateurs repose en fait largement sur les techniques d'intelligence artificielle : il s'agit de construire des ordinateurs capables, tout à la fois, de dialoguer en langage naturel, de comprendre des textes ou des images, de trouver des solutions raisonnées à des problèmes complexes... Les responsables japonais espèrent que ce type d'ordinateur verra le jour avant 1990.

Plus concrètement, on a déjà pu observer l'influence de l'intelligence artificielle en matière d'architecture d'ordinateur. Des machines à structures et même à circuits intégrés, spécialement conçues pour interpréter plus vite le langage Lisp, sont commercialisées aux États-Unis depuis 1979. On les appelle des « machines-Lisp », ou, plus généralement, des « machines-langages ». En France même, un prototype industriel de machine-Prolog a été mis en chantier en 1982. L'influence de l'intelligence artificielle (langages ou structures) sur le reste de l'informatique et la grande diffusion de l'informatique dans la société auront très certainement des effets en retour considérables sur l'intelligence artificielle.

Henri Farreny

BIBLIOGRAPHIE

Ouvrages

BARR A., FEIGENBAUM E. (éd.), *The Handbook of Artificial Intelligence*, Pitman, Londres, 1982.

LAURIERE J.-L., *Intelligence artificielle*, Paris, 1983.

NILSSON N., *Principles of Artificial Intelligence*, Tioga Pub., Palo Alto, 1980.

PRAJOUX R., FARRENY H., GHALLAB M., *Les robots : fonction-décision et intelligence artificielle*, Hermès, Paris, 1983.

SKYVINGTON W., *Machina Sapiens*, Seuil, Paris, 1976.

WEIZENBAUM, *Puissance de l'ordinateur et raison de l'homme*, édition d'Informatique, Paris, 1981.

Articles

GALLAIRE H., « Artificial Intelligence And Industry », *Actes du European Congress on Artificial Intelligence*, pp 37-42, Orsay, 1982.

SACERDOTI E., « Practical Machine Intelligence », *Machine Intelligence,* n° 10, pp 241-247, Hayes J.E. and Michie D. Eds, Ellis Horwood Limited, 1982.

La reconnaissance des formes

Le problème du tri se rencontre dans des domaines aussi divers que l'industrie, l'agriculture, la gestion : tri de pièces, tri de fruits ou légumes, coquillages, factures, etc. Cette opération était traditionnellement confiée à des opérateurs humains, car elle suppose une reconnaissance visuelle des objets à trier. Cependant, au début des années quatre-vingt, des robots commençaient à remplacer les travailleurs dans cette opération. Ainsi, en 1982, la Régie Renault a « robotisé » un poste de tri d'une fonderie. Il s'agit ici de trier des pièces moulées se présentant en vrac à l'issue de leur processus de fabrication. Ces pièces – il y en a de deux ou trois types différents – se présentent isolées les unes des autres ou reliées par les canaux de coulée ; elles comportent, ou non, de petites masses de métal excédentaire ou masselotes, qui se sont éventuellement formées lors de la coulée.

Le tri implique la reconnaissance préalable de chacune des pièces, donc des mesures pour les caractériser, indépendantes de la position des pièces sur le tapis de convoyage. Une telle connaissance des objets ne peut être accomplie avec suffisamment de détails qu'à l'aide de traitement d'images au moyen d'un ordinateur.

Avant de voir comment s'effectue ce traitement, rappelons quelques domaines d'application de la reconnaissance des formes par ordinateur, autrement dit de la « vision artificielle ». Le tri de pièces de fonderie appartient à l'ensemble des applications dites d'identification d'objets, ensemble auquel sont rattachées les opérations de manutention automatique (regroupement des objets sur des plateaux ou dans des conteneurs), et celles de reconnaissance des caractères imprimés, gravés ou embossés, sur des composants électroniques, billets de banque, etc.

Autre gamme d'applications : l'inspection, qui est soit quantitative (vérification de cotes dimensionnelles, comptage de trous percés dans un objet manufacturé), soit qualitative (présence – ou absence – de tel détail de fabrication, de tels composants électroniques sur une carte de circuit imprimé, ou à l'inverse, de défauts superficiels ou internes jugés inacceptables).

La « vision artificielle » intervient également dans le contrôle et la commande des machines automatiques : elle est indispensable pour l'autonomie des robots-soudeurs, et des systèmes de montage ou d'assemblage entièrement automatisés. Pour le robot mobile, qui se déplace sur pattes ou sur chenilles, notre monde est surpeuplé d'embûches (portes, murs, meubles) à éviter et à contourner, et d'escaliers à gravir : ici aussi, le recours aux « machines à voir » est inéluctable.

Une exploration point à point

Le traitement d'images par ordinateur se fait en trois temps : acquisition des données, segmentation de l'image, interprétation. Le premier temps consiste à transformer la scène « visuelle » en une matrice de points (en général 256 × 256 points) en deux dimensions, enregistrée dans une mémoire. Tout commence par la prise de vue, le plus souvent au moyen d'une caméra de télévision, à tube vidicon, avec son mode normal de balayage. Malgré la qualité de la prise de vue à très grande vitesse, et le faible coût des caméras (quelques milliers de francs), la fragilité du tube représente en milieu industriel un très sérieux handicap.

D'autres caméras dites « solides » sont dotées d'éléments photosensibles miniaturisés en semi-conducteur (silicium) ; elles exploitent les technologies « C C D » (Charge-Coupled Devices) et « C I D » (Change Injected Image Devices) mises au point pour les besoins de la recherche spatiale, au cours des années 1970 [395]. Dans la technologie C C D, la caméra est formée d'une matrice d'électrodes métalliques disposées sur les éléments semi-conducteurs. Les charges électriques produites par l'effet photovoltaïque s'accumulent dans un premier temps sous ces électrodes : elles sont d'autant plus nombreuses que l'intensité lumineuse est forte. Le dispositif est ensuite vidé en déplaçant les charges d'une électrode vers la suivante, ligne par ligne, en direction de la sortie où se trouve un capteur qui les dénombre : c'est la phase de « lecture » de l'image perçue par l'ensemble des éléments photosensibles. Dans la technologie C I D, il y a aussi une matrice d'électrodes déposée sur l'ensemble des éléments photosensibles. Mais, dans ce type de caméra, la séquence de « lecture » est arbitraire, au lieu de se faire ligne par ligne.

Dans tous les cas, ces caméras solides sont robustes et de faible encombrement. Elles permettent des applications impossibles autrement, telles que celles où la caméra est portée à bout de bras par le robot.

Les images soumises au traitement par ordinateur sont souvent entachées de défauts dus à l'ambiance industrielle ; un prétraitement est nécessaire pour les éliminer et effectuer le traitement dans des conditions satisfaisantes. Vient ensuite la numération, qui consiste, à partir d'une exploration point à point de l'image vidéo (c'est-à-dire fournie par les caméras électroniques), à créer une image numérique sur laquelle l'ordinateur va pouvoir exercer ses talents. En chacun de ses points (ou « pixel » : picture element), l'intensité lumineuse est quantifiée en soixante-quatre niveaux de gris dans les systèmes les plus sophistiqués. Cependant, dans la plupart des appareils commercialisés au début des années quatre-vingt, l'image numérisée est simple-

ment binaire : selon que le pixel analysé est plus ou moins gris, on l'affecte d'autorité du qualificatif « noir » ou « blanc ».

Dans l'étape suivante (la segmentation), l'ordinateur extrait de l'image numérique des entités géométriques élémentaires, souvent les lignes (ou contours) déterminées par des variations plus ou moins nettes du niveau de gris, et les régions (zones de même ton) formées par des ensembles de points dont le niveau de gris est à peu près uniforme. Puis l'ordinateur met en œuvre une grande variété d'opérations et de procédés mathématiques plus ou moins complexes afin de déterminer des entités géométriques telles que lignes droites, cercles, angles vifs, etc., plus élaborées que les lignes et les régions initialement reconnues.

La phase d'interprétation consiste d'abord à classer les entités géométriques ainsi déterminées d'après des connaissances *a priori* (stockées en mémoire de l'ordinateur) sur les objets susceptibles de participer à la scène analysée : par exemple, telle ligne est interprétée comme étant le contour de tel objet. Puis il s'agit de donner une description de la scène étant donné qu'elle contient de tels objets. Tout le travail d'interprétation est facilité par le fait que les objets industriels du monde réel possèdent une grande redondance d'indices visuels : les contours comportant une encoche ou une protubérance, une forme allongée ou aplatie... sont monnaie courante. On se fonde aussi sur le calcul d'un certain nombre de caractéristiques dimensionnelles telles que les coordonnées du centre de gravité (barycentre) du contour qu'on suppose représenter la pièce, la longueur du périmètre extérieur de ce contour, la surface intérieure, la surface totale des trous, ...

Les caractéristiques calculées servent alors à construire une stratégie de choix (par exemple, rejeter la pièce si elle n'est pas conforme aux prévisions). Cela suppose que l'image perçue soit comparée à des informations stockées en mémoire et qui ont été élaborées préalablement, et « enseignées » à la machine à voir. L'état des recherches laisse penser que dans certains processus de production, cet « enseignement » se fera ultérieurement en connectant « la machine à voir » aux mémoires du système de conception assistée par ordinateur [283] ayant servi à créer les formes de la pièce à reconnaître.

Un marché d'avenir

Le marché des « machines à voir » était embryonnaire à la fin de 1982 : il y en avait, à cette date, 400 ou 500 en fonctionnement aux États-Unis; ailleurs, on pouvait (presque) les compter sur les doigts de la main. Le décollage de la technologie était cependant imminent, puisqu'on prévoyait 400 à 500 nouveaux systèmes de vision artificielle installés chaque année outre Atlantique, représentant, pour les fournisseurs, un chiffre d'affaires annuel de 12 à 15 millions de dollars.

Pour que ces machines se répandent encore plus, il va falloir améliorer les capacités de reconnaissance des systèmes, accroître la résolution des caméras (avec des matrices 512 × 512, puis 1024 × 1024 éléments photosensibles), leur conférer le sens de la vision des couleurs (certains systèmes d'avant-garde reconnaissent 64 couleurs), mettre au point des programmes informatiques pour le traitement du mouvement (caméras fixes suivant des objets en mouvement, caméras mobiles sur le bras d'un robot) pour la reconnaissance d'objets se recouvrant plus ou moins, donc partiellement vus (simulation du vrac vrai), et la préhension d'objets inconnus. La perception du relief en est encore au stade de la recherche. En France, celle-ci s'effectue notamment à l'Institut national de recherche en informatique et automatique à Roquencourt ou au Laboratoire d'automatique et d'analyse de système à Toulouse. Cependant, l'un des tout premiers systèmes industriels de reconnaissance des formes en trois dimensions a été mis au point par la petite société grenobloise ITMI et présenté en avril 1983 à Chicago. Cette « machine à voir » en trois dimensions – baptisée « V-3D », utilise un ordinateur rapide spécial, mis au point par une équipe du CNRS.

La reconnaissance en trois dimensions, dans ce type de machines, s'effectue selon deux méthodes principales. Dans une première méthode, l'image tridimensionnelle est construite par télémétrie, en ba-

---

BIBLIOGRAPHIE

Ouvrage

SANDERSON R., *Machine Vision Systems*, Tech Tran Corporation, Naperville (Illinois, États-Unis), 1983.

Articles

FARRENY H. et PRAJOUX R., « Les robots de troisième génération », *Sciences et Techniques*, n° 85, 1982.

FERRETTI M.. « Assemblage et vision artificielle », *Le Nouvel automatisme*, n° 28, 1982.

FERRETTI M., « De la CAO aux robots de mesure », *Le Nouvel automatisme*, n° 37, 1983.

layant au moyen d'un faisceau laser à hélium-néon la surface de l'objet, afin de relever les coordonnées spatiales de chacun de ses points, et de reconstituer le relief dans l'unité centrale de l'ordinateur. Dans une seconde méthode, on utilise le principe de la stéréoscopie [326] au moyen de deux caméras reliées à un ordinateur à temps de réponse très court (la microseconde)). Celui-ci reconstitue la forme, les dimensions, et l'orientation des objets filmés, grâce à des méthodes photogrammétriques (cela consiste à mesurer les dimensions d'un objet, en analysant par ordinateur deux images de cet objet prises au même instant, mais depuis deux endroits différents). Il faut mettre en œuvre des ordinateurs spécialisés dotés de plusieurs processeurs (unités centrales) extrêmement rapides, fonctionnant en parallèle pour assurer la reconnaissance d'objets tridimensionnels en « vrac dynamique » (objets en mouvement, partiellement vus).

Les ordinateurs électroniques seront alors peut-être même insuffisants : il faudra alors recourir aux ordinateurs optiques où des microcircuits à microlaser en semi-conducteurs se substitueront aux microcomposants électroniques d'aujourd'hui.

Marc Ferretti

La conception assistée par ordinateur

Au sein des entreprises industrielles, il y a toujours une équipe de concepteurs – des ingénieurs, des techniciens et des dessinateurs – à qui il est demandé d'analyser le besoin de la clientèle (qui recherche par exemple une automobile plus sûre et moins polluante), et de tabler sur des études prospectives (quels seront les moyens de propulsion des navires en 1990 ?), pour établir des projets techniques de produits nouveaux qui soient économiquement viables.

Le dessin est omniprésent dans toutes les phases de la conception, tant dans le cahier des charges de l'objet en gestation (un circuit électronique, une chaussure, une maison, un avion) qu'au cours de l'analyse où des calculs permettent de préciser les formes de cet objet, et bien sûr au stade final où sont établies les liasses de plans, choisies les méthodes de construction, réalisés les documents de contrôle en cours ou en fin de fabrication, et déterminées les instructions de maintenance.

Or, pour 80 % du temps qu'il passe devant sa planche, le dessinateur d'un bureau d'études traditionnel met au net des plans (surchargés quand ils sont exécutés manuellement), produit de la documentation, consulte des catalogues et abaques... occupe en fait son temps à des tâches fastidieuses et parfaitement répétitives. De plus il va sans dire que l'erreur humaine est inévitable : on aura conçu un moteur qui tourne dans le mauvais sens, ou encore un objet aux formes absolument inusinables !

C'est pour éliminer tous les risques du métier, et pour rendre la vie du projeteur moins ingrate qu'ont été commercialisés des systèmes informatiques de « conception assistée par ordinateur » (C A O pour les initiés). Mais il s'agit aussi d'accroître sa productivité dans un rapport variant de 4 à 10.

La C A O intervient pour faciliter

le travail du concepteur, qui n'a plus dès lors ni trait d'encre à produire, ni inscription ou tolérance (marges d'erreur admissibles) à écrire sur ses liasses de plans. D'ailleurs celles-ci n'ont plus de raison d'être : tout se passe dans l'ordinateur. De quels matériels dispose le concepteur ?

Assis devant un écran semblable à celui de n'importe quel poste de télévision (à ceci près que la finesse des images est bien supérieure sur l'écran de CAO), il instruit la machine de ses désirs par l'intermédiaire d'outils de dialogue : le photostyle pointé vers l'écran pour y désigner un objet ; le réticule, le manche à balai ou la boule roulante pour animer avec précision un symbole-repère sur l'écran ; le clavier alphanumérique semblable à celui d'une machine à écrire, et le clavier de fonctions pour mettre en jeu des programmes graphiques (rotations, translations, zoom, etc.). Enfin, une « tablette à numériser » permet, grâce au stylo électromagnétique qui s'y trouve posé, de sélectionner l'un des « menus » proposés par l'ordinateur au concepteur, soit visuellement sur l'écran, soit oralement par l'intermédiaire d'un synthétiseur de la parole. De plus, le concepteur devrait être prochainement en mesure de donner à haute voix des instructions à la machine, grâce à un dispositif de reconnaissance de la parole [287]. Un système de CAO muni de ce dispositif a été présenté, pour la première fois, par la société américaine Calma en 1982, lors d'un salon de la machine-outil à Paris.

Un écran peu coûteux

Une machine à dessiner est indispensable pour vérifier des dessins partiels de pièces étudiées à l'écran : en quelques secondes – ou tout au plus une ou deux minutes pour les dessins les plus complexes – un traceur électrostatique piloté par le calculateur fournit à grande échelle le graphique demandé (en couleur, si

on le désire). Des dessins de haute précision, nécessaires pour le contrôle des pièces peuvent aussi s'obtenir par des traceurs à plumes, de vitesse modérée (50 cm/s au plus), mais de très haute résolution (jusqu'à la dizaine de microns).

Connecté à l'ordinateur, un perforateur de bande génère des instructions en un langage spécialisé – le plus souvent le langage APT (Automatically Programmed Tool), conçu au début des années cinquante au Massachussets Institute of Technology – servant à définir la géométrie de l'objet conçu, et qu'on souhaite usiner, par exemple, au moyen d'une machine-outil à commande numérique. Il y a lieu alors d'ajouter des instructions technologiques pour définir les conditions d'usinage (condition de coupe, tolérances, forme d'outil, etc.), et des instructions de mouvement de l'outil (définition de sa trajectoire, de sa vitesse d'avance), indispensables lorsqu'il s'agit de commander un tour, une fraiseuse, ou toute autre machine d'usinage.

Au début des années quatre-vingt, sont apparus aux États-Unis les premiers systèmes de CAO capables de fournir directement les programmes, quasiment sans intervention humaine, de pilotage des machines appelées « centres d'usinage » [292] ou des robots industriels [295]. Ces systèmes sont alors affublés de la dénomination : « systèmes CFAO », pour « conception et fabrication assistées par ordinateur ». Mieux, en 1983, Dassault Systèmes a étoffé son logiciel (ensemble de programmes) de CAO d'un programme supplémentaire qui représente une réelle innovation : il permet en effet de programmer, en fonction des géométries des pièces conçues sur l'écran du système de CAO, un robot de n'importe quelle marque appelé à travailler sur ces pièces.

La CAO n'a pu prendre son essor, dans le courant des années soixante-dix, que grâce à l'existence sur le marché d'un écran peu coûteux et de haute résolution : c'est le fameux « tube cathodique à mémoire » dont l'exclusivité revient à Tektronix depuis 1967. Les graphiques qui s'y trouvaient affichés en une seule couleur (verte) présentaient une résolution de plus de 16 millions de points sur l'écran (contre 300 000 points environ sur l'écran de tube cathodique d'un téléviseur ordinaire). Par contre, cet écran manquait d'« interactivité » puisqu'il fallait entièrement l'effacer avant de pouvoir modifier le moindre détail d'un dessin.

Des images qui gagnent en réalisme

De nouvelles technologies beaucoup plus interactives sont apparues en 1980 : l'image est stockée et mise à jour dans une mémoire électronique, dont le contenu est lu 30 à 60 fois par seconde, et présenté sur l'écran dit « à rafraîchissement ». Celui-ci peut être à balayage « télévision », le faisceau électronique du tube cathodique balayant toute la surface de l'écran, ligne par ligne, comme dans un poste de télévision. L'ordinateur de contrôle partage l'écran en « points d'image », ou « pixels » (contraction de l'anglais : « picture elements ») qui définissent la résolution de l'affichage. Celle-ci est limitée par le coût de la mémoire électronique, dont la capacité est nécessairement égale au nombre de pixels.

Dans une autre technique de balayage, dit « cavalier », on ne relie que les points utiles de l'écran, appartenant à l'image à dessiner : des suites de segments lumineux (ou vecteurs) sont ainsi tracés à grande vitesse (jusqu'à 38 km/s) à la surface de l'écran cathodique. Les écrans de haute résolution ont une capacité supérieure à 20 000 vecteurs (soit l'équivalent d'environ 16 000 000 de points).

L'association de plusieurs types de phosphores sur les écrans de tubes cathodiques a doté ces disposi-

tifs de la couleur, mieux adaptée aux facultés perceptives de l'utilisateur. Les technologies divergent : dans le tube à « balayage télévision », trois canons à électrons excitent chacun l'un des phosphores contenu dans une multitude (350 000) de triades de phosphores, rouges, verts et bleus, donnant l'impression de pouvoir travailler avec des milliards de teintes différentes. Avec le tube à « balayage cavalier », on ne peut que jouer sur la pénétration plus ou moins grande d'un faisceau électronique à travers quatre couches superposées de phosphores : on est limité à quatre couleurs.

Ainsi, assistées de la couleur, les images affichées sur les écrans des systèmes de CAO gagnent en réalisme. D'autant qu'aux programmes mis au point depuis 1970 pour les besoins de la recherche universitaire (simulation de phénomènes balistiques ou nucléaires), ont succédé depuis 1979 des programmes permettant de voir sur l'écran des « solides modelés ». Les lignes cachées sont automatiquement éliminées du dessin, l'objet est présenté en perspective ; s'il est représenté éclairé par une source lumineuse, des ombres sont portées sur l'objet et son environnement ; dans une coupe plane, les hachurages des volumes coupés sont tracés immédiatement. Bref, le concepteur a sous les yeux, sur son écran, une image très réaliste et en couleur de son futur produit fini. Mieux : fin 1982, les grands producteurs de systèmes de CAO (les français Datavision et Dassault Systèmes et les américains Computervision, Calma, Applicon, Intergraph, Control Data) ont lancé sur le marché des versions étendues de leurs programmes de CAO respectifs. Ce nouveau perfectionnement permet aux utilisateurs de concevoir leurs produits finis, non plus seulement sous l'angle de leurs formes, mais aussi sous l'angle du remplissage matériel des volumes. Les concepteurs peuvent ainsi connaître le poids, l'inertie, l'intérieur, l'extérieur ..., des objets qu'ils élaborent, ce qui représente un avantage important pour divers calculs : simulations d'assemblages ou de mouvements de pièces, programmation de machines-outils, de robots, etc.

D'abord la mécanique

Les recherches du début de la décennie laissent penser que divers dispositifs vont encore accroître le réalisme. La vision du relief [326] par exemple, est déjà obtenue sur certains systèmes CAO expérimentaux grâce à un procédé stéréoscopique. Le concepteur porte des lunettes électro-optiques dont chaque verre passe (en une milliseconde) de l'état opaque à l'état transparent, et vice versa, en synchronisme avec l'affichage intermittent sur l'écran de deux images (deux vues d'un même objet sous deux angles différents). L'ordinateur qui contrôle l'ensemble, effectue les corrections de parallaxe coordonnées aux mouvements du concepteur : celui-ci en se déplaçant devant l'écran, a l'impression de contourner l'entité géométrique qui s'y trouve affichée.

En 1983, les systèmes industrialisés de CAO ne peuvent créer et manipuler que des figures composées de volumes élémentaires tels que cubes, sphères, cylindres, cônes, pyramides... C'est une simplification à laquelle on a dû se résoudre, faute de puissance de calcul suffisante. Pour passer à la représentation de volumes complexes, il faudra disposer d'ordinateurs plus puissants et plus rapides. Cela suppose de nouveaux progrès dans la technologie des ordinateurs (miniaturisation des microcircuits et technologie des semi-conducteurs). De plus, une nouvelle architecture des ordinateurs devrait permettre aussi d'augmenter la rapidité des calculs. L'architecture « séquentielle » traditionnelle peut être remplacée par une architecture « parallèle » : au lieu de faire subir pas à pas une suite (séquences) de calculs à plusieurs valeurs d'un paramètre, on effectue simultanément tous les calculs pour toutes les valeurs de ce paramètre. Cette architecture réservée jusqu'alors aux ordinateurs géants [268] (Cray 1, Cyber 205, ...) commençait, début 1983, à être utilisée dans des mini-ordinateurs intégra-

_____ BIBLIOGRAPHIE _____

Ouvrages

TARAMAN K., « CAD/CAM, Meeting Today's Productivity Challenge », Dearborn (Michigan, États-Unis), 1980.

SIMONS G., Computers in Engineering and Manufacture, NCC Publications, Manchester (Angleterre), 1982.

GARDAN Y., Systèmes de CFAO, Hermes Publishing, Paris, 1983.

GIAMBIASI N., RAULT J.C., SABONNADIERE J.C., Introduction à la conception assistée par ordinateur, Hermes Publishing, Paris, 1983.

Articles

FERRETTI M., « CAO/FAO : un mariage qui ne tient parfois qu'à un fil... », 01 Informatique, n° 166, 1983.

FERRETTI M., « La CAO de demain : un inventaire des technologies », Sciences et Techniques, n° 92, 1983.

bles dans les systèmes de C A O. Ainsi, la firme américaine Floating Point a annoncé la mise au point d'un tel ordinateur rapide à architecture parallèle, déchargeant l'ordinateur central d'un système de C A O de tous les calculs matriciels.

A l'origine, la C A O était réservée à l'industrie électronique. Au début des années quatre-vingt, la mécanique prend une place prépondérante (44 % en 1982, 50 % en 1985) devançant l'électronique (33 % en 1982, 20 % en 1985), l'architecture, l'ingénierie, le bâtiment (22 % en 1980, 19 % en 1985). D'autres secteurs sont touchés comme la voirie, l'industrie du vêtement ou celle des chaussures, voire même la chimie – qui se propose de concevoir en trois dimensions les molécules des médicaments de l'an 2000.

Les vendeurs de systèmes livrés clés en main tiennent les premières places, le premier étant la société américaine Computervision (26 % du marché des grands systèmes en 1982), puis I B M (18 %), Calma (10 %), Intergraph (9 %), Applicon (8 %), etc. Le contre-coup de la récession économique a été fortement ressenti par ces fournisseurs : 1982 a été leur plus mauvaise année, avec une augmentation de leur chiffre d'affaires de 20 % aux États-Unis, alors que la croissance avait été de 50 % en 1981. Cette mévente toute relative s'explique certes par les problèmes économiques du moment, mais aussi par l'âpre compétition entre ces fournisseurs.

Marc Ferretti

Des machines
qui reconnaissent la voix

Au début des années quatre-vingt, plusieurs sociétés japonaises ont présenté des prototypes de téléviseur commandés par la voix (par exemple, ils s'allument quand on le leur dit). En France, la Régie Renault a exposé dès 1981 un prototype d'automobile exécutant des instructions données de « vive voix » : au lieu d'appuyer sur les boutons commandant le déclenchement des essuieglace ou l'abaissement des fenêtres, il suffit d'en donner l'ordre ! Cela peut paraître un gadget, mais cela peut aussi aboutir à des automobiles permettant la conduite à certains handicapés...

Des « machines » à reconnaître la parole étaient déjà commercialisées pour certaines applications, notamment pour faciliter la tâche des personnes qui, dans leur travail, n'ont pas « assez de mains » pour

tout faire en même temps, par exemple dans les postes de pilotage de certains avions, ou dans certains centres de tri postal.

En 1983, la compréhension de la parole par les machines restait pourtant un problème particulièrement ardu, que même les capacités de calcul des ordinateurs les plus puissants ne permettaient pas encore de résoudre totalement. Les recherches nombreuses menées depuis la fin de la seconde Guerre mondiale pour construire un appareil capable de reconnaître la parole naturelle se sont heurtées en effet à deux difficultés essentielles.

– La parole est un signal extrêmement variable. Deux personnes prononcent le même mot avec des différences très importantes quant au rythme d'élocution, à l'intonation, aux fréquences des sons émis (voix graves, voix aiguës). La même personne, selon son humeur, son état de santé, la situation dans laquelle elle se trouve, fait subir à la prononciation d'un même mot des modulations non négligeables.

– La parole est un signal continu, mais dont le message est discontinu (suite de mots ordonnés en phrases). Les séparations entre les mots qui apparaissent dans la langue écrite ne sont pas perceptibles dans la parole naturelle.

Si les plus performants des systèmes mis au point dans les laboratoires peuvent reconnaître la parole continue avec moins de 10 % d'erreurs de signification, c'est en limitant singulièrement l'étendue du problème : vocabulaire de 1 000 mots au plus, et surtout connaissance préalable du locuteur (la personne qui parle) et de ses caractéristiques vocales.

La plupart des méthodes utilisées en reconnaissance de la parole continue reposent sur une première reconnaissance de sons élémentaires (les phonèmes) constitutifs du langage. Pour passer de l'interprétation des phonèmes à celle des mots, puis des phrases, on doit faire intervenir des connaissances qui ne sont plus purement acoustiques (vocabulaire possible, grammaire, significa-tion des phrases, mélodie du discours, etc.). Il n'en reste pas moins que la qualité de la reconnaissance dépend dans une large mesure d'un bon décodage initial des phonèmes.

L'état de la recherche en 1983 ne permettait pas d'envisager à court ou moyen terme l'apparition d'un système, même expérimental, reconnaissant la parole naturelle, indépendamment du locuteur.

Vers la machine à écrire commandée par la voix

Un certain nombre d'appareils sont pourtant commercialisés, comme nous l'avons vu, et ce depuis 1971. Leurs performances sont certes limitées; ils reconnaissent quelques dizaines de mots à condition que ceux-ci soient prononcés de manière isolée et par une personne « connue » de l'appareil, c'est-à-dire qui a déjà prononcé l'ensemble du vocabulaire une ou plusieurs fois dans une phase d'apprentissage. Le taux d'échecs en fonctionnement normal de ce type d'appareil varie de 1 % à 5 %. On estimait à environ

――――― BIBLIOGRAPHIE ―――――

Ouvrages

CARRÉ, HATON, LIÉNARD, État de l'art des applications des entrées-sorties vocales d'ordinateurs, étude réalisée par l'IRIA, SESORI, Ministère de l'Industrie, Paris, 1979.

Agence de l'informatique, Le point sur la reconnaissance et la synthèse de la parole, Éd. Agence de l'Informatique, Paris, 1982.

BIPE, Les machines parlantes, Prospective mondiale, La Documentation française, Collection du Ministère de l'Industrie, Paris, 1980.

Articles

GAGNOULET C., MERCIER G., « Le point sur la reconnaissance de la parole », L'Écho des recherches, n° 105, 1981.

HATON, LIÉNARD, « La reconnaissance de la parole », La Recherche, n° 99, 1979.

un millier le nombre de ces appareils en service en 1982 dans le monde. Les progrès de la micro-électronique ont permis de miniaturiser considérablement les dispositifs d'origine et donc d'abaisser leur coût. Les premiers systèmes vendus par la firme Threshold aux États-Unis coûtaient 100 000 F en 1971. La société Interstate proposait pour 5 000 F en 1978 une carte électronique, c'est-à-dire un panneau d'une vingtaine de centimètres de côté, comportant des circuits imprimés, destinée à être montée par les constructeurs sur différents types de machines.

Toujours en 1978, deux nouveaux systèmes dotés de performances originales étaient mis sur le marché. Le premier construit par la société japonaise N E C, reconnaissait les suites de deux à cinq mots prononcés continûment, mais toujours pour des locuteurs connus. Le second, conçu par Dialog, une filiale du groupe Exxon, reconnaissait un vocabulaire de seize mots prononcés isolément, indépendamment du locuteur. Le prix de ces appareils restait dissuasif puisqu'il était de l'ordre de 500 000 F ; quelques unités de chacun d'eux, quelques dizaines tout au plus, ont été vendues jusqu'en 1982.

Cependant, à la fin de l'année 1981, la firme américaine Weitek commercialisait le premier circuit intégré de reconnaissance de la parole. A partir de ce circuit qui coûte quelques dizaines de francs, il est possible de réaliser des systèmes reconnaissant seize mots ou phrases présélectionnés avec moins de 10 % d'erreurs, pour 90 % de la population américaine.

Si du point de vue de ses performances un tel circuit ne pouvait rivaliser avec les quelques systèmes plus sophistiqués déjà disponibles sur le marché, son apparition à un coût cent fois moindre a marqué une étape importante dans la diffusion des techniques de reconnaissance de la parole.

L'application la plus spectaculaire vers laquelle toutes les recherches tendent à long terme est certainement la machine à écrire commandée par la voix. L'intérêt principal d'une telle machine est de supprimer la phase manuscrite dans l'élaboration d'un document. Or, cette phase n'est pas forcément la plus longue ni la plus coûteuse, puisqu'elle s'effectue parallèlement à la structuration de la pensée et à l'aide d'outils d'une réelle souplesse (papier, gomme, crayon). Un système capable de reconnaître l'écriture manuscrite procurerait sans doute le même gain de productivité qu'un système de reconnaissance de la parole. L'issue d'une concurrence entre les deux systèmes reste incertaine.

Jean-Marc Altwegg

La traduction assistée par ordinateur

L'idée de se servir des ordinateurs pour des travaux de traduction naît presque en même temps que les ordinateurs eux-mêmes. Dès 1946, elle est avancée aux États-Unis dans le but de permettre une meilleure exploitation des recherches scientifiques étrangères. Au tout début, on pense plutôt à un dégrossissage au mot à mot. Cela doit permettre aux chercheurs avertis de reconstituer en s'aidant de leurs propres connaissances scientifiques le sens du texte à étudier, grâce à une traduction des mots les plus significatifs. Cette « traduction » va être fournie par un ordinateur gérant un dictionnaire automatique.

Le niveau linguistique des informaticiens est alors relativement bas : ils s'inspirent de la cryptographie et considèrent qu'on peut passer du texte à traduire (ou texte-source) au texte traduit (ou texte-cible) par une simple transposition terme à terme. Cependant, ils s'aperçoivent que s'ils veulent aller plus loin en matière de traduction automatisée, il leur faut prendre en considération des règles de construction des phrases (ou syntaxe) et des règles de grammaire. C'est souvent par le rôle grammatical d'un mot dans une phrase qu'on peut lever une ambiguïté d'interprétation (exemple classique : « les poules du couvent couvent »).

Ces premières recherches sur la traduction automatisée se passent dans le cadre de la guerre froide et des besoins d'analyse massive des informations recueillies dans le camp adverse, aussi bien aux États-Unis et en Angleterre qu'en URSS. Mais il se révèle vite que, malgré la prise en compte des problèmes syntaxiques, il reste impossible d'obtenir de la machine autre chose que du mot à mot un peu évolué. On piétine aux États-Unis sur ce problème jusqu'au milieu des années soixante, puis un rapport sénatorial très négatif incite gouvernement, institutions et universités à freiner l'investissement. Pourtant, si la recherche est découragée officiellement aux États-Unis, ce n'est pas vrai partout ni pour tous. Tout un travail souterrain pendant les années soixante-dix va peu à peu porter des fruits, poussé par le renouvellement des techniques informatiques et des approches linguistiques.

En même temps, de nouveaux problèmes politiques apparaissent et en premier lieu la tentative de l'Europe de figurer de plus en plus comme un pôle unifié. La CEE devient un moteur puissant pour la traduction automatique. La diversité de sa constitution linguistique,

l'accroissement du nombre de ses membres, l'impératif diplomatique de refuser l'universalisation de l'anglais [483], la poussent à impulser la recherche dans ce domaine. D'autres pays, comme le Canada, sont dans une situation multilingue similaire. En outre, l'ensemble des puissances industrielles, et en particulier le Japon, se rend compte des conséquences économiques de l'isolement linguistique en matière de documentation accompagnant les matériels technologiquement sophistiqués (magnétoscopes, etc.) destinés au « marché mondial »

Au début des années quatre-vingt, la vision du problème s'est faite plus modeste. D'une part, on parle moins de traduction automatique que de « traduction assistée par ordinateur », en rendant une place décisive au traducteur humain. D'autre part, on a soigneusement localisé les terrains d'intervention possible de la machine. Sont ainsi définies trois générations de systèmes de traduction assistée.

D'abord analyser la phrase

La génération zéro est celle des dictionnaires automatiques, envisagés comme banques de données terminologiques (exemple : « Eurodicautom » de la CEE). Technique liée aux toutes premières préoccupations des pionniers du domaine, elle connaît un regain de faveur. Un dictionnaire intégré dans un système de traitement de texte [306] devient un facteur de rapidité du travail d'un traducteur humain. IBM, qui commercialise un tel outil, considère que 20 % seulement du travail d'un traducteur est consacré à l'exercice proprement dit de la traduction. Il suffit d'automatiser les 80 % restants qui se partagent entre la documentation (dictionnaires) et la mise en forme dactylographique du texte.

La première génération est celle des systèmes de traduction utilisés au début des années quatre-vingt. Ils sont construits autour d'une conception plus équilibrée des relations homme-machine. Dans certains de ces systèmes, l'homme prépare le texte à traduire selon une norme connue de l'ordinateur et prévue pour lever d'avance les ambiguïtés ou difficultés du texte. C'est la « pré-édition » (exemples : TAUM-Météo au Canada, Titus de l'Institut du textile de France).

Dans d'autres systèmes, cas le plus fréquent, l'homme révise le texte traduit par la machine. C'est la « post-édition » (systèmes Systran, Weidner...). La révision est une phase de la traduction classique. Il s'agit d'une mise en forme définitive qui corrige le premier jet de la traduction. Mais là où on pourrait voir une meilleure adéquation du système aux processus humains, se révèle une de ses failles. La traduction brute est en effet de qualité bien inférieure chez la machine, ce qui rend la révision très fastidieuse pour le traducteur humain. D'où un rejet rapide. D'autre part, ces systèmes sont d'entretien complexe : il y a un programme de traduction pour chaque sens de couple de langues (anglais-français, français-anglais, etc.)

On en vient ainsi à la deuxième génération, en cours de mise au point en 1983 à Grenoble (Groupe d'étude de la traduction automatique, ou GETA) et à l'Université de Sarrebruck (RFA), alors que des recherches parallèles se poursuivent ailleurs en Europe (Université d'Essex, Université de Pise), au Japon (Kyoto) ou au Canada (TAUM-Aviation à Montréal). Dans le cadre de la deuxième génération, on rend indépendants du programme de traduction non seulement le dictionnaire mais aussi la grammaire de la langue (contrairement à la première génération). Le travail de traduction commence par une analyse de la phrase, repérant pour chaque mot ses différentes définitions (dans le dictionnaire), son rôle grammatical et sa place dans la construction de la phrase. Ce travail d'analyse produit une série de descriptions codifiées de la phrase à traduire appelées « descripteurs ». Ce sont ces descripteurs qui vont permettre ensuite une transposition des mots (ou des unités linguistiques) dans la langue-cible. Une telle approche permet d'envisager des traductions d'une langue dans plusieurs autres grâce à des descripteurs les plus universels possible.

La CEE a lancé le développement de son projet « Eurotra » à partir de ces recherches. Mais les systèmes de cette génération n'en étaient encore en 1983 qu'à chercher à sortir du domaine « pré-industriel », alors qu'on lorgnait déjà du côté de l'intelligence artificielle [274], en allant « au-delà » de la phrase, avec la tentation renouvelée d'en attendre la solution d'une traduction entièrement automatique.

Roland de la Taille

BIBLIOGRAPHIE

Articles

HÉRIARD-DUBREUIL S., « De la traduction automatique à la traduction assistée par ordinateur », *Informatique et gestion*, n° 7, 1979.

LAWSON V., « Les machines à traduire commencent à fonctionner », *Le Monde*, 7 avril 1981.

MULLER A., « Ariane 78 : système de traduction assistée par ordinateur », *Temps réel*, 21 mars 1983.

Des ateliers flexibles automatisés aux usines sans hommes

L'industrie mécanique fournit une multitude de produits qui permettent la réalisation de bien des objets de la vie quotidienne (automobiles, appareils électroménagers, etc.) et de l'activité industrielle (machines-outils, engrenages, tambours de photocopieurs,...). Tous ces objets ont en commun d'être le résultat d'un travail sur le métal; mais ils sont issus de systèmes de production différents.

L'usine automobile est l'exemple classique d'une production de grande série : le travail de montage s'y fait « à la chaîne », et tout le monde sait ce que cela représente depuis le film de Charlie Chaplin, *Les Temps modernes*! Moins connus du grand public sont les systèmes de production de petite et moyenne série, produisant des pièces telles que carters de boîtes de vitesse pour camions, engrenages, etc. Cette face « cachée » de l'industrie mécanique représente cependant 70 % du volume de sa production totale.

Jusqu'à la fin des années soixante-dix, la production d'objets métalliques en petite série avait lieu dans des ateliers dotés de flexibilité, mais peu productifs. Par flexibilité, on entend que les machines-outils employées dans ces ateliers permettent la production de nombreuses pièces différentes. Mais jusqu'à ces dernières années, la productivité de ces ateliers était basse parce que les machines étaient peu automatisées, et l'ordonnancement de la production qui y était pratiqué créait des temps morts importants.

En effet, chaque pièce, pour être usinée, doit subir plusieurs transformations : fraisage, tournage, perçage... On a donc, au sein du système classique de production de petite série, plusieurs ateliers, chacun spécialisé dans une opération (un atelier de tournage, un atelier de fraisage,...). Chaque pièce doit passer dans chacun de ces ateliers. Cette organisation de la production a pour effet de maintenir chaque pièce dans chaque atelier pour une durée supérieure au temps nécessaire pour sa transformation. En effet, le temps de travail effectif sur une pièce ne représente, dans ce système classique, que 5 % du temps qu'elle passe dans l'atelier. De même, le temps réel d'utilisation des machines (temps productif) est assez faible. La préparation des outils, leur réglage, les changements d'équipe sont des temps morts du point de vue de l'engagement des machines.

Depuis la fin des années soixante-dix, sont apparus les « ateliers automatisés flexibles » : leur but est d'augmenter la productivité de la petite et moyenne série en substituant le plus possible des machines automatisées à l'homme et en résorbant au maximum les temps morts par une réorganisation de la production répartissant différemment les opérations entre les ateliers.

S'agissant de produire de nombreuses pièces de forme différente, l'atelier flexible automatisé fait appel à deux grands principes. Premièrement, il repose sur ce qu'on appelle la « technologie de groupe » : cela consiste à regrouper, pour les traiter ensemble, les pièces qui se ressemblent et qui nécessitent les mêmes gammes d'usinage. Deuxièmement, il regroupe dans un même atelier des machines effectuant des opérations différentes (fraisage, tournage...), à l'inverse donc du système classique.

Avant de voir comment circulent les pièces et s'enchaînent les opérations, voyons tout d'abord quelles sont les machines automatiques que l'on rencontre dans ces nouveaux types d'atelier. Suivant les besoins de la production, on y trouve des machines-outils à commande numérique par calculateur (MOCNC), des machines complexes appelées « centres d'usinage » ou des machines dites « modulaires convertibles ».

Une intervention massive de l'informatique

Les machines-outils à commande numérique par calculateur assurent des opérations de fraisage, tournage, perçage grâce à des outils dont les positionnements et les mouvements sont commandés par un micro-ordinateur annexé à la machine. Le centre d'usinage est une MOCNC qui comprend, en plus, un changeur automatique d'outils (ceux-ci sont prélevés dans un magasin d'outils adjoint à la machine). Grâce à leurs systèmes programmables, MOCNC ou centres d'usinage peuvent travailler des pièces différentes, assurant donc la flexibilité de la production.

Enfin, les machines dites « modulaires convertibles » sont des MOCNC extrêmement productives : elles disposent d'outils à têtes multibroches et peuvent ainsi effectuer plusieurs transformations différentes en même temps sur la même pièce. De plus ces outils à têtes multibroches peuvent être changés au gré des besoins, permettant là encore la flexibilité de la production.

En ce qui concerne la circulation des pièces en cours d'élaboration et à l'ordonnancement des opérations, l'atelier flexible automatisé est tout à fait original. Deux principes, là encore, sont mis en pratique : le temps de circulation et de mise en attente des pièces est réduit au minimum, et l'organisation de la circulation est telle que l'engagement des machines est maximum

(autrement dit, on raccourcit le plus possible le temps ou celles-ci ne fonctionnent pas).

Pour appliquer le premier principe, le temps d'attente des pièces est réduit grâce à un ordonnancement de la fabrication. Supposons que des machines Y dans une partie de l'atelier assurent l'opération (p) sur des pièces fournies par des machines X dans une autre partie de l'atelier qui, elles, assurent l'opération (o). C'est seulement lorsque les machines Y sont disponibles pour l'opération (p) que sont mises en fabrication les pièces devant subir l'opération (o) sur les machines X (principe du « lancement au plus tard ») : à la sortie des machines X, les pièces sont donc immédiatement dirigées vers les machines Y.

La circulation des pièces d'une machine à l'autre est assurée au moyen de chariots « filo-guidés » (c'est-à-dire guidés par un câble électrique noyé dans le sol) dont les mouvements sont commandés par un ordinateur gérant l'ensemble de l'atelier. En fait, l'informatique intervient massivement à de nombreux niveaux dans l'atelier flexible automatisé. Certaines machines sont commandées par des automates programmables, c'est-à-dire par des appareils électriques à micro-processeurs [271] permettant de choisir entre plusieurs séquences d'actions préétablies (à la manière des programmeurs des machines à laver automatiques). D'autres machines sont, comme les MOCNC, commandées par des micro-ordinateurs annexés permettant d'établir cas par cas les séquences d'actions (celles-ci ne sont pas pré-établies). Il y a enfin, comme nous l'avons dit, un ordinateur pilotant l'ensemble des processus en cours dans l'atelier.

L'atelier flexible automatisé était en 1983 la forme de production la plus automatisée et informatisée. Les enjeux économiques étant importants, les recherches à ce sujet ont commencé partout dans le monde dès les années soixante. Le programme d'étude qui a le plus retenu l'attention est celui du ministère japonais de l'Industrie (MITI), programme baptisé MUM et se fixant pour but « l'atelier sans homme ». Vingt entreprises et trois laboratoires participèrent à ce projet qui, lancé dans les années soixante-dix, connaît de nouveaux développements, au début de la décennie suivante. En France, durant les dernières années, c'est la Commission pour le développement des industries stratégiques (CODIS) du ministère de l'Industrie qui a poussé au développement des études sur les ateliers flexibles automatisés. Plusieurs laboratoires, dont le Groupe de recherches sur les automatismes industriels (GRAI) de Bordeaux, ont été impliqués, ainsi que des entreprises, dont Renault et Peugeot.

Des enjeux économiques importants

Au début des années quatre-vingt, le nombre de réalisations était encore faible. La définition de l'atelier flexible automatisé offrant une certaine latitude, les données quantitatives étaient d'ailleurs sujettes à caution. Le chiffre de vingt installations dans le monde était avancé par

certains ; pour d'autres, il y en aurait 100, voire 200. De même, les prévisions sur le rythme de l'implantation doivent-elles être soumises à une appréciation critique : en 1980, la revue *Sciences et techniques* avançait le chiffre de 300 ateliers en France pour 1983. Or, à cette date, deux seulement étaient réellement en fonctionnement (celui de Renault-Véhicules industriels à Bouthéon, près de Lyon et celui de Peugeot à Meudon), et moins d'une dizaine de projets étaient prévus. Aux États-Unis, les premières réalisations ont été menées par Allis-Chalmer, au début des années soixante-dix. En Allemagne, depuis cette même époque, l'entreprise MAN fabrique des culasses diesel dans un atelier flexible situé à Nuremberg. Hormis les difficultés techniques que rencontre la réalisation de tels projets, le coût en est très élevé à cause du renouvellement nécessaire du parc machine. Pour cette raison, il est fréquent que les entreprises n'aillent jusqu'à l'atelier flexible automatisé intégral et se contentent d'introduire progressivement l'automatisation et le processus de rationalisation de la gestion dans un atelier classique.

Les ateliers automatisés font beaucoup diminuer le travail humain [38] : conduisent-ils à plus ou moins brève échéance aux usines sans homme ? Le terme d' « atelier

---

BIBLIOGRAPHIE

Articles

GETZ S., « Ateliers flexibles, l'industrie française relève le défi », *Electronique industrielle*, n° 3, 1980.

GETZ S., « Special automatisation », *Industrie et technique*, n° 441, 1980.

GETZ S., « Souplesse, souplesse : l'atelier flexible de RVI », *Le Nouvel automatisme*, juin 1982.

KAHNE, LEFKOWITZ, ROSE, « L'automatisation par intelligence répartie », *Pour la science*, n° 22, 1979.

PRINGUET P., « L'atelier flexible », *Sciences et techniques*, n° 68, 1980.

sans homme » est la traduction du projet japonais MUM dont il a été question précédemment. Sous le couvert de ce vocable, l'objectif était en réalité d'engager une réflexion sur la place du travail dans un atelier très automatisé. La nécessité d'une telle réflexion était apparue lorsque les dirigeants japonais constatèrent, dans les années soixante-dix, que l'automatisation n'engendre pas forcément la suppression du travail déqualifié : dans les ateliers automatisés, il y a, à côté des techniciens de production et de maintenance, très qualifiés en électronique, informatique, etc., un petit nombre d'ouvriers « presse-boutons ». Le problème posé aux dirigeants japonais était de limiter autant que possible toute tension sociale dans la production.

Au début des années quatre-vingt, l'atelier véritablement sans homme n'existait pas : au mieux, ces « ateliers flexibles » automatisés ne pourraient fonctionner que quelques heures sans présence humaine.

Martine Blanc

La diffusion de la robotique industrielle

Depuis l'apparition des premières machines, l'homme a constamment cherché à automatiser le travail de production. Le développement de l'utilisation des micro-processeurs [271], vers le milieu des années soixante-dix, a marqué une nouvelle étape dans ce processus d'automatisation. C'est de cette époque que date l'utilisation du terme « robotique » (avec un suffixe en « tique » montrant sa filiation avec l'informatique) qui, peu à peu, a remplacé les termes « mécanisation » ou « automation industrielle », utilisés dans la période où les automatismes étaient à base de processus mécaniques (engrenages, relais électro-mécaniques, cames).

Les premières applications de la robotique industrielle ont eu lieu en France dans l'industrie automobile avec la mise en place chez Renault, dès 1977, de robots capables de peindre et de souder. Mais les robots ne sont qu'un maillon de la chaîne « robotique industrielle » qui comprend aussi les ordinateurs industriels, les machines-outils à commande numérique [292] et les manipulateurs.

Les *ordinateurs industriels* sont simplement des ordinateurs affectés à des tâches de commande et de contrôle de processus industriels dits « continus ». Ce type de processus se rencontre dans les usines chimiques, les raffineries de pétrole, les installations de production et de distribution du pétrole, les cimenteries, les centrales de production électrique (et notamment les centrales nucléaires), les installations de traitement des eaux, l'industrie alimentaire, les laminoirs de la sidérurgie... L'évolution du nombre d'ordinateurs industriels de contrôle de processus est spectaculaire : 15 ordinateurs industriels installés en France en 1963; 4 392 en 1981.

Cependant, ils sont de plus en plus remplacés par des *automates programmables*. Ce sont des appareils électroniques délivrant des ordres d'exécution à des machines, selon des programmes pré-établis. (Dans la vie quotidienne, chacun a rencontré déjà au moins un type d'automate programmable, celui, par exemple, qui figure dans les machines à laver automatiques!) Les automates programmables sont donc des appareils beaucoup plus spécialisés (dans une tâche donnée) que les ordinateurs. Leur nombre devrait croître énormément dans les prochaines années. En France, par exemple, on s'attend à ce que leur diffusion soit multipliée par cinq entre 1980 et 1985.

Les *machines-outils à commande numérique* accomplissent les mêmes fonctions que les machines-outils classiques : perçage, fraisage, tournage, etc. Mais elles en diffèrent par le fait que les mouvements de leur outil et de la pièce sur laquelle elles travaillent sont commandés par un programme mis en œuvre par un micro-ordinateur incorporé. Ce sont des machines d'usinage utilisées dans les entreprises mécaniques : aéronautique, armement, automobiles, construction de machines, etc.

Pour les manipulations dangereuses

En 1980, les machines-outils à commande numérique étaient surtout répandues aux États-Unis (70 000 machines-outils), au Japon (50 000), en République fédérale allemande (25 000). La France était sous-équipée (10 500), et les pouvoirs publics lançaient en 1982 un plan pour faire passer ce chiffre à 26 500 en 1983.

Les *manipulateurs* sont des outils simples, constitués d'un bras terminé par un organe de préhension tel qu'une pince ou une ventouse. Ils permettent de déplacer des pièces lourdes ou dangereuses (métal en fusion, matériaux radioactifs,...). Ils peuvent faire partie d'un robot ou bien encore être utilisés indépendamment ; dans ce cas, ils peuvent être programmés pour l'exécution d'une tâche simple répétitive (un tel manipulateur dit programmable, peut consister, par exemple, en un « bras » installé sur une table pour pousser des objets à intervalles réguliers). En 1982, on comptait 8 000 manipulateurs programmables en France.

Les *robots,* au sens strict, exécutent des tâches sans aucune intervention de l'homme. Ces appareils sont dotés de capteurs leur permettant de « percevoir » certaines caractéristiques de leur environnement. Ils sont dotés aussi d'organes manipulateurs leur permettant de saisir des pièces et de les transporter. Grâce à leur micro-ordinateur, ils peuvent s'adapter à des situations nouvelles et modifier leurs programmes d'exécution en fonction de données changeantes. Ils sont le plus souvent

Nombre de robots (au sens strict) dans le monde (de 1970 à 1990)				
Pays	1970	1974	1980	1990 (Prévision)
Japon	161	1 500	2 400	100 000
États-Unis	260	1 200	3 500	100 000
Suède		164	800	8 000
RFA		133	1 000	10 000
Italie	93	93	500	
France		30	350	5 000
Royaume-Uni		136	200	
Autres			5 700	
Total monde	1 000	3 500	14 450	350 000

utilisés dans l'industrie à des tâches de manutention pénibles et dangereuses pour l'homme (pièces lourdes, brûlantes, radioactives, etc.) ou à des tâches d'exécution difficiles (peinture ou soudure dans de mauvaises conditions pour l'homme). En 1982, le parc français était estimé à 635 robots, soit près de deux fois plus qu'en 1980. Le prix moyen unitaire d'un robot était de l'ordre de 700 000 F. En France, les deux principaux fabricants sont ACMA-Renault et AOIP-Kremlin. Mais les plus gros fabricants mondiaux sont américains (Unimation), japonais (Fanuc) ou suédois (ASEA).

Le premier robot industriel a été fabriqué par Unimation en 1962 aux États-Unis. Mais ce n'est qu'en 1981-82 que ce type d'appareil s'est réellement répandu dans l'industrie. Le tableau suivant présente quelques chiffres concernant la diffusion des robots dans le monde.

En 1990, ces principales applications des robots industriels devraient être les suivantes : les opérations de manipulation (38 % des robots), d'usinage (31 %), la soudure (29 %), le moulage, la peinture et la manipulation à chaud.

Bientôt, des robots qui voient...

Dans les prochaines années, l'évolution des robots va être marquée par trois phénomènes :
– leur prix va continuer à baisser, car le prix de la partie électronique continue à diminuer, et la partie mécanique sera de plus en

---

BIBLIOGRAPHIE

Ouvrages

ADEFI, *Les mutations technologiques*, Economica, Paris, 1981.

LASFARGUE Y., *L'avenir de la robotique, rapport au Conseil économique et social*, Les Éditions d'organisation, Paris, 1981.

LE QUÉMENT J., *Enjeux économiques et sociaux de la robotique*, La Documentaiton française, Paris, 1981.

PASTRÉ O., TRUEL J., ZARADER R., *Informatisation et emploi : menace ou mutation*, La Documentation française, Paris, 1981.

Article

CORIAT B., « L'atelier fordien automatisé, électronique et travail ouvrier dans l'industrie de chaîne », *NON! Repères pour le socialisme*, novembre-décembre 1981.

Dossiers

« L'automatisation de la production et la robotique », *Annales des Mines*, numéro spécial 5/6, Paris, 1982.

« La question technologique », *Cadres-CFDT*, numéro spécial 295, 1980.

« Action syndicale et technologie », *Cadres-CFDT*, numéro spécial 297, 1980.

« Robotique », *Futuribles*, numéro spécial, 1983.

« La science des robots », *Science et Vie*, numéro hors série, 1982.

plus simplifiée et produite en grande série;

– leur technologie va s'améliorer : en particulier, les capteurs vont se perfectionner et les robots « qui voient » [280] (avec capteur optique, genre caméra de télévision) vont se développer. En outre, ils seront de plus en plus « intelligents », c'est-à-dire que l'homme pourra mettre des programmes de plus en plus complexes dans leur micro-ordinateur. Certains robots d'usinage utiliseront les lasers comme outils d'usinage de précision;

– la troisième tendance de l'automatisation des processus de production est enfin la constitution de « systèmes intégrés de production

automatisée », allant jusqu'à la mise en place d'ateliers automatisés flexibles [292]. On ne pourra plus alors parler de robots isolés; il s'agira de « systèmes de production robotisés » reliés aux systèmes de « conception assistée par ordinateur » [283].

De plus en plus, l'automatisation programmable, d'abord limitée aux processus continus, puis aux processus discontinus de grande série (comme la production d'automobiles), puis aux processus discontinus de petite série, va concerner l'ensemble des entreprises : c'est le travail de tous les salariés de l'industrie qui va changer.

Yves Lasfargue

Les progiciels : des programmes à vendre

Réussir l'informatisation d'une entreprise, c'est maîtriser une nouvelle organisation, y introduire le matériel (ordinateurs, périphériques) convenable, et faire fonctionner sur ce matériel les meilleurs programmes possibles. Si le coût du matériel informatique ne cesse de diminuer, le coût du « logiciel », c'est-à-dire des programmes, ne cesse d'augmenter. Car, pour leur confection, les programmes requièrent de plus en plus de temps d'un personnel hautement qualifié, qui se heurte à une complexité croissante des matériels et des applications à informatiser.

A l'intérieur d'un ordinateur, fonctionnent toujours deux types de programmes : d'abord les « programmes systèmes » qui permettent aux informaticiens d'accéder aux circuits logiques de l'ordinateur; puis les programmes d'application, destinés aux utilisateurs proprement dits de l'ordinateur. La majorité des « programmes systèmes » sont con-

çus, écrits et fournis par le constructeur d'ordinateurs. En revanche, pour les programmes d'application, une grande variété de choix se présente : ils peuvent être écrits « à la carte » par les informaticiens de l'entreprise (ou le propriétaire de l'ordinateur individuel) ou par les informaticiens de sociétés spécialisées : les sociétés de service et de conseil en informatique (SSCI). Ils peuvent aussi être achetés « tout faits » sur le marché des progiciels. En pleine croissance depuis la fin des années soixante-dix, ce marché a connu en 1982 une expansion extraordinaire du nombre des produits proposés, en France comme à l'étranger.

Un « progiciel » est un jeu de programmes. Ceux-ci ont été écrits expressément pour être vendus à plusieurs utilisateurs : ils ont été conçus non pour satisfaire aux exigences d'un client unique, mais pour s'adapter à celles de clients multiples. L'objet du progiciel est unique, par exemple la gestion des stocks d'un fabricant. Mais, un de ses programmes permet par exemple de gérer 1 000 ou 10 000 produits; un autre programme est adapté au cas de plusieurs succursales ou d'un seul magasin; un autre concerne l'évaluation du stock en matières ou en devises, etc. Un progiciel est donc composé d'un jeu de programmes identiques dans leur finalité, mais présentant des variantes en ce qui concerne un certain nombre de paramètres. De cette façon, l'utilisateur d'un progiciel peut disposer du programme adapté à ses besoins à un moment donné, mais aussi disposer de programmes au cas où ses besoins changent.

Choisir son progiciel

De la même manière que pour les programmes écrits sur mesure, il faut opérer une distinction entre deux grands types de progiciels :
– Les « progiciels systèmes », très peu nombreux et qui concernent essentiellement les informaticiens proprement dits;
– les progiciels d'application, qui concernent les utilisateurs finaux de l'informatique (dirigeants ou cadres d'une petite ou moyenne entreprise). Leur éventail est vaste, puisqu'on peut, en théorie, en avoir autant que d'applications possibles de l'informatique : finances, paye, comptabilité surtout (en 1982, il existait 150 progiciels différents de comptabilité sur le marché français). Nombreux sont aussi les progiciels techniques, tels ceux de recherche opérationnelle (recherches de corrélation en économétrie, géologie, etc.), de statistiques ou, plus généralement, de traitement de données numériques avec ou sans présentation graphique des résultats.

Le choix d'un progiciel de gestion entre quelques dizaines de produits concurrents n'est pas une mince affaire. Une démonstration s'organise vite puisque, par définition, le produit existe, mais le paramétrage du progiciel, c'est-à-dire son adaptation effective pour sa mise en service dans l'entreprise, ne se fera qu'au jour J de la livraison. Et ce jour-là, rien ne garantit le succès de l'opération. Car l'achat d'un progiciel et l'entrée d'un ordinateur « clefs en main » dans une organisation où l'informatisation n'a pas été préparée, n'est pas une panacée. Et même si le progiciel paraît souple ou adapté, il peut s'avérer désastreux à l'usage. En effet, l'absence de préparation et de formation des « informatisés » est un handicap sérieux pour le meilleur des progiciels.

La liste serait longue des défauts reprochés au pire des progiciels. Car un progiciel, comme tout ensemble de programmes, doit avoir été bien écrit, bien fonctionner, être sûr, c'est-à-dire savoir traiter les erreurs et donc prévoir une procédure pour détecter les erreurs faites au moment de l'introduction des données dans l'ordinateur. Il doit être « performant », et cela parfois sur plusieurs machines. Il doit, en outre, être vraiment adapté aux besoins du client, être bien documenté (c'est-à-dire fourni avec toute la documentation nécessaire). Il doit aussi être « maintenu », c'est-à-dire amélioré en permanence, et être accompagné de conseils. Beaucoup de progiciels proposés au début des années quatre-vingt ne répondaient pas à ces exigences et la presse informatique s'est fait l'écho d'importantes controverses portant sur la qualité effective des progiciels proposés. Il existe d'ailleurs maintenant des organismes qui se consacrent à la « certification » des progiciels proposés sur le marché.

Une opération fructueuse

En théorie, l'informaticien qui a réussi à écrire un progiciel pourrait espérer faire fortune : vendre un progiciel est une opération très fructueuse, car c'est le même programme qui est revendu, au même prix (quelques dizaines de milliers de francs) à chaque utilisateur. Mais, pour réussir cette opération, il faut à la fois disposer d'un grand marché, ce qui est plus facile pour les Américains que pour les Européens, et d'une compétence bien particulière. Car il faut, pour réussir un progiciel, respecter des démarches logiques spécifiques : il faut par exemple beaucoup de pragmatisme pour traiter à la fois les cas général et les cas particuliers; il faut aussi disposer de beaucoup de temps et de patience, ne jamais céder à l'urgence, et toujours respecter les règles initiales de génie logiciel.

Dans ces conditions, on ne s'étonnera pas qu'il n'y ait guère en France, sauf pour les micro-ordinateurs, de place pour les génies isolés. Dans ce pays, le marché des progiciels est principalement dominé par les grandes sociétés de service, car elles ont la capacité financière nécessaire pour fabriquer et promouvoir des progiciels de qualité. Elles ont aussi, plus que le concepteur isolé, les moyens de faire vérifier leurs progiciels par l'un des organismes qui se consacrent à leur

« certification ». Les sociétés françaises ont réussi, au début des années quatre-vingt, avec des progiciels et des « programmes systèmes », à pénétrer sur le marché américain dans le domaine des compilateurs [300] et de la télématique [10] : c'est sans doute parce qu'à force de ne pas disposer d'une industrie informatique nationale puissante, les informaticiens français ont appris à écrire des programmes dans tous les domaines et sur tous les matériels.

Pour l'utilisateur final, un bon progiciel sera toujours moins cher qu'un bon programme. Pour l' « informatisé », un progiciel peut être porteur d'un certain espoir : on peut protester contre un mauvais progiciel et en exiger le changement, alors que la même demande formulée pour un logiciel exécuté par les « informaticiens-maison » a peu de chances d'être exécutée rapidement. Enfin, pour l'informaticien, il vaut mieux concevoir, exécuter ou même modifier un progiciel que de réécrire, à quelques variantes près, les mêmes programmes pour des clients différents.

Aurore Dousset

BIBLIOGRAPHIE

Articles

Tous les numéros de *01 Hebdo* pour l'année 1982.

Les nouveaux langages informatiques

La programmation des ordinateurs se fait au moyen de langages informatiques. Avec la prodigieuse diffusion des ordinateurs, tout le monde a entendu parler de ces langages, tel le Basic, le Cobol ou le Fortran. Mais au début des années quatre-vingt, de nouveaux langages se sont répandus dans le monde de l'informatique, qui ont pour nom Lisp, Ada, ou Pascal. Et dans cette même période, les informaticiens ont travaillé à la mise au point de langages de programmation de plus en plus proches du langage naturel humain. Quelles sont les raisons qui poussent à la recherche de nouveaux langages informatiques et quelles en sont les caractéristiques par rapport aux langages qui les ont précédés?

Un langage informatique est un code ou un vocabulaire spécial, utilisé pour décrire à l'ordinateur le travail que l'on attend de lui. Ce vocabulaire est composé d'instructions, qui sont les étapes élémentaires du traitement à accomplir, et qui correspondent à des séquences de fonctionnement de l'ordinateur : additionner, afficher, comparer deux grandeurs, etc. L'utilisation d'un code très strict pour les programmes informatiques est indispensable, car le mode de travail de l'ordinateur (lequel est un ensemble de circuits électroniques effectuant des opérations sur des signaux électriques) est très éloigné du mode de raisonnement de l'homme.

La qualité d'un programme dépend beaucoup du langage informatique employé. En effet, un langage bien adapté à un type d'application (gestion, comptabilité, calcul scientifique,...) peut permettre de minimiser les risques d'erreurs de programmation et le temps passé à la mise au point d'un logiciel (programme). Il existe donc des langages orientés vers la gestion commerciale, d'autres vers le calcul scientifique, d'autres vers l'enseignement, la conduite de processus industriel, les statistiques, etc. On dénombrait en 1983 pas moins d'une centaine de langages (sans compter leurs innombrables dérivés « dialectaux »). Ces langages appartiennent à deux grandes catégories, selon qu'ils sont évolués ou non (ces deux catégories sont de taille très inégale, les langages évolués étant beaucoup plus nombreux que les langages non évolués).

Les langages non évolués sont des codes très ésotériques, et qui sont directement (ou presque) compréhensibles par les circuits électroniques de l'ordinateur. Ce sont essen-

tiellement le langage « machine » et les langages « assembleur ». Le langage « machine » est formé d'instructions codées en nombres binaires ou en nombres hexadécimaux (numération de base 16). Les langages « assembleur » sont constitués d'instructions ayant la forme de mnémoniques, c'est-à-dire de groupes de lettres écrites en capitales, ressemblant à un sigle ou à une abréviation, et rappelant la fonction demandée (par exemple, A D D pour additionner). Les programmes écrits en langages non évolués sont très longs car ils décrivent pas à pas le détail de la manipulation des données dans les circuits logiques de l'ordinateur. Les langages « machine » ou « assembleur » ne sont guère utilisés par les « consommateurs » d'informatique pour la réalisation de leurs programmes spécifiques, mais plutôt par les constructeurs d'ordinateurs et de robots, pour la mise au point du logiciel qui gère le fonctionnement interne de l'ordinateur.

Les langages bien connus

Les langages évolués sont plus largement utilisés parce qu'ils sont plus proches du langage humain (de l'anglais, en général), donc plus faciles à comprendre et à apprendre. Dans ces langages, chaque instruction équivaut à plusieurs instructions d'un langage « non évolué ». Par exemple, l'instruction en langage évolué : « if $X > Y$, then go to... » peut correspondre à une suite de cinq instructions en langage « non évolué » : « L D A » (prendre l'information dans la mémoire A); « L D B » (prendre l'information dans la mémoire B); « C P A − B » (comparer A et B, en faisant la différence A − B); si A − B > O, alors aller à... ». On dit que les instructions des langages évolués sont « puissantes ». De ce fait, ces langages permettent d'écrire des programmes beaucoup plus courts que

ceux écrits en langages « non évolués ». Et ces programmes sont alors (en théorie du moins) utilisables sur plusieurs modèles ou marques d'ordinateurs, ce qui n'est pas du tout le cas des langages non évolués, qui sont différents pour chaque machine.

Jusqu'à la fin des années soixante-dix, les langages évolués les plus utilisés étaient le Fortran, le Cobol et le Basic. Le Fortran (Formula Translation) est le plus ancien de ces langages. Créé en 1954, il reste très utilisé en calcul scientifique où il est très performant. Le Cobol (Common Business Oriented Language) est le langage le plus utilisé en gestion commerciale, malgré sa relative désuétude. Il date de la fin des années cinquante, et est conçu pour effectuer, sur un grand volume de données, des traitements simples et répétitifs. C'est un des langages informatiques les plus proches du langage naturel, et à ce titre, l'un des plus « faciles » à comprendre. Langage d'enseignement par excellence, le Basic (Beginners All Purpose Symbolic Instruction Code) peut être qualifié d'universel. C'est en particulier le langage le plus utilisé sur les micro-ordinateurs. Introduit au cours des années soixante pour l'initiation à la programmation, il dispose d'instructions rédigées presque « en clair ». Il est très interactif, c'est-à-dire qu'il permet facilement le dialogue entre l'opérateur et l'ordinateur pendant l'exécution du programme (l'ordinateur interrompt le travail, questionne l'opérateur et poursuit le travail en fonction de la réponse obtenue). Grâce à son interactivité, le Basic permet notamment de corriger les erreurs de syntaxe d'un programme, au fur et à mesure de son entrée dans l'ordinateur.

Parmi les langages évolués bien connus, signalons encore l'APL (A Programming Language) et le PL/1. L'APL, conçu dans les années soixante, est un langage très puissant, mais très ésotérique. Il a été néanmoins adopté par IBM, car il permet notamment un traitement aisé des gros tableaux de données. Le PL/1 avait été conçu dans les années soixante pour succéder au Cobol et au Fortran. Mais il n'a jamais été très utilisé parce qu'incomplet et ne permettant pas aisément le transfert de programmes d'un ordinateur à l'autre.

Les langages évolués font l'objet de continuels efforts de recherche, en réponse aux demandes incessantes des utilisateurs. En gros, il existe deux tendances principales.

La percée de Ada

Une première tendance correspond à la recherche de langages de plus en plus proches du langage naturel humain. En effet, au début des années quatre-vingt les utilisateurs de l'informatique ne sont plus uniquement des informaticiens. Par exemple, des économistes, des techniciens, des commerciaux, des médecins, des juristes, etc. sont de plus en plus souvent amenés à programmer eux-mêmes leurs applications informatiques et à consulter directement des banques de données. Celles-ci consistent en renseignements stockés dans la mémoire de gros ordinateurs : un particulier peut les consulter à distance pourvu qu'il dispose d'un terminal dans son bureau. La consultation des banques de données par ces professionnels non-informaticiens est fortement ralentie par le fait qu'elle nécessite l'emploi de langages informatiques éloignés du langage naturel humain (cela donne des procédures d'appel, d'interrogation et d'interprétation des réponses qui paraissent complexes aux yeux des non-informaticiens). Aussi n'est-il pas étonnant qu'en 1983, ce soit dans ce domaine que la mise au point de nouveaux langages informatiques, proches du langage naturel humain, était la plus avancée.

Une deuxième tendance de la recherche de nouveaux langages informatiques correspond au besoin ressenti par les utilisateurs classiques de l'informatique (industrie, commerce, armée...) d'avoir des programmes courts, faciles à mettre au point et dénués d'erreurs. C'est ainsi qu'au début des années quatre-vingt, plusieurs nouveaux langages se sont répandus dans le monde de l'informatique. Les langages Lisp et Prolog ont ainsi pris un essor remarquable. Ils existaient déjà depuis les années soixante, mais servaient seulement dans les laboratoires de recherche en intelligence artificielle [274]. Le Lisp (List Processor) est un langage élégant et précis. Les programmes écrits en Lisp se présentent sous la forme de listes, à base d'instructions conditionnelles et d'arbres de décision.

Le langage Pascal connaissait aussi une grande vogue au début des années quatre-vingt. Il a été conçu vers la fin des années soixante par Niklaus Wirth, de l'École polytechnique de Zurich et baptisé du nom de Pascal, en mémoire du mathématicien et philosophe français Blaise Pascal. D'abord utilisé dans les milieux universitaires, il a ensuite envahi progressivement les milieux industriels. Ses atouts sont, d'une part, des « garde-fou » minimisant les risques d'erreurs dans les programmes même volumineux, et d'autre part, une grande puissance.

Le langage Ada a fait aussi une remarquable percée car il a été choisi en 1979 par le ministère de la Défense américain pour devenir le langage informatique standard employé dans ses services informatiques (lesquels concernent aussi bien la gestion des matériels ou des budgets, que le contrôle des systèmes de missiles, etc.). Ada a été retenu parce que fiable, sûr, efficace et simple. Il a été mis au point par l'équipe de Jean Ichbiach à la CII-Honeywell-Bull en France, en s'inspirant des points forts du langage Pascal et en remédiant à ses défauts. La percée d'Ada représente une victoire du logiciel français, victoire qui doit attendre, pour être réellement consacrée, que ce langage soit couramment utilisé. Bien qu'homologué en début 1983 par l'administration américaine, Ada ne se répandra vraiment que lorsque toute l'infrastructure nécessaire à l'installation d'un langage dans un ordinateur sera disponible sur tous les ordinateurs : compilateurs, supports de programmation, etc. Ces « outils », en cours de mise au point dans de nombreux laboratoires (en Europe comme aux États-Unis) devaient commencer à exister en nombre à partir de la mi-1983.

Jenny de Montaigne

303

BIBLIOGRAPHIE

Ouvrage

BERCHE S., LHERMITTE C., *Langages de programmation (Fortran, LSE, Basic, Pascal, Cobol, PL-1, Assembleur)*, Éditions du Psi, Paris, 1982.

Les imprimantes « ultra-rapides »

En 1962, le sociologue canadien MacLuhan annonça que nous quittions la « galaxie Gutenberg » pour entrer dans la « galaxie Marconi », désignant ainsi le passage de l'ère du papier imprimé à celle des supports électroniques (écrans vidéo, cassettes, disques, etc.). Pourtant au cours des années soixante-dix, apparaissaient pour les besoins des ordinateurs des imprimantes de type nouveau, qui impriment sans recourir à la pression d'une matrice ou de caractères encrés sur le papier comme toutes les machines d'imprimerie ou les machines à écrire. Ces imprimantes sont dites « no-impact ». Elles représentent un progrès technologique important dans la réalisation de la « chose imprimée » et, malgré les paroles de MacLuhan, elles sont sans doute promises à un bel avenir : elles devraient à la fois se répandre dans le monde de l'informatique comme « périphérique » d'ordinateur, et trouver place dans le monde de la « bureautique » [47], comme stations d'impression indépendantes imprimant graphiques et textes. Et aussi, dans certains secteurs de l'imprimerie [309].

Les imprimantes « non-impact » sont nées des besoins croissants des ordinateurs en imprimés commerciaux et documents de gestion. Ce sont des machines extrêmement sophistiquées, capables de performances élevées : certaines de ces imprimantes peuvent produire 200 pages par minute (soit 3 pages par seconde), et cela nécessite de leur adjoindre leur propre ordinateur pour gérer leur travail.

Il existe trois grands types d'imprimantes « non-impact » : les imprimantes à jet d'encre, les imprimantes à laser, et les imprimantes à procédé magnétique. Les imprimantes à jet d'encre [309] peuvent permettre d'imprimer en quadrichromie, mais elles sont beaucoup moins rapides (moins d'une page par minute) que les imprimantes à laser et à procédé magnétique (en moyenne, 50 à 60 pages à la minute). Nous n'envisagerons dans cet article que ces deux types d'imprimantes ultra-rapides.

Dans les imprimantes à laser, commercialisées depuis la fin des années soixante-dix, le principe employé est celui de l'électrophotographie, déjà employé depuis longtemps par les photocopieurs [309]. Dans un premier temps, il s'agit de former une image électrostatique latente du texte ou du graphique à imprimer, sur un support photoconducteur cylindrique qui, sous l'action de la lumière, perd ses charges. L'image est ainsi constituée d'une grille de myriades de points, dont certains sont chargés et d'autres non (la distribution des points est naturellement calculée par ordinateur). Dans un deuxième temps, l'image latente est révélée par une poudre ou encre chargée électrostatiquement.

Le phénomène physique mis en œuvre est celui de la répulsion ou de l'attraction de charges électriques, selon la loi de Coulomb. Le photoconducteur est d'abord chargé sur toute sa surface par un générateur haute tension. Former l'image va consister, comme pour une image de télévision, à balayer le photoconducteur avec u rayon lumineux discontinu. Pour ce faire, on se sert de lumière laser [427], puisqu'elle permet d'obtenir des pinceaux extrêmement étroits et bien dirigés. Dans les imprimantes à laser, le faisceau laser a un diamètre d'un dixième de millimètre. On le fait d'abord passer à travers un cristal de quartz. Celui-ci peut changer la trajectoire du faisceau lumineux en fonction des forces de pression qui lui sont appliquées (ces pressions variables sont exercées sur le quartz par un mécanisme dont les actions sont commandées par ordinateur, en fonction de la grille de points électrostatiques à obtenir). Le faisceau laser peut donc être dévié en dehors de la zone d'impression si un point ne doit pas être imprimé.

Le faisceau laser rendu ainsi discontinu à la demande est dirigé sur un miroir multifaces tournant. Chaque face du miroir réfléchit le faisceau le long d'une génératrice du cylindre photoconducteur, lequel perd sa charge à l'endroit de l'impulsion lumineuse. La formation de l'image ligne par ligne se fait par rotation du cylindre, le passage de chaque face du miroir correspond à une ligne balayée.

L'image est révélée par l'apport sur le photoconducteur d'une poudre chargée électrostatiquement appelée encre. Celle-ci acquiert ses charges dans l'encrier en se frottant à un autre matériau, de la même manière qu'une baguette de verre se charge d'électricité si on la frotte avec un chiffon de laine. L'encre est transportée de l'encrier vers le photoconducteur par une brosse tournante. Lors du contact de la poudre et de l'image latente, les forces électriques deviennent suffisantes pour retenir l'encre sur le support. L'image électrostatique latente devient alors une image développée.

Le transfert de l'encre depuis le photoconducteur jusqu'au papier est obtenu par création, sur le papier, de charges électriques de signe inverse à celles de l'encre. Le papier attire les grains d'encre, se plaque au photoconducteur et se déplace en synchronisme avec lui. A ce stade, l'image n'est retenue sur le papier que par les charges électriques. Pour lui donner une permanence, il faut la fixer. La fixation peut être réalisée par pression à froid ou par chauffage du papier et de son encre. Celle-ci contient en effet une résine thermoplastique qui fond et assure l'agglomération des grains entre eux et leur adhérence au papier.

Les imprimantes à procédé magnétique

Les imprimantes à procédé magnétique sont étudiées depuis les années soixante-dix, mais le premier modèle commercial, celui de CII-Honeywell-Bull, n'a été présenté qu'en mai 1983, lors d'un congrès à Los Angeles. Ce type d'imprimante permet d'atteindre jusqu'à 100 pages/minute. A l'instar de la technique laser, le principe de la technique magnétique est de créer une image sur une surface cylindrique : mais

---
BIBLIOGRAPHIE

Articles

ELTGEN J. J. et MAGNENET J., « Magnetic Printer Using Perpendicular Recording », *I E E Transactions on Magnetics,* n° 5, 1980.

NICOLS D., « Les imprimantes : hier, aujourd'hui et demain », *Informatique et gestion*, décembre 1973.

WEISELMAN, « Trends in Computer Printer Technology », *Computer Design,* janvier 1979.

Dossier

NEEMA F., « L'avenir des techniques d'impression », *Séminaire bureautique 1981,* AFCET/SICOB, 1981.

celle-ci est magnétique au lieu d'être électrostatique.

Au cœur du mécanisme d'impression, se situe le tambour en rotation, à vitesse constante, et recouvert d'une couche d'alliage magnétisable. Le cycle de création d'une image se décompose en trois étapes. Dans un premier temps, le tambour passe sous une tête d'effacement qui supprime toute trace de magnétisme provenant d'une image précédente. Une fois effacé, le tambour passe sous une rangée de 3 360 têtes d'écriture (environ 10 par mm) qui enregistrent ligne par ligne l'image de la page à imprimer. Pendant la troisième étape, une boîte à encre met en contact le tambour avec des particules d'encre magnétiques solides qui, attirées par les zones aimantées, révèlent l'image enregistrée.

L'image développée est ensuite transférée sur du papier ordinaire grâce à un rouleau pression qui fait pénétrer les particules d'encre dans les fibres du papier. Il reste à fixer, de façon définitive, l'image sur le papier. Un apport de chaleur, à la fois par conduction et par radiation, fait fondre la résine contenue dans l'encre et la fait adhérer de façon permanente.

Les premières imprimantes « non-impact » étaient destinées à imprimer les documents établis par ordinateur tels que factures ou relevés de comptes. Les imprimantes plus récentes permettent de faire des mises en pages sophistiquées et disposent d'une riche gamme typographique, rivalisant ainsi avec les machines d'imprimerie classique. Il est donc concevable que les imprimantes « non-impact » deviennent des machines indépendantes des ordinateurs, comme des machines d'impression de bureau ou des machines utilisées dans certains secteurs de l'imprimerie [309].

Le plus gros obstacle à un tel débouché restait le prix élevé de ces machines. Mais, déjà, l'imprimante magnétographique présentée par CII-Honeywell-Bull en mai 1983 affichait un prix trois fois moindre que les imprimantes « non-impact » antérieures...

Jean-Pierre Claverie

L'irrésistible ascension du traitement de texte

Le début des années quatre-vingt marque le véritable démarrage de la pénétration du traitement de texte en Europe. Dans beaucoup de bureaux, les machines à écrire traditionnelles sont progressivement remplacées par des machines à traiter les textes. Fondamentalement, il s'agit de machines à écrire qui permettent de modifier le texte en cours de frappe ou déjà frappé : soit qu'on veuille corriger les fautes de frappe ou d'orthographe ou de grammaire, soit qu'on veuille modifier telle ou telle phrase ou tel ou tel paragraphe parce qu'on veut améliorer le sens du texte ou l'adapter à tel ou tel client... Avec les machines à traiter les textes, point n'est besoin de refrapper toute la page pour faire ces modifications, comme c'est souvent le cas avec les machines à écrire ordinaires. Mais ce ne sont pas les seules différences : les machines à traiter les textes assurent beaucoup de fonctions que n'ont pas les machines à écrire ordinaires.

Voyons d'abord comment se présente une machine de traitement de texte. Il vaudrait mieux d'ailleurs parler d'un système de traitement de texte, car ce type de machine se présente comme un véritable ensemble de systèmes informatiques. Il y a tout d'abord le clavier, muni des touches habituelles d'un clavier de machine à écrire, plus des touches supplémentaires correspondant à un certain nombre de fonctions que nous allons examiner plus loin. Ce clavier est couplé à un écran, comme c'est le cas pour les terminaux d'ordinateurs. La partie centrale du système constitue d'ailleurs un petit ordinateur doté d'une mémoire et d'un ensemble de programmes commandant l'exécution de différents types de tâches.

La machine à traiter les textes comprend en outre des équipements annexes tout à fait analogues aux équipements périphériques classiques des ordinateurs : un appareil à mémoriser les textes sur support magnétique (cassette ou disquette), une imprimante (de très bonne qualité), un système de branchement sur le réseau téléphonique (interne à l'entreprise, ou public).

Lorsque l'opérateur ou l'opératrice frappe sur le clavier de cette machine, le texte n'est pas dactylographié sur une feuille de papier, mais apparaît sur l'écran. Une touche permet de demander l'alignement à droite de toutes les lignes du texte. La machine assure automatiquement le retour à la ligne suivante, en coupant entre deux mots. Une touche peut commander aussi le positionnement automatique des titres au milieu de la page. La machine peut aussi numéroter automatiquement les paragraphes ou les pages (fonction index). En somme, presque tout le savoir-faire traditionnel de la dactylo est pris en charge par des automatismes. En outre, de nouvelles fonctions dactylographiques sont possibles, comme l'insertion, la suppression, le transfert ou le remplacement automatique de caractères, de mots ou de paragraphes. Il existe enfin très souvent une fonction « dictionnaire » : la machine signale sur l'écran les mots dont l'orthographe lui paraît douteuse.

Lorsque le texte frappé et visualisé sur l'écran est jugé définitif, l'opérateur(trice) peut donner l'ordre de le frapper sur papier grâce à l'imprimante, ou bien de le mémoriser sur disquette.

Place au micro-ordinateur

L'archivage définitif des textes sur disquette permet la constitution d'un fichier électronique : les documents enregistrés sont affectés d'un numéro ou d'un code d'appel. Ils peuvent être « appelés » à partir du clavier de la machine qui a originellement servi à la frappe, mais aussi à partir de claviers d'autres machines situées en d'autres endroits dans l'entreprise. Le fichier électronique peut également bien se prêter à la gestion de la correspondance.

La mise en connexion par voie téléphonique de plusieurs machines à traiter les textes au sein d'une entreprise permet d'organiser une messagerie électronique [29] : l'auteur d'un texte peut, en effet, au lieu de l'imprimer ou de le mettre sur disque, l'envoyer dans la mémoire de l'ordinateur d'une autre machine à traiter les textes, située dans un autre bureau (dans l'entreprise ou dans une autre ville). Le destinataire de ce texte pourra en prendre connaissance en le visualisant sur l'écran de sa machine. Les machines à traiter les textes peuvent encore être reliées à toute sorte d'appareils : ordinateur central, photocomposeuse [309], etc.

Le traitement de texte est une application particulière de l'informatique. Son invention remonte à 1964, avec la création par IBM de la première machine à écrire à mémoire. Mais il fallut attendre 1971 pour voir apparaître le premier véritable système informatique de traitement de texte tel que nous l'avons décrit ci-dessus.

Au début des années quatre-vingt,

on assiste à l'apparition sur le marché de programmes de traitement de texte pour les possesseurs de micro-ordinateurs individuels [10]. Mais les performances de ces machines munies de ces programmes sont, pour le moment, moins bonnes que celles des machines à traiter les textes spécialement conçues à cet effet.

En fait, l'avenir du traitement de texte réside probablement dans sa prise en charge par des micro-ordinateurs multifonctionnels, c'est-à-dire des micro-ordinateurs capables d'effectuer des travaux variés – comptabilité, gestion, calculs – et parmi ces travaux, le traitement de texte. En effet, les micro-ordinateurs (ou mini-ordinateurs) peuvent assurer des fonctions « messagerie électronique », « fichier électronique », etc., beaucoup plus étendues que celles des machines à traitement de texte spécialisées. Dans le domaine des fichiers électroniques, ces appareils peuvent ainsi être programmés pour retrouver une correspondance à partir, seulement d'une phrase, d'un mot-clé, d'un patronyme ou de la relation d'un événement figurant dans le texte... En 1982, tous les fabricants de micro – ou mini-ordinateurs – cherchaient à offrir une telle fonction.

Cédric Thomas

BIBLIOGRAPHIE

Ouvrages

BARCOMB D., *Office Automation*, Digital Press, Bedford (Mass.), 1981.

DE BLASSIS J. P., *La bureautique*, Les Éditions d'organisation, Paris, 1982.

MARTINEAU J., *La bureautique*, Mac Graw Hill, Paris, 1982.

SCOM, *Méthodologie d'emploi du traitement de texte*, La Documentation française, Paris, 1980.

VERDIER E., *La bureautique*, La Découverte/Maspero, collection « Repères », Paris, 1983.

Articles

SAVONET B., « Mettez un ordinateur dans votre machine à écrire », *L'ordinateur individuel*, n° 24, 1981.

« Autonomie ou réseaux ? », *Traitement de texte*, n° 11, 1981.

Le renouvellement des techniques d'édition et d'impression

Depuis Gutenberg, les techniques d'édition demeurent dans l'étroite dépendance de leur outil de production : l'imprimerie. Au plan général de la communication écrite, l'imprimerie a maintenu, en ce dernier quart de notre vingtième siècle, les trois secteurs traditionnels de son activité, à savoir : la presse (impression des journaux), le labeur (gros et moyen tirage des livres et des catalogues notamment), les travaux de ville (petits tirages : cartes de visite, commerciales, petits travaux, etc.). Mais une évolution plus ou moins importante vers la fin des années soixante-dix s'est manifestée au sein de chacun d'eux, conduisant même à l'apparition de nouveaux types de services.

Dans le domaine de la presse et celui du labeur, on a vu la composition « chaude » – composition des textes à l'aide de caractères de plomb fondus au fur et à mesure des besoins – disparaître pratiquement au profit de la composition « froide » – photocomposition principalement et machines à écrire à mémoire. En conséquence, les entreprises de presse et du labeur ont pu abandonner les lourdes rotatives typographiques pour des rotatives offset beaucoup plus légères et souvent plus rapides (40 000 tours par heure contre 30 000). Dans le labeur, il faut signaler la percée des « rotatives à bobines », imprimant en continu une bande de papier, débitée en feuilles après l'impression (18 000 feuilles par heure et même 25 000), avec une qualité de travail devenue comparable à celle des machines classiques tirant feuille à feuille (10 000 à 15 000 feuilles/h).

Rappelons que l'offset est un procédé dans lequel un traitement physico-chimique rend une plaque de zinc, enroulée sur un cylindre, réceptrice de l'encre aux seuls endroits imprimants. Ces endroits sont, bien sûr, les caractères d'imprimerie (ou les illustrations) déposés sur la plaque de zinc grâce à un procédé photographique prenant pour base les épreuves ou les films fournis par la photocomposition ou la photogravure.

La généralisation de la composition « froide », au tournant des années quatre-vingt, a été la conséquence de l'intrusion de l'électronique et de l'ordinateur dans la plupart des techniques de l'industrie graphique.

La photo-composition

Le processus de photocomposition commence par une phase de « saisie du texte » par un ordinateur : les textes sont frappés sur un clavier d'ordinateur et transcrits sur bande magnétique, codés sous forme de signaux binaires. Des instructions telles que la dimension des caractères (corps), leur chasse (largeur), leur esthétique (style), la longueur des lignes (justification) sont également codées et enregistrées sur la bande magnétique. L'ordinateur opère automatiquement la coupure des mots selon les règles du code typographique : c'est la composition programmée, dans laquelle aucun paramètre n'est définitivement figé. Des écrans de visualisation, dits de correction, déjà très répandus depuis la fin de la décennie soixante-dix, se sont perfectionnés et généralisés, permettant d'appeler les textes mis en mémoire pour les relire, en modifier la teneur, l'encombrement, et pour les corriger orthographiquement à l'aide d'un clavier. On peut aussi changer la justification ou tout autres des paramètres précités, ce qui déclenche les nouvelles coupures de mots nécessaires en fin de ligne.

La photocomposition proprement dite consiste en l'obtention du texte sur papier ou sur film, document qui va servir de base à l'obtention de clichés (= impression offset). Pour produire ce document, on introduit la bande magnétique (ou la disquette) contenant l'ensemble des instructions retenues dans une machine photographique : celle-ci, à partir de signaux codés, génère le texte sur film ou papier. Il existe deux types de machines assurant un tel traitement.

Les machines dites de la deuxième génération, apparues vers le début des années soixante, sont à matrices matérielles. Celles-ci consistent en un répertoire de lettres, chiffres et signes apparaissant en transparence sur un support opaque (disque par exemple) et défilant en permanence devant un objectif. Au fur et à mesure de la lecture de la bande magnétique, les caractères codés sur cette bande sont mis en correspondance avec les caractères transparents défilant devant l'objectif. Un éclair lumineux traverse chaque caractère choisi, dont l'image, captée par l'objectif photographique, et ajustée à la dimension voulue, est positionnée au centième de millimètre près sur le film où le papier sensible. Performances courantes : de 30 000 à 200 000 signes/heure.

Les machines dites de la troisième génération ou CRT (Cathodic Ray Tube), apparues vers 1970, et celles de la quatrième génération (laser), apparues vers 1978, sont à matrices immatérielles. Chaque caractère n'existe plus qu'à l'état de signaux binaires consignés en mémoire électronique. Appelées au fur et à mesure de la lecture de la bande magnétique, ces informations génèrent sur un tube cathodique des points lumineux reconstituant le caractère « appelé » : celui-ci est photographié sur film en quelques millionièmes de seconde. S'il s'agit d'une composeuse à laser, il n'y a plus de tube cathodique : c'est un pinceau de lumière « cohérente » qui insole chaque point directement sur le film. Performance : jusqu'à plus de 10 millions de signes/h.

Au début des années quatre-vingt, deux événements ont marqué le domaine de la photocomposition. Premièrement, des écrans de mise en page conversationnelle » sont apparus sur les photocomposeuses : au lieu d'avoir simplement des colonnes de texte sur épreuve, il est possible dès la frappe initiale d'organiser de visu l'architecture des pages des journaux, magazines, livres. De plus on s'achemine vers la suppression des films ou épreuves sur papier issues de la photocomposition, au profit d'une projection directe de textes sur les clichés servant à l'impression.

Deuxièmement, certains éditeurs ont compris avant les autres qu'ils feraient l'économie d'une frappe dactylographique s'ils remplaçaient celle-ci par le codage de leur texte directement sur une bande magnétique frappée « au kilomètre » (« idiot tape »), c'est-à-dire ne tenant compte que de l'intégrité du texte, des alinéas et de l'orthographe. Plusieurs d'entre eux envoient déjà de telles bandes à leurs photocompositeurs qui les traitent, en fonction de la maquette arrêtée, avant de sortir les films (ou papiers) destinés aux imprimeurs. Ceux des éditeurs qui ne vont pas encore jusqu'à se charger de la frappe de leurs ouvrages sur bande magnétique se bornent à transmettre celle de leur fichier informatique en vue de la mise à jour de leurs catalogues, dont le tirage – nous le verrons plus loin – peut être parfois assuré par une imprimante à laser.

La photogravure

La préparation des illustrations par photogravure a elle aussi subi une mutation. Le principe de la photogravure est de convertir une image photographique en une image constituée par une trame de points (les points étant d'autant plus denses qu'il s'agit de « rendre » une zone de l'image d'autant plus noire). Les années 1980-82 ont consacré la disparition de la photogravure conventionnelle, caractérisée par un ensemble d'opérations longues et délicates, dans lesquelles le savoir-faire professionnel tenait une place prépondérante. En automatisant ces opérations, la photogravure électronique les a rendues plus rapides et plus fiables.

Le principe de ce procédé est l'exploration d'une image point par point par un œil électronique (cellule photoélectrique). Cet appareil est appelé « scanner ». L'intensité lumineuse de chaque point est donc convertie en signal électrique. Tous les signaux recueillis sont traités en ordinateur et corrigés en fonction de paramètres programmés, relatifs au contraste de l'image, à sa densité, à la netteté des détails, voire à la blancheur du papier d'impression prévu et à la composition des encres. Ainsi modifiés, les signaux électriques sont reconvertis en impulsions lumineuses. Celles-ci sont dirigées sur un film vierge qu'elles atteignent au travers d'une trame destinée à traduire en points plus ou moins étendus les quantités de lumière reçues. Le résultat est d'avoir là aussi une image tramée. Dans les scanners à laser, c'est le pinceau de lumière laser qui remplace la trame en créant directement ses propres points au diamètre convenable (couramment 10 000 au cm²).

La photogravure électronique se montre la plus performante dans le domaine des illustrations en couleur : c'est grâce à elle que la plupart des quotidiens ou des revues ont pu paraître avec des pages couleur (cela est vrai aussi pour les livres). Dans le cas d'une image en couleur (diapositive, par exemple), la lumière captée point après point par la cellule photo-électrique est décomposée en trois rayons correspondant aux trois couleurs primaires d'impression

(cyan, c'est-à-dire bleu-vert ; jaune ; magenta, c'est-à-dire rose carmin ; ces couleurs primaires permettent la reconstitution de toutes les couleurs du spectre visible). Chacun des trois rayons est ensuite traité comme dans le cas de l'analyse en noir et blanc exposée ci-dessus.

On a aussi commencé à expérimenter au cours de la même période la technique de l'archivage électronique des illustrations. Il était fatal que l'analyse des images, selon le principe décrit ci-dessus, conduise rapidement à la constitution de banques d'images sur ordinateur. Les illustrations d'un journal, par exemple, peuvent être alors appelées sur les écrans de mise en pages des photocomposeuses simultanément au texte. Les systèmes d'archivage électroniques d'images en service étaient encore peu nombreux en 1983, mais on s'attendait à ce que leur développement soit aussi irréversible que rapide.

Les presses à grand tirage Cameron

Un autre bouleversement apporté au monde de l'édition est l'introduction des presses à grand tirage Cameron. Ce type de presse, apparu aux États-Unis en 1968, imprime en un seul passage toutes les pages d'un livre. Il utilise des clichés, le plus souvent confectionnés en relief. C'est le principe de la typographie avec caractères de plomb, mais les caractères (issus de la photocomposition) sont ici en matière plastique polymérisée par un procédé photographique. Les clichés sont fixés sur deux larges courroies. L'une imprime le recto de la bande de papier en bobine mise à son contact. L'autre en imprime le verso après retournement. Un tel système comprenant en ligne : une rotative munie d'une bobine (96,5 cm de largeur maximum), une chaîne de reliure sans couture (collage des pages par la tranche de dos), un massicot trilatéral et un compteur empileur, peut produire *en une seule opération* (au lieu de onze pour l'imprimerie « normale ») des ouvrages de tous formats compris entre 11 × 18 cm et 22 × 29 cm, en un nombre de pages minimum de 80 (en 22 × 29 cm) et maximum de 1136 (en 11 × 18 cm). Ainsi, un livre de 15,5 × 24 cm comptant 168 pages pourra sortir de ce système terminé, prêt à l'expédition, à raison de 6000 ex/h (ou 3 000 de 300 pages). Sept personnes, au lieu de quinze à vingt en opérations séparées, suffisent à la conduite de la chaîne, pour un temps de fabrication réduit de plus du quart.

L'approvisionnement d'un tel ensemble exige des carnets de commandes capables de le faire travailler 24 h sur 24. En France, la quasi-tricentenaire imprimerie Firmin-Didot, ne pouvant l'alimenter qu'en deux équipes, a fermé ses portes en décembre 1982 (sa presse Cameron et son système de photocomposition ont toutefois été rachetés par l'imprimerie Hérissey). Elle n'avait qu'un seul concurrent, possesseur depuis longtemps de trois Cameron : la SEPC à Saint-Amand-Montrond (Cher). Ce matériel permet à celle-ci de produire plus de la moitié du tonnage de la littérature générale du marché national (livres de poche non compris). Il n'y a que cinq autres Cameron dans le reste de l'Europe. Ce qui n'empêche pas qu'on annonce la création d'une nouvelle société constructrice de presses d'impression à courroies.

La photocopie

Les années 1980-82 ont vu la banalisation de la photocopie. Les photocopieuses sont maintenant partout : supermarchés, mairies, bibliothèques, bureaux de poste, lycées, librairies, papeteries... Les Français ont fait en 1982 plus de 20 milliards de photocopies, chiffre atteint pour le monde entier en 1975. Précisons que cette récente vulgari-

sation tient partiellement à ce que les brevets de Rank Xerox protégeant la photocopie sur papier ordinaire étaient tombés entre-temps dans le domaine public. Auparavant, les concurrents de la firme américaine avaient été obligés de recourir à la photocopie sur « papier traité » (à l'oxyde de zinc) qui donnait des résultats infiniment moins satisfaisants. (Le principe de la photocopie est basé sur un procédé électrostatique [304].)

Les photocopieuses actuelles peuvent être extrêmement rapides et se substituer à l'impression proprement dite dans les nombreux cas ou quelques dizaines, ou même plus d'une centaine d'exemplaires sont nécessaires. Certains modèles de photocopieuses agrandissent ou réduisent les documents (dans des proportions fixes), comptent les feuilles copiées recto-verso, les trient et les agrafent. Dans les perfectionnés, un film photosensible, dit « À mémoire », conserve l'image de l'original qui ne demande pas alors à être réexposé pour chaque exemplaire suivant. On atteint ainsi la cadence de 2 ex/s. Dans cette fonction, la photocopie est souvent mise au service du traitement de texte.

Le traitement de texte

Toutes les opérations de la photocomposition exécutées en amont du traitement photographique relèvent de ce que l'on appelle le traitement de texte. Cependant, on a l'habitude de réserver ce terme aux opérations de mise en forme des textes par des machines à écrire de bureau dotées de micro-ordinateurs [306]. Ce type de machine peut garder en mémoire des lettres d'affaire-type, des formules répétitives, et en général tous documents qui peuvent être personnalisés lors de la restitution. Si au lieu d'une lettre, on a affaire à un texte moins passe-partout (par exemple rapports ou instructions), celui-ci est d'abord mis en forme sur les machines à traitement de texte, puis multiplié éventuellement au nombre d'exemplaires désiré par le moyen de la photocopie. Les besoins plus importants sont satisfaits par la duplication sur offset de bureau, machine presse-bouton qui, comme son nom l'indique, est installée sur place et fonctionne sans le concours d'un opérateur spécialisé. On peut aussi s'adresser à une « imprimerie-minute ».

L'imprimerie-minute

De même que l'imprimerie typographique vouée aux travaux de ville, dont elle est une variante, l'imprimerie-minute est de type artisanal. Elle est, de plus, censée satisfaire le client dans l'instant. Elle travaille sur « petite offset », matériel intermédiaire entre l'offset de bureau et l'offset classique. Les deux activités se recoupent lorsqu'il s'agit de fournir des en-têtes de lettres, factures, cartes commerciales, etc. Mais le domaine propre de l'imprimerie-minute est l'impression de documents fournis par le demandeur ou établis par elle-même en traitement de texte, ce qui échappe à la compétence de son confrère typo. L'imprimerie-minute a été introduite en France avant 1980, mais c'est surtout depuis lors qu'elle s'est développée, quoique timidement encore, puisqu'aucun recensement, même professionnel, ne renseigne sur le nombre (ne dépassant certainement pas 300) de ceux qui la pratiquent.

Les imprimantes

Les imprimantes sont en premier lieu des machines « périphériques d'ordinateurs » [304] : elles frappent automatiquement les informations demandées à des mémoires d'ordinateurs. Elles délivrent des tickets (de pesage, de parking, etc.), des billets (de train, d'avion...), des étiquettes adhésives avec références diverses nom et adresse des destinataires...

Les premiers modèles reposaient sur des procédés de frappe mécanique où les caractères venaient frapper le papier à imprimer. Les dernières venues appartiennent à la catégorie « non-impact » (impression sans contact), actuellement représentée par les systèmes à jet d'encre, à laser et à procédé magnétique.

Les imprimantes à jet d'encre sont certainement promises à un brillant avenir car elles pourront « imprimer », sans limitation de nombre, les couleurs, ce qui n'est pas le cas des imprimantes à laser, ou à procédé magnétique, unicolores (noir). Son principe consiste à projeter une encre extrêmement fluide à l'aide d'une ou de plusieurs dizaines de buses, sous forme de trains de microscopiques gouttelettes chargées électrostatiquement, de manière à ce que leur trajectoire puisse être dirigée à volonté, lors de leur émission, entre des éléments déflecteurs commandés par ordinateur, pour tracer les lettres.

Les imprimantes à laser ou à procédé magnétique [304] combinent le fonctionnement des machines à écrire les plus performantes (au niveau de la saisie et du traitement du texte) à celui des photocopieuses. Ce sont des auxiliaires précieuses pour les entreprises qui ont besoin dans les délais minimums de grosses masses de formulaires personnalisés : mise à jour de comptes bancaires, de recueils de références, appropriations de contrats, lettres et imprimés de relance (publipostage). Ce qui auparavant se traitait en deux temps (fourniture par l'imprimerie classique de formulaires pour les données fixes, puis remplissage de ces formulaires) se traite désormais en partant de feuilles de papier vierge sur les imprimantes à laser. Celles-ci sont « on-line », c'est-à-dire en liaison directe avec leur ordinateur, ou « off-line », c'est-à-dire travaillant indépendamment à l'aide de bandes magnétiques préalablement sorties d'une ou de plusieurs mémoires. Les performances des unes et des autres sont comparables : 2 000 lignes (théoriques) par minute. La technologie mise en œuvre est la même à quelques variantes près. Une photocopieuse d'un type adapté permet, pour chaque exemplaire, d'« imprimer » simultanément les données fixes projetées sur un rouleau photoconducteur et les données variables qui y sont inscrites par le rayon laser.

Les imprimantes à laser, dans l'une de leurs applications encore unique, ouvrent la voie à la micro-édition. Depuis septembre 1981, la société Quantics, filiale de Bayard Service Informatique et Bayard Presse, produit avec une imprimante à laser Xerox 9 700 des ouvrages d'une qualité typographique comparable à celle de la Cameron, mais contrairement à cette dernière, l'imprimante Xerox se cantonne dans les faibles tirages, ce qui est sa vocation (actuelle). Le texte est saisi sur une machine à traitement de texte. La bande magnétique finale (et archivable en vue d'éventuels retirages) est soumise à l'imprimante à laser Xerox 9 700 qui sort, exemplaire après exemplaire, la publication

« imprimée » recto-verso, de sa première à sa dernière page, sur feuillet 21 × 29,7 cm, au rythme de deux pages par seconde. Le travail s'achève avec le passage de chaque brochure à un matériel de finition comprenant un thermo-colleur dos carré et un massicot. L'ensemble de la chaîne permet de sortir environ 150 exemplaires par heure (en 48 pages), chiffre maximal pour les possibilités du thermo-colleur. On peut, en perdant sur la surface de la feuille, éditer en d'autres formats (exemplaire 16 × 24), ou faire deux pages 15 × 21 sur chaque face des feuillets. Plus d'une année d'expérience amène à conclure que les clients ne demandent pas moins de 100 exemplaires. La fourchette va de 300 à 600, dont le nombre de pages se situe entre 80 et 300. Quantics imprime aussi pour les clients qui fournissent leur bande magnétique : cas typique des éditeurs d'annuaires (tirage moyen : 500 exemplaires).

René Ponot

BIBLIOGRAPHIE

Ouvrages

PONOT R., *Techniques graphiques*, Ministère du Commerce et de l'Artisanat, Paris, 1975.

Collectif d'auteur présenté par Roger Laufer, *La machine à écrire*, Solin, Paris, 1982.

Collectif d'auteurs, sous la direction de John Dreyfus et François Richaudeau, *La chose imprimée*, dont « Dictionnaire », par René Ponot, Retz, Paris, 1977.

Collectif d'auteurs du Centre d'étude et de recherche typographiques, *De plomb, d'encre et de lumière. Essai sur la typographie et la communication écrite* (dont « Influence de la Technique », par René Ponot), Imprimerie nationale, Paris, 1982.

Des fibres optiques pour les télécommunications

Dans tous les pays industrialisés, les réseaux téléphoniques vont être remplacés progressivement par des réseaux de vidéocommunication [18]. L'abonné pourra recevoir par la prise qui le relie au réseau non seulement la voix, mais aussi l'image de son correspondant : c'est le visiophone. Toujours par la même prise, il pourra aussi recevoir 30 chaînes de télévision distribuées par câbles, ainsi que 12 stations de radio stéréo en modulation de fréquence, des services télématiques (consultations de services de renseignement gérés par ordinateur [10]), etc.

A la base de ce bouleversement profond des télécommunications, un nouveau mode de transmission des signaux : la voie optique. Autrement dit, ce n'est plus l'électricité qui va acheminer les signaux dans des fils de cuivre, mais des rayons de lumière dans des conducteurs appelés fibres optiques. C'est que les communications par fibres optiques peuvent assurer des débits d'information dix fois plus importants, avec un encombrement dix fois moindre que les communications classiques. De plus, elles économiseront une matière première, le cuivre.

Au début des années quatre-vingt, tous les pays industrialisés commencent à expérimenter à petite échelle, dans certaines villes, de tels réseaux de télécommunications optiques (Biarritz en France, Osaka au Japon, etc.). C'est que les matériels requis par ces réseaux sont arrivés au stade de la production industrielle.

En bref, la communication par voie optique comprend : une source de rayons lumineux dont l'émission est modulée pour coder les messages sonores et visuels, un conducteur, c'est-à-dire la fibre optique elle-même, un récepteur qui décode le rayon lumineux et permet la restitution des messages sur un écran de télévision et dans un haut-parleur.

La source de lumière est fournie soit par un laser à semi-conducteur, soit par une diode électro-luminescente. Les lasers [427] sont, de manière générale, des dispositifs inventés au début des années soixante qui peuvent émettre des pinceaux de lumière très fins, très bien dirigés, et très intenses, toutes qualités qui se prêtent parfaitement aux besoins de la communication optique. Jusqu'en 1970, ces appareils ne se prêtaient pas aisément à une application à grande échelle, car ils avaient besoin d'être refroidis dans de l'azote liquide (à – 196 °C). En 1970, cependant, les Bell Laboratories (États-Unis) et l'Ioffe Institut (URSS) annonçaient simultanément la mise au point de lasers fonctionnant à température ambiante. Ces nouveaux appareils sont construits grâce à des matériaux semi-conducteurs – tels que l'arséniure de gallium (AsGa) – utilisés dans la technologie des transistors et des microprocesseurs [271].

L'autre type de source lumineuse est la diode électro-luminescente : il s'agit là aussi d'un composant à semi-conducteur, une diode, qui émet de la lumière lorsqu'elle est traversée par un courant. Les rayons lumineux issus d'une telle diode sont cependant moins intenses, moins bien dirigés et forment un pinceau plus épais que dans le cas des lasers. Tandis que ceux-ci sont utilisés préférentiellement comme émetteurs dans les « centraux » des réseaux de vidéocommunication, les diodes électro-luminescentes sont utilisées préférentiellement au niveau des « émetteurs » des usagers.

Les récepteurs sont aussi des diodes à semi-conducteurs, délivrant un courant électrique lorsqu'elles détectent un rayon lumineux (c'est le principe des cellules photo-électriques). Elles ont pour particularités d'être très sensibles, réagissant aux faibles intensités lumineuses des rayons incidents dans les réseaux de vidéocommunication.

Une extrême transparence

Les fibres optiques, quant à elles, sont de longs cheveux de verre d'un diamètre d'un dixième de millimètre, analogues aux fibres de verre utilisées par exemple pour la fabrication des perches de saut en hauteur. Elles sont, comme elles, extrêmement souples et résistantes. Mais contrairement à ces fibres de verre ordinaire, les fibres optiques sont faites avec du verre particulièrement pur. Il s'agit, en fait, de quartz fondu, c'est-à-dire de la silice (SiO_2), débarrassé de ses impuretés telles que les ions métalliques de cuivre et de fer (la concentration en impuretés de ces fibres est inférieure à 10 parties pour un milliard). De cette façon, le verre des fibres optiques est très transparent, laissant voyager les rayons lumineux sur de grandes distances sans les atténuer outre mesure. Pour donner une idée, on peut dire que la transparence atteinte au début des années quatre-vingt dans les fibres optiques est tellement grande que si l'eau était aussi transparente, on verrait le fonds des plus profonds des océans sans difficulté.

On pourrait se demander si la communication optique exige que les fibres soient tendues de manière rectiligne entre l'émetteur et le récepteur, puisque les rayons lumineux ne se propagent qu'en ligne droite. En fait, cette propriété n'est vraie que dans l'air. Dans les fibres optiques, les rayons suivent les courbes de leur conducteur, exactement comme dans une fontaine lumineuse. (Une telle fontaine, on le sait, est constituée d'une gerbe de jets d'eau :

des rayons de lumière injectés dans les jets d'eau suivant leur axe en restent prisonniers, et en suivent les courbes.)

La première réalisation de fibres optiques remonte à 1972 : cette année-là, la firme américaine Corning Glassworks annonçait la production de fibres optiques ayant une atténuation de seulement 4 décibels par kilomètre : cela veut dire que la puissance lumineuse reçue après un kilomètre de parcours n'est que deux fois et demie plus petite que la puissance émise. Dix ans plus tard, on savait réaliser de bonnes fibres optiques qui ne présentent une atténuation que de deux décibels environ (la puissance reçue est alors 1,6 fois plus petite que la puissance émise).

En fait, une fibre optique ne laisse pas passer tous les rayons lumineux de la même manière. Pour certaines longueurs d'onde, les rayons sont moins absorbés. Cela vient du fait qu'il existe dans la silice des impuretés impossibles à éliminer, les radicaux hydroxyles (OH^-). Ces radicaux entrent en vibration lorsque passent des rayons lumineux, ce qui contribue à les absorber. Il n'y a que trois longueurs d'onde pour lesquelles ce phénomène ne se produit pas (ou peu) : 0,8 micron, 1,3 micron et 1,5 micron. (Soit dit au passage, la lumière, à ces longueurs d'onde, est invisible.) C'est la « fenêtre » de 0,8 micron qui procure l'atténuation de 2 décibels par km. Mais les « fenêtres » de 1,3 micron ou de 1,5 micron permettraient des atténuations inférieures à 0,5 décibel par km. Avec un « dopage » judicieusement choisi – c'est-à-dire l'introduction « calculée » d'impuretés dans la silice –, la firme I T T a annoncé en 1982 qu'elle pouvait obtenir des fibres ayant une atténuation de 0,44 décibel par km, en utilisant la « fenêtre » de 1,3 micron. Au même moment, Corning Glassworks annonçait un record d'atténuation en laboratoire de 0,16 décibel par km, dans la « fenêtre » 1,5 micron. En 1983, la firme japonaise Mitsubishi étudiait une fibre optique, qui, par un « dopage » particulier procurerait une atténuation de l'ordre du centième de décibel par km.

Cependant, dans les réseaux de vidéocommunication expérimentés au début des années quatre-vingt, c'est la fenêtre 0,8 micron qui était utilisée. La raison en est que les lasers et les diodes à semi-conducteurs disponibles industriellement, émettent ou reçoivent sur cette longueur d'onde. Toutefois, dans les laboratoires américains ou japonais, des lasers émettant sur 1,3 micron étaient en cours d'expérimentation en 1982 et devaient commencer à être commercialisés en 1983.

Ne pas brouiller le message

Un autre problème posé par la transmission des rayons lumineux dans des fibres optiques est celui de la dispersion des rayons, phénomène qui tend à brouiller complètement les messages. En simplifiant beaucoup, on peut appréhender ce problème de la manière suivante : si le pinceau lumineux entrant dans un fibre optique est composé de plusieurs rayons, ceux-ci ne vont pas tous voyager de la même manière. Dans les premières fibres optiques réalisées au début des années soixante-dix, ceux des rayons qui n'étaient pas injectés strictement parallèlement à l'axe étaient réfléchis d'un bord à l'autre de la « paroi » du conducteur, en raison de la constitution de la fibre. Ils effectuaient donc un « voyage » plus long que ceux se propageant parallèlement à l'axe de la fibre. Donc, même s'ils étaient tous partis en même temps lors d'une impulsion du laser, ils n'arrivaient pas tous en même temps au récepteur. Les impulsions lumineuses successives risquaient donc de se chevaucher, en brouillant le message.

Pour remédier à ce problème, deux solutions ont été trouvées. En 1972, des chercheurs japonais arrivèrent à construire des fibres dites « multimodes à gradient d'indice », dans lesquelles les rayons réfléchis, qui font le voyage le plus long, le font néanmoins plus vite. En définitive, grâce à cette astuce, tous les rayons partis ensemble arrivent finalement ensemble ! L'autre solution est celle des fibres dites « monomodes » dont le cœur n'a que 5 à 9 microns de diamètre (au lieu de 100 microns pour les fibres multimodes). Dans ces conditions, les rayons lumineux qui ne sont pas parallèles à l'axe de la fibre ne sont pas acceptés, et il n'y a donc plus de risque de dispersion. Ces fibres seraient donc idéales, mais elles posent encore de redoutables problèmes au niveau de leurs connexions. Lorsqu'il s'agit de les raccorder entre elles, ou avec un émetteur ou un récepteur, il faut que

--- BIBLIOGRAPHIE ---

Ouvrage

Les fibres optiques et les télécommunications, Publication du CNET, Paris, 1982.

Article

OSTROWSKY D., « Les télécommunications optiques », *La Recherche,* n° 130, 1982.

Dossier

« Communication et transmission », revue *Sotelec,* juin 1982.

les axes optiques des parties raccordées soient parfaitement alignés, avec une précision de l'ordre du micron. Les spécialistes s'accordent pour dire que ce sont les fibres monomodes qui l'emporteront à long terme, car ce sont elles qui assurent les débits d'information les plus élevés. Mais au début des années quatre-vingt, c'était encore les fibres multimodes à gradient d'indice qui étaient commercialisées, car elles ne posent pas de gros problèmes au niveau de leurs connexions.

Claude Amalric

Vidéo ou compact, voici les disques optiques

Une image en couleur meilleure que celles reçues par l'antenne du téléviseur, et sur laquelle on peut s'arrêter indéfiniment après l'avoir trouvée sans délai par un code simple ; un ralenti variable avant ou arrière, l'agrandissement possible d'une zone : ce sont quelques-unes des qualités et ressources du vidéodisque qui en font un support idéal pour la diffusion de programmes d'enseignement, de catalogues commerciaux, d'annuaires téléphoniques, ou de répertoires de services...
Et, bien sûr, pour la diffusion de films : le vidéodisque peut stocker et restituer des images de « haute fidélité ». C'est une propriété d'autant plus intéressante que le prochain perfectionnement de la télévision sera justement d'obtenir des images de haute définition. Et puis, couplé à un micro-ordinateur permettant de sélectionner les images, le vidéodisque offre des possibilités d'utilisation nouvelles : une agence de voyage pourra, par exemple, donner à ses clients une idée précise de ce qu'ils pourront visiter. Grâce au vidéodisque, le « touriste-spectateur » pourra ainsi « explorer » une ville, rue après rue, tournant dans une rue plutôt que dans une autre, entrant dans tel monument qu'il aura envie de « visiter » – un musée, par exemple – dont il peut alors choisir les salles, puis les objets exposés...

On le devine, les utilisations possibles sont surtout limitées par l'imagination des concepteurs. A côté de cela, les restrictions du magnétoscope apparaissent inacceptables. Avec ses délicates têtes tournantes, sa bande qui s'use et surtout l'accès séquentiel à une image donnée qui impose le rebobinage préalable de tout ce qui en sépare, le magnétoscope n'a qu'un avantage sur le vidéodisque réalisable en 1983 : il peut enregistrer, tandis que le vidéodisque ne fait que restituer les images enregistrées lors de sa fabrication. De ce fait, vidéodisques et magnétoscopes resteront complémentaires quelques années, comme le sont le tourne-disque et le magnétophone : le temps que les recherches en cours, visant à permettre la réutilisation du vidéodisque pour d'autres enregistrements, aboutissent. L'une des voies les plus prometteuses est l'effet magnéto-thermo-optique étudié surtout chez Xerox Corp, aux États-Unis, et par des Japonais, dont le N K H (sorte d'O R T F japonais, mais qui dispose de laboratoires de recherche).

Les vidéodisques se présentent comme des galettes rigides ou souples, suivant le modèle, de 30 cm de diamètre. Chaque face contient

45 000 images, gravées sur 45 000 pistes se succédant en spirales du centre à la périphérie. Chaque face assure une demi-heure de spectacle. Celui-ci est obtenu grâce à un « lecteur » de vidéodisque, c'est-à-dire à un appareil à laser couplé à un téléviseur.

La principale caractéristique du vidéodisque, celle qui lui donne ses performances, c'est sa très grande capacité : chaque centimètre carré gravé contient 100 millions d'informations élémentaires (bits). (Par comparaison, une seule image sur l'écran d'un téléviseur contient 2,6 millions de bits.) La gravure consiste en microcuvettes alignées pour constituer la piste en spirale. Chaque cuvette est large de 0,5 micron (un demi-millième de millimètre) et longue de 1 à 3 microns : l'information est dans cette variation de longueur.

La lecture au laser

La lecture d'un vidéodisque optique se fait par un « rayon » laser de faible puissance, dont le faisceau (invisible, car dans l'infrarouge) est focalisé avec une grande précision sur la surface réfléchissante du disque. S'il n'y a pas de cuvette, le rayon est renvoyé avec une forte intensité sur une cellule photoélectrique. Lorsque la rotation du disque amène une cuvette devant le faisceau, celui-ci est dispersé : le retour sur la cellule est beaucoup plus faible. La différence entre ces deux niveaux d'éclairement constitue la lecture. Le dispositif électronique couplé à la cellule, en tire une suite de signaux qui reconstruisent chaque ligne de l'image.

La lecture par réflexion sur un disque rigide est propre à Philips, l'un des deux inventeurs du disque vidéo optique. L'autre inventeur est Thomson-CSF, qui propose un procédé permettant la lecture des deux faces du vidéodisque sans manipulation : le vidéodisque souple transparent. (Ce procédé permet donc une heure de spectacle sans interruption.) Ici, la lecture se fait à travers le disque, toujours par dispersion du faisceau. En réglant la focalisation sur l'une ou l'autre face, on peut donc choisir le côté lu. Le système Thomson-CSF comporte une autre hardiesse technologique : par un procédé aérodynamique, c'est le disque lui-même qui, grâce à sa souplesse, se maintient à distance constante de la tête de lecture (celle-ci est sensible à 0,1 micron : la profondeur d'une cuvette...).

Thomson et Philips ont jugé bon d'investir une douzaine d'années de recherches sur le disque optique en raison d'un autre aspect de ce produit : contrairement à la bande magnétique, la reproduction d'un vidéodisque se fait par simple pressage, comme pour un disque microsillon. Les coûts de la production en série d'une œuvre donnée (film, etc.) peuvent donc être considérablement plus bas que ceux des vidéocassettes de magnétoscope. Telle est la théorie. En fait, ce n'est pas si simple : les milliards de petits trous plus ou moins longs représentent une finesse de détail à reproduire supérieure à celle que l'on trouve sur les pastilles de silicium des circuits intégrés courants. Aussi, les rendements de fabrication restaient encore en 1983 assez bas.

Il existe d'autres types de vidéodisques que ceux lus par rayons laser. Ce sont les disques à lecture dite capacitive, comme ceux produits par la firme américaine RCA. Dans ce procédé, les cuvettes, semblables à celles des disques optiques, sont lues par une électrode polarisée qui transforme en signaux électriques les variations de distance entre elle et le disque, dues à la présence ou non d'une cuvette. Autre différence, la plus visible, entre le vidéodisque de RCA et les vidéodisques à lecture optique : l'électrode capacitive est maintenue au-dessus de la piste par une pointe en diamant posée dans un sillon lisse placé entre chaque spire de piste. La répétition d'une image devient ainsi impossible. Malgré ce handicap, le vidéodisque de RCA semble avoir néanmoins démarré commercialement aux État-Unis, où RCA aurait vendu plus de 6 millions de disques en 1982.

La perfection du son

Un autre procédé à lecture capacitive a été lancé sur le marché américain par JVC, la filiale de Matsushita. Ce procédé se distingue de celui de RCA par l'absence de sillon de guidage. Depuis 1980, le vidéodisque optique de Philips est également présent sur le marché américain, par l'intermédiaire de sa filiale Magnavox et d'une firme japonaise « Pioneer » exploitant une licence Philips.

En 1983, les meilleures chances d'avenir semblaient aller aux vidéodisques optiques. A cela une bonne raison : la réussite du « compact-disc », un disque optique lancé à la fin de l'année 1982, limité au son. Mais quel son ! Les quelque 6 milliards de cuvettes par face (durée : une heure) de cette galette de 12 cm de diamètre placent d'emblée la qualité sonore du « disque compact » au sommet des plus belles performances réalisées par les maillons purement électroniques de la chaîne de reproduction. Ces « disques compacts » à lecture par rayon laser assurent 90 décibels de rapport signal sur bruit (alors qu'il est de 50 environ pour le microsillon); autrement dit, même les sons les plus bas sont reproduits sans bruits de fond. Il n'y a pas de pleurage, pas de ronronnement. Les variations de la puissance du son sont parfaitement « rendues ». Et toute la gamme des fréquences audibles de 20 à 20 000 Hertz est reproduite à la perfection. Bref, les limites de l'oreille la plus fine sont largement dépassées. (Et puis, ces disques ne sont pas érodés par la lecture, comme c'est le cas des disques ordinaires lus par une pointe-diamant : autre avantage !)

En matière de « disque compact », aussi appelé « audio-numérique », tous les fabricants se sont ralliés à un seul procédé, dérivé du vidéodisque de Philips.

Si le disque optique « compact » est bien lancé, le vidéodisque fait son entrée commerciale plutôt par le détour des applications professionnelles, comme l'archivage de documents pour les bibliothèques, banques, entreprises, etc.

On ne peut traiter du vidéodisque et de son avenir sans évoquer le disque optique à procédé magnétique. L'idée est de combiner l'optique et le magnétisme pour la densité et le magnétisme pour la capacité de ré-inscription. Ce sont les recherches évoquées plus haut chez Xerox et le NKH japonais, en vue de mettre au point le vidéodisque réinscriptible. Mais c'est Philips qui a obtenu en décembre 1982, un premier résultat important : la firme hollandaise annonçait la mise au point d'un disque prototype de 5 cm de diamètre, à lecture optique et ré-inscriptible, destiné à l'informatique.

Claude Amalric

BIBLIOGRAPHIE

Dossiers

BOURDIN, FAUJARDON, FONT, MAES, *Le disque optique numérique : technologie et applications,* CTI, Rocquencourt, 1981.

Annuel Technology Update (Consumer), *Electronics,* n° 35-21, Mac Graw-Hill, New York, 1982.

« Le stockage des données sur disque », *Pour la science,* n° 36, 1980.

Brochure Compact disc, Philips, Paris, 1982.

Instruments scientifiques : l'irruption de l'optoélectronique

Les années soixante-dix ont vu le développement des appareils nécessaires aux télécommunications par voie optique [315] : des émetteurs constitués par des sources lasers [427] à semi-conducteurs, c'est-à-dire des appareils émettant un pinceau lumineux extrêmement fin, directif et brillant ; des fibres assurant la transmission des rayons lumineux sur de grandes distances ; des récepteurs constitués par des photodiodes, c'est-à-dire des appareils à semi-conducteurs délivrant un courant électrique lorsqu'ils sont stimulés par un rayon lumineux.

Dès le début des années quatre-vingt, tous ces éléments trouvent aussi des applications dans l'instrumentation scientifique. Ils représentent la conjugaison de l'optique et de l'électronique, et peuvent ainsi permettre la construction d'appareils extrêmement sensibles, fiables, rapides, peu coûteux, économes en énergie, faciles à manipuler et à coupler à des ordinateurs. Leur premier domaine d'application est celui de la visualisation des données : on a ainsi assisté à une véritable explosion en matière d'affichage numérique par chiffres (rares sont maintenant les cadrans à aiguille), comme en matière de visualisation d'images par écrans à tube cathodique (comme ceux employés dans les postes de télévision). Mais on peut citer d'autres exemples où l'optoélectronique a permis d'importants progrès. Loin d'être limitatifs, ils donneront une idée de sa pénétration dans l'instrumentation scientifique.

C'est vers la fin des années soixante qu'est apparue l'idée de se servir de certains phénomènes d'optique pour mesurer l'intensité des courants électriques élevés, c'est-à-dire pour réaliser de nouveaux types d'ampèremètres. Le principe retenu pour ces appareils était celui de la rotation du plan de polarisation de la lumière dans la fibre, due à l'effet Faraday. En effet, lorsqu'un champ magnétique est appliqué parallèlement à la direction de propagation d'un rayon lumineux, il induit une rotation de son plan de polarisation (la polarisation d'une onde lumineuse est la supression de ses vibrations électromagnétiques dans tous les plans de l'espace, sauf un). A la fin des années soixante, l'appareil proposé consistait en un barreau de « flint lourd » (verre d'optique à base de plomb) placé près de la ligne de courant et traversé par un faisceau de lumière polarisée. Quoique facile à mettre en œuvre, cette méthode était peu reproductible en raison de l'atténuation de la lumière due aux qualités optiques du « flint ». Dans les années soixante-dix, l'apparition de fibres optiques assurant une bien meilleure propagation de la lumière a relancé ce type d'appareil. Il était en cours de mise au point dans de nombreux laboratoires, au début des années quatre-vingt.

Ce nouveau type d'ampèremètre utilise un interféromètre de Sagnac à fibre optique pour mesurer les phénomènes dépendant de la polarisation. Le principe est d'émettre des rayonnements lasers à chaque extrémité d'une fibre optique en forme de boucle, et contenant en son centre le conducteur électrique dont on veut mesurer le courant. Le passage du courant introduit un déphasage dans la marche des rayons lumineux. Ce déphasage peut se mettre en évidence en provoquant des franges d'interférence entre les deux rayonnements : il est proportionnel à l'intensité du courant appliqué. Cet appareil mesure des courants compris entre 200 et 62 000 ampères.

Détecter quelques molécules

Par ailleurs, une firme japonaise SEI (Sumitorms Electric Industries) a mis au point un système pour les mesures des champs électriques de fortes tensions (jusqu'à 15 000 volts par centimètre), en associant une fibre optique et des cristaux de bismuth-silicium BSO ($Bi_{12}SiO_{20}$). Ce système entièrement passif ne possède aucune partie métallique et n'a besoin d'aucun contact matériel pour fonctionner. Le capteur utilise les propriétés électro-optiques du BSO : un faisceau de lumière polarisée, conduit par une fibre optique, tombe sur le cristal de BSO. Celui-ci, en raison du champ électrique auquel il est soumis, change le plan de polarisation de la lumière qui le traverse.

Dans un tout autre domaine, celui de l'analyse chimique, le développement des photodiodes a permis de faire évoluer la spectrométrie, entre autres la spectrométrie Raman. Il s'agit de l'analyse spectrale de la lumière transmise par un milieu solide ou liquide. L'analyse spectrale consiste à exploiter les interactions entre la matière et les radiations électromagnétiques par l'analyse des « spectres » : les différents rayonnements de longueur d'onde distincte sont séparés par un prisme ou un réseau optique. Les raies qui composent ce rayonnement sont séparées en rayonnements colorés de longueur d'onde distinctes, comme lors du phénomène de l'arc-en-ciel. En fonction de la présence ou de l'absence de molécules particulières au sein de l'échantillon au travers duquel a diffusé la lumière, certains rayonnements – on dit certaines raies spectrales – seront présents ou absents.

La spectrométrie Raman basée sur ce principe permet donc de révéler la présence de composés chimiques dans un échantillon, et ceci pour des quantités infimes : la précision de l'analyse permet de détecter la présence de quelques molécules d'un composé dans un échantillon. Ce type de spectromètre n'a cessé d'évoluer tout au long des années soixante-dix. La première génération avait été constituée par des appareils dits « monocanal », c'est-à-dire pouvant enregistrer une

---
BIBLIOGRAPHIE

Ouvrages

FERDINAND P., *Conférences Opto 82 : ampèremètres interférométriques à fibres optiques,* Masson, Paris, 1982.

HILL D., *Les optiques à fibres et leurs applications,* Eyrolles, Paris, 1980.

Articles

DELHAYE M., BRIDOUX M., WALLART F., « La résolution temporelle et la résolution spatiale en spectrométrie Raman », *Courrier du CNRS,* n° 2, 1981.

HARMER A. L., « Capteurs non interférométriques à fibres optiques », *Congrès Mesucora,* n° 9, 1982.

HARMER A. L., « Un capteur de courant à fibre optique pour l'an 2000 », *Mesures Régulation Automatisme,* n° 3, 1982.

HARMER A. L., « Visualisation : les dernières techniques », *Mesures Régulation Automatisme,* nᵒˢ 8-9, 1982.

seule raie spectrale à la fois, au rythme de plusieurs à la minute. La seconde génération possédait un détecteur à plusieurs cellules photoélectriques, enregistrant chacune une raie spectrale déterminée. Cet appareil permettait ainsi de suivre plusieurs espèces moléculaires et précisait leur localisation dans l'échantillon.

La troisième génération de la fin des années soixante-dix est aussi un appareil multicanal, mais doté d'un très grand nombre de photodiodes permettant ainsi de recevoir en permanence la totalité de l'image spectrale de diffusion Raman. Il permet ainsi d'effectuer une véritable photographie, dont le temps de pose varie de la milliseconde à quelques picosecondes (millionième de millionième de seconde). Ce type d'appareil permet donc de suivre des phénomènes rapides et aléatoires, tels que le déroulement de réactions chimiques. Au début des années quatre-vingt, ce type de spectromètre a encore été perfectionné, conduisant à la création d'un véritable microscope Raman, fournissant directement la localisation des espèces chimiques dans un échantillon.

Marie-Odile Mizier

Les écrans plats

Monsieur X tient à sa réputation d'homme moderne, et il n'aime pas être en retard d'une nouveauté. Il vient de commander une voiture avec écran de bord électronique à cristaux liquides. Il a été un des premiers à se servir d'une calculatrice de poche, et il en est aujourd'hui à son cinquième modèle, avec un écran qui lui permet d'écrire une ligne d'équations. Il trouve d'ailleurs qu'une ligne, c'est insuffisant, et il attend avec impatience les modèles suivants. Cet homme moderne sait être sentimental : il est resté fidèle à sa vieille montre mécanique, mais ses enfants ont des montres électroniques. Leurs écrans de poche permettent de jouer avec des jongleurs ou des parachutistes qu'il faut empêcher de tomber à l'eau, donnent l'heure et servent même de réveil! Monsieur X vient d'apprendre qu'après le walkman, l'industrie japonaise préparait la télévision de poche : l'image apparaîtra sur un écran miniature. Cette télévision de voyage ne lui donnera pas d'images en couleur, mais il est convaincu que ça viendra. En attendant, il se promet bien d'acheter un des premiers postes disponibles.

Quant à sa télévision familiale, il est persuadé qu'elle ne pourra plus rester un meuble encombrant et que les ingénieurs sauront en faire un écran plat qui s'accrochera au mur, comme un tableau. Un tableau aussi grand que l'on voudra, pour voir comme au cinéma, des personnages grandeur nature. Cette petite histoire résume à peu près l'état actuel des écrans plats, du point de vue du consommateur. Techniquement, la situation est la suivante.

On ne produit encore de façon courante en 1983 que de petits écrans plats avec des images simples : quelques chiffres, lettres et dessins. Ce sont les écrans des montres, des calculatrices et des jeux électroniques. On en fabrique chaque année plusieurs centaines de millions. La technique utilisée est celle des cristaux liquides. Son avantage est de consommer très peu d'énergie (quelques microwatts pour une montre). Des écrans plats plus évolués, qui sont encore chers permettent de présenter plusieurs lignes de texte et des dessins relativement complexes avec éventuellement des zones colorées fixes.

Entrons un peu plus dans la structure et le fonctionnement des écrans plats. On peut distinguer deux familles : les tubes cathodiques et les écrans matriciels. Rappelons tout d'abord comment fonctionne le tube cathodique classique tel qu'il figure dans un téléviseur ordinaire. Il n'est, bien sûr, pas plat, mais a la forme d'un entonnoir dont l'écran ferme la grande ouverture ; dans le col, la source d'électrons : à l'intérieur, le vide, pour que les électrons se déplacent librement. Entre la source et l'écran, on établit une différence de potentiel élevée, quelques dizaines de milliers de volts, de façon à transformer des électrons en projectiles assez énergétiques pour produire de la lumière en bombardant une couche phosphorescente déposée sur la paroi de l'écran. Pour obtenir un écran plat, on dispose la source parallèlement à l'écran, et on courbe la trajectoire des électrons au moyen d'un champ électrique supplémentaire qui les rabat sur la couche phosphorescente.

L'image des tubes cathodiques, plats ou non, est faite par balayage : comme si le faisceau d'électrons était une mine de crayon et qu'on dessinait l'image en enchaînant des lignes parallèles, de haut en bas, et en accentuant plus ou moins la pression sur la mine selon la teinte plus ou moins noire des zones traversées par chaque ligne. En fait, c'est la quantité d'électrons envoyés dans le faisceau qui joue, à l'envers, le rôle de cette pression : plus elle est grande, plus le point frappé par le faisceau est lumineux. Au contraire, pour produire des zones noires, on interrompt le débit d'électrons.

Le faisceau d'électrons permet tout cela : on peut le déplacer assez simplement de manière précise avec des champs électriques ou magnétiques, et on contrôle facilement son intensité. C'est un « crayon » idéal. Pour dessiner en « couleurs », on utilise trois « crayons », un rouge, un bleu, un vert ; la combinaison de ces trois couleurs, selon leurs proportions, donne toutes les couleurs visibles. Les trois « crayons » sont trois

sources d'électrons qui sont disposées de façon à tirer chacune sur les points rouge, bleu, vert de la couche phosphorescente. Ajoutons que ces « crayons » sont très rapides. L'image de télévision, qui, en Europe, comporte 625 lignes, doit être composée en 1/50 de seconde. C'est à cette condition que le spectateur aura l'impression d'un enchaînement cinématographique, sans papillotement.

Une grille pour remplacer le balayage

De leur côté, les écrans matriciels sont naturellement plats. Ils sont simplement constitués de deux plaques de verre posées l'une sur l'autre, à une très faible distance (quelques centièmes à quelques dixièmes de millimètre), grâce à des cales. Entre les deux plaques est placée la couche dite électro-optique où se forme l'image. Sur la face intérieure de chaque plaque se trouve un réseau de lignes parallèles, qui sont des conducteurs électriques transparents. On dispose les plaques de façon que les deux réseaux soient perpendiculaires. L'ensemble forme une grille, ou une matrice. La couche électro-optique est prise entre les barreaux horizontaux (lignes) et les barreaux verticaux (colonnes) de la grille. Lignes et colonnes sont reliées à des circuits intégrés [271] qui leur envoient des signaux électriques.

Le fonctionnement général est le suivant. Une ligne est mise sous tension pendant qu'une colonne est reliée à l'autre pôle de la source d'électricité. On applique ainsi une différence de tension V entre deux faces de la couche électro-optique, en un point qui se trouve au croisement de la ligne et de la colonne, et l'aspect du point change ; par exemple, il émet de la lumière. On mettra la ligne au potentiel électrique à + $\frac{V}{2}$, la colonne à − $\frac{V}{2}$, toutes les autres lignes et colonnes étant maintenues au potentiel O. Les autres points de la ligne et de la colonne seront donc soumis à une demi-tension + $\frac{V}{2}$ ou − $\frac{V}{2}$. Il faut que cette demi-tension n'agisse pas de façon visible sur la couche électro-optique. Celle-ci doit ainsi répondre de façon particulière à l'excitation électrique : pas de réaction en dessous d'un seuil de tension qui doit être supérieur à $\frac{V}{2}$, et une réaction bien marquée au-dessus.

On pourrait éviter ce problème – car c'en est un, les couches électro-optiques ne possédant pas toutes un seuil d'excitation suffisant – en séparant la commande électrique de chaque point. On rencontrerait alors une difficulté insurmontable : une image de télévision est formée d'environ 300 000 points (625 lignes et l'équivalent de 500 colonnes) : il faudrait 600 000 fils de commande – deux par point – et autant de connexions. L'économie de fils est le principal avantage de la structure matricielle : il suffit, dans l'exemple précédent, de 1125 connexions (625 lignes + 500 colonnes). La structure matricielle est donc nécessaire quand on renonce au balayage propre au tube cathodique.

Les écrans cathodiques et les écrans matriciels présentent deux différences principales. Première-ment, les difficultés de réalisation et le coût des écrans matriciels croissent fortement avec le nombre de points de l'image, notamment à cause de l'augmentation du nombre de connexions et de circuits intégrés commandant l'écran. Au contraire, la structure du tube cathodique dépend peu du nombre de points. Deuxièmement, l'image d'un écran matriciel est stable, tandis que l'image d'un tube cathodique est susceptible de légères variations de position, liées aux fluctuations des champs de balayage. Il en résulte des oscillations qui sont fatigantes lorsque l'image ne change pas. C'est le cas des présentations de textes ou de graphiques pour lesquelles l'écran matriciel est supérieur au tube cathodique.

A quand la télévision murale?

Il existe en fait un troisième type d'écran, les écrans matriciels inté-grés qui combinent d'une certaine façon les avantages des deux autres. En associant directement à l'écran un circuit intégré de même taille sur lequel on dépose la couche électro-optique, on réalise une structure idéale, sans plus de connexions qu'un tube cathodique, alors que chaque point de l'image est traité presque comme s'il avait deux connexions indépendantes. Sous chaque point se trouve en effet un transistor qui le commande indépendamment de tous les autres – il n'y a donc plus besoin de seuil. Ce système, bien adapté aux cristaux liquides, est encore très coûteux et limité à des écrans de quelques centimètres car-rés.

On peut aussi faire une distinction entre écrans actifs et écrans passifs. Les écrans actifs sont ceux qui, comme les téléviseurs, émettent de la lumière; les écrans passifs, comme les montres ou les affichages mécaniques des aéroports, ne sont visibles que grâce à l'éclairage ambiant. Les écrans actifs consom-ment une énergie non négligeable qu'il faut augmenter avec la lumière extérieure pour que l'image reste visible (c'est le cas du téléviseur classique, qui pâlit au soleil, et plus généralement de tous les écrans cathodiques, des écrans à plasma, des écrans électroluminescents). Au contraire, les écrans passifs, c'est-à-dire, en pratique, les écrans à cristaux liquides, consomment peu et sont d'autant plus lisibles que l'éclairage est plus fort. Ils sont bien adaptés, d'une part, aux appareils portables fonctionnant sur pile, d'autre part, à l'utilisation en extérieur.

Quel sera l'écart entre les espoirs de Monsieur X et la réalité des années quatre-vingt? Monsieur X risque d'attendre encore longtemps son écran mural de télévision en couleurs, qui sera sans doute la dernière étape de l'évolution des écrans plats, tant elle accumule les difficultés. Cela ne l'empêchera pas d'avoir chez lui toutes sortes d'écrans plats : sur les ordinateurs de la famille, sur les calculateurs de poche, sur le téléphone, sur des jeux électroniques plus raffinés que ceux d'aujourd'hui, sur un télécopieur, sur beaucoup d'appareils ménagers, dans la voiture. Ni d'en rencontrer dehors : journaux muraux, guichets automatiques...

Denis Randet

BIBLIOGRAPHIE

Articles

BRODY T.P., « When – if Ever – Will the C R T be Replaced by a Fat Dysplay Panel », *Microelectronics Journal*, n° 3, 1980.

BUDIN J.-P., « Dispositifs modernes de visualisation », *L'écho des recherches*, juin et juillet 1982.

GOEDE W., TANNAS L., « Flat Panel Dysplays, a Critique », *I E E E Spectrum*, juillet 1978.

LABRUNIE G., « La télévision de poche », *La Recherche*, avril 1981.

RANDET D., « Les écrans plats », *La Recherche*, septembre 1981.

ROBERT J., « La télévision sans tube », *Science et avenir*, janvier 1980.

Dossier

MARTIN A., « La présentation d'images », *Compte rendu de la conférence Opto 82*, ESI Publications, Paris, 1982.

Les images en relief

En 1982, la rediffusion de vieux films « en relief » à la télévision et dans certaines salles de cinéma parisiennes a relancé l'intérêt du public pour les images « en trois dimensions ». sera-t-il bientôt possible de voir au cinéma ou à la télévision des images en couleur et en relief sans que le spectateur ait à se munir de lunettes spéciales ? La perception du relief est due à la vision binoculaire, c'est-à-dire au fait que chacun des deux yeux voit un même objet sous deux angles légèrement différents. La synthèse dans le cerveau d'une seule image de l'objet à partir de ces deux images légèrement différentes conduit à la sensation du relief.

Dans l'état actuel des connaissances, deux procédés permettent de reconstituer le relief : la stéréoscopie et l'holographie. La stéréoscopie se base sur la création d'un relief artificiel par l'observation de deux images planes au moyen d'un appareil qui n'autorise chaque œil à voir qu'une seule image (chacune des deux images photographiques ayant été prise sous un angle différent). L'appareil, bien connu du public, est un stéréoscope, constitué d'un boîtier dans lequel on observe un couple de diapositives au moyen de deux oculaires. Le principe de la stéréoscopie est connu depuis l'Antiquité. Mais ce n'est qu'à la fin du XIXe siècle que le stéréoscope a été mis au point grâce aux travaux de Wheastone et Brewster en Angleterre, et Richard en France. Cet appareil, largement perfectionné, est toujours utilisé pour effectuer des relevés topographiques à partir de clichés aériens. Ainsi la plupart des cartes géographiques sont réalisées grâce à ce dispositif.

Le principe d'observation du relief que nous venons d'évoquer peut être transposé moyennant certaines modifications à la vision collective, le cinéma en relief par exemple. La séparation des images devant être vues par chaque œil fait alors appel à deux techniques : les anaglyphes et la polarisation de la lumière. Les anaglyphes sont connus depuis longtemps : ils consistent en la projection d'un couple d'images stéréoscopiques avec des couleurs différentes (par exemple une image rouge et une verte). L'observation se fait avec des filtres colorés (rouge et vert) placés devant les yeux. Chaque œil ne peut alors voir que l'image qui lui est destinée tandis que l'image effectivement perçue au niveau du cerveau présente une coloration brune (rouge + vert) et donne l'impression du relief. L'inconvénient de ce procédé (outre l'obligation de porter des lunettes) est que les images ne peuvent être que d'une seule couleur (brune).

L'autre technique repose sur la polarisation de la lumière. La lumière, qui est une radiation de nature électromagnétique, vibre à l'état naturel dans toutes les directions d'un plan perpendiculaire à l'axe de propagation. Cependant l'interaction de la lumière avec la matière, et en particulier avec les milieux cristallins, peut conduire à la sélection, parmi toutes les directions de vibration de l'onde, d'une direction particulière. La lumière est alors dite polarisée. Réciproquement, on peut rechercher la polarisation d'une onde en la faisant pénétrer dans un cristal dont les caractéristiques sont connues : si les directions de vibration de l'onde et de polarisation du cristal sont parallèles, le flux lumineux est maximal ; si elles sont perpendiculaires, le flux lumineux est nul. On conçoit qu'en polarisant deux images dans des directions perpendiculaires et en observant ces images à travers des verres polarisants convenablement orientés, une image puisse avoir une luminosité maximale pour un œil et une luminosité nulle pour l'autre. Le procédé stéréoscopique par polarisation permet donc d'obtenir le relief et la couleur de manière simultanée mais il requiert l'emploi de polariseurs sur les objectifs de projection et le port par les spectateurs de lunettes polarisantes.

Voir le relief sans lunettes

Une troisième voie de la stéréoscopie s'est développée dans le but de permettre l'observation d'images en relief par vision directe sans lunettes. Le dispositif chargé de séparer les canaux affectés à chaque œil est alors situé au niveau de l'image elle-même. Ce procédé, appelé « auto-stéréoscopie », est dû aux recherches de Ives en Angleterre, avant la Première Guerre mondiale. Il est basé sur l'observation d'une image à travers un réseau composé de bandes linéaires alternativement transparentes et opaques

(cette grille est placée presque sur l'image). Du fait de l'écartement des yeux, chaque œil voit une partie différente de l'image placée derrière le réseau. Pour qu'un effet de relief apparaisse, il faut avoir enregistré au préalable, à travers le réseau et sur un même support photographique, les images d'un objet prises sous des angles différents.

En fait, dès le début du XXᵉ siècle, le physicien français G. Lippman (l'inventeur de la photographie en couleurs) avait mis au point un procédé de principe voisin : il couvrait une photographie d'un réseau de microlentilles. Dans ces conditions, l'obsrvateur ne voit pas la photographie elle-même : il en voit seulement des images virtuelles données par le réseau de microlentilles. Or, l'optique de celles-ci est calculée de telle façon que chaque œil voie une image légèrement différente : d'où la sensation de relief. Cependant, le procédé de Lippman était difficile à réaliser pratiquement.

Dans les années soixante-dix, le Français Bonnet recourut à un réseau de microlentilles cylindriques en plastique plus faciles à fabriquer. (Ce réseau forme à la surface d'une telle photo en relief ce que l'on appelle une surface gaufrée). Depuis

1980, ce procédé a trouvé des applications en photographie amateur et publicitaire.

Du relief qui n'est pas une illusion

Alors que la stéréoscopie constitue une illusion de vision en relief, l'holographie se présente comme un moyen d'enregistrer et de restituer des images réellement tridimensionnelles (c'est-à-dire qu'en se déplaçant il est possible de voir l'objet sous différents angles). Le principe de l'holographie fut établi en 1945 par D. Gabor en Grande-Bretagne, dans le cadre de travaux sur la microscopie électronique. Mais cette technique ne prit réellement son essor qu'en 1960 grâce à l'invention du laser.

L'holographie repose sur le principe de l'interférence entre deux ondes lumineuses vibrant avec la même fréquence, mais avec un déphasage. Si on éclaire un écran au moyen de ces deux ondes, on obtient un champ lumineux strié de zones claires (aux endroits où les ondes se retrouvent en phase) et de zones d'ombres (aux endroits où les ondes se retrouvent en opposition de phase). Cette alternance de stries sombres et claires s'appelle des franges d'interférence.

Il faut savoir en outre que les rayons de lumière réfléchis par un objet à trois dimensions subissant des déphasages résultant de leurs trajets différentiels en raison du relief. L'holographie consiste alors à faire interférer les rayons réfléchis par un objet lumineux dont on souhaite restituer l'image, avec un rayonnement distinct (n'ayant pas été perturbé par l'objet), appelé onde de référence.

Le champ de franges d'interférence ainsi obtenu est enregistré sur une plaque photographique qui, après développement, devient un hologramme. La restitution ou « démodulation » de l'image tridimensionnelle est obtenue en éclairant l'hologramme par la seule onde de référence. L'image ainsi formée est une réplique exacte de l'objet : la restitution du relief est une réalité physique et non plus une illusion, comme en stéréoscopie. Des conditions rigoureuses doivent cependant être remplies lors du processus d'enregistrement : la lumière doit être « cohérente » c'est-à-dire monochromatique (une seule longueur d'onde) et être issue d'une source ponctuelle : c'est le cas de la lumière « laser » [427]. De plus, la stabilité mécanique du dispositif de prise de vues doit être parfaite.

Depuis les années soixante-dix, la technique holographique, en pleine évolution, cherche à rendre moins contraignantes les conditions d'enregistrement et de restitution des hologrammes. Ainsi certains dispositifs permettent déjà de restituer des images d'hologrammes en lumière naturelle (ce sont les hologrammes dits à arc-en-ciel). La reproduction des couleurs et l'animation des images holographiques constituent également des axes de recherche privilégiés susceptibles d'aboutir à moyen terme.

En fait, les débouchés les plus intéressants de l'holographie se situent au niveau scientifique : mesures par interférométrie, dispositifs de visualisation, fabrication de composants optiques, traitement optique de l'information... De plus, les possibilités de transposition des techniques d'holographie à des rayonnements de longueurs d'onde ou de nature différente (rayons X, micro-ondes, radiofréquences, ondes acoustiques,...) semblent porteuses d'avenir dans des domaines tels que la microscopie, l'astronomie ou l'imagerie médicale [236].

Dans la vie de tous les jours, l'avenir de l'image en trois dimensions semble attaché à la télévision plutôt qu'à tout autre moyen audiovisuel. Dans cette perspective, l'auto-stéréoscopie présente des avantages par rapport à l'holographie, dans la mesure où elle est plus facilement transposable aux réseaux de diffusion existants, sans qu'il soit nécessaire de modifier fondamentalement la conception et la technologie des récepteurs, des émetteurs, des caméras de prise de vues, comme cela serait certainement le cas avec l'holographie...

Richard Ferrière

BIBLIOGRAPHIE

Ouvrages

CHAUVIÈRE M., *La télévision en relief*, Éditions techniques et scientifiques françaises, Paris, 1978.

PIZON J., *Manuel de photographie stéréoscopique des petits objets*, Stéréo club français, Chaville, 1982.

SAXBY G., *Hologrammes*, Masson, Paris, 1983.

VIÉNOT J. C., *Smigelski* P., ROYER H., *Holographie optique*, Dunod, Paris, 1971.

Articles

BULABOIS J., TRIBILLON G., « Les images à trois dimensions », *La Recherche*, n° 144, 1983.

LEITH E., « White Light Hologramm », *Scientific American*, octobre 1976.

ÉNERGIE ET MATÉRIAUX

Les ressources minérales des grands fonds

Les ressources minérales du domaine marin ayant un intérêt économique sont les champs de pétrole ou de gaz situés à faible profondeur, ainsi que les nappes de sables et graviers, les sables calcaires, les dépôts de minéraux lourds et de phosphates. Dans les grandes profondeurs, les ressources minérales sont représentées principalement par les nodules de manganèse et les dépôts métalliques sous forme de sulfures.

Les nodules de manganèse

Lorsqu'en 1873, l'expédition autour du monde du H MS Challenger, dirigée par Sir Charles Vyville Thomson, découvrit les premiers nodules de manganèse à environ trois cents kilomètres au sud-ouest des Canaries et à 4 000 mètres de profondeur, personne ne pouvait imaginer l'importance que prendrait cette découverte cent ans plus tard. On en trouva ensuite dans tous les océans (océan Pacifique, océan Indien...), mais pendant très longtemps ils furent considérés comme des curiosités géologiques et peu de travaux leur furent consacrés. Il a fallu attendre les années soixante et la thèse de l'Américain Mero, qui a présenté une première évaluation des réserves de métaux des grands fonds, pour que l'intérêt industriel s'éveille et incite à de nouvelles recherches.

Les nodules sont des concrétions noires ou brun foncé se formant en général autour d'un corps dur ou noyau. Ils ont en moyenne la taille d'une pomme de terre, mais toutes les tailles existent entre le micronodule millimétrique et le nodule « Horizon », le plus gros exemplaire remonté jusqu'à présent et qui pèse 850 kilos. Leur surface peut être lisse ou mamelonnée, et leur forme va de la sphère parfaite à des ellipsoïdes aplatis. L'oxyde métallique est en général réparti en couches concentriques autour du noyau, ces couches internes ayant généralement des compositions chimiques et minéralogiques un peu différentes.

Les couches d'oxydes métalliques contiennent, outre du manganèse et du fer, du cuivre, du nickel, du cobalt et d'autres éléments sous forme de traces. La teneur en manganèse et en fer, en pourcentage par rapport au poids du nodule, est de l'ordre de 10 % à 20 % alors que celle du cuivre, du nickel et du cobalt est de l'ordre de 1 %. Il est admis que seuls les nodules ayant une teneur cumulée en cuivre et en nickel de l'ordre de 2,5 %, associée à une densité sur le fond de l'ordre de 10 kg par m², ont une valeur potentielle suffisante pour justifier une future exploitation éventuelle.

Des cartes de répartition des nodules ont été dressées au cours des années soixante et soixante-dix et elles ont été affinées à partir d'études systématiques. Les zones riches en nodules sont disposées en général par grande profondeur (autour de 5 000 mètres), dans les zones des océans où la sédimentation est faible, donc loin des continents et des zones équatoriales où le plancton est abondant. Généralement, ces zones sont aussi celles où le volcanisme a pu introduire des débris rocheux pouvant constituer le noyau des nodules.

L'océan Atlantique est pauvre en nodules dans sa partie nord et plus riche dans sa partie sud, mais les nodules y sont généralement pauvres en nickel et cuivre. Dans l'océan Indien, les nodules sont plus nombreux dans le domaine des dorsales (sortes de chaînes de montagnes sous-marines) et dans les zones à faible sédimentation. Les teneurs en métaux nobles semblent encore ici être généralement inférieures à celles observées dans l'océan Pacifique. Dans l'océan Pacifique Nord, une large bande latitudinale entre 10° N et 20° N (entre les Iles Hawaï et la

basse Californie) constitue une zone particulièrement intéressante au plan économique. Dans le Pacifique Sud, les « champs » de nodules semblent plus dispersés.

Dans la première phase d'exploration de cette dernière région on a procédé à des opérations de sondage régulièrement espacées pour définir la teneur et l'abondance des nodules sur le fond. Un des éléments importants intervenant sur l'extension d'un « champ » de nodules est la morphologie du fond. Les études en cours au tournant des années quatre-vingt ont montré que les fonds « à nodules » ne sont pas des plaines, mais des zones où la morphologie est plus tourmentée. On a trouvé une grande variabilité de l'abondance des nodules, passant en quelques mètres de nodules quasi jointifs à des espaces sans nodules. Les champs de nodules semblent se présenter comme des bandes d'une dizaine de kilomètres de longueur et de quelques kilomètres de largeur au fond de petites vallées, plutôt que comme des surfaces planes de milliers de km², comme on l'avait d'abord imaginé.

Pour la France, les équipes du CNEXO, dans le cadre d'une association appelée AFERNOD (regroupant le CNEXO, le CEA, etc.), ont réalisé plus de quarante campagnes de recherche dans le Pacifique Sud puis dans le Pacifique Nord. Dans la bande du Pacifique Nord, entre les îles Hawaï et la basse Californie, qui est aussi explorée par des consortiums de société multinationales, les équipes françaises ont découpé une superficie de 2,5 millions de km² (5 fois la superficie de la France) en carrés de 100 km de côté. En effectuant des prélèvements réguliers selon ce grand maillage et en utilisant des méthodes statistiques, des régions plus ou moins riches ont été caractérisées. Le maillage a alors été resserré en pratiquant quatre fois plus de prélèvements. Les équipes du CNEXO ont ainsi défini une bonne zone de 500 000 km² riche en nickel, cuivre, et cobalt, dont l'étude détaillée se

De la dérive des continents à la tectonique des plaques

La théorie de la tectonique des plaques reprend plusieurs aspects de la vieille théorie connue sous le nom de *dérive des continents*. L'idée de base de cette dernière est que les continents actuels résultent d'un morcellement de supercontinents préexistants, suivi d'une migration des différents blocs à la surface du globe.

À la fin du XIX° siècle, un Autrichien, Suess, avait suggéré à partir d'arguments fondés sur la morphologie et la géologie des continents que l'Afrique, l'Amérique du Sud, l'Inde et l'Australie avaient appartenu à un même grand bloc continental. En 1912, le scientifique allemand Wegener soulignait l'emboîtement parfait de la côte atlantique de l'Amérique du Sud dans celle de l'Afrique. D'autre part, l'étude des faunes et des flores fossiles des différents continents avait montré pour chaque continent des variations climatiques fort importantes au cours du temps : on avait trouvé des dépôts d'origine glaciaire en Afrique et des sols rouges tropicaux en Europe, par exemple. Wegener a interprété ces observations comme étant dues non à des changements climatiques intenses et périodiques mais au déplacement des continents autour du globe, sous des conditions polaires puis tropicales. Sa synthèse a été publiée sous le titre de *dérive des continents* dans les années 1920.

Cette idée n'a pas été acceptée et intégrée dans les recherches au cours des décennies suivantes, car les géophysiciens n'arrivaient pas à trouver ce qui pouvait bien être la cause de cette dérive. D'autre part, les données provenant des océans étaient rares. Au cours des années soixante, l'idée a refait surface grâce à de nouvelles observations géophysiques (mesures de la propagation des ondes sismiques; des variations de la pesanteur...), réalisées dans les océans. Hess (États-Unis) en 1960, Dietz (États-Unis) en 1961, Vine et Matthews (Grande-Bretagne) en 1963, Wilson (États-Unis) en 1965, apportèrent un nouveau mode de compréhension de l'évolution des océans. En 1967 et 1968, tous ces éléments nouveaux et les observations de la dérive des continents étaient intégrés dans un nouveau modèle appelé *expansion des fonds océaniques* ou *renouvellement des fonds océaniques*. Les fondations de ce modèle furent présentées par Morgan (États-Unis) en 1967, McKenzie (Grande-Bretagne) et Parker (États-

poursuit. Les outils utilisés pour cette phase d'exploration sont les préleveurs d'échantillons de nodules libres, les appareils photographiques à câble qui permettent la prise de 6 000 vues en continu, un engin télécommandé pour les prises de vues, un sondeur à ultrasons multifaisceau, le Seabeam, qui permet une cartographie détaillée des fonds...

Une exploitation annuelle de 3 millions de tonnes de nodules permettrait de satisfaire les besoins de la France à 80 % pour le nickel, à 5,5 % pour le cuivre et couvrirait deux fois les besoins en cobalt. Jusque-là on avait négligé le manganè-

Unis) en 1967, Le Pichon (France) en 1968, Isacks (États-Unis) en 1968.

Ce modèle repose sur trois grands principes :

1) Le globe terrestre comprend une couche de roches supérieure (externe), rigide et élastique, dont l'épaisseur peut atteindre 100 kilomètres : c'est la croûte terrestre, appelée lithosphère. Celle-ci repose sur une couche de roches plus profondes et plus malléables : c'est l'asthénosphère.

2) Les tremblements de terre (ou séismes) représentent de l'énergie mécanique dépensée à la surface du globe au niveau de la croûte terrestre. Ils se produisent selon des zones linéaires préférentielles. Ils sont en fait le résultat de mouvements différentiels entre un certain nombre de blocs distincts, dont est composée la croûte terrestre. Ces mouvements caractérisent ainsi trois types de frontière entre les blocs : frontière de coulissage, frontière de compression, frontière de distension. De la croûte nouvelle est créée à l'axe de dorsales océaniques (grandes chaînes de montagnes sous-marines au sein des océans), représentant des frontières de distension, et une quantité égale de croûte océanique ancienne est détruite dans des fosses au sein des océans, représentant des frontières de compression. On peut ainsi définir, en suivant ces frontières linéaires sur le globe et balisée par des séismes, une douzaine de calottes sphériques appelées d'abord blocs puis plaques qui se meuvent les unes par rapport aux autres.

3) Il y a des contraintes géometriques importantes imposées par le déplacement des plaques rigides à la surface du globe. L'étude de ces contraintes a été faite par l'analyse des séismes, par la direction des frontières entre plaques, par le magnétisme enregistré dans les roches océaniques qui évolue au cours du temps, par les forages océaniques, etc.

Le résultat de ces recherches est la théorie de la *tectonique des plaques* qui explique, à l'échelle globale, l'évolution des continents et des océans au cours des 200 derniers millions d'années. Cet âge de 200 millions d'années correspond aux parties les plus anciennes des océans actuels, qui portent des marques caractéristiques de leur évolution. Les océans actuels sont en effet extrêmement jeunes par rapport aux continents et à la terre (4,5 milliards d'années). Les dépôts des océans disparus sont à présent intégrés aux continents.

Guy Pautot

se, estimant que son exploitation, étant donné sa teneur importante dans les nodules, ferait chuter les cours. Mais c'était oublier l'intérêt stratégique d'un tel minerai. C'est ainsi que les États-Unis, qui ne sont pas pourtant les plus pauvres en matières premières, importent pour des raisons stratégiques tout leur manganèse (utile aux aciéries) de l'Afrique du Sud et de l'URSS, tout leur cobalt et 70 % de leur nickel.

L'exploitation industrielle suppose que soient résolus trois types de problèmes, à des conditions économiques concurrentielles avec les exploitations terrestres :

– la mise en évidence et l'évaluation détaillée de gisements commercialement intéressants, d'une surface unitaire proche de 30 000 à 50 000 km² (ces chiffres correspondent à la superficie exploitable par « navires usines » dans des conditions économiques pendant 20 ans);

– le ramassage, par 5 000 mètres de profondeur, d'environ 10 000 tonnes/jour de nodules (pour que cela soit économiquement intéressant);

– le traitement métallurgique des nodules permettant de séparer et de tirer parti de plusieurs des métaux contenus.

Le problème du ramassage est le plus ardu et n'est pas encore résolu. Trois principes de ramassage sont étudiés ou expérimentés par les grands consortiums internationaux impliqués dans « l'affaire nodules » : la noria de bennes accrochées à une boucle, la filière hydraulique, sorte de grand tuyau aspirant, les navettes sous-marines autonomes (faisant le plein dans leur benne et remontant à la surface).

Les sulfures polymétalliques

En février 1978, le submersible français « Cyana », du CNEXO, en opération scientifique au large du Mexique, sur la crête de la dorsale du Pacifique oriental, découvrait par 2 600 mètres de profondeur les premiers dépôts massifs de sulfures de cuivre, zinc, argent, du domaine marin profond. Ces dépôts représentaient les plus fortes concentrations en éléments métalliques découvertes dans les fonds océaniques. Jusqu'alors les seuls dépôts importants de la même famille avaient été signalés, dispersés et interstratifiés dans les sédiments de la mer Rouge. Les dépôts sulfurés massifs trouvés dans l'Est Pacifique par 21° N, au large du Mexique, se présentent comme des structures coniques de taille variable (3 à 10 mètres de hauteur) et reposant directement sur le plancher basaltique de la crête de la dorsale.

─────── BIBLIOGRAPHIE ───────

Ouvrage

CRONAN D.C., *Underwater Minerals*, Academic Press, Londres, 1980.

LE PICHON X., FRANCHETEAU J., BONNIN J., *Plate Tectonics*, Elsevier Scientific Publishing Company, Amsterdam, 1973.

LE PICHON X., PAUTOT G., *Le fond des océans*, Que sais-je?, PUF, 1976.

WEGENER A., *Die Entstehung der Kontinente und Ozeane*, Vieweg, Braunschweig, 1929.

Articles

LALOU C., « Des nodules polymétalliques à l'hydrothermalisme sous-marin », *Le Courrier du CNRS*, n° 46, 1982.

LENOBLE J.P., « Polymetallic Nodules Resources and Reserves in the North Pacific from the Data Collected by AFERNOD », *Oceanology International 80*, 1980.

PAUTOT G., « Les nodules polymétalliques : Eldorado ou utopie? », *Techniques et Travaux*, n° 4, 1978.

Quelques mois plus tard le submersible américain « Alvin » découvrait dans la même zone un spectacle fabuleux : des sources d'eau chaude, à 350 °C, sortant en jets puissants noirs ou blancs de cheminées de sulfures métalliques. Les dépôts sulfurés observés par « Cyana » étaient donc des cheminées hydrothermales (d'eau chaude) devenues fossiles.

A la suite de ces observations, plusieurs campagnes ont été réalisées par les équipes américaines, allemandes et françaises. Elles ont montré la permanence de ce phénomène d'hydrothermalisme profond sur la crête de la dorsale du Pacifique oriental de la Basse-Californie jusqu'à l'île de Pâques, soit sur près de 5 000 kilomètres. Cette zone correspond à une vitesse rapide d'écartement des plaques tectoniques (supérieure à 6 cm/an) (voir encadré). Par contre dans l'océan Atlantique, où la vitesse d'écartement est inférieure à 2 cm/an, on n'a pas observé jusqu'ici ce phénomène.

L'intérêt économique potentiel de ce type de dépôt concerne trois phases : les dépôts solides précités, les sédiments métallifères provenant de l'oxydation de ces dépôts et le fluide lui-même chargé de particules. En effet, les données, encore fragmentaires bien sûr, sur les vitesses de sortie et la composition des fluides, le diamètre des évents (bouches de sources), indiquent que des flux de sulfures de 6 tonnes/jour par source sont possibles. La quantité de métaux utilisables (zinc, cuivre, plomb, argent) que véhiculent en solution ou en suspension quotidiennement quelques dizaines de ces sources est du même ordre de grandeur que la production quotidienne de métal des mines européennes.

Dans les années quatre-vingt, un gros effort scientifique international sera consacré à l'étude de ce nouveau phénomène d'hydrothermalisme sous-marin. Cela devrait permettre de résoudre avant 1990 la question de savoir si ces dépôts représentent une ressource minière potentielle.

Guy Pautot

335

La montée des matériaux nouveaux

Jamais un aussi large public n'a accordé autant d'attention à un problème de matériaux qu'en 1981, lors du retour dans l'atmosphère de la navette spatiale Columbia [399] : le sort de l'équipage dépendait du comportement du bouclier thermique composé de 31 000 tuiles d'une céramique résistante aux hautes températures, faite de silice amorphe. Une autre nouveauté passait en revanche inaperçue : pour la première fois, des pièces en matériau « composite » à matrice métallique étaient employées en service réel. Il s'agissait d'entretoises et de croisillons, réalisés en un matériau fait d'une matrice d'aluminium armée de fibres de bore (ces pièces bénéficiaient donc de la légèreté de l'aluminium et de la rigidité des fibres de bore).

Céramiques, composites, Columbia témoignait ainsi de l'irruption de tout un ensemble de matériaux nouveaux qui contestent désormais le règne presque sans partage des métaux et notamment de l'acier, domination qui durait depuis la révolution industrielle du siècle dernier.

La navette spatiale représente une réalisation de pointe du progrès technologique. Plus modeste, en apparence, un avion d'affaires américain à turbopropulseur, le Lear Fan 2100, qui effectue des vols d'essais depuis 1982, est presque entièrement réalisé en « composites », notamment d'un matériau formé d'une matrice de matière plastique (résine époxyde) armée de fibres de carbone. La légèreté de la matière plastique est ainsi alliée à la rigidité des fibres de carbone. Le moteur, le train d'atterrissage sont parmi les rares pièces encore en métal. Le gain de poids de 40 % obtenu grâce aux « composites » permettait une économie annuelle de carburant de 300 000 dollars en service normal avec 6 passagers à 660 km/h. Le Lear Fan est un précurseur : la firme Boeing a prédit qu'avant la fin des années quatre-vingt-dix 65 % du poids des nouveaux avions serait constitué de « composites ». Au début des années quatre-vingt, on en était encore loin puisqu'il n'y avait que 4 % de composites dans les avions; mais l'avion européen Airbus 310 doit en incorporer 14 %. Dans d'autres secteurs aérospatiaux, l'évolution a été plus rapide : 25 % de composites dans les hélicoptères et 80 % dans les fusées au début des années quatre-vingt, contre 20 % en 1960.

Les matériaux « composites » et les céramiques sont des exemples spectaculaires des progrès technologiques réalisés dans le domaine des matériaux au tournant des années quatre-vingt. Mais des progrès notables ont aussi affecté les matériaux plastiques ou même les métaux. Nous allons voir ce qu'il en est dans chacun de ces domaines.

Une gamme étendue de matières plastiques

Les matières plastiques ont maintenu une croissance annuelle en volume de 15 % entre 1955 et 1975, et 1980 a été la première année où la consommation française de matières plastiques égalait celle de l'acier, en volume du moins. Or la comparaison en volume est plus significative que les statistiques en poids car les plastiques tendent, dans toutes leurs applications, à se substituer à volume à peu près équivalent aux métaux. Depuis les années soixante, cette substitution a lieu même dans les emplois « nobles » (c'est-à-dire dans des pièces à rôle crucial, telles que coques de navire, rotors d'hélicoptères, éléments de prothèse...).

La crise de l'énergie n'a pas renversé cette tendance, loin de là. En effet, les plastiques ont beau être produits à partir d'hydrocarbures, ils ne représentent qu'une dépense énergétique relativement faible, de l'ordre de 30 thermies par dm³ au lieu de 55 pour l'acier et 130 pour l'aluminium de première fusion. Leur mise en œuvre nécessite aussi moins d'énergie que celle des métaux, parce qu'elle s'effectue à des températures nettement plus basses et avec des efforts mécaniques bien inférieurs.

Outre ces avantages, les principaux atouts des plastiques sont leur résistance à la corrosion, leur légèreté et leur diversité. Un plastique courant présente souvent une tenue en corrosion supérieure à celle de coûteux aciers inoxydables. La légèreté des structures en plastique est devenue à la fin des années soixante-dix un argument majeur dans les transports, en raison des économies de carburants qu'elle autorise [24].

La diversité des plastiques tient au très grand nombre de types que l'on obtient à partir de quelques dizaines de molécules de base (polyesters, polyamides, etc.). Ces molécules sont assemblées en longues chaînes moléculaires : c'est l'opération dite de polymérisation qui transforme les résines visqueuses en matériaux solides. Par combinaison des molécules de base ou incorporation aux polymères de produits divers, on aboutit à une palette de plusieurs milliers de matériaux différents par leurs propriétés : celles-ci peuvent être ajustées à des besoins très spécifiques, avec des temps de mise au point très inférieurs aux dix ans nécessaires à la naissance d'un nouvel alliage métal-lique.

Dans les années soixante-dix, beaucoup de types de plastiques peu ou pas combustibles ont été mis au point grâce à l'addition de produits à base de chlore ou de fluor (halogénures). Des plastiques sont devenus autolubrifiants par l'incorporation de sulfure de molybdène ou de résines fluorées. Les propriétés mécaniques ont été modifiées par du talc ou d'autres charges minérales. Une meilleure rigidité a été atteinte en introduisant des microbilles de verre creuses ou du gaz : les plastiques ainsi allégés ont étendu leur gamme, du polystyrène concurrençant le bois à des polycarbonates ou des oxydes de polyphémylène modifiés (PPO modifié), rivaux des alliages légers pour capoter les machines de bureau.

Des plastiques en forme de cristaux liquides

Certaines des nouvelles matières plastiques sont des mélanges : par exemple, le polystyrène-choc est une matière plastique qui sert à former des capots d'appareils ménagers, d'électrophones, etc. Elle est à base de polystyrène dont la fragilité aux chocs a été réduite en le mélangeant à du polybutadiène, matière plastique dotée d'élasticité.

Les années quatre-vingt devraient connaître de spectaculaires développements dans ces domaines grâce aux réseaux interconnectés de polymères (interpenetrative polymer networks). Il s'agit de mélanges intimes entre deux polymères, obtenus en enchevêtrant intimement les réseaux fibrillaires de chacun d'eux. On en envisage beaucoup d'applications dans l'industrie automobile, par exemple la réalisation de matériaux transparents, résistants aux chocs, à l'abrasion, et plus légers que le verre, pouvant être utilisés pour les vitres des voitures.

Autre famille de produits étudiés outre-Atlantique : des matières plastiques possédant des propriétés de cristaux liquides. Elles pourraient être mises en forme à chaud facilement comme des matières plastiques classiques, mais acquerraient après leur solidification des propriétés mécaniques telles qu'une résistance à la traction très élevée, analogue à celle des métaux (ceci grâce à l'orientation préférentielle des molécules dans les structures de cristaux liquides).

Le mariage des matières plastiques et des fibres

Quant aux « matériaux nouveaux » que sont les composites, ils exploitent un très vieux concept : renforcer une matrice peu fragile au choc mais peu résistante à la traction (ou à la compression) par des fils constitués d'un matériau très résistant, mais trop cassant et trop lourd pour être employé seul (tel le verre, par exemple). La plupart des composites actuels sont constitués d'une matrice en matière plastique armée, c'est-à-dire renforcée de fibres. Les matières plastiques peuvent être très variées. Pratiquement, toutes sont susceptibles d'être employées : polyester comme dans le cas du pare-chocs de la Renault R5 et de beaucoup d'autres voitures; époxydes comme dans le cas des pales d'hélicoptères et de carlingues de planeurs, d'avions, de corps de fusées, etc.

Les fibres sont le plus souvent des fibres de verre « E » qui fournissent aux « composites » une excellente résistance à la traction. Des fibres de verres spéciaux « R » ou « S » permettent de doubler encore la résistance en traction. En revanche, la rigidité demeure faible. Mises au point au début des années soixante-dix par Du Pont de Nemours, des fibres en polyamide aromatique, les fibres aramides, présentent une résistance spécifique en traction 8 à 10 fois supérieure à celle des aciers ou de l'aluminium ou du titane, 2,5 fois supérieure à celle du verre « E ». Ces fibres, généralement désignées par leur nom commercial « Kevlar », sont les seules à présenter un allongement important avant d'arriver à la rupture. C'est une propriété utile en aéronautique puisqu'elle permet de repérer, lors des vérifications des avions, les pièces qui sont sur le point de casser. Les fibres Kevlar ont aussi une excellente résistance à la pénétration, et sont une matière de choix pour les gilets pare-balles. En revanche, leur résistance en compression n'est pas excellente et leur rigidité est intermédiaire entre celle du verre et celle du bore ou du carbone (très rigides), qui demeure la principale fibre de renfort de haute performance.

Les matériaux « composites », mariant matières plastiques et fibres, ont des propriétés bénéficiant de leurs deux types de composants, comme nous l'avons déjà signalé. Mais cela n'est vrai que dans la mesure où l'on arrive à obtenir une bonne adhésion entre fibres et matrice. Les qualités des « composites » dépendent aussi dans une grande mesure de l'orientation et de la longueur des fibres. Chimistes et mécaniciens ont effectué beaucoup de recherches sur tous ces points. Quelques sociétés spécialisées, notamment à Lyon, réussissent à tisser les fibres de verre, d'aramide et de carbone en trois dimensions, ce qui permet d'obtenir des pièces très performantes selon plusieurs orientations, qu'exploitent l'aérospatiale et l'armée (pièces de tuyère de fusée, par exemple).

Depuis quelques années, des procédés de moulage de polyester ou de thermoplastiques et de fibres de verre atteignent des cadences de production assez voisines de celles de la mise en forme des tôles métalliques. Ceci permet une introduction de plus en plus forte des plastiques dans l'automobile tant européenne qu'américaine : par exemple, le pan-neau mobile servant de porte arrière de la BX Citroën de 1982 est moulé par injection de polyester armé de fibres de verre.

La conception assistée par ordinateur bute sur les composites

Au début des années quatre-vingt, la généralisation des matériaux « composites » à la plupart des secteurs de l'industrie mécanique était encore limitée par des problèmes de coûts d'investissements, ou dans le cas du carbone, du prix de la fibre. Par exemple, les procédés d'obtention des « composites » à fibres de verre à performance élevée ne sont guère utilisés que dans l'aéronautique, industrie qui accepte des prix de revient élevés, ou dans l'automobile où les très grandes séries permettent d'amortir les investissements. La décennie quatre-vingt devrait voir le développement de méthodes permettant d'ouvrir les productions de moyennes séries dans des conditions économiques à des composites de hautes performances, à fibre de verre notamment.

Des efforts considérables sont accomplis pour réduire les prix de revient très élevés des fibres de carbone, en accroissant les échelles de production ou en partant de matières premières économiques (brais de pétrole). Par exemple, en 1984, les groupes PUK et Elf doivent inaugurer chacun des capacités de production de 200 à 300 t/an de fibres de carbone à Pont-de-Claix et Lacq.

Une révolution est en train de s'opérer dans le domaine des matériaux « composites » : elle est due à l'introduction de l'électronique. Celle-ci, depuis la fin des années soixante-dix, est de plus en plus exploitée pour contrôler et automatiser les productions. A présent, on essaie de concevoir et de calculer par ordinateur les pièces, ainsi que les moules et autres outillages nécessaires à la production des plastiques. Mais si la conception et fabrication par ordinateur (CFAO) [283] s'appliquent assez bien aux matériaux plastiques non armés, il en va bien autrement avec les composites parce que ceux-ci présentent des propriétés anisotropes, c'est-à-dire variant fortement d'une direction à l'autre. Des problèmes scientifiques et techniques considérables sont désormais posés, qui touchent l'informatique, les mathématiques, la physique et la mécanique des milieux solides et visqueux. Ces questions marqueront les années quatre-vingt : leur résolution accélérera la pénétration des plastiques dans les industries mécaniques.

Des aubes d'un seul cristal

Dans la précédente décennie, la métallurgie s'est efforcée de renforcer ses performances. Les alliages de l'aluminium, en particulier, ont fait des progrès considérables. Le dernier-né de la famille dite « Calypso » des alliages d'aluminium (famille introduite en 1975 par Péchiney) présente une résistance à l'allongement quatre fois supérieure à celle des alliages d'aluminium classiques. Ces nouveaux alliages étaient déjà exploités par l'aéronautique à la fin des années soixante-dix et paraissaient devoir l'être progressivement par l'industrie automobile.

De son côté, l'acier a gagné en propreté, en contrôle des teneurs et des inclusions grâce à la généralisation de la coulée continue et du dégazage sous vide. De nouveaux types d'acier renfermant moins d'éléments d'alliage coûteux ou stratégiquement critiques ont ainsi été développés.

Les années soixante-dix ont vu l'apparition d'aubes de turbines aéronautiques réalisées par solidification orientée selon l'axe de ces aubes. De cette manière, les « joints de grains » (zones de jonction entre les cristaux élémentaires, ou « grains », du métal) se retrouvent presque tous parallèles à la direction des principaux efforts : les sollicitations au niveau des joints de grains (qui sont des zones de fragilité) sont donc beaucoup diminuées. Une nouvelle étape a été accomplie, au début des années quatre-vingt, aux États-Unis et aussi en France : on a réussi à réaliser des aubes de turbine constituées d'un seul grain cristallin. Il n'y a donc plus de problème de joint. Aux États-Unis, des turboréacteurs sont déjà équipés de telles aubes monocristallines. En France, des résultats analogues ont été obtenus et l'ONERA (Office national d'études et recherches aérospatiales) espère mettre au point au cours des années quatre-vingt des alliages encore plus performants à haute température (1 000 °C et au-delà) : les « eutectiques orientés ». Il s'agit d'alliages dans lesquels on fait précipiter, au cours de la solidification, un matériau métallique, très rigide, sous forme de fibres orientées (c'est donc un nouveau matériau composite).

Les verres métalliques

La métallurgie des poudres connaît également des développements importants. En solidifiant de fines gouttelettes d'alliages liquides, on obtient des poudres dites « préalliées ». Des disques de turbines d'aviation sont fabriqués depuis la dernière décennie en compactant de telles poudres sous très forte pression à chaud. Ceci fournit des structures homogènes d'alliages à des teneurs en éléments d'addition très supérieures aux limites de solubilité. Innovation importante : de nombreux travaux portent sur le refroidissement des poudres à très grande vitesse (de 100 000 °C par seconde à plus d'un million de degrés par seconde). Cela permet de réaliser des alliages très chargés en éléments d'addition, tout en conservant une structure cristalline très fine. On espère réaliser ainsi des alliages d'aluminium gardant leur tenue mécanique à 350 °C (alors que l'aluminium normal commence à devenir mou à 200 °C). Ces alliages pourraient dès lors concurrencer le titane en aéronautique.

Des vitesses de refroidissement de plus de 100 000 °C par seconde ont permis à P. Duwez, au Caltech, d'obtenir en 1963 le premier alliage amorphe ou « verre métallique » : le métal se solidifie si vite qu'il garde la structure « vitreuse » du liquide. Il n'a pas le temps d'atteindre l'ordre cristallin. Les verres métalliques présentent des propriétés de résistance mécanique, chimique et surtout des caractéristiques magnétiques remarquables. Une première application significative a été la fabrication en 1978 aux États-Unis d'un transformateur de 15 KVA présentant 12 % de pertes en moins que les appareils classiques. Depuis 1981, des applications réellement industrielles se sont multipliées aux États-Unis et surtout au Japon : moteurs électriques, blindages, têtes magnétiques...

Des céramiques pour les moteurs

Quant aux céramiques (éléments minéraux, tels que des silicates, cuits à haute température), beaucoup de travaux y étaient consacrés au cours de la décennie soixante-dix, en raison de leur résistance aux hautes températures. Le problème est qu'elles sont fragiles au choc.

Au début des années quatre-vingt, tant au Japon qu'en Europe et aux États-Unis, des moteurs à explosion (ou diesel) étaient expérimentés avec des chemises, culasses, têtes de pistons réalisées avec des céramiques de zircone (oxyde de zirconium) ou de nitrure ou de carbure de silicium. 20 % d'économie de carburant peu-

vent être envisagés par cette voie vers la fin de la décennie (les céramiques permettant aux moteurs de travailler à plus haute température, donc à meilleur rendement).

Quant à l'aéronautique, elle met ses espoirs dans des composites à matrice céramique renforcée de fibres céramiques. Ainsi la présence de fibres de carbure de silicium dans une matrice en nitrure de silicium double sa résistance mécanique. L'ONERA a réalisé des pièces de turbines en ces matériaux, qui devraient s'imposer rapidement dans les machines thermiques.

Il existe également des matériaux composites à matrices de carbone renforcées par des fibres de carbone. Ces matériaux sont résistants à haute température. Ils sont utilisés pour les cols de tuyères et les freins de Concorde, Mirage 2 000 et bientôt Airbus. Ils sont aussi bien tolérés par l'organisme humain. Des prothèses de hanche ont ainsi passé la validation clinique en 1983 et des implants dentaires en matériaux composites carbone-carbone sont exploités depuis 1982.

Enfin, une nouvelle classe de matériaux devrait connaître d'importants développements. En 1972, des travaux américains ont démontré que certaines molécules organiques (tétrathiafulvalène, TTF; tétra-cyanoquinodiméthane, TCNQ) pouvaient conduire le courant électrique comme les métaux, mais selon des orientations préférentielles. Depuis, en 1979, les équipes de Denis Jérome (Orsay) et de Klaus Bechgaard (Copenhague) ont prouvé qu'un composé organique voisin pouvait être supraconducteur à 0,9 °K (− 272°, 1 °C). Denis Jérome a depuis mis en évidence des « amorces » de supraconductivité dès − 240 °C. L'espoir est grand d'obtenir ainsi des supraconducteurs à des températures moins basses que celles qu'imposent les métaux (de l'ordre de − 250 °C). Des applications des conducteurs organiques en commutation optique sont attendues dès 1984 et ultérieurement en microlithographie pour la fabrication des circuits intégrés électroniques [271].

D'autres conducteurs organiques constitués de polymères plus ou moins modifiés, notamment le polya-cétylène, le polyparaphénylène ou le thiophène, font l'objet de nombreuses recherches. En 1983, des laboratoires américains, français, japonais et allemands ont annoncé la mise au point expérimentale de batteries dont les densités de puissance sont plusieurs fois supérieures à celles des accumulateurs classiques. Ces matériaux ont également été exploités dans une cellule solaire de la firme japonaise NTT, avec un rendement de 2,5 %, ce qui est prometteur pour une technologie naissante. Certains experts prévoient un marché mondial de plus de 100 000 tonnes pour la fin de la décennie.

André-Yves Portnoff

La biomasse : l'énergie verte

Depuis le premier choc pétrolier de 1973, l'idée s'est répandue d'essayer d'utiliser comme combustibles ou carburants les matières carbonées du monde végétal. Ces matières constituent ce que l'on appelle la biomasse. (Par extension, on inclut aussi dans la biomasse des matières d'origine animale comme les fumiers, bouses, déjections...) Ces matières carbonées ne peuvent, en général, être utilisées telles quelles : il faut leur faire subir des transformations pour obtenir des combustibles ou des carburants.

L'intérêt de la biomasse est qu'il s'agit d'une énergie renouvelable : la matière végétale – tiges, feuilles, tubercules – est produite sans arrêt à la mesure de la croissance et de la perpétuation du monde végétal à la surface de la planète. Les végétaux élaborent leurs matières carbonées grâce à des réactions chimiques qui ont lieu dans les feuilles vertes, sous l'action de la lumière : c'est la photosynthèse. Les végétaux captent, transforment et stockent naturellement l'énergie solaire. On estime que le potentiel énergétique brut de la biomasse techniquement exploitable était en France de plus de 20 millions de tonnes équivalent pétrole (MTEP) en 1982, dont seuls 3 MTEP étaient exploités (la consommation française d'énergie était en 1982 de 185 MTEP). À long terme, l'« énergie verte » pourrait fournir 40 MTEP.

Quelles sont les plantes ou les matières organiques susceptibles de fournir une telle énergie? Au moyen de quels procédés? Quelles sortes de combustibles ou de carburants peut-on obtenir et comment les utiliser?

Du point de vue de la composition chimique, on peut distinguer quatre grandes classes de matières végétales : les matières riches en cellulose et en lignine, telles que le bois et la paille; les matières riches en glucides (sucre) telles que les tubercules de betterave ou de topinambour, ou les graines des céréales (maïs, etc.); les matières riches en huile (graines de colza ou de tournesol) ; les matières riches en hydrocarbures comme c'est le cas de certaines plantes (euphorbes, hévéa...) ou de certaines algues microscopiques.

La composition chimique détermine en partie la nature des transformations que l'on doit faire subir aux matières végétales pour obtenir des combustibles (pour les chaudières) ou des carburants (pour les moteurs). Les matières ligno-cellulosiques comme le bois et la paille sont traditionnellement, en raison de leur faible teneur en eau, directement utilisées comme combustibles dans des appareils de chauffage ou des chaudières. Mais de nouvelles techniques de stockage ou de conditionnement rendent ces opérations plus intéressantes. Depuis la fin des années soixante-dix, on a noté, dans les pays riches en forêts comme la France, un regain d'intérêt pour le chauffage au bois. Des chaudières à paille sont apparues en plus grand nombre depuis 1980, destinées au chauffage domestique ou aux activités agricoles telles que le séchage du maïs. Parmi les techniques nouvelles de conditionnement du bois, il faut signaler la torréfaction. Celle-ci s'apparente à une carbonisation menée à température relativement faible (250 °C). Le produit, facilement broyé, est condensé en granulés, ce qui facilite transport, stockage et manutention.

Le retour des gazogènes?

Le bois est aussi susceptible de subir une carbonisation, qui donne le charbon de bois : celui-ci est plus facile à transporter, à stocker, et à utiliser que le bois lui-même. Ce procédé qui consiste à décomposer le matériau lentement à 450 °C, à l'abri de l'air, est pratiqué depuis des millénaires dans des meules en forêt. De nos jours, on récupère aussi les jus pyroligneux, qui accompagnent la formation du charbon de bois, pour en tirer des produits chimiques ou pour produire un « fuel-bois », mélange liquide stabilisé de charbon broyé et de jus pyroligneux.

Le bois (ou le charbon) peut aussi être transformé pour donner des gaz combustibles. Ce procédé est celui des anciens gazogènes qui ont pu fonctionner avant-guerre et jusque dans les années cinquante, dans des automobiles ou dans l'industrie. Le principe est de faire brûler incomplètement le bois, autrement dit de réaliser une oxydation partielle (au contraire de la combustion ordinaire qui est une oxydation complète). On obtient ainsi un mélange gazeux, appelé gaz pauvre, contenant notamment du monoxyde de carbone et de l'hydrogène. A la fin des années soixante-dix, on avait mis au point des gazogènes à plus haut rendement et plus maniables que les vieux gazogènes d'avant-guerre. Ces appareils peuvent fonctionner en continu et être alimentés non seulement en bûchettes de bois, mais aussi en paille hachée, sciure, etc.

Il existe plusieurs autres modes de gazéification du bois : l'un d'eux est appelé gazéification à l'oxygène. Le mélange gazeux obtenu, contenant monoxyde de carbone et hydrogène, mais pas d'azote, peut servir alors à synthétiser un alcool particulier, le méthanol. Ce dernier entre dans la catégorie des carburols, c'est-à-dire des alcools destinés à être mélangés à l'essence pour les automobiles.

Un autre mode de gazéification du bois est la « pyrolyse éclair ». Cela consiste à porter le matériau à haute température (1 000 °C) en quelques fractions de seconde. Le bois est, pour ainsi dire, « volatilisé » : il donne un mélange gazeux (contenant du méthane et de l'hydrogène notamment) pouvant servir de combustible.

Depuis 1980, on s'intéresse aussi en France à divers procédés de liquéfaction du bois, selon des conditions différentes de pression, de température, de présence de solvant. En particulier, on étudie des procédés fonctionnant à la pression atmosphérique et à des températures inférieures à 350 °C.

Les résultats de la fermentation

La plupart des modes de transformation des matières ligno-cellulosiques que nous avons énumérés jusqu'ici font appel essentiellement à des paramètres d'ordre thermodynamique (température, pression, ...). Mais ces biomasses ligno-cellulosiques (et surtout les autres bio-

masses glucidiques) peuvent faire appel à des transformations biologiques, caractérisées par l'intervention de micro-organismes.

On envisage par exemple la fermentation à l'air libre de biomasses ligno-cellulosiques libérant de la chaleur et produisant du compost (sorte de terreau, utilisable comme engrais biologique). Mais les matières ligno-cellulosiques et surtout les biomasses riches en glucides (tubercules de betterave ou de topinambour, graines de maïs) facilement hydrolysables peuvent aussi être transformées par des voies fermentatives industrielles. On connaît d'abord la fermentation en éthanol ou alcool éthylique que l'on peut mélanger à l'essence (voir encadré) jusqu'à 10 % ou 20 %, sans modifier les moteurs des automobiles. Dans certains pays comme le Brésil, on a même construit des moteurs d'automobiles fonctionnant entièrement à l'alcool [344].

Des progrès technologiques sensibles ont été faits en matière de fermentation de l'éthanol. Il s'agit en effet d'un procédé exigeant un apport de chaleur externe et, dans le passé, il fallait dépenser une calorie de chauffage du fermenteur pour obtenir une quantité d'éthanol susceptible de fournir une calorie. En 1983, on ne dépense plus que 0,7 calorie de chauffage pour obtenir la même quantité d'éthanol. Le bilan

est encore plus favorable dans le cas du topinambour, car il est alors possible de se servir des tiges et feuilles sèches comme combustible pour chauffer le fermenteur (il n'est donc pas besoin de brûler du charbon ou du fuel).

Les matières végétales riches en sucre peuvent être soumises à un autre type de fermentation bactérienne : la fermentation acétonobutylique (qui donne en réalité un mélange acétone-butanol, et éthanol). L'Institut français du pétrole fait fonctionner une unité expérimentale de fermentation acétonobutylique à Solaize (près de Lyon) depuis 1982. Une unité pilote de production de mélange acétonebutanol devait être construite dans le nord de la France en 1983.

À propos des fermentations, il faut en mentionner ici un type qui connaît une certaine popularité : c'est la fermentation méthanique. Celle-ci a été, par exemple, appliquée en 1982 aux eaux de lavage chargées de matières carbonées (épluchures) d'une usine de conserverie (Bonduelle) dans le nord de la France : le méthane obtenu sert de combustible pour les installations de chauffage de l'usine. Entre 1979 et 1982, des améliorations dans la conception des réacteurs destinés à fermenter les eaux ainsi polluées par l'industrie agro-alimentaire ou les collectivités ont permis en effet des gains importants de productivité en méthane. La fermentation méthanique peut être aussi appliquée aux fumiers d'animaux domestiques.

On est encore loin en France de maîtriser la production du méthane à la ferme par les fumiers (lesquels représentent 80 % des matières susceptibles d'être soumises à ce type de fermentation) dans des conditions de fiabilité et de coût satisfaisantes. Par contre, les fermentations méthaniques à la ferme paraissent plus

répandues en Chine et en Inde [458].

En ce qui concerne les dernières classes de matières végétales, celles contenant des huiles et des hydrocarbures, il est possible d'utiliser ces productions naturelles à condition de les traiter. Dans le cas des hydrocarbures, on doit envisager de « craquer » (dissocier) ces molécules ou de les « réformer » (modifier) pour qu'elles puissent donner des carburants utilisables dans les moteurs. Mais la production d'hydrocarbure par des algues microscopiques est

Des carburols pour remplacer l'essence?

Depuis 1976 au Brésil, 1979 au Canada et aux États-Unis, des automobilistes roulent en utilisant comme carburant un mélange d'essence et d'alcools d'origine végétale. L'ère des carburols, ces carburants de synthèse pour remplacer l'essence, est-elle ouverte? Il ne semble pas. Certes, on sait produire industriellement des carburols, depuis longtemps, et de nombreux pays ont lancé des programmes visant à utiliser ces carburants nouveaux dans les moteurs automobiles. Mais des obstacles économiques et techniques s'opposent encore à l'utilisation massive des carburols.

On appelle carburols des composés d'hydrogène, de carbone et d'oxygène, qui présentent des qualités tout à fait comparables à celles de l'essence dans leur utilisation comme carburant dans les moteurs d'automobile. Autre caractéristique très avantageuse pour les pays fortement importateurs de pétrole : on peut les fabriquer à partir de toutes sortes de matières végétales (biomasse), ou à partir de charbon [353] ou de gaz naturel. Les principaux carburols que l'on sait fabriquer sont des alcools, comme l'éthanol, le méthanol, ou le mélange acétone-butanol (pour leur procédé de fabrication, voir l'article).

Plusieurs pays ont, dans la décennie soixante-dix, lancé des plans de production de carburols. Dès 1974, le Brésil avait mis en route un vaste programme (« Pro-alcool ») de production d'éthanol à partir de canne à sucre. Revu en hausse en 1979, le programme « Pro-alcool » prévoit la fabrication annuelle de 33 millions de tonnes d'éthanol pour 1985, ce qui représenterait 20 % de la consommation automobile du Brésil à cette date. L'éthanol est utilisé soit en mélange avec l'essence (jusqu'à 20 % d'alcool, il n'y a pas besoin de modifier les moteurs), soit à l'état pur : dans ce cas, cela nécessite des moteurs spéciaux. Le Brésil avait ainsi fabriqué des voitures à alcool dès les années soixante-dix (des « Coccinelles » Volkswagen, notamment). En 1980, encore au stade du laboratoire et n'en sortira pas sans doute avant les années quatre-vingt-dix.

Par contre, dans les domaines des huiles végétales, on maîtrise bien la technique de leur traitement par des alcools pour donner des esters, substances susceptibles d'être utilisées dans les carburants.

La biomasse peut donc être transformée en combustibles et carburants solides (bois sec, paille, charbon, bois torréfié, granulés de paille et de bois torréfié), liquides (métha-

nol, éthanol, mélange acétone butanol, huiles et hydrocarbures, « fuelbois », bois solubilisé), gazeux (gaz pauvre, méthane). Leur utilisation demande dans la plupart des cas une adaptation des chaudières et des moteurs. En France, par exemple, sous l'égide de l'Institut français du pétrole, des bancs d'essai ont permis de tester les matériels, en particulier les moteurs à essence ou diesel fonctionnant en mélange avec des alcools ou des esters d'huiles végétales. Depuis décembre 1982, la réglemen-

il s'en était encore vendu 30 000 dans l'année ; mais en 1982, la vente chute brusquement : les classes sociales aisées qui peuvent acheter des automobiles boudent ce qu'elles considèrent comme la « voiture du pauvre » ; mais les moteurs à alcool présentent également des problèmes techniques (encrassement, etc.).

Au Canada et aux États-Unis, depuis 1979, un carburant à base d'alcool est distribué : le gasohol, mélange de 90 % d'essence et de 10 % d'éthanol fabriqué à partir du maïs. Il est prévu de fabriquer 20 millions de tonnes d'éthanol en 1985, le double en 1990. Mais en 1982, le gasohol représentait 0,5 % seulement des ventes de carburants aux États-Unis. La Suède, en 1979, a engagé un programme d'étude sur la production de méthanol à partir du bois. En 1980, la R.F.A., en 1981 la Nouvelle-Zélande, lancent des plans pour la production d'éthanol à partir de betterave. En 1981, le programme français « carburols » est lancé, qui se fixe pour objectif de couvrir de 25 % à 50 % de la consommation de carburants du pays en 1990 à l'aide de carburols. Cet objectif relevait cependant plus du slogan politique que d'une planification économique concrète. Dans tous les pays énumérés, seules quelques usines pilotes fonctionnaient en 1982, produisant chacune quelques dizaines de milliers de tonnes de carburols.

Le prix de revient des carburols reste très élevé : 50 % plus cher que le supercarburant au Brésil, le double aux États-Unis, le triple en Europe. Et la maturité des procédés de fabrication, connus depuis des décennies, ne laisse guère entrevoir de progrès techniques majeurs permettant de réduire cet obstacle économique. Les principales recherches portent ainsi sur l'abaissement du coût de la matière première (augmentation des rendements, mécanisation de la collecte et de la préparation), et sur la diversification des végétaux susceptibles d'être utilisés dans une même filière : ainsi, au lieu de ne fonctionner que pendant les quelques mois qui suivent une récolte, les usines de fabrication de carburols pourraient tourner pendant presque toute l'année, les récoltes se succédant ; d'où un amortissement plus rapide des investissements et un abaissement du prix de revient. Mais en tout état de cause, on ne s'attend pas à ce que les carburols entrent en compétition avec les hydrocarbures avant 1990.

Jean-Pierre Angelier

tation des carburants autorise en France la présence d'alcools avec des tiers-solvants tels que le mélange acétone-butanol, dans les essences.

Déficit d'énergie contre déficit alimentaire

On peut affirmer en 1983 que la biomasse participera moins modestement à la satisfaction des besoins énergétiques en France : à court terme (1983-1985), on utilisera des biomasses ligno-cellulosiques pour satisfaire des besoins en chaleur basse température (chauffage domestique, etc.). La fermentation méthanique sera d'abord utilisée comme un moyen, économe en énergie, de dépollution des eaux résiduaires. A moyen terme, on peut envisager l'utilisation du méthane tiré des fumiers pour produire de la chaleur, ainsi que les premiers carburants d'origine biomasse. Une politique

très volontariste, fondée sur des critères d'ordre macro-économique, conduirait à accélérer le processus.

Grâce à son massif forestier, la France est de ce point de vue un pays privilégié en Europe. Il s'agirait là d'un effort de reconversion important de la part des secteurs agricoles et forestiers. Faut-il pour autant admettre que les surplus agricoles à vocation alimentaire (betteraves par exemple) seraient automatiquement dirigés vers la production de combustibles et de carburants, alors que le déficit alimentaire règne sur la plus grande partie de la planète ? Les pays du tiers monde pourraient être tentés d'exploiter leur biomasse (manioc ? canne à sucre ?...) pour l'exportation à des fins énergétiques. Quelles en seraient les conséquences sur le plan de leur bilan alimentaire ? Par contre, la maîtrise d'une ressource énergétique nationale par ces pays améliorerait sans doute les conditions de leur développement économique.

Pierre-Alain Jayet

───── BIBLIOGRAPHIE ─────

Article

CHARTIER P., MÉRIAUX S., « L'énergie de la biomasse », *La Recherche,* n° 113, 1980.

Ouvrages

BARBET P., *Les énergies nouvelles,* coll. « Repères », La Découverte/Maspero, Paris, 1983.

CHARTIER P., TAZIEFF H., *Maîtriser l'énergie,* Rapport au ministre de la Recherche et de l'Industrie, La Documentation française, Paris, 1982.

FGA-CFDT, *La Biomasse, énergie verte,* Syros, 1981.

AFTP, *L'utilisation d'alcools et d'éthers dans les carburants,* Association française des techniciens du pétrole, Paris, 1981.

CORIAT B., *Alcool. Enquête au Brésil sur un programme agro-énergétique de substitution au pétrole,* Christian Bourgois, Paris, 1982.

Dossier

Photosynthèse-biomasse-énergie; Ressources et techniques, Cahiers AFEDES, n° 6, Éd. AFEDES, 1981.

La chaleur de la Terre

Sous l'impulsion combinée de l'Agence française pour la maîtrise des énergies et du Bureau des recherches géologiques et minières, la géothermie, procédé d'exploitation de la chaleur de la Terre, connaît au début des années quatre-vingt un vif développement en France, surtout pour ses applications au chauffage de logements, et pour la production de chaleur dans l'agriculture et l'industrie. En 1983, environ 100 000 logements – ou équivalents-logements, c'est-à-dire bureaux, écoles, hôpitaux... – étaient raccordés à un système de chauffage géothermique, ce qui plaçait la France au tout premier plan mondial dans ce domaine.

La Terre n'est pas seulement capable de produire de l'énergie de manière *passive*, c'est-à-dire de restituer les matériaux énergétiques fossiles – charbon, pétrole et gaz naturel – accumulés à partir de la biosphère au cours des quelque 100 derniers millions d'années de l'histoire géologique; elle produit en permanence de l'énergie de manière *active*. Les formes les plus spectaculaires sont les séismes (tremblements de terre), les volcans, les fumerolles et les sources chaudes, mais elles ne représentent pas l'essentiel de l'énergie produite par la planète. La plus grande part de l'énergie produite par la Terre l'est en effet de manière *conductive*, c'est-à-dire par transmission à travers les matériaux. Il s'agit d'un flux de chaleur dans la croûte terrestre, due à la radioactivité des roches. Cette forme de chaleur peut donner des températures de 1 000 °C à 1 500 °C à 100 kilomètres de profondeur au-dessous de la surface du globe.

De la structure de l'écorce terrestre, et des mouvements des plaques (ou blocs) qui la composent [332], découlent deux formes principales d'exploitation industrielle de l'énergie géothermique :

– *dans les zones stables,* comme celles qui forment la plus grande part des continents (plates-formes continentales), le flux de chaleur relativement modeste permet des gradients ou accroissements de température de l'ordre de 20 °C à 50 °C à chaque fois que l'on s'enfonce d'un kilomètre dans la profondeur de la croûte terrestre (33 °C par kilomètre en moyenne). A des profondeurs de l'ordre de 1 000 à 3 000 m – qu'il est possible d'atteindre par forage de manière économique –, il est donc possible d'extraire de l'énergie à basse et moyenne température (de 50 °C à 150 °C), adaptée à un usage direct de la chaleur (chauffage des habitations, production de chaleur dans l'agriculture et l'industrie);

– *dans les zones actives,* c'est-à-dire les frontières entre les plaques de l'écorce terrestre, où se forme de la nouvelle croûte (rifts océaniques ou continentaux comme l'Afrique de l'Est ou l'Islande) et où il s'en résorbe (arcs insulaires comme les Antilles, le Japon, l'Indonésie ou cordillère comme l'Amérique du Sud), l'existence des volcans et des sources d'eau chaude permet dans certains sites des flux de chaleur et des gradients jusqu'à dix fois supérieurs à la normale. Des températures de 150 °C à 300 °C sont ainsi atteintes à des profondeurs de 500 à 2 000 m, permettant la production d'énergie à haute température adaptée à la production d'électricité.

Pour qu'une opération géothermique – de haute, comme de basse énergie – soit exploitable dans les conditions économiques actuelles, il convient de disposer en outre d'un réservoir, formation géologique poreuse et/ou perméable, susceptible de contenir l'eau chaude et/ou la vapeur (celle-ci est généralement chargée en sel et en gaz, carbonique surtout) qu'on appelle le fluide géothermal. C'est ce fluide qui est utilisé, dans une exploitation géothermique industrielle, pour transférer, à travers les tubes de forages, les pompes et les échangeurs de chaleur, l'énergie contenue dans le gisement vers l'installation de surface. Le fluide géothermal est ainsi conservé dans un circuit clos et réinjecté dans sa formation géologique d'origine. Il n'est pas mis en contact direct avec le circuit de chauffage de surface, mais cède sa chaleur à travers les minces plaques de l'échangeur. Généralement, l'installation conserve une chaudière à mazout ou à gaz, pour appoint. La perméabilité (c'est-à-dire sa capacité à laisser circuler l'eau) de la formation géologique réservoir (ou aquifère) résulte soit de la nature lithologique de la formation (grès, conglomérat, calcaire), soit de fractures naturelles.

La géothermie basse énergie, que l'on exploite à partir de réservoirs d'eau chaude presque horizontaux, dans les plates-formes continentales stables, présente une grande continuité horizontale, permettant de prévoir avec une certaine précision les températures, la profondeur et les débits à la verticale d'un site. Le « risque géologique », c'est-à-dire le risque de ne pas trouver d'eau chaude, est donc limité, surtout lorsque les terrains ont été reconnus par des forages pétroliers antérieurs, entre lesquels il est possible d'extrapoler les caractéristiques physiques des formations géologiques.

A l'abri des fluctuations politiques

La moitié environ du territoire français est occupée par deux bassins sédimentaires à gradient géothermique normal – le Bassin parisien et le Bassin aquitain –, auxquels on peut ajouter de nombreux bassins de dimensions plus réduites, mais dotés de gradients géothermiques plus élevés : au total, 70 % du sous-sol français sont occupés par des bassins sédimentaires contenant des nappes aquifères entre 50 °C et 90 °C, utilisables en géothermie.

Dans ces conditions, la géothermie connaît actuellement en France un développement exceptionnel dans le domaine des applications de « basse énergie ». La technique de production utilisée est celle du « doublet » : cela consiste à pratiquer deux forages. L'un permet la remontée à la surface de l'eau chaude ; l'autre permet sa réinjection dans le réservoir. Cette technique est fiable, non polluante, de faible encombrement, et garantit un approvisionnement énergétique sûr, à l'abri des fluctuations politiques. Économiquement, elle permet dès la première année d'assurer une baisse des charges de chauffage par rapport à l'énergie partiellement remplacée (fuel, gaz, électricité), et surtout elle présente l'avantage de parvenir à une stabilisation des charges à long terme. Les premières installations géothermiques françaises de type industriel, celles de la Maison de la radio et de Melun l'Almont, datent de 1963 et 1969, mais un réel développement de la géothermie n'a vu le jour que depuis 1979.

Depuis cette date en effet, le nombre d'opérations géothermiques mises en chantier croît régulièrement chaque année, et les demandes émanant des collectivités locales indiquent que cette croissance se poursuivra dans les années à venir. Avec un rythme de 50 000 logements en moyenne raccordés chaque année à des systèmes de chauffage géothermique jusqu'en 1985, puis 100 000 jusqu'en 1990, on atteindra en France le chiffre de 1 000 000 de logements raccordés en 1990, soit une économie de l'ordre de 1 000 000 de tonnes équivalent pétrole par an. En 1980, une réalisation géothermique dans le Bassin de Paris donnait une énergie utilisable à un coût légèrement inférieur à celle obtenue par les moyens classiques (fuel, gaz, électricité). Mais cette compétitivité était liée aux taux d'intérêt des prêts contractés d'une part, et aux hypothèses d'augmentation du prix des hydrocarbures d'autre part. La retombée des prix des hydrocarbures en 1983 pourrait avoir une incidence néfaste sur le développement de la géothermie en France si les pouvoirs publics – et l'Agence française pour la maîtrise de l'énergie chargée de la mise en œuvre de cette politique – ne prennent pas garde à compenser les effets pervers de cette conjoncture.

Par ailleurs, le suréquipement nucléaire de la France devrait inciter EDF à relancer le chauffage électrique intégré, et la consommation d'eau chauffée par l'électricité. Cela irait alors à l'encontre des économies d'énergie et des énergies nouvelles. Dans l'hypothèse où les programmes nationaux ne seraient cependant pas remis en question, la France aura sans doute acquis une position exceptionnelle au plan mondial : avoir démontré la faisabilité technique et économique d'opérations géothermiques de « basse énergie » dans les zones à gradient normal, et assuré un développement inégalé, même dans les zones dotées de ressources plus favorables qui constituent aujourd'hui les références « historiques » des installations de « basse énergie », comme l'Islande et la Hongrie. Dans le monde, la géothermie connaît un vif développement dans plusieurs pays dotés de ressources géothermiques de hautes températures permettant la production d'électricité. Outre les États-Unis et le Japon, de nombreux pays du tiers monde se sont lancés dans des programmes : le Mexique, l'Indonésie, les Philippines, le Kenya, le Salvador, etc.

La place de la France sur ce marché est actuellement très limité (exploration, forages) et n'atteindra une réalité industrielle que lorsque des références nationales auront été obtenues dans les « départements d'outre-mer » qui sont dotés de ressources (Réunion, Martinique, Guadeloupe). La mise en place d'une société d'investissement géothermique BRGM-AFME pourrait voir le jour en 1983 dans cet objectif. Une fois les références acquises " outre-mer " elle pourrait jouer un rôle moteur pour l'exportation des biens et services et le développement des pays sud.

Jacques Varet

Les pétroles du XXIe siècle

Depuis le second choc pétrolier de 1979, la demande mondiale de pétrole est en diminution sensible, par le double effet de la crise économique internationale et des économies d'énergie pratiquées par les pays industrialisés. Le problème des réserves mondiales de pétrole et la nécessité de compenser la production par de nouvelles découvertes semblent devenus moins aigus. En 1983, la tendance à la baisse des cours mondiaux du baril de pétrole contribuait à créer l'impression trompeuse que l'énergie va redevenir disponible en abondance à un prix modéré. En fait, cette situation ne saurait se prolonger bien longtemps, à moins d'une crise particulièrement grave et d'une stagnation ou d'une régression du niveau de vie des pays dits « en voie de développement ».

On peut donc supposer qu'à moyen terme la demande mondiale de pétrole va augmenter de nouveau. Dans les pays industrialisés, le pétrole sera difficilement remplaçable dans le secteur des transports et celui de la pétrochimie. On peut ainsi s'attendre à une stabilisation de la demande, une fois l'essentiel des économies réalisé dans les autres applications. Dans les pays du tiers monde, le pétrole continuera de jouer un rôle croissant dans le déloppement, y compris pour des usages moins spécifiques : c'est ainsi qu'il paraît irremplaçable même comme combustible de chauffe, compte tenu de sa souplesse d'emploi, dans les régions où l'infrastructure et les réseaux de distribution d'énergie font défaut.

Dans cette éventualité, les réserves – évaluées à 90 milliards de tonnes au début des années quatre-vingt – permettraient de faire face pendant 20 à 30 ans à une demande mondiale annuelle de l'ordre de 3 à 4 milliards de tonnes (la consommation annuelle était d'environ 2,8 milliards de tonnes en 1982). Il faut cependant considérer que les 2/3 des réserves mondiales de pétrole conventionnel se situent actuellement au Moyen-Orient où l'exploitation des réserves s'étalera certainement sur une période plus longue, car les pays de cette région économisent leurs gisements. Le tiers localisé dans d'autres régions s'épuisera en moyenne plus vite. De plus, le volume annuel de nouvelles découvertes de pétrole est, depuis la décennie soixante-dix, sensiblement inférieur au volume annuel de la production. Ces considérations, jointes au souci de diversifier les approvisionnements de l'Amérique du Nord, de l'Europe et du Japon, amènent à rechercher de nouvelles sources de pétrole pour la fin du siècle.

Il existe classiquement deux moyens d'augmenter les réserves de pétrole : découvrir de nouveaux champs ou augmenter le taux de récupération, en particulier par l'amélioration des techniques de production. On peut aussi se tourner vers les pétroles lourds et en particulier vers les produits très visqueux qu'on rencontre dans les sables bitumineux dont les réserves sont considérables ; enfin on peut envisager de produire un pétrole synthétique à partir des schistes bitumineux ou du charbon [353]. Tous ces « nouveaux pétroles » présentent d'ailleurs des caractères communs puisqu'ils dérivent des matières organiques fossiles emprisonnées dans les roches au moment de leur dépôt.

La récupération assistée du pétrole

La découverte de nouveaux gisements de *pétrole conventionnel* permettra sans doute de contribuer à renouveler nos réserves. Les découvertes des deux dernières décennies – mer du Nord, Alaska, Mexique – sont importantes, mais leurs réserves ne peuvent se comparer à celles du Moyen-Orient, même si de nouveaux champs viennent s'y ajouter. Sur terre, il reste peu de bassins qui n'aient pas été prospectés, en dehors de la Chine, de la Sibérie et de l'Antarctique [155]. En mer, bien que les forages d'exploration atteignent une profondeur d'eau de plus de 1 700 m (record réalisé dans la zone française de la Méditerranée à la fin de l'année 1982), les plates-formes d'exploitation ne dépassent pas une profondeur d'eau de 300 m. C'est en mer, et particulièrement sur les marges continentales (bords extrêmes des continents sous la mer), que l'on espère découvrir la plus grande partie des réserves restantes de pétrole conventionnel. Il faut cependant noter que les parties centrales des grands océans, de formation récente, ne comportent pas une épaisseur suffisante de sédiments pour présenter un intérêt pétrolier.

La récupération du pétrole, une fois qu'un gisement est découvert, varie beaucoup avec les caractéristiques de la roche-réservoir et celles du pétrole lui-même, ainsi qu'avec les méthodes de production utilisées. La production primaire, où l'on se contente de forer des puits et de laisser opérer la poussée de l'eau qui se trouve sous le pétrole (et qui est naturellement sous pression) ou l'expansion du gaz associé (également sous pression) au gisement aboutit à un taux de récupération très bas : 10 % en moyenne mondiale. Cette valeur peut tomber à 1 % ou 2 % seulement lorsqu'il s'agit d'un brut lourd et visqueux. La production secondaire, par injection d'eau sous pression sur les flancs du gisement de pétrole, ou encore de gaz au sommet du gisement, amène le taux de récupération à 25 % en moyenne mondiale. C'est un grand progrès, mais qui laisse encore les trois quarts du pétrole dans le sous-sol. L'ambition des méthodes de *récupération assistée* est de porter le taux de récupération à environ 40 % à la fin du siècle. On s'accorde à penser qu'un tel gain de production serait à peu près équivalent à celui qu'on peut attendre des découvertes nouvelles.

De nombreux procédés de récupération assistée sont en cours d'étude, avec l'espoir de pouvoir sélectionner pour chaque gisement la méthode la plus appropriée, compte tenu de ses caractéristiques propres. L'une d'entre elles, l'injection de vapeur, permet déjà de produire plus de 30 millions de tonnes par an en Californie et au Venezuela. Il s'agit de pétroles lourds et visqueux dont la production est très difficile par les méthodes conventionnelles. L'élévation de température réalisée grâce à la vapeur permet d'abaisser de façon considérable la viscosité du pétrole, qui peut alors être produit normalement par des puits. Selon les cas, on réalise un balayage du réservoir par la vapeur ou on procède à des injections et soutirages successifs par un même puits. Un autre procédé thermique est la combustion *in situ,* qui consiste à injecter de l'air dans le gisement et y démarrer une combustion qui va se propager lentement en faisant « la part du feu » : sous l'action de la température, le brut lourd se fractionne en une huile légère qui est chassée vers les puits de production et un résidu comparable à du coke, qui va brûler en place et servir de source d'énergie pour le procédé.

Des hydrocarbures solides

D'autres méthodes visent à améliorer la récupération des pétroles normaux : il s'agit de l'injection de gaz miscibles, comme le gaz carbonique, ou encore de l'injection d'eau additionnée de produits tensio-actifs. Ceux-ci vont aider à « décoller » le pétrole de la roche et faciliter son transit au travers des pores très fins où l'eau toujours présente gêne son mouvement. Enfin, l'utilisation de polymères d'origine chimique ou biologique vise à « épaissir » l'eau que l'on injecte dans le gisement. L'eau ordinaire est beaucoup moins visqueuse que le pétrole qu'elle doit pousser, à la manière d'un piston. Par suite, elle manifeste une forte tendance à suivre des chenaux plus poreux et perméables et à se ruer, grâce aux hétérogénéités de la roche, vers les puits de production, qui fournissent alors beaucoup d'eau et peu de pétrole. L'addition de polymères permet d'augmenter la viscosité de l'eau et d'assurer ainsi un meilleur balayage du gisement.

Le cas extrême des pétroles lourds est fourni par *les sables et calcaires bitumineux ou asphaltiques,* roches qui contiennent un bitume, hydrocarbure solide à la température ordinaire. Il s'agit en fait d'un pétrole brut qui a subi une profonde altération dans son gisement, par action des eaux de surface s'infiltrant dans les couches, associée à une dégradation microbiologique. Les réserves connues de ces produits sont considérables : on estime qu'elles atteignent 140 à 200 milliards de tonnes de bitume en Alberta (Canada) et 150 à 300 milliards de tonnes au Venezuela oriental. Mais il s'agit là de réserves en place, dont on ne sait actuellement récupérer qu'une très faible partie. Au Canada, où les bitumes de l'Athabasca sont particulièrement lourds et visqueux, il existe deux exploitations par excavation en carrière. Le sable bitumineux est ensuite transporté jusqu'à des fours où il est traité par l'eau chaude ou la vapeur pour séparer le bitume du sable. On produit ainsi environ 8 millions de tonnes par an d'un hydrocarbure qui nécessite des prétraitements, compte tenu de sa composition, avant de pouvoir entrer dans un schéma normal de raffinage.

Des opérations pilotes ont pour but d'étudier au Canada et au Venezuela la possibilité de traiter ces sables bitumineux par injection de vapeur dans des puits, par extrapolation des méthodes déjà utilisées ailleurs pour des huiles lourdes, cependant moins visqueuses.

L'huile des schistes

Les schistes bitumineux constituent une autre source potentielle d'hydrocarbures. Malgré leur nom, ces roches ne contiennent pas de bitume, mais du « kérogène », c'est-à-dire de la matière organique héritée du plancton ou des bactéries qui vivaient au moment de leur dépôt et qui est emprisonnée dans l'argile ou le calcaire fin. Les schistes bitumineux peuvent être comparés à des roches mères de pétrole qui n'auraient pas encore généré et expulsé leur huile brute, alors que les sables bitumineux sont, au contraire, des réservoirs pétroliers contenant une huile brute lourde et dégradée. Les schistes bitumineux, dont l'inventaire mondial est loin d'être terminé, constituent une ressource potentielle d'au moins 500 milliards de tonnes, et peut être bien plus. Les principaux gisements inventoriés se situent aux États-Unis (schistes de Green River, 300 milliards de tonnes) et au Brésil (schistes d'Irati, 120 milliards de tonnes). La mise en valeur de ces schistes suppose leur exploitation par carrière ou mine souterraine, suivie d'un chauffage dans des fours à 450-550 °C pour en transformer la matière organique en une huile, appelée huile de schiste. Cette dernière diffère assez nettement du pétrole par sa composition (présence d'oléfines, teneur en azote), et doit subir, elle aussi, un prétraitement avant d'entrer dans un schéma de raffinage. On doit cependant mentionner la possibilité d'utiliser directement un schiste riche comme combustible dans une centrale électrique : c'est le cas depuis de nombreuses années en Union soviétique (Estonie). Enfin des essais de traitement par combustion en place dans la couche et production de l'huile par puits ont eu lieu dans les années soixante-dix aux États-Unis, mais ils se heurtent à de grosses difficultés.

Parmi toutes ces ressources potentielles d'hydrocarbures, d'où tirerons-nous le pétrole dont nous aurons besoin dans les prochaines décennies? Jusqu'à la fin du siècle, le pétrole conventionnel, et particulièrement celui déjà découvert à ce

BIBLIOGRAPHIE

Ouvrage

TISSOT B., WELTE D., *Petroleum Formation and Occurence. A New Approach to Oil and Gas Exploration*, Springer Verlag, Berlin, 1978.

Articles

BOY DE LA TOUR X., LE LEUCH H., « Nouvelles techniques de mise en valeur des ressources d'hydrocarbures », *Revue de l'Institut français du pétrole*, n° 36, 1981.

DESPRAIRIE P., TISSOT B., « Les limites de l'approvisionnement pétrolier mondial », *World Energy Conference*, Munich, 1980.

TISSOT B., « Les nouveaux pétroles », *La Recherche*, n° 129, 1982.

jour, sera prédominant. Le pétrole des mers profondes et celui issu de la récupération assistée feront progressivement leur apparition, avec une mention particulière pour les méthodes thermiques qui fournissent déjà 1 % de la production mondiale. Parmi les huiles les plus lourdes, les gisements de sables bitumineux n'interviendront probablement de façon significative que vers la fin du siècle, mais les énormes réserves potentielles et la proche parenté avec le pétrole en feront le premier substitut du pétrole de composition classique quand les circonstances l'exigeront. De plus, la localisation des gisements est connue et n'est plus soumise aux incertitudes de l'exploration. L'avenir des schistes bitumineux est moins clair. Bien que les réserves soient probablement supérieures aux valeurs couramment citées, la nécessité de recourir à une exploitation par mine ou carrière semble réduire beaucoup leurs possibilités de valorisation. Seule une percée technologique permettant leur traitement en place avec un rendement acceptable serait de nature à changer cette perspective.

Bernard Tissot

Le retour du charbon

La plupart des études prospectives portant sur le domaine de l'énergie s'accordent pour attribuer au charbon une place grandissante dans la consommation mondiale d'énergie, d'ici la fin du siècle. Sa part était passée de 50 % à 27 % entre 1960 et 1980; elle devrait remonter à 35 % en l'an 2000. De fait, les avantages que présente le charbon se sont révélés à partir du milieu des années soixante-dix. Des réserves considérables qui se montent à cinq fois celles du pétrole, réserves localisées hors des pays de l'OPEP : les pays les mieux fournis sont l'URSS, les États-Unis, la Chine, l'Australie, le Canada, les pays de l'Europe de l'Est et de l'Ouest, l'Afrique du Sud, l'Inde. Une utilisation accrue du charbon permettrait ainsi une diversification des approvisionnements énergétiques du monde, rompant avec une situation actuelle caractérisée par une forte dépendance vis-à-vis d'un petit nombre de pays exportateurs de pétrole. De plus, depuis 1980, pour une même quantité d'énergie, le charbon coûte trois fois moins cher que le pétrole, rapport qui ne saurait être fondamentalement modifié dans l'avenir.

Ces avantages expliquent pourquoi le charbon devrait bientôt être plus largement employé. Toutefois, pour son utilisation directe, seuls trois usages précis apparaissent : la production thermique d'électricité et la production de chaleur, dans des installations de grande taille; la réduction du minerai de fer, pour la sidérurgie. Pour le reste, industrie et secteur domestique, il apparaît une réticence certaine à l'égard de l'emploi direct du charbon : sa manutention est pénible et salissante, il est polluant, et, psychologiquement, son emploi est considéré par beaucoup comme un retour en arrière par rapport aux commodités apportées par les hydrocarbures. C'est pourquoi des techniques se sont développées pour lever ces réticences et conférer au charbon des qualités comparables à celles des hydrocarbures. Il s'agit de la gazéification et de la liquéfaction du charbon. Ces techniques doivent permettre un large retour à cette forme d'énergie, ou plutôt un renouveau du charbon.

Gazéifier le charbon consiste à le transformer en un gaz, à faible pouvoir calorifique (qui est alors destiné à des usages industriels nombreux) ou à pouvoir calorifique convenable (susceptible alors de se substituer au gaz naturel provenant des gisements géologiques, pétrolifères ou non). Le principe de la production de gaz industriel (connu depuis le XIXe siècle) est l'« oxyvapogazéification », qui consiste à brûler du charbon en présence d'oxygène et de vapeur d'eau, ce qui donne naissance à un mélange de méthane, d'hydrogène et d'oxyde de carbone. Le mélange obtenu a un pouvoir calorifique de 3,5 à 5 kWh/m³ (soit 2 à 3 fois moins que le gaz naturel). Il peut être utilisé pour la production d'électricité ou la satisfaction des besoins énergétiques de nombreuses industries qui se prêtent mal à l'emploi direct du charbon (telles les industries du verre, de la céramique, du papier). Il peut aussi remplacer le gaz naturel et le naphta (un hydrocarbure léger de pétrole) dans la chimie organique. Trois procédés de fabrication de gaz industriel ont atteint le stade commercial (les procédés, d'origine allemande, Lurgi, Koppers-Totzek et Winkler), chacun étant mis en œuvre dans une vingtaine d'usines réparties dans le monde entier. De nombreux autres procédés, plus ou moins dérivés des premiers, en étaient en 1983 à l'étape du pilote industriel; parmi eux, trois se détachaient : ceux de Texaco, Exxon (américains) et Shell-Koppers (anglo-néerlandais). Le prix de revient du gaz industriel obtenu commercialement était de l'ordre de 10 centimes la thermie à la fin de 1982, ce qui, dans certaines circonstances, le rendait compétitif avec les hydrocarbures (12 à 15 c/th.).

À partir du charbon, il est également possible d'obtenir du gaz à fort pouvoir calorifique (10 kWh/m³, voisin de celui du gaz naturel) : il s'agit de méthane, appelé GNS (gaz naturel de synthèse); un tel produit peut être distribué et utilisé de la même façon que le gaz naturel, et est donc susceptible de le remplacer dans l'industrie et dans le secteur domestique. Le principe de fabrication est de mélanger le produit obtenu de la gazéification avec de l'hydrogène, ce qui, par réaction, donne du méthane. Les procédés entraient en 1983 dans la phase des pilotes industriels (en Grande-Bretagne, en RFA, et aux États-Unis); le prix de revient de cette production était estimé à environ trois fois le prix du gaz naturel.

Faire de l'essence avec du charbon

La gazéification du charbon peut également se faire en profondeur, dans les mines. On creuse deux puits qui se trouvent reliés par une veine de charbon à travers laquelle on fait circuler, d'un puits vers l'autre, un mélange d'oxygène et d'hydrogène; on fait brûler alors le charbon, dont la combustion dégage un mélange gazeux à faible pouvoir calorifique (3 kWh/m³); ce gaz est très généralement utilisé sur place, pour la production électrique. De nombreuses expériences de gazéification souterraine du charbon se sont déroulées à partir des années cinquante dans le monde, aux États-Unis et en URSS en particulier, à faible profondeur. De nouvelles expériences sont en cours au début des années quatre-vingt en France, Belgique, RFA, cherchant à atteindre des profondeurs de l'ordre de 1 000 m. Il serait ainsi possible d'exploiter des veines de charbon profondes, ce qui n'est pas possible avec les techniques d'extraction du charbon. Ces expériences restent toutefois décevantes, car elles posent de nombreux problèmes techniques mal résolus (risques d'inondation des sites exploités, etc.)

La *liquéfaction* du charbon peut se faire soit directement, soit par l'intermédiaire des opérations de gazéification. Le principe de la liquéfaction directe est l'hydrogénation : le charbon est chauffé en présence d'hydrogène, sous forte pression, ce qui donne naissance à des hydrocarbures lourds (goudrons et fuel) et à du naphta : 360 litres par tonne de charbon environ. Le procédé Bergius, mis au point en Allemagne entre les deux guerres, est bien connu ; citons trois autres procédés, apparus au début des années soixante-dix, qui en sont dérivés : H-Coal de Ashland Oil, S R C de Gulf Oil, et E D S de Exxon : ils en sont au stade du pilote industriel.

La liquéfaction peut être indirecte : à partir du mélange gazeux obtenu par gazéification du charbon, on ajoute de l'hydrogène et, suivant les conditions choisies pour la réaction, on obtient soit des hydrocarbures légers et des produits chimiques (c'est la synthèse de Fischer-Tropsch), soit du méthanol (à partir des procédés I C I, ou I F P). Si la synthèse de Fischer-Tropsch a été découverte en 1923 (en Allemagne) et largement exploitée depuis, une importante percée technologique a été réalisée au début des années soixante-dix par Mobil : elle consiste à transformer le méthanol en essence, par déshydratation, à l'aide de catalyseurs appropriés. Depuis 1955, l'Afrique du Sud produit à partir du charbon des carburants et des produits chimiques dans ses usines de la Sasol grâce au procédé Fischer-Tropsch. Le prix de revient de l'essence obtenue serait de l'ordre de 60 dollars par baril, soit 1,5 fois le coût de l'essence de pétrole ; ce prix de revient est assez bas, car l'Afrique du Sud dispose de charbon particulièrement bon marché. Quant au procédé Mobil, il a dépassé le stade des pilotes industriels, et une usine de démonstration est en construction aux États-Unis, qui doit entrer en production en 1985 ; le prix de revient de l'essence ainsi obtenue reste très élevé.

La transformation du charbon en gaz et en liquides doit permettre le développement de son usage dans l'industrie et le secteur domestique ; une telle utilisation représenterait, en 2000, environ 40 % d'une consommation de charbon multipliée par 2,5 depuis 1980. C'est ce nouveau type d'utilisation qui permettrait la croissance de la consommation de charbon, à côté d'une demande stagnante de la part de la sidérurgie, et d'une demande en faible augmentation de la part de la production électrique (du fait de la

---

BIBLIOGRAPHIE

Ouvrages

DUMON R., *Le renouveau du charbon,* Masson, Paris, 1981.

FERRETTI M., *La troisième ère du charbon,* Edisud, Aix-en-Provence, 1981.

WILSON C. (Éd.), *Coal, Bridge to the Future,* Ballinger Publ. Co, Cambridge, 1980.

Articles

ANGELIER J.P., « Le charbon, industrie nouvelle », *Revue d'économie industrielle,* n° 16, 1981.

DELANNOY G., « Gazéification et liquéfaction du charbon », *La Jaune et la rouge,* n° 353, 1980.

Dossier

« Renouveau du charbon : perspectives et perplexités », numéro spécial de la *Revue de l'énergie,* n° 341, 1982.

concurrence de l'énergie nucléaire et de l'énergie hydraulique).

En 1983, la gazéification du charbon en vue d'obtenir du gaz industriel pauvre est commercialement rentable, et se développe dans plusieurs pays. La gazéification du charbon destiné à la fabrication de méthane de synthèse, substitut au gaz naturel, reste trop coûteuse par rapport au prix du produit naturel. Quant aux produits de la liquéfaction du charbon, quelques exceptions économico-politiques mises à part, ils sont encore loin d'être compétitifs avec les hydrocarbures, et l'on n'attend pas leur développement industriel avant les dernières années du siècle. A tel point que tous les pays qui ont engagé des crédits dans cette filière technologique les ont réduits depuis 1982 (Japon, États-Unis, RFA, Afrique du Sud, URSS).

Les techniques de gazéification et de liquéfaction du charbon sont nées entre les deux guerres, et ont été abandonnées du fait de la formidable baisse du prix des hydrocarbures depuis 1960. Doit-on s'étonner du fait que ce soient les firmes pétrolières qui, au cours des années soixante-dix, ont relancé et perfectionné ces techniques?

Jean-Pierre Angelier

L'énergie solaire

Solution à long terme de tous les problèmes énergétiques ou modeste complément des sources d'énergie traditionnelles réservé à quelques applications spécifiques, l'énergie solaire n'a pas complètement perdu son image d'utopie écologiste, bien qu'elle bénéficie depuis la crise du pétrole d'importants efforts de recherche et de développement industriel.

La contribution de l'énergie solaire aux sources d'énergie primaire devrait atteindre en France environ 5 % en l'an 2000. C'est modeste, mais c'est ce que représentait en 1973 l'énergie nucléaire. Qualitativement, c'est une forme d'énergie différente : elle se prête bien à une production non centralisée qui n'exige pas d'infrastructures lourdes de distribution comme l'électricité ou le gaz. Cet aspect est surtout sensible pour les pays du tiers monde où le problème actuel est bien souvent d'assurer le plus vite possible une production d'énergie faible en valeur absolue, mais suffisante pour améliorer considérablement le niveau de vie.

Source d'énergie permanente, stable et, à l'échelle humaine, éternelle, le soleil dispense à la terre un flux d'énergie de 1,4 kW/m². L'atmosphère terrestre en réfléchit une partie, en absorbe une autre et laisse finalement arriver au sol de nos régions 1 kW/m² (en été, par temps clair et à midi : un mètre carré de façade reçoit journellement 4,3 kWh). C'est encore considérable : sur le sol français, c'est environ dix mille fois la puissance nucléaire prévue en France pour 1985! Comparée aux réserves de pétrole connues du monde entier, l'énergie reçue chaque année par la terre est mille fois supérieure.

Hélas, comme le savent bien les habitants des pays tempérés, cette énergie est fluctuante, saisonnière et souvent absente lorsqu'on en a le plus besoin, en hiver notamment – et bien entendu la nuit! C'est là un problème clé de l'emploi de l'énergie solaire : il faudrait pouvoir la stocker pour en disposer lorsqu'on le désire. Peu de solutions vraiment satisfaisantes à ce problème sont connues et ce manque affecte profondément le développement des techniques solaires : seules se développent bien les applications qui comportent leur propre stockage (chauffe-eau solaire) ou s'accommodent naturellement de la variabilité du soleil (pompage de l'eau pour irrigation).

L'énergie est essentiellement consommée sous forme de lumière d'éclairage, de chaleur (domestique et industrielle) et d'énergie mécanique (transports et machines). Des vecteurs d'énergie (électricité, gaz et carburants liquides) permettent la distribution aux utilisateurs à partir des sources d'énergie primaire traditionnelles naturellement concentrées. Entre la source et l'application, interviennent une ou deux conversions où non seulement l'énergie change de forme mais où une partie se perd : les rendements de conversion sont toujours très inférieurs à 1 lorsque l'on passe de la chaleur à l'électricité ou à l'énergie mécanique.

Pour l'énergie solaire, constituée de rayonnement (visible et aussi invisible : infrarouge et ultraviolet), la conversion en chaleur est aisée : l'expérience commune dit que tout corps chauffe au soleil ! Mais elle dit aussi que la température atteinte reste basse – moins de 100 °C – parce que les pertes par rayonnement et convection limitent l'échauffement.

Les besoins de l'habitat

La conversion en chaleur à basse température (30 °C à 70 °C) correspond bien aux besoins de l'habitat, chauffage et eau chaude sanitaire. Elle ne nécessite que des techniques simples bien assorties à la pratique du bâtiment. Pourquoi alors l'habitat solaire n'est-il pas plus répandu ?

Une difficulté essentielle provient du décalage entre les périodes de disponibilité de l'énergie solaire et les besoins. Ce décalage s'aggrave lorsque la latitude augmente : dans les climats tempérés, et plus précisément dans la région parisienne, l'énergie solaire reçue journalement par m² de façade exposée au sud est de 1 kWh au mois de janvier (4,3 fois moins qu'en été). Une façade comportant 20 m² de vitrage ne capte donc que 20 kWh par jour, ce qui est peu en comparaison des besoins, qui pour une maison normalement isolée (normes 1975) se montent à plus de 100 kWh (pour 300 m³ chauffés). Face à ces données, il est clair qu'un très bon isolement est indispensable, mais aussi que s'impose une prise en compte de l'ensemble des données climatiques – c'est le sens du terme « habitat bioclimatique » – et aussi de toutes les possibilités techniques (pompe à chaleur, stockage intersaisonnier).

Pour simplifier, on distingue l'habitat solaire passif et les techniques actives. Dans le premier cas, c'est le bâtiment lui-même qui sert de capteur. Le mécanisme essentiel qui intervient est « l'effet de serre » : un vitrage laisse passer le rayonnement visible entrant qui peut se convertir en chaleur sur les parois internes; par contre, il s'oppose globalement à la sortie de la chaleur. Cet effet est utilisé sous différentes formes, plus ou moins raffinées : c'est par exemple le cas du « mur Trombe » (du nom d'un inventeur français dans les années cinquante). Il s'agit d'un mur en brique (par exemple) absorbant la chaleur solaire et situé derrière un vitrage.

L'effet de serre est aussi utilisé dans les techniques actives, dont le type est le « capteur plan » situé en façade ou en toiture. Il s'agit d'une surface noire absorbant le rayonnement solaire, enfermée sous un vitrage. Au contact de la surface noire circule un courant d'air ou d'eau. Celui-ci, réchauffé, est distribué à des radiateurs domestiques (convecteurs). Il est bien entendu possible d'intercaler, dans le circuit, un ballon de stockage.

Le chauffe-eau solaire, destiné à la fourniture d'eau chaude sanitaire, est un cas particulier des techniques actives. Il répond à une demande particulière : avoir de l'eau chaude (au moins 40 °C), et cela toute l'année. Les besoins correspondant à l'été sont faciles à assurer. Un dimensionnement soigné de l'installation (choix de la surface du capteur et du débit d'eau) permet de couvrir une partie importante des besoins hivernaux dans les régions tempérées. On peut donc espérer que le rythme de diffusion des chauffe-eau solaires sera à l'avenir plus rapide que celui qu'on observait en France en 1982 (20 000 unités par an pour 2,3 millions de logements individuels et 500 000 logements collectifs susceptibles d'être équipés). Des actions d'incitation, comme le concours des 5 000 maisons solaires lancé en 1980, doivent agir en ce sens.

Les centrales solaires

La simplicité des moyens nécessaires à l'obtention de chaleur à moyenne température (plus de 70 °C) a suscité diverses applications industrielles principalement destinées aux pays en voie de développement des zones tropicales et équatoriales : de petites stations alimentant des turbines à fréon (liquide se vaporisant à cette température) et générant de l'électricité ont ainsi été développées (notamment par la société française SOFRETES) avec des puissances allant jusqu'à 30 kW (cela permet de commencer à couvrir les besoins élémentaires d'un village dans le tiers monde). La réfrigération, sur le principe de l'évaporation, et le dessalement de l'eau de mer sont d'autres applications intéressantes. Citons enfin la technique originale des étangs solaires, très développée par l'État d'Israël : elle utilise le fait que dans les étangs d'eau salée l'eau chaude, plus lourde parce que chargée de sel, s'accumule au fond, ce qui réduit l'évaporation et permet d'atteindre plus de 90 °C.

Pour convertir la chaleur solaire en énergie mécanique, puis en électricité, il est préférable de disposer de chaleur à haute température puisque les principes de la thermodynamique indiquent que le rendement de conversion croît avec la température. Là encore, la solution est bien connue : il suffit en principe de concentrer le rayonnement, par des miroirs ou des lentilles, vers un collecteur de petite taille.

La température obtenue croît avec le facteur de concentration. Pour de grandes surfaces, on utilise des miroirs constitués de facettes planes et, pour suivre le soleil dans la course, les miroirs sont montés sur un support orientable constituant un « héliostat ». Différentes géométries sont employées : le paraboloïde unique avec la chaudière placés directement au foyer (système Thek, comme à la station de Saint-Chamas près de Marseille) convient pour les surfaces inférieures à 100 m². Au-delà, on peut utiliser des miroirs cylindroparaboliques, pivotant autour de leur axe et chauffant une canalisation cylindrique placée à leur foyer (centrale de Vignola, Corse).

Pour les grandes puissances (plus de 1 MW), on associe une chaudière unique, placée au sommet d'une tour, à un champ d'héliostats orientables. La centrale Themis de Targasonne (Pyrénées-Orientales), inaugurée au printemps 1983, est conçue selon ce principe. Elle comporte 201 héliostats focalisants de 54 m² et fournit une puissance électrique de 2,3 MW. Un stockage intermédiaire du fluide caloporteur (sels fondus) améliore le rendement global par temps partiellement nuageux. Contrairement aux techniques employées dans l'habitat, il s'agit ici de technologies avancées : la commande du champ d'héliostats, la réalisation de la chaudière et le contrôle de l'ensemble posent des problèmes délicats.

Bien que couplée au réseau, Themis est essentiellement une centrale de démonstration qui ne prétend pas à la compétitivité sur le plan du prix de revient du kWh. C'est une solution technique qui ne prend toute sa valeur que dans des régions isolées, où les coûts de transport de combustible sont élevés. Des expériences analogues sont en cours en Italie, en Espagne, au Japon, en URSS et aux États-Unis, avec la plus grande centrale de ce type : Barstow, en Californie (10 MW).

Des photopiles pour toutes les longueurs d'onde

Passer directement de l'énergie primaire à l'électricité sans intermédiaire thermique et donc sans machine tournante est possible grâce à la conversion photovoltaïque. On sait qu'un photon du rayonnement solaire, absorbé dans un cristal semi-conducteur commun, le silicium, est capable de communiquer son énergie à un électron qui se comporte alors comme s'il était libre : il devient mobile, et peut participer à la conduction du courant électrique. L'emplacement laissé libre par l'électron, le « trou », se comporte de façon analogue mais comme une charge positive. L'association de deux semi-conducteurs ou d'un semi-conducteur et d'un métal est une diode génératrice de courant lorsqu'elle est illuminée : c'est une photopile. Le rendement de conversion est limité théoriquement parce que la création d'une paire électron-trou exige une énergie minimale au-dessous de laquelle il est inefficace. L'optimum correspond à une longueur d'onde précise du photon (proche de l'infrarouge pour le silicium, par exemple). De plus, les photons d'énergie supérieure (longueur d'onde plus courte) dissipent l'excédent en chaleur. Comme l'énergie minimale ne dépend que du cristal, le choix de celui-ci fixe le rendement maximum, qui est ainsi limité à 22 % pour le silicium et à 27 % pour le semi-conducteur optimal.

Parmi les très nombreux semi-conducteurs étudiés, le silicium reste pratiquement le seul industrialisé pour les photopiles en 1983. La technique habituellement employée, celle du silicium monocristallin, est coûteuse parce qu'elle passe par la réalisation d'un cristal de grande dimension et de haute pureté. Mais dès 1983, devaient apparaître sur le marché deux nouveaux types de photopiles, toujours au silicium mais moins chers. Les unes emploient le silicium polycristallin, constitué de petits cristaux et plus simple à produire, soit en lingots qui sont ensuite sciés, soit directement en rubans tirés à partir d'un bain de silicium. Un autre type de photopiles, à base de silicium amorphe (non cristallisé), est déjà utilisé en remplacement des piles sur les calculettes. Il préfigure les photopiles de l'avenir ; le silicium y est utilisé en couches minces de moins de 1 micron, ce qui consomme donc très peu de matière. Il peut être réalisé en grandes surfaces et, on l'espère, à bas prix. Il est cependant plus difficile d'approcher le rendement théorique avec ces matériaux, mais les 10 % ont déjà été atteints au niveau de prototypes.

Dans les années à venir, la compétition restera vive entre le silicium et d'autres matériaux qui ont donné de bonnes photopiles au niveau du laboratoire et qui peuvent percer à tout moment au niveau industriel. Citons les piles au sulfure de cadmium et sulfure de cuivre, arrivées au niveau de l'industrialisation mais qui posent des problèmes de stabilité à long terme, ou encore celles au sulfure de cadmium et tellure de cadmium, dont la commercialisation était annoncée en 1983. Beaucoup de recherches concernent l'arséniure de gallium (pour lequel la longueur d'onde optimum se situe dans le rouge) et les composés qui en dérivent, susceptibles de conduire à des rendements de 20 %. Mieux encore, un « sandwich » composé de plusieurs de ces couches minces, chacune étant ajustée pour absorber les photons d'une couleur, permet de s'affranchir de la limitation théorique du rendement. Avec de telles cellules « multicolores » on pourrait atteindre 40 % de rendement pour quatre couches. Des structures aussi complexes seront probablement chères si elles ne sont pas produites massivement, mais elles peuvent être valorisées par le recours à la concentration. Des générateurs de démonstration concentrant la lumière tels que les « Sophocle » du CNRS ont déjà été expérimentés pour ce type d'usage (Afrique, Grèce, Brésil, Extrême-Orient,...). Ils comportent des lentilles de Fresnel : ce sont des lentilles de toile spéciale, pouvant avoir de grandes surfaces tout en restant minces. Celles des Sophocle ont quelques dm² chacune, et concentrent la lumière sur une photopile de quelques cm², l'ensemble étant monté sur un héliostat. Avec un rendement de 40 %, une surface de 6,25 m² pourrait fournir 2,5 kW au lieu de 0,6 kW avec du silicium.

Faire comme les plantes vertes ?

Les photons solaires peuvent être employés pour dissocier une molécule en deux composants. Si ceux-ci peuvent être séparés, puis stockés, on retrouve de l'énergie thermique en produisant la réaction inverse. La molécule d'eau est la première candidate pour cette « photolyse » : elle ne coûte rien, et une fois dissociée, elle fournit de l'hydrogène, substitut industriel possible au gaz, avec l'avantage d'une combustion non polluante. On peut aussi envisager de se débarrasser par photolyse de résidus industriels comme l'hydrogène sulfuré (H_2S). Beaucoup de travaux ont été réalisés dans ce domaine depuis 1975 et des systèmes prototypes ont déjà fonctionné, mais la difficulté des problèmes qui restent à résoudre est encore considérable.

Plus ambitieux encore, la conversion photobiologique prend exemple sur la photosynthèse des plantes, mécanisme qui à partir d'eau et de gaz carbonique convertit efficacement la lumière solaire en sucres (hexoses), matériau de base de la plante. Différentes techniques de bioconversion directe visent à utiliser des organites comme les chloroplastes ou des organismes comme des bactéries pour produire de l'hydrogène. On connaît aussi des algues qui synthétisent des hydrocarbures ou des glycérols. Les manipulations génétiques pourraient aider à améliorer le rendement ou à modifier le combustible produit. Évidemment, il s'agit là de projets pour un futur encore lointain.

D'autres mécanismes de conversion de l'énergie solaire ont lieu

---

BIBLIOGRAPHIE

Ouvrages

BARBET P., *Les énergies nouvelles,* coll. « Repères », La Découverte/Maspero, Paris, 1983.

GALLET P., PAPINJ F., PÉRI G., *La physique des convertisseurs héliothermiques,* Éd. Edi Sud, Aix-en-Provence, 1980.

LAUGIER A., ROGER J.A., *Les photopiles solaires,* Techniques et documentation, Paris, 1981.

La recherche sur les énergies nouvelles, Seuil, Paris, 1980.

Articles

Tous les numéros des *Cahiers de l'AFEDES.*

spontanément sur notre planète : l'énergie éolienne, énergie mécanique du vent qui comme l'énergie hydraulique résulte de la conversion du rayonnement dans l'atmosphère ; l'énergie thermique des mers, liée au gradient de température entre surface et profondeurs ; et enfin l'énergie de la biomasse [341] résultant de la conversion par les plantes (synthèses des matières vivantes grâce à l'énergie solaire).

Pour conclure ce bref panorama axé sur les techniques, il faut rappeler qu'en matière d'énergie les facteurs économiques jouent un rôle essentiel. Les techniques solaires, encore récentes, apparaissent souvent peu compétitives en termes de coût de l'énergie produite. Mais il ne faut pas oublier que les effets d'industrialisation massive de l'énergie solaire ne se font pas encore sentir, que les données sont plus favorables dans les pays en voie de développement et qu'enfin l'énergie solaire est inépuisable.

Bernard Equer

L'ÉTAT DES SCIENCES 1983
LES SURGÉNÉRATEURS ONT-ILS UN AVENIR ?

361

Les surgénérateurs ont-ils un avenir ?

Dans l'esprit des promoteurs du programme électronucléaire français, les centrales nucléaires actuelles devraient être remplacées, aux environs de l'an 2000, par des centrales nucléaires d'un type différent : les surgénérateurs. En effet, les réacteurs des centrales actuelles ne consomment qu'un faible pourcentage du potentiel énergétique de l'uranium. Au contraire, les surgénérateurs seraient susceptibles, au moins en théorie, de tirer 50 à 60 fois plus d'énergie d'une même quantité d'uranium. Ce type de centrale pourrait donc permettre à chaque pays, d'utiliser au maximum ses ressources nationales d'uranium, et de cette façon, de ne pas dépendre d'importations pour la production électronucléaire.

Si tout ceci est séduisant sur le papier, la réalité l'est beaucoup moins. La mise au point des centrales surgénératrices et des installations industrielles qui les desservent, s'avère en effet extrêmement difficile.

Un réacteur surgénérateur fonctionne avec un combustible formé d'un cœur d'uranium 238 enrichi à 15 % de plutonium, entouré d'une « couverture » d'uranium 238. Rappelons que ce dernier, qui est la variété isotopique de l'uranium la plus abondante (99,3 %) dans la nature, n'est pas capable de donner lieu à une réaction de fission nucléaire. Dans le cœur des réacteurs des centrales conventionnelles en service au début des années 1980, c'est l'uranium 235 qui est à l'origine de cette réaction génératrice d'énergie. Dans les surgénérateurs, c'est le plutonium qui joue ce rôle. Sa fission libère des neutrons dont certains rencontrent les atomes d'uranium 238 et les transforment en atomes de plutonium 239. Ainsi, à mesure que le plutonium initial se désintègre, du plutonium nouveau se forme dans le réacteur, et ce, en plus grande quantité (d'où le nom de surgénérateur). Il faut toutefois souligner que la conversion complète d'une masse donnée d'uranium 238 en plutonium sera très lente : elle demande beaucoup plus de cent ans. De plus, pour pouvoir disposer de ce plutonium, il faut périodiquement retraiter le combustible du surgénérateur dans une usine spéciale de retraitement. Cette opération présente de nombreuses difficultés car il faut manipuler un produit trois fois plus « radioactif » que le combustible des réacteurs conventionnels, émettant trois fois et demie plus de chaleur et contenant dix fois plus de plutonium (cette substance est parmi les produits radioactifs les plus nocifs et nécessite d'énormes précautions).

Les difficultés sont nombreuses aussi au niveau des centrales surgénératrices elles-mêmes. Le cœur du réacteur est refroidi par du sodium fondu, qui délivre la chaleur qu'il a récupérée à un circuit de vapeur d'eau. C'est cette dernière qui fait tourner les turbines génératrices d'énergie électrique. Le sodium fondu est un produit extrêmement dangereux : il peut s'enflammer spontanément au contact de l'air ou exploser au contact de la vapeur d'eau. Comme il est très corrosif, il a fallu mettre au point une nouvelle technologie (métallurgie, soudures, pompes, valves,...), pour éviter toute fuite de la circuiterie qui le contient.

Des programmes en retard...

De fait, l'exploitation des surgénérateurs a été émaillée, depuis le début, d'incidents dus au sodium : aux États-Unis (réacteur Fermi, en 1963), en URSS (réacteur BOR 60 et BN 350, en 1973), en Grande-Bretagne (réacteur PFR entre 1974 et 1981), et en France (réacteur Phénix, en 1982). Le cœur du réacteur peut lui-même connaître un accident spécifique résultant d'un emballement de la réaction nucléaire, qui peut aboutir à une fusion du combustible suivie d'une petite explosion atomique. Deux graves accidents de fusion partielle du cœur de surgénérateur se sont ainsi produits aux États-Unis : l'un sur le réacteur d'essai EBR-1, en 1955, l'autre, sur le réacteur prototype Fermi, en 1966. C'est dire que les surgénérateurs posent de graves problèmes de sécurité.

En raison de ces difficultés, tous les pays qui désiraient construire des surgénérateurs ont procédé prudemment par étapes, réalisant d'abord des réacteurs d'essai, puis des réacteurs expérimentaux, enfin des prototypes de plus en plus puissants (d'abord 250-350 MW, puis 600 à 1 200 MW), pour atteindre finalement le stade de la centrale commercialisable. Seules, en 1983, la France et l'URSS étaient parvenues au stade du prototype le plus puissant. Dans tous les autres pays, les programmes se situaient à des étapes moins avancées, après avoir pris beaucoup de retard.

Aux États-Unis, il avait été décidé en 1966 de prolonger les études des réacteurs expérimentaux avant de passer au prototype de 350 MW. A cause de difficultés financières, la construction du gros réacteur expérimental FFTF prit sept ans de retard, et il coûta dix fois plus cher que prévu. La préparation de la construction du prototype de 350 MW à Clinch River, commença en 1970, et prit aussi énormément de retard, à la fois pour des raisons financières et à cause de l'opposition sociale au projet. La procédure d'autorisation allait aboutir lorsque l'administration Carter suspendit ce projet, en 1977, du fait de son opposition à l'industrie du plutonium, source possible de dissémination de l'arme atomique [176]. L'administration Reagan, après quelques hésitations, relança la procédure d'autorisation en 1981. Le réacteur de Clinch River pourrait démarrer vers 1990 si l'opposition de plus en plus importante des parlementaires n'entraîne pas son annulation définitive (comme cela a failli être le cas à l'automne 1982), tant son coût est devenu important (20 milliards de F).

La situation du programme allemand n'est guère plus brillante : le réacteur prototype de 300 MW SNR 300, dont les études ont commencé en 1965, n'a été autorisé qu'en 1974, soit six ans après Phénix, le réacteur français équivalent. Par la suite, la construction prit sept ans de retard (démarrage prévu,

L'ÉTAT DES SCIENCES 1983
LES SURGÉNÉRATEURS ONT-ILS UN AVENIR?

363

dans le meilleur des cas, en 1986), et son coût (hors inflation) a été multiplié par trois (18 milliards de F). Ces difficultés s'expliquent par les mêmes raisons qu'aux États-Unis. Et l'achèvement du projet pourrait être aussi remis en question, comme il l'a été, pendant l'été 1982, par l'ancien gouvernement social-démocrate désireux d'affecter plus de fonds à des technologies plus prometteuses (microélectronique, biotechnologies...).

En Grande-Bretagne, le programme surgénérateur fut pendant longtemps le plus avancé du monde grâce à la réalisation entre 1966 et 1974, d'un réacteur prototype de 250 MW (le PFR). Mais le gouvernement refuse depuis 1976 d'engager l'étape suivante de la construction du prototype de 1 200 MW (réacteur CFR), malgré les pressions de la puissance Atomic Energy Authority. En guise de compromis, les fonds publics affectés annuellement à l'étude de la filière surgénératrice ont été maintenus

LES SURGÉNÉRATEURS DANS LE MONDE EN 1983 [1]

	France	URSS	Grande-Bretagne	États-Unis	Allemagne	Japon
Réacteurs d'essais		BRIO 10 MWth (1959)		EBR1 [2] (1951)		
Réacteurs expérimentaux	Rapsodie [2][3] 40 MWth (1967)	BOR 60 10 MWé (1969)	DFR [2] 15 MWé (1959)	EBR2 16 MWé (1962) FFTF 400 MWth (1981)	KNK-2 21 MWé (1977)	JOYO 50 MWth (1977)
Réacteurs prototypes de 250-350 MWé	Phénix 250 MWé (1973)	BN 350 350 MWé (1972)	PFR 250 MWé (1974)	Fermi [2] 66 MWé (1963) Clinch River 350 MWé (1990?)	SNR 300 300 MWé (1986?)	Monju 250 MW (1988?)
Réacteurs prototypes de 600-1 200 MW	Super-Phénix 1 200 MWé (1984)	BN 600 600 MW (1980) BN 1600 1 300 MW (en projet)	CFR 1 200 MW (en projet)			
Centrales commerciales	Super-Phénix II 1 450 MW (en projet)					

1. Les dates indiquées sont celles du démarrage du réacteur.
2. Les réacteurs EBR1, Fermi, DFR et Rapsodie ont été arrêtés respectivement en 1963, 1972, 1977 et 1982.
3. L'Italie et l'Inde construisent chacune depuis une dizaine d'années un réacteur expérimental, dont la conception est voisine de celle de Rapsodie : le réacteur PEC de 140 MWth pour la première, dont l'achèvement prévu en 1985 était de plus en plus problématique, et le réacteur FBTR de 40 MWth pour la seconde, dont l'achèvement était prévu en 1983.

depuis 1976 au niveau de 1 milliard de F; mais il est prévu, pour 1985, la tenue d'une « enquête publique » (Public Inquiry) sur le projet de prototype CFR. Il se pourrait que, d'ici là, le projet soit définitivement annulé. En effet, au niveau des dirigeants de l'État, on perçoit de moins en moins l'utilité des surgénérateurs, pour les mêmes raisons qu'en Allemagne et aux États-Unis.

... sauf en France et en URSS

En France, les projets successifs de réacteurs prototypes (réacteur Phénix de 250 MW, réacteur Super-Phénix de 1 200 MW) ne se sont pas heurtés aux difficultés politiques et administratives rencontrées dans les autres pays et ont bénéficié de la concentration du pouvoir technique entre les mains du Commissariat à l'énergie atomique (CEA). La progression de la filière s'est effectuée de ce fait rapidement. Le programme du CEA, démarré dix ans après les programmes américains et britanniques, devint le premier parmi les pays occidentaux au début de la décennie soixante-dix, avec le démarrage réussi du réacteur « Phénix » en août 1973. Depuis lors, celui-ci a fonctionné de façon relativement satisfaisante, malgré des fuites dans les échangeurs entre les deux circuits de sodium, en 1976, et celles dans plusieurs générateurs de vapeur, en 1982. En avril 1976, le gouvernement autorisait l'EDF à construire sur le site de Creys-Malville, le réacteur prototype Super-Phénix de 1 200 MW, dans le cadre d'une collaboration européenne. L'expérience d'EDF en matière de gestion des grands chantiers nucléaires, la spécificité du système français de réglementation nucléaire, et l'impossibilité de l'opposition sociale d'influencer les décisions [74], ont permis un déroulement rapide des travaux. Le réacteur Super-Phénix devrait commencer à produire de

l'électricité en 1984. Mais il coûte 15 milliards de francs, soit 2,3 fois plus qu'un réacteur conventionnel.

Le Japon a commencé un programme de surgénérateur en 1967, et a mis en route un petit réacteur expérimental en 1977 (réacteur Joyo). Le démarrage de l'étape suivante, celle du surgénérateur de 250 MW (réacteur Monju) s'est heurté à des problèmes de financement. Ceux-ci n'ont été résolus qu'en 1982, ce qui repousse la mise en service de ce réacteur en 1989.

Seul le programme soviétique peut désormais prétendre rivaliser avec le programme français, avec le démarrage, en 1980, du réacteur BN 600 (prototype de 600 MW), avec trois ans de retard. Mais le projet suivant de réacteur prototype de 800 MW (BN 800) a été repoussé *sine die*, étant donné les difficultés de maîtriser le retraitement et l'absence de nécessité du développement commercial de la filière en URSS.

Qui veut encore des surgénérateurs?

La compétition technologique entre les programmes occidentaux de surgénérateurs n'apparaîtrait avoir de sens que si se dessinaient au plan mondial de réelles perspectives commerciales. Or celles-ci paraissent depuis quelques années s'être refermées. En effet, l'horizon de raréfaction des ressources d'uranium s'est éloigné de plusieurs décennies car les prévisions de construction de centrales nucléaires conventionnelles, d'ici à l'an 2000, ont été divisées par quatre, par suite de la crise des programmes nucléaires de tous les pays avancés (conflits d'intérêts, opposition sociale...), à laquelle seul le programme français a échappé. Au plan économique, en outre, les surgénérateurs s'avéreront extrêmement chers : non seulement ces centrales demandent plus d'investissements que les centrales conventionnelles, mais les problèmes de retraitement multiplieront par dix le coût de production du plutonium.

De toute façon, les entreprises d'électricité ne semblent pas disposées à tenter, avant plus de trente ans, une nouvelle aventure technologique lourde d'incertitudes, vu l'opposition sociale et l'hostilité américaine à l'industrie du plutonium. On peut alors s'interroger sur le bienfondé des projets du Commissariat français à l'énergie atomique et du groupe Creusot-Loire qui, depuis 1978, exercent sur les pouvoirs publics et EDF des pressions pour que soit engagée en 1985 l'étape de la commercialisation des surgénérateurs, avec la construction de quatre réacteurs Super-Phénix II de 1450 MW, et des usines associées de fabrication et de retraitement du combustible. Les réticences de plus en plus marquées d'EDF à rester la seule entreprise électrique du monde à s'équiper de surgénérateurs, comme les hésitations du pouvoir socialiste, laissent à penser qu'un tel projet pourrait être remplacé par la construction d'un seul Super-Phénix II.

Dominique Finon

365

BIBLIOGRAPHIE

Articles

FINON D., « Super-Phenix : la dictature de la nécessité », *La Recherche*, n° 140, 1983.

LENOIR Y., « Quelques vérités pas toujours bonnes à dire sur les surgénérateurs », *Science et Vie*, n° 781, 1982.

POLLAK M., « Qui veut de Kalkar? », *La Recherche*, n° 140, 1983.

RAPIN M., « Cycle du combustible des réacteurs rapides, perspectives dans le monde et en France », *Notes d'informations du CEA*, n° 12, 1981.

Dossier

« Les surgénérateurs : perspectives économiques et réalité technique », *Revue générale nucléaire*, n° 6, 1979.

Que faire des déchets nucléaires?

L'industrie nucléaire produit des déchets radioactifs. Elle n'est pas la seule : les laboratoires d'analyses, les hôpitaux, les universités utilisent pour leurs travaux de recherche des corps radioactifs qu'ils rejettent ensuite. Mais l'industrie nucléaire est de loin la plus grande source de déchets radioactifs dangereux pour l'Homme et l'environnement.Rappelons toutefois, pour mémoire, que les essais de bombes atomiques et de bombes à hydrogène ont répandu, depuis 1945, des déchets radioactifs dans l'atmosphère : ceux-ci ont contribué à augmenter la radioactivité existant naturellement à la surface de la planète et à laquelle sont normalement soumis tous les êtres vivants. Les retombées de tous les essais d'armes nucléaires, depuis le début de l'âge atomique, contribuent aujourd'hui à 2 % environ de l'irradiation annuelle moyenne des êtres humains.

Les déchets de l'industrie nucléaire proviennent du « cycle du combustible », c'est-à-dire des différentes étapes de la production, de l'utilisation et du retraitement du combustible des centrales électronucléaires. Ils se présentent soit sous forme d'effluents – c'est-à-dire de gaz, de liquides ou d'aérosols (poussières) – soit sous forme de déchets solides. Les problèmes de pollution de l'environnement ne se présentent pas de la même manière pour ces deux grandes classes de déchets, nous allons le voir.

Nature et effets de la radioactivité

Rappelons d'abord ce qu'est la radioactivité – et les nuisances qu'elle entraîne. La radioactivité est due à la désintégration spontanée de noyaux atomiques instables et est constituée de différents types de rayonnements énergétiques (cf. encadré) : le rayonnement *alpha* est une émission de noyaux d'hélium, le rayonnement *bêta* est une émission d'électrons ; le rayonnement *gamma* est un rayonnement électromagnétique de grande énergie.

Tous ces rayonnements sont

1984 : le cinquantenaire de la découverte de la radioactivité artificielle

Le 15 janvier 1934, Jean Perrin présentait devant l'Académie des sciences une communication d'Irène Curie et Frédéric Joliot annonçant la découverte d'un nouveau type de radioactivité, appelée aujourd'hui la « radioactivité artificielle ». La radioactivité naturelle avait été découverte dans du minerai d'uranium en 1896 par Henri Becquerel ; et ses lois, ainsi que les propriétés des rayonnements émis (alpha, bêta, gamma), avaient été établies au cours des vingt années suivantes grâce aux nombreux travaux réalisés tant en France qu'en Grande-Bretagne, en Allemagne et aux États-Unis.

À l'Institut du radium, dirigé par Marie Curie, Irène Curie et Frédéric Joliot disposaient des meilleurs moyens pour étudier les réactions nucléaires provoquées lors de l'interaction des rayons alphas (noyaux d'hélium émis par du polonium) avec des cibles de béryllium ou d'aluminium. Leurs travaux avaient conduit à la découverte du neutron en 1932, par l'Anglais J. Chadwick. Ils observèrent que les réactions nucléaires qu'ils provoquaient s'accompagnaient d'une émission de positrons, électrons positifs découverts par l'Américain C. Anderson la même année. L'idée originale des chercheurs français fut de poursuivre la détection des positrons après l'arrêt de l'irradiation de la cible. Ils constatèrent alors que l'émission se prolongeait avec une décroissance exponentielle, caractéristique de la radioactivité. Ils interprétèrent ce résultat comme étant dû à la production d'un nouveau noyau (tel que le phosphore 30 ou 30 P, par exemple) au capables d'endommager plus ou moins gravement toute matière se trouvant sur leur trajet. En particulier, les cellules des êtres vivants peuvent être lésées ou tuées. Selon l'importance des doses de rayonnements reçues et leur distribution dans l'organisme, les lésions consistent en rougeur de la peau, brûlures, atteintes de tissus profonds, troubles digestifs, troubles sanguins, etc. et peuvent ainsi conduire à la mort de l'individu irradié, lors d'irradiations importantes. Les cellules exposées aux radiations peuvent aussi, au lieu d'être tuées, voir leur patrimoine génétique transformé (muté) : dans ce cas, elles pourront donner, après quatre à vingt ans de latence, des cancers [239]. S'il s'agit de cellules sexuelles, leurs mutations seront à l'origine d'avortements spontanés ou de malformations héréditaires.

Le danger radioactif de tel ou tel déchet de l'industrie nucléaire se caractérise par plusieurs données. Il y a d'abord *la nature de l'émission,* alpha, bêta ou gamma. Le rayonnement alpha est très peu pénétrant : les noyaux d'hélium sont arrêtés par quelques centièmes de millimètre d'une feuille de plomb, alors que les électrons du rayonnement bêta peuvent franchir quelques millimètres d'aluminium. C'est que les noyaux d'hélium ont une grande dimension et interagissent donc fortement avec

cours de la réaction nucléaire. Une des réactions obtenues pouvait donc s'écrire :

$$27 \text{ Al} + 4 \text{ He} \rightarrow 30 \text{ P} + {}^{0}_{1}\text{n}.$$

Un noyau tel que 30 P n'existe pas dans la nature car il se désintègre en quelques minutes, pour donner un noyau stable de silicium (la réaction étant : 30 P → 30 Si + e⁺ + neutrino). Cette expérience montrait qu'il était ainsi possible de créer artificiellement et de manière intentionnelle des isotopes radioactifs de tous les éléments chimiques connus dans la nature.

Cette découverte devait avoir des conséquences multiples. Tout d'abord elle ouvrait la porte à l'utilisation des traceurs radioactifs et des méthodes d'analyse nucléaire en biologie, en médecine et dans l'industrie. D'autre part elle démontrait qu'à côté de la radioactivité β⁻, qui s'accompagne de l'émission d'un électron négatif, il existe une radioactivité β⁺, avec émission d'un électron positif. Or la même année, en 1934, l'Italien Enrico Fermi proposait d'expliquer les propriétés de la radioactivité β en supposant que l'émission d'un électron s'accompagne toujours de celle d'une autre particule : le neutrino. Cette particule, ne portant pas de charge électrique et de masse sensiblement nulle, avait été suggérée dès 1930 par le Suisse Wolfang Pauli. L'idée de Fermi fut de supposer que c'est le neutrino qui emporte une partie de l'énergie émise lors de la désintégration d'un noyau émetteur β. Cette hypothèse a été largement confirmée depuis. La radioactivité β a joué un rôle important dans le développement de nos connaissances des lois de la matière. En effet elle assure le lien entre la force nucléaire qui règne au sein du noyau et la force électromagnétique, provoquée par les électrons, qui est responsable des liaisons entre atomes.

Didier B. Isabelle

les atomes d'un matériau ou d'un tissu vivant qu'ils rencontrent. C'est pourquoi ils sont arrêtés très rapidement : de ce fait, ils dissipent toute leur énergie dans un très petit volume de matériau ou de tissu rencontré. Cela explique que le rayonnement alpha est le plus destructeur des rayonnements : à dose égale, on estime qu'il est 20 fois plus dangereux que le rayonnement bêta ou gamma.

Une autre donnée pour évaluer le danger radioactif de tel ou tel déchet nucléaire est son *activité*, c'est-à-dire le nombre de désintégrations atomiques par seconde qui s'y produit. On mesure cette activité en « curies » (symbole Ci) : un curie correspond à 37 milliards de désintégrations par seconde (c'est l'activité d'un gramme de radium 226 ou d'environ 15 grammes de plutonium 239).

Une troisième donnée est *la période radioactive* c'est-à-dire le temps au bout duquel la radioactivité a diminué de moitié. Ce temps est très variable selon les corps radioactifs envisagés. Un produit comme l'iode 131, qui se forme dans le combustible irradié d'un réacteur nucléaire, a une période de huit jours ; le krypton 85, gaz également produit dans le réacteur d'une centrale nucléaire, a une période de 10,7 ans ; le plutonium 239 a une période de 24 000 ans...

La pollution radioactive résultant des déchets nucléaires peut atteindre les êtres humains par quatre voies différentes :

– la voie pulmonaire (gaz radioactifs ou poussières en suspension dans l'air);

– la voie digestive (aliments ou boissons chargés en produits radioactifs);

– la voie transcutanée (passage au travers de la peau de certains produits radioactifs);

– la voie directe (contamination interne directe par blessure).

Les deux premières modalités d'atteinte concernent plus particulièrement le public, alors que les travailleurs de l'industrie nucléaire peuvent être soumis aux quatre types de risques. La protection du public passe donc par la protection de l'air, de l'eau et des aliments contre les souillures radioactives résultant des effluents des installations nucléaires tels que liquides ou aérosols. Il faut, par ailleurs, réaliser un conditionnement des déchets solides de façon qu'ils ne puissent être corrodés, dissous et entraînés progressivement par l'eau qui pourrait atteindre les lieux de stockage et ensuite regagner la biosphère.

Les effluents radioactifs

Voyons tout d'abord le problème posé par les effluents. Ceux-ci sont produits à des degrés divers, tout au long du cycle du combustible. Au niveau de *l'extraction minière* de l'uranium et dans les installations de *concentration* de ce métal, il se dégage principalement un gaz radioactif, le radon 222, et des poussières radioactives (uranium et radium 226). Au niveau de la *conversion* de l'oxyde d'uranium en hexafluorure, de son *enrichissement* et de la *fabrication* du combustible, il se produit également des effluents liquides et gazeux (radon), des poussières riches en uranium et radium.

Au niveau des *centrales nucléaires,* une fraction des produits de fission du combustible, l'uranium, arrive à diffuser hors des réacteurs, malgré les multiples barrières de sécurité. Ces produits radioactifs se présentent d'une part sous forme de gaz : tritium – une variété isotopique de l'hydrogène –; gaz rares tels que krypton, xénon, argon...; ou gaz halogènes tels que fluor. D'autre part, des produits radioactifs provenant du cœur du réacteur et des produits de corrosion passent, à l'état dissous, dans les liquides des circuits de refroidissement (césium 137, cobalt 60,...). La nature et la qualité des produits rejetés varient avec le type de réacteur. Au niveau des *usines de retraitement* des combustibles irradiés, les rejets gazeux et liquides sont les plus variés et les plus abondants. Tout au long du cycle du combustible, on s'efforce d'épurer tous ces effluents gazeux ou liquides, en les faisant passer dans des filtres, des évaporateurs, des résines, etc. Il en résulte des résidus solides radioactifs qu'il faudra finalement évacuer (nous verrons plus loin les problèmes qu'ils posent). Il n'en reste pas moins que l'épuration des effluents n'est jamais complète : les installations nucléaires rejettent de toute façon dans l'environnement des produits radioactifs. Ceux-ci finissent tôt ou tard par se retrouver dans l'atmosphère, dans l'eau, le sol, dans les organismes vivants des milieux marins ou terrestres, et finalement dans les aliments consommés par la population.

Un certain nombre de dispositions légales et réglementaires sont prévues pour les rejets d'effluents radioactifs provenant des installations nucléaires. Des limites annuelles pour la radioactivité rejetée sont définis par décret : si une installation les dépasse, elle peut, en principe, être arrêtée. Voici, à titre d'exemple, les données relatives à la radioactivité rejetée par deux centrales nucléaires françaises, comprenant chacune quatre réacteurs :

base. Cependant, cela ne signifie pas que les centrales nucléaires soient inoffensives : elles entraînent de toute façon par leurs rejets une pollution de l'environnement par une faible dose de radioactivité.

Voyons maintenant les problèmes posés par les déchets radioactifs solides. Sous ce vocable, on comprend : les résidus de l'extraction minière de l'uranium ; le combustible nucléaire usé (retraité ou non) ; les résidus obtenus par l'épuration des effluents liquides des différents types d'installations nucléaires ; et des matériaux irradiés ou contaminés dans ces installations (gaines de combustibles, pièces de circuiterie, de machines, outils, vêtements ; filtres et résines ayant servi à l'épuration des effluents gazeux et liquides, etc.).

Les déchets solides

Les déchets solides représentent le plus gros problème de l'industrie nucléaire : il s'agit de les évacuer et de les stocker en des lieux et sous des conditionnements tels qu'ils ne puissent plus jamais contaminer à des niveaux significatifs les êtres vivants. Or la période durant laquelle ils peuvent être dangereux pour l'environnement s'étend de quelques dizaines d'années à plu-

Nature des rejets radioactifs	Limite réglementaire annuelle pour 4 réacteurs (en curies)	*Tricastin* Ensemble des 4 réacteurs (année, en curies)	*Bugey* Ensemble des 4 réacteurs (année, en curies)
Gaz rares	320 000	60 000	70 000
Halogènes et aérosols	20	2	3
Effluents liquides	160	40	55
Tritium	8 000	3 000	5 000

On peut observer que, sauf pour le tritium, les limites des rejets effectifs sont en moyenne quatre fois plus bas que les limites annuelles maximales autorisées par le décret de

sieurs millions d'années selon les corps radioactifs qu'ils contiennent.

Les déchets issus de l'extraction du minerai d'uranium (naturellement radioactif) consistent en boues de faible radioactivité, contenant du radium. A l'heure actuelle, on stocke ces déchets dans des bassins de décantation à proximité des lieux d'extraction du minerai. Mais à long terme, il y aura un problème car pour faire fonctionner une seule centrale nucléaire de taille classique (1 000 mégawatts) il faut environ 180 tonnes d'uranium chaque année, conduisant à accumuler 50 000 m³ de boues radioactives. Et la période d'activité du radium est de 1 600 ans...

Le combustible usé des centrales nucléaires contient des produits très radioactifs : il s'agit des produits de fission de l'uranium tels que strontium 90, césium 137, ruthénium 106, etc. (Ces produits sont des émetteurs de rayonnement bêta et gamma.) Le combustible usé contient aussi des produits de haute activité et émetteurs alpha appelés transuraniens : plutonium, americium, curium, neptunium. Certains de ces produits ont, de plus, pour particularité d'avoir des périodes très longues : 24 000 ans pour le plutonium 239, deux millions d'années pour le neptunium 237. Le sort réservé au combustible usé est donc déterminé par ces caractéristiques de haute activité et de très longue période radioactive de certains de ses composants.

Certains pays, comme les États-Unis ou le Canada, ne retraitent pas les combustibles usés dans les réacteurs des centrales électronucléaires; d'autres, comme la France, la Grande-Bretagne, le Japon, les retraitent : cela veut dire que le combustible usé est soumis, dans une usine de retraitement (comme celle de La Hague), à des opérations physico-chimiques permettant, d'une part, de récupérer l'uranium (dont le réemploi est très discutable) et le plutonium (qui peut servir de combustible dans des centrales nucléaires de type « surgénérateur » [361]); d'autre part, de séparer les produits radioactifs résultant de la « combustion » de l'uranium et les gaines (et autres éléments de

l'assemblage combustible ayant contenu le combustible dans le cœur du réacteur.

Dans l'optique du non-retraitement, le combustible usé déchargé du réacteur (c'est-à-dire sous forme d'assemblages de tubes contenant des pastilles d'oxyde d'uranium) est d'abord stocké sous l'eau, en piscine, pendant quelques décennies, afin de le laisser se « refroidir ». Après cette période, il faudrait envisager de le conditionner pour l'évacuer dans un lieu de stockage définitif, mais aucun pays n'est encore arrivé à ce stade. La forme du conditionnement n'est d'ailleurs pas encore résolue : à titre d'exemple, les Suédois envisagent de couler du plomb entre les barres du combustible usé, et de mettre ces barres ainsi traitées dans un conteneur de cuivre de 10 cm d'épaisseur, lui-même entouré d'une couche de matériau tampon (bentonite). L'ensemble serait alors déposé à 500 mètres de profondeur dans le granit. L'emplacement d'un tel lieu de stockage reste aussi à déterminer : être sûr que les déchets ainsi enterrés ne soient pas progressivement dissous et que les produits en résultant ne reviennent jamais à la surface après des dizaines de milliers d'années, pose des problèmes que les géologues ne savent pas résoudre pour le moment. Comment être sûr que les mouvements du sol sur de si grandes périodes ne les endommageront pas? Comment être sûr que les eaux circulant sous terre dans les fissures des roches n'atteindront jamais le dépôt?

Les limites du retraitement

Dans l'option du retraitement, le combustible usé conduit, en théorie, à plusieurs familles de déchets : des déchets de très haute radioactivité et émetteurs bêta et gamma constitués par les produits de fission de l'uranium; des déchets de très haute radioactivité et émetteurs alpha constitués par les transuraniens autres que le plutonium ; des déchets réputés de faible et moyenne activité, constitués par des matériaux ayant été en contact avec des produits radioactifs durant les opérations de retraitement (pièces mécaniques, filtres, etc.).

Au début des années quatre-vingt, les produits de fission obtenus après retraitement sont partout stockés de manière provisoire, sous forme de solutions acides, à proximité des usines de retraitement. Il est prévu de les vitrifier, c'est-à-dire à les mélanger à de la fritte de verre et de les couler à l'état de verre dans des conteneurs d'acier inoxydables. Ceux-ci sont destinés à être stockés provisoirement dans des puits de béton où ils refroidiront, grâce à l'aménagement d'une circulation d'air. Théoriquement, une fois refroidis, ils devraient être stockés définitivement dans des sites géologiques profonds. Se posent alors les mêmes problèmes que pour les combustibles usés non retraités. Est-ce que les verres ne vont pas, sur de longues périodes, se fracturer et être lentement dissous par les eaux souterraines qui pourraient les atteindre ? Une telle éventualité est d'autant plus probable que les produits de fission sont habituellement mis en solution liquide en compagnie des éléments transuraniens : or, ceux-ci sont des émetteurs alpha, à vie longue. Leur nocivité restera pratiquement inchangée au bout de quelques siècles, alors que la nocivité des émetteurs bêta et gamma sera quasiment nulle.

En France, la commission Castaing, chargée d'un rapport sur la gestion des combustibles irradiés, a préconisé en décembre 1982 de séparer les transuraniens des produits de fission au cours des opérations de retraitement. Ils pourraient alors être « incinérés » dans le cœur des réacteurs de centrales nucléaires (cette incinération représente, en fait, une transmutation nucléaire sous l'effet d'un bombardement de

neutrons). Une autre solution consisterait à les conditionner efficacement dans l'attente de la mise au point d'un meilleur procédé. Il n'est pas exclu d'utiliser l'évacuation hors de la terre, par fusée spatiale, compte tenu des faibles quantités concernées : 770 g par tonne de combustible.

Quant aux déchets issus du retraitement et réputés de faible et moyenne radioactivité, une fraction d'entre eux est en réalité contaminée de manière appréciable par le plutonium et sont donc émetteurs alpha. Ils ne peuvent donc être assimilés aux déchets de faible et moyenne radioactivité provenant de l'exploitation des centrales nucléaires classiques (outils, matériaux, vêtements, filtres...) lesquels ne contiennent que des émetteurs bêta et gamma. Ces derniers déchets sont conditionnés dans du béton et évacués de différentes manières : leur nuisance étant limitée à 500 ans, ils sont soit stockés dans des tranchées bétonnées de faible profondeur (comme en France au centre de stockage de la Manche près de l'usine de La Hague) ; soit rejetés à la mer (comme le font les Anglais notamment dans l'océan Atlantique à 700 km du Portugal) ; soit stockés dans une mine de sel (comme le font les Allemands de l'Ouest, à Asse).

Pour les déchets de faible et moyenne radioactivité issus du retraitement, se pose alors le problème de savoir jusqu'à quel seuil leur taux de radioactivité alpha permet un simple stockage en surface. Aux États-Unis, l'Atomic Energy Commission a fixé ce seuil à 0,01 curie de radioactivité alpha par tonne de déchets, alors qu'en France, ce seuil était fixé depuis 1969 à 10 Curies par mètre cube ! Puis en septembre 1979, ce seuil a été abaissé à 1 Ci/m³. Et la commission Castaing a proposé le 19 avril 1983 de ramener ce seuil à 0,01 Ci/tonne, comme aux États-Unis. Au-dessus de ce seuil, ces déchets réputés de faible et moyenne radioactivité devraient être traités comme des déchets à forte radioactivité, c'est-à-dire destinés à être stockés dans des sites géologiques profonds (qui restent à déterminer, rappelons-le).

Ainsi, au début des années quatre-vingt, seul le stockage des déchets de faible et moyenne radioactivité (et ne contenant pas d'émetteur alpha) est sur le plan des principes à peu près résolu. Pour tous les déchets de haute activité (et contenant pratiquement tous des émetteurs alpha), seules des solutions d'attente (stockage provisoire) sont actuellement envisageables, comme l'affirme le rapport de la commission Castaing. Il faudra donc chercher des moyens de protéger les générations futures contre les risques présentés par les émetteurs alpha principalement, en sachant les nombreuses incertitudes qui affectent la pérennité des structures sociales, géologiques ou climatiques.

L'ampleur du problème posé devrait conduire les responsables politiques à dépasser le concept selon lequel « le pollueur est le payeur », car il peut être inopérant. Une taxe basée sur le prix du kilowatt-heure produit, alimentant un fond géré à l'échelon national, pourrait permettre le financement :

– des recherches fondamentales et appliquées relatives au comportement des produits conditionnés ou à l'oxyde d'uranium irradié (combustible « usé »);

– des laboratoires souterrains dans un ou deux milieux d'accueil (granit, sel, argile);

– de la recherche et de la mise au point des nouvelles techniques de conditionnement;

– du déclassement et du démantèlement des installations nucléaires (réacteurs et usine de retraitement du combustible notamment).

Parallèlement à cette prise en charge financière, il sera nécessaire d'élaborer un plan de recherche et développement au niveau d'une structure pleinement représentative des différentes compétences nécessaires, scientifiques, technologiques, économiques et autres. Cette structure devra être autonome vis-à-vis des opérateurs, industriels ou non, concernés par ce programme.

Jean-Claude Zerbib

Le stockage de l'énergie

La majeure partie de l'énergie que nous consommons a été accumulée pendant des millions d'années, et ceci explique l'extraordinaire qualité de ce stockage naturel : un mètre cube de pétrole peut dégager près de 10 000 kWh.

Il a fallu moins d'un siècle pour que l'avènement du machinisme, et par voie de conséquence l'explosion de la consommation des humains, détruisent une grande part de ces réserves « fossiles ». L'Homme est donc obligé de faire appel à d'autres sources, celles qui résultent des flux énergétiques naturels : le rayonnement solaire [356], l'énergie des vents, cours d'eau, marées et houles, etc. De telles sources sont inépuisables – du moins à l'échelle humaine – mais leur apport est aléatoire dans le temps, ce qui pose le problème du stockage de l'énergie.

Il existe bien une énergie fossile, dont l'épuisement est beaucoup plus lointain : c'est l'énergie nucléaire. Sa densité de stockage est incomparablement supérieure à celle du pétrole (10 000 à 50 000 fois suivant l'utilisation qui en est faite). Malheureusement, sa mise en œuvre nécessite des installations très puissantes, qu'il serait économiquement préférable de faire fonctionner à plein sans interruption. Et ceci rejoint le problème du stockage de l'énergie produite aux « périodes creuses » de la consommation.

Finalement, le problème qui se pose est celui de la double adéquation de la ressource et de la demande, dans le temps et dans l'espace. Les praticiens de l'énergie réservent plutôt le terme de « stockage » pour le premier aspect : mise en réserve d'énergie en vue d'une utilisation ultérieure « sur place ». Pour le deuxième (conditionnement de l'énergie en vue de son transport), on utilise plutôt le terme de « vecteur ». Nous n'approfondirons pas cette distinction, car les technologies pour l'un ou l'autre problème sont très voisines.

Il est classique de distinguer quatre formes d'énergies, même si cette distinction peut prêter à contestation sur le plan fondamental : il s'agit des énergies mécanique, thermique, chimique et électrique.

Le stockage de l'énergie mécanique

Lorsque l'on communique de l'énergie mécanique à un système, il en résulte en général trois types de modification, qui concernent respectivement sa position dans l'espace, sa vitesse et son état physique. À ces modifications correspondent trois modes de stockage.

Le *stockage par énergie potentielle* consiste à élever l'altitude d'un corps pour que l'on puisse ensuite, en le laissant revenir à sa position initiale, récupérer une partie de l'énergie dépensée. Cette possibilité a été envisagée depuis fort longtemps pour transformer l'énergie électrique d'heures « creuses » en énergie disponible aux heures de pointe. A

condition de trouver des sites qui s'y prêtent, il suffit de pomper de l'eau vers un bassin à haute altitude (quelques centaines de mètres) et de faire ensuite « travailler » cette eau dans des turbines.

Pour que cette possibilité devienne réalité, il a fallu mettre au point des « pompes-turbines » qui fonctionnent dans les deux sens avec des rendements convenables. En se limitant à quelques réalisations récentes, on peut citer les unités de Cheylas et Montezic dans le sud-est de la France, installées respectivement en 1979 et 1982, dont la puissance est de l'ordre de 250 MW pour des dénivelés d'environ 700 m. On envisage, pour les années 1984-85, des unités fonctionnant avec des dénivelés de 1 100 à 1 200 m.

La « densité énergétique » d'un tel stockage est très faible : moins de 3 kWh/m³ pour une différence d'altitude de 1 000 m. Il n'est donc envisageable que pour écrêter des pointes journalières et ne peut en aucune façon s'adapter au stockage intersaisonnier.

Le *stockage par énergie cinétique*, ou stockage « inertiel », consiste à conférer une grande vitesse à des systèmes, de sorte que leur ralentissement puisse ensuite restituer du travail au milieu environnant. Pratiquement, la seule forme étudiée est le volant tournant à vitesse élevée, limitée toutefois par les contraintes que créent dans le matériau les actions de la force centrifuge.

Avec des volants en acier de forme optimale, on arrive à un contenu énergétique de 200 kWh/m³, mais au prix d'une installation très lourde (en raison de la densité de l'acier). Des fibres à haute résistance mises au point au début des années quatre-vingt (telles que le « Kevlar » de Du Pont de Nemours) [335] permettent des densités énergétiques du même ordre avec des systèmes beaucoup plus légers. Ces dispositifs ont été utilisés dans deux cas :

– à poste fixe (dans une usine,...) pour pallier une défaillance de quelques heures de l'alimentation élec-

trique, application facile à mettre en œuvre en raison de la réversibilité des machines électriques;

– sur des véhicules urbains, le « rechargement » du stock s'effectuant aux terminus des lignes (la rotation du volant est relancée).

Il ne semble pas que l'on puisse escompter un développement spectaculaire de ce mode de stockage, en raison du poids du matériel et des problèmes mécaniques qu'il pose (engrenages...).

Le *stockage par énergie interne* consiste à mettre sous pression des fluides tel que l'air ou la vapeur d'eau dans une enceinte appropriée. Il n'est guère envisageable avant la

décennie quatre-vingt-dix. Ce mode de stockage est en effet lié au devenir du programme électronucléaire. En « période creuse » de consommation d'électricité, les réacteurs des centrales nucléaires chauffent de la vapeur d'eau destinée à être stockée.

Le stockage de l'énergie thermique

Quand on fournit de la chaleur à un corps, il est fréquent que sa température s'élève et l'on dit (abusivement) que le corps renferme de la « chaleur sensible ». Mais il se peut que la température reste constante ; la chaleur sert alors à modifier la nature physique du corps (par exemple en le faisant passer de l'état solide à l'état liquide) ; on parle alors de « chaleur latente ».

Le *stockage par chaleur sensible* le plus simple consiste à emmagasiner de l'eau chaude dans une enceinte appropriée. Le contenu énergétique dépend de l'« incursion » de température : c'est la différence entre la température maximale (en fin de stockage) et la température minimale, celle au-dessous de laquelle on ne peut plus soutirer de chaleur au stock. L'utilisation la plus évidente est le chauffage des locaux par l'énergie solaire : le stock d'eau chauffée par le soleil peut résoudre des problèmes à court terme (2 à 3 jours) pour diminuer le recours à l'énergie d'appoint, mais aussi à long terme pour récupérer le rayonnement d'été et tendre vers la maison « tout solaire ». L'incursion de température est de l'ordre de 30 degrés, et la densité énergétique de 30 kWh/m³. Pour le stockage saisonnier, divers dispositifs sont possibles :

– le réservoir à l'air libre, analogue dans sa conception aux réservoirs de stockage de pétrole, mais calorifugé. La réalisation la plus typique est celle de Vaxjo (Suède), datant de 1980 ; on y stocke 5 000 m³ d'eau, chauffée à 95 °C l'été, et alimentant l'hiver un groupe de 50 logements ;

– la cuve calorifugée, enterrée à faible profondeur. Ce système convient plutôt à l'habitat individuel : le pavillon de M. Alain Bombard à Bandol (Var) a été ainsi équipé en 1982. Il fait depuis l'objet d'une expérimentation systématique par des équipes de l'École des mines de Paris ;

– la cavité dans le sol, naturelle ou artificielle, à profondeur moyenne, permettant de stocker de l'eau chaude sous de fortes pressions, donc à des températures supérieures à 100 °C. Aucune réalisation n'a vu le jour, malgré des études encourageantes ;

– le stockage en nappe aquifère peu profonde (50 à 100 m). Des essais étaient en cours en 1983 dans le région parisienne. Dans un ordre d'idées analogue, divers projets de « géothermie artificielle » ont été envisagés : l'élément de stockage est alors la roche avoisinant la nappe, l'eau ne jouant que le rôle de « caloporteur », pour apporter ou soutirer la chaleur. Sous une forme qui n'est pas encore bien arrêtée (stockage chaud à 65° ou froid à 25°), il semble que l'utilisation des nappes aquifères constitue le stockage le plus performant à basse et moyenne température [347].

Le *stockage par chaleur latente* utilise généralement des corps hydratés (sulfate de soude, nitrate de soude,...) qui, à une certaine température, perdent une partie de leur eau et deviennent liquides ; ils accumulent donc une chaleur de fusion et une chaleur de dissociation qu'ils peuvent restituer en redevenant solides et en se recomposant.

En pratique, le procédé consiste à faire passer de l'eau – ou tout autre fluide caloporteur – dans un serpentin plongeant dans une cuve contenant le sulfate de soude ou tout autre corps hydraté. Dans le sens du stockage, on fait passer de l'eau chaude dans le serpentin, ce qui liquéfie le corps hydraté. Dans le sens du déstockage, on fait passer de l'eau froide : le corps hydraté se solidifie et cède sa chaleur à l'eau circulant dans le serpentin.

Le stockage et le déstockage s'effectuent de manière quasi isotherme (c'est-à-dire à même température). La température de transition entre phase solide et phase liquide se situe dans une gamme qui va de 20° à 250 °C selon les matériaux actuellement étudiés. On peut obtenir des températures nettement plus élevées en utilisant des alliages métalliques : l'alliage aluminium-magnésium, qui se comporte comme un corps pur, (eutectique) fond aux environs de 500 °C.

Les applications se limitent actuellement à la climatisation de serres dans le midi de la France. Le produit utilisé est de la soude hydratée. Le rayonnement solaire provoque sa fusion autour de 20 °C, empêchant une trop forte montée de la température dans la serre; la nuit, c'est le phénomène inverse. Il n'existe qu'une seule réalisation dans le domaine de l'habitat, la maison « Solar One » de l'université de Delaware – États-Unis – (1973) qui utilise un mélange de sulfites et sulfates de soude hydratés, se transformant aux environs de 50 °C. Le développement se heurte à deux difficultés : la nature corrosive des milieux, leur mauvaise conductivité thermique.

Le premier inconvénient peut être résolu par « l'encapsulage » : le matériau est enfermé dans de petits récipients, par exemple des sphères de 5 à 10 cm de diamètre, autour desquels circule l'eau de chauffage ou de refroidissement. On envisage également d'enfermer le « corps hydraté » dans les matériaux de construction (parpaings, etc.), pour réaliser des « murs à changement de phase », absorbant ou rayonnant la chaleur solaire, qui assureraient un maintien à température constante presque parfait des bâtiments.

Le stockage de l'énergie chimique

Une réaction chimique met en jeu un échange de chaleur, généralement important, avec l'environnement extérieur. D'où l'idée de provoquer des réactions endothermiques (c.à.d. absorbant de la chaleur) pour fabriquer des produits qui, par la réaction chimique opposée, dégageront de la chaleur. Dans la plupart des cas, les produits obtenus peuvent servir également de vecteur d'énergie. Deux voies sont actuellement explorées.

Dans une première voie, la réaction chimique est *réversible :* le processus de stockage et déstockage est alors sensiblement le même que pour le stockage à chaleur latente, avec des températures plus élevées et de plus fortes densités énergétiques. Par exemple, la réaction à 600 °C : Ca (OH)$_2$ → CaO + H$_2$O donne la chaux vive, susceptible d'être transportée et de libérer ensuite 300 kWh/m^3. On a également essayé la réaction SO$_3$ → SO$_2$ à 800 °C.

Une deuxième voie est celle des transformations *irréversibles :* la restitution d'énergie s'effectue dans des conditions différentes de celles du stockage. Le cas le plus étudié est celui de l'hydrogène, que l'on peut obtenir à partir de l'eau :
– par électrolyse, en apportant de l'énergie électrique;
– par décomposition thermochimique, en apportant de l'énergie thermique.

Le deuxième procédé est beaucoup plus intéressant, car il permet d'utiliser directement la chaleur des réacteurs nucléaires, sans être limité par le rendement de la transformation de la chaleur en électricité, comme c'est le cas pour le fonctionnement normal de ces réacteurs. Il reste à trouver des catalyseurs grâce auxquels la décomposition de l'eau s'effectue à température acceptable (600 à 800 °C).

Pour restituer l'énergie dans le cas de l'hydrogène, il suffit de le brûler. Mais l'hydrogène a une très faible valeur énergétique à la pression atmosphérique (3 kWh/m^3) et ne peut donc être transporté tel quel. Plusieurs voies sont à l'étude :
– le transport par gazoduc sous forte pression (200 bars, pour fixer les idées), avec des stocks tampons souterrains;
– le transport sous forme liquide en réservoirs calorifugés;
– la combinaison avec des métaux, donnant des hydrures (liquides ou solides) facilement décomposables sur les lieux de l'utilisation. Les métaux qui donnent la plus forte densité énergétique sont les alliages de magnésium (1 800 kWh/kg),

mais les hydrures correspondants ne se décomposent qu'à 300 ºC. (Il faut donc dépenser de l'énergie pour récupérer l'hydrogène. Il existe un alliage, le lanthanide de nickel, qui libère l'hydrogène à une température voisine de l'ambiante.) La fabrication et l'utilisation commerciale de ces composés n'est guère envisageable avant l'an 2000.

Le stockage de l'énergie électrique

C'est le mode de stockage le plus connu, par sa large application aux véhicules routiers. La densité énergétique des accumulateurs classiques au plomb est acceptable (100 kWh/m³), mais leur poids et leur prix les cantonnent dans des utilisations spécifiques. Les accumulateurs dits « alcalins » sont beaucoup moins « lourds », mais leur prix est encore plus élevé.

Au début des années quatre-vingt, des recherches sont menées sur des accumulateurs dans lesquels les électrodes sont des liquides à haute température (soufre, sodium) séparés par un électrolyte solide (une variété d'alumine). Il faut également citer pour mémoire les piles à combustible (à hydrogène notamment), qui n'ont encore reçu aucune application industrielle. Malgré ces efforts, il semble que l'énergie électrique soit la forme la moins facile à stocker, du moins dans un avenir prévisible.

Le développement *massif* de certaines énergies de remplacement (solaire et éolienne et, dans une moindre mesure, géothermique) passe obligatoirement par la solution du problème du stockage de l'énergie. On est obligé de reconnaître qu'à l'heure actuelle aucun mode de stockage n'est satisfaisant sur le plan économique. Pire, les avis sont partagés sur les avantages respectifs des diverses méthodes, et il est impossible de dégager la voie des prochaines années. C'est seulement pour le long terme que tout le monde s'accorde pour miser sur l'hydrogène, mais il reste encore beaucoup d'obstacles à surmonter.

Paul Reboux

--- **BIBLIOGRAPHIE** ---

Ouvrages

DEAN T.S., BONNIN J., *Accumulation de chaleur,* SCM, Paris, 1979.

DUMON R., *Énergie solaire et stockage d'énergie,* Masson, Paris, 1977.

TURNER R.H., BONNIN J., *Accumulation d'énergie thermique à haute température,* SCM, Paris, 1979.

Dossiers

DGRST, Colloque « Transport et stockage de l'énergie », Sophia-Antipolis, octobre 1978.

PLAN CONSTRUCTION, Colloque « Du stockage de l'énergie solaire à l'héliogéothermie », Sophia-Antipolis, juin 78.

ESPACE ET COSMOS

Les satellites de télécommunications

Communiquer, se parler d'un bout à l'autre du monde, entrer en communication avec qui l'on veut, à l'heure que l'on veut de l'endroit où l'on veut : plus rien n'est impossible dans ce domaine. Les télécommunications n'ont plus de frontières. Toutes ces possibilités, ces facilités, existent désormais grâce aux satellites de télécommunications, placés là-haut dans l'espace. Gigantesques relais, ces satellites permettent en effet de relier les continents, de traverser les mers, de franchir les déserts et les zones arctiques.Téléphoner, télexer, ou même transmettre des images de télévision en empruntant le chemin de l'espace, n'est plus un rêve.

L'essor des satellites de télécommunications ne fait que commencer. C'est en effet pendant la décennie 1980-1990 que le nombre de satellites de télécommunications mis en orbite doit connaître un développement fantastique. Qu'on en juge : entre 1970 et 1975, seulement 17 satellites civils pour des applications de télécommunications ont été lan-

cés dans le monde. Entre 1975 et 1980, la progression n'a guère été sensible, puisque 20 satellites ont été lancés. En revanche, de 1980 à 1990, 200 satellites de télécommunications, soit cinq fois plus que pendant la décennie précédente, doivent être mis sur orbite.

Tout a commencé en août 1960 avec l'envoi par les Américains d'un ballon baptisé « Écho 1 », vaste sphère en plastique de 30 mètres de diamètre recouverte d'une fine couche métallisée et pesant 75 kg. Ce ballon envoyé à 1 000 kilomètres d'altitude avait pour unique mission de renvoyer vers la terre les ondes radios émises depuis celle-ci. Médiocre miroir, « Écho 1 » ne réfléchissait que faiblement les ondes qu'il recevait. Ce type de retransmission « passive » fut testé une deuxième fois, par l'envoi en 1964 d'un second ballon, « Écho 2 », un peu plus large, de 42 mètres de diamètre. Mais il n'apporta pas de réelle amélioration.

En octobre 1960, cependant, un autre type d'expérience avait eu lieu. Le lancement par les Américains de « Courrier-B » avait mis en lumière la possibilité de placer sur orbite un satellite retransmettant de manière « active » : il avait à son bord un équipement électronique (répéteur actif) chargé de recevoir les ondes émises depuis la Terre, puis de les transporter sur une autre fréquence et enfin de les amplifier pour les réémettre vers l'envoyeur. L'énergie électrique nécessaire à ce traitement dans l'espace provenait de cellules solaires transformant les rayons solaires en énergie électrique. Mais « Courrier-B », comme certaine espèce animale éphémère, ne vécut que 17 jours! Qu'importe, l'ère des télécommunications spatiales venait d'être ouverte.

Des orbites géostationnaires

En vérité, l'an 1 des satellites de télécommunications commence le 10 juillet 1962 avec le lancement, depuis la base de Kennedy Space Center (anciennement Cap Canaveral) en Floride, du satellite américain « Telstar ». On s'en souvient : un an auparavant John Fitzgerald Kennedy, président des États-Unis, annonçait qu'avant la fin des années soixante des Américains marcheraient sur la Lune et il invitait « tous les pays à participer à un système de communications par satellites dans l'intérêt de la paix mondiale et de l'amitié entre les peuples ». Assez peu différent dans son principe de « Courrier-B », « Telstar » décrivait autour de la terre une trajectoire en ellipse. Dans ces conditions, ce satellite avait pour seul rôle de répéter le signal qu'il recevait, et il n'était pas prévu qu'il le stocke sur ruban magnétique. Il ne pouvait ainsi restituer qu'une information dont l'expéditeur et le destinataire étaient « vus » en même temps par le satellite. « Telstar » ne permettait donc pas un service commercial continu de télécommunications.

Il fallut attendre août 1964 pour voir un satellite de télécommunications, « Syncom 3 », placé sur une orbite « géostationnaire », c'est-à-dire sur une trajectoire à près de 36 000 km de la Terre, où il apparaît fixe pour un observateur situé sur l'équateur. Puis, le 6 avril 1965, « Intelsat 1 », plus connu sous le joli nom d' « Early bird » (l'oiseau matinal), fut le premier satellite de télécommunications sur orbite géostationnaire offrant enfin un véritable service commercial de télécommunications. Jusqu'alors, les satellites n'étaient visibles en un point du globe que pendant quelques minutes, mais cela plusieurs fois par jour. De plus, pour capter leurs signaux (les fameux bip-bip), il fallait pointer vers eux avec une grande précision de très lourdes antennes terriennes : l'antenne de Pleumeur-Bodou en Bretagne, chargée de capter les signaux émis par les satellites dans les années soixante, pesait 300 tonnes. Ce qui posait de délicats problèmes de mécanique... Avec « Early bird », il en allait tout autrement.

Les besoins croissants de la communication

En 1983, il existait plus de 150 satellites géostationnaires, dont plus de 50 % étaient toujours en état de fonctionner. Parmi ceux qui étaient utilisés à la transmission d'informations, citons : ceux de l'organisation internationale Intelsat (106 pays membres dont les États-Unis, le Royaume-Uni, la France, la RFA, l'Australie, le Japon, le Brésil, l'Arabie saoudite, le Canada, l'Italie, etc.); ceux exploités par les Soviétiques (organisation baptisée Interspoutnik); ceux lancés grâce à la navette spatiale en 1982-83 par le Canada (« Anik ») et l'Indonésie (« Palapa »); et ceux de l'Agence spatiale européenne, OTS 2 (lancé a en mai 1978) et ECS 1 (lancé en juin 1983 par la fusée européenne Ariane).

La multiplication des besoins en matière de communications, le fait que la plupart des pays souhaitent aujourd'hui disposer de leurs propres satellites de télécommunications pour des raisons d'indépendance politique, et les progrès technologiques incessants, font que le développement des satellites de télécommunications ne peut que s'amplifier. Après les États-Unis, le Canada et l'Union soviétique, qui disposent de leur propre système, d'autres pays ont emboîté le pas. C'est le cas de l'Indonésie avec le satellite « Palapa ». L'Europe occidentale, l'Inde, les États arabes, la Colombie ont décidé de lancer des projets identiques, le Brésil, le Mexique, l'Asie du Sud-Est, l'Australie et la Chine, ainsi que l'Afrique, étudient les possibilités de s'équiper à terme de satellites de télécommunications.

Quatre grandes applications sont visées par ces différents pays demandeurs :

– Les télécommunications d'un point de la Terre à un autre. C'est l'application la plus courante. Il s'agit de transmettre des informations (téléphone et télévision) à l'échelle tant nationale qu'internationale.

– Les transmissions de données. Illustrées par le programme français Telecom 1 (qui devait débuter en 1983), ces applications concernent plus particulièrement les liaisons intra-entreprises, l'interconnexion d'ordinateurs et l'interrogation de banques de données.

– La diffusion directe de programmes de télévision [13]. Cette technique offre l'avantage de couvrir d'un seul coup toute une région et permet d'éviter le lourd investissement qu'exigent les infrastructures au sol. La France est présente dans ce domaine avec l'Allemagne sur le programme TDFI et TV-Sat.

– Les liaisons avec des mobiles. De plus en plus, les satellites vont en effet servir également à communiquer avec les avions en vol et les bateaux en pleine mer. De nombreux projets (Marisat aux États-Unis, Marecs A et Marecs B en Europe) sont en cours d'expérimentation.

Mais à l'avenir, l'espace ne risque-t-il pas d'être encombré de satellites de télécommunications? La place disponible sur l'orbite géostationnaire, celle qu'affectionne particulièrement cette « nouvelle race de satellites », n'est pas extensible. Il faudra donc recourir à des satellites de télécommunications « super-puissants », c'est-à-dire capables de contenir des milliers de circuits. Sans aucun doute, la micro-électronique et l'opto-électronique seront des moyens de choix pour atteindre ce but.

Antoine Thiboumery

BIBLIOGRAPHIE

Ouvrages

MARAL G., BOUSQUET M., PARES J., *Les systèmes de télécommunication par satellite,* Masson, Paris, 1982.
DUPAS A., *La lutte pour l'espace,* Seuil, Paris, 1977.

Article

« Le marché des satellites », *Aérospatiale,* n° 123, 1982.

Dossier

« Les enjeux de l'espace », *Les Cahiers français,* n° 206-207, La Documentation française, 1982.

La Terre vue de l'espace

La télédétection est une technique qui permet d'étudier la Terre depuis l'espace. Elle devrait devenir la seconde technologie spatiale commercialement viable, après les satellites de télécommunication [378]. La télédétection est née de la volonté de l'armée américaine d'améliorer les prévisions météorologiques, mais aussi ses sources de « renseignement ». De même, la C I A désirait obtenir des « renseignements » sur l'économie de l'Union soviétique, en particulier sur les récoltes de céréales. Actuellement, la télédétection comprend un ensemble de techniques qui peuvent donner à moindres frais des informations détaillées sur presque toutes les régions du monde. Ainsi, à cause de ses potentialités militaires ou commerciales, la télédétection est devenue un enjeu de politique internationale, mais aussi de politique intérieure pour des pays qui, comme les États-Unis, sont en avance dans le développement de cette technique.

Les satellites de télédétection les plus sophistiqués sont utilisés par les forces armées américaines et soviétiques. Ils sont suffisamment puissants pour fournir des photos montrant les uniformes des soldats d'un régiment. Certains satellites militaires prennent des photos météorologiques (qui peuvent être aussi d'usage civil). Ils captent aussi les émissions radios et radars des pays survolés et font leurs propres observations radar du mouvement des bateaux en mer, notamment. Certains pensent enfin que cette utilisation de l'espace à des fins militaires peut être bénéfique, car elle permet de s'assurer que les accords sur le contrôle des armements sont bien respectés.

De son côté, la télédétection utilisée à des fins civiles est basée presque uniquement sur la photographie en lumière visible ou infrarouge. On ne connaît pas les données de la télédétection soviétique, et les données américaines sont donc les seules images disponibles de la Terre vue de l'espace. D'ici quelques années, on disposera cependant de données de télédétection réalisées par l'Europe, le Japon et l'Inde.

Jusqu'au début des années quatre-vingt, la télédétection d'intérêt civil s'est développée autour d'un système désigné par le sigle « Landsat », soutenu aux États-Unis par le secteur public. Les satellites Landsat sont construits et lancés depuis 1972 par la N A S A et, une fois placés en orbite, suivis par la N O A A (administration nationale pour les océans et l'atmosphère). L'objectif de cette série de satellites était encore l'observation de la récolte de céréales soviétique. Mais dès les premiers jours de fonctionnement de ces satellites, les données recueillies furent largement disponibles pour tout le monde et les images des « Landsat » purent être utilisées par des géologues, des urbanistes, des responsables de l'aménagement du territoire, des ingénieurs civils, des responsables agricoles et forestiers et beaucoup d'autres. Dans certains pays d'Amérique latine, on a pu ainsi dresser des cartes où paraissent pour la première fois des rivières, des lacs et des villages jamais observés jusqu'alors. En Thaïlande, les données des « Landsat » permettent la gestion quotidienne de la forêt, et aux États-Unis, la plupart des États utilisent régulièrement ces données.

Les satellites « Landsat » prennent des photographies en quatre couleurs : chaque photo est en fait la combinaison de quatre images prises à l'aide de quatre caméras de télévision travaillant chacune dans une couleur donnée. Chaque photo couvre un carré de surface terrestre de 185 km de côté.

Un trait intéressant de ces satellites est qu'ils sont tous (de Landsat-1 à Landsat-4) placés sur des orbites synchrones solaires. Cela signifie que chaque satellite prend toujours ses photos de la Terre vers 9 h 30 le matin, suffisamment tôt pour que les ombres soient longues et que la définition soit bonne, mais suffisamment tard pour bénéficier d'un bon éclairement. Une photo prise par un satellite « Landsat » contient donc une énorme quantité d'informations. La résolution (c'est-à-dire la taille minimum des objets discernables) de ces satellites civils est officiellement égale à 80 m, mais, en fait, on peut distinguer des objets plus petits, par exemple des formations allongées et étroites comme des routes.

700 000 photos de la Terre

« Landsat » -1, -1 et -3 ont été lancés en 1972, 1975 et 1978 et ont fourni plus de 700 000 photos de toutes les régions de la surface terrestre excepté les régions polaires. Une industrie importante est née de ce flux de données. Un centre de données à Sioux Falls (Dakota du Sud) vend des dizaines de milliers d'images par an aux clients américains. Il existe treize stations à terre de par le monde qui reçoivent les données des satellites « Landsat », et au moins six sont en construction en 1983. Des experts se sont spécialisés dans la recherche et l'interprétation des données de ces satellites, à l'intention des géologues par exemple. L'Agence spatiale européenne (ESA), destinée à devenir un fournisseur concurrent de données de télédétection, assure aussi la distribution des données « Landsat ».

Avant le lancement de « Landsat-4 » en 1982, les données des précédents « Landsat » étaient déjà utiles. Mais celles fournies par « Landsat-4 » le seront encore plus, notamment parce que ce satellite est placé sur une orbite plus basse, à 700 km d'altitude, au lieu de 900 km pour les précédents satellites. La résolution photographique devrait donc atteindre 30 m. Plus important encore, « Landsat-4 » possède un « appareil à cartographier thématique », le premier du genre à être envoyé dans l'espace. Il s'agit d'une caméra opérant dans sept domaines différents de longueur d'onde, destiné originellement à différencier le blé de l'orge dans les steppes asiatiques. Elle fournira des informations précises sur la couverture de neige et de glace, la composition des argiles et d'autres minéraux, le développement urbain et rural, et l'état des rivières, des lacs et de la mer (jusqu'à une profondeur de 10 mètres pour celle-ci).

Les premiers résultats de « Landsat-4 » correspondent à ce que l'on attendait, mais ils devraient provoquer un affrontement politique à Washington à propos de l'avenir de ces satellites. En effet, l'administration Reagan désire que l'exploitation de la télédétection, ainsi que le lancement des satellites concernés, deviennent commerciaux à 100 %, comme l'ont été les satellites de télécommunication. Les démocrates souhaitent en revanche qu'ils servent aussi au secteur public.

Le système concurrent français

En 1983, la NOAA avait toujours en main le système « Landsat », mais de plus en plus, des compagnies privées se mêlaient d'acheter et d'interpréter les données, encouragées en cela par des études de marché qui prévoient des ventes rapportant des milliards de dollars. Le programme américain de télédétection était donc politiquement « sur la sellette ». L'argent nécessaire au projet n'était en aucune façon garanti et on ne prévoyait pas d'investir plus à l'avenir dans le prochain « Landsat ». Ces restrictions budgétaires laissaient naturellement la voie libre aux capitaux privés.

Le programme de télédétection américain était donc l'enjeu de luttes politiques aux États-Unis, au moment où d'autres pays s'apprêtaient à le concurrencer. L'Agence spatiale européenne (ESA, qui est un consortium de pays de l'Europe de l'Ouest, auquel s'est ajouté le Canada), de même que l'Inde et la France, se préparaient à lancer des satellites de télédétection entre 1984 et 1987.

En fait, ce sont les Français qui prétendent faire une concurrence directe à la télédétection américaine. La France est un des rares pays (hormis les États-Unis) à avoir une agence spatiale propre, le Centre national d'études spatiales (CNES), et aussi ses propres programmes spatiaux. L'un d'eux prévoit le lancement d'un satellite « Spot » en 1984. Il transportera une caméra noir et blanc avec une résolution atteignant 10 m et une caméra multispectre compétitive avec le « cartographe thématique » de « Landsat-4 », avec une résolution de 20 m.

Le monde de la télédétection va donc se diversifier, le nombre des sources de données et leur variété ne cessant de croître. Or, il faut savoir que ces données peuvent être extrêmement utiles pour les pays du tiers monde et pour les groupes écologistes qui luttent pour la protection de l'environnement (l'équipement nécessaire pour interpréter les données de télédétection est peu coûteux). En effet, la surveillance de la pollution, de la désertification et de la déforestation, l'évolution de l'importance des bancs de poissons, ou des ressources en eau, tout cela peut être obtenu par l'exploitation des données de la télédétection. On peut aussi d'ailleurs obtenir sur ces données des renseignements de première main en ce qui concerne les ressources géologiques en minerais. Dans ce domaine, les compagnies multinationales en ont toujours su plus que les gouvernements.

Il y a donc une lutte politique à mener pour s'assurer que de telles données soient accessibles au secteur public tout autant qu'au secteur privé. Cela implique qu'il faut défendre le statut public du programme « Landsat » et garantir que les données recueillies par les prochains satellites « Landsat » restent accessibles, à des prix modiques et sans restriction, comme cela a été le cas jusqu'ici.

Martin Ince

BIBLIOGRAPHIE

Ouvrage

BARETT C.E., CURTISS L.F., *Introduction to Environmental Remote Sansing,* Chapman and Hall, Londres, 1982.

Articles

ELACHI C., FONTANET A., « L'observation de la Terre par radar », *La Recherche*, n° 128, 1981.

GORDON F., PRICE R.D., « La Terre vue de l'espace », *La Recherche*, n° 96, 1979.

« Remonte Sensing Satellite », *The Economist*, 26 février 1983.

Les prévisions météorologiques à moyen terme

On distingue deux étapes dans l'établissement d'une prévision météorologique. La première consiste à mesurer ou à estimer les conditions atmosphériques présentes ainsi que des conditions de surface qui sont liées, comme la température de la mer ou l'humidité du sol. La seconde étape consiste à estimer comment le temps est susceptible de changer à partir de ces conditions. La région sur laquelle on fait les observations doit inclure tous les endroits susceptibles d'influencer le temps là où on désire faire la prévision; si on désire faire une prévision à long terme, la région devra être d'autant plus grande.

Pour les prévisions à court terme (un jour ou deux), on ne considère qu'une région d'extension limitée (quelques milliers de kilomètres) et des bulletins météo précis peuvent être diffusés quelques heures après les observations. Les préventions à moyen terme (deux jours à deux semaines à l'avance), que l'on sait faire depuis quelques années seulement, s'étendent à l'ensemble de la planète et recourent à des modèles mathématiques globaux permettant à des ordinateurs géants [268] de simuler le développement des nouvelles conditions météorologiques (pressions, vent, température, humidité) plusieurs jours à l'avance.

On fait ces prévisions à l'échelle de la planète parce que le développement d'une situation météorologique à un endroit donné peut, à terme, influencer n'importe quel point du globe, et aussi parce que certains utilisateurs des prévisions, en particulier les compagnies de pêche, sont intéressés par des prévisions dans des régions géographiques parfois très éloignées. La nécessité de collecter des données météorologiques à grande échelle et de réaliser

beaucoup de calculs à l'aide de l'ordinateur fait que les prévisions à moyen terme prennent plus de temps à préparer, et donnent moins de détails que les prévisions à court terme.

Les données météorologiques sont diffusées dans le monde entier par le réseau de télécommunications de l'organisation météorologique mondiale. Les observations traditionnellement réalisées par des stations à terre ou à bord de bateaux ne fournissent pas une couverture uniforme du globe. On doit donc recourir à des observations faites par les satellites, les avions commerciaux et des bouées dérivant à la surface des océans. Même ainsi, les données ne sont pas distribuées de façon régulière et les différens types d'observation n'ont pas tous la même précision. Aussi est-on obligé de réaliser une estimation des conditions atmosphériques initiales (devant servir de base aux calculs) en mêlant aux diverses observations recueillies un état des conditions météorologiques obtenu par prévision à très court terme, division faite à partir des conditions observées quelques heures auparavant. En outre, on vérifie les données, grâce à des statistiques faites sur des conditions météorologiques typiques ainsi que des statistiques sur les erreurs probables dans les observations et dans la prévision à court terme.

Le modèle mathématique de prévision à moyen terme doit tenir compte de certaines conditions, comme les chaînes de montagnes étroites mais élevées, et décrire en détail les brusques variations météorologiques lors du passage d'un front atmosphérique. La variation des éléments météorologiques en fonction de l'altitude doit également être prise en considération de façon à décrire le développement et le mouvement des phénomènes météorologiques. Il faut aussi tenir compte des effets de certains processus comme le rayonnement, la condensation, l'évaporation, la turbulence. Les modèles planétaires actuellement disponibles, permettent de décrire des évolutions météorologiques se réalisant sur des surfaces minimales de 150 km de côté dans le plan horizontal et de donner des prévisions chiffrées sur 16 niveaux différents dans les 25 km inférieurs de l'atmosphère. Ces modèles permettent d'ailleurs de simuler le comportement caractéristique de l'atmosphère sur des périodes beaucoup plus longues. Ils jouent ainsi un rôle important dans l'étude d'éventuelles modifications du climat [386].

500 milliards d'opérations pour une prévision

Les moyens scientifiques et techniques nécessaires aux prévisions à moyen terme dépassent ceux habituellement disponibles dans de nombreux pays. C'est pourquoi 17 États ont créé en 1975, à Reading, en Angleterre, le « Centre européen pour les prévisions météorologiques à moyen terme ». La technique de prévision utilisée par ce centre repose sur le type même de modèle mathématique et de calcul par ordinateur décrits ci-dessus. Tel qu'il est établi à Reading, le modèle demande de calculer les valeurs prises par plus d'un million de paramètres

météorologiques différant toutes les 20 minutes, et cela sur plusieurs jours. Environ 30 milliards d'opérations numériques sont tout d'abord effectuées pour analyser l'état observé de l'atmosphère, puis environ 500 milliards d'opérations sont nécessaires pour établir une prévision sur 10 jours. Pour que ces prévisions puissent être réalisées dans un laps de temps raisonnable, il faut disposer d'un ordinateur capable d'exécuter 50 millions d'instructions par seconde [268]. Ce type de prévisions météorologiques dépend donc énormément des derniers progrès technologiques non seulement en informatique mais aussi dans les technologies de l'espace et des télécommunications, puisqu'elles se fondent beaucoup sur les données fournies par les satellites et les systèmes de télécommunications.

Jusqu'à quelle échéance les prévisions à moyen terme sont-elles fiables ? Il n'est pas facile de répondre à cette question, car certains phénomènes météorologiques sont plus faciles à prévoir que d'autres et la précision nécessaire à une prévision utile varie sensiblement en fonction de son application. Les cartes de prévision météorologiques pour les latitudes moyennes de l'hémisphère nord sont généralement bonnes pour une période n'excédant pas deux ou trois jours. Elles peuvent encore informer utilement sur la nature du temps attendu pour les deux ou trois jours suivants. Cependant, il arrive que l'on puisse prévoir avec précision d'importantes variations du temps avec une semaine d'avance.

Généralement, en 1983, les prévisions valables pour les quatre jours à venir étaient à certains égards aussi

──────── *BIBLIOGRAPHIE* ────────

Article

GELEYN J. F., JARRAUD M., LABARTHE J. P., « La prévision météorologique à moyen terme », *La Recherche*, n° 131, 1982.

précises que celles établies pour 36 à 48 heures dix ans auparavant. Et les prévisions valables pour une semaine étaient presque aussi exactes que les précédentes l'étaient pour une période de quatre jours. Dans l'hémisphère sud, où les stations d'observation météorologiques étaient moins denses et moins bien réparties, les prévisions avaient une échéance d'un jour ou deux de moins que dans l'hémisphère nord. Dans la zone tropicale, la prévision souffrait d'un manque de données et de la difficulté de la modélisation de certaines évolutions météorologiques violentes et à court rayon d'action dans ces régions.

Adrian J. Simmons

Climats d'hier, climat d'aujourd'hui

Au cours des années soixante-dix, une succession d'anomalies climatiques a rappelé aux hommes que la société qu'ils ont bâtie était étroitement liée au climat du XXᵉ siècle, particulièrement favorable de 1920 à 1960. Plusieurs années de sécheresse en Afrique et en Asie (1969-1974) ont provoqué la migration de millions d'hommes en quête d'eau et de nourriture. Dans le même temps, les réserves mondiales de céréales diminuaient et le besoin de développer les moyens de prédire l'évolution naturelle du climat se faisait profondément sentir.

Simultanément, les climatologues réalisaient que les activités humaines pouvaient elles-mêmes être la cause de modification du climat. La combustion des charbons, bois et pétroles relâche dans l'atmosphère du gaz carbonique. Ce gaz laisse pénétrer le rayonnement solaire, mais il absorbe le rayonnement infra-rouge émis en retour par la Terre. Tout comme le vitrage d'une serre, le gaz carbonique présent dans l'air contribue donc à réchauffer l'atmosphère terrestre. Depuis le début de l'ère industrielle, la quantité de gaz carbonique présente dans l'air a augmenté de quelque 140 milliards de tonnes, faisant passer sa teneur dans l'air de 0,027 % avant l'ère industrielle à 0,034 % de nos jours. La quantité de gaz carbonique devrait augmenter au moins d'un facteur 5 dans les prochaines décennies et atteindrait alors un niveau qui pourrait conduire au réchauffement atmosphérique de quelques degrés. D'autres produits industriels, tels les aérosols, sont relâchés en quantité croissante dans l'atmosphère, affectant aussi la façon dont elle absorbe le rayonnement solaire. L'estimation de l'impact des activités humaines sur le climat nécessite de séparer, dans l'évolution observée, la part due aux phénomènes naturels de celle provoquée par la pollution de l'atmosphère [31].

On ne sait pas jusqu'à quel point la physique permet de prédire le climat. Mais un des objectifs du Programme climatique mondial, rédigé en 1983, est d'établir au cours des prochaines années les bases physiques permettant d'étendre à un ou deux mois les prédictions météorologiques. Pour cela, il s'agit de construire un modèle du système physique constitué par l'ensemble atmosphère-océan-glaces polaires. Ce type de modélisation est une science jeune, qui a pris naissance il y a moins de trente ans, et a nécessité le développement d'une nouvelle génération de scientifiques dont l'instrument majeur n'est plus la station météorologique, mais l'ordinateur. Qui plus est, les modèles de circulation générale de l'atmosphère nécessitent l'emploi des ordinateurs les plus puissants [268], et on sait déjà qu'il faudra des appareils mille fois plus puissants pour réaliser une modélisation fine de la circulation océanique.

Cependant, la plupart des connaissances que nous avons sur la façon dont notre planète utilise l'énergie reçue du soleil, repose sur l'observation du climat actuel ; l'élaboration des modèles également puisqu'il faut fournir à l'ordinateur des chiffres issus des mesures. Pour que les modèles soient utilisables pour prédire le climat, il faut les étalonner à partir d'une gamme de conditions aussi variées que possible et différentes de celles d'aujourd'hui.

C'est l'objet de la paléoclimatologie, dont le but est de reconstituer les climats passés. Depuis 1970, cette science a fait un bond en avant qui tient à l'introduction de deux méthodes nouvelles, l'utilisation des variations de la teneur en oxygène 18 dans les fossiles marins et les glaces polaires, et l'emploi des méthodes statistiques de traitement des données permettant l'estimation des températures passées.

Des montagnes de glace

Les atomes d'oxygène les plus abondants dans la nature ont la masse atomique 16. Il existe aussi des atomes d'oxygène, moins abondants, de masse atomique 18. Ces deux variétés constituent les isotopes ^{16}O et ^{18}O de l'oxygène. Des appareils appelés spectromètres de masse, permettent de mesurer de faibles variations du rapport $\dfrac{^{18}O}{^{16}O}$ autour de sa teneur moyenne : 0,2 %. Par exemple, les molécules d'eau (H_2O) des glaces polaires sont plus pauvres en ^{18}O que celles de l'eau de mer. Cet appauvrissement est d'autant plus important que la température est plus basse. L'analyse fine du rapport $\dfrac{^{18}O}{^{16}O}$ dans les forages de glace effectués dans les années soixante-dix en Antarctique et au Groenland, a permis de reconstituer l'évolution des températures des régions polaires dans le passé.

Ainsi, il est apparu que les glaces formées il y a plus de dix mille ans, lors de la « Grande époque glacière », indiquent un refroidissement de l'air à cette époque de l'ordre de 6 °C. Cette période glaciaire que connurent nos ancêtres préhistoriques de Cro-Magnon a, par ailleurs, été bien étudiée sur les continents et dans les sédiments marins. Sur les continents, des restes de moraines (amas de rochers sur le front des glaciers) témoignent d'une avancée prodigieuse des glaciers, que la méthode de datation au carbone 14 date de dix-huit mille ans seulement. Des montagnes de glace, hautes de trois mille mètres, recouvraient alors le nord de l'Amérique et de l'Europe. L'eau ainsi gelée provenant de l'évaporation de l'eau de mer, le niveau général des océans avait baissé de plus de 100 mètres et nos lointains ancêtres allaient à pied sec de France en Angleterre et de Sibérie en Alaska !

Le développement des glaces sur les continents a entraîné une modification de la répartition des isotopes de l'oxygène : les glaces représentaient de l'eau pauvre en ^{18}O, tandis que l'eau restant dans l'océan était, par contrecoup notablement plus riche en ^{18}O qu'aujourd'hui. Cette variation est restée enregistrée dans la composition en isotopes de l'oxygène des coquilles calcaires des foraminifères : ce sont des animaux marins microscopiques qui vivent dans les eaux de surface des océans ou sur les sédiments au fond de la mer.

Lorsqu'ils meurent, les coquilles des foraminifères s'accumulent dans les sédiments. En examinant des roches sédimentaires contenant de telles coquilles, il est possible de repérer celles qui ont été déposées lors du maximum glaciaire : ce sont celles qui sont les plus riches en ^{18}O. Or, si l'on regarde alors la composition en espèces représentées dans les coquilles fossiles provenant de cette époque, on peut en déduire la température de l'eau à la surface des océans en été et en hiver durant ce maximum glaciaire. En effet, des méthodes statistiques ont permis, sur les populations actuelles, d'établir des corrélations entre la composition en espèces d'une population et la température de l'eau de surface de l'océan où vit cette population. Dans le cadre du programme international C L I M A P, à la fin des années soixante-dix, les températures de surface de l'océan mondial il y a dix-huit mille ans ont été ainsi reconstituées. On a conclu que le refroidissement des eaux (par rapport aux températures actuelles) affectait surtout les hautes latitudes : il atteignait 10 °C dans l'atlantique Nord, alors qu'il était presque nul en zone tropicale. Les glaces sur les mers étaient très développées, recouvrant la mer de Norvège au nord, et entourant le continent antarctique d'un anneau large de mille kilomètres.

Un nouvel âge glaciaire

A partir du moment où les paléoclimatologues avaient reconstitué la répartition des glaces, les températures de surface de l'Océan et, très sommairement, la végétation continentale, les modèles sur ordinateur permettaient de simuler l'ensemble du climat de l'époque glaciaire. Ces reconstitutions ont fait apparaître un refroidissement des continents aux moyennes latitudes (comme celles de la France) de 6 à 12 °C, par rapport aux températures actuelles. Un résultat très surprenant des modèles est de montrer qu'il existait une importante diminution des précipitations sur tous les continents. Cette prédiction a reçu une confirmation expérimentale éclatante : les géologues ont retrouvé des traces de dunes « vivantes », il y a dix-huit mille ans, sur tous les continents. Ils ont également montré que la plupart des lacs étaient asséchés ou presque. Nos propres travaux de paléoclimatologie ont montré, en 1982, qu'il y avait une diminution de l'ordre de 50 % des pluies de mousson sur le

───────────── *BIBLIOGRAPHIE* ─────────────

Ouvrages

GRIBBIN J., *Climatic Change*, Cambridge University Press, Cambridge, 1978.

IMBRIE J., IMBRIE K. P., *Ice Ages : Solving the Mystery*, Macmillan Press, Londres, 1979.

Articles

C L I M A P Project Members, « The Surface of the Ice Age Earth », *Science*, n° 191, 1976.

DUPLESSY J. C., « Glacial to Interglacial Contrasts in the Northern Indian Ocean », *Nature*, n° 295, 1982.

LORIUS C., DUPLESSY J. C., « Les grands changements climatiques », *La Recherche*, n° 8, 1977.

Sud-Est asiatique. Un climat glaciaire est donc un climat froid aux hautes latitudes et sec presque partout.

Les mêmes méthodes ont été appliquées (entre 1973 et 1983) à une période beaucoup plus longue : celle couvrant les quatre derniers millions d'années. On découvrit ainsi que les premières glaces se sont installées sur l'hémisphère Nord il y a trois millions d'années, longtemps après la glaciation du pôle Sud (laquelle date d'au moins seize millions d'années). L'analyse des variations de climat durant cette longue période temporelle permet de déceler des périodicités à côtés de variations aléatoires. Les seules périodes qui apparaissent de manière significative sont celles corrélées au mouvement de la Terre sur son orbite autour du soleil. Ces résultats suggèrent fortement que ce sont les variations de la répartition de l'insolation à la surface de la Terre qui conditionnent les variations à long terme du climat, ainsi que l'avait suggéré le climatologue yougoslave Milankovitch vers 1930. Si cette théorie astronomique des paléoclimats se confirme, la Terre connaîtra un nouvel âge glaciaire d'ici environ cinq mille ans, mais nous ne savons pas quand s'amorcera ce bouleversement climatique ni à quel rythme il se développera.

Jean-Claude Duplessy

L'exploration des planètes

Nous venons de vivre l'âge d'or de l'exploration du système solaire. Cette seconde moitié du XXᵉ siècle sera probablement considérée dans le futur comme une époque aussi importante dans l'histoire de l'humanité que celle de la découverte de l'Amérique et des grands voyages du XVᵉ siècle et du XVIᵉ siècle. Les hommes ont maintenant marché sur la Lune et ramené des cailloux lunaires pour les analyser dans leurs laboratoires. Des robots ont exploré Mars, analysé sa surface, mesuré ses vents, constaté l'absence de vie. Des sondes automatiques se sont posées sur Vénus ou ont visité Jupiter, Saturne et leur environnement.

Il est impossible de rendre compte en quelques pages de toutes les découvertes récentes et de la diversité des planètes du système solaire et de leurs satellites. Nous nous contenterons de mettre en évidence quelques faits marquants. On peut distinguer deux catégories de planètes : les planètes terrestres (Mercure, Vénus, Mars et la Terre) relativement proches du Soleil, formées de roches et de petite taille, et les planètes géantes, éloignées du Soleil (Jupiter, Saturne, Uranus et Neptune), formées de gaz et de faible densité. Il y a enfin Pluton et les dizaines de satellites tournant autour des planètes, qui forment une collection particulièrement riche d'objets très variés.

Les planètes terrestres

Mercure, Vénus, la Terre et Mars ont entre 5 000 et 12 000 kilomètres de diamètre et mettent de trois mois à deux ans pour tourner autour du Soleil. Les planètes terrestres, proches du Soleil ont été formées dans la partie la plus chaude de la nébuleuse gazeuse primitive (d'où sont nés le soleil et les planètes), là où la plupart des gaz légers (hélium, hydrogène) ont été perdus. Elles sont solides et rocheuses. Les échantillons terrestres ou lunaires et ceux des météorites suggèrent que ces planètes sont formées d'éléments lourds tels que le silicium, l'aluminium, le calcium, le magnésium, le fer et d'autres qui, combinés avec l'oxygène, forment les minéraux solides et les roches.

En dépit de leur composition chimique semblable, ces planètes sont très différentes les unes des autres. Contrairement à Vénus et à Mars, Mercure ne possède pas d'atmosphère. La Terre possède un champ magnétique beaucoup plus important que celui de Mercure, tandis que Vénus et Mars en semblent dépourvues. Mars et la Terre tournent sur elles-mêmes en une journée tandis que Mercure met deux mois et Vénus huit mois pour effectuer une rotation. Alors que la Terre possède de grandes quantités d'eau liquide, l'eau est présente sur Mars uniquement sous forme de glaces et de vapeur d'eau tandis que Vénus en semble dépourvue, tout comme Mercure.

Baignée par la lumière solaire, la planète Mercure est très difficilement observable depuis la Terre. Depuis son exploration en 1974 par une sonde américaine, qui a révélé une surface couverte de cratères, aucune sonde n'est retournée vers Mercure. Ces cratères représentent des cicatrices d'un bombardement incessant par des météorites tout au long de l'histoire du système solaire. Comme il n'y a pas sur Mercure de phénomènes d'érosion par les eaux ou par le vent – au contraire de ce qui se passe sur la Terre ou sur Vénus – les cratères persistent sur de longues périodes (c'est-à-dire qu'ils ne sont pas aplanis et effacés) et leur étude détaillée, tout comme ceux de la Lune, permet d'estimer l'âge de la surface et de reconstituer l'histoire du bombardement. Contrairement à la Lune, Mercure possède un noyau de fer (source d'un champ magnétique) et est beaucoup plus dense.

Vénus a approximativement la taille de la Terre et est perpétuellement couverte de nuages opaques. Son atmosphère, cent fois plus dense que celle de la Terre, est composée pour l'essentiel de gaz carbonique et de traces d'oxygène, d'eau, de dioxyde de soufre, d'acide chlorhydrique, d'acide sulfurique, etc. Cette atmosphère épaisse piège la lumière solaire et produit un « effet de serre » qui conserve la surface de Vénus à 480 °C. En 1975 et en 1982, des sondes soviétiques ont pu se poser à la surface de Vénus et fonctionner assez longtemps pour nous transmettre des photos d'un désert et analyser des roches qui ressemblent à du granit sur Terre. En 1979, la surface de Vénus a été sondée par radar depuis un satellite américain. On peut distinguer un ensemble de plateaux, de continents, de chaînes de montagnes, de volcans, de canyons, de bassins, de dépressions qui semblent être le résultat d'une activité interne importante.

Depuis les sondes « Viking » en 1976, aucun satellite artificiel n'a visité Mars. Cependant l'une des sondes « Viking » transmettait encore des données à la Terre en 1982. Nous sommes loin maintenant de la vision de Mars, habitat des « petits hommes verts ». Il semble bien que Mars soit totalement hostile à toute forme de vie. Mars paraît être à mi-chemin entre les astres morts que sont Mercure et la Lune et les mondes géologiquement actifs comme Vénus et la Terre. On observe sur Mars une grande variété de paysages : régions couvertes de cratères dus à des impacts anciens, immenses volcans trois fois plus hauts que l'Everest, un canyon de plus de 5 000 kilomètres de long, des dunes ou des déserts. Les roches martiennes sont poreuses et à arêtes vives, un peu comme la lave sur Terre. La couleur rouge de Mars est due à la présence d'oxyde de fer, sorte de rouille exotique. Couverte d'une atmosphère ténue cent fois moins dense que sur la Terre et composée pour l'essentiel de gaz carbonique, Mars connaît une activité climatique et météorologique importante. Au rythme des saisons, la vapeur d'eau se condense en calottes polaires. La température et la pression à la surface de Mars sont telles que l'eau ne peut exister qu'à l'état solide ou liquide. Il est cependant intéressant d'observer à la surface de Mars des vallées et des canaux qui semblent avoir été formés il y a plus d'un milliard d'années par des inondations ou des coulées d'eau liquide. Le climat sur Mars était-il plus clément dans le passé?

En ce qui concerne la Lune, l'analyse des roches ramenées à partir de 1969 depuis la surface très ancienne de notre satellite a permis d'obtenir des informations précieuses sur l'histoire du système solaire.

Les planètes géantes

Les planètes géantes sont d'immenses globes gazeux dont le diamètre est compris entre 50 000 et 140 000 kilomètres (contre 12 000 pour la Terre). A elle seule, la planète Jupiter est mille fois plus massive que la Terre. Situées entre 750 millions et 5 milliards de kilomètres du Soleil, ces planètes mettent de 12 à 165 ans pour effectuer une révolution autour du Soleil et tournent sur elles-mêmes en une dizaine d'heures.

Entre 1979 et 1981, les sondes « Voyager » ont bouleversé notre connaissance de Jupiter, Saturne et de leur environnement. En quelques semaines de survol de ces planètes, des milliards de données ont été accumulées; leur dépouillement demandera probablement plus de dix ans et de nouvelles surprises sont à attendre avec les survols d'Uranus et de Neptune. L'observation des parties extérieures du système solaire par les sondes « Voyager » marque une des trois grandes dates de l'exploration du système solaire, avec les missions « Apollo » vers la Lune et « Viking » vers Mars. Faute de pouvoir rendre compte ici de toutes les merveilles découvertes par les sondes « Voyager », nous nous contenterons de citer quelques exemples.

Les planètes géantes ont été formées dans les parties les plus froides de la nébuleuse primitive et, contrairement aux planètes terrestres, elles ont conservé tous les gaz légers et les glaces présents initialement. Elles sont essentiellement gazeuses : au fur et à mesure qu'on s'enfonce dans leur atmosphère, la pression et la température augmentent mais on ne rencontre à aucun moment de croûte solide comme pour les planètes terrestres (ce sont plutôt les satellites des planètes géantes qui pourraient être comparés, par leur taille et leur structure, aux planètes terrestres). Les planètes géantes ont une composition assez semblable à celle du Soleil et de la nébuleuse primitive : elles sont composées à 99 % d'hydrogène et d'hélium.

Nous ne voyons que la couche supérieure de leur atmosphère qui présente, au moins pour Jupiter et Saturne, une structure de bandes parallèles brillamment colorées. On a détecté du méthane, de l'ammoniac, de l'eau et des molécules complexes dans les nuages des planètes géantes. Les bandes parallèles sont séparées par des zones très turbulentes. Des anticyclones, des vents violents et des cyclones parcourent la haute atmosphère de Jupiter et de Saturne. La manifestation la plus spectaculaire en est ce que les astronomes appellent depuis plus de trois siècles la tache rouge de Jupiter : on sait maintenant que c'est un immense cyclone, deux fois plus grand que la Terre. De nombreuses autres « taches » semblables ont été observées sur Jupiter et sur Saturne par les sondes « Voyager ». Enfin, durant les nuits de Jupiter ou de Saturne, de spectaculaires aurores polaires et des éclairs éclatent en permanence.

L'analyse de la proportion relative d'hydrogène et d'hélium dans Jupiter et Saturne se révèle essentielle pour des problèmes aussi fondamentaux que l'origine du système solaire et la théorie de l'expansion de l'univers [407]. L'hydrogène et l'hélium sont en effet des atomes simples présents dès les premiers instants de l'univers (les atomes plus lourds ont été formés plus tardivement au sein des étoiles). Leur proportion relative nous donne donc des informations précieuses sur un passé reculé. Les mesures de cette proportion effectuées par les sondes « Voyager » nous contraignent de revoir de plus près un certain nombre de théories relatives aux débuts de l'univers.

La structure interne de ces planètes n'est connue qu'indirectement par l'intermédiaire de modèles mathématiques. Elles possèdent probablement en leur centre des noyaux métalliques et rocheux, dont la masse est de l'ordre de quelques masses terrestres. Au-delà de ces noyaux, l'énorme pression du matériau situé au-dessus comprime tellement l'hydrogène qu'il se retrouve à l'état liquide et se comporte électriquement comme un métal (on l'appelle alors hydrogène métallique). Les courants qui circulent dans ces fluides métalliques engendrent des champs magnétiques importants.

Des satellites pleins de surprises

Par ailleurs, Jupiter et Saturne rayonnent plus d'énergie qu'ils n'en reçoivent du Soleil. Ce phénomène, observé depuis longtemps, a été compris grâce aux mesures effectuées par les sondes « Voyager ». Pour Jupiter, cette énergie est le résidu de la chaleur accumulée par la planète au moment de sa formation, un peu comme un radiateur qui se refroidit lentement. Par contre, la planète Saturne, plus petite que Jupiter, est déjà refroidie. Il faut chercher ailleurs la nature de la source d'énergie. Cela est dû à la chute lente de l'hélium vers le centre de la planète. En effet, sur Saturne (mais non sur Jupiter), la température est suffisamment basse (dans la zone de l'hydrogène métallique) pour que l'hélium ne soit plus miscible à l'hydrogène. Plus lourd, il a tendance à tomber vers le centre de la planète. Des gouttelettes d'hélium se forment et, dans leur mouvement de chute vers le centre, libèrent de

l'énergie dans leurs chocs avec des molécules d'hydrogène.

Jupiter et Saturne sont entourés par des familles de satellites. Chacun d'entre eux constitue un monde distinct des autres. Depuis les plus petits qui ont moins de 50 kilomètres de diamètre, jusqu'aux plus gros qui ont plus de 5 000 kilomètres de diamètre, ils offrent une grande variété de phénomènes géologiques. Deux d'entre eux sont particulièrement étonnants : Io, autour de Jupiter, est le seul objet avec la Terre où nous ayons observé des volcans en activité et Titan, autour de Saturne, est le seul objet avec la Terre qui possède une atmosphère d'azote. Plus de 15 nouveaux satellites ont été découverts autour de Jupiter et de Saturne en 1980 et 1981, aussi bien depuis la Terre que par les sondes « Voyager ». Jusqu'ici, on en connaissait 13 pour Jupiter (leur nombre est passé à 17) et 9 pour Saturne (leur nombre est passé à 19 et on en soupçonne 24). Enfin, des anneaux ont été découverts autour d'Uranus en 1977 et autour de Jupiter en 1979 (jusque-là, on croyait que seule Saturne était entourée d'anneaux).

Les quatre plus gros satellites de Jupiter (Ganymède, Callisto, Io, Europe), appelés satellites galiléens depuis leur découverte par Galilée en 1610, se sont révélés très différents les uns des autres, contrairement à ce que l'on croyait auparavant.

Ganymède est plus gros que la planète Mercure ; Callisto et Io sont plus gros que notre Lune. Callisto est un monde criblé de cratères qui possède la surface la plus vieille observée dans le système solaire : plus de quatre milliards d'années de bombardements y sont enregistrées. Ganymède présente un mélange de terrains anciens fortement cratérisés et de structures jeunes, telles que des fractures et des failles qui sont le résultat d'une activité interne importante.

Europe est la plus belle « boule de billard » observée dans l'Univers. Sa surface glacée parfaitement lisse est dépourvue de cratères, de montagnes, de vallées et de tout relief important. Seul un réseau complexe de lignes peu profondes strie sa surface aux endroits où la croûte glacée subit des contraintes.

La plus grande surprise est venue de Io : les sondes « Voyager » y ont observé huit volcans en activité. Ces volcans ne ressemblent pourtant pas aux volcans terrestres. Ils n'éjectent pas des roches fondues à quelques milliers de degrés, mais du soufre fondu. La chaleur ne provient pas de la radioactivité des roches profondes, comme sur la Terre, mais d'un « effet de marée ». Elle est en effet engendrée par des frictions entre couches de matériaux qui se meuvent sous l'effet d'une attraction périodique exercée par l'énorme Jupiter. De la même manière que des effets de marée ont lieu en permanence entre la Terre et la Lune, Jupiter exerce sur chaque point de la surface de Io une attraction considérable. Cet effet de marée tend à déformer Io. De plus, la distance de Io à Jupiter varie très légèrement en raison des perturbations gravitationnelles dues à Europe et à Ganymède. La déformation de Io dûe à Jupiter varie donc avec le temps, et c'est cela qui engendre les frictions à l'intérieur de Io. Celles-ci sont responsables de la production de chaleur, qui est évacuée par des phénomènes volcaniques.

La surface de Io est couverte de soufre et de glaces. Il semble que des éruptions volcaniques aient lieu en permanence en différents endroits du satellite. L'activité volcanique est si importante que ces volcans n'ont pas le temps d'accumuler un cône de matière, mais sont plutôt des « trous » dans la surface, d'où s'échappe le matériau fondu.

Les satellites de Saturne sont aussi très variés. La plupart des mondes glacés couverts de cratères. Trois d'entre eux sont mal compris : Encelade, Titan et Japet. Le petit Encelade (moins de 500 kilomètres de diamètre) présente une activité géologique importante à sa surface (coulée de glace, fractures, etc.). On

ne comprend pas comment un aussi petit corps a pu développer en son sein une source de chaleur suffisante pour remodeler sa surface.

Titan, le plus gros des satellites de Saturne, survolé de très près par la sonde « Voyager 1 », présente une atmosphère opaque de densité comparable à l'atmosphère terrestre, mais il est beaucoup plus froid : – 200° à sa surface. C'est un peu une Terre « mise au congélateur ». L'atmosphère de Titan contient de nombreuses molécules organiques complexes, qui produisent un brouillard assez voisin de ceux qui couvrent nos villes modernes. Tous les atomes nécessaires au développement d'une chimie « pré-biotique » sont présents, mais si la pression atmosphérique n'est que de deux ou trois fois celle de la Terre, la température est trop faible pour qu'une quelconque « forme de vie » ait la moindre chance de se développer. L'atmosphère et les couches de brouillard empêchent de voir une surface qui pourrait être très exotique, avec des lacs d'azote liquide, des rivières et des banquises de méthane. Japet est un monde étonnant qui présente une face brillante glacée couverte de cratères et une face rougeâtre très sombre. On ne comprend pas pour l'instant la cause de cette séparation en deux hémisphères aussi différents.

Les anneaux de Saturne

Les plus grandes surprises révélées par les sondes « Voyager » proviennent du survol des anneaux de Saturne. Découverts en 1610 par Galilée, ces anneaux sont probablement l'un des plus beaux spectacles qu'on puisse voir dans le ciel avec une simple paire de jumelles. Observés par « Voyager », ces anneaux se révèlent incroyablement complexes. Ils sont composés d'un nombre incalculable de particules de toutes tailles (du micron au kilomètre) en orbite au voisinage immédiat de Saturne. Leur existence est due au fait que, trop près de cette planète géante, tout satellite ne peut être que brisé par les effets de marée.

Par certains côtés, de tels anneaux ressemblent à ce qu'était la matière dans la nébuleuse primitive avant de se rassembler en planètes et satellites. Leur étude nous permet de mieux comprendre la phase d'accumulation des planètes. Les particules des anneaux sont, pour la plupart, couvertes de glace d'eau. Contrairement à ce que semblait indiquer leur observation depuis la Terre, les anneaux ne sont pas constitués de larges zones relativement homogènes : ils se composent de minces anneaux concentriques donnant à l'ensemble l'aspect d'un microsillon. Les détails les plus fins observés à haute résolution se subdivisent euxmêmes en des structures encore plus fines. De nombreuses structures inattendues telles que des anneaux excentriques, torsadés ou en forme de serpentin, irréguliers ou à bords nets, ou encore des ondes, posent un défi aux physiciens et sont probablement le siège de mécanismes qui restent à découvrir et qui pourront être appliqués à d'autres objets dans l'univers. Le champ magnétique de Saturne soulève les petites particules au-dessus et au-dessous du plan des anneaux, qui forment d'immenses boursouflures de plus de 20 000 kilomètres de long apparaissant en moins de cinq minutes et disparaissant en une dizaine d'heures. Tous ces phénomènes, et bien d'autres que nous n'avons pas la place d'énumérer ici, font des anneaux de Saturne un merveilleux laboratoire naturel de nombreux phénomènes célestes.

La planète Uranus, à la veille de son exploration par la sonde « Voyager 2 » en janvier 1986, est encore mal connue. Neptune ne sera visitée qu'en août 1989. En ce qui concerne Pluton, la découverte d'un satellite en 1978 et de méthane gelé à sa surface a permis d'estimer sa masse à moins de 1/300 de celle de la Terre. C'est donc un tout petit objet qui reste encore bien mystérieux et qui ne sera probablement pas visité avant le siècle prochain.

En plus de ces prochaines explorations de planètes, il faut envisager pour l'avenir celle des comètes et astéroïdes. Ces derniers seront peutêtre les sources de matières premières de l'exploration spatiale de demain. Plusieurs sondes européennes, soviétiques et japonaises partiront à la rencontre de la comète de Halley, qui doit être visible en 1986.

Il est maintenant nécessaire de retourner autour de Jupiter et de Saturne avec des instruments encore plus puissants. La sonde américaine « Galileo » doit être lancée à la fin de la décennie autour de Jupiter. Un programme actif d'exploration de Mars, Vénus et Mercure doit être poursuivi. Le milieu interplanétaire doit être sondé par de nouveaux satellites, en particulier hors du plan de l'écliptique (c'est-à-dire du plan de l'orbite de la Terre et des planètes autour du Soleil).

À côté des agences spatiales américaine et soviétique qui ont été les pionniers de l'exploration des planètes, l'Europe et le Japon ont maintenant développé une industrie spatiale active et devraient participer à cette exploration. Une sonde spatiale ne coûte que quelques francs par citoyen pour des résultats scientifiques, culturels et économiques de première importance pour toute l'humanité. Il faut espérer que les Hommes auront la volonté de continuer à écrire l'histoire de demain en développant un programme spatial ambitieux.

André Brahic

Le télescope dans l'espace

Depuis toujours les astronomes observent l'espace à partir de la Terre. Depuis peu (c'est à la fin des années quarante qu'on a lancé les premières fusées astronomiques), les astronomes tentent d'observer l'espace à partir de l'espace. C'est que l'atmosphère de la Terre constitue un triple obstacle pour les astronomes. D'une part, elle agit comme un filtre sélectif. Elle est, en effet, transparente au rayonnement visible (celui des ondes électromagnétiques que l'œil humain perçoit comme « lumière ») et à une bonne partie des ondes électromagnétiques constituant le rayonnement radio. Mais elle est opaque à l'ensemble des autres rayonnements émis par les objets « célestes » (étoiles, galaxies, etc.). Ces autres rayonnements qui n'atteignent pas le sol de la Terre sont les rayons ultraviolets, les rayons X et les rayons gamma (tous rayonnements qui ont des longueurs d'onde plus courtes que celles du rayonnement visible); les rayons infrarouges (qui ont des longueurs d'onde un peu plus grandes que celles de la lumière visible) et enfin, les ondes radio les plus longues.

Or, les satellites tournant autour de la Terre peuvent s'éloigner – suivant leur orbite – à quelques centaines à quelques centaines de milliers de km de la Terre : l'écran que constitue l'atmosphère terrestre disparaît alors, et tous les rayonnements de l'univers peuvent y être recueillis à l'aide d'instruments appropriés.

Un second défaut majeur de l'atmosphère terrestre est sa mauvaise qualité optique : elle brouille les images. L'agitation des couches d'air perturbe les rayons lumineux qui arrivent au sol, de sorte que même les meilleurs télescopes au sol ne peuvent former de très bonnes images. Celles d'objets astronomiques ponctuels par exemple ont le plus souvent la forme d'une tache étalée. Au contraire, si on place un télescope au-dessus de l'atmosphère de la Terre, on pourra en principe restituer le pouvoir séparateur théorique de l'instrument, à condition que son optique soit très soigneusement fabriquée (des défauts de polissage des miroirs entraînent aussi une détérioration des images). Il faut aussi que le satellite transporteur soit assez stable pour que le télescope puisse viser une direction donnée de l'espace avec une très grande précision.

Enfin, troisième défaut, l'atmosphère de la Terre, composée de gaz éclairés par le soleil durant le jour, a un rayonnement propre, qui se situe principalement dans l'infrarouge, mais aussi un peu dans le visible et l'ultraviolet. La luminescence atmosphérique contribue donc à rendre le fond de ciel un peu lumineux. Or, pour détecter les objets les plus faibles de l'univers, on voudrait les observer avec un contraste fort, devant un fond de ciel aussi noir que possible. Embarquer un télescope sur un satellite est le meilleur remède contre le rayonnement diffus perturbateur du fond de ciel.

Il n'est pas inutile de souligner un autre avantage de l'astronomie dans l'espace, avantage qui n'a rien à voir, celui-là, avec l'existence de l'atmosphère terrestre. Alors que l'alternance du jour et de la nuit condamne les observations astronomiques conduites du sol à être intermittentes, le ciel peut être observé en satellite de façon continue pendant des intervalles de temps aussi longs que l'on veut. On peut alors espérer observer des objets très faibles, simplement, comme en photographie, en augmentant presque à volonté le temps de pose. On peut aussi repérer, avec une précision de 100 à 1 000 fois supérieure à celle atteinte au sol, l'existence de phénomènes variables dans les astres : il suffit de suivre les fluctuations du signal reçu au cours du temps, pendant assez longtemps pour que des moments d'émission plus forte, périodiques ou non, puissent être détectés.

Le télescope dans l'espace a été rendu possible par les progrès de la technologie spatiale, effectués depuis les années soixante : les charges embarquées ont pu être de plus en plus lourdes; la stabilité de pointage du télescope vers un objet céleste donné s'est énormément accrue; les caméras détectant les divers types de rayonnement sont devenues sans

LES PRINCIPAUX SATELLITES TRANSPORTANT UN TÉLESCOPE ET LEUR DATE DE LANCEMENT

Rayonnement exploré	Gamma	X	Ultraviolet	Visible	Infrarouge
Longueurs d'onde (en nanomètres [b])	< 0,01	0,01 - 10	10 - 300	300 - 1 000	1 000 - 1 000 000
1972			TD-1 (ESRO [c])		
1972			Copernicus (NASA [d])		
1973			Skylab (NASA [d])		
1975	Cos-B (ASE [c])				
1978			International Ultraviolet Explorer, IUE (NASA-ASE)		
1978		Einstein (NASA [d])			
1980			Solar Maximum Mission, SMM (NASA [d])		
1983		Exosat (ASE [c])			Iras (NASA, G.-B., Pays-Bas)

a. Chacun des satellites cités n'a pas exploré la totalité du domaine de rayonnement indiqué. Par exemple, le domaine 10-90 nm était encore quasiment vierge en 1983; b. Le nanomètre est égal à 1 milliardième de mètre (10^{-9} m); c. ASE : Agence spatiale européenne (anciennement ESRO : European Space Research Organization); d. NASA : National Administration for Space and Aeronautics (États-Unis).

cesse plus fiables et plus sensibles. Les signaux captés par ces caméras sont prétraités par ordinateur à bord du satellite, puis retransmis sur la Terre par radio. La densité d'information transmise par seconde a été multipliée par environ un million en 25 ans, depuis le début de l'ère spatiale.

Un satellite observatoire commandé depuis le sol

C'est depuis 1972 qu'ont été lancés les principaux satellites transportant des télescopes capables d'explorer différentes gammes de rayonnement provenant du ciel (voir tableau). Ces satellites astronomiques ont été réalisés soit par les États-Unis, soit par des pays européens regroupés dans l'Agence spatiale européenne, soit par des pays tels que la Grande-Bretagne et les Pays-Bas, occasionnellement regroupés pour un projet donné.

Les satellites figurant dans le tableau ont été importants à des titres divers. Passons rapidement sur les quatre premiers. Le satellite européen TD1 (TD, du nom du lanceur Thor Delta), et le satellite américain Copernicus, lancés en 1972, ont ouvert les voies de l'observation des *rayons ultraviolets*. La plate-forme américaine Skylab (1973) servie par deux cosmonautes, a permis l'étude du *Soleil* simultanément dans plusieurs rayonnements (rayons X, ultraviolets et visibles). Quant au satellite européen COS-B (1975), il a réalisé une grande première : l'observation systématique du ciel tel qu'il apparaît dans le *rayonnement gamma*. Un nombre impressionnant d'objets ont été découverts, qui sont des « sources gamma », témoins de l'univers invisible auquel le télescope dans l'espace donne accès; plusieurs d'entre elles n'ont encore été identifiées

avec des objets connus par leur rayonnement visible.

Depuis 1978, on a assisté à une spectaculaire série de mises en orbites. Le satellite américano-européen I U E (International Ultraviolet Explorer) est consacré à l'observation du ciel dans l'ultraviolet entre 115 et 330 nm. Des objets dix mille fois moins lumineux que ceux visés par Copernicus ont été observés avec I U E, étoiles aussi bien que galaxies, corps du système solaire aussi bien que nuages du milieu interstellaire. Et pourtant le télescope embarqué sur le satellite I U E n'a que 45 cm de diamètre! La sensibilité accrue d'I U E provient de ses détecteurs de lumière (convertisseurs d'images suivis de tubes vidicon). De plus, I U E est le premier modèle de *satellite-observatoire*, une notion qui réfère à son mode de gestion. En effet, ses utilisateurs sont extrêmement nombreux (environ 500 en Europe et autant aux États-Unis). Ils commandent individuellement leurs observations, comme s'ils étaient auprès d'un télescope au sol, mais ici ils conversent en temps réel par radio avec le télescope embarqué. Enfin, I U E bat tous les records de longévité productive car il fonctionnait toujours parfaitement en 1983.

Les révélations d' « Einstein »

Le domaine des *rayons X* a été le lieu d'un véritable bouleversement de nos connaissances, grâce au satellite américain « Einstein » lancé lui aussi en 1978. Celui-ci emportait un télescope tout à fait spécial permettant, pour la première fois, d'obtenir des images fines, c'est-à-dire des images où des détails de très petite dimension angulaire sont résolus; dans le domaine des rayons X, ceci est encore beaucoup plus difficile à réaliser que dans le visible ou l'ultraviolet, pour des raisons d'optique des instruments. Du coup, la sensibilité de cette expérience a été améliorée d'un facteur 1000 par rapport aux satellites X précédents, et le ciel est apparu ponctué d'innombrables sources de rayonnement X.

Ce qui est très remarquable, c'est que beaucoup d'entre elles sont des étoiles, car l'émission de rayons X suppose une source très chaude (de l'ordre de millions de degrés). Jusqu'alors, seul le Soleil était connu pour être entouré d'une couche extérieure chaude, nommée couronne, qu'on voit à l'œil nu lors des éclipses. Le satellite « Skylab » avait dévoilé la foisonnante richesse des régions émettrices X de la couronne solaire. Et le satellite « Einstein » a révélé que toutes les étoiles possèdent, comme le Soleil, une couronne; cette découverte intrigue au plus haut point les théoriciens, qui cherchent les mécanismes par lesquels il est possible de chauffer jusqu'à un ou plusieurs millions de degrés la pelure mince qui entoure les étoiles.

Le satellite américain « S M M » (« Solar Maximum Mission »), lancé en 1980, a réédité, avec des instruments plus perfectionnés, les études de « Skylab ». On sait maintenant avec force détails que le Soleil n'est pas une boule homogène, et que sa surface comporte un très grand nombre de structures s'étendant sur toute une gamme de profondeurs, qu'on explore successivement du bas vers le haut en faisant des clichés en lumière visible, ultraviolette, X. Par ailleurs, la surface du Soleil est agitée de phénomènes violents qu'on nomme éruptions, au cours desquelles le Soleil expulse dans l'espace des flots de particules à grande vitesse. L'originalité du satellite S M M est d'avoir été lancé lors d'un maximum d'intensité de ces éruptions, maximum qui se reproduit tous les onze ans : on l'appelle le maximum de l'activité solaire.

Parmi les satellites lancés en 1983, on retiendra le premier satellite consacré aux rayons X réalisé par l'Agence spatiale européenne, nommé « Exosat », et surtout le premier satellite scientifique jamais consacré à l'observation du rayonnement infrarouge des astres, nommé « Iras ». Le grand intérêt de ce rayonnement est qu'il repère des régions plutôt froides de l'univers, à la différence du rayonnement X : or, c'est au sein de vastes nuages de matière diffuse et froide que commencent à se former les étoiles; on observe donc en infrarouge les phases de leur toute prime enfance.

Enfin, tous les astronomes attendent avec intérêt la mise en orbite par la navette spatiale en 1986 du télescope spatial d'un diamètre de 2,40 m, le plus grand jamais lancé, avec une très grande finesse des images et une extrême stabilité du pointage, explorant le domaine ultraviolet et visible...

Françoise Praderie

BIBLIOGRAPHIE

Ouvrage

PECKER J.C., *Les observatoires spatiaux*, PUF, Paris, 1969.

Articles

BAHCALL J.N., SPITZER L. Jr. « Le télescope spatial », *Pour la science*, n° 59, 1982.

GIACONNI R., « L'observatoire de rayon X " Einstein " », *Pour la science*, n° 30, 1980.

Dossier

Numéro spécial de *Sciences et Avenir*, « L'astronomie de l'invisible », hors série, n° 33, 1981.

L'homme dans l'espace

Les vols spatiaux pilotés constituent le domaine le plus spectaculaire de l'astronautique. Deux pays seulement, l'Union soviétique et les États-Unis, ont développé jusqu'à présent les moyens considérables nécessaires pour envoyer des hommes dans l'espace, les y faire séjourner et les ramener sur la Terre. Mais d'autres nations, de plus en plus nombreuses, sont invitées à faire voler certains de leurs citoyens à bord des vaisseaux soviétiques et américains. Et d'ici à la fin du siècle, il est probable que l'Europe, le Japon et la Chine se seront dotés de la capacité d'envoyer des hommes dans le cosmos.

Cette internationalisation va de pair avec un profond changement des objectifs poursuivis : la recherche du prestige, qui a connu son apogée avec le programme Apollo d'envoi des hommes sur la Lune, est passé au second plan derrière des buts utilitaires – mise en œuvre d'équipements scientifiques ou techniques, support au lancement d'engins spatiaux, entretien de matériel, réparation de satellites, etc. L'homme est désormais dans l'espace pour travailler efficacement, d'une manière justifiant, espère-t-on, les investissements importants consentis pour lui permettre d'exercer des activités de plus en plus larges dans ce nouveau milieu.

Des progrès considérables ont été accomplis depuis le tout premier vol spatial habité, celui du Soviétique Youri Gagarine, le 12 avril 1961. Ces progrès sont tout d'abord apparents dans la durée des missions : le vol de Gagarine avait duré cent huit minutes, alors que le record de durée d'un séjour spatial, établi en 1982 par deux autres soviétiques, Valentin Lebedev et Anatoli Berezovoï, est de 211 jours... Un cosmonaute, Valery Rioumine, totalise à lui seul 362 jours de vie dans l'espace, soit pratiquement une année.

A la fin de 1982, on ne comptait pas moins de 114 personnes ayant été dans le cosmos : 112 hommes et 2 femmes, dont les séjours cumulés représentent 3 600 jours, autrement dit, dix ans à deux mois près... Dans ce total, on dénombre 53 Soviétiques, 51 Américains, 9 citoyens des pays du bloc soviétique, et... un Français, Jean-Loup Chrétien, qui a eu en juin 1982, le privilège de devenir le premier occidental non américain à voyager dans l'espace.

Les premiers vols spatiaux habités, ceux des années soixante, ont été l'une des expressions privilégiées de la compétition « tous azimuts » à laquelle se livraient les États-Unis et l'URSS, pendant la guerre froide. Ils ne répondaient donc pas en premier lieu à un souci scientifique ou technique, mais à un besoin de prestige.

Les Soviétiques bénéficiaient d'une avance initiale importante, du fait qu'ils disposaient à l'époque des fusées porteuses les plus puissantes : ils obtinrent un succès considérable avec le vol historique de Youri Gagarine, dont ils exploitèrent au mieux l'impact mondial. Mais les États-Unis surent, par la suite, sous l'impulsion du Président John Kennedy, fixer à la compétition un objectif si ambitieux que la technologie soviétique, en retard d'au moins dix ans dans la plupart des secteurs, ne put faire face : la conquête humaine de la Lune.

L'alunissage des astronautes Neil Armstrong et Edwin Aldrin, le 20 juillet 1969, marqua à la fois la victoire américaine et l'apothéose de cette astronautique de prestige.

En dépit de leur justification essentiellement politique, les investissements très importants consentis durant cette période sont loin d'avoir été inutiles : ils ont permis de jeter les bases techniques sur lesquelles se sont développés les grands programmes pilotés actuels.

A demeure sur orbite

Il en est ainsi en matière de vie dans l'espace : les vols des vaisseaux soviétiques Vostok, Voskhod, et Soyouz, et ceux des cabines américaines Mercury, Gemini et Apollo, ont permis de mettre au point les équipements de survie de l'homme dans l'espace, et de vérifier, ce qui n'était pas évident a priori, que l'organisme humain peut séjourner sans problème majeur plusieurs semaines en apesanteur. Ces missions ont, en outre, démontré que l'homme était capable de piloter un engin spatial, et qu'il pouvait s'avérer remarquablement efficace en tant qu'explorateur dans un environnement tout à fait nouveau comme celui de la surface lunaire.

Irrémédiablement dépassés par les Américains pour la conquête lunaire, les Soviétiques ont totalement renoncé à leurs plans dans ce domaine en 1970. Ils ont alors redéployé leurs efforts pour l'espace habité vers la réalisation d'un nouveau type d'engins habitables : les stations orbitales.

Jusqu'alors, toutes les cabines et les vaisseaux habités étaient des véhicules capables d'aller dans l'espace et d'en revenir, après un séjour très limité : quelques semaines au plus. Les stations orbitales sont, en revanche, des véhicules construits pour rester des mois ou des années dans le proche cosmos, en offrant des conditions de séjour plus confortables que les engins exigus des années soixante. Elles sont en contrepartie incapables de revenir sur Terre, et doivent donc être desservies par des vaisseaux de transport, qui amènent les équipages depuis le sol, et les ramènent à la fin de leurs missions. Les stations orbitales sont donc essentiellement des lieux de séjour et de travail installés à demeure sur orbite, à quelques centaines de kilomètres d'altitude au-dessus de la surface terrestre.

La première station orbitale développée par les Soviétiques est le Saliout. Il s'agit d'un engin de 20 tonnes, offrant un volume habitable de 100 m³, dans lequel deux ou trois cosmonautes peuvent séjourner plusieurs mois (pour des périodes plus courtes, l'équipage peut atteindre 4 à 5 personnes). Les aller-retour entre la Terre et la station sont effectués à bord de petits vaisseaux Soyouz, d'une masse de 6 tonnes, pouvant transporter deux ou trois cosmonautes.

Les débuts des expériences Saliout ont été difficiles, et même dramatiques : en juin 1971, trois cosmonautes trouvèrent la mort au retour du premier séjour prolongé à bord de Saliout-1. Mais à partir du lancement de Saliout-6, en septembre 1977, le programme connut un succès raisonnable. Saliout-6 était une station améliorée, disposant d'une seconde pièce d'amarrage (au lieu d'une seule), à laquelle pouvaient venir s'attacher soit un deuxième Soyouz amenant deux ou trois cosmonautes supplémentaires, soit un vaisseau automatique d'un nouveau type : le Progress, pouvant apporter 2,3 tonnes de ravitaillement (propergols, vivres, pellicules, etc.).

Ravitaillée par de nombreux Progress (12 au total), et remise en état périodiquement par ses occupants successifs, Saliout-6 fonctionna près de 5 ans, avant que Saliout-7 ne lui succède en mai 1982. Elle fut habitée par cinq équipages principaux, dont les quatre premiers établirent à tour de rôle une impressionnante série de records de durée de séjour dans l'espace : 96 jours (Gretchko et Romanenko, 1978), 139 jours (Kovalenok et Ivantchenko, 1978), 175 jours (Liakhov et Rioumine, 1979), et enfin 185 jours (Popov et Rioumine, 1980), performance qui ne fut dépassée qu'en 1982 par les 211 jours de Lebedev et Berezovoï. A ces missions de longues durées, il faut ajouter 12 vols plus courts (huit jours) réalisés par des « équipages de visite », comprenant huit cosmonautes non soviétiques.

Vivre dans un satellite

Les stations Saliout constituent les laboratoires expérimentaux de recherches pluridisciplinaires dans l'espace, leur programme de travail comprend quatre axes principaux :

– la médecine spatiale : il s'agit d'étudier les effets de l'apesanteur sur l'organisme humain, et de mettre au point les méthodes et les traitements permettant de lutter contre ceux de ces effets qui sont jugés néfastes. La principale conséquence physiologique de l'apesanteur est le déconditionnement du système cardiovasculaire, qui n'a plus à lutter contre le poids du sang. Ce déconditionnement n'est pas gênant pour le séjour spatial – il traduit même l'adaptation de l'organisme au milieu spatial – mais il rend très pénible, et même éventuellement dangereux, le retour sur la Terre (risque de défaillance cardiaque). Pour en limiter l'ampleur, la mesure essentielle est la réalisation d'exercices physiques quotidiens et prolongés dans la station. Un second effet important est la décalcification de certains os, lesquels ne sont plus soumis aux contraintes créées par la pesanteur. Contrairement au déconditionnement cardio-vasculaire, qui atteint un palier après quelques semaines de vol, la décalcification osseuse se poursuit durant les vols de longue durée (plusieurs mois), et il n'est donc pas certain qu'elle atteigne un palier. Il pourrait donc s'agir d'un facteur interdisant les vols très prolongés (des années) sans pesanteur.

– l'observation de la Terre : il s'agit de l'obtention d'images de la surface terrestre avec des caméras de haute résolution ou des radars [381].

– l'astronomie et l'astrophysique : les instruments emportés par les stations orbitales bénéficient de leur situation au-delà de l'atmosphère qui leur permet d'enregistrer les rayonnements électromagnétiques célestes de toute longueur d'ondes (rayons gamma, X, ultraviolets, lumière visible et infrarouge, hyperfréquences) [395].

– l'élaboration de matériaux ou de substances en apesanteur. L'absence de pesanteur rend possible ou facilite certains processus de croissance de cristaux, de production d'alliages, ou de séparation de substances biologiques. Il s'agit d'étudier ces phénomènes et de déterminer si certains d'entre eux peuvent conduire à une production commerciale à bord de mini-usines spatiales.

Dans toutes ces activités de recherche, l'équipage a comme rôle de manipuler les appareillages, de les régler, de les alimenter en pellicules ou bandes magnétiques, de les installer éventuellement à l'extérieur du véhicule, et si besoin est, de les réparer.

Intervenir dans l'espace

Après la fin des vols lunaires Apollo, en 1972, les Américains ont réalisé une série limitée d'expériences de station orbitale : trois vols de 28, 56 et 84 jours (les records à l'époque) à bord du laboratoire Skylab, quatre fois plus lourd et volumineux que les Saliout. Mais la NASA avait déjà choisi un autre objectif : la construction d'une navette spatiale, véhicule capable d'effectuer de nombreux aller-retour entre la Terre et l'espace proche avec une charge utile mixte : jusqu'à 30 tonnes de fret (satellites avec ou sans étage-fusée, plateformes chargées d'instruments, laboratoires habitables) et jusqu'à sept astronautes.

En fait, avec la navette, c'est à une banalisation des vols spatiaux pilotés que l'on assiste. L'homme est désormais présent à bord, même lorsqu'il s'agit simplement de mettre sur orbite des satellites automatiques.

L'élément essentiel de la navette

est un avion-fusée, l'« orbiteur », de la taille d'un DC-9, qui possède une masse d'environ 110 tonnes sur orbite basse. Surtout, contrairement à tous les autres retours sur Terre des vols spatiaux habités, l'orbiteur permet aux astronautes de revenir se poser en vol plané sur une piste terrestre. L'orbiteur comprend trois parties : à l'avant une cabine de 70 m³ répartis sur deux niveaux ; au centre, une soute de 18 m de long et de 4,5 m de diamètre ; et à l'arrière, trois moteurs fusée à hydrogène liquide. Au départ, l'orbiteur est complété par un énorme réservoir extérieur qui contient les propergols nécessaires à ses moteurs, et deux puissants propulseurs auxiliaires à propergols solides indispensables au décollage de l'ensemble du véhicule (plus de 2 000 tonnes au départ !).

La navette peut servir d'embryon de station orbitale : il suffit d'installer dans sa soute un module habitable appelé Spacelab, qui a été réalisé par l'Agence spatiale européenne (ESA), et qui peut porter de 5,5 à 9 tonnes d'appareillages divers. Les recherches scientifiques susceptibles d'être menées à bord de l'ensemble « Navette-Spacelab » sont les mêmes que celles menées à bord des Saliout, mais le véhicule américain ne peut pas rester plus de quelques semaines dans l'espace, ce qui limite beaucoup les possibilités d'investigation dans certaines disciplines comme la médecine spatiale ou l'astronomie. A l'inverse, tous les équipements scientifiques peuvent être changés à chaque vol.

Le premier orbiteur américain, *Columbia*, a décollé avec succès le 12 avril 1981, vingt ans exactement après le vol de Gagarine. Quant à la première mission « Navette-Spacelab », elle devait avoir lieu en septembre 1983.

Le caractère mixte lanceur/vaisseau piloté de la navette traduit la volonté des États-Unis d'impliquer beaucoup plus largement l'homme dans l'ensemble des activités spatiales. L'objectif poursuivi est en particulier de faire appel aux capacités d'intervention directe de l'homme dans l'espace pour développer de nouveaux types d'activités orbitales :

– vérification de satellites automatiques avant leur injection définitive sur orbite ;

– entretien de satellites automatiques (véhicules d'observation de la Terre, par exemple) ;

– visite régulière de plateformes scientifiques ou technologiques autonomes (observatoires, mini-usines, etc.) ;

– déploiement ou assemblage de grandes structures (antennes, en particulier) ;

– récupération et retour au sol de satellites.

Toutes ces opérations feront largement appel à la sortie dans l'espace d'astronautes en scaphandres, équipés éventuellement de systèmes de propulsion autonomes, domaine dans lequel les Américains ont acquis une expérience considérable : 43 sorties représentant 260 heures d'activités extérieures, contre 6 sorties seulement pour les Soviétiques, à la fin de 1982.

Alain Dupas

BIBLIOGRAPHIE

Articles

Dupas A., « Un Chinois bientôt dans l'espace ? », *La Recherche*, n° 110, 1980.

Planel H., « La biologie en apesanteur », *La Recherche*, n° 133, 1982.

Repairoux A., « La navette Columbia a-t-elle un avenir ? », *La Recherche*, n° 124, 1981.

Vieillefosse M., « Un Français dans l'espace ? », *La Recherche*, n° 135, 1982.

La fin des étoiles et les trous noirs

Les étoiles ne sont pas immortelles. Au bout de quelques millions à quelques milliards d'années, suivant leur grosseur, elles meurent. Le Soleil, par exemple, devrait mourir d'ici à 5 milliards d'années. Pour une étoile, la mort signifie, au sens propre, qu'elle tend à s'éteindre. En effet, on sait depuis les années 1920 qu'une des fins possibles pour une étoile est de devenir une « naine blanche », c'est-à-dire une étoile de petite taille ne brillant plus que faiblement. Cependant, depuis les années 1930, on sait aussi que la mort de certaines étoiles commence par une phase durant laquelle elles se mettent soudain à briller d'un éclat exceptionnel : les astronomes les appellent alors des « supernovae » (nova veut dire nouvelle).

Depuis les années soixante, une autre forme des étoiles finissantes a été identifiée : il s'agit des « étoiles à neutrons », c'est-à-dire d'étoiles de plus petite taille encore que les « naines blanches » et émettant de la lumière (ou des ondes radio) de manière clignotante.

Enfin, depuis les années soixante-dix, les astrophysiciens se demandent s'il n'y aurait pas, pour certaines étoiles au moins, une fin où elles s'éteindraient tout à fait, devenant des « trous noirs ». Ceux-ci auraient pour particularité d'être invisibles – aucun rayon de lumière n'en sortant – et inversement d'attirer à eux, pour « l'avaler », tout rayon de lumière ou tout corps matériel passant à leur proximité. Il va sans dire que cette dernière particularité des trous noirs qui ressemble à celle des tourbillons marins, ou maëlstroms, engloutissant les navires, a vivement excité les imaginations, et notamment celle des auteurs de science-fiction!... [124] Mais les trous noirs existent-ils vraiment, ou n'existent-ils que dans l'imagination des théoriciens? C'est une question qui est revenue sans cesse, tout au long des années soixante-dix, tandis que les astronomes tentaient de mettre en évidence ces fameux « trous noirs » par des observations indirectes (puisque par définition, ils ne sont pas visibles).

Il y a donc plusieurs fins possibles pour les étoiles; et au début des années quatre-vingt, les recherches en astrophysique s'efforçaient d'établir les détails des scénarios des diverses fins observées. L'un des facteurs qui déterminent de quel type sera la fin d'une étoile, est la masse initiale de l'astre. On admettait que ce sont les étoiles de grande masse, c'est-à-dire de plus de dix fois la masse du Soleil, qui peuvent terminer leur vie par une gigantesque explosion, apparaissant comme une supernova aux astronomes. Cette explosion laisserait ensuite un résidu qui serait une étoile à neutrons. Une autre fin possible pour les étoiles de grande masse pourrait être, sans passer par une explosion, de devenir un « trou noir ». Enfin, ce serait les étoiles de petite masse (inférieure à huit masses solaires) qui connaîtraient une fin sous forme de naines blanches.

Rappelons d'abord qu'une étoile se forme à l'origine par le rassemblement d'une énorme masse d'hydrogène – élément extrêmement abondant et répandu dans tout le cosmos. Cette grande masse de matière va devenir un gigantesque réacteur nucléaire tirant son énergie, non pas de la fission des noyaux atomiques lourds (comme l'uranium ou le plutonium dans les centrales nucléaires [361]), mais de la fusion des noyaux atomiques (comme dans une bombe H). Au début de la vie de l'étoile, et pendant des millions ou milliards d'années, la fusion nucléaire concerne des atomes à noyaux légers tels que l'hydrogène ou l'hélium, et s'effectue à des températures de 10 à 200 millions de degrés. Dans les quelques milliers d'années précédant la fin de l'étoile, la fusion nucléaire concerne des atomes à noyaux de plus en plus lourds, et la température du cœur de l'étoile monte à cinq milliards de degrés.

Scénario d'un effondrement

Au stade précédant l'explosion en supernova, les atomes issus des ultimes fusions sont rassemblés dans un espace très petit : ils sont en quelque sorte entassés au cœur de l'étoile. Cet entassement est tellement grand que les atomes n'ont plus leur structure normale, et forment un « gaz dégénéré » où les électrons se trouvent à des distances des noyaux beaucoup plus petites que dans les atomes normaux, et de plus, ne sont plus « attachés » aux noyaux. L'agitation des électrons de ce gaz dégénéré à haute température exerce une pression énorme. Celle-ci contrebalance les forces de gravité, c'est-à-dire le poids des couches externes de l'étoile. Si cette pression n'existait pas, l'étoile s'effondrerait sur elle-même à cause des forces de gravité, toute la matière tendant à se rassembler au centre.

C'est précisément ce qui va se passer à un moment donné et cet effondrement de l'étoile va conduire à l'explosion de la supernova. Quelle est la nature de l'événement initial qui fait baisser la pression du gaz dégénéré? On considérait en 1983 qu'il s'agit de la photodésintégration des atomes de fer. En effet, les derniers stades des fusions nucléaires produisent des atomes de métaux comme le fer. Comme l'état de haute pression décrit plus haut s'accompagne de radiations lumineuses de grande énergie et que l'énergie de ces radiations augmente quand la pression augmente, il vient un moment où elles peuvent briser les atomes de fer. Or, ce processus

absorbe de l'énergie et cela fait baisser la pression du gaz dégénéré, au cœur de l'étoile. Les forces de gravité n'étant plus contrebalancées, l'étoile se « ratatine », s'effondre sur elle-même.

La suite des événements conduisant à l'explosion répond à un scénario imaginé dans les années soixante aux États-Unis, par Cameron, Arnett, Rakavy et Shavir, et mis au point dans les années soixante-dix au Danemark et aux États-Unis par de nombreux auteurs, et en particulier Bethe et Brown. Ce scénario était dans ses grandes lignes largement accepté au début des années quatre-vingt par les astrophysiciens, et il était étudié au moyen de simulations sur ordinateur (géants, vu la complexité des calculs [268]) au laboratoire Livermore en Californie, à Stony Brook (État de New York), à Munich et au Japon.

Le scénario de Bethe et Brown repose sur deux catégories de phénomènes prenant place durant l'effondrement de l'étoile. D'une part, la matière qui tombe vers le centre de l'étoile connaît différents régimes de chute. D'autre part, l'entassement des atomes au centre s'accompagne de changements dans les propriétés physiques de la matière.

L'éclat de 100 millions de soleil

Au début de l'effondrement, le cœur de l'étoile est donc un « gaz » dégénéré à haute température, dont la densité est de 10^9 g/cm^3 (un centimètre cube de cette matière pèse donc 1 000 tonnes, alors qu'un centimètre cube d'eau sur la Terre pèse un gramme!). Avec la chute de la matière au centre, la densité du cœur monte jusqu'à 10^{12} g/cm^3. A ce stade, les noyaux atomiques capturent les électrons, et tous les protons se transforment en neutrons.

L'effondrement se poursuivant, la densité de la matière atteint ensuite

10^{14} g/cm³, c'est-à-dire la densité qui règne normalement à l'intérieur des noyaux atomiques (à cette densité, toute la masse d'un grand pétrolier tiendrait dans une tête d'épingle !).

A ce stade, tous les neutrons fusionnent au cœur de l'étoile en une « boule » géante et chaude, « dure » et incompressible. L'apparition de ce nouvel état de la matière produit un changement de régime de la chute de la matière à l'intérieur du cœur de l'étoile. La perturbation due à ce changement de régime va alors se propager en direction de la surface de l'étoile. Or, dans l'étoile en cours d'effondrement, il y a deux zones distinctes en ce qui concerne le régime de la chute de la matière, comme l'ont montré les astrophysiciens Colgate et White, en 1966. Dans la zone la plus externe, tous les atomes de la matière tombent en chute libre à vitesse supersonique (plus de 30 000 km/seconde). Dans la zone interne qui entoure le cœur dur, les noyaux atomiques tombent à une vitesse inférieure à celle du son. Le fait qu'il y ait deux zones pour les régimes de chute a une importance capitale pour la naissance de la supernova. En effet, la perturbation née à l'intérieur du cœur dur va se manifester à la frontière entre celui-ci et la matière en chute subsonique. Elle va ensuite se propager jusqu'à la limite entre les zones subsonique et supersonique. Or, elle ne pourra franchir celle-ci que sous la forme d'une onde de choc, analogue au « bang » que provoque un avion franchissant le « mur » du son. Le mouvement de matière qui accompagne l'onde de choc va alors se poursuivre jusqu'à la surface, expulsant en une gigantesque explosion toutes les couches externes de l'étoile : c'est la supernova, brillant comme 100 millions de Soleil ! L'explosion laisserait ensuite comme résidu une étoile à neutrons. Celle-ci n'est autre que le cœur de l'étoile devenu entièrement composé de neutrons.

Depuis les années soixante, quelques centaines d'étoiles à neutrons ont été observées : ce sont de tout petits astres d'environ 10 km de diamètre (par comparaison, la Terre a un diamètre de 12 000 km, le Soleil de 1 400 000 km, les étoiles géantes de 100 millions de km). Les étoiles à neutrons n'émettent qu'une faible lumière, par intermittence, ou des ondes radio, ou des rayons X, également par intermittence, ce qui leur vaut aussi le nom de « pulsars » ou de « sources X pulsantes ». Ce caractère intermittent est dû au fait que les régions émettrices n'occupent qu'une faible partie de la surface des étoiles à neutrons et n'apparaissent, comme le faisceau d'un phare, qu'au cours de leur rotation rapide – de un à quelques dizaines de tours par seconde en général. Notons qu'en septembre 1982, les astronomes américains D.C. Backer, R. Kulkarni et C. Heiles ont découvert le pulsar très rapide « 1937 + 214 » qui tourne sur lui-même en un peu plus d'une milliseconde et demie, soit vingt fois plus vite que les plus rapides des pulsars connus jusqu'ici.

Des étoiles phares

Cependant, toutes les étoiles à neutrons n'ont pas forcément pour origine une explosion de supernova. Certaines proviendraient des naines blanches, dans certaines conditions, comme l'a suggéré, dès 1962, l'astrophysicien français Evry Schatzman. Les naines blanches, comme nous l'avons vu, sont le stade final des étoiles de petite taille (inférieure à huit masses solaires).

Dans ces étoiles, la température ne peut s'élever suffisamment pour pousser très loin la série des fusions nucléaires. Aussi elles s'arrêtent : le cœur de l'étoile se refroidit alors, tandis que les couches externes sont expulsées. Par ce processus spectaculaire, mais non catastrophique, de perte de masse, ces étoiles peuvent se réduire jusqu'à une masse inférieure à 1,4 masse solaire – limite supérieure de la masse des naines blanches. Dans ce résidu de l'évolution, la matière de la « naine blanche » (le cœur froid de l'étoile) est simplement de la matière dégénérée, et non pas arrivée au stade de la neutronisation totale. Cette matière dégénérée est très dense (10^9 g/cm³), mais moins que la matière neutronisée des « étoiles à neutrons ».

C'est lorsqu'une naine blanche fait partie d'un couple d'étoiles qu'elle pourrait se transformer, semble-t-il, en étoile à neutrons.

Des soupçons de trous noirs

Mais revenons au scénario de l'effondrement de l'étoile de grande masse. Comme nous l'avons dit, il a une autre issue possible, le « trou noir ». Au stade où la densité du cœur de l'étoile a atteint la densité nucléaire de 10^{14} g/cm³, l'effondrement peut se poursuivre sans qu'il y ait changement du régime de la chute. Dans ce cas, il n'y aurait pas d'explosion de supernova, mais mouvement de concentration de la

matière encore plus grand. Toute la matière de l'étoile se concentrerait dans un volume extrêmement petit, atteignant une densité bien supérieure à celle des étoiles à neutrons. A ce niveau de compaction, la matière exerce une telle force d'attraction gravitationnelle qu'elle retient tout rayon lumineux qui tenterait de s'échapper d'elle. C'est pourquoi cet astre compact est irrémédiablement noir. De plus, il est capable d'attirer avec « force » tout objet matériel ou tout rayon lumineux passant dans une zone donnée autour de lui...

Un « trou noir » ne peut donc être observé, mais seulement détecté d'après les perturbations qu'il induit autour de lui. Le cas le plus favorable pour une telle détection est celui des couples d'étoiles dont l'un des membres est devenu « trou noir » et influence alors de manière particulière l'étoile restante. C'est en 1971 que l'on a commencé à soupçonner l'existence d'un trou noir : très précisément, on s'est aperçu que l'étoile HDE 226868 tournait autour d'un point de l'espace d'où provenaient aussi des rayons X (ce point était identifié par les radio-astronomes

BIBLIOGRAPHIE

Ouvrages

REES M. J., STONEHAM R. J., *Supernovae : a Survey of Current Research*, D. Reidel Publ., Dordrecht, 1982.

Supplément colloque C2, « Physique de la matière dense », *Journal de physique*, tome 41, 1980.

Articles

BLANDFORD R., THORNE K., « Black Hole Astrophysics », *General Relativity. An Einstein Centenary Survey*, (Éd. Hawking S.W., Israel W.), Cambridge University Press, Cambridge, 1979.

CARTER B., LUMINET J. P., « Les trous noirs : maelströms cosmiques », *La Recherche*, n° 86, février 1978.

CARTER B., LUMINET J. P., « Les trous noirs géants », *La Recherche*, n° 112, juin 1980.

SCHATZMAN E., « Gaz dégénérés, naines blanches et étoiles à neutrons... », *Sciences et Avenir*, numéro spécial hors série n° 41, janvier 1983.

comme étant *Cygnus X-1*). En ce point de l'espace, il n'y avait pas d'étoile visible, et on reconnut que la source X était localisée sur le pourtour de ce point. On en conclut qu'il y avait en ce point un corps invisible, qui attirait la matière relâchée par l'étoile voisine (c'est cette matière qui, au cours de sa chute, émettait les rayons X). On estima la masse du corps invisible à environ neuf masses solaires. Or, la masse maximale des étoiles à neutrons est de quatre masses solaires. On en conclut que le corps invisible devait être un trou noir. En 1978, un cas analogue de source X couplée à une étoile (identifiée comme HD 152667) devait permettre de déduire l'existence

d'un trou noir d'une masse de treize masses solaires, comme compagnon de HD 152667. De même, en janvier 1983, des astronomes américains, Anne P. Cowley, D. Crampton et J.B. Hutgin, déduisaient, pour les mêmes raisons, l'existence d'un trou noir de dix masses solaires au voisinage de la source de rayons X baptisée LMCX3. (Ce trou noir serait situé dans une galaxie – c'est-à-dire un amas d'étoiles – voisine de la nôtre baptisée « Grand Nuage de Magellan ».) Mais ces déductions restent encore des spéculations, et les astrophysiciens n'affirment pas que l'existence des trous noirs ait été définitivement démontrée.

Monique Signore

Les débuts de l'univers

L'univers nous apparaît aujourd'hui peuplé d'étoiles, groupées par milliards en galaxies. Télescopes et radiotélescopes montrent que la matière est ainsi accumulée dans des étoiles ou sous forme plus diffuse en « nuages » entre les étoiles dans les galaxies. Ils voient même que les galaxies et d'immenses nuages intergalactiques » sont à leur tour répartis en « amas » et que ceux-ci prennent place dans des « superamas ». (Cependant, à chacune de ces échelles, d'immenses espaces vides séparent les objets : les neuf dixièmes de l'univers semblent vides.) Dans ces étoiles et ces nuages, comme sur la Terre, la matière est essentiellement sous forme d'atomes, un noyau très dense de protons et de neutrons dans un nuage d'électrons. Or l'univers ne s'est pas toujours présenté sous forme d'étoiles ou de nuages cosmiques et la matière ne s'est pas toujours présentée sous forme d'atomes.

On sait en effet depuis les années vingt, grâce à l'astronome américain Hubble, que l'univers évolue. L'ob-

servation de la lumière émise par les galaxies montre qu'elles s'éloignent de nous et ce, d'autant plus vite qu'elles sont loin : l'univers se dilate. C'est le phénomène de l'expansion cosmique. Dans ces conditions, si on remonte (par la pensée) dans le passé, les galaxies devaient être de plus en plus proches. En remontant encore dans le passé, et en continuant d'appliquer à rebours l'expansion cosmique, on arrive à concevoir une époque où toute la matière de l'univers était rassemblée dans un petit volume et dotée d'une immense énergie initiale (puisque le mouvement d'expansion nécessita ensuite de l'énergie pour s'effectuer à l'encontre de l'attraction gravitationnelle qui, elle, tend à faire se rassembler la matière).

On arrive ainsi à concevoir, comme l'ont fait l'astronome belge Lemaître, l'astronome russe Friedam et l'astronome américain Gamov dans les années trente, que l'univers actuel est apparu à un instant zéro dans une gigantesque explosion appelée le « Big Bang ».

Cependant, pour les cosmologistes, l'instant zéro n'a pas de sens. Dans les conditions du début de cette explosion, les notions d'espace et de temps leur échappent. Ils s'efforcent, par contre, de se figurer les premières secondes et même les premières fractions de seconde qui suivirent le Big Bang, de reconstituer l'histoire des débuts de l'univers. Pour cela, ils font appel à toutes les connaissances acquises dans les années récentes sur la structure et le comportement de la matière, c'est-à-dire sur les particules élémentaires et leurs interactions. Les scénarios imaginés par les cosmologistes sont donc provisoires et amenés à être complétés (ou révisés) en fonction des dernières découvertes des laboratoires de physique des hautes énergies (où, grâce à des accélérateurs de plus en plus puissants, on étudie les collisions des particules). Au tournant des années quatre-vingt, et particulièrement en 1982/83, ces expériences ont amené des progrès essentiels dans la compréhension des forces physiques fondamentales, confirmant une unité [412] qui n'était qu'hypothèse dans la décennie précédente. Ce bond en avant enrichit beaucoup le scénario cosmologique retraçant les débuts de l'univers. Mais voyons d'abord le « scénario standard » admis couramment avant ces récents résultats.

Où l'énergie et le temps s'affrontent

C'est seulement lorsque l'univers est vieux d'un dixième de seconde (t = 0,1 s) que les cosmologistes sont en mesure de se le figurer. Son volume est environ 10^{31} (un 1 suivi de 31 zéros) plus petit qu'aujourd'hui. Mais c'est « l'univers » ! Et au cours de sa « croissance » on ne l'imagine pas se répandant dans un volume vide plus vaste. Il faut plutôt penser à une « dilatation » des distances

entre les corps. Ce phénomène qui échappe à notre intuition est précisément ce que les cosmologistes nomment « expansion cosmique ». L'univers *est* alors une masse de particules s'agitant en tous sens à des vitesses proches de la lumière. Autrement dit, ces particules sont dotées de très hautes énergies. Les cosmologistes donnent une idée des énergies mises en jeu dans l'agitation des particules, à chaque stade de développement de l'univers primordial, en leur affectant une mesure de température (de la même manière que, sur notre Terre, la température est une mesure de l'agitation des molécules dont l'énergie est « la chaleur »). Ainsi à t = 0,1 s, les énergies mises en jeu dans l'agitation des particules peuvent se mesurer par une température de trente milliards de degrés.

Quant aux particules, ce sont surtout des photons (les « particules » du rayonnement électromagnétique comme la lumière ou les rayons X) mais aussi des électrons et anti-électrons, des neutrinos et anti-neutrinos (sortes d'électrons neutres) et enfin quelques protons et neutrons (à raison d'un proton ou neutron par milliard de photons.). En effet, les recherches sur les particules et la structure profonde de la matière depuis la Seconde Guerre mondiale ont montré qu'à tout type de particule correspond toujours une particule de même masse et de charge opposée, baptisée anti-particule.

Lorsqu'une particule entre en collision avec son anti-particule, elles s'annihilent complètement, et leur masse est entièrement convertie en énergie, selon la formule bien connue E = mc². Réciproquement, si l'énergie disponible dans une collision quelconque est suffisante, une paire particule-anti-particule peut être créée. A trente milliards de degrés, il peut être créé des paires électrons-anti-électrons ou neutrinos-anti-neutrinos : ceci explique l'abondance de ces couples de particules à ce stade du début de l'univers. Par contre, s'il n'y a pas, à t = 0,1 s, d'anti-protons ou d'anti-neutrons, c'est que l'énergie disponible à ce moment-là n'est plus suffisante pour créer des paires protons-anti-protons ou neutrons-anti-neutrons (ils sont trop lourds). On suppose donc qu'à une époque antérieure, où la température était assez élevée pour que ces particules soient créées, elles étaient abondantes, mais on doit faire l'hypothèse qu'il y avait déjà un peu plus de protons que d'anti-protons et un peu plus de neutrons que d'anti-neutrons. Ainsi, la température baissant, ces particules n'ont plus été créées, mais les annihilations se sont poursuivies. Tous les anti-protons et anti-neutrons ont disparu et seuls les protons et neutrons en excès, ne rencontrant pas d'anti-particules, ont « survécu » pour constituer l'univers d'aujourd'hui!

Ainsi s'affrontent aux débuts de l'univers, d'un côté, de l'énergie sous forme de particules (et anti-particules), susceptibles d'apparaître, de disparaître, se modifier dans des collisions incessantes; de l'autre, le temps, c'est-à-dire l'expansion. L'expansion augmente la distance entre les particules et diminue l'énergie dans les chocs (la température baisse); elle rend moins fréquentes et moins efficaces les « collisions » et les interactions entre particules. A t = 0,1 s, la densité est encore telle que toutes les forces physiques fondamentales sont efficaces entre les particules présentes. Ce sont, par ordre d'intensité décroissante, les interactions nucléaires (responsables de l'intense attraction entre les protons et les neutrons dans les noyaux atomiques); les interactions électromagnétiques (telle l'attraction entre particules de charge électrique opposée); les interactions faibles (qui, par exemple, peuvent, dans une collision, transformer un proton et un électron en un neutron et un neutrino). Il existe enfin un quatrième type d'interaction : l'interaction gravitationnelle, par laquelle la matière attire la matière. Cette dernière interaction est responsable de l'aspect actuel de l'univers et notamment de l'attraction de la Terre par le Soleil par exemple. Elle est, comparativement aux autres interactions, très faible et n'est détectable que lorsque les autres interactions sont mises dans l'impossibilité totale d'intervenir. C'est précisément ce que va réaliser l'expansion.

Les neutrinos fantômes hantent l'espace

Lorsque l'univers existe depuis une seconde (t = 1 s), la température n'est plus que de 10 milliards de degrés. Les interactions faibles, les premières, qui n'agissent qu'à très courte distance et énergie élevée, deviennent inefficaces. Il n'y a plus de collisions changeant des protons en neutrons. La seule interaction faible qui reste possible doit se faire à l'intérieur des neutrons : ils peuvent se désintégrer en proton, électron et anti-neutrino. Mais cela prend un certain temps et nous allons voir plus loin toute l'importance de ce détail.

Autre conséquence, les neutrinos et anti-neutrinos, qui n'ont que des interactions faibles et gravitationnelles (extrêmement faibles), n'interagissent plus avec le reste de l'univers. Il devrait en subsister aujourd'hui partout dans l'espace : une centaine par centimètre cube, voyageant dans tous les sens, n'ayant pas subi de collision depuis cette époque (t = 1 s). Les cosmologistes ne désespèrent pas de mettre un jour en évidence ces particules « fossiles » (ou « fantômes »), mais leur faible interactivité rend la tâche extrêmement difficile.

Toujours aux alentours de t = 1 s du Big Bang, se produit un autre événement : les collisions (nucléaires et électromagnétiques) qui se poursuivent ne sont plus assez énergiques pour créer des paires électrons-anti-électrons. Cependant, ceux-ci se rencontrent et s'annihilent le plus souvent. Comme dans le cas des protons et des neutrons, le scénario standard doit supposer un excès suffisant du nombre d'électrons sur celui des anti-électrons pour que ce surnombre échappe à l'annihilation en masse et se retrouve dans les atomes d'aujourd'hui.

Ainsi vers l'âge de trois minutes (t = 3 mn), il ne reste plus que des photons et les « petits excédents » d'électrons, protons et neutrons (les neutrinos « fantômes » aussi, bien sûr). C'est aussi le moment de se souvenir que les forces nucléaires et électromagnétiques ont tendance à créer des associations stables (associations « nucléaires » des protons et neutrons en noyaux, association électromagnétique des électrons et des protons dans les atomes). L'interaction faible était la première devenue inefficace, l'interaction nucléaire est la première satisfaite : des noyaux apparaissent. Lorsque t = 3 minutes, les collisions qui détruisaient rapidement les associations de protons et neutrons ne sont plus assez violentes pour le faire. Alors sont constitués des noyaux de deutérium (1 proton et 1 neutron) avec lesquels peuvent fusionner encore des neutrons et des protons donnant du tritium (1 proton et 2 neutrons) ou de l'hélium « 3 » (2 protons et 1 neutron) et très vite de l'hélium (2 protons et 2 neutrons). Mais de nouveau l'expansion intervient en rendant plus rares les rencontres (les interactions nucléaires sont de courte portée!). Lithium, béryllium et bore ont à peine commencé à apparaître.

L'abondance de l'hélium

En fait, la quasi-totalité des neutrons a servi à la formation d'hélium (il reste aussi une majorité de protons libres). Il était temps parce que les neutrons, comme nous l'avons vu, commençaient à se désintégrer en nombre important (en proton, électron et anti-neutrino); mais, dans ces noyaux, ils sont maintenant stables et survivent.

Dans ce scénario standard, un concours de circonstances unique entre la mise hors jeu des interactions faibles, le temps de « survie » des neutrons et l'époque où peuvent se constituer des noyaux fait prévoir l'abondance d'hélium et des quelques autres noyaux un peu plus lourds (lithium, béryllium, bore) dans l'univers. Ces prévisions semblent bien vérifiées dans notre galaxie et les galaxies voisines (quand la mesure est possible), et c'est pour les cosmologistes un argument très fort en faveur de ce scénario. (Notons aussi que, pour qu'il en soit ainsi, il est capital que l'expansion interrompe promptement la chaîne qui mène à des noyaux plus lourds.)

Il reste alors (vers t = 10 mn) une majorité de protons seuls, les noyaux déjà formés, les électrons et les photons, toutes particules susceptibles d'interactions électromagnétiques (lesquelles sont de longue portée). Ces interactions tendent à lier les électrons à des protons, formant des atomes d'hydrogène. Ou encore à des noyaux d'hélium ou d'éléments plus lourds, pour constituer les atomes correspondants. Mais pendant longtemps, les collisions les cassent sitôt formés.

Finalement, vers t = 400 000 ans (la température ayant baissé à 4 000 °K) ces atomes qui se forment ne peuvent plus être détruits dans les chocs. L'interaction électromagnétique est « satisfaite » (donnant des états atomiques stables), elle est en même temps « neutralisée » (mise dans l'impossibilité d'agir davantage) parce que les particules chargées sont regroupées en systèmes électriquement neutres. Du coup, les photons (les unités élémentaires du rayonnement électromagnétique) qui interagissent avec les particules chargées n'ont plus guère l'occasion d'intervenir. L'expansion les disperse et diminue leur énergie, mais ils restent les témoins de l'époque t = 400 000 ans. Ces « fantômes »-là ont été observés par les radio-astronomes américains Penzias et Wilson en 1965 (ce qui leur a valu le prix Nobel de physique en 1978). Il en reste encore 400 par cm³ dans tout l'univers.

Après t = 400 000 ans, dans l'univers maintenant dilaté sur de grandes distances, c'est le quatrième type d'interaction qui va essentiellement jouer. Sous l'effet de l'attraction gravitationnelle, les grandes masses d'atomes d'hydrogène (et d'hélium) se rassemblent, se concentrent, donnant naissance à des étoiles, des galaxies, des amas et des super-amas de galaxies. L'univers a aujourd'hui 15 à 20 milliards d'années.

Quand les quarks se regroupent

Ainsi, jusque dans les années soixante-dix, les physiciens disposaient d'un scénario assez séduisant mais où certains points restaient obscurs. Ils n'étaient pas satisfaits en particulier de l'hypothèse *ad hoc* de ces « petits excédents » de matière destinés à constituer l'univers d'aujourd'hui (ils auraient préféré ne pas devoir « privilégier » les particules par rapport aux anti-particules). L'agrégation de la matière en galaxies, amas, etc. (après t = 400 000 ans) n'était pas non plus bien assurée. On pensait qu'il devait exister des irrégularités dans la répartition initiale de la matière, expliquant que celle-ci se rassemble à un endroit plutôt qu'en un autre. Mais l'origine de ces « inhomogénéités » était obscure. On ne savait pas lesquels, des galaxies ou des amas, apparaissent en premier.

Or, comme nous l'avons dit, dans la dernière décennie, la physique des hautes énergies a beaucoup avancé [412] apportant aux cosmologistes des idées nouvelles pour leur vision de l'univers primordial. L'expérience a d'abord laissé voir que protons et neutrons (ainsi que toutes les particules sensibles à l'interaction nucléaire) sont composés eux-mêmes de particules plus élémentaires : les quarks. A l'intérieur, ceux-ci sont « tenus » ensemble par une

force beaucoup plus intense que la force nucléaire, appelée interaction forte. Comme l'interaction électromagnétique qui fait intervenir des « paquets » d'énergie élémentaires (les photons), l'interaction forte se manifeste par des « particules d'interaction » : les gluons. Ceci amène à se figurer qu'avant t = un millionième de seconde (au-dessus de 10^{13} degrés) l'univers n'était peuplé que de quarks, de gluons et de particules sans interaction forte (les photons, électrons et neutrinos). L'expansion entre t = un millionième de seconde et t = un dixième de seconde aurait amené ensuite les quarks à se regrouper en protons et neutrons (de la même manière que ceux-ci, plus tard, se groupent en noyaux). Cette période de transition où les quarks se seraient regroupés aurait été assez tourmentée, il s'y serait produit des turbulences (comme dans l'eau en ébullition). C'est peut-être de cette époque que dateraient les inhomogénéités dans la répartition de la matière dans l'univers, ayant déterminé beaucoup plus tard la formation des galaxies.

Mais à ce dernier problème, une autre réponse est possible. Une expérience, effectuée en URSS en 1981, semble montrer que les neutrinos ont une masse, contrairement à ce que l'on pensait jusqu'alors. Depuis, d'autres expériences ont apporté des résultats contradictoires. Mais si le neutrino avait réellement une masse, on pourrait en déduire que les neutrinos « fossiles », indétectables et apparemment « inutiles » qui hantent l'univers sont en fait, par leur rôle gravitationnel, à l'origine du rassemblement de la matière en super-amas de galaxies.

Les hautes énergies du Big Bang

Surtout, le « grand événement » pour les cosmologistes, c'est que des expériences effectuées en 1982 et 1983 ont conforté les physiciens dans l'idée qu'à des énergies très élevées les interactions électromagnétiques, faibles et fortes, seraient une seule et même force. Ces hautes énergies sont aujourd'hui et peut-être pour toujours inaccessibles aux accélérateurs de particules. Or, elles étaient sans doute réalisées dans les premiers milliardièmes de milliardièmes de seconde du Big Bang. Dès lors, les cosmologistes trouvent à cette période, où les forces fondamentales ne faisaient qu'une, la raison de la neutralité électrique globale de l'univers (autant de particules chargées positivement que négativement), mais aussi les conditions de l'apparition du fameux excès de particules sur les anti-particules. Par la suite, la baisse d'énergie et de densité qui accompagne l'expansion aurait séparé les interactions en interactions fortes et en interactions électro-faibles, puis celles-ci en inte-

ractions électromagnétiques et interactions faibles. Les cosmologistes s'attendent à ce que ces épisodes au cours desquels se différencient les interactions élémentaires (épisodes dits de « brisure spontanée de symétrie ») soient aussi à la source d'autres effets spectaculaires dans l'évolution de l'univers...

De tout cela, semblent exclues les forces de gravitation. De nos jours, celles-ci sont décrites par la théorie de la relativité dans un cadre qui les relie étroitement aux notions d'espace et de temps. Les physiciens rêvent évidemment de découvrir un cadre théorique qui décrirait simultanément toutes les interactions ; ils n'en sont peut-être pas si loin. Il faudra alors sans doute réviser nos idées sur le temps, l'espace et sur « l'expérience univers ».

Yves David

BIBLIOGRAPHIE

Ouvrages

REEVES H., *Patience dans l'azur*, Seuil, Paris, 1981.
WEINBERG S., *Les trois premières minutes de l'univers*, Seuil, Paris, 1978.

Des particules à l'univers : l'unification des forces physiques fondamentales

Au début des années quatre-vingt, les cosmologistes et les physiciens s'occupant des particules élémentaires suivaient avec le même intérêt les progrès de l'unification des forces physiques fondamentales. De quoi s'agit-il ?

Depuis la naissance de la physique atomique au début du siècle, puis de la physique nucléaire dans les années trente, les physiciens avaient l'espoir de ramener les propriétés fondamentales de la matière à celles de constituants élémentaires, c'est-à-dire d'entités en nombre restreint et dotées de propriétés simples.

En 1930, on connaissait trois particules élémentaires de cette sorte : le proton, l'électron et le photon (particule ou « quantum » du champ électromagnétique). On admettait que ces particules interagissent par l'intermédiaire du champ électromagnétique (ainsi s'expliquaient les propriétés des atomes : noyaux chargés positivement entourés d'électrons chargés négativement) et du champ gravitationnel (mais celui-ci n'est sensible qu'au niveau des agrégats macroscopiques de matière). On espérait alors pouvoir expliquer toutes les manifestations de la matière à l'aide de ces particules et de ces champs. Peu après, les particules ont commencé à se multiplier. Apparurent le neutron (une sorte de proton électriquement neutre), le neutrino (une sorte d'électron sans charge électrique), puis le positon, anti-particule de l'électron, de charge opposée à celle de ce dernier. Ce furent ensuite le muon, ou électron lourd, puis les mésons, considérés alors comme étant les agents des forces nucléaires qui liaient dans le noyau les neutrons et les protons, forces que l'on venait de découvrir. Par la suite, les particules se sont encore multipliées, à partir des années cinquante, à la faveur de leur étude dans le rayonnement cosmique et de leur production artificielle dans les accélérateurs de particules qui « cassaient » les noyaux en les bombardant à l'aide de particules ou de radiations d'énergie de plus en plus élevées. Plusieurs centaines de particules élémentaires furent ainsi identifiées.

Entre-temps, deux autres champs fondamentaux d'interaction entre ces particules avaient été découverts, puis étudiés : celui des forces nucléaires, ou champ d'interaction forte, et celui des interactions faibles, responsable notamment des phénomènes de désintégration des neutrons en protons, électrons et anti-neutrinos (cette désintégration a lieu spontanément dans certains noyaux atomiques comme ceux du cobalt, et constitue la radioactivité bêta [366]).

Parmi les particules, on distinguait dans les années soixante-dix, d'une part, les leptons, d'autre part les hadrons. Les leptons sont peu nombreux : vers 1980, on en distinguait six. Trois possèdent une charge électrique : l'électron, le muon, et le « lepton lourd tau », découvert en 1977. Trois sont électriquement neutres : les neutrinos, présents sous trois espèces distinctes, chacune associée à l'un des leptons chargés précédents (dont ils constituent l'état neutre). Tous les leptons paraissent être véritablement élémentaires, c'est-à-dire qu'ils ne semblent pas être composés d'éléments encore plus simples. Ils sont de très faible dimension (inférieurs à 10^{-16} cm, et peuvent être pratiquement considérés comme des points matériels). Les leptons ne paraissent sensibles qu'à trois des quatre champs d'interaction : le champ électromagnétique, le champ des interactions faibles, le champ gravitationnel.

Des particules charmées et belles!

Les hadrons sont, au contraire, très nombreux, sensibles aux quatre champs d'interaction et plus « gros » que des points (leur taille est de l'ordre de 10^{-13} cm). Leur nombre n'a cessé de grandir par la découverte de nouvelles familles de particules possédant des propriétés (exprimées théoriquement comme des « nombres quantiques ») inconnues jusqu'alors : aux particules du type proton, du neutron, des mésons pi et de leurs « états excités », se sont ajoutées, dans les années cinquante, les particules « étranges », puis, plus récemment (en 1974), les particules « charmées », ainsi que, au début des années quatre-vingt, les particules « belles ». A cette même époque, étaient attendues pour des raisons théoriques, mais non encore trouvées, des particules « vraies ». (Cette curieuse terminologie compense peut-être le mode très abstrait de leur caractérisation.)

Fallait-il tirer un trait sur l'espoir de ramener cette multiplicité et cette complexité des hadrons à davantage de simplicité élémentaire? L'idée de classification, apparue dès les années soixante, se proposait de faire, pour les particules hadroniques, ce que Mendeleïev avait effectué au milieu du XIXᵉ siècle avec les éléments chimiques (il avait établi la table de leurs similitudes, par masses atomiques croissantes). Il s'était avéré, plus tard, que la théorie quantique de la structure atomique, proposée par Bohr en 1913, rendait parfaitement compte de la classification de Mendeleïev. Un peu de la même façon, les physiciens tentèrent, avec succès, de rapprocher par affinités de propriétés (c'est-à-dire par la similitude de leurs nombres quantiques) les diverses particules, les classant par catégories, comprenant plusieurs sous-catégories.

C'est ainsi que le neutron et le proton peuvent être classés dans la même catégorie car ils ne diffèrent que par leur charge électrique. Ils peuvent être considérés comme une seule particule sous deux états de charge, le nucléon. On a pu procéder de même avec l'ensemble des autres hadrons, répartis en deux grandes classes : les baryons (c'est-à-dire protons et neutrons et leurs états excités) et les mésons.

L'outil mathématique utilisé pour cette classification est la théorie des groupes de transformation, qui permet d'exprimer les règles du passage de l'une à l'autre de ces particules dans une même catégorie et les liens entre les catégories différentes, qui se marquent par des régularités dans leurs interactions. Dans les années soixante, on s'aperçut que tout se passait, en théorie, comme si les hadrons étaient constitués d'entités plus élémentaires, auxquelles on pouvait rapporter ces régularités, entités qui furent dénommées « quarks ». Les propriétés des mésons apparaissaient comme celles de paires anti-quark-quark, celle des baryons comme celles de paquets de trois quarks. A la fin des années soixante-dix, on admettait l'existence de six sortes de quarks, avec lesquels on pouvait, par combinaisons, reconstituer en théorie toutes les particules hadroniques connues.

En sondant la structure des particules à l'aide de radiations de haute énergie, on a observé, aux États-Unis ou au C E R N à Genève, qu'elles contiennent bien des « noyaux durs », pratiquement ponctuels, munies des propriétés attribuées aux quarks : ceux-ci sont bien des particules physiques et non pas seulement une entité théorique, c'est-à-dire une commodité de la classification.

Au début des années quatre-vingt, on pouvait donc dire que les particules réellement élémentaires sont les 6 leptons et les 6 quarks, auxquelles il faut ajouter les particules responsables, comme le photon, de la transmission des interactions fondamentales entre les leptons et les quarks : les « bosons d'échange ». Leur existence et leurs propriétés sont liées de manière déterminante aux théories des champs d'interaction. Or celles-ci avaient connu, au cours des années soixante-dix, d'importants progrès dans leur unification.

La théorie électro-faible confirmée

En premier lieu, il faut rappeler que la théorie quantique du champ électromagnétique était arrivée, vers 1950, à une sorte de perfection : en s'appuyant sur la mécanique quantique et sur la théorie de la relativité, elle rendait compte avec une précision inégalée des phénomènes électromagnétiques des atomes, des noyaux et des particules. Les autres champs d'interaction, faible et fort, ne paraissaient pas, alors, susceptibles d'une théorie aussi rigoureuse. Mais leur étude théorique a connu un progrès considérable à la fin des années soixante et dans la décennie soixante-dix. En effet, d'une part le développement de la théorie quantique des champs réussit à lever de nombreuses difficultés mathématiques qui interdisaient jusqu'alors de l'appliquer à autre chose qu'au champ électromagnétique ; d'autre

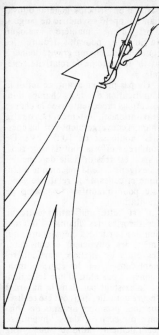

trois bosons d'échange de l'interaction faible – les « bosons intermédiaires faibles » –, très lourds (80 fois la masse du proton environ). Ces sortes de photons massifs (deux chargés : W⁺ et W⁻, et un neutre : Z°) ont été observés en 1983 au CERN à Genève.

Encouragés par le succès de la théorie unifiée « électro-faible » – qui valut le prix Nobel 1979 à ses promoteurs – les physiciens tentèrent de formuler une théorie du champ d'interactions fortes, c'est-à-dire des interactions des quarks entre eux : ils le firent en donnant un fondement théorique aux propriétés des quarks. Ceux-ci, dans leurs interactions, échangent une quantité qui leur est attachée, dénommée « couleur », sorte d'analogue, pour l'interaction forte, de ce qu'est la charge électrique pour l'interaction électromagnétique.

part, la simplification des particules en leptons et en quarks permettait d'accéder, pour les deux autres champs, aux conditions légitimes de cette application.

L'Américain Steven Weinberg et le Pakistanais Abdus Salam, en 1967-68, s'aperçurent que l'on pouvait généraliser le traitement si bien réussi du champ électromagnétique en lui adjoignant le champ faible comme si les deux n'en faisaient qu'un. Ils montrèrent que, si tel était le cas, il s'ensuivait deux conséquences, vérifiables expérimentalement. La première est l'existence d'un nouveau phénomène d'interactions, les « courants neutres faibles », où un neutrino interagit avec une cible sans prendre sa charge, en se transformant en électron – demeurant au contraire dans son état de neutrino. Cet effet fut observé en 1973 par des équipes européennes collaborant avec le CERN. La deuxième prédiction est relative à l'existence de

La recherche dans des tunnels

Des bosons d'échange, analogues, pour la couleur, du photon ou des bosons intermédiaires faibles, assurent la transmission du champ d'interactions fortes. Ils sont au nombre de huit : ce sont les « gluons ». Quarks et gluons possèdent, à l'inverse des autres particules, cette curieuse propriété d'être « confinés » dans la matière nucléaire, c'est-à-dire de ne jamais exister isolément. La structure de leur champ (le champ de couleur) est telle qu'ils n'existent physiquement que sous forme de paquets de 3 quarks liés par des gluons (les baryons) ou de paires quark-anti-quark liés par des gluons (les mésons). La théorie du champ de couleur des quarks, la « chromodynamique quantique », est également l'objet de prédictions, dont certaines ont bien été observées, mais dont d'autres ne pourront l'être que difficilement.

Il fut ensuite possible, dans la

deuxième moitié des années soixante-dix, d'envisager que ces théories des trois champs de forces pouvaient être considérées comme n'en faisant qu'une seule, sous certaines conditions : telle est la théorie dite de « grande unification ». Les trois champs, électromagnétique, électrofaible et fort, se regroupent en un seul aux très hautes énergies d'interaction. Mais ces énergies sont trop élevées pour être atteintes par nos accélérateurs, même dans le futur (il s'agit de nombres aussi grands que 10^{15} giga-électron-volts, c'est-à-dire 10^{24} eV). Toutefois, certaines prédictions de cette théorie peuvent être testées : les quarks peuvent se transformer, bien que très rarement, en leptons, d'où il suit que le proton est instable et se désintègre en 10^{32} années environ : la recherche de ce phénomène fait l'objet de plusieurs expériences au début des années quatre-vingt. Aux États-Unis, en France, en Inde, ces expériences se font dans les tunnels sous des montagnes (comme le Mont-Blanc) ou dans des mines, afin de détecter des désintégrations de protons, en se gardant d'interactions parasites dues au bombardement par les rayons cosmiques.

Le grand intérêt théorique de ces développements est que les caractères des champs considérés peuvent être obtenus par simple déduction à partir d'un principe général d'invariance, appelé « symétrie de jauge ». C'est d'une manière analogue qu'Einstein pouvait déduire les équations du champ gravitationnel à partir du principe de relativité générale.

Un pas plus en avant, ce serait la réunification des trois champs d'interactions précédents avec le champ gravitationnel, justement (les quatre champs convergeraient vers les énergies fabuleuses de 10^{19} GeV). De nombreux efforts vont dans ce sens, mais il est très difficile de concilier les exigences de la mécanique quantique et celles de la relativité générale pour quantifier le champ de gravitation.

C'est cette unification entrevue des théories des champs d'interaction des particules élémentaires qui amène les physiciens à considérer des états de matière particulièrement denses, vers les énergies mentionnées : des états d'une telle densité n'existent pas dans la nature à l'heure actuelle, mais ont été réalisés aux tout premiers instants de l'histoire du cosmos, dans l'hypothèse généralement admise du « Big Bang » [407]. Ici, physique des particules, astrophysique et cosmologie se confondent, dans une perspective assez vertigineuse...

Michel Paty

BIBLIOGRAPHIE

Ouvrages

FERRERA S., ELLIS J., VAN NIEUWENHUISEN (Éd.), *Unification of the Fundamental Particle Interactions*, Plenum Press, New York, 1980.

« Nouveaux voyages au pays des quanta », in HOFFMANN B. et PATY M., *L'étrange histoire des quanta*, Seuil, Paris, 1981.

Articles

GEORGI H., GLASHOW S.L., « Unified Theory of Elementary Particles », *Physics Today*, septembre 1980.

WEINBERG S., « Conceptual Foundations of the Unified Theory of Neak and Electromagnetic Interactions », *Review of Modern Physics*, n° 52, 1980.

ARMES

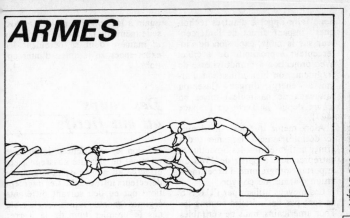

Les armes antisatellites

Les affrontements entre engins spatiaux sont depuis des décennies l'un des thèmes favoris des livres et des films de science-fiction. Quitteront-ils ce domaine (presque) innocent pour devenir partie intégrante des conflits (éventuels), du futur entre grandes puissances? La question se pose, alors que l'Union soviétique et les États-Unis développent des moyens de destruction de certains types de satellites, et que le président Ronald Reagan annonce avec éclat au début de 1983 sa volonté de mettre en œuvre les armes de la « guerre des étoiles ».

Autant que l'on sache, les Américains ont pris au départ une certaine avance dans ce secteur : dès 1963, ils ont testé l'interception d'un véhicule orbital, en l'occurrence le dernier étage d'un lanceur, par un missile du type « Thor ». A partir de 1964, ils ont installé sur l'île Jonhson, dans l'Océan Pacifique, quelques missiles Thor équipés de têtes nucléaires et capables de détruire des satellites évoluant sur orbite basse, c'est-à-dire au plus à quelques centaines de kilomètres de la Terre.

Ce premier système opérationnel aurait fonctionné de la manière suivante : le missile intercepteur est lancé sur une trajectoire presque verticale, croisant l'orbite du satellite-cible au moment où celui-ci arrive; la précision demandée est de quelques kilomètres, et l'explosion de la tête nucléaire permet de détruire la cible.

Les missiles Thor de l'île Jonhson ont été mis hors service en 1975, mais ils étaient de fait inutilisables depuis longtemps : on sait en effet depuis la fin des années soixante qu'une explosion nucléaire dans l'espace proche de la Terre provoque une impulsion très intense d'ondes électromagnétiques (effet « EMP »), susceptibles de mettre hors service une grande partie des appareillages électroniques de la région concernée de la Terre. Sous peine de mettre en péril ses propres équipements militaires, un pays ne peut donc pas utiliser des bombes nucléaires pour détruire des satellites, ni d'ailleurs des ogives de missiles intercontinentaux. La destruction de véhicules spatiaux devrait donc faire appel à d'autres techniques : impact direct de l'intercepteur sur la cible, explosion de l'intercepteur à proximité de la cible, avec projection à grande vitesse de fragments, ou bien utilisation d'armes à « énergie dirigée » (laser ou faisceaux de particules) mises en œuvre depuis la Terre ou l'espace [427].

Alors même que les Américains se désintéressaient largement des armes anti-satellites, les Soviétiques entreprenaient à partir de 1968 un important programme d'expérimentation d'armes de ce type.

Les moyens utilisés par l'URSS ne sont pas des missiles comme les Thor américains, mais de véritables satellites, qui effectuent éventuellement plusieurs tours de la Terre avant de croiser la trajectoire de leur cible, et de détruire celle-ci par projection de fragments expulsés par une explosion chimique. Au total, ce ne sont pas moins de 19 satellites intercepteurs qui ont été lancés par les Soviétiques entre 1968 et 1982, à destination de 16 satellites-cibles (une même cible peut servir pour plusieurs intercepteurs successifs car il n'y a pas en général destruction effective de la cible, mais seulement passage à proximité de celle-ci).

Ces expériences d'interception n'ont jamais été reconnues comme telles par l'URSS. Officiellement, les satellites cibles comme les satellites intercepteurs font partie du programme passe-partout « Cosmos », et leur mission est « la poursuite de l'étude scientifique de l'espace ». Mais l'évolution de ces engins, suivie de très près par les États-Unis, ne laisse aucun doute

quant à leur mission réelle. On possède même de nombreux détails sur la manière dont se déroulent les expériences soviétiques d'interception.

Des coups au but fictifs

Selon les expériences, le guidage terminal du satellite chasseur a été effectué au moyen de radars ou de détecteurs infrarouges. Les interceptions ont eu lieu suivant différents régimes : montée rapide vers la cible dès le premier tour de la Terre ; approche à grande vitesse après quelques révolutions sur une orbite fortement elliptique, approche lente sur une trajectoire pratiquement circulaire voisine de celle de la cible (cette procédure permettrait une inspection préalable du satellite visé). Les Américains considèrent que l'interception est un « succès possible » si le satellite chasseur est passé suffisamment près du satellite-cible (moins de 8 km) pour que la destruction de celui-ci soit envisageable : ce résultat a été obtenu à douze reprises !

Les interceptions ont été réalisées à des altitudes comprises selon les cas entre 160 et 1500 km. Les satellites chasseurs soviétiques pourraient donc viser les véhicules spatiaux américains utilisés pour la reconnaissance, la météorologie, l'étude des ressources terrestres, ainsi que la navette spatiale [399], qui évoluent tous à moins de 1 000 km d'altitude. Les satellites de navigation (à 20 000 km d'altitude

─────────── *BIBLIOGRAPHIE* ───────────

Article

DUPAS A., TSIPIS K., « Guerre et paix dans l'espace », *La Recherche*, n° 130, 1982.

et de télécommunications (stationnaires à 36 000 km à la verticale d'un point de l'équateur) sont, en revanche, hors de leur portée.

Les Américains considèrent le système soviétique d'interception spatiale comme opérationnel. Cela étant, il s'agit d'un système manquant de souplesse et de rapidité : le lancement du satellite chasseur est effectué par un énorme missile de 200 tonnes à propergols liquides, et il ne peut avoir lieu que lorsque le plan de l'orbite du satellite cible passe par le cosmodrome de Baïkonour.

Pour répondre à ce programme soviétique, les États-Unis ont résolu en 1976 d'entreprendre la construction d'un véhicule anti-satellite à la fois beaucoup plus léger et performant : il s'agit d'une sorte de minitorpille spatiale qui ne mesure que 30 cm de diamètre pour 32 cm de longueur, et qui est lancée depuis un chasseur F-15 en vol, par un petit missile de 6 m de long, pesant 1,5 t. Le lancement a lieu vers 20 000 m d'altitude, et il conduit au placement de la mini-torpille sur une trajectoire ascendante croisant l'orbite du satellite cible. Le guidage terminal est effectué par des micropropulseurs à propergols solides, suivant les informations de capteurs infra-rouges. La destruction est obtenue par impact direct sur la cible.

Comme le satellite anti-satellite soviétique, le véhicule miniature américain possède un champ d'action limité aux orbites proches de la Terre. Mais sa plate-forme aérienne de départ lui permettrait d'être tiré au-dessus de n'importe quelle région du globe. Plusieurs essais de ce matériel étaient prévus pour 1983 et 1984. Tout d'abord, l'essai du missile porteur ; ensuite, le test de la mini-torpille sur cible fictive ; enfin, éventuellement, un essai contre un petit satellite ballon, lancé spécialement à cet effet. En revanche, début 1983, aucune décision n'était encore prise pour le déploiement opérationnel de cette arme. Celui-ci pourrait intervenir en 1987. Il s'agit là d'un point qui serait négociable dans une négociation américano-soviétique sur « les armes anti-satellites ».

Alain Dupas

Missiles et anti-missiles

Le terme de missile s'applique à tout projectile, mais il sert aujourd'hui essentiellement à désigner des engins propulsés de divers types, transportant une charge explosive, forts différents suivant leur philosophie technique (missile balistique ou aérodynamique) et suivant leur fonction (tactique ou stratégique).

Le *missile balistique* est un engin mu généralement par un moteur fusée et dont la trajectoire s'apparente à une parabole. Sa portée dépend de sa vitesse (elle-même liée au rapport entre la masse du missile au départ et sa masse lorsqu'il a épuisé son carburant) et de l'angle de sa trajectoire. Les ancêtres de ces missiles furent les fusées à poudre, peu différentes de celles qui sont utilisées dans les feux d'artifices, et qui furent employées avec succès par l'armée du prince indien Tipoo-Sahib contre les Britanniques à la fin du XVIIIe siècle. La fusée allemande V2 de 1944 fut le prototype des missiles balistiques modernes.

Le *missile aérodynamique* est un avion sans pilote, dont la portée dépend de la durée de fonctionnement de son système propulsif : de quelques secondes pour les engins à courte portée à plusieurs heures. Le V1 allemand de 1944 en fut le précurseur.

On appelle, en général, *missile*

stratégique un engin qui vise des objectifs considérés comme stratégiques : centres urbains, silos de lancement des missiles stratégiques, etc. Par contre, l'appellation *tactique* signifie que l'engin vise des cibles constituées par des armes ou des systèmes d'armes de l'adversaire : avion, char, navire,... La distinction entre stratégique ou tactique ne dépend pas, comme on le voit, de la portée du missile ni de sa configuration technique.

L'emploi généralisé de missiles date de la Seconde Guerre mondiale. Mais ils n'ont pris une importance décisive dans les divers arsenaux qu'à partir de l'introduction des armes nucléaires pour les engins stratégiques et de celle des systèmes de guidage à haute précision pour les engins tactiques.

Les missiles stratégiques

Les missiles stratégiques peuvent être basés à terre dans des silos de béton et d'acier, ou en mer à bord de sous-marins ; ils représentent l'essentiel des missiles de dissuasion nucléaire. Les premiers missiles stratégiques furent des fusées « à moyenne portée » (2 000 km), déployées par les Soviétiques en 1955 et par les États-Unis en 1958. Les premiers missiles « intercontinentaux » (plus de 10 000 km) furent mis en service en 1959 par les États-Unis et en 1960 par l'URSS. Trois facteurs sont déterminants pour évaluer la puissance de ces armes. D'une part, leur « charge utile » : en effet, malgré la miniaturisation, l'emport d'armes de plus en plus performantes est lié à la masse que la fusée peut transporter. C'est pourquoi les premiers missiles intercontinentaux furent particulièrement lourds et propulsés par des moteurs-fusées à combustibles liquides. L'« Atlas » américain et les SS-7 et SS-8 soviétiques dans les années soixante utilisaient un mélange de kérosène et d'oxygène liquide.

L'utilisation de carburants « solides » (poudres), plus stables et permettant le stockage des fusées dans des conditions qui permettent une mise à feu avec un préavis de quelques minutes, s'est généralisé aux États-Unis en 1962 (fusées Minuteman) et en 1969 en URSS (fusées SS-13). Aujourd'hui encore, en raison d'une moindre miniaturisation et d'un retard dans la technologie des propulseurs à poudre, les fusées soviétiques sont à la fois nettement plus lourdes que les américaines et elles utilisent encore largement des combustibles liquides. Par contre, aux États-Unis, les derniers missiles utilisant des moteurs fusées à liquides sont les « Titan » qui devraient être retirés du service au cours des années quatre-vingt.

D'autre part, la puissance des charges et leur nombre sont un facteur important dans l'évaluation des missiles. Depuis le milieu des années soixante, les missiles emportent plusieurs charges, qui dans certains cas peuvent viser des objectifs indépendants (Multiple Independently Targetable Vehicule ou MIRV). Le « Minuteman-3 » américain peut ainsi emporter 10 charges de 200 kilotonnes chacune (10 fois Hiroshima), alors que le SS-18 soviétique en emporte de 6 à 8 d'une puissance estimée à 1 ou 2 mégatonnes chacune (50 à 100 fois Hiroshima). Le missile MX, qui devrait remplacer le Minuteman-3 à partir de 1985 devrait marquer un progrès dans la charge emportée et la précision. De manière générale, les fusées américaines sont équipées de charges plus nombreuses mais moins puissantes que celles des soviétiques, qui peuvent recevoir des charges uniques allant de 25 à 50 mégatonnes.

Le dernier facteur décisif est la précision de ces missiles. Pour l'estimer, on utilise la notion de « cercle d'erreur probable » ou CEP : c'est le rayon dans lequel il y a 50 % de chances qu'aboutisse la fusée. Le CEP des « Minuteman-3 » est ainsi estimé à 100 m contre environ 500 m pour les SS-18 et 250 m pour les SS-20. Ces précisions extraordinaires sont permises par les progrès en électronique, qui permettent d'emporter à bord de ces fusées des gyroscopes de plus en plus précis et des calculateurs de plus en plus puissants. Pourtant, certains spécialistes estiment illusoires ces chiffres obtenus sur la base d'essais en temps de paix (et non sur des tirs réels).

Si les missiles balistiques dominent, les missiles aérodynamiques ne sont pas complètmeent absents. Dans les années cinquante les États-Unis mirent en service un « super-V1 », le SM 62 Snark, de près de 9 000 km de portée. Son imprécision et sa vulnérabilité le firent abandonner. Mais les immenses progrès dans le domaine des ordinateurs ont permit de redonner une crédibilité au missile aérodynamique.

Ainsi, le système « Tercom » permet de comparer en permanence une image radar du paysage survolé à une carte enregistrée dans la mémoire de l'ordinateur du missile. Cela devrait permettre une précision supérieure à 100 m pour le « missile de croisière » (Cruise missile) américain. De plus, ce type de missile aérodynamique, lancé depuis un bombardier B-52, peut voler très bas et nécessite donc de lourds moyens radars pour être détecté.

Enfin, il faut remarquer que le « Cruise missile » s'inscrit dans le renouveau, à l'Est comme à l'Ouest, des missiles à moyenne portée : on l'a bien vu à propos des SS-20 soviétiques et « Pershing II » américains, sujet de la controverse des « euromissiles » au début des années quatre-vingt (le SS-20 a une portée de 4 000 à 7 000 km; le Pershing II de 1 800 km) [185].

En ce qui concerne les missiles tactiques, il faut distinguer les engins guidés et non guidés. Ces derniers sont des petits missiles balistiques jouant le rôle d'une « super artillerie ». Les fusées « Katyoucha » des Soviétiques en 1941-1945 en sont un exemple. Leur rôle essentiel est la destruction d'unités terrestres adverses à des distances de l'ordre de 15 à 40 km. Dans ce domaine, les Soviétiques disposent d'une assez large avance. Jusqu'à l'entrée en service du « Multi-Launcher Rocket System » (MLRS) américain, vers 1984, le seul système équivalent est le « Lars-1 » de la RFA.

La réussite des missiles anti-chars et anti-navires

On trouve aussi des missiles nucléaires « tactiques » (visant les aérodromes, les postes de commandement) dont les plus connus sont les « Frog » et « Scud » soviétiques, le « Lance » américain et le « Pluton » français. Leur portée varie de 60 à 800 km et ils peuvent emporter aussi bien une tête nucléaire qu'une charge classique, des sous-munitions à dispersion contrôlée (minifusées antichars ou mines) ou des armes chimiques (gaz) [425]. Mais les missiles tactiques dont on parle le plus souvent sont les engins guidés. Ils peuvent être téléguidés ou autoguidés. Leurs domaines d'emploi sont multiples. Dans le domaine de la lutte contre avions, il s'agit en général d'engins autoguidés (détection de la chaleur; guidage par infra-rouge ou par radar) d'un poids variant d'une dizaine de kilos (Sam-7 soviétique, Stinger américain) à plus de 3 tonnes (Sam-5) et dont la portée varie de 3 à 250 km. De même, les avions emportent-ils des missiles qui vont du Matra 550 Magic (français) (moins de 100 kg) au AA-6 soviétique (850 kg), avec des portées de l'ordre de 10 à 200 km.

Les progrès les plus spectaculaires ont eu lieu dans deux domaines : les missiles anti-chars, guidés par fil ou, pour les plus récents, comme le Hellfire américain, par laser, qui sont en mesure de détruire tous les chars existants dans un rayon de 500 à 6 000 m; les missiles anti-navires, qui suivent une trajectoire rasant les flots pour éviter d'être détectés et dont les plus connus sont l'Exocet français, le Harpoon américain, le Sea-Skua britannique et l'Otomat franco-italien. Ces engins peuvent être lancés depuis un navire (du croiseur à la vedette rapide), par un avion, par une batterie côtière ou par un hélicoptère. Leur portée varie de 30 à 120 km (missile Otomat Mk 2). Certains peuvent même être utilisés depuis des sous-marins (le Harpoon et le SM-39 français), remontant en surface avant d'allumer leur moteur. Les progrès de l'électronique ont permis de passer d'une probabilité de coup au but de 40 % dans les années soixante à plus de 80 % aujourd'hui.

Repérer les missiles adverses

Toute arme suscite sa parade. Il en est ainsi, bien sûr, pour les missiles, même si les contre-mesures sont assez largement différentes selon qu'il s'agit de missiles stratégiques ou tactiques. Pour les premiers, en raison du danger qu'ils représentent, la défense ne peut consister qu'en leur destruction. Or ce problème est complexe. Non seulement les têtes nucléaires sont des objets petits et très rapides, mais certaines fusées emportent, en plus des bombes, des leurres pour brouiller les radars et les systèmes de détection. Un système anti-missiles stratégique nécessite donc d'abord des systèmes de repérage très élaborés.

Aux États-Unis furent développés dès 1965 des radars capables de « voir » par-delà l'horizon et de détecter les perturbations électromagnétiques causées par les fusées adverses lors de leur montée (radars OTH-B, OTH-F, et FPS-85). Un réseau de satellites de détection complète cette surveillance. L'interception des missiles adverses nécessite des missiles capables d'accéléra-

tions très fortes (plus de 100 fois l'accélération de la pesanteur terrestre pour les missiles Sprint) et employant des charges nucléaires à radiations renforcées (bombe à neutron [430]). En effet, on compte sur l'émission de flux électromagnétiques puissants émis par ce type de bombe pour mettre hors d'usage les systèmes électroniques des missiles adverses. L'Union soviétique, de son côté, a développé un complexe d'anti-missiles connu sous le nom de « Galosh ».

En tout état de cause, le traité SALT I (signé en 1971) a interdit la mise en place de systèmes anti-missiles, à l'exception de deux zones pour l'URSS et les États-Unis. Pourtant, les études se poursuivent, que ce soit dans le domaine des moyens de détection ou dans celui des moyens d'interception. Lors d'une mission de la navette spatiale [200] en 1982, les États-Unis ont testé un système de détection à infrarouge destiné à la lutte anti-missile.

Enfin, un nouveau domaine s'est ouvert dans cette lutte : l'emploi de lasers [427] ou des armes dites à « faisceau de particules ». Le président Reagan a appelé, en mars 1983, les États-Unis à faire un effort particulier dans ce domaine, et l'on sait qu'en URSS des crédits importants sont, depuis 1975, accordés à ces recherches.

Pour les missiles tactiques guidés, il existe deux possibilités de contre-mesures. La première réside dans le brouillage du système de guidage, ce que l'on appelle la guerre électronique. Les combats au Liban durant l'été 1982 ont montré une certaine supériorité du matériel américain en ce domaine. Les missiles anti-aériens d'origine soviétique dont disposait l'armée syrienne ont été rendus à peu près inefficaces par les contre-mesures électroniques. Depuis 1978, les industriels européens et américains présentent régulièrement des moyens de plus en plus performants pour brouiller les systèmes de guidage.

Pourtant, à elle seule, la « guerre

électronique » ne saurait être l'unique parade. Aussi développe-t-on depuis quelques années des systèmes anti-missiles tactiques. Ce sont soit des missiles anti-aériens spécialement adaptés pour intercepter les missiles ennemis : « Seawolf » britannique et certaines variantes du « Crotale naval/S I C A » français, soit – et c'est plus étonnant – des

canons de moyen ou de petit calibre (du 100 mm au 20 mm). Grâce à des radars très performants, il s'agit de détruire le missile ennemi par un coup direct (Vulcain – Phalanx américain) ou par l'explosion d'un obus à proximité du corps du missile (40 mm suédois, 100 mm français).

Jacques Sapir

---- *BIBLIOGRAPHIE* ----

Ouvrages

PRETTY R.T. (Éd.), *Jane's Weapon Systems,* Jane's Publ., Londres, 1982/1983.

TAYLOR J.W.R. (Éd.), *Jane's all the World's Aircraft,* Jane's Publ., Londres, 1982/1983.

Article

BARNABY C.F., « Quelles armes pour demain ? », *La Recherche,* n° 116, 1980.

Les armes biologiques

Les armes biologiques sont constituées par des bactéries, des virus ou des micro-champignons, utilisés en temps de guerre pour rendre malades ou pour tuer des êtres humains. L'utilisation des armes biologiques est interdite par la législation internationale. La convention de 1972 sur les armes biologiques a déclaré illégaux tous usages, productions et stockages d'agents biologiques, au-delà des quantités justifiées par la défense ou le traitement des maladies.

Malgré cette interdiction, la guerre biologique reste une « épée de Damoclès » suspendue au-dessus de nos têtes. On a prétendu, au début des années quatre-vingt, que des extraits de champignons ont été utilisés par les Soviétiques comme armes chimiques et biologiques et

ont tué des gens au Laos et au Cambodge. Ces affirmations ont été démenties par les Soviétiques et les scientifiques occidentaux restaient sceptiques tant au niveau des arguments présentés comme preuve de cette utilisation qu'à celui de leur valeur réelle en tant qu'armes.

Supposons toutefois qu'une puissance militaire donnée décide de fabriquer une arme biologique : comment s'y prendrait-elle, quels microbes sélectionnerait-elle ? En ce qui concerne la nature du microbe, il n'y a que l'embarras du choix, si l'on ose dire. Le rapport de l'Organisation mondiale de la santé sur la guerre biologique, publié en 1970, avait dressé une liste impressionnante de graves maladies susceptibles d'être retenues par les militaires : anthrax (une sorte de furonculose diffuse pouvant être mortelle), peste, fièvre jaune, variole, encéphalites de divers types, typhus, etc. Des maladies non mortelles mais incapacitantes ont aussi été envisagées, telles la brucellose. Cette maladie se caractérise par des poussées de fièvres intermittentes sur des longues périodes avec affaiblissement important des malades. Le bruit court que dans certains milieux militaires, on s'intéresse toujours à la mise au point d'agents biologiques à effet rapide mais dont le pouvoir incapacitant (consistant en l'induction de fortes diarrhées ou de vomissements incoercibles) serait limité à quelques jours : cela laisserait le temps de désarmer tous les combattants.

Les militaires doivent faire face aussi à un autre problème pour choisir un microbe adéquat : pour être utilisé militairement, il faut que celui-ci soit assez robuste pour résister aux processus de conditionnement destinés à le rendre opérationnel en tant qu'arme. La plupart des microbes ont une durée de vie limitée quand ils sont stockés, leur activité biologique diminuant progressivement en fonction du temps de stockage. Pour éviter d'avoir à utiliser de plus grandes quantités d'une préparation moins active, les militaires devraient réajuster constamment le niveau des stocks. Pour combattre leur baisse d'activité, il faudrait qu'ils les stockent à très basse température, ou encore les lyophilisent par le froid, avec précaution.

La dispersion du microbe constitue encore un autre problème. Classiquement, la solution envisagée consiste en une petite bombe larguée par avion, conçue spécialement pour disperser une préparation sèche du microbe. Elle est formée d'un petit cylindre contenant de l'air comprimé qui peut être dirigé en flux à travers le stock de microbes, ou le long d'une surface en direction d'une ouverture. Les microbes pourraient aussi être répandus par une pulvérisation réalisée depuis un avion.

Outre le problème de la dispersion, un autre problème crucial des armes biologiques est la viabilité du microbe « sur le terrain ». A ce niveau, la robustesse de l'agent biologique est capitale car il est essentiel qu'il reste actif un certain temps après sa dispersion si l'on veut qu'il provoque une épidémie. Or, la variabilité d'une bactérie ou d'un virus sur le terrain dépend de la température, de l'humidité et de la lumière ultra-violette présente dans les rayons du soleil. Il y a donc là une donnée supplémentaire qui contraint les militaires à choisir leurs « microbes » en fonction des lieux où ils envisagent de les utiliser. Par exemple, un micro-organisme vulnérable aux températures élevées ne pourrait être utilisé que dans un climat tempéré, et à certaines périodes de l'année.

Pour la plupart des maladies infectieuses, il existe une période d'incubation de quelques jours entre la contamination et le début de la maladie. Certains milieux militaires pensent que les manipulations génétiques [211] pourraient permettre de fabriquer de nouveaux microbes dont l'action serait immédiate. Ils pensent aussi que ces manipulations pourraient permettre d'adjoindre à ces microbes à « action rapide » la capacité de s'auto-détruire au bout de trois ou quatre jours. Ainsi, cette arme biologique mettrait hors de combat en peu de temps une grande partie des effectifs ennemis et lais-

---

BIBLIOGRAPHIE

Article

POSTEL-VINAY O., « L'irrésistible ascension de l'arme biologique », *Science et Avenir*, n° 429, 1982.

serait ensuite le terrain libre (désinfecté) pour l'avancée de l'attaquant. Au début des années quatre-vingt, les militaires (américains, britanniques, français,...) s'intéressaient de très près aux manipulations génétiques...

Il se peut que, conformément à la convention de 1972, aucun État ne recoure jamais à la guerre biologique. Mais il est notoire que les grandes puissances poursuivent néanmoins des recherches dans ce domaine. Et de temps à autres, des épidémies suspectes éclatent au voisinage des centres d'essais : en 1976,

cinquante chevaux sont morts d'une maladie africaine rare près du centre d'essais de Dugway dans l'Utah (États-Unis). Et en 1979, la ville soviétique de Sverdlovsk (un million d'habitants) dans l'Oural aurait été touchée par une grave épidémie d'anthrax pulmonaire...

Enfin, la guerre biologique peut aussi être dirigée contre le bétail et les moissons. Ainsi en 1971, il semble bien que la C I A ait déclenché une épidémie de grippe porcine à Cuba, qui toucha durement l'économie de ce pays.

Alastair Hay

Les armes chimiques

En 1925, la convention de Genève a interdit aux belligérants l'usage de gaz toxiques asphyxiants ou autres, ainsi que de liquides, solides ou tout autre procédé du même ordre. Certains pays (tels la France, la Grande-Bretagne, les États-Unis et l'Union soviétique) se réservent toutefois le droit de riposter éventuellement par les mêmes moyens, et justifient ainsi la recherche, le développement, la production et le stockage de ce type d'armes. De plus, une cinquantaine d'États ne sont pas encore signataires de la convention (dont le Cambodge, par exemple...).

Les agents chimiques existant dans les arsenaux militaires actuels peuvent être classés en cinq catégories : (a) gaz vésicants, (b) gaz neurotoxiques, (c) gaz incapacitants, (d) agents défoliants, (e) gaz irritants (pour les effets sur l'Homme de ces armes chimiques, voir la section « science et société » [192]).

(a) Le gaz moutarde (sulfure d'éthyle bichloré) fut produit pour la première fois en Allemagne pour servir de gaz suffocant et vésicant (c'est-à-dire faisant naître des vésicules, des ampoules sur la peau).

(b) Les gaz neurotoxiques sont des composés organophosphorés issus de la recherche sur de nouveaux insecticides poursuivie en Allemagne dans les années trente. Trois des « agents G » (le tabun, le sarin et le soman), qui sont des fluorophosphonates, furent fabriqués et stockés en Allemagne jusqu'en 1945. Le même type de recherches conduisit les chercheurs d'I C I (Imperial Chemical Industries), la plus grande firme chimique britannique, à la découverte d'un groupe de composés plus puissants, les agents V. Le gaz neurotoxique, le plus puissant à l'heure actuelle, le V X, un phosphonothiolate, fait partie de ce groupe.

(c) Les incapacitants sont des gaz à effets psychotropes ou désorientants. Dans les années cinquante, l'intérêt pharmacologique qui se manifesta pour les amphétamines et les psychédéliques comme la mescaline, l'acide lysergique diéthylamide (L S D) et le benzilate de quinuclidinol (Q N B ou B Z) fut vite doublé d'un intérêt militaire. Le B Z est actuellement le seul agent retenu aux États-Unis.

(d) Les agents défoliants sont des

herbicides, des composés qui simulent l'action des hormones de croissance des plantes. Les recherches concernant un éventuel usage militaire de ces produits ont commencé en 1940 en Grande-Bretagne. Le 2-4-D et le 2-4-5-T (acides di et tri-chlorphénoxyacétique) ont été très largement utilisés par les États-Unis pendant la guerre du Vietnam. Ces préparations contiennent généralement aussi de la dioxine, la substance cancérigène qui rendit la ville italienne de Seveso inhabitable après l'explosion d'une usine en 1976 [256].

(e) Les agents irritants sont les gaz lacrymogènes, utilisés par les polices et les forces militaires dans le monde entier. Trois types ont été principalement utilisés : le CN, le CS et le CR. Le CS est à la base de la plupart des gaz lacrymogènes aujourd'hui en usage.

Depuis 1914, beaucoup de pays ont fabriqué et stocké des agents chimiques et il est certain qu'à l'heure actuelle de nombreux États font des recherches en matière de défense contre les armes chimiques. Trois pays sont connus comme possédant des stocks significatifs de gaz toxique et d'incapacitants (les États-Unis, la France et l'Union soviétique). On sait peu de chose sur

l'étendue de ces stocks en URSS et en France. Quant aux États-Unis, ils disposent d'environ 40 000 tonnes de gaz toxiques, dont 50 % consistent en gaz moutarde. La plus grande partie, hormis les réserves datant de 1945, a été fabriquée dans les années cinquante. Le reste comprend les gaz neurotoxiques sarin et VX. Il y a aussi 50 tonnes de BZ qui attendaient toujours d'être détruites en 1983. Plus de la moitié des gaz toxiques est conservée en vrac dans des conteneurs d'une tonne, et le reste est conditionné sous forme d'armes : cartouches pour mortiers et canons à moyenne portée, obus d'artillerie, bombes aériennes et réservoirs pour rampes de pulvérisation. 90 % des stocks sont conservés dans des dépôts de l'armée et des arsenaux (dans l'Utah, l'Arkansas, l'Oregon, l'Alabama, le Colorado, le Maryland, l'Indiana et le Kentucky), 5 % dans une base américaine en RFA (dont on dit qu'elle se trouve à Fischbach, près de Pirmasens), et 5 % sur l'île de Johnston dans le Pacifique.

En ce qui concerne les stocks français et soviétiques, l'information se base sur des renseignements de source américaine. La France possède, dit-on, quelques centaines de tonnes de gaz neurotoxiques fabri-

BIBLIOGRAPHIE

Ouvrages

PAXMAN J., HARRIS R., *A Higher Form of Killing*, Chatto and Windus, Londres, 1982.

MURPHY S., HAY A., ROSE S.P.R., *No Fire, no thunder. The Threat of Chemical and Biological Weapons*, Pluto Press, Londres, 1983.

FRAILÉ R., *La guerre biologique et chimique : le sort d'une interdiction*, Economica, Paris, 1982.

Article

PERRY ROBINSON J., « The Changing Status of Chemical and Biological Warfare », in *World Armements and Disarmament* (SIPRI), Francis and Taylor, Londres, 1982.

qués dans les années soixante-dix dans une usine de Toulouse. Les estimations américaines donnent pour les stocks soviétiques une valeur variant entre 30 000 et 700 000 tonnes. Ces stocks comprendraient des gaz moutarde et des gaz neurotoxiques comme le soman, mais on ne sait pas quelle est la part datant d'avant 1945. Il n'y a pas de preuve d'une production d'agents chimiques par l'U R S S depuis 1968, date à laquelle la production américaine a cessé. Bien que certains rapports occidentaux fassent état d'une production soviétique d'agents chimiques en R D A, Pologne, Tchécoslovaquie, Cuba, Éthiopie, Irak, Laos, Vietnam et Afghanistan, aucun d'eux ne fournit de preuves indiscutables.

Depuis 1980, les dépenses américaines consacrées aux armes chimiques ont augmenté. Le projet de budget était de 700 millions de dollars pour l'année fiscale 1983, et de 1 milliard pour 1984. En 1980-81, des crédits ont été débloqués pour construire et équiper une nouvelle unité de production à l'arsenal de Pine Bluff dans l'Arkansas. Son objectif est de fabriquer du gaz neurotoxique, selon la technique dite « binaire » : il s'agit de produire deux réactifs moins toxiques, lesquels, une fois mélangés, donnent par exemple un gaz neurotoxique comme le sarin. Au moment de leur fabrication, les munitions ne seraient chargées que d'un seul réactif, puis acheminées vers les lieux de stockage. On n'adjoindrait une cartouche contenant le deuxième réactif qu'au moment de l'utilisation. Cette technologie évite les usines chimiques dangereuses, et permet aussi aux unités combattantes d'emporter des réserves avec elles. En 1982, le Congrès a refusé les crédits pour un type d'obus d'artillerie et de bombes aériennes « binaires ». Une nouvelle demande a été acceptée pour 1983, ainsi que celle de crédits importants pour la recherche et le développement de la technologie « binaire » concernant les gaz neurotoxiques.

Les négociations sur le désarmement chimique se poursuivent à Genève depuis 1968. Dès le début, les agents défoliants et les lacrymogènes ont été exclus du cadre des accords (sous le prétexte qu'ils ne seraient pas mortels). Après avoir longtemps achoppé sur la question du contrôle de ce désarmement, les discussions semblaient pouvoir aboutir : en effet, au printemps 1983, les Soviétiques acceptaient enfin le principe des contrôles obligatoires.

Saun Murphy

Les armes à laser

A cause des traités bannissant la mise en orbite d'armes nucléaires et limitant la défense par missiles antimissiles, les États-Unis et l'Union soviétique concentrent leurs efforts sur la mise au point de satellites armés de lasers destinés à détruire les missiles intercontinentaux (ICBM) ennemis.

Des détecteurs de lumière infrarouge peuvent en effet capter les flux de chaleur émis lors du lancement d'un missile, ce qui en permet la poursuite par un satellite militaire muni d'un grand miroir focalisant un rayonnement laser. Sur ordre venu du sol, ce miroir peut diriger un faisceau laser de grande puissance sur le missile en cours de lancement et le faire exploser avant qu'il ne sorte de l'atmosphère et n'éparpille plusieurs têtes nucléaires (chacune visant un objectif) ainsi que des leurres destinés à tromper les radars de l'ennemi. Les études faites aux États-Unis montrent que 20 lasers en orbite, d'une puissance de 30 Mégawatts chacun, suffiraient à détruire les 1 398 missiles intercontinentaux soviétiques avec une série de tirs irradiant chaque missile pendant une durée maximale d'une seconde. D'après des sources américaines, le Pentagone doit investir, pour la période 1982-1985, 1 186 millions de dollars dans la recherche sur les lasers de grande puissance, soit 40 % de l'investissement prévu pour les applications militaires des lasers.

Les autres armes à laser en cours de mise au point concernent les systèmes de défense aérienne et les systèmes antisatellites. Les États-Unis ont déjà testé avec succès des lasers basés au sol et dirigés contre des missiles air-sol. Ils ont aussi essayé pour la première fois en janvier 1981 un Boeing-707 (modifié) muni d'un laser pour détruire une tête nucléaire factice se dirigeant contre lui. De leur côté, selon les services de renseignements de certains pays occidentaux, les Soviétiques auraient commencé à monter à Golovnino un réseau de défense aérienne par laser et se préparaient en 1983 à installer une arme à laser à longue portée capable d'aveugler les satellites américains espions « Big-Bird » qui tournent sur une orbite de 210 km d'altitude.

Le terme laser (sigle anglais pour « amplification de la lumière par émission stimulée ») désigne des dispositifs émettant des rayons de lumière vibrant tous en phase avec la même fréquence et pouvant ainsi être confinés en étroits pinceaux parallèles. On déclenche l'émission laser par une petite impulsion lumineuse incitant les atomes d'un milieu gazeux, liquide ou solide, à émettre des ondes électromagnétiques (c'est-à-dire des rayons de lumière) vibrant toutes en phase avec l'onde incidente. Le flot d'énergie lumineuse ainsi obtenu est alors amplifié grâce à un passage répété entre deux miroirs, puis il est dirigé vers la cible.

Frappant la surface d'un missile ennemi, un faisceau laser de grande puissance peut faire fondre le métal en un point et ainsi le percer, ce qui provoque la désintégration de la cible en vol. Lorsqu'il vise un satellite espion, le faisceau laser n'a besoin que de détruire ses lentilles photographiques, qui sont fragiles. Les satellites de reconnaissance représentent une pièce importante des dispositifs stratégiques militaires modernes et la possibilité de les rendre aveugles représenterait un atout décisif au cours d'une guerre éventuelle.

Les travaux poursuivis sur les lasers à rayons X paraissent la technique laser anti-missile sans doute la plus prometteuse [196]. Le grand pouvoir de pénétration des rayons X devrait permettre au faisceau de traverser la carcasse du missile et d'effacer ses « circuits mémoire » vitaux ainsi que de dérégler les circuits électroniques de son ordinateur de bord. Les rayons X se situent dans de très courtes longueurs d'onde et puisqu'ils permettent de réaliser des dispositifs d'optique plus petits, ils conviennent bien aux besoins des militaires.

Un grave problème : l'alimentation en énergie

Depuis 1980, le président Reagan a insisté pour que soient développées des armes lasers en orbite, mais les obstacles techniques restent considérables. Un satellite muni d'une arme à laser devant frapper un missile intercontinental au moment du lancement doit avoir une précision de quelques millionièmes de degré sur plusieurs milliers de kilomètres. La navette spatiale devait mener une série d'expériences de tirs de ce type et de pistages en 1983 et 1984.

L'utilisation des lasers dans l'atmosphère pose un certain nombre de problèmes. Les conditions météorologiques irrégulières et les variations de la densité de l'air peuvent dévier le faisceau laser. En effet, l'absorption de l'énergie du faisceau par l'atmosphère fait s'échauffer et se dilater l'air sur son parcours. Le faisceau risque alors de se courber et de perdre de sa précision. Les énergies laser très élevées peuvent également ioniser les atomes dans l'air et créer un plasma, c'est-à-dire un milieu physique agité d'électrons libres et de noyaux atomiques chargés. Ce plasma à son tour absorbe de grandes quantités de l'énergie du faisceau.

C'est justement cet effet qui est exploité par un type de lasers de grande puissance, les lasers pulsés, qui émettent de courts et intenses flots d'énergie lumineuse. Ces lasers peuvent ioniser et faire exploser le gaz atmosphérique juste devant la cible, ce qui la surchauffe ou la dévie. L'interception des missiles dans le vide au-dessus de l'atmosphère terrestre éviterait les problèmes dus à cette dernière. Cependant, dans ce cas, le rayon d'action du laser et son temps de réaction devraient être plus courts. D'autre part, puisque les têtes nucléaires et les leurres relâchés par le missile auraient déjà été dispersés sur différentes trajectoires, il y aurait beaucoup plus de cibles à pister et à détruire.

Alimenter en énergie le laser embarqué à bord d'un satellite est un autre problème. D'après Kosta Tsipis, du Massachussetts Institute of Technology (MIT), un laser à fluorure d'hydrogène tournant à 1 000 km au-dessus de la Terre aurait besoin de 660 kg de carburant pour fonctionner et détruire un missile. Comme un seul satellite à la fois est en mesure d'opérer au-dessus de l'URSS, à un instant donné, chaque satellite devrait transporter 660 tonnes de carburant pour détruire mille missiles. Selon lui, ceci nécessiterait 1 000 vols de la navette spatiale et, à raison de 4 navettes transportant le carburant deux fois par an, 125 années de travail! On sait que les Soviétiques étaient en 1983 en train de mettre au point une fusée lanceur de 5 400 t de poussée, capable de mettre en une seule fois les stations à laser en orbite chargées de tout leur carburant.

Il y a aussi un certain nombre de contre-mesures à envisager. Recouvrir un missile avec des matériaux réfléchissants augmenterait grandement ses chances de survie parce qu'une grande partie de la lumière incidente serait réfléchie. De même, faire tourner le missile sur lui-même empêcherait que le rayonnement ne se concentre en un point suffisamment longtemps pour fondre le métal. Il faudrait donc utiliser de plus grandes énergies laser pour détruire le missile, mais la puissance nécessaire dépasse les possibilités actuelles de la technologie.

Il est vrai qu'existe une autre technique possible, celle des faisceaux de particules hautement accélérées (électrons, protons, ions). Mais elle n'en est encore qu'à ses balbutiements...

Brian Beckett

BIBLIOGRAPHIE

Ouvrage

BECKETT B., *The Weapons of Tomorrow*, Orbis, Londres, 1982.

Articles

« Laser Weapons », *Scientific American*, décembre 1981.

« Beam Weapons », *Flight International*, 24 avril 1982.

« Technical Survey », *Aviation Week and Space Technology*, 28 juillet 1980.

La bombe à neutrons

C'est dès le milieu des années cinquante qu'est apparue la notion de « bombe à neutrons ». Pourtant, aujourd'hui encore, les spécialistes continuent à s'interroger, aussi bien sur son utilité militaire que sur les conséquences stratégiques et politiques de sa mise en œuvre éventuelle.

Aux États-Unis, les recherches débutèrent au cours des années cinquante, et le premier prototype aurait explosé en 1963. Toutefois, suite aux conclusions défavorables d'une étude commandée par le secrétaire à la Défense, M. Robert MacNamara, la mise au point fut différée, pour n'être achevée qu'en 1977. De son côté, l'Union soviétique fit savoir en 1978 qu'elle avait expérimenté la nouvelle arme. Quant à la France, le Président Giscard d'Estaing annonça en juin 1980 que les études de faisabilité, décidées en décembre 1976, avaient abouti à l'expérimentation de cette « arme à radiations renforcées ». (En anglais : Enhanced Radiation Weapon, E R W).

En pratique, la bombe à neutrons n'est rien d'autre qu'une bombe à hydrogène miniaturisée. Sa puissance, en moyenne, est de un kilotonne (1 kt), ce qui équivaut, en théorie, à mille tonnes de T N T. Cette puissance est donc bien inférieure à celle des bombes H classiques (plusieurs milliers de kilotonnes). L'intérêt d'une telle miniaturisation réside dans le phénomène suivant : lorsque l'on abaisse la puissance d'une explosion atomique, les zones dans lesquelles les effets mécaniques et thermiques sont prépondérants diminuent plus rapidement que la zone à l'intérieur de laquelle les neutrons constituent la cause principale de décès.

Pour une puissance de 1 kilotonne, le rayon de la zone où les neutrons provoquent la mort d'un homme non protégé dans les minutes qui suivent l'explosion est de 900 m. Par contre, le rayon d'action des effets thermiques provoquant encore des brûlures au second degré et allumant des incendies pouvant entraîner un incendie général n'est que de 600 m. Et le rayon dans lequel le passage de l'onde de choc détruit tous les bâtiments est de 500 m. De cette constatation découle l'idée de l'utilisation tactique de la bombe à neutrons : si elle explose à 500 m au-dessus du sol, les dégâts matériels seront négligeables et les neutrons la cause principale de décès. Et ceci, dans un rayon au sol de l'ordre de 750 m.

La principale justification de la bombe à neutrons telle qu'elle a été présentée aussi bien à l'opinion publique qu'aux responsables politiques et militaires, est d'être une arme anti-char particulièrement efficace. Pourtant, les premières utilisations sérieusement envisagées étaient différentes. Ces utilisations visaient des cibles particulièrement sensibles aux neutrons, telles que les matières fissiles (uranium et plutonium des bombes), les équipements électroniques et les soldats à découvert. C'est ainsi que les États-Unis développèrent d'abord la bombe à neutrons pour équiper les fusées anti-balistiques destinées à intercepter les missiles adverses au moment de leur rentrée dans l'atmosphère et à détruire leurs charges nucléaires par l'effet des neutrons. Par ailleurs, ils envisagèrent son utilisation dans le cadre d'éventuelles offensives lors de guerres limitées en Asie, où l'ennemi se déplaçait principalement à pied. Ce n'est qu'en 1977 que l'hypothèse de l'application anti-char devint prépondérante. Elle trouva alors de nombreux partisans, notamment dans le monde politique et parmi les officiers supérieurs à la retraite.

Une efficacité très limitée

Mais l'efficacité de cette utilisation anti-char est très limitée. En effet, en ce qui concerne les équipages des chars d'assaut, il faut tenir compte du facteur de protection contre les radiations procuré par les blindages modernes. Aujourd'hui, pour les blindés lourds, ce facteur de protection est tel que le rayon mortel par irradiation tombe de 900 m à moins de 500 m. Paradoxalement, le degré de protection atteint par ces blindés n'est pas dû à la menace de la bombe à neutrons, mais au perfectionnement des armes anti-char conventionnelles. Ces armes sont actuellement capables de percer de 60 à 80 cm de fer. Il a donc fallu inventer de nouvelles techniques de blindage, faisant appel à des matériaux nouveaux (alliages spéciaux, matières plastiques, composites, ...) [335] qui, à poids égal, ralentissent et absorbent, mieux que le fer, aussi bien les projectiles anti-char que les neutrons.

De plus, l'utilisation de l'arme à neutrons pose des problèmes, logistiques considérables. En effet, depuis le début des années soixante, les tactiques soviétiques sont déterminées par l'existence en grand nombre d'armes nucléaires tactiques en Europe. Dans ces conditions, il semble bien qu'une offensive soviétique serait montée en formation dispersée et les blindés ne se rassembleraient en fer de lance qu'à moins d'un kilomètre du contact. De la sorte, ils ne constitueraient une cible favorable que pendant les quelques minutes précédant l'attaque. Il faudrait donc repérer la formation, puis commander, préparer et exécuter le tir dans un délai très bref, et avec une très grande précision afin d'éviter l'irradiation des troupes alliées. Et tout ceci, pour arrêter quelques dizaines de blindés au plus, dans des conditions telles que des armes anti-char modernes permettaient d'obtenir le même résultat.

Tous ces problèmes techniques et logistiques sont également reconnus par les spécialistes, bien que les partisans de la bombe à neutrons

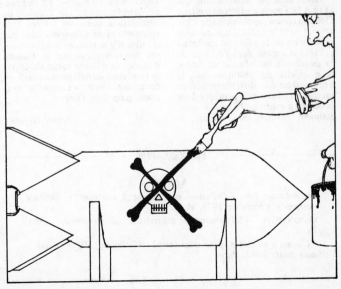

aient tendance à les minimiser. Ainsi, la véritable controverse se situe sur d'autres plans.

Sur le plan stratégique plusieurs thèses contradictoires sont en présence. Notamment, en ce qui concerne la dissuasion. Les opposants à la bombe à neutrons prétendent que son utilisation au début d'un conflit serait d'autant plus probable qu'elle infligerait de moindres dommages au territoire. En rendant ainsi le concept de « guerre nucléaire limitée » vraisemblable, le risque d'une guerre nucléaire générale serait accru. Inversement, mais pour les mêmes raisons, les partisans font valoir qu'en rendant plus crédible la détermination à recourir aux armes nucléaires, la dissuasion s'en trouverait renforcée. Pour cela, ils seraient prêts à déléguer le pouvoir de décision de l'utilisation de la bombe à neutrons aux échelons les plus bas. Et, du moment qu'elle permettrait d'adresser un « ultime avertissement » avant le recours aux représailles massives, ils ne se préoccupent guère de sa faible efficacité contre les blindés.

Ainsi, dans une alliance telle que l'OTAN, l'arme à neutrons pourrait être une option supplémentaire s'inscrivant dans le cadre d'une certaine conception de la « riposte graduée » [185]. Par contre, dans l'optique de la dissuasion du « faible au fort », telle qu'elle est pratiquée par la France, il est plus difficile de définir un rôle stratégique ou politique pour la bombe à neutrons. C'est pourquoi, estiment certains observateurs, la

décision de la construire signifierait un changement de stratégie qui accepterait le concept de « bataille de l'avant », laquelle pourrait se dérouler en Allemagne de l'Ouest.

Finalement, et quels que soient les arguments de part et d'autre, certains opposants font observer que la bombe à neutrons, tout comme d'autres armes nouvelles, finira par s'imposer indépendamment de ses justificatifs militaires ou politiques. Et ceci, en raison des gigantesques investissements déjà consentis pour les laboratoires et systèmes de production nucléaires. La fabrication de centaines de bombes à neutrons coûtera très cher. Pourtant, chacune permettrait l'achat de plus de 50 armes anti-char perfectionnées.

Face à une telle situation, il est normal que les gouvernements s'interrogent. Ainsi, après avoir décidé en 1977 de produire la bombe à neutrons, le Président Carter y renonça l'année suivante. Quant au Président Reagan, qui autorisa sa construction en août 1981, il remit à plus tard la question de son éventuel déploiement en Europe. Et en France, dans l'attente d'une décision, de nombreuses questions restent sans réponse. On ne s'étonnera donc pas du titre d'une réunion-débat organisée conjointement par le Comité d'études de défense nationale et par la Fondation de défense nationale en décembre 1981 : « L'arme à neutrons, pour quoi faire ? ».

André Gsponer

BIBLIOGRAPHIE

Articles

MARGERIDE J.B., « Qu'est-ce que l'arme à neutrons? », *Défense nationale*, décembre 1978, Paris.

GSPONER A., « La bombe à neutrons », *La Recherche*, 1983, Paris.

« L'arme à neutrons, pour quoi faire? » (Colloque), *Défense nationale*, mars 1982, Paris.

LES DÉTERMINANTS DU PROGRÈS

COMPARAISONS INTERNATIONALES

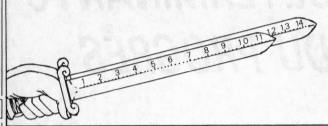

L'effort de recherche par pays

L'appréciation des statistiques mesurant l'effort de recherche d'un pays, et surtout leurs comparaisons internationales, nécessitent un certain nombre de rappels et de définitions. Les principaux agrégats de l'effort de recherche ont été définis de manière très voisine par la N S F (États-Unis) et la D G R S T (France), et un important travail de clarification a été entrepris par l'O C D E (dans le *Manuel de Frascati*). L'effort de recherche englobe ainsi trois aspects : la *recherche fondamentale*, la *recherche appliquée* et le *développement*.

– *La recherche fondamentale* est constituée par l'étude systématique et intensive visant à approfondir la connaissance scientifique du sujet étudié. Elle exclut, en principe, l'« objectif commercial ». Dans le cas des entreprises, il y a recherche fondamentale si l'objectif commercial n'est ni immédiat ni spécifique.

– *La recherche appliquée* vise à une application pratique de la connaissance. Elle se différencie donc de la recherche fondamentale par le caractère spécifique et immédiat du projet.

– Le *développement* consiste en l'utilisation systématique de la connaissance technique et scientifique pour produire des matériels, des dispositifs utiles, des systèmes, des méthodes et ce, jusqu'à l'élaboration et la mise au point de prototypes et de procédés.

Les chiffres nationaux sont obtenus à deux et quelquefois trois niveaux : les gouvernements envoient des questionnaires aux entreprises, aux universités, aux centres de recherche privés ou publics, civils ou militaires. Ils calculent ensuite des agrégats en corrigeant ou non les données fournies par leurs correspondants. A leur tour, les organismes internationaux, au premier rang desquels l'O C D E et l'U N E S C O, rassemblent ces données, les ventilent ou les agrègent en effectuant ou non de nouveaux ajustements.

Les définitions des principaux agrégats, sous l'action de l'OCDE, tendent vers une certaine unification, mais des divergences importantes existent encore et les difficultés sont nombreuses. En particulier, il faut distinguer pour certains pays (au premier rang desquels les États-Unis) les autorisations ou imputations budgétaires (« obligations ») des dépenses effectives (« outlays ») pour une année donnée. En effet, un organisme peut, dans certains cas, mettre en réserve des fonds alloués pour une année et reporter ses dépenses sur des années ultérieures, ce qui, dans le cas de la France, est tout à fait exceptionnel.

Les différentes unités de base qui effectuent concrètement la recherche et le développement expérimental (firmes, laboratoires, centres, etc.) n'ont pas forcément la même vision d'une même activité. Ce qui sera « développement expérimental » pour un laboratoire de type CNRS risque d'être classé « recher-

che appliquée », voire même « recherche fondamentale » par une entreprise commerciale. Il y a là un risque permanent de « décalage sémantique » qui fausse les comparaisons et les sommations.

Les ventilations par grands types d'objectifs posent également certains problèmes, en particulier pour ce qui est des dépenses militaires. Il semble se dégager pour tous les pays, voire pour des organismes tels que l'OCDE, une tendance permanente à la sous-estimation des ressources consacrées à cet objectif. En effet, il est très difficile de séparer le « militaire » *stricto sensu* du « civil » dans l'effort de recherche, aussi bien sur le plan industriel que scientifique et technologique. Des projets et programmes à finalité militaire peuvent déborder partiellement du cadre « défense » et se dissimuler dans des rubriques telles que « avancement de la science », « science de la terre », « énergie » ou « espace civil ». En outre, certains pays comme l'URSS ou la Chine ne livrent sur ces thèmes aucune donnée chiffrée.

RÉPARTITION NORD-SUD DES RESSOURCES
CONSACRÉES À LA RECHERCHE-DÉVELOPPEMENT

	1974		1978	
	Pays dév. [b]	PSD [a]	Pays dév. [b]	PSD [a]
Scientifiques et ingénieurs de RD	90,6 %	9,4 %	88,7 %	11,3 %
	Effectifs totaux 1 783 500		Effectifs totaux 2 131 500	
Dépenses de RD	96,9 %	3,1 %	95,6 %	4,4 %
	Dépenses totales 79 191 millions de dollars		Dépenses totales 123 074 millions de dollars	

a. Pays sous-développés, non compris la Chine, la Mongolie, le Vietnam, la République populaire démocratique de Corée, pour lesquels il n'existe pas de données comparables ; b. URSS non comprise.

Source : UNESCO, Annuaire 1982

DÉPENSE INTÉRIEURE BRUTE EN RD DES GRANDS PAYS DE L'OCDE [a] (EN MILLIONS DE DOLLARS US [b])

	1970	1975	1979	1980	1981	1982
États-Unis	37 420	36 680	43 210	44 561	45 487	47 016
Japon	8 055	10 976	14 017	15 579	. .	. .
RFA	6 324	7 656	9 587	. .	. .	. .
France	4 600	5 283	4 667	. .	. .	. .
R-U		5 846	. .	. .	. .	. .

a. Sciences exactes et naturelles + sciences sociales et humaines ; b. Il s'agit de dollars constants, base 1975. Les séries sont corrigées PPA (parité de pouvoir d'achat) : les taux de change utilisés traduisent des pouvoirs d'achat comparables entre pays, les comparaisons étant ainsi beaucoup plus significatives que dans le cas des séries obtenues à partir des taux de change courants.

Source : OCDE, mars 1983, entretiens C. Passadeos.

FINANCEMENT PUBLIC DE LA DÉPENSE INTÉRIEURE BRUTE EN RD DES GRANDS PAYS DE L'OCDE (EN %)

	1970	1975	1979	1980	1981	1982
États-Unis	59,5	54,8	51,9	50,4	49,7	49,6
Japon	. .	29,7	29,8	. .	. .	. .
RFA	45,4	47,5	42,5	. .	. .	. .
France	51,5	45,4	56,0	56,3	56,5	. .
R-U	51,3 [a]	53,0	42,1 [b]	. .	. .	. .

a. 1969; b. 1978.

Les sommes consacrées par chaque pays à la recherche-développement (RD) ne traduisent qu'approximativement l'effort réel de ces pays. En effet, et pour ne prendre ici qu'un exemple, les rémunérations des scientifiques, à compétence égale, varient du simple au triple, ce qui affecte évidemment le lien entre les dépenses de fonctionnement et leur impact. De plus, les problèmes de change en période de flottement des monnaies, avec des fluctuations amples, soudaines et erratiques, rendent les comparaisons internationales hasardeuses, même quand on raisonne en termes constants.

La part du financement privé de la RD est généralement surestimée. Elle intègre en effet les dépenses effectuées par les secteurs publics et les entreprises nationalisées ce qui,

ÉTATS-UNIS : NATURE DE LA R D FINANCÉE PAR L'INDUSTRIE
(EN %)

	1967	1972	1975	1976	1977	1978	1979
Recherche fondamentale	6,0	4,7	4,3	4,1	4,0	3,9	3,0
Recherche appliquée	23,0	22,3	21,8	22,2	22,1	21,8	19,0
Développement	71,0	72,0	73,9	73,7	73,9	74,3	78,0
Total	100,0	100,0	100,0	100,0	100,0	100,0	100,0

Source : Budget fédéral 1979, *R D, Industry and the Economy,* American Association for the Advancement of Science (pour 1979 : N S F, Science Indicators 1981).

PART DU FINANCEMENT PUBLIC DE LA R D
CONSACRÉE À LA DÉFENSE DANS LES PRINCIPAUX PAYS DE L'OCDE
(EN %)

	1970	1975	1980	1981	1982	1983 *
États-Unis	52,2	50,8	47,3	51,8	56,9	61,2
France	28,8	29,8	36,5	37,2	35,0	..
R-U	42,6	49,0	54,2	..	..	..
RFA	17,8	11,1	10,2	..	..	..
Japon	2,1	2,2	2,3	..	..	..

a : estimation.
Sources : O C D E, octobre 1982, et entretiens C. Passadeos, mars 1983.

pour des pays comme la France, fait problème. Elle dissimule également les multiples incitations financières directes ou indirectes de l'État : fiscalité, protections tarifaires, aides multiples à la recherche et à l'innovation, prise en charge par l'État des segments les plus risqués de la filière recherche - développement - innovation, mise à la disposition gratuite d'équipements publics, effet multi-plicateur de la R D publique, etc. En ce sens, il ne faut pas prendre cette grandeur comme un indicateur du zèle innovateur *autonome* du secteur privé.

Les sommations, ventilations, vé-rifications, ajustements qu'implique l'établissement de données globales sur la recherche sont, pour les raisons indiquées ci-dessus, fort longues à mettre en œuvre. Généralement, il

LE FINANCEMENT PUBLIC DE LA R D PAR GRANDS TYPES D'OBJECTIFS : FRANCE, ROYAUME-UNI ET ÉTATS-UNIS, 1982			
	R-U	États-Unis	France
Nucléaire civil, espace civil, militaire	59,0	74,5	43,6
Avancement de la connaissance	20,0	3,6	23,5
Objectifs à finalité sociale (santé, éducation, urbanisme, environnement, connaissance de la Terre, aide au développement)	8,0	13,8	10,8
Objectifs directement industriels (agriculture, industrie, télécommunications, transports, énergie non nucléaire)	13,0	8,1	22,1
Total	100,0	100,0	100,0

Source : C. Passadeos, à partir de données OCDE, mars 1983.

faut environ trois ans pour disposer de séries complètes et comparables, pour une année donnée. Cela peut faire problème lorsqu'un brusque retournement de tendance se produit. Signalons en ce sens le très fort relèvement de l'effort de R D financé par l'État en France, en 1982 et 1983, l'accent étant mis sur des finalités industrielles, civiles. Signalons également, au sein du financement de la R D par le gouvernement fédéral aux États-Unis, un très fort infléchissement en 1981-83 en faveur des objectifs militaires.

Christos Passadeos

L'effort de recherche des firmes multinationales

Quand on cherche à évaluer l'effort de R D des grands groupes industriels, partie constituante du capital financier mondial, les difficultés d'obtention de données statistiques un tant soit peu complètes, fiables et comparables internationalement sont considérables. Le plus souvent, on n'a affaire qu'à des chiffres incomplets et des données tronquées.

C'est en fait à Wall Street qu'on doit l'unique source de données fiables en la matière. Depuis 1975, la Commission américaine de contrôle des opérations en bourse (Security and Exchange Commission) a fait figurer les dépenses de R D au nombre des données publiques qu'elle exige des sociétés américaines admises à la cotation. En juillet de chaque année l'hebdomadaire *Business Week* publie ces données pour les 400 entreprises américaines effectuant les plus fortes dépenses de R D.

Aucune source équivalente de données fiables n'existe pour d'autres pays. Les statistiques gouvernementales (y compris celles des États-Unis) ne donnent que des chiffres globaux par branches industrielles et parfois par taille d'entreprises. Elles ne publient jamais de chiffre détaillé

entreprise par entreprise, et en dehors des États-Unis, les commissions de contrôle en bourse sont moins exigeantes dans la qualité des informations mises à la disposition des opérateurs. On doit donc se fier aux enquêtes spéciales quand elles existent, ainsi qu'aux données contenues dans certains – mais pas dans tous, tant s'en faut – des rapports annuels des grands groupes.

L'impossibilité de présenter les données disparates disponibles dans un tableau unique ayant une quelconque valeur scientifique nous conduit à publier cinq tableaux distincts. Le premier est construit sur la base des données fournies à Wall

LA RÉPARTITION DES DÉPENSES DE R D INDUSTRIELLE
PAR DIMENSION DES FIRMES EN 1978 (en %)

	E.U.	Japon[c]	Allemagne	France	RU
Nbre d'employés					
10 000 et plus	84	45	56	62	79
5 000 à 9 999	6	22[a]	9		9
1 000 à 4 999	6	13[b]	15	20	9
moins de 1 000	4	20	19	18	3
Total	100	100	100	100	100

a. 3 000 à 9 999 ; b. 1 000 à 2 999 ; c. 1979.
Source : Unité des indicateurs de science et technologie de l'OCDE.

L'INVESTISSEMENT EN R D INDUSTRIELLE DES VINGT FIRMES
EFFECTUANT LES DÉPENSES LES PLUS IMPORTANTES,
1978 (EN % DE LA R D INDUSTRIELLE TOTALE DU PAYS)

	E.U.	Japon	Allemagne	France	R.U.
Firmes selon les dimensions de l'effort de R D					
les 5 premières	19[a]	16	..	..	41
les 10 premières	33[b]	25	..	..	53
les 20 premières	52	34	..	..	67

a. Les quatre premières ; b. Les huit premières.
Source : Unité des indicateurs de science et technologie de l'OCDE.

JAPON : DÉPENSES DES VINGT ENTREPRISES EFFECTUANT LE PLUS DE RD, 1979				
Groupe	Rang mondial[a]	Rang 500 firmes non US[b]	Dépenses de R D[c]	% du C.A.
Toyota Motors	30	17	418,5	3,7
Hitachi	37	22	397,2	5,8
Nissan Motor	35	21	362,2	3,3
Toshiba	–	31	277,7	4,8
Matsushita Electrical Ind.	44	26	201,2	2,9
Nippon Electric	–	87	173,0	6,0
Mitsubishi Electric	–	71	173,0	4,0
Mitsubishi Heavy Ind.	41	24	153,7	2,8
Honda Motor	–	70	152,9	3,6
Sony	–	124	132,0	7,0
Fujitsu	–	132	122,7	6,1
Nippon Steel	38	23	108,6	1,0
Toyo Kogyo	–	91	82,5	2,5
Nippondenso	–	194	82,5	4,5
Takeda Pharmaceutical	–	204	80,9	4,8
Fuji Photo Film	–	238	75,6	6,0
Isuzu	–	122	74,8	2,9
Bridgestone	–	141	72,4	4,1
Kobe Steel	–	78	71,2	1,7
Tokyo Electric Power	–	365	61,2	0,7

a. Liste des 50 plus grandes entreprises industrielles mondiales de *Fortune* ;
b. Liste des 500 plus grandes entreprises industrielles non américaines de *Fortune* ;
c. Millions de dollars.

Source : Enquête menée par le *Nihon Keizai Shimbun*, portant sur 1 170 firmes dont 1 015 dans l'industrie manufacturière.

EUROPE : DÉPENSES DE RD DE QUELQUES GRANDS GROUPES, 1979				
Groupe	Rang mondial[a]	Rang 500 firmes non US[b]	Dépenses de RD[c]	% du C.A.
Phillips[d]	5	16	740	5,0
Royal Dutch / Shell	3	1	419	0,6
Hoffman La Roche	–	118	300	2,4
Unilever	12	3	297	1,3
I.C.I.	42	25	284	2,6
Ciba-Geigy	–	59	190	2,4
Sandoz	–	138	170	2,2

a, b, c. Voir tableau précédent ; d. 1978.
Source : rapports annuels de compagnies donnant leurs dépenses de RD.

Street pour 1981 (dernière année disponible) mais aussi pour 1979, afin de permettre la comparaison. Les deuxième et troisième tableaux donnent des chiffres japonais (résultant d'une enquête spéciale pour l'année 1979) et des chiffres tirés des rapports annuels et autres publications concernant quelques grands groupes européens. Le quatrième et le cinquième tableaux enfin sont établis à partir des statistiques données par les services nationaux.

Le principal enseignement à tirer de cet ensemble de données concerne le degré très élevé de concentration des ressources consacrées à la R D. Déjà observée au niveau des États [434], on la retrouve au niveau des entreprises. En 1979, au Royaume-Uni, 40 % de toutes les ressources de R D industrielle étaient contrôlés par cinq groupes seulement. Même au Japon, où les petites et moyennes entreprises font beaucoup de R D, 34 % de toute la R D indus-

ÉTATS-UNIS : DÉPENSES DES VINGT ENTREPRISES EFFECTUANT LE PLUS DE R D
1979 et 1981

1979

Groupe	Rang mondial[a]	Rang aux É-U[b]	Dépenses de R D[c]	% du C.A.
General Motors	2	2	1 950	2,9
Ford Motors	5	4	1 720	3,9
I B M	10	8	1 360	5,9
A.T & T/Bell Systems[d]	45[e]	19[e]	980	2,2
General Electric	11	9	640	2,9
United Technologies	—	26	545	6,0
Boeing	—	29	526	6,5
Eastman Kodak	—	30	459	5,7
I.T & T	18	11	436	2,5
Du Pont	33	16	415	3,3
Exxon	1	1	381	0,5
Xerox	—	40	376	5,4
Chrysler	40	17	358	3,0
Sperry	—	80	280	5,9
Dow	—	24	269	2,9
3 M	—	51	238	4,4
Honeywell	—	79	234	5,6
Internat. Harvester	—	27	218	2,6
Hewlett Packard	—	150	204	8,6
Proctor & Gamble	—	23	203	2,2

a. Liste des 50 plus grandes entreprises industrielles mondiales de *Fortune* ;

b. Liste des 500 plus grandes entreprises industrielles américaines de *Fortune* ;

c. En millions de dollars ;

d. Western Electric compris ;

e. Western Electric seulement, A.T & T. étant classée dans les entreprises de services.

Source : *Business Week*, 7/7/80 et 5/7/82.

	1981			
Groupe	Rang mondial[a]	Rang aux É-U[b]	Dépenses de R D[c]	% du C.A.
General Motors	4	2	2 250	3,6
Ford Motors	8	6	1 718	4,5
A.T & T/Bell[d]	—	22[e]	1 686	..
IBM	11	8	1 612	5,5
Boeing	—	30	844	8,6
General Electric	14	11	814	3,0
United Technologies	46	20	736	5,4
Du Pont	16	12	631	2,8
Exxon	1	1	630	0,6
Eastman Kodak	—	28	615	6,0
Xerox	1	38	526	6,1
ITT	21	14	503	2,9
Dow	—	24	404	3,4
Honeywell	—	69	369	6,9
Hewlett Packard	—	110	347	9,7
Sperry	—	66	336	6,2
3 M	—	54	306	4,7
Johnson & Johnson	—	68	282	5,2
Merck	—	145	274	9,4
Proctor & Gamble	—	25	253	2,2

trielle étaient effectués en 1979 par les vingt premiers groupes. Aux États-Unis et au Royaume-Uni, 67 % et 52 % respectivement du total des dépenses étaient aux mains des vingt plus grands groupes.

Veut-on un point de comparaison avec les dépenses des pays? Le niveau atteint par les investissements en RD des quatre premiers groupes américains correspondait en 1979 à peu près à une fois et demie le volume *total* de la recherche industrielle de l'Italie, des Pays-Bas, de la Suède ou de la Suisse. Le niveau d'investissement de ceux qui dépensaient « seulement » 400 à 500 millions de dollars correspondait en 1979 à peu près au total des dépenses *nationales* de RD du Danemark ou de la Finlande...

François Chesnais

Les budgets de RD des pays de l'OCDE

Les États-Unis [446], le Japon [447], l'Allemagne [449], le Royaume-Uni [453] et la France [451] sont les cinq principales puissances politiques et industrielles capitalistes. Prises ensemble, elles sont à l'origine de 85 % du total des dépenses de RD de la zone OCDE, qui représente elle-même, on le sait, une fraction très élevée des dépenses totales de RD au niveau mondial.

Au sein de l'OCDE, il est désormais acquis que la structure des dépenses de RD de ces cinq pays et les orientations du développement scientifique et technique qui en découle commandent de façon décisive l'évolution d'ensemble du développement scientifique et technique dans toute la zone OCDE. Il reste aux autres pays à suivre cette évolution, à en bénéficier et à en comprendre et prévoir le cours autant que possible, sans jamais espérer

cependant en infléchir le sens. Ce qui est vrai pour la zone OCDE vaut pour le reste du monde, avec la seule exception, peut-être, de l'URSS, dans la mesure où celle-ci a surpris les États-Unis au moins une fois lors du lancement du premier « spoutnik », et dispose d'un potentiel de RD très important, au moins dans le domaine militaire et spatial.

Le poids respectif de chaque pays au sein de ce groupe de cinq, et la contribution des secteurs public et privé au sein de chacun d'eux sont indiqués dans le tableau ci-dessous.

Le montant des dépenses de RD de chaque pays n'est pas nécessairement proportionnel aux bénéfices qu'il en retire sur le plan économique, ni à son poids dans les échanges internationaux ou à sa compétitivité industrielle. Dans le cas des États-

443

LES DÉPENSES DE RD DES CINQ GRANDS PAYS DE L'OCDE

	Unité	États-Unis	Japon	Allemagne	France	Royaume-Uni [a]
Dépenses de RD	million $	56 560,5	18 284,7	12 530,6	7 964,6	7 961,1
Personnel de RD	millier de personnes équivalent	1 334,0 [b]	605,5 [d]	363,2	230,8	310,0 [b]
Chercheurs	plein temps	621,0	367,0 [d]	122,0	72,9	104,4
Source de Financement						
Industrie	%	43	59	51	39	42
État [c]	%	55	29	47	55	51

a. 1978 ; b. Estimations OCDE ; c. Y compris le fonds propres des universités publiques ; d. Surestimés. Pas en équivalent plein temps.

Source : Toutes les données chiffrées de cette partie sont tirées d'une étude de l'Unité des indicateurs de la science et de la technologie de l'OCDE sur *L'évolution des dépenses de science et technologie dans la zone OCDE au cours des années 1970*, Paris, 1982.

Unis et du Royaume-Uni, c'est même plutôt le contraire qui est vrai : en raison de la part très importante de la R D militaire dans les dépenses américaines, et du fait que, depuis le milieu des années soixante, les retombées non militaires sont concentrées dans un très petit nombre d'industries seulement, la place des États-Unis dans les échanges mondiaux a constamment diminué – même pour les produits dits à « haute technologie » – au profit de l'Allemagne, et surtout du Japon. La même chose est vraie pour le Royaume-Uni.

Cette situation fait l'objet d'un certain étonnement et de beaucoup d'amertume de la part des milieux gouvernementaux américains. Elle ne fait bien sûr qu'exprimer le fait que l'économie mondiale est un tout, et qu'à partir d'un niveau donné de compétence technologique et de capacité industrielle il est possible pour tout grand pays industriel d'organiser le « transfert » vers lui-même d'une large fraction (pas toutes, mais tout de même une très large fraction) des connaissances scientifiques et des techniques mises au point ailleurs. Ce flux international de technologie entre grands pays est une première raison qui justifie une approche d'ensemble de la R D des cinq pays capitalistes les plus importants.

Le rôle des dépenses militaires

Pour les cinq pays pris ensemble, les parts moyennes en 1975 et en 1980 des cinq grands groupes d'objectifs de la R D reconnus dans les statistiques internationales pour le financement public, sont indiquées dans le tableau ci-après.

Cette répartition reflète, bien entendu, de façon immédiate la répartition et les principales priorités de la R D américaine, mais il est légitime de présenter, ainsi que le

STRUCTURE DE LA R D PUBLIQUE
(MOYENNE DES CINQ PAYS, EN %)

	1975	1980
Défense et aérospatiale	45	44
Énergie et infrastructure	17	21
Agriculture et industrie	16	15
Santé et aide sociale	11	11
Promotion générale des connaissances (à l'exclusion des fonds généraux universitaires)	11	10
Total	100	100

secrétariat de l'OCDE l'a fait dans l'étude citée, la répartition moyenne des dépenses des cinq pays, en estimant qu'elle donne l'image de l'ordre et l'échelle des priorités des cinq plus importantes puissances capitalistes prises comme un bloc.

L'un des effets de cette concentration des dépenses dans le domaine militaire et spatial est la concentration parallèle de la recherche au sein de l'industrie. Pour la moyenne des cinq pays, près de 70 % de la R D est concentrée dans le secteur des « industries mécaniques et électriques » (la division 38 de la Classification internationale type par industrie) qui comprend notamment : les industries aérospatiales, les industries électriques et électroniques, les machines (y compris les ordinateurs) et l'équipement de transport (navires, voitures, camions).

Cette très forte concentration ne correspond ni au poids des différentes industries en termes de valeur ajoutée ou d'emploi, ni à une importance particulière de ces branches dans la satisfaction des besoins vitaux des hommes vivant en société. Quelle que soit l'importance qu'on accorde au secteur des industries mécaniques et électriques, il ne

Branche CITI	Valeur ajoutée	R D industrielle	R D industrielle financée sur fonds privés
38 Industrie mécanique	39	68	61
35 Chimie	18	20	25
Sous-total	57	88	86
31 Alimentation, boisson, tabac	14	2	3
32 Textiles, vêtements	7	1	1
37 Métallurgie de base	8	4	5
34 Papier et imprimerie	7	1	1
36 Produits minéraux non métalliques	10	2	2
33 Bois, produits en bois y compris l'ameublement	3	0	0
39 Autres ind. manufacturières	1	1	1
Sous-total	43	10	13
Total	100	100	100

serait pas à lui seul à l'origine d'une pareille concentration industrielle de la R D. L'importance de l'industrie chimique, pour sa part, tient au rôle de ce secteur comme pourvoyeur, pour l'ensemble de l'industrie manufacturière, de matières premières ou demi-produits fabriqués « industriellement », c'est-à-dire dans des conditions libérées des contraintes de cycles de production naturels (fibres synthétiques contre fibres naturelles, caoutchouc synthétique contre caoutchouc naturel, colorants synthétiques contre colorants naturels, etc.). La très forte concentration de la R D dans le secteur « industries mécaniques et électriques » s'explique par le fait qu'à partir et en fonction des besoins du secteur militaire et spatial, les plus importantes techniques de pointe et les principales filières techniques sont situées dans cette partie de l'économie.

Certes, certaines des techniques avancées du secteur militaire et spatial – en particulier la micro-électronique et tous ses prolongements (automatismes, micro-processeurs industriels, robotique) – sont indiscutablement d'une grande utilité, face à la crise, pour toutes les entreprises qui ont les moyens de les acquérir et les développer. Elles offrent à ces entreprises la possibilité de tenter de contrecarrer la baisse du taux de profit, d'augmenter l'extraction de la plus-value, de créer certains marchés nouveaux, et généralement d'accroître leurs capacités de livrer une guerre concurrentielle sans merci. Mais ce n'est là ni l'origine, ni la raison première du rythme de développement de ces techniques, qui aurait été plus lent sans le secteur militaire et spatial.

François Chesnais

Le budget de RD des États-Unis

Les dépenses de R D financées par l'État américain représentaient, en 1979, 2,4 % du PIB et correspondaient à environ 55 % du total de la R D américaine. L'évolution de leur répartition est donnée dans le tableau ci-dessous.

Pour apprécier pleinement ce tableau, il convient de savoir comment sont distribués les flux financiers consacrés à la RD entre industrie, enseignement supérieur et instituts sans but lucratif. Or, l'analyse montre que l'industrie bénéficie largement de ces flux, de même que l'enseignement supérieur, mais ils en bénéficient dans le cadre et comme sous-produit ou « retombée » des dépenses effectuées dans les secteurs prioritaires. Il y a bien recherche fondamentale aux États-Unis, mais celle-ci n'est pas financée par l'État « pour elle-même », mais uniquement pour sa contribution à la réalisation des autres objectifs. La situation en fait n'est guère différente dans les autres grands pays capitalistes : elle est simplement sans fard aux États-Unis.

La priorité gouvernementale la plus élevée y a toujours été accordée à la recherche militaire, et de façon un peu plus secondaire à la recherche spatiale. Après un déclin relatif dans la seconde moitié des années soixante-dix, cette priorité a été réaffirmée et renforcée dans le dernier budget de Carter, et surtout dans ceux qui ont suivi l'élection de Reagan. En l'espace de quatre ans (1980-83), le pourcentage de la R D fédérale consacré au secteur militaire est passé de 47,3 % à 61,2 %.

Dans le document officiel de préparation du débat budgétaire pour 1983 (*Federal R & D by Budget Function, 1981-1983*), les intentions du gouvernement Reagan relatives à la R-D militaire sont définies ainsi :

« – Un accroissement de 15 % de la base technologique du Département de la défense (DOD) entre 1982 et 1983, qui atteindra le total de 3,3 milliards de dollars. La recherche fondamentale incluse dans la base technologique devrait passer à 21 % et totaliser 828 millions de dollars.

– Un accroissement de 30 % pour

ÉTATS-UNIS : STRUCTURE DES DÉPENSES PUBLIQUES DE R D, 1975-1983 (EN %)

	1975	1980	1983 [a]
Défense et aérospatiale	67,5	63,7	76,6
Énergie et infrastructure	10,9	14,2	6,5
Agriculture et industrie	2,5	3,0	2,2
Santé et aide sociale	14,8	15,2	11,1
Promotion générale des connaissances (à l'exclusion des fonds universitaires)	4,3	3,0	3,5
Total	100,0	100,0	100,0

a. Prévisions budgétaires.

le développement de la technologie de pointe du DOD.

– Un accroissement de 43 % pour les programmes stratégiques du DOD, les deux tiers de cet accroissement correspondant à celui du financement du missile M-X de l'US Air Force.

– Un accroissement de 10 % pour les programmes tactiques du DOD, le crédit de mission le plus important dans le budget de 1982.

– Un accroissement de 26 % pour les programmes du DOD pour 1983 concernant les services de renseignement et les communications.

– Un accroissement de 12 % pour les activités de l'ERTA concernant l'énergie nucléaire liée à la défense. »

Au cours des quatre années 1980-83, la NASA a obtenu régulièrement 14 % du budget fédéral de RD. L'essentiel du budget *espace* a été dirigé vers le programme de développement de la « navette spatiale » [399]. L'administration Reagan a eu des velléités de réduction du budget spatial, mais celui-ci a été défendu aussi bien par les militaires que par un secteur de la grande industrie intéressés à « l'industrialisation de l'espace ». On sait en effet que, le jour où la navette aura été définitivement mise au point, l'administration Reagan a l'intention de procéder à la « privatisation » de son exploitation.

L'administration Carter avait fait de la RD liée à l'*énergie* (énergie nucléaire, nouvelles formes d'énergie et économies d'énergie) un poste assez important du budget fédéral de RD. Ce poste a été coupé de 50 % par Reagan, conformément à sa politique d'ensemble d'arrêt des programmes sauf dans le secteur militaire. C'est au secteur privé qu'il appartient maintenant d'assurer ces dépenses. Il y sera « encouragé par divers moyens comme l'élévation du prix de l'énergie, les crédits d'impôts, des mesures réglementaires » (document budgétaire déjà cité). Le seul poste du programme antérieur qui est « sauvé » concerne la fusion thermonucléaire par procédé magnétique.

François Chesnais

Le budget de RD du Japon

Au sein des pays capitalistes, le Japon occupe le second rang derrière les États-Unis pour le montant des dépenses de RD. A la fin des années soixante-dix, ces dépenses atteignaient 2,11 % du produit intérieur brut. L'objectif de la politique japonaise est d'atteindre 2,5 %. C'est au Japon que le financement de la RD par l'industrie privée atteint aussi le niveau le plus élevé (60 % du total).

De tous les grands pays industrialisés, c'est le Japon enfin qui a la part des dépenses de RD militaire la plus faible (4-5 % des dépenses publiques et 2 % environ des dépenses totales). Certes, la rubrique « militaire et spatial » atteint 15-20 % des dépenses financées par l'État. Mais l'essentiel de cette rubrique (plus de 80 %) va exclusivement au spatial civil. Cette situation est un legs de la Deuxième Guerre mondiale, que le Japon a cherché à transformer en un avantage dans la concurrence mondiale [103].

A un degré plus élevé encore pour l'Allemagne, l'effort de RD du Japon est dirigé, en effet, presque exclusivement vers la compétitivité industrielle, et vers les besoins des entreprises en infrastructure, énergie et matières premières qui en sont l'une des préconditions. C'est là bien sûr toute la différence avec les États-

Unis et l'un des motifs des récriminations américaines.

En reprenant notre classification type, la répartition des dépenses de R D financées par l'État (fonds de recherche universitaires exclus ici comme dans les cas précédents) est la suivante :

Le Japon a rapidement compris que *l'espace* était destiné à devenir un champ d'investissement et un domaine où s'exercerait une vive concurrence économique. Ses dépenses ont atteint 4 milliards de dollars par an dans ce domaine depuis 1980.

JAPON : STRUCTURE DES DÉPENSES PUBLIQUES DE R D,
1975-1980 (EN %)

	1975	1980
Défense et aérospatiale	19,5	16,8
Énergie et infrastructure	22,9	34,4
Agriculture et industrie	41,9	37,6
Santé et aide sociale	12,1	11,2
Promotion générale des connaissances (à l'exclusion des fonds universitaires)	3,5	4,1
Total	100,0	100,0

On dispose de deux sources principales d'information relatives aux objectifs que le gouvernement japonais se fixe : un rapport du MITI (ministère de l'Industrie et du Commerce extérieur) pour les années quatre-vingt, et le sixième rapport du Conseil pour la science et la technologie. La *Vision globale des politiques du MITI pour les années 1980,* publiée en avril 1980, présente le Japon comme une « nation axée sur la technologie », en se fondant sur les considérations suivantes : « En dernière analyse, la seule ressource du Japon ce sont les hommes, le potentiel humain devra donc être bien utilisé ; la prospérité future de la société requiert le progrès technique ; le développement technologique accroît le pouvoir de négociation du pays et contribue ainsi à la sécurité économique. »

Trois grands domaines sont ensuite définis comme étant prioritai-res : les technologies destinées à inventer de nouveaux matériaux ; les technologies permettant l'utilisation des sources alternatives d'énergie sur une grande échelle ; et les technologies applicables aux systèmes sociaux, celles en particulier qui sont liées aux activités des personnes et des communautés (régulation des conflits sociaux).

Le *Sixième rapport du Conseil pour la science et la technologie* énumérait de son côté huit grands domaines de pointe, à la fin des années soixante-dix : les technologies liées à l'énergie ; l'électronique ; les sciences de la vie, qui incluent les biotechnologies et les sciences médicales ; les matériaux nouveaux ; les transports ; la recherche spatiale ; la recherche océanographique ; les technologies orientées vers la prévention des catastrophes naturelles.

François Chesnais

Le budget de RD de la République fédérale d'Allemagne

Les dépenses de RD de la RFA sont celles d'un pays dont la place dans le dispositif militaire mondial du « camp occidental » reflète encore les conséquences de la Deuxième Guerre mondiale. D'où les limites imposées par les traités de paix au réarmement de l'Allemagne ; d'où le soin pris par les gouvernements allemands, après la mort d'Adenauer, de maintenir des rapports « cordiaux » avec l'URSS et les États d'Europe de l'Est, RDA comprise. D'où encore la force du mouvement pacifiste allemand. La structure par grands objectifs des dépenses publiques de RD de la RFA est donc sensiblement différente de celle des États-Unis ou du Royaume-Uni (voir tableau ci-dessous).

Au cours des années soixante-dix, la RFA a maintenu sa troisième place pour les dépenses de RD dans la zone OCDE et devrait garder cette place au cours des prochaines années. Avec 2,4 % du PIB, la part de la RD allemande est l'une des plus élevées des pays de l'OCDE. Comme celle du Japon, elle est également l'une de celles qui est dirigée le plus directement vers le renforcement de la compétitivité de l'industrie.

Les grandes priorités allemandes ressortent assez clairement du budget du ministère fédéral pour la Science et la Technologie (BMFT) pour 1983 (voir tableau page 450).

En Allemagne, l'*énergie* représente indiscutablement le poste le plus important de la recherche financée par l'État. Un premier programme quadriennal a été lancé en 1978 et un second en 1981 pour la période allant jusqu'à 1983. On s'attendait à ce qu'il soit respecté pour l'essentiel par le gouvernement Kohl. La structure du financement et les principaux domaines couverts sont détaillés dans le tableau page suivante.

De même que pour le Royaume-Uni et la France, les dépenses allemandes de RD pour *l'espace* se font essentiellement dans le cadre des programmes de l'Agence européenne pour l'espace (ESA) [480], notamment les programmes de télé-

RFA : STRUCTURE DES DÉPENSES PUBLIQUES DE RD, 1975-1980 (EN %)

	1975	1980
Défense et aérospatiale	29,4	24,4
Énergie et infrastructure	25,9	30,9
Agriculture et industrie	13,2	15,3
Santé et aide sociale	15,9	15,3
Promotion générale des connaissances (à l'exclusion des fonds universitaires)	15,7	14,2
Total	100,0	100,0

RFA : BUDGET 1983 DU MINISTÈRE FÉDÉRAL
POUR LA SCIENCE ET LA TECHNOLOGIE

Domaines des programmes de RD	DM (en millions)	Changements par rapport à 1982
Énergie	2 737,8	+
Espace et aéronautique	920,2	−
Recherche fondamentale en physique et chimie	624,1	+
Promotion générale des connaissances	575,9	+
Technologies se rapportant à la santé, la nutrition et l'environnement	499,0	+
Matières premières et gestion de l'eau	373,5	−
Microélectronique	299,5	+
Transports et urbanisme	263,5	+
Recherche marine et polaire	164,9	−
Total	7 061,8	6 578,5

RFA : FINANCEMENT DES DÉPENSES PUBLIQUES
DE RD POUR L'ÉNERGIE

(en millions DM)	1981	1982	1983	1984	1985
Conservation de l'énergie	155	159	181	196	230
Charbon et énergie fossile	352	590	777	966	1 221
Énergie renouvelable	148	157	162	164	166
Total non nucléaire	655	906	1 120	1 326	1 617
Cycle de combustibles et sécurité	567	659	628	644	635
Réacteurs	654	701	693	707	808
Total nucléaire	1 221	1 360	1 321	1 351	1 443
Fusion contrôlée	94	99	100	112	120
Total	1 970	2 365	2 541	2 789	3 180

Source : Infobrief, n° 207, 5 mai 1982 et Bulletin du BMFT, juin 1982.

communication par satellite, le lancement d'Ariane et le « Spacelab » [402]. Les contributions des trois pays fournissent également l'essentiel des fonds pour les programmes Meteosat et « Satellite Orbital Test » (OTS) et les programmes de satellites de communication européenne (ECS) [378]. L'espace est l'exemple classique où, quelles que soient les divergences et rivalités, la coopération multilatérale dans un domaine de hautes technologies coûteuses s'est imposée comme une exigence impérative. Même des pays ayant un système de R D développé dans ce domaine sont contraints de partager les coûts. On note cependant une certaine spécialisation au sein de l'ESA. Ainsi en 1981, la France a financé 80 % du programme Ariane, alors que l'Allemagne a couvert les deux tiers des frais de Spacelab et le Royaume-Uni financé plus de la moitié du programme A et B des satellites de communication européenne maritime (MARECS).

En 1982, près de 20 % du financement total de la R D publique ont été consacrés à promouvoir des objectifs de productivité et compétitivité industrielles et technologiques. Cet objectif comprenait toute une liste de sous-groupes tels que les produits chimiques, les fabrications métalliques, le matériel médical, l'équipement électrique, l'électroni-

que, le matériel de transport civil, etc.

Dans un certain nombre d'industries, le gouvernement démocrate-chrétien a décidé de transformer le système de subventions directes à la R D en un système d'aides et stimulants indirects, mais les programmes coordonnés au niveau de l'État ont été maintenus dans deux domaines clés : la microélectronique (programme triennal 1982-84 orienté vers les applications industrielles de la microélectronique, en particulier au niveau de la conception des composants électroniques incorporés dans des produits) ; et la biotechnologie (promotion de sociétés de « génie génétique » ; programme de la Fondation pour la recherche biotechnologique dans le domaine de l'interféron et des anticorps ; programmes coordonnés de recherche à l'Institut Max Planck et dans les universités de Cologne et Heidelberg en particulier).

François Chesnais

La politique scientifique de la France

Des changements importants sont intervenus dans la politique scientifique et technologique française depuis l'arrivée de la gauche au pouvoir en mai 1981. Pour les comprendre, il est nécessaire de revenir brièvement sur les orientations antérieures.

De 1958 à 1967, la politique de recherche reflète la volonté du général de Gaulle de doter la France des bases scientifiques et techniques de son indépendance dans des secteurs stratégiques, tels que l'espace, l'aéronautique, l'informatique ou le nucléaire. Elle privilégie les « grands programmes » auxquels sont consacrés les deux tiers des fonds publics destinés à la recherche. C'est toutefois un « âge d'or » pour la recherche

puisque, de 1959 à 1966, la part de la recherche publique dans le PIB passe de 1,15 % à 2,13 % et le nombre des chercheurs de 9 000 à 21 000.

A cette ère de grandeur succède, après 1968, une ère de décadence, en l'absence de toute politique cohérente et dans un climat politique de plus en plus hostile à la recherche publique. Cette seconde période se caractérise par une érosion ininterrompue du potentiel scientifique et technique national. En 1980, le budget de la recherche ne représente plus que 1,8 % du PIB.

En 1981, pour la première fois en France, la politique scientifique et technique est un thème essentiel de la campagne présidentielle. François

FRANCE : STRUCTURE DES DÉPENSES PUBLIQUES DE R D, 1975-1980 (EN %)

	1975	1980
Défense et aérospatiale	45,6	49,3
Énergie et infrastructure	17,6	16,0
Agriculture et industrie	13,1	12,2
Santé et aide sociale	6,5	7,5
Promotion générale des connaissances (à l'exclusion des fonds universitaires)	17,1	15,0
Total	100,0	100,0

Mitterrand présente la science et la technologie comme les instruments privilégiés pour « sortir de la crise » et réaliser le « changement de société » dont la gauche a fait son cheval de bataille, et s'engage solennellement à porter l'effort de recherche à 2,5 % du PIB.

Après les élections, une des premières initiatives sera l'organisation d'une vaste concertation nationale destinée à mobiliser les chercheurs, et surtout l'opinion, sur le thème des enjeux de la « culture technique ». Ces « Assises nationales de la recherche » seront suivies en juin 1982 de la création d'un grand ministère de la Recherche et de l'Industrie chargé d'impulser la dynamique sociale et économique d'un changement par (et dans) la science.

Parallèlement est mise en œuvre une loi d'orientation et de programmation fixant la croissance des crédits budgétaires à 17,8 % par an en volume (13 % pour la recherche fondamentale) et celle du nombre des chercheurs à 4,5 % jusqu'en 1985. Cette loi définit également les nouvelles orientations de l'effort de recherche. Parmi les actions envisagées figurent la promotion de grands programmes de développement technologique fondés sur le principe des « filières » (électronucléaire, espace, aéronautique, civile, océans, ...), la mise en place de « recherches finalisées » [476] à caractère industriel dans des secteurs tels que

l'agro-alimentaire, la mécanique, la chimie ou les matières premières et le lancement de « programmes mobilisateurs » destinés à associer de façon cohérente laboratoires publics et industriels sur des objectifs d'intérêt national. Les premiers programmes retenus concernent l'énergie, la biotechnologie, l'électronique, la recherche au service du développement, l'emploi et les conditions de travail, le développement technologique du tissu industriel et la promotion du français comme langue scientifique.

Les réformes entreprises sont aussi d'ordre institutionnel : création dans chaque région d'un comité consultatif, d'une direction de la Recherche et de centres de culture technique; réforme du CNRS; attribution aux chercheurs et techniciens d'un statut dérogatoire à la fonction publique; création d'un Centre d'études sur les systèmes techniques avancés (CESTA), d'un Centre de prospective et d'évaluation, d'un Centre mondial pour la micro-électronique... Il est également décidé de poursuivre la réalisation du grand Musée national des sciences et des techniques mis en chantier sous le septennat précédent et de créer un Office parlementaire d'évaluation des choix technologiques.

Quant à la recherche industrielle, qui avec 1,1 % du PIB en 1980 plaçait l'effort de la France derrière celui des États-Unis, de l'Allemagne de l'Ouest, du Japon et même du Royaume-Uni, elle voit avec la nationalisation des principaux groupes industriels sa part directement contrôlée par l'État doubler, jusqu'à représenter désormais plus de la moitié du potentiel effectif, ce qui est de nature à faciliter la réalisation des objectifs publics.

L'État français, qui a désormais en main les trois quarts du potentiel national de recherche, s'est donc doté des moyens de réaliser la politique scientifique et technique dont

le projet socialiste de 1980 faisait la pièce maîtresse de sa stratégie pour sortir de la crise. Indépendamment de la pertinence de cette analyse à court terme, on peut cependant s'interroger sur ce qu'il adviendra de ces prémisses bien intentionnées au contact des dures réalités. Les obstacles à ce « colbertisme gaullien » sont en effet nombreux, de l'inertie des structures traditionnelles aux difficultés économiques et financières liées à la crise et à l'« austérité ».

Geneviève Schmeder

BIBLIOGRAPHIE

Ouvrages

Construire l'avenir. Livre blanc de la recherche, La Documentation française, Paris, 1980.

Actes du Colloque national « Recherche et technologie », Seuil, Paris, 1982.

Politique nationale de la science : France, OCDE, Paris, 1967.

PAPON P., *Le pouvoir et la science en France*, Editions du Centurion, Paris, 1979.

Le budget de RD du Royaume-Uni

Le Royaume-Uni est le pays de l'OCDE dont la structure des dépenses gouvernementales de RD se rapproche le plus de celle des États-Unis. Les dépenses de RD représentaient en 1979 environ 2,2 % du PIB, ce qui est considérable étant donné le taux de croissance très faible de l'économie britannique même avant la crise et le niveau de chômage particulièrement élevé (plus de 3 millions depuis 1980 soit 11,7 % de la population active). Or, plus de 60 % du total des dépenses

gouvernementales de RD (et près de 35 % des dépenses totales) sont dirigés vers le secteur militaire (voir tableau page suivante).

Avant même que l'expédition victorieuse aux Malouines ne vienne renforcer le rôle de l'armée, le gouvernement Thatcher avait indiqué sa volonté de continuer à accorder la priorité absolue à la RD militaire. Le détail des dépenses peut être mieux apprécié depuis la publication en 1981 d'une annexe statistique substantielle à la déclaration an-

ROYAUME-UNI : STRUCTURE DES DÉPENSES PUBLIQUES DE RD, 1975-1980 (EN %)		
	1975	1980
Défense et aérospatiale	63,2	64,8
Énergie et infrastructure	10,3	10,1
Agriculture et industrie	8,2	8,3
Santé et aide sociale	4,1	3,9
Promotion générale des connaissances (à l'exclusion des fonds universitaires)	14,1	12,9
Total	100,0	100,0

nuelle sur le budget militaire (Defense Estimates), qui contient des données sur la RD. Il est difficile de mesurer les changements exacts survenus dans le volume de la RD de défense, toutes les données pour 1980 étant exprimées en prix budgétaires spéciaux. Il semblerait cependant que la RD militaire doive s'accroître au cours des années quatre-vingt et que des changements soient attendus dans la catégorie de la RD de défense financée. Ainsi selon les « Estimates » de 1981, la part de l'aviation militaire dans le financement total de la RD devrait baisser de presque 10 % entre 1979 et 1981, de même que la construction des navires de surface, la guerre sous-marine et les missiles téléguidés obtenant les accroissements les plus importants en pourcentage.

Un rapport préparé sous l'égide du ministre de la Défense a précisé que conformément à la doctrine du « thatchérisme » ces dépenses devaient être faites de la manière la plus favorable au secteur privé. Les recherches menées au Royaume-Uni sur les relations entre le secteur militaire et la grande industrie monopolistique ont montré pourtant que c'était précisément là l'une des causes du parasitisme des grandes entreprises et du déclin de la compétitivité britannique.

Comme on pouvait s'y attendre, le gouvernement Thatcher a annoncé

ANALYSE FONCTIONNELLE DES DÉPENSES DE RD DANS LE BUDGET DE LA DÉFENSE DU ROYAUME-UNI			
	1979-80	1980-81	1981-82
Aviation militaire	38,1	34,4	29,7
Navires de surface et guerre sous-marine	12,9	14,1	17,8
Missiles téléguidés	10,8	12,4	13,3
Autres électroniques	14,2	15,6	15,5
Artillerie	8,0	8,1	9,0
Autre RD	16,0	15,3	14,8
Total	100,0	100,0	100,0

Source : Déclaration sur les « Defense Estimates » 1981, volume 2, tableau 2.4.

en 1981 d'importantes coupures dans le montant des fonds généraux destinés aux universités. Celles-ci ont déjà fait sentir leur influence en 1981-1982, mais leur impact se fera surtout sentir au cours des prochaines années. Bien que certaines coupures soient largement réparties,

l'University Grants Committee a décidé que les universités techniques (ex-Colleges of Advanced Technology) en subiront l'essentiel. Mais toute la recherche universitaire sera touchée, notamment les sciences sociales.

François Chesnais

La politique scientifique de l'URSS

La science a toujours figuré parmi les priorités de la politique de l'État soviétique. Le Parti communiste intervient à tous les niveaux de l'élaboration et de l'application de la politique scientifique. Le Comité central a un département consacré aux sciences et à l'enseignement supérieur et supervise ainsi toute l'activité scientifique, y compris les questions idéologiques. C'est le conseil des ministres qui exerce la direction générale, mais la planification et la coordination directes de la recherche et du développement sont prises en charge par toute une série d'organismes gouvernementaux annexes. Il s'agit en particulier du Comité d'État pour la science et la technologie (GKNT), du Comité d'État au plan (Gosplan) et de l'Académie des sciences de l'URSS. Le GKNT est responsable de l'ensemble de la politique nationale en matière de sciences et de technologie, et fixe, de concert avec l'Académie, les grandes directions du développement. La planification de la recherche-développement est du ressort de l'Académie, du GKNT, du Gosplan et des ministères responsables des activités économiques. Le GKNT approuve et contrôle la réalisation des programmes d'ensemble pour résoudre les principaux problèmes de recherche-développement qui relèvent de la compétence de

plusieurs départements. Le Gosplan est chargé de la planification de l'innovation technologique. Existe aussi un Comité d'État pour les inventions et découvertes, qui coordonne les inventions et les brevets, avec l'aide d'une Société des inventeurs, composée de plus de 12 millions de membres volontaires.

Ces dernières années, les axes principaux de la politique scientifique et technique ont été l'accélération du passage aux applications pratiques de la recherche fondamentale, l'amélioration de l'efficacité de l'organisation de la recherche-développement et la mise en action plus rapide et plus efficace de l'innovation technologique. On a mis aussi davantage l'accent sur la prospective : un programme scientifique prévisionnel sur 20 ans est en cours d'étude, afin d'aider à déterminer les priorités de la recherche.

On peut dégager certaines priorités du Plan quinquennal 1981-1985. La recherche dans le domaine de l'énergie vient en tête, en particulier l'énergie nucléaire. Des recherches actives sont menées sur les énergies solaires (surtout en Asie centrale), géothermique et éolienne. Le programme de recherches sur la fusion thermonucléaire a été maintenu à un haut niveau, et on le considère comme fondamental pour fournir une source d'énergie fiable au

XXIᵉ siècle. Le programme de recherches spatiales se poursuit sur une échelle notable, les efforts étant axés sur la création de stations spatiales habitées en permanence. Une navette spatiale réutilisable est, croit-on savoir, en cours de réalisation. On met l'accent sur les retombées économiques profitables du programme spatial.

Relativement négligées jusque dans les années soixante, les sciences biologiques se développent aujourd'hui rapidement. Une partie de l'important effort actuel de recherche en biotechnologie est consacrée à la productivité agricole. La microélectronique et l'informatique, secteurs relativement retardataires dans les années soixante, ont fait des progrès au cours des années soixante-dix, et font maintenant l'objet d'une attention particulière. On a mis également l'accent sur l'automation industrielle : étant donné la pénurie croissante de main-d'œuvre, un important programme de recherche-développement en robotique est en cours. Parmi les autres priorités figurent les lasers, les matières synthétiques, l'océanographie et les sciences écologiques et de l'environnement.

Les investissements en recherche-développement sont passés de 3,9 milliards de roubles en 1960, à 11,7 milliards en 1970, et à 23,8 milliards en 1982. Le budget de l'État en finance moins de la moitié, le reste provenant des ressources internes des ministères industriels et autres ministères. Au cours des années soixante-dix, 9 % des dépenses totales en recherche-développement étaient affectées à la recherche fondamentale, 28 % à la recherche appliquée, et 63 % au développement.

Au sein du Comecon, existe une collaboration étroite au niveau de projets collectifs de recherche-développement et de certains programmes de développement scientifiques et technologiques comme le programme de recherche spatiale Interkosmos et le programme de développement conjoint de l'informatique [482]. Au début des années quatre-vingt, la coopération s'est intensifiée en microélectronique et en robotique. Quant aux relations scientifiques avec les pays capitalistes, elles se sont considérablement développées depuis la fin des années soixante, et de nombreux accords intergouvernementaux à long terme ont été conclus. C'est l'Académie des sciences qui est responsable, au niveau le plus élevé, des relations pour la recherche fondamentale, tandis que le GKNT s'occupe de la coopération technologique avec les firmes occidentales.

De nouvelles formes d'acquisitions de technologies ont été adoptées dans les années soixante-dix : en 1981, étaient en cours 70 projets comprenant des accords de collaboration réciproque avec des firmes occidentales. La participation aux échanges internationaux des brevets s'est accrue depuis 1965, lorsque l'URSS a adhéré à la convention de Paris pour la protection de la propriété industrielle. De 1976 à 1980, près de 300 brevets étrangers ont été acquis et 720 brevets soviétiques ont été vendus à l'étranger ; mais les achats se sont limités à 64 millions de dollars en 1980, soit moins du onzième des dépenses correspondantes aux États-Unis. L'érosion de la détente à la fin des années soixante-dix a conduit à une certaine mise en veilleuse des relations scientifiques avec les pays capitalistes, en particulier avec les États-Unis.

Julian M. Cooper

La politique scientifique de la RDA

Selon sa Constitution, « la République démocratique allemande (RDA) doit favoriser le développement de la science, de la recherche et de la culture, afin d'améliorer les conditions de vie de ses citoyens. Dans ce but, la révolution scientifique et technique doit être incluse dans le développement socialiste ». En pratique, cela signifie que la recherche scientifique en RDA fait partie intégrante de l'économie centrale planifiée, et que les plans quinquennaux fixent les programmes de recherche et de développement, comme pour n'importe quel autre secteur d'activité.

Les dirigeants mettent l'accent sur la recherche fondamentale, qu'ils considèrent comme la base de tous les progrès futurs (y compris par ses retombées imprévues). Mais la liste des objectifs assignés à cette recherche fondamentale est manifestement conçue pour qu'elle fournisse l'arsenal théorique permettant de résoudre des problèmes de production : on estime ainsi que 60 % des membres des Instituts scientifiques relevant de l'Académie des sciences travaillent sur des problèmes de recherche « fondamentale » liés à la technologie.

La RDA étant un pays pauvre en ressources naturelles (sauf en charbon et en lignite, mais de qualité inférieure) et souffrant d'un manque chronique de main-d'œuvre, les autorités est-allemandes considèrent que seule une augmentation de la productivité du travail pourra entraîner la croissance économique. Les principaux objectifs de la recherche fondamentale sont donc largement déterminés par les impératifs en matière d'économies d'énergie et de ressources naturelles, d'automatisation industrielle et de développement des technologies de pointe, telles que la micro-électronique et l'informatique.

La RDA tente de mesurer la valeur des grandes innovations en termes d' « effets économiques » – c'est-à-dire en gains nationaux en matière d'épargne et de revenus que leur introduction permettra de réaliser. L'estimation économique des gains dus à la science est même poussée très loin, au point qu'à l'automne 1982, le chef du Parti, Erik Honecker, se plaignait de ce que l'augmentation de la productivité due à la science n'était que de 6 %, alors que l'investissement en matière de recherche scientifique avait augmenté d'environ 12 %.

Le financement de la recherche se fait soit par l'intermédiaire du plan, soit par contrat entre les instituts scientifiques et l'industrie. Les théoriciens politiques affectionnent ce dernier mode, car ils le considèrent comme un exemple des liens qui doivent s'établir entre travailleurs et intellectuels. Cependant, plus de 50 % des travaux réalisés au début des années quatre-vingt dans les instituts scientifiques ont été entrepris à la demande de la présidence de l'Académie des sciences, laquelle se base sur des directives du Parti et du gouvernement. A en juger d'après les fréquentes exhortations des autorités ministérielles, le secteur de l'innovation et de la diffusion reste le maillon le plus faible dans la promotion de la révolution scientifique et technique.

Enfin, la politique d' « amitié inaliénable » de la RDA envers l'Union soviétique et les pays socialistes de l'Europe de l'Est fait qu'elle est un participant de premier plan aux programmes communs de recherche scientifique et technique de ces pays [482]. La RDA est particulièrement intéressée par des programmes communs en matière d'énergie nucléaire, d'informatique et de systèmes de transport intégrés. Elle participe également aux expériences spatiales grâce au programme Interkosmos. Elle fut le troisième des pays alliés de l'Union soviétique à envoyer un cosmonaute, Sigmund Jahne, en sep-

tembre 1978, dans un satellite Saliout. La R D A fournit la plupar du matériel optique sophistiqu embarqué à bord des satellites et de vaisseaux spatiaux interplanétaire inhabités.

Vera Ric

La politique scientifique de la Chine

Encore peu industrialisée, si l'on excepte quelques régions favorisées, et peuplée en grande partie d'une paysannerie pratiquant une agriculture peu mécanisée, la Chine s'est forgé pour les décennies à venir un gigantesque plan de modernisation. Opération audacieuse si l'on pense que le gouvernement chinois veut faire basculer plus d'un milliard d'hommes vers une société moderne où la science et la technique jouent un rôle moteur.

Tous les programmes élaborés en Chine doivent prendre en compte une réalité économique difficile (population pauvre, manque de moyens financiers), un équipement souvent vétuste et insuffisant, un personnel scientifique au niveau très inégal; certains grands patrons de recherche ont été formés dans les meilleurs instituts américains, alors que d'autres scientifiques ont payé de plusieurs années de séjour à la campagne les remous politiques de la Révolution culturelle (1966-1976).

Dans tous ses projets de recherche, la Chine s'efforce de se conformer à quelques principes.

— Le but de la recherche est d'aider le développement économique; c'est ainsi que les recherches militaires passent souvent en second plan au profit de programmes directement liés aux grands projets économiques du moment.

— Lorsqu'un choix est nécessaire,

on favorise les recherches qui visen à améliorer la production et à l rationaliser. Les technologies mo dernes de production sont introdui tes de façon progressive et planifiée on évite ainsi la crise profonde qui n manquerait pas de se produire si l mécanisation et l'automatisatio étaient réalisées trop rapidemen créant des dizaines de millions d chômeurs.

— La recherche se pratique auss bien dans les laboratoires que dan les usines, ateliers, unités agricoles. Des contacts multiples sont encoura gés et les résultats des recherche popularisés.

— La recherche fondamental coûtant en général très cher, le programmes trop ambitieux son abandonnés. Cela n'empêche pas l Chine d'obtenir des succès e recherche fondamentale, en particu lier en biologie et en mathémati ques.

— La Chine est consciente de so retard scientifique dans nombre d domaines et cherche à assimiler le résultats et les techniques étrangers Cependant, elle n'arrive pas toujour à contourner deux tendances contra dictoires et nuisibles à son dévelop pement : une surestimation de se forces alliée à une ignorance superb de l'étranger, ou au contraire un admiration sans nuance de tout c qui vient des autres pays.

— Administrer la recherche dan

un pays aussi vaste est une tâche redoutable et des efforts particuliers sont à prévoir pour éviter la dispersion, la répétition des mêmes recherches dans des instituts différents et la rétention d'informations ou de résultats par un institut.

– La liberté de recherche et de discussion est garantie au scientifique. Grand principe essentiel à un développement scientifique mais qui fut parfois mis à mal durant certaines périodes de l'histoire de la République populaire (en particulier les « années noires » de 1966 à 1976).

– Cet effort scientifique est soutenu par un travail intense de vulgarisation et d'éducation, particulièrement en direction des campagnes.

À chaque niveau (central ou locaux) de l'administration, des fonds annuels sont alloués pour la recherche aux unités intéressées (laboratoires, instituts, ...). De plus, les grands thèmes de recherche d'intérêt national sont financés sur crédits spéciaux mis à la disposition de la Commission d'État pour la science et la technologie. Enfin, les entreprises consacrent une partie de leur budget aux recherches concernant directement leurs activités.

La République populaire de Chine publie peu de statistiques sur ses activités scientifiques. En 1975, elle a consacré environ 4 milliards de yuans à la recherche et au développement et 5,3 milliards en 1979. Ce chiffre est en progression moyenne de 10 % par an. Cet argent sert à financer les activités scientifiques d'environ 2 millions de chercheurs et de 2,5 millions de techniciens travaillant sur les projets scientifiques. La gestion d'un personnel aussi nom-

breux est une des pierres d'achoppement de la politique chinoise de recherche et développement. La modicité des budgets et la pauvreté générale du pays sont d'autres freins à un effort qui durera sans doute plusieurs dizaines d'années.

Roland Trotignon

BIBLIOGRAPHIE

TSIEN TCHE-HAO, *L'enseignement supérieur et la recherche scientifique en Chine populaire*, LGDJ, Paris, 1971.

Les sciences et les technologies en République populaire de Chine, OCDE, Paris, 1977.

La politique scientifique de l'Inde

L'Inde est l'un des pays du tiers monde dont l'infrastructure scientifique et technologique est la plus développée. Depuis son indépendance en 1947, elle n'a cessé d'accroître les investissements en recherche et développement, si bien qu'elle dispose maintenant de plus de 2,5 millions de scientifiques et d'ingénieurs qualifiés.

Les activités scientifiques et technologiques relèvent en Inde de trois grands groupes : le gouvernement fédéral, les gouvernements des États et l'industrie privée (y compris des associations coopératives de recherche). Cependant, la majeure partie des crédits pour la recherche et le développement proviennent de sources gouvernementales, en particulier des quatre principaux organismes de recherche scientifique et technique qui dépendent directement du Premier ministre : le Département de l'énergie atomique (DAE), l'Organisme de recherche spatiale de l'Inde (ISRO), le Département des sciences et techniques (DST) et le Conseil de la recherche scientifique et industrielle (CSIR). Outre ces quatre organismes, d'autres ministères ou départements ministériels du gouvernement central participent au financement de la recherche, en particulier les ministères du Ravitaillement, de l'Agriculture, de la Pêche et des Forêts, ainsi que celui de la Météorologie civile et de l'Industrie privée.

Une grande partie des investissements scientifiques et technologiques de l'Inde va à l'énergie atomique et à l'espace. Le Centre de recherche nucléaire Bhabha, à Bombay, est le plus grand institut de recherche de l'Inde. Il dispose de quatre réacteurs expérimentaux : Apsara, réacteur à piscine de 1 mégawatt ; Cirus, réacteur de 40 méga-watts, construit avec l'aide des Canadiens ; Zerlina, réacteur expérimental (non destiné à la production d'énergie) et Purnima, réacteurs à neutrons rapides (non destiné à la production d'énergie). Parmi les autres centres, on peut citer le réacteur atomique de Tarapur, construit en collaboration avec les États-Unis ; le centre nucléaire de Rana Pratap Sagar, au Rajastan ; le centre nucléaire et le centre de recherches sur les surgénérateurs [361] de l'État de Madras, à Kalpakkam ; et l'institut Tatta de recherche fondamentale à Bombay. L'institut de physique nucléaire Saha fut commandé en 1978 en même temps que diverses installations nucléaires dans plusieurs universités.

Actuellement, l'Inde construit aussi deux centrales à eau lourde pour augmenter son potentiel nucléaire. Les centrales existantes fonctionnent assez mal depuis quelques années, surtout en raison de ruptures d'approvisionnement en combustible. La centrale de Tarapur, seule à fonctionner à l'uranium enrichi, n'atteint que 80 % de sa capacité depuis que les États-Unis ont résilié leur contrat d'approvisionnement. Les nouvelles centrales, dont l'une est prévue sur la rivière Godavari, dans l'État d'Andhra Pradesh, seront construites sans aide étrangère et sans importation de technologie.

La recherche spatiale indienne a pour but de développer une technologie complémentaire des grands programmes de développement nationaux. L'Organisme de recherche spatiale de l'Inde (ISRO) espère construire et lancer ses propres satellites. Il mène actuellement des expériences en vue de mettre au point des systèmes de télédétection [381]. L'ISRO possède quatre centres principaux de recherche et développement, dont le plus important est le Centre spatial Vikram Sarabhai (VSSC) de Tumba, dans la pointe sud de l'Inde. Parmi les programmes majeurs en cours, citons la réalisation du satellite expérimental de télédétection, la mise au point de la fusée indienne SLV-3 et celle d'une série de satellites nommée Rohini. L'Inde a aussi un programme de collaboration avec l'Agence spatiale européenne pour la fabrication du satellite APPLE (Ariane Passenger Payload Experiment).

L'accent mis sur l'énergie nucléaire et l'espace a suscité des critiques : on a dit que l'Inde prêtait trop peu d'attention aux problèmes de la pauvreté et du sous-développement. Ces critiques ont amené le gouvernement à encourager la recherche agronomique et accentuer les efforts vers l'autonomie industrielle. Un programme en vingt points a été lancé et l'année 1982 a été proclamée année de la productivité nationale. Dans ce programme, priorité est donnée à une agriculture en terrain sec, adaptée aux principaux types de sol, de pluviométrie et d'assolement. En outre, on a donné de plus grandes responsabilités dans la recherche et le développement aux universités agronomiques. Trois autres domaines de recherche font actuellement l'objet d'une attention particulière : les biotechnologies, l'immunologie et la micro-électronique. Un énorme complexe de micro-électronique est en cours d'installation à Delhi, qui doit doter l'Inde d'une base de recherche dans ce secteur en développement rapide.

Une des contributions majeures de l'Inde concerne la science et les technologies « alternatives » [161]. Des instituts de recherche (comme le Centre pour l'application de la science et de la technologie aux régions rurales, à Bangalore, ou le Centre scientifique rural de Magan Sangrahalya, Wardha) et des organismes comme le Mouvement scientifique populaire au Kerala, font un effort constant pour mettre la science et la technologie à la disposition des masses rurales, qui représentent la majeure partie de la population de l'Inde. Ils ont pu ainsi définir à la fois de nouvelles technologies et de nouvelles idées. Et ce travail continue malgré un manque évident de soutien gouvernemental.

Ziauddin Sardar

La politique scientifique du Brésil

Parmi les pays du tiers monde, le Brésil est l'un de ceux qui a consenti les plus importants efforts pour assimiler la technologie des pays industrialisés et, chaque fois que cela était possible, élaborer ses propres produits à destination du marché mondial. C'est au début des années soixante-dix que le Brésil a engagé de vastes programmes pour conquérir son indépendance technologique. C'est notamment de cette période que date la mise sur pied d'une industrie aéronautique locale.

En 1974, EMBRAER, la société nationale de développement et de production aéronautique, envoya un ultimatum aux entreprises fournissant le Brésil en avions légers, particulièrement à trois sociétés américaines (Cessna, Beech et Piper) : elles ne continueraient à avoir accès au marché brésilien que si elles établissaient un programme de production locale d'aviation légère et si elles transféraient leur savoir-faire technologique aux compagnies locales et à l'Armée de l'air brésilienne, afin que le Brésil développe sa propre flotte aérienne. Seul Piper, le plus petit fournisseur, accepta ces conditions.

La coopération EMBRAER-Piper a bien fonctionné, et EMBRAER a remporté de nombreux succès. Son avion à turbo-propulseur « Bandeirante », conçu pour vingt passagers, et entièrement fabriqué au Brésil, a notamment trouvé un créneau sur le marché mondial. Cet avion s'est bien vendu dans les autres pays du tiers monde, ainsi qu'aux États-Unis où les consommateurs furent probablement attirés par son prix de revient très compétitif. A la fin de l'année 1982, EMBRAER avait fabriqué 200 avions et avait joué un rôle important en transférant diverses technologies à ses 200 fournisseurs locaux.

Le Brésil a également obtenu un succès important dans le domaine des énergies alternatives. Le gouvernement a mis en place en 1974 un programme « alcool » qui a permis de réduire la consommation de pétrole (lequel est importé en grande quantité) grâce au mélange à l'essence d'alcool produit sur place à partir du sucre de canne et du manioc [344]. Ce programme n'a toutefois de sens que pour un pays comme le Brésil, dont la balance des paiements est très déficitaire : le prix de revient d'un baril d'alcool est encore près de deux fois plus élevé que celui d'un baril de pétrole sur le marché courant.

Le gouvernement brésilien a été moins heureux dans sa tentative de mise en place d'une industrie informatique nationale. A la fin des années soixante-dix, il avait encouragé cinq sociétés privées brésiliennes à commencer la fabrication de micro-ordinateurs, en passant avec des firmes étrangères des contrats prévoyant des transferts de technologies [148]. Bien que ces sociétés aient fabriqué et vendu effectivement leurs propres micro-ordinateurs en 1983, cette politique n'a pas remporté un succès total : le coût des machines fabriquées sur place restait sensiblement supérieur à celui des machines importées.

Le gouvernement brésilien a fait face à des problèmes encore plus graves en ce qui concerne son ambitieux programme nucléaire. En 1975, il avait signé un marché important avec la RFA pour l'achat de vingt réacteurs nucléaires, tous basés sur la technologie allemande des réacteurs à eau légère. En échange, la société allemande Kraftwerk Union acceptait de transférer son savoir-faire technologique de haut niveau. En fait, au début de l'année 1983, le programme nucléaire du Brésil était en déroute. Son premier réacteur (fourni d'ailleurs par la firme américaine Westinghouse) a dû être momentanément arrêté, pour les mêmes raisons qui freinent les programmes nucléaires dans le monde entier. De plus, des études préliminaires ont montré que les réacteurs ouest-allemands allaient coûter très cher à faire fonctionner, et le gouvernement a donc réduit ses commandes à deux réacteurs seulement. Il semble que le gouvernement brésilien poursuive néanmoins clandestinement son projet de construire ses propres armes nucléaires avec l'aide ouest-allemande [176].

Sue Branford

BIBLIOGRAPHIE

Ouvrages

BARANSON J., *North-South Technology Transfer : Financing and Institution Building*, Lmond Publication, États-Unis, 1981.

CORIAT B., *Alcools*, Christian Bourgois, Paris, 1982.

ROTHMAN H., GREENSHIELDS R., ROSILLO-CALLÉ F., *The Alcool Economy : Fuel Ethanol and the Brazilian Experience*, Frances Pinter, Londres, 1983.

LES MÉCANISMES DE LA RECHERCHE ET DE L'INNOVATION

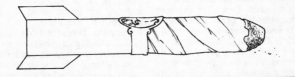

Le complexe militaro-industriel américain

L'armée est la plus grande entreprise des États-Unis. Pour l'année budgétaire 1983-84, l'administration Reagan prévoyait de dépenser 284 milliards de dollars au titre du budget de la défense. Une grande partie en sera affectée à l'achat de nouveaux équipements : missiles, avions, satellites et systèmes de téléguidage ; une partie moins importante, mais substantielle, sera utilisée à financer la recherche et le développement nécessaires aux systèmes d'armements de l'avenir.

Pratiquement toutes les armes utilisées par les forces armées américaines sont fabriquées par des entreprises américaines. Ces mêmes entreprises effectuent aussi une grande partie de la recherche et du développement de la Défense. Pour nombre des firmes les plus importantes (y compris des géants de la production civile comme la compagnie téléphonique ATT ou General Motors),

l'armée représente un des plus gros clients, sinon le plus gros, représentant jusqu'à 10 % ou 20 % des ventes annuelles. Mais il existe aussi un vaste ensemble de sociétés dites de « second rang » dont l'armée est le client le plus important, et dont la survie est donc étroitement liée aux dépenses gouvernementales en matière d'armement et d'équipements militaires nouveaux.

Ces dernières sociétés forment le noyau de ce qu'on appelle le « complexe militaro-industriel ». Pour certaines d'entre elles, l'armée absorbe 80 % à 90 % de leur production et leur apporte le même pourcentage de profit, voire davantage. Dans la liste de ces entreprises, on trouve aussi bien des noms familiers que des noms peu connus. En 1981, les trois principaux partenaires de la défense américaine étaient General Dynamics (3 500 millions de dollars), McDonnel Douglas (3 200 millions de dollars) et United Technologies (3 100 millions de dollars). Ils étaient suivis par les branches militaires de Boeing Corporation (2 400 millions de dollars), General Electric (2 200 millions de dollars) et Lockheed Corporation (2 000 millions de dollars). Les plus importants étaient ensuite Hughes Aircraft, Raytheon, Tenneco et Grumman.

Chacune de ces firmes entretient d'étroites relations avec le département de la Défense. Beaucoup d'entre elles se mettent en cheville avec les militaires dès le stade de la conception initiale des nouveaux systèmes d'armes. Puis elles exercent des pressions au niveau du Congrès (par le système des « lobbies ») pour obtenir le déblocage des fonds nécessaires à la réalisation et à l'achat de ces armes. Pour ce travail de pression en sous-main dans les circuits politico-administratifs de Washington, les entreprises font souvent appel à des officiers supérieurs à la retraite. Une enquête réalisée en 1960 montra que 691 généraux, amiraux ou colonels à la retraite travaillaient pour dix des plus importantes sociétés partenaires du département de la Défense, 186 étant employés par la seule General Dynamics. La situation n'était guère différente au début des années quatre-vingt.

La « firme Amérique »

La première critique notable du pouvoir occulte représenté par cette étroite collaboration entre hiérarchie militaire et industries fournisseuses de l'armée fut avancée de manière inattendue par un ancien général, le président Dwight Eisenhover. C'est lui, en effet, qui forgea la notion de « complexe militaro-industriel » dans son message à la nation du 17 janvier 1961 : « Le gouvernement doit se méfier de l'influence démesurée que pourrait prendre volontairement ou involontairement le "complexe militaro-industriel." »

Mais on estime souvent que ce terme de « complexe militaro-industriel » est trop restrictif : en effet, d'autres forces sociales – en particulier les grandes universités et les instituts de recherche privés – poussent souvent à la collaboration du gouvernement et des industriels pour le développement de nouveaux systèmes d'armes, car elles profitent également des retombées financières, qui vont de contrats de recherches importants à la création de milliers d'emplois. Le sénateur William Proxmire, un des plus virulents critiques de cette collaboration, a suggéré un terme selon lui plus approprié : « complexe militaro-industrialo - bureaucratico - intellectualo-technologico-universitaire »!

D'autres soutiennent que les relations Défense-industrie ne se distinguent guère de celles qui existent entre toute autre agence gouvernementale et les entreprises avec lesquelles elle passe des contrats ou dont les activités dépendent de ses décisions : par exemple, les industries agro-alimentaires et pharmaceutiques qui entretiennent souvent des groupes de pression importants à Washington. Ils soulignent aussi qu'en raison de la vigilance du Parlement, le taux de profit moyen que réalisent les partenaires de la Défense nationale dépasse rarement de manière significative celui que réalisent les industriels s'occupant du développement des technologies civiles.

Mais il est indéniable que les sociétés qui font des affaires importantes avec le département de la Défense influencent considérablement les militaires dans la conception et le choix des nouveaux armements. Un responsable de la General Dynamics, par exemple, a déclaré : « Nous cherchons à anticiper les besoins de l'armée dans les trois années à venir. Nous travaillons avec les planificateurs militaires et nous obtenons ainsi de nouveaux contrats. » De même, le président du secteur « aérospatial et armement » d'un autre partenaire important de l'armée, North American Rockwell, a reconnu qu' « un nouveau système d'armes naît généralement d'une rencontre entre responsables de l'armée et de l'industrie qui discutent ensemble de problèmes communs ».

Le complexe militaro-industriel est devenu la cible principale des violentes manifestations contre la guerre du Vietnam, à la fin des années soixante. Des sociétés comme la Dow Chemicals ont été attaquées en raison de leur production de défoliants utilisés pour dévaster des régions entières du Vietnam, ou d'autres, comme Honeywell, en raison de sa production d'ordinateurs militaires servant à la guerre électronique. Le complexe militaro-industriel en est arrivé à symboliser les tendances agressives, impérialistes et anti-démocratiques de ce que les protestataires appelaient « America Incorporated » (la firme Amérique). Et les propos du président Eisenhower, jusque-là pratiquement ignorés, devinrent le cri de ralliement de la « Nouvelle gauche » et de ses sympathisants libéraux.

Les pressions en coulisse des industriels

Au début des années soixante-dix, le budget de la Défense nationale a baissé rapidement et, par voie de conséquence, les profits des principaux partenaires industriels de l'armée ainsi que leur influence à Washington. Cependant leur présence restait forte. En 1975, par exemple, le responsable principal de la recherche du Pentagone fut sévèrement réprimandé et mis à l'amende d'un mois de salaire pour avoir accepté de président de Rockwell dans un centre de vacances de la firme : une de vacances de la firme : une semaine après, ce responsable avait confirmé le financement d'un contrat d'achat de missiles à Rockwell,

alors que des projets d'économie dans les dépenses militaires menaçaient auparavant ce contrat.

Vers la fin des années soixante-dix, le budget militaire a recommencé à croître. Les premières augmentations notables furent l'œuvre du président Carter qui, bien que sceptique devant certains projets présentés par l'industrie de l'armement – comme les propositions de Rockwell concernant le bombardier « B1 » – , appuya le financement d'autres projets, particulièrement en matière de missiles de croisière [419].

Cette expansion budgétaire redonna vie aux groupes de pression agissant en coulisse. Lorsque le département de la Défense demanda au Parlement une rallonge pour moderniser les têtes de 300 des 550 missiles « minuteman » existants, General Electric, voulant maintenir toute sa chaîne d'assemblage de têtes nucléaires en prévision d'éventuels contrats ultérieurs pour des missiles MX [419], réussit à persuader le ministre de la Défense de doubler la demande de 34 millions de dollars initialement prévue par l'administration. De même, quand Boeing fut choisi comme partenaire n° 1 pour construire l'une des versions du missile de croisière, General Dynamics, son principal concurrent, se livra à une intense campagne de pression en coulisse, attirant par exemple l'attention de tel ou tel député sur les pertes d'emplois qui en découleraient dans sa circonscription électorale. Une semaine plus tard, le département de la Défense annonçait l'octroi d'un contrat pour un nouveau missile de croisière à General Dynamics...

Les pressions n'ont pas lieu que dans un sens : si les industriels peuvent pousser à des commandes plus importantes en armement conventionnel, le département de la Défense peut, à l'inverse, pousser les firmes industrielles à développer des technologies nouvelles sans application civile apparente immédiate, mais qui peuvent s'avérer par la suite lucratives. Ainsi en a-t-il été du développement de micro-ordinateurs « super-intelligents » utilisés pour le guidage des missiles.

La prospérité assurée

La technologie connue sous le nom de « circuits intégrés à très haute vitesse » (VHSIC) [271] avait très peu de partisans dans l'industrie des semi-conducteurs au moment où elle a été imaginée par les chercheurs de l'armée, en 1980. C'est pourquoi le département de la Défense décida de mettre sur pied son propre programme de recherche et de développement en la matière, distribuant des centaines de milliers de dollars à quelques-unes des principales firmes d'informatique et de semi-conducteurs, ainsi qu'aux laboratoires universitaires de pointe, afin de développer cette nouvelle technologie. Deux ans plus tard, en 1982, la plupart des sociétés, auparavant sceptiques, débordaient d'enthousiasme pour la technologie des VHSIC, qualifiée désormais de fer de lance de la maîtrise américaine des marchés informatiques internationaux.

Avec l'élection de Ronald Reagan en 1980, le complexe militaro-industriel a retrouvé toutes les faveurs de Washington. L'accroissement massif des dépenses militaires a très vite rempli les carnets de commande de la quasi-totalité des principaux partenaires industriels de la Défense nationale ; de plus, le nouveau gouvernement voulant montrer sa supériorité technologique sur l'URSS, un vaste champ d'action a été ouvert à l'imagination des chercheurs et des ingénieurs de ces firmes en matière de nouveaux armements, financé par l'accroissement rapide du budget de la recherche et du développement.

Début 1983, *The Economist* écrivait que « les affaires de l'industrie militaire américaine ne seraient pas meilleures si le pays était en guerre ». L'économie civile étant en récession, l'armée est devenue la principale source de profit de beaucoup de firmes. Une société d'agents de change new-yorkaise estimait que le revenu des firmes sous contrat avec l'armée avait augmenté de 18 % en 1981, 24 % en 1982 et augmenterait de 30 % en 1983 : la prospérité assurée jusqu'en 1985 au moins.

Bien des firmes qui ont particulièrement profité du nouveau « boom »

--- *BIBLIOGRAPHIE* ---

Ouvrages

FALLOWS J., *The National Defense*, Doubleday, New York, 1981.

GANSLER J., *The Defense Industry*, MIT Press, Cambridge, 1980.

Articles

DOMMERGUES P., « Consolidation et fissures du complexe militaro-industriel américain », *Le Monde diplomatique*, avril 1982, Paris.

ROTHSCHILD E., « Les dépenses militaires sont-elles un moyen de sortir de la crise ? », *Le Monde diplomatique*, avril 1982, Paris.

« A Race for the Next Supership », *Business Week*, 14 juin 1982, « Resurrection in the Death Business », *The Economist*, 12 février 1983, Londres.

de l'armement avaient été de chauds partisans de Reagan aux élections présidentielles de 1980. Chez Rockwell International, par exemple, qui avait fourni des fonds importants aux candidats républicains, les contrats passèrent de 320 millions de dollars en 1981 à 2 500 millions en 1982, surtout grâce à la décision de construire un modèle modifié du bombardier « B1 ».

Même les firmes ne produisant pas directement de technologie militaire ont profité de l'enthousiasme du Pentagone pour le renforcement de ce que l'on appelle la « base industrielle militaire » de la nation, nécessaire selon le secrétaire à la Défense Caspar Weinberger pour garantir la survie des États-Unis en cas de guerre prolongée.

D'autres partenaires industriels importants de la Défense nationale ont vu leurs dirigeants promus à de hautes fonctions gouvernementales. Pas nécessairement au département de la Défense, d'ailleurs. Ainsi, James Beggs, vice-président de General Dynamics, a été nommé directeur de la NASA où il est devenu rapidement le principal promoteur d'un des projets les plus ambitieux de l'industrie militaire : une station spatiale habitée. Signe parmi d'autres que le complexe militaro-industriel est de nouveau présent, et bien présent – et que les avertissements d'Eisenhower contre son influence politique excessive sont plus que jamais d'actualité...

David Dickson

Le complexe militaro-industriel soviétique

Le terme de « complexe militaro-industriel » fut créé pour décrire, aux États-Unis, les liens existant entre les forces armées et les industries militaires, en même temps que la dynamique sociale et politique que ces liens étaient censés engendrer : c'est-à-dire la tendance à l'impérialisme (guerre du Vietnam, etc.). Peut-on appliquer ce terme à l'Union soviétique ?

Deux éléments y incitent. D'une part, il existe bien en URSS, un secteur industriel spécifique, disposant de liens étroits avec la hiérarchie militaire et avec le sommet de l'appareil politique. D'autre part, l'URSS a un comportement de plus en plus « impérial », que ce soit dans ses pays frontaliers (Pologne, Afghanistan), ou dans le reste du monde (en Afrique, par exemple).

L'influence de la production d'armes sur l'économie socialiste n'est pas chose nouvelle. Dès le premier plan quinquennal, les projets d'expansion de l'Armée rouge avaient lourdement pesé sur l'ampleur et les rythmes de l'industrialisation. Aujourd'hui, l'organisation de ce « complexe » est largement liée aux structures économiques et politiques de l'État soviétique.

Au sommet, on trouve le « Conseil de défense », automatiquement présidé par le Premier secrétaire du Parti, et qui est l'organe suprême en la matière. On peut supposer que c'est en son sein que se règlent les ultimes arbitrages. Puis vient le « Département de l'industrie de défense du Comité central du PCUS ». Cet organisme est « l'œil » du Parti, contrôlant les ministères engagés dans la production d'équipements militaires.

Par ailleurs, ces mêmes ministères dépendent aussi d'une commission gouvernementale, la VPK, rattachée au conseil des ministres. De plus, existent des « sections militaires » auprès des organismes centraux de planification comme le « Gosplan » et le « Gosstroî ». On retrouve donc bien là la double chaîne administrative typique de l'URSS : le Parti *et* le gouvernement. A s'en tenir aux pratiques habituelles soviétiques, il est clair que les deux premiers organismes cités, parce que dépendant du Parti, ont la prééminence sur la VPK. Quant aux ministères concernés, les études les plus fiables en dénombrent 17.

Cette liste nécessite deux commentaires. Tout d'abord, les ministères cités ne travaillent pas exclusivement pour la défense. Dans un discours de 1971, L. I. Brejnev avait déclaré que 42 % des produits des industries « militaires » étaient destinés au secteur civil. Mais, d'autre part, certaines activités civiles sont utilisées par les militaires. Que l'on pense aux chalutiers de pêche truffés de systèmes électroniques ou aux avions commerciaux de l'Aéroflot engagés dans des missions de transport au profit des forces armées, vers le Moyen Orient par exemple.

Cette description de l'organisation du « complexe » serait incomplète si on n'y ajoutait d'autres structures, souvent plus discrètes. La première, et sans doute la plus efficace, est le corps des « voyenpredy ». Il s'agit d'officiers ou de techniciens des forces armées, détachés

Ministères	Productions
Construction générale de machines . .	Fusées, équipements spatiaux
Construction de machines	Munitions
Construction navale	Navires de combat
Construction aéronautique	Avions, hélicoptères
Industrie de la défense	Armements classiques, (fusils, armes moyennes, etc.)
Industrie de la radio	Équipements radio
Industrie des équipements de communications	Autres moyens de communication
Construction de machines moyennes	Applications militaires de l'atome
Industrie électronique	Radars
Industrie de l'équipement électrique	Circuits et systèmes électriques
Montage et travaux spéciaux de construction	Bâtiments et construction
Flotte marchande	Soutien logistique à la marine de guerre
Transport et construction de machines lourdes	Blindés, camions, tracteurs
Raffinage et pétrochimie	Carburants et gaz
Construction de machines de fourniture d'énergie	Fourniture d'énergie
Moyens d'automation et de contrôle	Ordinateurs et systèmes de guidage
Aviation civile	Soutien logistique

dans les entreprises et dont le rôle est de contrôler la qualité et la fiabilité des produits livrés aux militaires. Ils ont le pouvoir de refuser les équipements qui ne les satisfont pas. La seconde, et la plus « occidentale », est l'autonomie dont jouissent les bureaux d'études, constitués en « sociétés ». Ainsi, les avions MIG sont conçus par une équipe fondée par Mikoyan et Gurevitch, qui possède ses propres traditions, sa « marque de fabrique » et qui entre en compétition avec d'autres équipes similaires (« YAK » pour Yakovlev, « SU » pour Sukhoî, « TU » pour Tupolev) pour décrocher des contrats auprès des militaires. La troisième, peut-être la plus étrange, réside dans l'existence d'ateliers de production *dans* les unités militaires afin de pallier le manque chronique de pièces détachées.

Des capacités productives très importantes

Le « complexe » constitue à la fois un secteur relativement séparé du reste de l'économie et une part importante de celle-ci. Ainsi, la main d'œuvre et les techniciens qui y travaillent vivent-ils complètement à l'écart du reste de la population. Si les conditions de vie sont en général supérieures à la moyenne, les restrictions sur les libertés sont encore plus importantes. Aussi n'est-il pas évident que le « complexe » puisse attirer systématiquement les meilleurs éléments. Les capacités de production du « Complexe » sont donc complètement distinctes de celles de l'industrie civile, et les capacités de reconversion vers des biens « utiles » semblent les plus faibles. Plusieurs déclarations de Brejnev en 1979 et 1980, demandant une réorientation en ce sens, n'ont pas été suivies d'effets.

Ce point est d'autant plus important que les capacités productives du « complexe » sont très importantes. Chaque année, outre la construction de milliers de chars, d'avions et d'équipements de toutes sortes, l'URSS met en chantier 10 sous-marins nucléaires (stratégiques ou tactiques). Cela représente une capacité de 300 000 kw en réacteurs nucléaires, alors même que le pays connaît d'importantes difficultés dans la production d'énergie. Mais, les productions spécifiquement militaires ne donnent qu'une image imparfaite du poids de ce secteur. Que l'on imagine l'acier, le plastique, l'énergie nécessaire à son fonctionnement et qui viennent d'usines « civiles ».

Un incontestable manque de dynamisme

Sur un plan plus « qualitatif », deux traits spécifiques caractérisent le complexe militaro-industriel soviétique. Tout d'abord, un relatif conservatisme technologique. Non seulement les usines « militaires » continuent à produire des équipements périmés (même quand du matériel plus moderne a fait son apparition), mais les techniques de production ne semblent guère plus avancées que dans le secteur civil. Que de nombreuses pièces soient faites *à la main* (en dépit des problèmes que cela doit poser pour les rechanges) ne plaide guère en faveur d'une plus grande efficience des militaires par rapport aux civils.

Ce conservatisme peut s'expliquer par le deuxième trait particulier : l'extrême stabilité des hommes. Les responsables de ce secteur gardent leur fonction sur des périodes bien plus élevées que celles de leurs homologues civils. Un responsable du département du Comité central a ainsi gardé son poste plus de 23 ans. Cette stabilité permet, certes, à ces responsables d'exercer des influences durables et en profondeur. Mais elle se paye par un incontestable manque de dynamisme.

Il convient donc de noter que, si le « complexe militaro-industriel » soviétique représente une part considérable dans les capacités de production de l'industrie (il absorbe plus de 55 % de la production annuelle de machines-outils), il est loin de représenter un pôle dynamique. La combinaison d'un évident conservatisme technologique et de la règle du secret, fait qu'il ne peut jouer, comme c'est parfois le cas dans les pays occidentaux, le rôle de « laboratoire » au profit du reste de l'industrie.

Ses liens organiques avec la direction du Parti garantissent à la fois que ce dernier contrôle bien en dernière instance les choix, mais aussi qu'il est particulièrement réceptif aux desiderata exprimés par le « complexe ». D'où la remarquable stabilité de son rythme d'expansion depuis 1965, malgré les diverses avanies qu'a connues l'économie soviétique.

Enfin, mais c'est un problème plus vaste, il constitue le centre d'un système composé des « complexes » analogues existant dans les autres pays de l'Est.

Jacques Sapir

BIBLIOGRAPHIE

Ouvrages

Scott H. F. et W. F., *The armed forces of the USSR*. Arms and Armour Press, Londres, 1981.

Joint Economic Committee, *Allocations of Ressources in the Soviet Union and China, Hearings Before the Congress of the United States*, US-GPO, Washington, 1980.

Dossiers

« L'armée et la défense nationale en Union soviétique », *Problèmes politiques et sociaux*, série URSS, n° 305, 1974.

« L'armée soviétique », *Problèmes économiques et sociaux*, série URSS, n° 372, 1979.

L'État et l'innovation technologique

Évoquer le rôle de l'État en matière de technologie ne peut se limiter à l'examen des *politiques explicites* de la recherche et de l'innovation. En effet, au-delà de celles-ci se profilent de véritables *stratégies de fait*, plus ou moins cohérentes, qui, depuis une quarantaine d'années, surdéterminent dans les principaux pays industriels le rythme et les orientations du changement technique. Que ce soit directement ou indirectement, à travers des finalités militaires ou civiles, l'État se trouve à la base de la genèse, du développement et sans doute de l'avenir de l'écrasante majorité des grandes innovations qui bouleversent aujourd'hui les modes de produire et la répartition internationale des tâches. Cela étant, avant d'aller plus avant, il convient d'avoir à l'esprit quelques points essentiels :

– le degré de maîtrise de l'instance publique sur ses propres interventions n'est pas fixé, et peut être très variable ; tout volontarisme bute ici sur des contraintes extrêmement lourdes ;

– le système de liens État-recherche-industrie que l'on peut identifier dans tel ou tel pays sera plus ou moins autonome, diversifié, complet ou, au contraire, plus ou moins articulé à un ou plusieurs autres systèmes par le biais de l'imitation et de la diffusion des savoirs et des savoir-faire ;

– les problèmes de périodisation sont redoutables : on considérera ici qu'au sein d'une grande période qui s'ouvre avec la Seconde Guerre mondiale, nous entrons au début de cette décennie dans un moment bien particulier.

On examinera d'abord les *contraintes* spécifiques de la période actuelle ; puis les *instruments* et les *effets* des politiques implicites et explicites de la science et de la technologie ; enfin seront évoqués certains dangers et certains dysfonctionnements de ces politiques.

L'État au secours du secteur privé

Le « climat » en matière de technologie au début des années quatre-vingt présente selon nous quelques grandes caractéristiques qui expliquent – en partie – la logique sous-jacente à l'intervention de l'État.

La première concerne le *financement* de l'innovation technologique. Trop souvent on confond ici innovation d'amélioration ou de perfectionnement et innovations radicales ou de rupture qui, elles, impliquent désormais toujours un appel massif et suivi à de nouvelles connaissances scientifiques et techniques. Ce sont de telles percées (le transistor, les circuits intégrés, la commande numérique, le laser, les fibres optiques, les matériaux composites...) qui ouvrent la voie à des « lignées génétiques » nouvelles, porteuses de grandes mutations industrielles.

Or, les activités de recherche-développement (RD) qui constituent la condition *sine qua non* de la production de ce type d'objets et de techniques présentent justement, et de plus en plus, trois caractères qui en font une aberration par rapport au comportement « normal » de l'entreprise. Elles sont extrêmement *onéreuses* (le « ticket d'entrée » se chiffre par centaines de millions de dollars) ; elles sont *aléatoires* (moins d'une chance sur soixante *a priori* de succès commercial) ; le *délai* qui sépare les premières dépenses de RD d'une éventuelle rentabilisation de ces dépenses est très long (de deux à six ans en électronique, dix à quinze ans en aérospatiale). Confrontées à une baisse de leurs capacités d'autofinancement et à un taux d'endettement sans précédent, les entreprises évitent les zones les plus risquées du processus d'innovation (la recherche, le développement exploratoire) pour se livrer (dans *certains* secteurs et pour les plus puissantes d'entre elles) aux activités de développement les plus sûres. C'est ce phénomène que révèle l'un des tableaux présentés au début de cette partie [437].

De manière plus générale une analyse fine de la répartition entre financement public et privé de la RD sur une période donnée et pour des pays tels que les États-Unis, la France, la Grande-Bretagne, indique un *suivisme* de la RD privée : il existe une relation positive entre le montant des fonds que les entreprises sont disposées à affecter à la recherche et les sommes qu'elles reçoivent de l'État, que ce soit *en aval* par les marchés publics ou *en amont* en profitant des « recherches de prolongement » des « recherches de défrichage » financées par les pouvoirs publics. Ainsi, pour les États-Unis, la période 1968-1974 est marquée par un recul relatif de la recherche fédérale *et* au sein de celle-ci de la part affectée à des finalités militaires. Le résultat se fait sentir tout au long des années soixante-dix, qui voient diminuer la dépense *nationale* en RD en grandeur absolue comme en proportion du PIB. Premier fondement logique donc de l'intervention publique : l'État impulse et finance des pratiques aussi vitales à moyen et long terme (pour la compétitivité internationale) qu'inadmissibles à court terme (en termes de risques et de coûts) pour l'entreprise. Très exactement, l'État fait ce que le secteur privé ne peut ni ne veut faire.

Cette responsabilité (assumée plus ou moins efficacement et complètement selon les pays) est d'autant plus importante que, deuxième caractéristique de la période actuelle, la compétitivité internationale implique avant tout une *maîtrise technologique* sur un nombre réduit de grandes filières [504]. Sur ce point, deux développements sont à noter tout spécialement. La filière électronique pénètre, féconde et transforme non seulement les autres industries « scientifiques » (aérospatiale, télécommunications, biotechnologies) mais aussi un nombre croissant de branches traditionnellement conservatrices technologiquement parlant, qui spontanément n'auraient guère tendance à innover ou à faire de la recherche (automobile, machine-outil...). L'action de l'État devient alors doublement vitale. Il s'agit de *coordonner* bien plus qu'avant les politiques sectorielles de la technologie en luttant contre les résistances de tous ordres; il s'agit donc aussi de *gérer politiquement* les bouleversements qualitatifs et quantitatifs que l'informatisation du tertiaire et de l'industrie provoque au niveau de la force de travail [38]. Notons enfin pour l'électronique (et en particulier pour le noyau essentiel de la filière, les composants) une tendance à passer à des processus de production de plus en plus capitalistiques du fait de l'automatisation d'opérations hier encore manuelles [488]. Cette tendance relève considérablement les « barrières à l'entrée » et induit un début de concentration dans un secteur considéré jusqu'alors comme

très ouvert. Cela ne pourra à terme que renforcer le rôle financier de l'État.

Les achats de l'État

Comme on va le voir, les modes d'intervention de l'État peuvent être extrêmement variés, de la simple fixation de normes et de la prise de mesures réglementaires et incitatives à de véritables stratégies de structuration d'industries nouvelles.

Il y a d'abord possibilité de mesures incitatives d'ordre fiscal et financier. Le principe de base est d'introduire une compensation financière qui modifie la propension « spontanée » à innover de l'entreprise. Les moyens les plus courants sont la subvention, le prêt consenti à des conditions spéciales (et en particulier pour la France le prêt participatif), les dispositions particulières sur l'amortissement des équipements, les crédits spéciaux à l'exportation de produits à haute technologie, la caution publique apportée à des emprunts « normaux », le dégrèvement fiscal partiel ou total.

Il y a ensuite possibilité d'intervention au niveau de la création, de l'entretien et du développement d'un environnement technico-scientifique de haut niveau, plus ou moins spécialisé. Il s'agit ici des universités, centres de recherche et de documentation, banques de données, de la formation continue et du recyclage, dont le financement et les orientations sont pris en charge par l'État. Ce mode d'action peut faciliter considérablement l'innovation et la recherche de l'industrie, puisqu'il tend à éliminer le goulot d'étranglement des compétences et de certains équipements à finalité trop « générale » pour l'entreprise.

Une autre intervention possible concerne les actions de caractère réglementaire et tarifaire. On note ici la législation sur les brevets, la réglementation sanitaire, les dispositions sur la pollution et les nuisances, certaines mesures concernant les conditions de travail (durée, sécurité, etc.), la réglementation sur les transferts de technologie (en particulier par une politique de distribution sélective de devises).

Il existe aussi naturellement un financement direct de la R D par l'État, que celle-ci soit effectuée dans l'industrie ou dans les centres publics. Pour l'entreprise qui exécute ces recherches, il s'agit déjà, en soi, d'un marché, quelle que soit l'éventuelle carrière commerciale ultérieure de l'objet recherché.

Enfin, vient l'achat par l'État de produits/procédés à haute technologie. Il s'agit de marchés garantis, portant sur des masses importantes et des durées assez longues, et pouvant concerner des prototypes, des séries achevées, des biens d'équipement civils et bien sûr – et surtout – des systèmes d'armement.

L'ensemble de ces modes d'intervention de l'État peut faire l'objet de classements divers en fonction par exemple de leur aspect direct ou indirect, spécifique ou général. A notre sens le clivage le plus pertinent est celui qui sépare les mesures d'ordre *incitatif* de celles que l'on peut appeler *structurantes*. Les premières ont un rôle d'accompagnement souvent indispensable; par ailleurs elles concernent au premier chef les innovations d'amélioration ou de perfectionnement. Elles ne peuvent constituer la base d'une politique industrielle ambitieuse visant à la création de produits radicalement nouveaux et donc à la maîtrise internationale dans les industries de pointe. Les mesures « structurantes », par contre, reposent très largement sur un couplage des mesures de type financement de la R D par l'État et achat de produits/procédés (et dans certains cas de mesures tarifaires et réglementaires, comme au Japon).

Les mesures « structurantes » se trouvent directement à l'origine de la genèse et du développement de systèmes industriels tout entiers.

Plus encore, elles continuent d'en conditionner dans une grandre mesure les mutations et donc les performances sur le marché mondial. Il faut noter ici que le couplage financement public de la R D et achat de produits/procédés fonctionne le plus souvent à travers un lieu institutionnel bien précis : le *grand programme,* dont les finalités sont typiquement (mais pas absolument) d'ordre militaire, spatial ou nucléaire. Ce type de procédure, initié par le célèbre « projet Manhattan » qui déboucha sur la première arme nucléaire, implique des caractères très précis : financement public massif et prolongé; minoration de la contrainte de coût; liens intimes entre l'État, certaines industries et certaines fractions de la communauté scientifique, liens bien plus complexes et étroits que ceux qui unissent acheteurs et vendeurs sur un marché « normal ». Enfin et surtout il implique la définition par l'État de l'objectif à atteindre. Cet objectif, dont la radicalité technologique est toujours grande, correspond donc *a priori* à des finalités « politiques » (au sens large) et donc non marchandes. Et ce, alors même que le système fonctionne dans un univers marchand soumis à des tensions concurrentielles très vives où, de fait, il va engendrer de très importants bouleversements industriels et économiques.

Des firmes privilégiées

L'un des effets les plus immédiats et les plus permanents du système des grands programmes à finalité nucléaire-spatiale-militaire (NSM) a été décrit dans deux autres articles [444, 438] : il s'agit du phénomène d'extrême concentration qui joue à de multiples niveaux (polarisation sur un petit nombre de pays et un petit nombre de firmes; polarisation également au niveau des secteurs industriels, les branches à « forte densité recherche » s'opposant à toutes les autres). Enfin, le phénomène se retrouve au plan des disciplines scientifiques elles-mêmes et des rythmes comme des orientations de leurs évolutions respectives. Cela étant, malgré cette quadruple insularité, le système transforme bien son environnement, mais il le fait de façon sélective.

Le point de départ du processus de structuration a déjà été évoqué indirectement : à partir de ces grands programmes certaines firmes ont disposé, et pour certains secteurs disposent encore, d'un double avantage. Financier d'abord : les contrats N S M sont massifs, suivis, et impliquent des taux de profits plus importants que dans le reste de l'industrie. Technico-scientifique ensuite : l'effet d'apprentissage entraîne ici, sans risques et à coût nul, une accumulation immense de savoirs et de savoir-faire. A partir de là va jouer un processus de sélection-filtrage des nouveautés : aux firmes d'adapter, de produire en grande série à coûts désormais réduits les objets nouveaux pour affronter un espace où désormais la concurrence et les exigences de rentabilité reprennent pleinement leurs droits. Ce processus connaît bien sûr de mutiples variantes ; il n'en demeure pas moins à la base de la structuration de presque toutes les industries « scientifiques » : électronique (semi-conducteurs, automatismes, etc.), aérospatiale, télécommunications modernes, photonique (lasers, fibres optiques), matériaux composites. Cela étant, quatre remarques au moins s'imposent pour échapper à une vue trop schématique des choses.

– Certains produits et procédés d'origine N S M « passent » mieux et plus vite dans l'économie « civile ». Ce sont généralement les biens à destinations potentiellement multiples tels que les composants électroniques.

– Passé un certain degré de maturité, une industrie à « forte densité de recherche » peut créer, de manière limitée, des produits nouveaux

directement dans son segment civil. C'est le cas par exemple pour le Boeing 747 qui est le premier grand avion civil à n'avoir aucun « ancêtre » direct d'ordre militaire.

– Certaines firmes peuvent se créer et se développer directement et uniquement dans le segment civil et commercial du système. Il n'en demeure pas moins qu'elles se fondent sur des avances obtenues antérieurement au sein des grands programmes.

– Le rôle des différents États ne se limite pas au seul domaine N S M, loin de là. Explicitement ou implicitement, directement ou indirectement tous les gouvernements soutiennent leurs industries de pointe respectives, au sein même du secteur « concurrentiel » et marchand.

La priorité militaire

Affirmer, comme nous l'avons fait, le fondement militaire et spatial de la quasi-totalité des grandes avancées technologiques actuelles, affirmer également que de telles percées auraient été et sont encore impensables dans le strict cadre de la rationalité de l'entreprise privée, ne doit pas nous empêcher d'évoquer trois types de problèmes distincts qui concernent le coût global réel d'un tel système et les risques qu'il implique.

Le premier concerne l'évaluation des *ressources réelles* qui sont en jeu. A ce sujet, deux autres articles de ce livre [446, 463] soulignent un phénomène qui risque d'être tout à fait déterminant dans les années quatre-vingt, à savoir le retour massif des États-Unis à des priorités budgétaires de type militaire. Or, il est important de noter que la part du poste R D dans le budget des États-Unis ne cesse de croître : il est prévu que, de 12 % en 1983, il atteigne environ 20 % vers 1988. C'est ici qu'intervient un facteur aggravant, qui est bien connu, mais qui tend à s'accentuer : le rendement de l'effort de recherche – et particulièrement de la recherche militaire – décroît régulièrement depuis plusieurs années. Les équipements connaissent des coûts de développement et de production exponentiels pour des « performances » réelles faiblement croissantes. Il s'ensuit un surdéveloppement des capacités de recherche et de production à finalité NSM, qui est déjà bien en train aux États-Unis et qui ira en s'accélérant.

A moyen et long terme se posera donc le problème du *recyclage* de cette capacité vers des besoins civils lorsque s'arrêtera ou s'inversera cette tendance à la militarisation des priorités budgétaires. A elles seules, les difficultés de ce recyclage seront un obstacle à tout retour vers des priorités civiles. A court terme, se pose déjà le problème du financement de cet effort. Pour les États-Unis, la chose, on le sait, est « évacuée ». L'État emprunte massivement sur le marché intérieur, détourne l'épargne des secteurs civils, maintenant ainsi les taux d'intérêts à des niveaux sans précédent. Les « capitaux flottants » se ruant aux États-Unis pour en profiter, il s'ensuit une tendance à la hausse du dollar dont il n'est pas besoin d'énumérer ici les conséquences à l'échelle mondiale.

La seconde contradiction, elle aussi mentionnée ailleurs [443], a trait à ce que l'on pourrait appeler le risque de *dérivation* qui guette tout système national, dont l'autonomie trouve une limite dans la mondialisation de l'industrie et surtout de la connaissance technologique et scientifique. Partant, un système national donné peut à la limite être conçu pour se greffer en tout ou en partie sur d'autres systèmes nationaux. Cette dérivation sera d'autant plus possible que le système « receveur » saura *comprendre, sélectionner, reproduire* et modifier les nouveautés apparues ailleurs ; ce qui suppose un haut degré de synergie interne d'ordre scientifique, industriel, commercial et politique. L'exemple du Japon montre que les redevances payées pour l'achat de technologies étrangères se sont révélées globalement nettement inférieures au coût réel du secteur militaire qui – aux États-Unis – en est largement à l'origine. Notons ici que, contrairement au discours habituel des Japonais sur leur propre cas, l'État a très nettement organisé, dirigé et cofinancé cette stratégie [447]. Celle-ci pénètre d'ailleurs dès le début des années quatre-vingt dans une nouvelle phase, nettement moins « imitative-adaptative » et plus tournée vers la recherche de base, sans pour autant rejoindre les priorités militaires de la recherche américaine.

La troisième contradiction mentionnée au début de cet article a trait à un thème spécialement délicat, qui est celui du flux grandissant du *chômage technologique* [38]. Brutalement, les faits sont là : les entreprises, les banques, les compagnies d'assurances acceptent l'automation et l'informatisation parce qu'elles permettent des gains de productivité, c'est-à-dire des substitutions machines/hommes. Et ce d'autant plus que la production de microprocesseurs, d'ordinateurs, de robots ou de machines à traitement de texte est elle-même de plus en plus automatisée : pour reprendre *a contrario* un autre exemple historique, on peut dire que désormais non seulement le chemin de fer remplace la diligence, mais qu'il tend à se passer de cheminots pour l'animer et de métallos pour le construire...

Or ce processus apparaît comme une contrainte absolue dictée directement par l'aggravation de la concurrence internationale. Les avancées militaires et spatiales en matière de lasers, de fibres optiques, de matériaux composites, de nouveaux composants électroniques viendront inexorablement renforcer la tendance. Aux États alors de gérer la conséquence directe de ce type de « progrès » à l'origine duquel ils sont, à savoir le divorce quantitatif et qualitatif croissant entre production rentable et emploi.

Christos Passadeos

L'organisation de la recherche : le rôle de la « demande sociale »

Les années soixante-dix, avec la crise de l'énergie et le terme mis à une période ininterrompue de croissance, ont vu naître des interrogations de plus en plus inquiètes sur les orientations du progrès scientifique et technique et sur ses conséquences. Des travailleurs, des consommateurs, de simples citoyens et même d'authentiques scientifiques se sont mis à douter. Des demandes nouvelles ont été adressées aux chercheurs afin que la science tienne mieux compte du bien-être social. Le progrès n'est pas nécessairement bon pour tout le monde et il mérite d'être discuté [114, 134] : tel est le constat qui a donné naissance à ce qu'il est convenu d'appeler la « demande sociale » en matière de développement scientifique et technique.

Rappelons quelques termes de la critique : laissée à ses guides habituels (l'accroissement des profits, la course aux armements), la technologie ne finit-elle pas par être socialement maléfique ? L'environnement ne se détériore-t-il pas et les ressources en matières premières ne sont-elles pas saccagées ? La complexité des techniques n'accroît-elle pas la distance entre les experts et les utilisateurs ? La santé n'est-elle pas menacée ? Les conditions de travail ne se dégradent-elles pas ? La liste pourrait être longue qui recenserait les dégâts du progrès tels qu'ils ont été souvent dénoncés par les écologistes, les mouvements anti-nucléaires et certaines forces syndicales.

Cette analyse a débouché directement sur une critique de la technocratie : si la science et la technique conçues par l'Homme se retournent contre lui, c'est parce qu'elles sont orientées par une poignée de décideurs peu soucieux des intérêts du plus grand nombre. Les enjeux liés aux choix technologiques devenant

de plus en plus importants, la pression exercée sur les décideurs s'est ainsi progressivement amplifiée. Certains n'ont pas voulu admettre qu'une dizaine de personnes engagent de façon irréversible tout un pays dans une filière énergétique, ni accepter qu'une nouvelle technologie de production soit retenue sans consultation des travailleurs. Tous ces refus se traduisent parfois par des mouvements violents tournés contre le monopole de la technocratie.

La notion de demande sociale exprime cette double exigence de réorientation de la recherche et d'introduction de nouveaux acteurs, jusque-là exclus, dans les processus de décision.

Les nouveaux experts

C'est parce que la demande sociale vise à introduire plus de démocratie dans les décisions scientifiques et techniques qu'elle se distingue du « pilotage par l'aval » qui désigne le renforcement des mécanismes existants (rôle de la recherche industrielle ou militaire) plutôt que leur élargissement.

Cette exigence de démocratie doit surmonter plusieurs obstacles. Le premier est celui de la solvabilité. Par exemple, la prise en considération des demandes des travailleurs lors de la mise en place d'une nouvelle technologie de fabrication peut conduire à des programmes de recherche nouveaux, à des adaptations de machines et par voie de conséquence à des coûts supplémentaires. Pour leur financement il semble difficile de ne pas faire appel dans un premier temps à des subventions publiques qui sont de moins en moins aisées à obtenir. Le second obstacle est celui de l'expertise. Pour parler d'égal à égal avec les chercheurs, les nouveaux partenaires, dont les demandes commencent à être prises en considération, doivent être en mesure de formuler convenablement leurs questions et de vérifier qu'elles ont été bien comprises. Selon les pays et les périodes, des réponses variables ont été apportées à ces redoutables questions.

La solution la moins innovatrice, et qui a été imaginée dans le courant des années soixante-dix, consiste à définir de grands programmes orientés vers des objectifs sociaux. C'est ainsi qu'aux États-Unis ont été entreprises des recherches systématiques sur le cancer et que dans de nombreux pays ont été mises en place des actions pour améliorer la santé et les soins médicaux. La nouvelle politique élaborée par la France en 1982 et les « programmes mobilisateurs » définis à cette occasion correspondent à cette orientation : leur but est de mettre le potentiel de recherche au service d'objectifs comme l'amélioration des conditions de travail, le développement de nouvelles sources d'énergie moins centralisées, ou la prise en considération des besoins spécifiques des pays dépendants.

Un autre levier permettant de maîtriser et d'orienter le développement scientifique et technique réside dans la mise en place de mécanismes d'évaluation des choix technologiques. Il s'agit dans tous les cas d'une consultation organisée par les pouvoirs politiques, qui rassemble les différents experts et partenaires sociaux concernés. Des auditions et des débats contradictoires sont organisés qui permettent aux représentants légitimes de la nation de décider en connaissance de cause. Dans d'autres cas, des commissions d'enquête peuvent être désignées pour constituer des dossiers techniques, préparer des débats et des décisions : c'est ainsi qu'a été constitué en France en 1982 un groupe chargé d'examiner le problème du traite-

ment des déchets radioactifs (commission Castaing) [365]. Dans tous les cas, il s'agit d'introduire des contre-pouvoirs et de donner la parole à des groupes qui n'avaient pas encore eu la faculté de s'exprimer.

La réforme des organismes de recherche

Parallèlement à la mise en place de procédures d'évaluation des choix technologiques, s'est développé tout au long des années soixante-dix un engouement de plus en plus marqué pour la prospective. L'organisation de débats et de discussions sur la place et l'influence des technologies dans le développement futur de nos sociétés a permis l'expression de critiques assez virulentes à l'égard de la logique productiviste. La notion même de croissance a été remise en cause et des « scénarios alternatifs » ont été élaborés, soulignant les limites de nos ressources, notamment dans le domaine de l'énergie. Il est à prévoir que cette réflexion prospective ira en s'amplifiant au cours des années à venir et qu'elle finira par peser sur les orientations des politiques de recherche.

Une autre façon de tenir compte des exigences liées à la demande sociale est d'introduire des réformes dans les organismes de recherche proprement dits. Par exemple en élargissant leurs instances de décision à des partenaires sociaux non encore représentés : syndicalistes, ouvriers, consommateurs ; ou bien en leur assignant comme mission de contribuer à la diffusion des informations scientifiques et techniques nécessaires à la compréhension des choix en cours. Dans certains cas, de nouveaux organismes peuvent être créés pour tenir compte de revendications mal satisfaites. Ceci a été le cas en France en 1982 avec l'Agence française pour la maîtrise des énergies, dont une des missions est le développement des énergies renouvelables et en particulier de l'énergie solaire [356], pour lequel des écologistes se sont battus tout au long des années soixante-dix.

L'apparition d'une exigence démocratique porteuse d'une demande sociale jusqu'alors non satisfaite est trop récente pour qu'on puisse décider de son importance. Il faut bien voir qu'elle joue sur les marges du dispositif de recherche, qui reste orienté pour l'essentiel par l'industrie, les politiques militaires et spatiales ainsi que par le développement de l'énergie nucléaire. On peut difficilement imaginer que cette situation puisse changer du tout au tout. La science et la technologie sont encore pour longtemps compagnes de la volonté de puissance [134]. Il faut simplement espérer que, sous la pression de ceux qui souhaitent modifier cet équilibre, elles puissent répondre de plus en plus aux attentes et aux besoins du plus grand nombre.

Michel Callon

BIBLIOGRAPHIE

Ouvrages

CFDT, *Les dégâts du progrès,* Seuil, Paris, 1977.
NELKIN D., *Controversy : The Politics of Technical Decisions,* Sage Publications, Beverly Hills, CA, 1979.
SALOMON J.J., *Prométhée empêtré,* Pergamon Press, Paris, 1981.

La coopération scientifique en Europe de l'Ouest

La science, dit-on, est aujourd'hui la seule langue commune à toute l'humanité. Il est vrai que le réseau international qui relie les chercheurs fonctionne malgré les frontières et les conflits : une découverte scientifique, une importante innovation technologique sont rapidement connues de par le monde dans tous les laboratoires compétents. Cependant, comme la recherche scientifique – aussi bien fondamentale qu'appliquée – constitue un puissant moteur du développement économique et que la compétition est vive entre pays industriels, les gouvernements – qui en dernière analyse détiennent les cordons de la bourse – peuvent hésiter à partager avec des concurrents éventuels des connaissances chèrement acquises. Par ailleurs, le rapport toujours plus étroit entre la technologie avancée et la sécurité nationale constitue également un frein à la mise en commun de la recherche dans certains domaines [485]. Il y a donc simultanément des éléments qui favorisent et d'autres qui entravent une franche collaboration scientifique internationale.

En Europe de l'Ouest, un autre facteur important intervient : dès la fin de la Deuxième Guerre mondiale, les États prennent conscience qu'ils doivent unir leurs efforts – au moins sur le plan économique – s'ils veulent maintenir leur place parmi les grandes puissances. Le mouvement vers une Europe plus unie a connu des hauts et des bas, mais dans l'ensemble, un acquis substantiel a été obtenu ou consolidé par une série d'organisations intergouvernementales, chacune avec sa compétence particulière (Communautés européennes, Conseil de l'Europe, etc.). Cette volonté unificatrice a sans doute aussi contribué à la collaboration régionale sur le plan de la recherche scientifique bien qu'aucune institution inter-étatique n'ait été spécialement conçue dans cette intention.

Voyons quelles sont les organisations inter-étatiques à compétence générale. Viennent en premier lieu les Communautés européennes. Bien que le Traité de Rome établissant la Communauté économique européenne date de 1957, ce n'est qu'au cours des années soixante-dix que les Communautés (englobant aussi la Communauté européenne du charbon et de l'acier et l'Euratom) ont conçu et mis en œuvre un plan d'ensemble de recherche et développement. D'une manière significative, cette partie du budget communautaire est passée entre 1973 et 1979 de 70 à 300 millions d'ECU (en 1983, 1 ECU = 6,6 FF). L'accent était mis au départ sur la solution de problèmes concrets : matières premières, énergie, compétitivité des industries européennes, amélioration des conditions de travail, protection de l'environnement... Les Communautés européennes peuvent financer directement des recherches, par exemple dans le cadre des quatre instituts du Joint Research Center (JRC) qui, en 1981, employaient conjointement 2 260 chercheurs. Mais les Communautés européennes contribuent aussi au financement de projets menés par des établissements publics ou des entreprises qui favorisent la collaboration régionale, la coordination des efforts et la mobilité des chercheurs. La plus grande partie des dépenses est consacrée aux problèmes énergétiques et surtout à la recherche qui permettrait de contrôler la fusion nucléaire. Presque tout le travail européen sur cette question est effectué au laboratoire communautaire JET (Joint European Torus) à Culham en Angleterre.

En 1982 et 1983, l'activité des Communautés européennes dans le domaine de la recherche s'est accrue d'une manière importante, notamment par la mise au point d'un programme de « stimulation du potentiel scientifique et technique ». De son côté, le Conseil de l'Europe, dont font partie tous les pays de l'Europe occidentale, a notamment pour tâche de promouvoir la coopération entre ses membres en matière de recherche universitaire et de mobilité des chercheurs. Le Conseil de l'Europe a organisé en 1980 une Conférence parlementaire et scientifique à Helsinki qui a conclu que l'Europe devrait se doter d'une stratégie à long terme pour son développement technologique.

Par ailleurs, l'Organisation de coopération et de développement économique (OCDE) – qui regroupe, outre les pays de l'Europe occidentale, l'Amérique du Nord, le Japon, l'Australie et la Nouvelle-Zélande – a eu le mérite d'avoir attiré l'attention, dès 1963, sur l'urgence d'un renforcement et d'une harmonisation des politiques scientifiques des États membres. Depuis, elle s'est surtout attachée à l'analyse des politiques gouvernementales plutôt qu'à la promotion de recherches conjointes. L'OCDE a cependant fait œuvre constructive dans nombre de domaines (recherche en matière de construction routière, conservation du bois, etc.). Au début des années quatre-vingt les thèmes suivants, à titre d'exemple, ont retenu l'attention de l'organisation : la production et la conservation des aliments – dont un programme de photosynthèse auquel participent une centaine de laboratoires –, l'harmonisation des politiques et pratiques nationales en matière de contrôle des produits toxiques... Enfin, l'Organisation du traité de l'Atlantique Nord (OTAN) possède un comité scientifique qui contribue surtout à favoriser la mobilité des chercheurs par un programme de bourses et par l'organisation d'un grand nombre de cours de formation avancée.

CERN, ESA, EMBO...

Voyons à présent les principales organisations inter-étatiques but scientifique bien circonscrit. Le *Centre européen de recherche nucléaire* (CERN) est un laboratoire de physique des hautes énergies, situé près de Genève. C'est la première, la plus célèbre et sans doute la plus coûteuse des entreprises communes des pays européens dans le domaine de la recherche fondamentale. Douze États d'Europe occidentale ont fondé le CERN en 1954. Il met à la disposition des chercheurs des instruments comparables à ceux des plus grandes puissances industrielles et qui ont rendu possibles des découvertes importants sur la nature intime de la matière [412]. Il s'agit essentiellement d'accélérateurs de particules de très grande puissance (synchrotron-cyclotron, synchrotron à protons...). Un nouvel instrument, dont la construction a été décidée en 1982, est le LEP (Large Electron Positron Accelerator) pour lequel un tunnel circulaire d'environ 9 km de diamètre doit être creusé, en partie sous le Jura. Le coût de la première phase de la construction de cet appareil est estimé à environ 4 milliards de francs français. Le CERN, qui est un pôle d'attraction pour des spécialistes du monde entier, emploie une équipe scientifique et technique permanente d'environ 3 500 personnes.

L'*Agence spatiale européenne* (ESA) a repris en 1975 les tâches des organisations européennes qui s'occupaient jusqu'alors de questions spatiales : l'ELDO (European Launcher Development Organisation) chargée de préparer le vecteur,

et l'ESRO (European Space Research Organisation), consacrée à la recherche. A la différence du CERN, l'activité de l'ESA est en grande partie technique et opérationnelle : télécommunications, météorologie, fusée de lancement de satellites Ariane [378], laboratoire spatial [402]. Onze États européens en font partie. En 1980, le budget du programme obligatoire s'élevait à environ 180 millions d'ECU, alors que le programme pour lequel les contributions sont volontaires s'élevait à 450 millions d'ECU. La France contribue à peu près pour un tiers du budget de l'ESA, la RFA un quart et l'Italie et la Grande-Bretagne n'y participent que pour un dixième. Ceux qui apportent la plus grande contribution financière assument la principale responsabilité pour les programmes : la France pour la fusée Ariane, l'Allemagne pour *Spacelab*, la Grande-Bretagne pour les satellites de télécommunications. Une originalité de l'ESA est qu'elle confie, chaque fois que cela est possible, la réalisation de ses projets à l'industrie privée. Des entreprises dans tous les pays membres ont ainsi obtenu des contrats.

L'*Organisation européenne de biologie moléculaire* (EMBO) a été créée en 1970 par 12 États de l'Europe occidentale et Israël : c'est une organisation chargée de promouvoir la biologie moléculaire en Europe. Le programme général prévoyait l'attribution de bourses d'étude, l'organisation de cours de formation avancée et de programmes d'échanges. Un *Laboratoire européen de biologie moléculaire* (EMBL), où des recherches sont entreprises en commun, a été inauguré à Heidelberg en 1978.

Il existe enfin un *Observatoire européen de l'hémisphère Sud* (ESO). C'est en 1962 que la Belgique, le Danemark, la France, la RFA et les Pays-Bas sont convenus de construire ensemble un puissant observatoire pour étudier le ciel de l'hémisphère Sud. Cet observatoire se trouve dans les Andes, au Chili. Il comprend 12 télescopes – dont le plus puissant possède un miroir de 3,6 m – et il est entièrement informatisé. L'ESO – qui depuis 1982 compte 2 nouveaux membres, la Suisse et l'Italie – a son siège administratif à Garching près de Munich.

Les accords entre firmes

Les organisations inter-étatiques – dont on n'a mentionné que les principales ci-dessus – ne sont pas les seules à contribuer à la coopération scientifique et technologique en Europe. Il y a d'une part les accords bilatéraux entre gouvernements et d'autre part un grand nombre d'organisations interfirmes et d'institutions à but non lucratif qui ensemble tissent un réseau informel entre les pays, les laboratoires et les entreprises.

Ainsi, des accords ont été conclus entre des firmes situées dans différents pays européens pour concevoir et réaliser ensemble des projets, particulièrement dans les domaines de l'énergie, de l'aviation et des techniques spatiales. Citons par exemple Airbus Industrie, un « groupement d'intérêt économique » constitué en 1970 pour construire l'avion Airbus A300, un bi-réacteur moyen-courrier européen. Le consortium constitué de firmes en Allemagne, en France, aux Pays-Bas, en Grande-Bretagne, en Belgique et en Espagne poursuit son activité et construit des nouveaux modèles qui sont vendus à travers le monde.

Il existe aussi des centaines d'associations européennes groupant des spécialistes de presque toutes les disciplines. Elles organisent des congrès, publient des revues et favorisent ainsi les communications entre chercheurs. Enfin, la *Fondation européenne de la science* (ESF) a été créée en 1974. L'ESF regroupe 48 académies et conseils de recherche dans 18 pays européens. Les organismes français qui en sont membres sont le Centre national de la recherche scientifique (CNRS), l'Institut national de la santé et de la recherche médicale (INSERM) et l'Institut de recherche fondamentale du Commissariat à l'énergie atomique (CEA). L'ESF a pour tâches essentielles d'aider à coordonner les programmes de recherche fondamentale, de promouvoir les échanges, d'organiser des programmes communs là où ils s'imposent, de permettre l'utilisation commune d'équipements coûteux... Le siège de l'ESF se trouve à Strasbourg.

John Goormaghtigh

BIBLIOGRAPHIE

Ouvrage

DANZIN A., *Science et renaissance de l'Europe*, Chotard et associés, Paris, 1979.

Dossiers

OCDE, *La Politique scientifique et technologique pour les années 1980*, OCDE, Paris, 1981.

MINISTÈRE DE LA RECHERCHE ET DE LA TECHNOLOGIE, *Recherche et technologie, Actes du Colloque national, 13-14 janvier 1982*, La Documentation française, Paris, 1982.

EUROPEAN SCIENCE FOUNDATION, *Les Perspectives d'emploi et la mobilité des scientifiques en Europe*, Commission des Communautés européennes, Bruxelles, 1980.

La coopération scientifique en Europe de l'Est

Les membres du Conseil d'assistance économique mutuelle (CAEM ou Comecon, en langue anglaise) consacrent en moyenne 4 % de leur revenu national pour la recherche scientifique, étant entendu que ce pourcentage est sensiblement plus élevé en Union soviétique et en République démocratique allemande qu'en Mongolie, à Cuba ou au Vietnam... Il est impossible de vérifier l'exactitude des informations fragmentaires (et généralement contradictoires) relatives aux dépenses réellement engagées : les budgets des pays de l'Est n'ont guère la qualité de la transparence. Une certitude : tous les régimes socialistes accordent une importance prioritaire à la recherche et depuis le début des années soixante-dix il existe une coordination étroite dans le cadre des activités du CAEM.

C'est ainsi qu'un comité spécial chargé de la coopération scientifique et technique se réunit plusieurs fois par an. En mars 1983, lors de la 28e session du Comité (qui s'est tenue à La Havane), on a surtout parlé de l'introduction accélérée de la micro-électronique et de la nécessité de la mise au point d'une meilleure rationalisation de l'utilisation des ressources énergétiques des pays membres du Conseil d'assistance économique mutuelle.

Les différents problèmes posés dans le cadre de la coopération multilatérale sont confiés à des sous-comités composés des représentants des pays directement intéressés par le sujet. Le nombre des recherches effectuées porte vraisemblablement sur plusieurs dizaines de thèmes, qui varient d'un plan quinquennal à l'autre, ces travaux s'alignant sur les plans économiques nationaux. Grâce à ces travaux – explique-t-on à l'Est – les petits pays dont les possibilités financières sont limitées peuvent également bénéficier des progrès technologiques. Un exemple souvent évoqué est celui de l'activité scientifique liée à l'industrie nucléaire qui, sans une coopération étroite dans le cadre du Centre unifié de recherches de Doubna en Union soviétique, conduirait plusieurs pays membres du CAEM à renoncer au développement de leur physique nucléaire.

Parallèlement aux programmes de recherche entrepris en commun (sous la direction des spécialistes soviétiques), chaque État socialiste entretient des relations bilatérales avec l'Académie des sciences des autres « pays frères » et en premier lieu, avec celle de l'URSS dans le domaine des sciences naturelles, techniques et sociales. La recherche de base occupe une place essentielle dans les *sciences naturelles* (analyse fonctionnelle ; rayons cosmiques ; cosmographie ; bases biochimiques, physiques et structurales des fonctions vitales). Dans le secteur de la recherche appliquée ce sont la physique des solides, l'électronique quantique, la géophysique, l'érosion. Dans le *secteur* technique, les comités mixtes bilatéraux s'occupent des semi-conducteurs, des instruments d'automatisation, du développement du système de contrôle par ordinateurs et naturellement, de tous les problèmes d'informatique.

Quant aux *sciences sociales*, ce sont essentiellement des questions concernant l'accroissement de l'efficacité de la production socialiste et les problèmes de l'intégration économique qui préoccupent les spécialistes. De nombreuses revues – publiées conjointement par l'Académie des sciences de l'Union soviétique et par celle du pays concerné – permettent de faire connaître les résultats des recherches (en russe et en anglais). D'autre part, la plupart des pays socialistes publient sous forme de résumés (en russe ou en anglais) les principaux articles de leur presse scientifique.

L'objectif principal de la coopération scientifique entre pays socialistes, tel que le souhaite le Kremlin – que cette coopération soit bilatérale ou multilatérale –, est de diminuer la dépendance par rapport au monde occidental, en perfectionnant le plus rapidement possible leur propre technologie.

En même temps, les démocraties populaires souhaitent que leurs intérêts nationaux soient mieux respectés par l'Union soviétique, comme il ressort en filigrane des travaux de diverses réunions du CAEM. Certains de ces pays, la Hongrie par exemple, surmontant relativement bien leurs difficultés économiques, formulent des réserves, au moment où, à Moscou ou ou à Prague, on se prononce en faveur d'une intégration encore plus poussée.

En dernière analyse, tout en reconnaissant l'utilité du développement de la coopération – notamment scientifique – au sein du CAEM, les scientifiques est-européens estiment indispensable la multiplication des liens avec l'Occident. Mais cela constitue une affaire politique, indissociable de l'évolution des rapports Est-Ouest [164].

Thomas Schreiber

L'anglais, langue scientifique privilégiée

L'anglais est la langue de communication privilégiée de la recherche dans la plupart des domaines (plus de 80 % des publications scientifiques se feraient en anglais, contre 5 % en français et moins encore en allemand ou en russe). Le même sens donné aux mêmes mots assure une circulation rapide des connaissances, stimulant les équipes de recherche en concurrence mondiale, épargnant les pertes de temps dues à une documentation insuffisante ou à un travail de traduction difficile et partiel. Lien entre tous les savants, la langue anglaise offre accès au vaste ensemble anglophone, fût-ce en recourant à une forme simplifiée comme le « Basic English ».

Seules une dizaine de langues peuvent résister : français et allemand (en déclin), russe, arabe, chinois et japonais (en progrès), espagnol, italien, portugais. Le nombre de locuteurs (personnes parlant couramment une langue) est secondaire.

La diffusion internationale est d'abord fonction de la masse financière investie dans la recherche, de l'enseignement à titre de langue étrangère et d'un passé scientifique qui se perpétue. Or, Union soviétique exclue, l'investissement dans la recherche aux États-Unis, avec l'appoint d'autres États anglophones (Royaume-Uni, Canada, Australie, Nouvelle-Zélande, Afrique du Sud), est beaucoup plus important que celui de leurs concurrents linguistiques. La diffusion limitée de certaines langues (japonais, chinois) et la tendance, dans des pays sans langue nationale prestigieuse, à publier des résultats scientifiques dans l'idiome le plus répandu, favorisent l'anglais, tout comme la simplicité de sa grammaire et l'originalité de son vocabulaire mi-latin, mi-germanique. Ses inconvénients (prononciation, orthographe et subtilités littéraires) ne peuvent nuire à un usage de la langue à la fois savant, écrit et techniciste. Le français est *quinze fois* moins utilisé comme langue scientifique. Il est l'apanage d'une communauté de savants beaucoup moins riche que la communauté scientifique anglophone. En fait, le spectaculaire déséquilibre entre le français et l'anglais reflète avant tout la disproportion des investissements.

Liée à une considérable disponibilité en capital, l'avance de l'anglais sur les langues rivales reste associée à la puissance d'un impérialisme dont l'hégémonie n'est pas compatible avec tous les progrès scientifiques. Un certain monolithisme, sur le modèle américain, nuit à la diversité des approches épistémologiques si nécessaire à la stimulation, à l'ouverture, voire, dans certains domaines sensibles – telles les sciences sociales –, à la vérité. La résistance linguistique à l'usage exclusif de l'anglais peut être l'indice d'un travail original dans lequel se teste une certaine forme de « philosophie du non ».

De nombreux pays parlant des langues sans diffusion, l'anglophonie est la condition préalable d'une initiation aux connaissances contemporaines pour leurs intellectuels. Pour une nation en butte à l'impérialisme culturel (entre autres) américain, un clivage peut apparaître entre mouvement populaire et intelligentsia, la fuite des cerveaux en constituant le symptôme. Un tel phénomène se retrouve chez les intellectuels des pays linguistiquement rivaux, opposant universitaires « nationaux » et universitaires formés aux États-

Unis. Il en résulte des conflits dans lesquels les États-Unis sont à même de jouer un rôle croissant.

Un pays comme la France porte ses efforts sur la défense de la langue et sur son emploi dans les centres et les rencontres scientifiques. Mais les pays anglophones investissent dans les circuits que doit emprunter la communication scientifique pour être connue et opérante : ils sont convaincus que l'*accès au message se fait par le média avant de se faire par la langue*. C'est pourquoi ils tentent de s'assurer la maîtrise de la mémoire (documentation, archivage) par de puissants moyens informatiques dont les bases de données exigent de plus en plus souvent l'anglais. Par là, ils tentent de contrôler les canaux modernes de communication, à même de toucher plus de personnes en moins de temps, redoublant ainsi un réseau très dense de publications de qualité. Une recherche ni enregistrée ni diffusée étant nulle, un marché scientifique disposant d'une forte avance en documentation et en communication est si attractif qu'à la limite seul l'anglais reste efficace et fonctionnel.

Dans cette perspective, l'anglais, promu seule langue scientifique et technique, deviendrait une langue de plus en plus dominante au plan international. Les anglophones bénéficieraient d'une avance sur tous les autres peuples à la naissance. Les autres langues, privées d'un vocabulaire national pour penser le progrès, dépouillées de leur mémoire et de leurs circuits de communication,

---

BIBLIOGRAPHIE

Ouvrages

Boursin J.L., *Le périodique scientifique de langue française*, CNRS, Paris, 1978.

De Chambrun N., Reinhardt A.M., *Le français chassé des sciences*, CIREEL, Paris, 1981.

Étiemble, *Le jargon des sciences*, Hermann, Paris, 1966.

s'appauvriraient. Déjà fasciné par le franglais dans le domaine des médias et du mode de vie, le français régresserait au rang de langue littéraire, pittoresque et archaïque, fragilisée par des emprunts massifs dans sa prononciation, son orthographe et sa grammaire, bref deviendrait un « patois ».

La prévalence actuelle de l'anglais dans les sciences, liée à la masse financière investie dans la recherche, face à des concurrents moins riches ou dont la langue est moins diffusée, ne peut être entièrement hégémonique si elle ne contrôle pas de manière exclusive les

mémoires et les circuits de publications. Ceci est le débat majeur des politiques scientifiques à l'échelle mondiale comme de la politique en général, celle des peuples, des gouvernements, sans oublier la communauté scientifique. Rien n'interdit de nouvelles convergences – entre langues romanes pour un fonds lexical commun par exemple –, l'irruption de nouvelles langues (malais, hindi ?) qui, interdisant le monopole de l'anglais, laisseraient leurs chances à dix à quinze langues en l'an 2000.

Gabriel Bergounioux

La mise au secret des idées scientifiques aux États-Unis

Le 2 avril 1982, le président Ronald Reagan signait le décret exécutif n° 12356 qui donnait aux services de sécurité des États-Unis des pouvoirs sans précédents pour « classifier » (c'est-à-dire mettre au secret) certaines informations sur la technologie, y compris, si besoin était, certains résultats de la recherche scientifique fondamentale. La tendance à la caducité de cette procédure, continue depuis trente ans, se trouvait ainsi renversée. L'administration Reagan prétendait que cette nouvelle réglementation était nécessaire pour empêcher que des ennemis potentiels – en particulier l'URSS – n'utilisent les résultats de la recherche américaine pour perfectionner leur propre technologie militaire.

Cependant, la communauté scientifique américaine s'est élevée contre ce décret qui donne à l'administration des pouvoirs dangereusement étendus, capables d'entraver la libre circulation des idées scientifiques. Un rapport de l'Association américaine des professeurs d'Université a

proclamé que ce décret « menaçait irrémédiablement la liberté universitaire et par là même le progrès scientifique et la sécurité nationale », et qu'il fallait « le réviser fondamentalement pour qu'il puisse être accepté par la communauté des scientifiques dont la vocation est la recherche libre et désintéressée ».

C'est le président Roosevelt, au début de la Seconde Guerre mondiale, qui avait signé le premier décret exposant la manière dont certaines informations devraient être « classifiées » pour répondre aux exigences de la sûreté nationale. Une série de nouveaux décrets promulguée par les présidents Truman, Eisenhower, Nixon et Carter révisèrent ensuite ces règlements. Dans chaque cas, tout en modifiant les détails du système de classement, on maintenait des limites d'application suffisamment strictes pour garantir la libre circulation des idées scientifiques.

Le décret de Reagan étend par contre les pouvoirs des services nationaux de sécurité de plusieurs manières. En premier lieu, s'il y a doute concernant la nécessité de tenir ou non secrète une information, ce doute sera désormais automatiquement tranché en faveur du secret. Et quand une information aura été « classifiée », elle le restera « aussi longtemps que l'exigeront les besoins de la sûreté nationale »; même le décret du président Nixon avait fixé en ce cas une limite de trente ans...

En second lieu, le gouvernement n'est plus obligé de définir la nature de la menace qu'une information particulière pourrait présenter pour la sûreté nationale, ce qui met ses décisions à l'abri de toute contestation légale. Il suffit désormais que le gouvernement soit intimement convaincu qu'une information « présente des caractéristiques telles qu'on peut penser que sa divulgation pourrait nuire à la sûreté nationale ».

La valeur stratégique de la recherche fondamentale

La troisième innovation est que les résultats de la recherche scientifique ordinaire (non secrète) rentrent désormais dans les catégories d'informations qui peuvent être « classifiées » par le gouvernement. Ceci s'applique même à la recherche qui n'est pas financée par le gouvernement ou qui est financée par un organisme – comme la Fondation scientifique nationale – qui n'a aucune responsabilité en matière de sûreté nationale.

C'est ce troisième point qui a le plus inquiété la communauté scientifique américaine. En effet, ces dernières années, il y a eu plusieurs cas de scientifiques universitaires empêchés de publier les résultats de leur recherche ou de recevoir des chercheurs étrangers dans leur laboratoire ou dans des colloques [83].

Les services de sécurité avaient affirmé que cela portait atteinte à la sûreté nationale.

La controverse grandissante au sujet de cas de ce genre tourne autour du fait suivant : plus la technologie militaire découle directement des résultats de la recherche fondamentale – par exemple dans la science des matériaux ou en informatique – plus les résultats de la recherche peuvent avoir une valeur stratégique susceptible d'intéresser les chercheurs militaires d'une puissance étrangère. D'où le désir du gouvernement de limiter sa divulgation publique.

Le cas le plus connu est celui des tentatives de l'administration Reagan pour contrôler les publications sur les recherches cryptographiques (l'étude mathématique des systèmes de codage des messages). Plus exemplaires encore sont les efforts du gouvernement pour limiter l'accès aux résultats de la recherche universitaire (non secrète) sur les circuits intégrés à très grande vitesse – VHSIC – [271] base potentielle de la prochaine génération de missiles guidés par des micro-ordinateurs « super-intelligents ».

Des idées cauchemardesques

En janvier 1982, lors d'un congrès de l'Association américaine pour le progrès scientifique (AAAS), l'amiral Bobby Inman, directeur adjoint de la CIA, a émis l'idée que des contrôles analogues pourraient être étendus aux nombreux domaines de la recherche scientifique directement applicable au domaine militaire tels que les lasers, la programmation des ordinateurs et même les systèmes automatisés de l'industrie (robots, etc.). L'amiral Inman, auparavant directeur de l'Agence nationale de sécurité, suggérait en outre que, pour mettre en accord les impératifs de la sûreté nationale et les intérêts proprement scientifiques, les chercheurs devraient accepter « de prendre en compte les conséquences éventuellement dangereuses pour la nation de la divulgation de leurs travaux déjà au stade de l'évaluation des projets de recherche, avant même le début des travaux ou de la publication des résultats ».

De nombreuses protestations se sont élevées dans la communauté scientifique contre les pouvoirs accordés aux services de sécurité. Le directeur exécutif de l'AAAS, William Carey, a qualifié de « cauchemardesques » les idées d'Inman. A la suite de ces protestations, une nouvelle directive du président Reagan a précisé que « les résultats de la recherche fondamentale non clairement reliés à la sûreté nationale pourraient ne pas être classifiés ».

L'Association américaine des professeurs d'Université souligne cependant dans son rapport que cette clause de sauvegarde est très fragile, compte tenu du nombre croissant de domaines scientifiques susceptibles d'être considérés comme liés à la sûreté nationale, et des pouvoirs discrétionnaires dont disposent les responsables des services de sécurité. Le rapport conclut que le décret exécutif n° 12356 « confère aux responsables gouvernementaux le droit sans précédent de s'immiscer à volonté dans la recherche universitaire qui dépend du niveau fédéral ».

Plus largement, un comité a été mis en place par l'Académie nationale des sciences pour étudier les restrictions croissantes appliquées à la recherche non secrète menée dans les universités américaines. Tout en admettant l'existence de « zones d'ombre », telles que la cryptographie ou l'informatique, pour lesquelles des restrictions peuvent se justifier, ce comité a mis en garde contre les contrôles excessifs qui pourraient à terme mettre en danger la puissance militaire nationale elle-même, en faisant obstacle au développement de la science.

Comme le disent les experts de l'Académie nationale des sciences, « tenter de restreindre le caractère public de la recherche fondamentale exigerait qu'on mette sous cloche de vastes domaines de la science, ce qui pourrait être extrêmement préjudiciable au progrès scientifique et économique général, aussi bien qu'au progrès militaire ». Le bénéfice limité et douteux qu'on peut retirer de tels contrôles est, sauf dans quelques cas isolés, largement contrebalancé par l'importance, pour le bien-être général de la nation, de l'accélération du progrès scientifique grâce à la libre circulation des idées ».

David Dickson

BIBLIOGRAPHIE

Articles

ROSENBAUM *et alii*, « Academic Freedom and the Classified Information System », *Science*, 21 janvier 1983.

« Reagan signs order on classification », *Science*, 16 avril 1983.

« Scientists Urged to Submit Work for US Review », *Washington Post*, 7 janvier 1982.

Dossiers

Scientific Communication and National Security, National Academy of Sciences, Washington DC, octobre 1982.

« The Government's Classification of Private Ideas », 34th Report by the Committee on Government Operations, US House of Representatives. House Report 96-1540, Washington DC, 22 décembre 1980.

STRUCTURES ÉCONOMIQUES

Progrès technique et industries de l'électronique

Depuis les années soixante, la densité d'intégration des circuits micro-électroniques (le nombre d'équivalents-transistors incorporables sur une même « puce ») a doublé tous les douze à dix-huit mois. Au début des années quatre-vingt, on est ainsi arrivé à avoir des composants électroniques à « très grande intégration » (Very Large Scale Integration Circuits ou VLSIC). Ces progrès dans les performances sont allés de pair avec des baisses continues des prix de ces composants.

Mais d'autres progrès technologiques ont affecté les industries de l'électronique. Certains ont porté sur la capacité d'interconnexion des appareils et des systèmes, permettant le développement de la télé-informatique, des télécommunications, de l'automatisation des processus de production... D'autres ont porté sur le développement des procédés permettant l'interaction homme-machine : langages de programmation nouveaux [300], systèmes de visualisation graphique, reconnais-

sance de la parole [287], reconnaissance des formes [280]... D'autres encore ont porté sur le développement et la diversification de la programmation, de façon à l'adapter à toutes sortes de systèmes informatiques, du micro-ordinateur domestique aux systèmes informatiques professionnels.

Les firmes électroniques ont modelé et exploité ces progrès techniques par cinq types d'actions.

1) En introduisant de *nouveaux produits* sur le marché. Les grandes innovations des années 1970/80 dans différents segments des industries électroniques peuvent s'énumérer ainsi :

– *composants :* microprocesseurs (Intel) [271], mémoires RAM, mémoires à bulles (Texas Instruments);

– *informatique :* micro-ordinateur (Altair), mini-ordinateur (DEC) [10], super-ordinateur (Cray) [268];

– *télécommunications :* commutation temporelle (CNET), fibres optiques (Corning Glass) [315], vidéotex (British Telecom) [10].

– *électronique industrielle :* commande numérique informatisée (Cincinatti- Milacron), robot programmable (Unimation) [295], conception assistée par ordinateur (Computervision) [283] ;

– *électronique grand public :* magnétoscope (Philips), micro-ordinateur amateur (Sinclair), ordinateur de poche (Sharp).

De nombreuses autres firmes, concurrentes ou agissant sur d'autres marchés géographiques, ont rapidement imité ces innovations, en y apportant parfois des améliorations substantielles (Apple puis IBM dans les micro-ordinateurs, Fanuc dans les robots, Hitachi et Fujitsu dans les mémoires RAM...).

2) En introduisant de *nouveaux procédés de production.* Les firmes électroniques ont également exploité les opportunités techniques, en améliorant la qualité et en baissant les coûts de leurs produits à travers de nouveaux procédés de fabrication. Deux types d'innovation ont marqué ce mouvement, au niveau des composants et des méthodes de production.

Au niveau des composants, on a assisté d'une part à une réduction du nombre de composants constitutifs des systèmes électroniques (ainsi, dans les postes de TV, les centaines de composants – coûteux à assembler – d'il y a quelques années sont désormais remplacés par une « puce » unique, très bon marché) ; et de l'autre part à une substitution des composants électromécaniques par des composants électroniques (dans les platines audio et vidéo, les instruments de mesure, les automatismes industriels). Les baisses de coûts assurées par ces phénomènes d'intégration et de substitution ont souvent été très importantes.

Le deuxième volet des progrès au niveau des méthodes de production a consisté en un approfondissement et élargissement permanent de l'automatisation. Dans la quasi-totalité des industries électroniques, la standardisation des composants d'un côté, la disponibilité d'automatismes de plus en plus performants de l'autre, ont permis des progrès continus dans ce domaine, assurant des baisses de coûts considérables (les exemples les plus spectaculaires de cette tendance se sont manifestés dans les chaînes de production de grandes firmes électroniques japonaises).

Une double dynamique

3) En entrant dans de *nouvelles activités.* Les progrès techniques ont permis à plusieurs firmes d'entrer dans de nouvelles activités, proches (amont ou aval) ou similaires à leurs domaines d'activité traditionnels. Des phénomènes d'intégration amont et aval ont ainsi eu lieu. Des firmes achetant antérieurement leurs composants ou sous-ensembles à l'extérieur ont été tentées de produire ces « inputs » de manière plus adaptée à leurs besoins et plus à jour par rapport à l'évolution de la technologie (IBM, ATT, Fujitsu, Hitachi... ont ainsi de tout temps produit la plupart de leurs propres composants ; à la fin des années soixante-dix, de grandes firmes comme Philips, Siemens, Schlumberger, Thomson, CGE, sont aussi entrées dans cette voie, au moins pour ce qui concerne leurs composants les plus stratégiques). En contrepartie, les firmes de composants, dont les produits ont constitué désormais une partie essentielle des produits de leurs firmes clientes, ont commencé à s'intégrer en aval et à les concurrencer directement (entrée de Texas Instruments dans les calculatrices, montres et jouets ; d'Intel dans l'informatique distribuée ; de Motorola dans l'électronique automobile ; de Zilog dans les micro-ordinateurs ; de Computervision, voire d'IBM, dans les automatismes...).

Des entrées dans des activités voisines ont également eu lieu sur la base de ce phénomène de convergence technologique. On a assisté ainsi à la consolidation et à l'extension des groupes spécialisés dans les technologies électroniques, et actifs dans plusieurs industries basées sur celles-ci. (C'est en particulier le cas des grands groupes électroniques japonais : Fujitsu, Hitachi, NEC, Toshiba, Mitsubishi, Matsushita, Sony; aux États-Unis, les groupes IBM, ITT, General Electric, et en Europe Philips, Siemens, Thomson, Matra poursuivent aussi cette stratégie).

4) En *se spécialisant* dans des domaines particuliers. A l'encontre des firmes citées précédemment, d'autres firmes électroniques ont choisi de concentrer d'emblée leurs efforts sur des technologies précises. Les firmes optant pour cette stratégie ont en général un noyau technologique spécifique, qu'elles essayent de sauvegarder et de développer face aux « géants », avec des ressources relativement limitées (des exemples notoires de ce type de spécialisation sont DEC, Hewlett Packard, Nixdorf, Olivetti, Norskdata dans la mini-informatique; Intel, Motorola et Zilog dans les semi-conducteurs; Ericsson, Northern Telecom et Mitel dans les matériels de télécommunications; Computervision dans la conception-fabrication assistée par ordinateur; Pioneer, Bang & Olufsen dans la hi-fi).

Mais même les très grandes firmes ont dû en venir à accepter une certaine spécialisation, en passant des accords de coopération technologique, ou en s'approvisionnant auprès des firmes spécialisées plus compétentes qu'elles dans des domaines particuliers (ainsi IBM, TI et NEC utilisent des micro-processeurs Intel dans leurs micro-ordinateurs; presque tous les grands constructeurs de machines-outils utilisent des commandes numériques Fanuc; les utilisateurs d'écrans plats à haute performance [323] s'adressent à Hitachi).

5) *Création de nouvelles firmes.* Les nouvelles opportunités techniques ont créé des « créneaux de marché » et donc des possibilités de création de firmes autour des nouvelles compétences technologiques. Souvent soutenue par des capitalistes « à risque » (venture capitalists), en particulier aux États-Unis, cette vague de créations de petites firmes a été un phénomène majeur dans les industries électroniques au tournant des années quatre-vingt. On les a vu apparaître notamment dans des activités nouvelles telles que la micro-informatique (Apple, Commodore, Tandy, Sord), la bureautique (Wang), les jeux et jouets électroniques (Atari, Imagic, Actavision), les logiciels (Visicorp, Microsoft, Digital Research).

On peut dire en somme que les progrès techniques ont lancé aux firmes industrielles, déjà présentes ou nouvellement entrantes dans les industries électroniques, des opportunités et des défis inédits. Ces défis et ces opportunités ont exigé, pour être relevés et saisis, une maîtrise et un dynamisme technologiques considérables de la part des ces firmes. Seules des ressources humaines et financières également considérables ont pu les assurer. Et c'est cette double exigence qui explique la coexistence d'une double dynamique de grandes et petites firmes. Quant aux firmes sans atouts particuliers, ne possédant ni ces ressources financières, ni ces ressources humaines, ni les parts de marché suffisantes pour amortir ces investissements massifs, elles ont et auront vraisemblablement des difficultés sérieuses pour survivre dans un tel contexte.

La double suprématie américaine et japonaise

Dans le cadre de ce dynamisme technologique, déclenché au cours des années soixante-dix et accéléré au début des années quatre-vingt, les industries électroniques ont offert dans le monde entier des produits traditionnels avec de meilleures performances et à moindres coûts et lancé sur le marché des produits totalement nouveaux. Malgré le poids de la récession mondiale, les marchés mondiaux de biens d'équipement, de biens intermédiaires et de biens de consommation électroniques ont crû à une vitesse remarquable (en valeur, c'est-à-dire compte non tenu de la baisse nominale des prix et malgré la hausse du dollar qui sous-valorise la production nonaméricaine). Mais les demandes de consommation et d'investissement les plus sensibles aux progrès techniques étant surtout situées dans les pays les plus développés, c'est dans ces derniers qu'a eu lieu la croissance la plus forte de ces marchés. (Les pays du tiers monde et les pays de l'Est y occupent ainsi une part relativement marginale.) Ces pays riches étaient aussi ceux qui offraient aux firmes de l'électronique l'environnement scientifique et technique et les ressources financières dont elles avaient besoin.

Il en est résulté une structuration très polarisée des industries électroniques mondiales, y compris à l'intérieur de la zone des pays les plus développés, principalement au bénéfice des États-Unis et du Japon. La part que ces deux pays occupent dans la production électronique mondiale est donc supérieure à leur part dans le marché mondial, leur présence étant particulièrement forte dans les segments à très haute technologie (semi-conducteurs, ordinateurs, matériels de télécommunication, électronique industrielle...). Symétriquement, l'Europe de l'Ouest assure une production totale inférieure à ses marchés, avec un décalage particulier dans les segments à haute technologie. Cette relative faiblesse des firmes européennes est partiellement compensée par d'importants investissements de production des firmes américaines, et plus récemment japonaises, sur le sol européen.

Dans ce contexte, les pays du tiers monde n'ont connu qu'un développement très limité des industries électroniques, et quasi nul dans les industries de haute technologie. Cependant, un phénomène particulier a jusqu'ici promu un certain développement des industries électroniques dans quelques pays du tiers monde : la part importante occupée par l'assemblage manuel dans la plupart de ces industries a en effet fortement motivé les grandes firmes à délocaliser leurs opérations d'assemblage vers ces pays, où les coûts en main-d'œuvre sont de 6 à 15 fois inférieurs aux pays développés. Ces firmes y ont alors créé de nombreuses filiales de production, ou ont promu le développement des firmes de sous-traitance (selon une estimation, en 1981, 90 % des composants produits par des firmes américaines étaient assemblés « outremer ») [148]. Avec les progrès récents de l'intégration et de l'automatisation, ces différentiels de coûts de main-d'œuvre tendent cependant à perdre leur importance et on assiste à un fléchissement de ces investissements et de ces échanges Nord-Sud dans les industries électroniques mondiales.

Des firmes de pays du Sud, en particulier d'Asie du Sud-Est (Taiwan, Corée, Singapour, Hong Kong) ont réussi toutefois à développer certaines industries électroniques et à concurrencer avec succès les firmes des pays développés sur certains marchés de biens électroniques de bas de gamme (récepteurs de radio et de TV, appareils de reproduction du son, terminaux téléphoniques...). Essentiel pour les économies des pays exportateurs concernés (en 1980-81, les industries électroniques comptaient pour 10 % dans la production industrielle de Taiwan, pour 15 % dans celle de la Corée et 23 % dans celle de Singapour), ce phénomène est resté néanmoins relativement marginal dans la structure globale et les tendances en cours des industries électroniques mondiales.

Rauf Gönenç

491

Progrès technique et industrie automobile

Jusqu'à la fin des années soixante, les constructeurs d'automobiles avaient délibérément opté pour un relatif immobilisme technologique. L'essentiel de leurs efforts avait porté sur la rationalisation des techniques de production et sur la promotion des seules innovations intéressantes commercialement. Lorsque les marchés étaient en forte croissance, l'augmentation des performances (vitesse, accélérations,...), l'amélioration du confort, l'adaptation de l'esthétique au mouvement de la mode, la différenciation symbolique (gadgets, etc.) et fonctionnelle apparaissaient comme des objectifs primordiaux. Ils étaient d'ailleurs d'autant plus faciles à privilégier qu'ils ne nécessitaient pas de révolution technologique majeure.

Depuis les années soixante-dix, des thèmes nouveaux de recherche-développement apparaissent : il s'agit de diminuer le bruit des moteurs, la pollution des gaz d'échappement, les problèmes d'encombrement dans les villes, et les risques d'accidents dus aux défaillances mécaniques. Mais c'est le plus souvent une intervention réglementaire, donc contraignante, des États, qui assure la prise en compte de ces objectifs par les constructeurs au demeurant peu empressés. Ceux-ci ont plutôt tendance naturellement à éviter, voire à bloquer les innovations technologiques telles que le moteur Stirling (non polluant), le moteur à turbine (économe en carburant), les accumulateurs de haute performance ou les piles à combustible. Il est vrai qu'ils peuvent faire mine de s'y intéresser, surtout d'ailleurs lorsque les programmes sont financés sur deniers publics. Mais ils accordent plutôt leur préférence aux innovations visant à perfectionner les filières classiques : moteurs à explosion et diesel. Dans ce domaine, il est néanmoins vrai que des gains substantiels de consommation énergétique ont été réalisés : de 20 % à 30 % selon les modèles entre 1975 et 1983. Ces résultats devraient être améliorés à l'horizon 1990 : 3 litres au 100 kilomètres pour les modèles de bas de gamme type européens, 8 litres pour les modèles « medium » selon les canons américains. Ces améliorations devraient être obtenues en privilégiant quatre voies : l'allègement des divers sous-systèmes constitutifs des véhicules, l'amélioration de l'aérodynamisme, l'augmentation du rendement intrinsèque des organes mécaniques, l'optimisation du fonctionnement du groupe motopropulseur par adjonction de dispositifs de contrôle et de régulation.

Ces progrès techniques sont à l'origine de lentes, mais significatives transformations des systèmes productifs dans les pays contructeurs, et de transformations au niveau de la division internationale du travail.

Place aux nouveaux matériaux

La réduction du poids des véhicules suppose, en effet, des substitutions de matériaux : les produits sidérurgiques classiques – fonte et aciers courants – cèdent le pas aux aciers à haute résistance, aux métaux non-ferreux – essentiellement aluminium et alliages dérivés – mais surtout aux « nouveaux » matériaux [335], en l'occurrence les matières plastiques, les composites (alliages de plastiques et de fibres de verre ou de carbone) et les céramiques. C'est surtout au niveau des éléments de carrosserie que se fait sentir la concurrence entre aciers, plastiques et composites. Les progrès les plus récents sur ces matériaux et leurs procédés de fabrication et de transformation leur donnent des avantages déterminants : ils permettent une plus grande flexibilité du « design », une diminution du nombre et de la complexité des composants, une réduction substantielle des coûts d'entretien (absence de corrosion), sans pour autant sacrifier aux impératifs de sécurité (élasticité et résistance aux chocs).

Ces évolutions remettent sérieusement en cause la domination, en ce qui concerne l'automobile, des industries sidérurgiques, plus particulièrement celles spécialisées dans les produits plats, et le travail des métaux. Elles stimulent, en revanche, la chimie de base et l'industrie de la transformation des plastiques. Pour les produits sidérurgiques, les constructeurs européens disposaient de fournisseurs dans leur proche environnement. Il n'en est plus de même pour les matières plastiques. Les industries, dans ce domaine, sont très spécialisées par pays et par multinationales. Les groupes qui contrôlent les plastiques techniques les mieux adaptés à l'automobile sont américains (Dupont de Nemours, Dow Chemical, Monsanto, Union Carbide,...), allemands (Bayer, Hoechst) et, dans une moindre mesure, japonais (Mitsubishi Chemical, Asahi C., Dainippon C.).

Ce mouvement de spécialisation est également sensible pour les industries fournissant les équipements électromécaniques et électroniques d'optimisation et de régulation des moteurs thermiques. La diffusion de l'injection électronique profite aux leaders mondiaux allemands (Bosch), américains (Bendix, Motorola et Texas Instrument) et japonais (Fujitsu, Matsushita et Mitsubishi); celle des turbocompresseurs (suralimentation des moteurs Diesel) au grands producteurs de turbines américains (Garett et Borg Warner) et japonais (Ishi).

Ces transformations, même tendancielles, des structures industrielles et de la division internationale du travail ont des effets sur les courants et les équilibres acquis des échanges commerciaux. Mais les enjeux les plus cruciaux concernent le volume des emplois – les suppressions pouvant être très supérieures aux créations – et les conditions de travail : modification du contenu des tâches en intensité et complexité (chez les fournisseurs et les constructeurs), évolution des qualifications, etc. De plus, les effets imputables aux transferts d'activité évoqués ci-dessus se cumulent à ceux, encore plus prononcés, des progrès techniques au sein des processus de production : conception, dessin et fabrication assistés par ordinateur [283], ateliers flexibles [292], robotique [295]...

Jean-Jacques Chanaron

BIBLIOGRAPHIE

Ouvrages

Chambre syndicale des constructeurs d'automobiles, *L'industrie automobile française : 1981-2000. Recherche Innovation*, Paris, 1981.

CHANARON J. J. *et al*, *L'Industrie automobile*, La Découverte/Maspero, Paris, 1983.

Articles

Ambassade de France, « Les matériaux pour l'automobile aux États-Unis », *Le progrès scientifique*, n° 215, 1981.

« L'auto 1982-1990 », *Science et Vie*, n° 139 hors série, 1982.

Progrès technique et industrie chimique

La chimie, science qui étudie la constitution de la matière, ses propriétés et ses transformations (ou « réactions »), est née tardivement. Mais elle a connu depuis lors un développement proprement explosif non seulement en tant que corps de savoir, mais aussi comme fondement d'un ensemble d'activités industrielles qui ont précisément pour objet d'effectuer à une certaine échelle une ou plusieurs de ces réactions. Ce développement industriel, cependant, ne s'est pas fait sans ruptures, détours, voire retours en arrière, commandés par des facteurs internes aussi bien qu'externes.

Rien d'étonnant à cela. L'industrie chimique tire de quatre sources de matières premières (produits carbonés, phosphates, soufre et matières sulfureuses, sels) un petit nombre de produits de base, qu'elle transforme d'abord en quelques dizaines de grands intermédiaires puis en des milliers de produits finals différents. De ce fait, elle joue, dans l'économie des pays développés un rôle de plaque tournante, entretenant des flux importants avec la plupart des autres branches. Et les divers facteurs intervenant dans l'évolution générale de la chimie apparaissent particulièrement bien dans les mutations qualitatives des industries chimiques organiques, passées en moins de deux siècles du travail des matières premières d'origine végétale ou animale par quelques techniques simples (en particulier les fermentations) à la carbochimie, puis à la pétrochimie, sans parler des mouvements en sens inverse qui déjà se dessinent.

Ainsi, la chimie a ressenti plus que tout autre secteur les effets de la crise économique et de la modification de son environnement depuis le début des années soixante-dix. Cela a été vrai du côté de la *demande*, avec l'arrivée à saturation de nombreux produits (engrais, solvants, fibres) et surtout les nouvelles exigences relatives à la qualité des produits et services ou à la protection de l'individu et de son milieu. Mais cela a été aussi vrai du côté de l'*offre*, avec l'incertitude sur l'évolution des prix relatifs des matières premières, en particulier du pétrole, et l'entrée en scène de nouveaux pays (Moyen-Orient, Mexique) qui pose un problème de relocalisation des activités. Pour s'adapter à ces modifications, perçues comme durables, l'industrie chimique se voit contrainte à de profondes mutations.

Mais elle y est poussée aussi par des facteurs internes : il en est ainsi chaque fois qu'un procédé apparaît qui permet un meilleur rendement, ou un nombre d'étapes intermédiaires moindres, ou des conditions physiques plus douces, ou une plus grande sélectivité. Les facteurs internes relèvent aussi des progrès dus à des perfectionnements, instrumentaux ou des apports d'autres disciplines telles que la physique ou la biologie. C'est dans ce cadre qu'une stratégie active d'innovation prend tout son sens. Pour les firmes chimiques, on discerne alors trois grandes directions qui intègrent les possibilités nouvelles apportées par la recherche et les modifications des conditions externes.

Premièrement, *le retour au charbon* [353], source d'énergie et matière première, paraît inéluctable à terme. Le mouvement s'inscrit dans une optique stratégique : il s'agit de réduire la dépendance par rapport à certains pays, puisque les réserves de charbon sont à la fois plus abondantes et réparties plus également que celles de pétrole, ce qui permet de diversifier les sources d'approvisionnement. Mais le retour au charbon s'inscrit aussi dans une optique technico-économique, la production d'intermédiaires chimiques pouvant, grâce aux progrès de la catalyse, devenir assez rapidement compétitive avec les procédés de craquage du pétrole.

Cependant, les investissements nécessaires sont retardés par la pression à la baisse consécutive au ralentissement de la demande en pétrole. Cela expose les firmes au risque de nouvelles difficultés en cas de retour de tension sur les prix pétroliers. Quoi qu'il en soit, la nouvelle carbochimie sera vraisemblablement très différente de celle d'avant-guerre : moins polluante pour l'habitant, moins pénible pour le travailleur, plus souple et plus efficiente pour l'industrie, elle privilégiera certains intermédiaires comme le méthanol, qui pourra devenir l'un des grands vecteurs énergétiques de la fin du XXe siècle. La gazéification en « petites molécules » est le procédé qui devrait s'imposer en premier, avant la liquéfaction, mais l'une et l'autre exigent des investissements importants en amont.

La « chimie de la fonction »

Deuxièmement, les conditions économiques et les apports de la biologie (génie génétique ou enzymatique) rendent plus compétitifs *les procédés biotechnologiques* [216], que ce soit pour fabriquer des produits à haute valeur ajoutée (antibiotiques) ou même des produits de base (éthanol). La chimie, qui travaille depuis longtemps *pour* le vivant (engrais, pesticides, médicaments), travaillera de plus en plus *par* le vivant, à l'aide des microorganismes, dans des conditions physiques « douces ». Si l'approche biologique implique avant tout des mutations profondes dans la manière de produire, elle apporte aussi, dans

certains cas, des réponses nouvelles, plus souples et moins accompagnées d'effets néfastes, à des problèmes complexes. Ces possibilités s'intègrent dans la problématique d'une chimie nouvelle, que l'on peut appeler « chimie de la fonction », où il ne s'agit plus tant pour l'industrie de vendre des *produits* (comme des engrais) que de réaliser un ensemble de *fonctions* complexes (par exemple la fertilisation, en donnant aux plantes les moyens de fixer directement l'azote de l'air, ou encore la lutte contre la pollution, etc.).

Troisièmement, aux confins de la physique, *les matériaux nouveaux* [335] assurent la continuité de la réponse matérielle aux besoins de l'économie, ce qui n'exclut cependant pas de profondes mutations technologiques dans la production de matériaux de synthèse. Les plastiques traditionnels produits en masse subissent de plus en plus la concurrence des productions des pays riches en matières premières et en énergie, d'une part parce que cette industrie est parvenue à maturité, et d'autre part en raison de la part croissante de l'énergie dans les coûts de production (60 % du prix de revient pour certains plastiques contre 15 % avant la crise pétrolière). Les surcapacités dues au ralentissement de la demande et à l'entrée de nouveaux pays producteurs ont pesé fortement sur les prix, qui sont devenus très sensibles aux coûts de transport ou aux taux de change.

Cela a contraint les grandes firmes à se spécialiser dans la production de matériaux présentant certaines caractéristiques techniques – les technoplastiques (copolymères, alliages de polymères) – ou de matériaux de pointe, les matériaux composites (comportant des fibres par exemple). Ces derniers, issus de la recherche spatiale, incorporant une technologie avancée qui leur assume une grande souplesse fonctionnelle, sont utilisés maintenant dans l'industrie du forage sous-marin. Ils pourraient pénétrer bientôt l'industrie automobile à condition d'atteindre un seuil de rentabilité et moyennant une « reconceptualisation » globale de la production. Dans cet exemple de diffusion d'une innovation à partir d'un secteur de pointe, on peut entrevoir dans les prochaines années une discontinuité matérialisée par un « saut » qualitatif dans la manière de concevoir la production d'un secteur industriel.

Tandis que des mutations profondes s'opèrent en chimie, la localisation des activités évolue fortement elle aussi. On observe ainsi, d'une part, un processus de « délocalisation » des investissements productifs dans la chimie lourde vers les pays riches en matières premières (Moyen-Orient, Canada, etc.), généralement dans le cadre de « joint-ventures », et d'autre part une évolution vers une chimie de « haute valeur ajoutée » dans les pays pauvres en matières premières (Europe, Japon). Seuls les États-Unis, riches en matières premières *et disposant* d'une recherche de très haute qualité, sont compétitifs dans toutes les branches de la chimie.

Patrik Cohendet,
Bernard Munsch

Progrès technique et industrie textile

L'objet du travail effectué par l'industrie textile est de transformer des fibres soit naturelles, soit faites de la main de l'homme, artificielles ou synthétiques, en tissu ou en tricot. Ces productions sont destinées à des usages divers : habillement, linge de maison (pour la table, pour le lit, pour l'entretien), ameublement, textiles spéciaux pour l'industrie ou la construction.

Les filières textiles qui permettent ces transformations des fibres sont très complexes, composées d'un grand nombre d'opérations très spécifiques, à la fois de la nature de la fibre transformée et du stade de transformation. De même, ces opérations sont effectuées sur des matériels très spécialisés, selon le type d'opération mais également selon la fibre à transformer. D'où une multiplication et un morcellement très poussés des filières. Il existe quatre filières très distinctes fondées sur l'existence de quatre fibres naturelles principales : le coton, la laine, le lin et la soie. On ne prépare pas à la filature les fibres de laine de la même façon que les trois autres et cette spécificité est vraie pour les quatre fibres, et d'autant plus nette qu'on est plus en amont de la filière.

Si le tissage ou le tricotage des fils de laine peuvent se réaliser sur les mêmes machines que celles utilisées à tisser ou à tricoter le coton, il n'en est pas de même en ce qui concerne la fabrication des fils de laine ou de coton, qui exige des matériels différents. Cette spécificité du matériel et des méthodes a conduit à la spécialisation des entreprises textiles, exerçant chacune un ou quelques maillons de la filière et pour un type de fibre donné. D'où le nombre élevé d'entreprises de taille petite ou moyenne, et le fait que très peu d'entre elles soient intégrées pour l'ensemble d'une filière. Encore moins le sont-elles pour plusieurs filières.

Une autre caractéristique du textile-habillement est l'utilisation d'une main-d'œuvre importante (591 249 salariés en France à la fin de 1979), fortement féminisée et peu qualifiée. D'où le développement de ces industries dans les pays du tiers monde à faibles coûts de main-d'œuvre, et la pénétration importante sur les marchés des pays développés des importations textiles en provenance de ces pays. Cette situation peut naturellement évoluer vers une nouvelle division internationale du travail. L'évolution technologique et la transformation des structures à l'intérieur des entreprises sont précisément des atouts pour lutter contre cette fatalité.

Enfin, le textile est tributaire de la mode et exige de la production une grande souplesse et une grande créativité. Le phénomène « mode » devient un phénomène de société, comme l'avènement du « jean » qui a supplanté pour une part importante le vêtement classique. Il peut modifier en profondeur la structure industrielle en pénalisant profondément une filière au bénéfice d'une autre.

Vers la fusion des filières?

Au tournant du XXᵉ siècle, la découverte des fibres artificielles (faites par l'homme à partir de produits naturels comme le bois, qui produit la viscose) puis des fibres synthétiques (obtenues par synthèse à partir d'éléments chimiques, comme le nylon) fut le point de départ d'une évolution technologique de l'industrie textile dont les retombées se font encore sentir aujourd'hui. Ces fibres pouvant être préparées à volonté pour s'intégrer aux méthodes et aux matériels existants, on les introduisit dans trois des quatre filières textiles (la laine, le coton et la soie). D'où la production des mélanges laine-fibres artificielles ou synthétiques (FAS) ou encore coton-FAS. Toujours sur les mêmes matériels, les fibres synthétiques furent également travaillées en pur. C'est principalement le cas des fibres synthétiques en filament continu qui supplantèrent la soie naturelle. Pour le lin, les recherches menées depuis 1979 tendent à le transformer par affinage mécanique pour permettre sa filature en mélange avec le coton ou des fibres synthétiques sur matériel cotonnier. L'intérêt de cette évolution technologique est de se passer d'un matériel spécifique très coûteux et de promouvoir le lin dans des usages grand public tel que l'habillement.

On observe donc un rapprochement des diverses filières existantes, ce qui devrait permettre progressivement leur fusion. Cela devrait aussi permettre la division des entreprises textiles, non plus en fonction des fibres qu'elles transforment, mais en fonction des produits fabriqués. Ce phénomène est accentué par les transformations technologiques de la filature qui se déroulent depuis 1976. En effet, c'est vers cette époque que fut découvert un nouveau procédé de filature par centrifugation des fibres dans une turbine. Ce procédé, dont les performances sont de trois à quatre fois supérieures à celles des procédés classiques, permet de filer tous les types de fibres pour autant que celles-ci soient préparées en conséquence.

Enfin, le développement de l'automatisation est un facteur très important de l'accroissement de la productivité dans la branche. Cette automatisation intervient au niveau des machines textiles elles-mêmes (filature), des procédés (teinture), de la gestion des ateliers (tissage). Elle va permettre également d'améliorer la qualité des articles produits et la flexibilité des ateliers. Ce processus d'automatisation risque toutefois d'être assez lent, dans ce secteur particulièrement frappé par la crise et dont les capacités d'investissement ont été réduites en conséquence.

Le fait que les industries du textile et de l'habillement, surtout dans les secteurs en aval, restent des industries de main-d'œuvre, le fait également que les fibres naturelles telles que le coton et la laine soient importées à 100 % dans la plupart des pays industrialisés, risquent donc d'encourager le mouvement de délocalisation de certains segments de la filière vers les pays du tiers monde ou producteurs de fibres. Or, dans un pays comme la France, une industrie textile viable doit pouvoir s'appuyer sur une filière complète. Si, à court terme, la limitation des importations y semble donc indispensable, les solutions à plus long terme passent nécessairement par des changements de structure basés sur le rapprochement des filières textiles par l'évolution du matériel et aussi par une automatisation plus poussée.

Georges Mazingue

Progrès technique et industrie des machines-outils

La crise de l'industrie de la machine-outil est mondiale : 25 % de ses effectifs ont été licenciés de 1970 à 1977. Dans un environnement où la concurrence s'accroît, les industries nationales de machines-outils qui ont le mieux anticipé le changement induit par l'électronique sont celles qui dominent ce secteur en 1984.

Avant d'aborder cette mutation, quelques définitions sont nécessaires : pour schématiser, on peut définir la machine-outil comme la machine à faire les machines. On en distingue deux catégories, qui remplissent des fonctions similaires (usinage, tournage, fraisage) : les machines conventionnelles et les machines-outils à commande numérique (MOCN). La commande numérique est un procédé d'automatisation qui permet d'actionner la machine-outil d'après des instructions qui lui sont transmises sous forme codée numériquement. Créé aux États-Unis dans les années quarante, le domaine de prédilection de la commande numérique est la fabrication de pièces complexes en petites séries répétitives (engrenages de boîtes de vitesses, par exemple) [295].

Principalement localisée dans les pays à forte tradition mécanique, cette industrie où dominent les petites et moyennes entreprises a des débouchés très dépendants de la santé économique des secteurs utilisateurs (aéronautique, mécanique, automobile). Jusqu'en 1973, lorsqu'apparut la commande numérique par calculateur (CNC), ce secteur innova peu. En raison de sa haute technicité, l'industrie de la machine-outil est difficilement exportable. En revanche, la diversité des besoins des clients nécessite la mondialisation du marché.

Les tableaux suivants illustrent l'évolution des parts des principaux pays producteurs et exportateurs de machines-outils durant la crise.

Le niveau de la technologie est un facteur déterminant pour la conquête du marché. Un marché intérieur fort, une politique de recherche et développement (RD) efficace ont permis aux États-Unis, au Japon et à l'Italie de ne pas rater le virage de la machine-outil à commande numérique. Paradoxalement, un des facteurs de la relance de ces industries a été, aux États-Unis et au Japon, la crise de l'énergie. Cette dernière a nécessité en 1978 la restructuration de l'industrie automobile américaine, induisant une demande de machines-outils de tous types. L'industrie américaine ne pouvant répondre à cet appel, le marché s'est ouvert au Japon, dont

LES PRINCIPAUX PAYS PRODUCTEURS DE MACHINES-OUTILS
(en % de la production mondiale)

	États-Unis	RFA	Japon	URSS	Italie	G.-B.	Suisse	France	RDA	Roumanie	Chine	Pologne	Brésil
1974	160	21,0	11,0	14,0	5,0	4,5	3,0	4,2	3,0	..	..	2,6	..
1981	18,1	17,6	14,3	11,7	6,5	4,5	4,0	3,8	3,5	2,0	1,8	1,8	1,7

LES PRINCIPAUX PAYS EXPORTATEURS DE MACHINES-OUTILS
(en % des exportations mondiales)

	RFA	Japon	Suisse	Italie	États-Unis	RDA	G.-B.	France	URSS	Taïwan
1974	37	4	7	5	9	7	4	4	2	..
1981	26,3	13,1	8,1	7,6	6,7	6,3	6,1	4,7	3,1	1,5

Source : Syndicat de la machine-outil française.

l'axe prioritaire de la politique industrielle avait été dès le début des années soixante-dix l'automatisation des machines-outils pour pallier un manque de ressources énergétiques et de main-d'œuvre qualifiée en mécanique [43]. Le marché s'ouvrit aussi à l'Italie : la haute technicité en machines-outils de ce pays s'explique par le transfert du savoir des grandes entreprises, au moyen de centres de formation qu'elles financent, vers des petites et moyennes entreprises sous-traitantes très dynamiques où le travail au noir règne. En revanche, la RFA, la France, les pays de l'Est ont manqué cette évolution technologique.

Malgré un marché intérieur croissant, la part de l'industrie allemande de la machine-outil dans la production et les exportations mondiales a décru, au profit du Japon et de l'Italie, en raison de sa spécialisation en machines-outils conventionnelles, dont le marché a régressé et sur lequel sont apparus de nouveaux pays producteurs. Seule la réputation de qualité des machines-outils allemandes a freiné la chute de cette industrie.

Toutefois la RFA est moins dépendante des pays dominants que la France, qui était le premier importateur de MOCN avec l'URSS en 1981. Cette situation a conduit à l'élaboration d'un plan de sauvegarde de l'industrie française de la machine-outil. Grâce à un effort de RD qui doit passer de 1 % à 5 % du chiffre d'affaires de la profession et à la multiplication par 3 de la production de MOCN d'ici 1985, la France devrait recouvrer sa compétitivité et reconquérir son marché intérieur. Elle pourrait alors envisager une politique à l'exportation différente de celle de 1981, où, signe de sa moindre compétitivité, ses exportations étaient destinées en grande partie au tiers monde et aux pays de l'Est dans le cadre d'accords de compensation. Les pays de l'Est ont le même créneau de production que la France et connaissent d'ailleurs des difficultés similaires. Une exception, la RDA, qui a un ministère de la Machine-outil autonome, a vu sa production croître.

Le déclin technologique de ces pays s'est d'abord traduit par une modification de leur place dans la

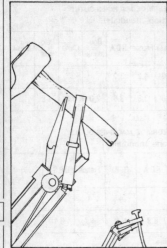

division internationale du travail : ainsi, le Royaume-Uni, premier producteur au XIXe siècle, est devenu le sous-traitant des États-Unis. De plus, des firmes d'Asie du Sud-Est, qui travaillent en sous-traitance pour le Japon, et même des firmes chinoises, émergent sur le marché des machines-outils conventionnelles grâce à leurs faibles coûts de production. Des pays d'Amérique du Sud s'intéressent à la production de machines-outils pour leur propre développement industriel. L'Italie a

ainsi implanté au Brésil un centre de formation sur MOCN. Toutefois, c'est plus un moyen de trouver des débouchés qu'une véritable internationalisation des connaissances.

Avec l'électronique, une mutation de la structure de production s'effectue, expropriation du savoir ouvrier vers la machine, mutation du personnel qui devra posséder une formation polyvalente (mécanique, électronique, informatique) [58]. Cependant, les suppressions d'emplois dans ce secteur sont plus imputables à la fermeture d'usines dont la production est périmée par manque d'investissements productifs qu'à l'automatisation.

L'adaptation structurelle du monde à de nouvelles normes de production (baisse des séries, ateliers flexibles) devrait engendrer une demande croissante de MOCN. Pour avoir un pouvoir de négociation, les nations doivent posséder une industrie de la machine-outil forte. Toutefois, il est à craindre que la division internationale dans ce secteur ne s'accentue dans les années à venir : les pays industrialisés dominés devenant des sous-traitants des nations spécialisées dans les machines à forte valeur ajoutée (MOCN) et la production de machines conventionnelles se localisant de plus en plus dans les pays du tiers monde.

Didier Depierre

BIBLIOGRAPHIE

Ouvrages

REAL B., *Changement technique et politique économique. L'industrie des machines-outils,* OCDE, Paris, 1980.

LAFFONT J., LEBORGNE D., LIPIETZ A., *Redéploiement industriel et espace économique : la machine-outil,* CEPREMAP, Paris, 1980.

Article

LASFARGUE Y., « L'utilisation de la robotique dans la production et ses perspectives d'avenir », *Journal Officiel de la République française,* Paris, 2 avril 1982.

La diffusion du progrès technique

En ce début des années quatre-vingt, l'entrée dans une crise qu'un grand nombre d'experts s'accordent à prévoir profonde et durable multiplie les interrogations à propos des relations entre changements techniques et reprise d'une croissance durable. Il est éclairant de rapporter les diverses interprétations contemporaines à quelques grands enseignements tirés de l'histoire des économies capitalistes et des mutations technologiques associées à leur essor.

La vision la plus fortement popularisée est celle d'une constante accélération du progrès technique ou encore d'un « progrès du progrès technique » lui-même. Ainsi souligne-t-on que près d'un siècle a séparé l'invention du principe de la photographie à la fin du XVIII⁵ siècle, de son développement commercial, alors qu'à la fin du XIX⁵, 35 ans seulement ont suffi pour développer la radio... Et au milieu du XX⁵, cinq ans à peine ont suffi pour faire passer le transistor de sa découverte à son lancement commercial. En fait, la précision de ces datations pose problème : s'agit-il de la date de lancement à l'état de prototype ou de grande série ? De plus, ces exemples sont tout de même choisis et cela ne permet pas de conclure au caractère typique de ces innovations. Il ne faut pas non plus confondre une innovation aux conséquences économiques mineures avec un changement technologique porteur d'une redéfinition d'ensemble des combinaisons productives et des modes de vie. Or ce sont précisément « les grappes d'innovations » qui conditionnent pour une large part les effets économiques et sociaux d'une avancée des sciences et des techiques.

Les recherches détaillées menées sur ce point montrent que la vitesse de diffusion des innovations de base ne s'est pas accélérée au début du XVIII⁵ siècle à nos jours et qu'elle est en moyenne bien inférieure à ce qu'imaginent les tenants d'une accélération du progrès technique. Il n'est pas rare que le processus s'étale sur plus d'un quart de siècle, car tel est le délai pour que la formation de capital modèle les structures productives et que les nouveaux produits façonnent l'organisation de la vie sociale et collective. En outre, certains exemples suggèrent l'existence d'un apparent paradoxe : lorsque les forces du marché ou les interventions gouvernementales favorisent la diffusion technologique, une série d'effets pervers contrebalance souvent les gains obtenus à court terme. Ainsi pour prendre un exemple contemporain, il ne suffit pas d'enregistrer la naissance d'une nouvelle génération de microprocesseurs [271] pour en déduire que « l'après-crise a commencé ».

La surestimation du déterminisme technologique

Grâce aux perspectives d'investissement qu'il ouvre, aux nouveaux produits auxquels il conduit, et aux formes d'organisation qu'il appelle, le changement technique est à même d'exercer de puissants effets sur la dynamique d'économies capitalistes. En effet, dans ces économies, la domination technologique, ou tout au moins l'adaptation permanente, conditionne la survie de producteurs concurrents, luttant sur un espace dépassant souvent le cadre national. Il n'est pas surprenant que de nombreux travaux contemporains aient recherché dans une rénovation de l'approche de l'économiste autrichien Joseph Schumpeter une interprétation de la crise actuelle.

L'essor rapide des branches liées à l'automobile, aux biens ménagers durables et au logement urbain expliquerait la croissance forte et régulière enregistrée à l'issue de la Seconde Guerre mondiale et jusqu'à la fin des années soixante. L'arrivée à « maturation » de ces branches rendrait compte du tassement progressif de la croissance, amorçant la phase descendante d'une « vague de Kondratief ». Dans la mesure où les travaux de cet économiste russe font apparaître l'alternance de 25 années de croissance, puis d'une dépression de même durée, il suffirait d'attendre le début des années quatre-vingt-dix pour que se retournent les tendances défavorables actuelles conduisant à la montée du chômage et à la désarticulation de l'économie mondiale : en effet 1967 + 25 = 1992, dès lors que l'on convient de dater ainsi le début d'une crise trouvant son originalité aux États-Unis.

Le rôle de l'« innovation socio-politique »

En réalité, il faut se défier d'un déterminisme aussi strict assimilant la dynamique économique à un simple mouvement périodique. En premier lieu, les raisons théoriques de ces ondes longues demeurent largement mystérieuses, au point que le pronostic que l'on peut en tirer est particulièrement fragile. En second lieu, la croissance des économies européennes et japonaise après 1945 s'inscrit en rupture par rapport aux tendances séculaires antérieures (rythme plus élevé de la croissance, quasi-disparition des chutes de la production), caractéristique difficile à interpréter dans le cadre des « vagues de Kondratief ». Enfin, dans sa version extrême, cette conception surestime le déterminisme d'origine strictement technologique au détriment des facteurs économiques, institutionnels et culturels. De plus

c'est oublier que l'issue des grandes crises précédentes (celle de la fin du XIX⁰ siècle comme de 1929) a mis en jeu d'importantes ruptures, géopolitiques mais aussi technologiques, de sorte que la présente décennie apparaît largement ouverte et non pas strictement déterminée par la diffusion des technologies connues aujourd'hui.

L'expérience historique montre que les changements techniques se sont toujours diffusés à partir des pôles constitués au sein de l'économie dominante à l'échelle internationale : les Pays-Bas au XVIII⁰ siècle, le Royaume-Uni jusqu'en 1890 environ, enfin les États-Unis jusqu'au début des années soixante-dix. La particularité des années à venir tient peut-être au fait que les États-Unis n'ont plus une prééminence absolue dans la maîtrise et surtout la diffusion des nouvelles technologies : le contraste entre le dynamisme de la tant vantée « Silicon Valley » en Californie et les piètres performances de l'industrie américaine dans son ensemble illustre cette perte du pouvoir d'imposer au reste du monde un ensemble de « normes de production et de consommation ». Les effets de la nouvelle donne technologique sur la stabilité des relations internationales n'en sont que plus incertains.

Face à cette évolution, s'opposent deux visions des possibilités qu'ont les autres pays à suivre le processus technologique initié par le ou les pays dominants. D'un côté, on trouve une conception idyllique, image d'Épinal des temps modernes : les nouvelles technologies liées au traitement de l'information, à l'ingénierie biologique ou encore aux économies d'énergie seraient porteuses d'une forte croissance y compris pour les pays en voie de développement, de sorte qu'il faudrait prévoir une réduction des disparités de niveaux de vie entre pays. De l'autre, se développe une vision catastrophiste dans laquelle la technologie joue le rôle du vilain dans la longue histoire de la domination du tiers monde par les centres impérialistes :

la nouvelle donne scientifique et technique ne peut qu'impliquer un nouvel approfondissement de l'écart entre pays et une paupérisation des classes ouvrières en voie de constitution dans les « nouveaux pays industrialisés » (NPI). Sur ce point encore, le passé apporte quelques enseignements utiles, nuançant le manichéisme implicite à ces deux thèses.

Des analyses théoriques suggèrent d'abord que l'accès à un même potentiel technologique ne conduit pas nécessairement à une convergence des niveaux de vie, mais simplement à la stabilité de leur hiérarchie internationale. Par ailleurs, il n'est pas sûr que toutes les sociétés aient la même aptitude à mobiliser les ressources humaines et financières conduisant à l'incorporation du savoir-faire technique dans les entreprises nationales. De plus, dans la

course entre normes de production et normes de consommation, les secondes distancent souvent les premières dans nombre de pays du tiers monde, déclenchant autant de déséquilibres destructeurs de la cohésion sociale et des potentialités de développement. Enfin, la conjoncture économique générale et le climat social conditionnent, et parfois sélectionnent, celles des innovations viables dans la société considérée.

Deux siècles de croissance des économies capitalistes confirment ces résultats. Ainsi, rien ne serait plus faux que d'imaginer que la croissance d'un pays est d'autant plus rapide que son niveau de développement initial est bas. La faible croissance d'un grand nombre de pays du tiers monde témoigne à l'évidence de l'absence d'un tel lien mécanique. A ce titre, la « révolution du microprocesseur » risque fort de

503

BIBLIOGRAPHIE

Ouvrages

BAIROCH P., *Le tiers monde dans l'impasse*, Gallimard, Paris, 1978.

C E P I I, *Économie mondiale : la montée des tensions*, Économica, Paris, 1983.

GIARINI O., LOUBERGE H., *The Diminishing Returns of Technology*, Pergamon Press, Oxford, 1978.

GOMULKA S., *Inventive Activity, Diffusion, and the Stages of Economic Growth*, AARHUS, Denmark, 1971.

LE BAS C., *Économie des innovations techniques*, Économica, Paris, 1982.

MADDISON A., *Les phases du développement capitaliste*, Économica, Paris, 1981.

MENSCH G., *Stalemate in Technology : Innovations Overcome the Depression*, Ballinger Publishing Company, Cambridge Ma., 1979.

Articles

FREEMAN C. (Éd.), Introduction to Technical Innovation and Long Waves in World Economic Development, *Futures*, vol. 13, n° 4, 1982.

LEFOURNIER P., « La fin d'un monde », *L'Expansion*, Paris, octobre 1982.

changer peu de choses aux structures sociales internes et dépendances internationales qui sont à l'origine de la stagnation des « pays les moins avancés » [158]. Même si l'on se place au sein des économies de vieille tradition industrielle, l'Angleterre fournit l'exemple d'un lent déclin, alors que la R F A, l'Italie et la France rattrapent une large partie de leur retard à partir des années cinquante. La configuration institutionnelle (des relations recherche-industrie), sociale (nature des relations professionnelles du travail), politique (rôle respectif accordé au marché et à l'État), voire culturelle (place attribuée à la technique et à l'industrie dans l'échelle des valeurs) joue en effet un rôle déterminant pour expliquer ces évolutions partiellement divergentes. Enfin, les cas du Japon et des N P I démentent l'hypothèse des années cinquante selon laquelle la logique de l'échange et du développement inégaux interdisait l'accès au club des économies industrialisées. Par ailleurs, à une époque où le modèle japonais fait recette [103], il est fondamental de rappeler que les performances de ce pays tiennent à des formes d'organisation sociale originales et pas nécessairement transposables à d'autres sociétés. Nerf de la concurrence internationale, la maîtrise du progrès technique suppose donc une innovation sans précédent dans le domaine socio-politique.

Robert Boyer

Les différences de productivité entre pays

Les différences de rythmes de croissance entre pays s'expliquent certes, pour partie, par les évolutions divergentes des structures de la population active, mais plus encore par celles de la productivité. S'interroger sur le développement inégal revient donc à analyser les raisons de différences durables dans la productivité des pays. Or, la croissance des économies dominantes, au premier rang desquelles celle des États-Unis, a été caractérisée à partir des années cinquante par des gains de productivité soutenus, associés à d'importants efforts de recherche et développement, publics et privés. Dès lors, semble s'imposer l'idée selon laquelle les inégalités de croissance tiennent pour une part déterminante aux effets de domination technologique. C'est cette intuition que l'on se propose de relativiser quelque peu... ne serait-ce que parce que les années quatre-vingt voient le retour en force d'une conception technologiste, souvent réductrice, des voies et moyens d'une sortie de la crise.

À la fin du XIXe siècle et jusqu'à la Première Guerre mondiale, la production intérieure brute par heure croît à un rythme dépassant rarement 2 % sur très longue période (tableau 1), de sorte que la dispersion des indicateurs de productivité est relativement modérée. La période 1913-1950, alternance d'une guerre, d'une crise et d'une nouvelle guerre, n'introduit pas d'accélération de la productivité, même si la position relative de certains pays se trouve modifiée. À l'inverse, le quart de siècle postérieur à la Seconde Guerre mondiale enregistre un relèvement significatif et durable des rythmes de productivité, seuls les États-Unis faisant exception. Enfin, les années 1973-1979 sont marquées par une décélération notable de la productivité pour la plupart des pays de l'O C D E. Néanmoins, ce ralentissement est inégal selon les pays :

	1870-1913	1913-1950	1950-1973	1973-1979	1870-1979
Australie	0,6	1,6	2,6	2,6	1,5
Autriche	1,7	0,9	5,9	3,8	2,4
Belgique	1,2	1,4	4,4	4,2	2,1
Canada	2,0	2,3	3,0	1,0	2,3
Danemark	1,9	1,6	4,3	1,6	2,3
Finlande	2,1	2,0	5,2	1,7	2,7
France	1,8	2,0	5,1	3,5	2,6
Allemagne	1,9	1,1	6,0	4,2	2,6
Italie	1,2	1,8	5,8	2,5	2,4
Japon	1,8	1,3	8,0	3,9	3,0
Pays-Bas	1,2	1,7	4,4	3,3	2,1
Norvège	1,7	2,5	4,2	3,9	2,6
Suède	2,3	2,8	4,2	1,9	2,9
Suisse	1,4	2,1	3,4	1,3	2,1
Royaume-Uni	1,2	1,6	3,1	2,1	1,8
États-Unis	2,0	2,6	2,6	1,4	2,3
Moyenne arithmétique	1,6	1,8	4,5	2,7	2,4

Source : A. MADDISON, Économica, 1981, p. 121.

peu marqué en Australie, en Belgique aux Pays-Bas et en Norvège, il est beaucoup plus significatif pour le Japon, la France, l'Italie, l'Allemagne, alors même que les États-Unis enregistrent des gains de productivité significativement inférieurs à leur tendance de longue période.

Interpréter ce ralentissement et cette différenciation nationale fait intervenir d'une façon ou d'une autre la capacité de chaque pays à mobiliser les potentialités ouvertes par l'innovation technologique [501]. Une interprétation souvent avancée met en avant le « rattrapage » du pays technologiquement plus avancé par ses imitateurs : après 1950, d'un côté les États-Unis auraient poursuivi leur croissance à un rythme inchangé depuis le début du XXe siècle, alors que, de l'autre, pays européens et Japon auraient adopté progressivement les technologies et méthodes américaines. Pour autant que le processus soit achevé, on devrait assister à une

convergence des évolutions de productivité vers un rythme de l'ordre de 2 % à 2,5 % par an.

Il fait certes peu de doute que les États-Unis ont joué un rôle central dans la diffusion des bases technologiques, mais aussi économiques et politiques, de la croissance de l'après-Seconde Guerre mondiale. Pourtant il n'est pas évident que l'évolution postérieure à 1973 dérive de cette quasi-égalisation du potentiel technologique entre pays. D'abord le processus de rattrapage est loin d'avoir le caractère mécanique que l'on serait tenté de lui prêter : la poursuite du déclin séculaire du Royaume-Uni contraste significativement avec les « modernisations » française, allemande ou italienne. Par ailleurs, l'absence de « décollage » de très nombreux pays du tiers monde montre que le retard technologique n'appelle pas nécessairement la mobilisation nationale en vue de son rattrapage. Ensuite, l'expérience historique montre que

TABLEAU 2 : NIVEAU COMPARÉ DE PRODUCTIVITÉ
(rapporté au PIB américain par homme/heure = 100)

	1870	1890	1913	1938	1950	1973	1979
Australie	186	153	102	89	72	73	78
Autriche	61	58	54	(47)	29	62	71
Belgique	106	96	75	70	50	75	88
Canada	87	81	87	67	78	87	85
Danemark	63	58	60	60	43	63	64
Finlande	41	35	43	44	35	63	64
France	60	55	54	64	44	76	86
Allemagne	61	58	57	56	33	71	84
Italie	63	44	43	49	32	66	70
Japon	24	(23)	22	33	14	46	53
Pays-Bas	106	(92)	74	68	53	81	90
Norvège	57	53	49	62	48	69	80
Suède	44	42	50	59	55	79	81
Suisse	79	70	60	70	52	62	62
Royaume-Uni	114	100	81	70	56	64	66
États-Unis	100	100	100	100	100	100	100
Moyenne arith-métique pour les 15 pays (États-Unis exclus)	77	68	61	61	46	69	75

Source : A. MADDISON, Économica, 1981, p. 122.

la convergence des niveaux de productivité est loin de constituer la règle à très long terme : de 1870 à 1979 le niveau comparé de productivité des États-Unis avec ses principaux concurrents est resté sensiblement constant (tableau 2)...

L'effort de recherche : important mais pas exclusif

Face à ces lacunes, il est logique de rechercher dans la maîtrise du progrès technique l'origine des différentiels de productivité. Au niveau le plus fondamental, il est clair que depuis la fin du XIXᵉ siècle, une part notable des travaux scientifiques et techniques est orientée vers les activités industrielles et économiques, le renouvellement des procédés techniques visant à dégager les gains de productivité les plus élevés possibles. Mais l'effort scientifique tel que le mesurent les statistiques contemporaines de recherche et développement [434] est par nature multiforme : formation des ingénieurs et de la main-d'œuvre qualifiée, diffusion générale d'une acceptation des mutations techniques, ouverture aux innovations étrangères constituent autant de vecteurs parfois aussi efficaces que les financements privés ou publics de recherche.

Dans ces conditions, il n'est pas aisé, à travers les études disponibles, de faire ressortir un lien significatif et stable entre effort de recherche et différentiel de productivité. Certes, au niveau international, on note une certaine corrélation entre ces deux variables, si du moins on se restreint aux pays industrialisés avancés. Pour d'autres économies, l'achat de brevets, l'importation de biens d'équipement professionnels incorporant les technologies les plus modernes, la formation d'une main-d'œuvre qualifiée ou encore l'investissement direct étranger, définissent autant de moyens de réduire le différentiel de productivité sans investissement notable de recherche-développement (R D).

Au niveau des firmes, ressort assez clairement une interdépendance entre dépenses de R D et performance en termes de croissance de la productivité. Mais il faut se défier de la conclusion qui ferait de la R D la source unique et autonome de ces performances : les firmes les plus dynamiques dans le domaine technologique sont celles dont les ventes, l'investissement productif et la rentabilité sont les meilleurs... de sorte qu'apparaît aussi une causalité inverse de la productivité vers la R D. Une fois initié le « cercle vertueux » de l'innovation technologique, on ne peut distinguer le rôle propre des différents facteurs qui contribuent aux performances de l'entreprise. L'effort de R D conditionne à long terme les résultats financiers, mais à court terme ce sont ces derniers qui déterminent l'intensité de la R D. Ainsi, le fléchissement de la part des dépenses de R D aux États-Unis à la fin des années soixante ne désigne pas obligatoirement le facteur clé dans le ralentissement spectaculaire des gains de productivité dans l'industrie manufacturière : il peut tout aussi bien être la conséquence de l'arrivée à maturité des branches motrices et du rôle encore marginal des industries d'avenir.

Le paradoxe des années quatre-vingt

L'expérience accumulée depuis 1973 fait ressortir l'originalité des enjeux technologiques des années quatre-vingt. Il est en effet clair qu'il n'est plus possible de reproduire le mode de croissance en vigueur de 1950 à 1973, qui se fondait sur une combinaison remarquable entre le dynamisme de la demande alimentée par une progression rapide du salaire réel, la formation de capital et une orientation générale des changements technologiques portant aussi bien sur l'élaboration de produits nouveaux que de processus productifs plus efficients. C'est cet ensemble qui entre en crise au tournant des années soixante-dix : l'irrégularité des évolutions conjoncturelles, l'obscurcissement de l'horizon à moyen et long terme, le durcissement de la situation financière des entreprises (baisse des taux de profit et hausse des taux d'intérêt réels), l'absence de perceptions claires et générales de ce que seront les branches d'avenir, illustrent les difficultés que rencontrent les économies dominantes à prolonger les gains de productivité des années soixante. Face à cette situation, on assiste à une réorientation de la R D au profit de ceux des procédés économisant le plus efficacement le travail, alors que parallèlement l'investissement productif vise de plus en plus à la « rationalisation » et assez peu à l'extension des capacités.

Mais le paradoxe est précisément que la conjonction des stratégies des firmes et des nations visant au relèvement de la productivité débouche sur une exacerbation de la concurrence internationale et la généralisation de politiques déflationnistes, sapant ainsi les bases de ce que fut le « cercle vertueux » productivité-croissance. Tout se passe comme si les difficultés rencontrées dans le processus d'accumulation et la déstabilisation de la régulation économique et sociale inhibaient la matérialisation des gains de productivité dont la « troisième révolution industrielle » est porteuse.

Pour nécessaire ou souhaitable qu'il soit, l'effort de recherche scientifique et technique n'est pas une condition suffisante à un essor de la productivité, encore moins à une sortie de crise. Et pourtant la concurrence technologique est au cœur de la lutte que se livrent les nations avancées... alors même que ce mouvement est porteur, dans les institutions internationales actuelles, de risques croissants d'instabilité. On ne saurait mieux souligner le caractère ambigu de la technologie quant aux possibilités de dépassement des déséquilibres et contradictions des années quatre-vingt.

Robert Boyer

BIBLIOGRAPHIE

Ouvrages

DENISON E.F., *Why do Growth Rates Differ?*, Brookings Institution, Washington, 1967.

MADDISON A., *Les phases du développement capitaliste*, Économica, Paris, 1981 (une synthèse remarquable sur l'origine des différentiels de croissance).

Articles

ISRAELEWICZ E., « La course relais du développement », *L'Expansion*, octobre 1982.

PETIT P., BOYER R., « Progrès technique, croissance et emploi », *Revue économique*, n° 6, 1981.

Dossiers

Évolution de la RD industrielle, 1967-1975, OCDE, Paris, 1979.

Changement technique et politique économique. La science et la technologie dans le nouveau contexte économique et social, OCDE, Paris, 1980.

Les normes techniques, instrument de domination

« Ça ne pouvait plus durer. Ils étaient trop forts : imposant leurs études, leurs chiffres, et donc leurs normes, en s'appuyant sur leur domination mondiale de l'informatique. Bref, ils noyautaient la commission spécialisée des ordinateurs. Les autres ont dû en sortir et créer un autre organisme »... « Ils », ce sont les ingénieurs d'IBM, on l'aura deviné. Pour l'homme qui s'explique, expert français de la normalisation internationale, le « numéro Un » de l'informatique mondiale pesait d'un poids trop considérable sur les desiderata de la commission informatique de l'Organisation internationale de normalisation (ISO), installée à

Genève. Pour défendre leurs techniques et partant, leurs parts de marché face au géant américain, les autres sociétés et les autres pays ont dû au début de l'année 1983 provoquer un véritable coup d'éclat : sortir de l'ISO et créer en parallèle une cellule « informatique » au sein de la Commission électrotechnique internationale (CEI) qui comprend maintenant 45 pays.

Sans doute faut-il noter que la CEI regroupe surtout des experts des logiciels informatiques qui se considéraient comme trop peu influents à l'ISO, où régnaient les firmes de matériels. « Cela a joué aussi en faveur du coup d'éclat, précise notre interlocuteur, mais il n'en reste pas moins vrai qu'IBM, imposant ses normes comme des références reconnues officiellement au niveau mondial, assurait du même coup sa domination sur les marchés. »

L'expert français qui relate ces faits tient à rester anonyme : « Ces choses-là ne se disent pas au grand jour »... Le monde de la normalisation reste dans l'ombre de la technique où seuls les initiés peuvent s'aventurer. Complexité et secret gardent les portes closes. Ils cachent pourtant mal l'enjeu économique et stratégique des travaux qui s'y tiennent. La norme participe de la guerre économique : qui l'impose impose sa technologie et ses matériels. Même si on peut trouver que notre expert surestime « l'impérialisme » d'IBM, l'importance économique de la normalisation internationale reste incontestée.

L'édification des normes techniques aux niveaux national et international, peu connue du grand public, est en effet essentielle. Pour une firme, obtenir que sa technologie soit reconnue officiellement, c'est obtenir une référence de premier plan et marquer un point décisif face aux concurrents. L'acheteur, sensible à cette approbation de qualité, se tourne plus volontiers vers les produits conformes aux normes, du moins quand il en a la possibilité. D'où l'enjeu des commissions obscu-

res de normalisation où il faut non seulement être présent mais influent. Derrière les portes des bureaux de Genève se déroulent de furieux combats...

Pratiquement tous les pays sont représentés à l'ISO par des délégations nationales. Même les pays de l'Est en sont membres, phénomène assez remarquable dans ce genre d'organisation internationale. Mais les poids respectifs de chacun sont différents. Parce que tous n'ont pas les moyens financiers d'y envoyer des cohortes d'ingénieurs. Parce que tous, historiquement, n'y ont pas attaché la même importance.

C'est la France qui occupe la place de choix avec 21 % des postes de secrétaires de commission, position clé lors du déroulement des travaux. Viennent ensuite la RFA avec 19 %, la Grande-Bretagne avec 17-18 % et les États-Unis avec 10-12 %. Cette position de force – mal connue – de la France est paradoxale dans la mesure où la normalisation en France même est mal et peu utilisée. Le gouvernement en a pris conscience et essaie depuis 1981 d'en rénover l'édification et d'en promouvoir l'application dans l'hexagone. Son analyse de l'excellent fonctionnement de la normalisation en RFA l'a conduit à prendre un certain nombre de mesures dans un but à la fois offensif (faire reconnaître les bonnes qualités des normes françaises, c'est-à-dire des produits français, sur les marchés extérieurs) et défensif (contrôler le marché intérieur grâce à ces barrières techniques que peuvent être les normes).

Cette politique, qui ne peut porter ses fruits qu'à long terme, devra s'attacher en priorité à établir des consensus entre les différents acteurs économiques que sont les consommateurs et leurs organisations, les syndicats et les entreprises elles-mêmes. Œuvrer au mieux à Genève serait vain si l'individualisme des uns et des autres rendait toute normalisation inefficace en France.

Mais il faudra agir vite. Les États-Unis, en effet, opèrent un véritable retour en force dans les organisations internationales, comme l'ISO ou l'IUT (Union internationale des télécommunications : elle a pour objet d'assurer le bon fonctionnement des télécommunications internationales en réglant les attributions des fréquences radioélectriques et les places des satellites. Elle doit pour ce faire édicter un certain nombre de normes). Peu importateurs, favorables au libre jeu des forces du marché et peu centralisateurs, les Américains n'ont pas de structure normalisatrice unique et fédérale. Ils disposent d'un nombre considérable d'organismes de normalisation, près de 400, dont un seul est membre de l'ISO. Dans les secteurs exportateurs, la puissance de leurs firmes multinationales suffisait pour s'imposer. C'est le cas par exemple de l'industrie pétrolière.

Mais cette forme de domination ne suffit plus. Les Américains l'ont compris à la suite de quelques « affaires ». Au Brésil en 1978, exemple le plus connu, la société américaine Sealand a perdu un gigantesque marché parce que ses conteneurs n'étaient pas conformes aux normes internationales exigées par l'acheteur brésilien. De tels épisodes sont de moins en moins rares. Les pays en voie de développement, poussés par les pays européens, ont commencé à faire référence aux normes internationales quand elles existent, ou à défaut aux normes nationales réputées (allemandes le plus souvent, françaises quelquefois). Un tel comportement défavorise les firmes américaines. Leur participation aux organisations de normalisation, qui prend de l'ampleur depuis une dizaine d'années, se concentre sur les nouvelles technologies comme l'électronique [271], les nouveaux matériaux [335] ou la robotique [295]. Même si la normalisation n'est qu'un facteur parmi d'autres de la conquête des marchés, les États-Unis sont décidés à ne plus négliger aucune carte pour appuyer leur domination sur les industries du futur.

Éric Morin

Le capitalisme contre l'essor des forces productives ?

L'affirmation n'est pas nouvelle : elle fait partie des accusations traditionnelles que le marxisme classique – qui célèbre volontiers les bienfaits du progrès technique – porte à l'égard de notre système social. De fait, les exemples ne manquent pas de firmes qui ont profité de leur position dominante pour empêcher la diffusion d'une technologie nouvelle ou d'un produit nouveau. L'exemple du tube fluorescent est bien connu : mis au point vers 1935-1936, il ne fut commercialisé qu'une dizaine d'années plus tard, le cartel des fabricants de lampes électriques ayant estimé que ce produit risquait de dévaloriser leurs importants stocks d'ampoules à incandescence.

Reconnaissons cependant que cet exemple est caricatural. Rares sont les cartels qui parviennent bien longtemps à dissuader l'une des entreprises membres de tirer parti, pour son plus grand bénéfice, d'un produit nouveau ou d'une technologie nouvelle qu'elle aurait mis au point. D'abord, parce que les cartels ne courent pas les rues, même si les ententes occultes – entre fabricants de robinetterie, de verre, ou d'acier, pour prendre quelques exemples récents – sont légion. On se partage volontiers un marché, on partage moins facilement un secret de fabrication ou une découverte. Paradoxalement, ce ne sont pas les éditeurs de journaux mais le syndicat ouvrier du livre, qui est parvenu à freiner le développement de la photocomposition [309] et de la mise en page par ordinateur! Tout comme l'automatisation de la manutention portuaire a été fortement ralentie par le syndicat des dockers. « Les forces de progrès », pour reprendre le langage consacré, ne sont pas toujours favorables au progrès technique...

Lorsque les entreprises capitalistes cherchent à ralentir la diffusion d'un progrès technique, ce n'est pas, le plus souvent, par « mise au placard » d'une technologie nouvelle, mais plus simplement par dépôt d'un brevet. Celui-ci leur assure le monopole de fabrication du nouveau produit durant un certain laps de temps (vingt ans en France). Les exemples abondent de cette pratique, qui permet à une entreprise de s'assurer un monopole légal. Ainsi, en 1947, un technicien d'une société fabricant des « bouilles à lait », la Société d'emboutissage de Bourgogne (SEB), met au point un système de fermeture d'autocuiseur assorti d'un double jeu de soupapes de sécurité, qui assure à la « cocotte-minute » – nom et procédé de fabrication déposés par la SEB – un fonctionnement sans risque. Durant vingt ans, SEB va exploiter ce brevet, avec un monopole parfaitement légal : pratiquement, elle est seule à produire des autocuiseurs dans le monde, et elle les vend beaucoup plus cher que leur prix de revient. Les bénéfices s'accumulent, permettant à la famille Lescure, propriétaire de l'entreprise, de préparer l'avenir, c'est-à-dire de diversifier la production en prévision du jour où, le brevet étant « tombé dans le public », des concurrents apparaîtront. Ce sera le lancement d'une série de produits nouveaux (cafetière, friteuse, yaourtière...) et, surtout, l'achat de toute une série de fabricants de petits électroménager (Calor, Tefal, Skovill...).

Autre exemple : le brevet du « Tergal » va fournir à Rhône-Poulenc de quoi financer durant vingt ans l'expansion du groupe dans la chimie et le textile synthétique. Au cours de ces vingt ans, le nombre de salariés triple, celui des filiales double. Mais lorsque le brevet « tombe dans le public », les Italiens se mettent à commercialiser le « terital », 20 % à 30 % moins cher que le « tergal », et Rhône-Poulenc entreprend de fermer ses usines textiles.

Le cas d'IBM, avec ses machines à écrire « à boule », ou celui de Rank Xerox (avec le procédé de photocopie à sec sur papier ordinaire, ou xérographie) sont aussi bien connus. Dans les deux cas, la rente de situation due au monopole a permis aux titulaires des brevets d'accumuler une masse énorme de capital. A peine le brevet tombé dans le public, le prix des matériels baisse fortement : on trouve en 1983 des photocopieurs avec procédé xérographique au cinquième du prix pratiqué auparavant, alors que, entre temps, l'inflation a multiplié par 2,5 les prix de détail.

L'obsolescence planifiée

Peut-on, pour autant, dire qu'il s'agit là d'une forme de « malthusianisme technologique », d'un freinage délibéré des « forces productives » ? Sans doute pas. Car la firme concernée multiplie les recherches dans les domaines où elle bénéficie d'un monopole légal, de crainte que les concurrents, attirés par les énormes marges de profit, ne mettent au point des matériels analogues, basés sur des technologies différentes, pour tourner le monopole légal. Cette stratégie de contournement réussit parfois : ainsi la mise au point d'antibiotiques à molécules différentes (et à « spectre plus large ») a permis à de nombreux laboratoires de se placer sur un marché en très forte expansion. Ou encore, Japy, avec sa « marguerite », a pu commercialiser des machines à écrire aux performances analogues à celles des machines IBM. Mais le plus souvent, l'importance des bénéfices de monopole, jointe à une activité de recherches internes, aboutit à pérenniser l'avance technologique de la firme protégée par un brevet. Ainsi les laboratoires Roche ont-ils un quasi-monopole des tranquillisants (valium, etc.), IBM reste leader incontesté de la bureautique, etc.

Il convient donc d'en finir avec cette image d'Épinal de méchantes firmes capitalistes dont l'amour du profit aboutirait à stériliser le génie inventif de ses travailleurs et de ses chercheurs. Après tout, les entreprises des pays « socialistes » dans lesquelles le profit n'est pas le moteur de la production ne brillent pas particulièrement par leur créativité, qu'il s'agisse de biens de consommation ou de biens d'équipement. Il n'y a guère que dans le domaine militaire ou proche (conquête spatiale) que l'URSS semble parvenir à rivaliser – et avec retard – avec les pays capitalistes sur le plan technologique.

En fait, si la logique capitaliste pervertit la recherche technique, c'est pour une raison inverse : par l'accélération de la nouveauté (souvent illusoire), par l'usure prématu-

rée (souvent volontaire), par l'obsolescence planifiée. Les exemples abondent : depuis les bas « nylon », trempés dans des bains d'acide pour en accroître la fragilité, jusqu'aux voitures, conçues pour ne pas durer beaucoup plus de 100 000 km (alors que les véhicules de transport en commun parcourent 7 à 8 fois plus de kilomètres), en passant par le linge, les meubles, l'électroménager, les maisons... Notre civilisation est devenue celle du « non-durable ». Il n'y a plus que les pouvoirs publics pour construire à plus longue durée qu'une vie humaine : Beaubourg n'a pas été conçu à partir d'une « rationalité économique ». Notre société n'a jamais été aussi riche : mais elle n'a jamais produit pour aussi peu de temps. Car un consommateur qui n'achète plus cesse d'être un consommateur. Le capitalisme tire sa vitalité d'une production de masse : il a donc besoin d'une consommation de masse. C'est-à-dire d'une consommation qui, créant sa propre demande, se renouvelle sans cesse.

La soif du profit ne freine pas le progrès technique. Il l'accélère. Et multiplie du coup les problèmes sociaux (chômage, marginalité...) et écologiques (rejets massifs, raréfaction des ressources naturelles). Le « progrès » n'a plus de sens.

Denis Clerc

BIBLIOGRAPHIE

Ouvrages

GRANSTEDT I., *L'impasse industrielle,* Seuil, Paris, 1980.
PARTANT F., *La fin du développement,* Maspero, Paris, 1982.
ROQUEPLO P., *Penser la technique,* Seuil, Paris, 1983.

Bien qu'elles soient circonscrites dans des zones géographiques délimitées, qu'elles s'adressent à des populations spécifiques dont on conteste parfois la représentativité, les expérimentations télématiques ont un retentissement national et même international. Débat social, mobilisation des médias et parfois agitation politique tranchent nettement avec le secret des décisions et la discrétion des programmes de conception technique développés dans les laboratoires. Il est assez paradoxal, mais c'est tout de même un des mérites des expérimentations, que le processus de concertation s'engage si tardivement, à la veille presque du lancement en grandeur nature.

L'expérimentation a constitué jusqu'à présent et souvent involontairement la seule opportunité pour la société de s'exprimer et de peser *in extremis* sur les choix en matière télématique. Les modalités de cette intervention sont très variables : en République fédérale d'Allemagne, on a pu ainsi observer une forte mobilisation des Parlements régionaux auxquels des lois ont attribué la responsabilité de l'encadrement des expériences de Berlin et de Düsseldorf. A l'autre extrême, la situation en France a été marquée par de vives contestations de la part des parlementaires et des entreprises de presse à l'égard de l'ambiance de secret qui a entouré l'organisation et l'évaluation des expérimentations. On s'est demandé par exemple, à propos de l'annuaire électronique en Ille-et-Vilaine [10], s'il s'agissait d'une expérimentation ou de la première tranche d'un programme d'équipement national. A travers ces débats, c'est tout un style de conduite volontariste de projet par une agence technique d'État qui a été remis en cause. Au-delà des passions qu'elles ont déchaînées, les expérimentations télématiques françaises ont exprimé plus clairement que jamais le combat de la société contre la technocratie.

A la fin de l'année 1982, alors que l'expérience entrait dans sa phase finale, les ordinateurs de Télétel [29] enregistraient une moyenne hebdomadaire d'environ deux appels par terminal. Mais ce résultat, qui n'est guère satisfaisant, est la moyenne de comportements hétérogènes : un tiers environ des usagers ont oublié qu'ils participaient à une expérience et parfois débranché leur terminal, alors que d'autres, à peine plus d'une centaine, représentent à eux seuls 30 % du trafic total. Encore fallait-il une expérimentation pour approcher concrètement et comprendre cette réalité aussi tranchée.

Une véritable étude de marché

L'afflux des candidatures en France pour l'expérience de Vélizy en 1982 (plus de 7 000 pour 2 500 terminaux) a pu laisser croire dans un premier temps que le problème de la « demande sociale » [476] à l'égard du vidéotex était une affaire réglée. Pourtant, à cet optimisme et à cet enthousiasme du départ ont succédé des attitudes beaucoup plus nuancées chez les utilisateurs retenus. Trois séries d'éléments éclairent ce phénomène.
1) Le principe de la gratuité pour l'acquisition du terminal Télétel fausse les conditions expérimentales. Sans doute cela permet-il de recruter un échantillon où sont représen-

tées la plupart des catégories socio-professionnelles et de respecter le calendrier de l'expérience (l'exemple de la Grande-Bretagne où le terminal Prestel n'était pas subventionné avait montré, en effet, que les usagers étaient très lents à se mobiliser pour participer à la phase de test). Cependant la gratuité, plus que l'intérêt par rapport au média ou au besoin d'information, apparaît être assez souvent un ressort un peu artificiel de la participation des usagers à l'expérience de Vélizy. Sans doute est-ce là une des causes de la baisse de motivation de l'échantillon une fois estompée l'excitation de la découverte.

2) Le décalage du contenu par rapport aux attentes du public ne favorise pas l'utilisation du média. Les systèmes vidéotex offrent une large gamme de pages d'information, d'informations-service, de renseignements pratiques ou de publicité, produites par la presse, l'administration et des entreprises industrielles ou commerciales. Ils offrent aussi des possibilités interactives du type jeux, réservations, achats à distance, transactions, messagerie. Les expérimentations conduites auprès du grand public montrent que les services passifs sont les moins consultés et que l'intérêt se cristallise plutôt sur la deuxième catégorie.

Les services d'information semblent ennuyeux parce qu'ils manquent d'originalité et de pertinence ; ils ont sans doute été conçus par des experts dans chacun des domaines couverts, mais souvent en l'absence de tout professionnalisme en matière de communication avec le public. D'autre part ils recoupent des champs d'informations déjà largement couverts par d'autres médias. En matière de renseignements administratifs par exemple, l'usager aura tendance naturellement à consulter ses propres sources d'information et d'assistance (un guide, un agent ou un ami qui travaille dans l'administration) avant de se plonger dans une banque de données. Lorsqu'il s'agit d'informations de type journalistique, les expériences montrent que les usagers se reportent plus volontiers sur les supports écrits qui leur offrent en même temps que les données d'un événement une grille de compréhension. C'est ainsi que la plupart des journaux qui participaient à des expériences de vidéotex soit se sont retirés, soit ont refondu complètement le contenu informationnel de leur édition électronique pour le spécialiser et le « cibler » davantage, soit encore ont choisi d'évoluer dans le sens de sociétés de service et conseil en télématique, afin de rentabiliser leur savoir-faire et leurs investissements.

3) Certains utilisateurs rencontrent des difficultés insurmontables dans la manipulation du clavier et dans le déplacement à l'intérieur des banques de données. Cette remarque vaut surtout pour les utilisateurs qui ne travaillent pas dans le cadre de leur vie professionnelle sur des applications informatiques, mais aussi pour les femmes et les retraités. Pour ceux-là, franchir le seuil de l'apprentissage est improbable à court terme ; les touches-fonctions du clavier sont mal maîtrisées et les logiciels, qu'ils soient arborescents, documentaires ou multicritères, heurtent les mécanismes traditionnels de recherche et d'accès à l'information.

Un foisonnement de besoins

Cependant, les expérimentations montrent aussi que la société recèle des inconditionnels de l'innovation technologique. La télématique trouve ses virtuoses en la personne des enfants pour les jeux et de groupes de jeunes au comportement « cibiste » qui se sont constitués autour du service de messagerie. Ces catégories d'utilisateurs ont exploré tous les recoins de ces encyclopédies électroniques et c'est chez eux, en France, que l'on observe le plus nettement ce qu'on a appelé le « réflexe Télétel » : tout acte de la vie courante semble devoir être validé au préalable sur le terminal ; tout est prétexte à consultation cinq fois par semaine au minimum, souvent plusieurs fois par jour.

Amener des typologies de comportement, repérer dans le temps les phases, les facteurs et les freins à son appropriation par le public, déterminer les applications et les styles de contenu qui séduisent et mobilisent la demande, ce sont là sans doute les principaux enseignements des expérimentations télématiques. Elles révèlent alors les décalages entre une problématique quelque peu techniciste et volontariste des besoins et une réalité beaucoup plus apathique et fragmentée. Les expérimentations appellent une réorientation des projets vers des catégories de public favorables. En ce sens elles constituent la meilleure étude de marché possible.

Ce que l'on appelle par un formidable raccourci le grand public recèle en fait un foisonnement de besoins en systèmes d'information. Pourtant, vouloir y répondre de manière agrégée, c'est un peu nier la complexité sociale et l'hétérogénéité du rapport à la communication. Sans doute il existe des besoins communs à tous, comme par exemple le renseignement téléphonique, mais bâtir un projet de généralisation de la télématique sur la mise en place d'un annuaire électronique semble

être une solution démesurée. Un des enseignements essentiels des expérimentations françaises est celui de la nécessaire redéfinition des contenus informationnels vers des niveaux de qualité plus riche et plus spécialisée. Les besoins du grand public sont en fait une multitude d'attentes diversifiées souvent à la frontière d'une information professionnelle. C'est ainsi que l'avenir immédiat de la technologie du vidéotex semble beaucoup plus assuré lorsqu'on envisage son application au développement des banques de données ou dans le cadre de réseaux de communication propres à de grandes organisations décentralisées.

En France, il existait en 1983 plus de 200 banques de données dans les domaines de la santé, du juridique ou de l'économie. La stratégie de diffusion la plus judicieuse serait sans doute de généraliser les accès à partir de terminaux télématiques. Cependant il y a un risque considérable dans cette évolution : c'est celui de la segmentation de l'information en une série de sous-marchés ouverts avant tout à ceux qui ont les moyens de payer. L'heure de consultation d'une banque de données est en effet encore facturée à un prix très élevé. Éclatée sur de multiples supports, « l'information de demain » sera chère.

Serge Gauthronet

BIBLIOGRAPHIE

Ouvrages

GAUTHRONET S., *La télématique des Autres,* La Documentation française, Paris, 1982.

WOLTON D., LEPIGEON J.L., *L'information demain,* La Documentation française, Paris, 1982.

POUR EN
SAVOIR PLUS

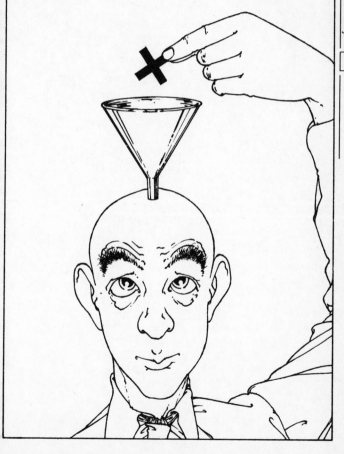

I. CENTRES PUBLICS DE RECHERCHE SCIENTIFIQUE[1]

1. En France

• **Agence française pour la maîtrise de l'énergie (AFME)**, 27, rue Louis-Vicat, 75015 Paris (tél. 645.44.71).
• **Agence nationale pour la récupération et l'élimination des déchets (ANRED)**, 2, square Lafayette, 49004 Angers Cedex, (tél. (41) 87.29.24).
• **Bureau de recherches géologiques et minières (BRGM)**, 191, rue de Vaugirard, 75737 Paris Cedex 15 (tél. 783.94.00).
• **Commissariat à l'énergie atomique (CEA)**, 29-33, rue de la Fédération, 75015 Paris (tél. 273.60.00).
• **Centre national d'études spatiales (CNES)**, 129, rue de l'Université, 75007 Paris (tél. 555.91.21).
• **Centre national pour l'exploitation des océans (CNEXO)**, 66, avenue d'Iéna, 75116 Paris (tél. 723.55.28).
• **Centre national de la recherche scientifique (CNRS)**, 15, quai Anatole-France, 75007 Paris (tél. 555.92.25).
• **Groupement d'études et de recherches pour le développement de l'agronomie tropicale (GERDAT)**, 42, rue Scheffer, 75016 Paris (tél. 704.32.15).
• **Institut national de la recherche agronomique (INRA)**, 149, rue de Grenelle, 75007 Paris (tél. 550.32.00).
• **Institut national de recherche en informatique et automatique (INRIA)**, Domaine de Voluceau, Le Chesnay, 78150 Rocquencourt (tél. 954.90.20).
• **Institut national de la santé et de la recherche médicale (INSERM)**, 101, rue de Tolbiac, 75013 Paris (tél. 584.14.41).

1. A l'exclusion des centres universitaires et grandes écoles.

• **Institut Pasteur**, 25, rue du Docteur-Roux, 75015 Paris (tél. 306.19.19).
• **Office de la recherche scientifique et technique outre-mer (ORSTOM)**, 24, rue Bayard, 75008 Paris (tél. 723.38.29).

2. En Belgique

• **Fonds national de la recherche scientifique (FNRS)**, rue d'Egmont 5, 1050 Bruxelles (tél. (02) 512.58.15).
• **Institut royal des sciences naturelles de Belgique**, rue Vautier 31, 1040 Bruxelles (tél. 648.04.75).
• **Observatoire royal de Belgique**, avenue Circulaire 3, 1180 Bruxelles (tél. 374.38.01).
• **Institut royal météorologique de Belgique**, avenue Circulaire 3, 1180 Bruxelles (tél. 374.38.01).
• **Institut d'aéronomie spatiale de Belgique**, avenue Circulaire 3, 1180 Bruxelles (tél. 374.27.28).
• **Euratom, Centre d'énergie nucléaire**, 2400 Mol (tél. (014) 58.94.21).

3. En Suisse

• **Fonds national suisse pour la recherche scientifique**, 3001 Berne Postfach 2338 (tél. (031) 28.19.18).
• **Fondation suisse pour l'énergie (FSE)**, Auf der Mauer 6, 8001 Zurich (tél. (01) 69.13.23).
• **Institut suisse de météorologie**, Kräbühlstr. 58, 8044 Zurich (tél. (01) 252.67.20).
• **Institut pour l'étude de la neige et des avalanches**, 7620 Davos-Dorf (tél. (083) 532.64.66).
• **Office fédéral de la santé publique**, 3001 Berne (tél. (031) 61.95.11).
• **Office fédéral de la protection de l'environnement**, 3003 Berne (tél. (031) 61.93.11).
• **Institut fédéral de recherche en matière de réacteurs**, 5303 Würenlingen (tél. (056) 99.21.11).

• Institut suisse de recherches nucléaires, 5234 Villigen (tél. (056) 99.31.11).
• Institut fédéral de recherches forestières, 8903 Birmensdorf (tél. (01) 737.14.11).
• Laboratoire fédéral d'essai de matériaux et Institut de recherches pour l'industrie, le génie civil et les arts et métiers, Uberlandstr. 129, 8600 Dübendorf (tél. (01) 823.55.11); Unterstr. 11, 9001 St. Gallen (tél. (071) 20.91.41).
• Institut fédéral pour l'aménagement, l'épuration et la protection des eaux, Uberlandstr. 133, 8600 Dübendorf (tél. (01) 823.55.11).

4. Au Québec

• Institut national de la recherche scientifique (INRS) (Centre de recherche de l'énergie, Centre de recherche de la santé, Centre de recherche des télécommunications, Centre de recherche du pétrole, Centre de recherche de l'océanologie), 1650, montée Sainte-Julie, Varennes, Québec JOL 2PO.
• Institut national de la recherche scientifique (INRS), Centre de recherche de l'eau, CP 7500, Québec G1V4C7.
• Institut Armand-Frappier (Centre de recherche en bactériologie, Centre de recherche en épidémiologie et médecine préventive, Centre de recherche en immunologie, Centre de recherche en médecine vétérinaire, Centre de recherche en virologie), 531, boulevard des Prairies, Laval des Rapides, Ville de Laval, Québec H7V1B7.

II. CENTRES PUBLICS TECHNIQUES ET DE DIFFUSION DE L'INFORMATION

1. En France

• Agence pour le développement de l'informatique (ADI), 1, place de la Coupole, Tour Fiat, La Défense, 92400 Courbevoie (tél. 796.43.21).
• Agence nationale de valorisation de la recherche (ANVAR), 43, rue Caumartin, 75009 Paris (tél. 266.93.10) (aide à l'innovation).
• Association pour le développement de la production automatisée (ADEPA), 17, rue Périer, 92120 Montrouge (tél. 657.12.70).
• Association française pour la cybernétique économique et technique (AFCET), 156, boulevard Péreire, 75017 Paris (tél. 766.24.19).
• Association française MICADO (pour la conception assistée par ordinateur), ZIRST, Chemin du Pré-Carré, 38240 Meylan (tél. (76) 90.31.90).
• Association française de normalisation (AFNOR) (définition des normes techniques), Tour Europe, 92080 Paris-La Défense Cedex 7 (tél. 778.13.36).
• Association française de robotique industrielle (AFRI), 61, avenue du Président-Wilson, 94230 Cachan (tél. 547.69.33).
• Association nationale de la recherche technique (ANRT), 101, avenue Raymond-Poincaré, 75116 Paris (tél. 501.72.27).
• Centre d'étude des matières plastiques (CENP), 65, rue de Prony, 75854 Paris Cedex 17 (tél. 763.12.59).
• Centre d'étude et de recherches des charbonnages de France (CERCHAR), 33, rue de la Baume, 75008 Paris (tél. 563.11.20).
• Centre d'études et de recherches de l'industrie du béton manufacturé

(CERIB), rue des Longs-Réages, B.P. 42, 28230 Épernon (tél. 83.52.72).

● Centre d'études et de recherches de l'industrie des liants hydrauliques (CERILH), 23, rue de Cronstadt, 75015 Paris (tél. 532.58.40).

● Centre d'études et de recherches de la machine-outil (CERMO), 150, boulevard Bineau, 92200 Neuilly-sur-Seine.

● Centre d'études des systèmes d'information des administrations (CESIA), 343, rue Romain-Rolland, 13009 Marseille (tél. (91) 75.92.31).

● Centre technique de l'industrie horlogère (CETEHOR), 39, avenue de l'Observatoire, B.P. 1145, 25003 Besançon Cedex, (tél. (81) 80.39.91).

● Centre technique des industries aérauliques et thermiques (CETIAT), Plateau du Moulon, B.P. 19, 91402 Orsay (tél. 941.18.64).

● Centre d'études techniques des industries de l'habillement (CETIH), 14, rue des Reculettes, 75013 Paris (tél. 587.36.87).

● Centre technique des industries mécaniques (CETIM), 52, avenue Félix-Louat, B.P. 67, 60304 Senlis (tél. (4) 453.32.66).

● Centre national d'études des télécommunications (CNET), 38-40, rue du Général-Leclerc, 92131 Issy-les-Moulineaux (tél. 638.44.44).

● Centre technique du bois (CTB), 10, avenue de Saint-Mandé, 75012 Paris (tél. 344.06.20).

● Centre technique du cuir (CTC), 181, avenue Jean-Jaurès, 69007 Lyon (tél. (7) 869.50.12).

● Centre technique de l'industrie du décolletage, Zone industrielle des Grands-Prés, B.P. 65, 74301 Cluses, (tél. (50) 98.20.44).

● Centre technique industriel de la construction métallique (CTIM), 20, rue Jean-Jaurès, 92807 Puteaux (tél. 774.55.33).

● Centre technique des industries de la fonderie (CTIF), 12, avenue Raphaël, 75016 Paris (tél. 504.72.50).

● Centre technique de l'industrie des papiers, cartons et celluloses (CTP),

Domaine universitaire de Grenoble, B.P. 7110 (tél. (76) 44.82.36).

● Centre technique des tuiles et briques (CTTB), 2, avenue Hoche, 75008 Paris (tél. 227.34.15).

● Centre technique de la teinture et du nettoyage, Chemin des Mouilles, 69130 Écully (tél. (7) 833.08.61).

● Institut des corps gras (ITERG), 5, boulevard de Latour-Maubourg, 75007 Paris (tél. 555.07.73).

● Institut français du pétrole (IFP), 1 et 4, avenue de Bois-Préau, 95502 Rueil (tél. 749.02.14).

● Institut national de la propriété industrielle (INPT), (prise de brevets, etc.), 26 bis, rue de Léningrad, 75008 Paris (tél. 266.93.13).

● Institut national de recherche chimique appliquée (IRCHA), 18 bis, bd de la Bastille, 75012 Paris (tél. 340.38.98).

● Institut de recherche sur le caoutchouc (IRCA), 42, rue Scheffer, 75016 Paris (tél. 553.93.96).

● Institut de recherche de la sidérurgie française (IRSID), 185, rue du Président-Roosevelt, 78104 St-Germain-en-Laye (tél. 963.24.01).

● Institut textile de France (ITF), 35, rue des Abondances, 92100 Boulogne-sur-Seine (tél. 825.18.90).

● Institut de soudure (IS), 32, boulevard de la Chapelle, 75000 Paris (tél. 203.94.05).

● Laboratoire central des industries électriques (LCIE), 33, avenue du Général-Leclerc, B.P. 8, 94 Fontenay (tél. 645.21.84).

● Laboratoire national d'essais, 1, rue Gaston-Boissier, 75015 Paris (tél. 532.29.89).

● Laboratoire de recherche et de contrôle du caoutchouc (LRCC), 12, rue Carvès, 92120 Montrouge (tél. 655.71.11).

● Société française de céramique, Centre national d'études et recherches céramiques (SFC), 23, rue de Cronstadt, 75015 Paris (tél. 532.58.40).

2. En Belgique

● Institut pour l'encouragement de la recherche scientifique dans l'industrie et l'agriculture (IRSIA), rue de Crayer 6, 1050 Bruxelles.

3. En Suisse

POUR EN SAVOIR PLUS
L'ÉTAT DES SCIENCES 1983

522

• **Association suisse pour l'automatique**, 8034 Zurich Postfach (tél. (01) 53.20.20).
• **Centre suisse d'étude pour la rationalisation du bâtiment (CRB)**, 8008 Zurich Postfach (tél. (01) 55.11.17).
• **Association suisse de microtechnique (ASMT)**, c/o VSM, Kirchenweg 4, 8032 Zurich Postfach (tél. (01) 47.84.00).
• **Union suisse pour la lumière (USL)**, 8034 Zurich Postfach (tél. (01) 65.86.37).
• **Association suisse de normalisation**, Kirchenweg 4, 8032 Zurich Postfach (tél. (01) 47.69.70).
• **Communauté suisse de l'astronautique**, Verkehrshaus, Lidostr. 5, 6006 Lucerne (tél. (041) 31.44.44).
• **Société suisse pour l'énergie solaire**, Grossbuch 16, 8964 Rudolfstetten (tél. (057) 5.12.18).
• **Association suisse des spécialités d'énergie solaire**, Schulwiesenstr. 1, 9532 Züberwangen (tél. (073) 28.19.18).
• **Association suisse pour l'étude des transports**, Sozialökon Seminar, Rämistr. 71 (tél. (01) 257.22.71).
• **Association suisse pour les techniques spatiales**, 3001 Berne Postfach 2613 (tél. (031) 22.03.82).
• **Institut Battelle (centre de recherches appliquées dans tous les domaines)**, 7, route de Drize, 1227 Carouge Genève (tél. (022) 43.98.31).

4. Au Québec

• **École Polytechnique (Institut de recherche en exploration minérale, Centre de développement technologique, Centre d'ingénierie nordique, Institut de génie nucléaire)**, C.P. 6079, Succursale « A », Montréal H 3 C 3 A 7.

II. ORGANISMES INTERNATIONAUX

1. Organismes relevant de l'ONU

• **Programme des Nations Unies pour le développement (PNUD)**: organisme de coopération technique multilatérale déployant ses activités dans près de 150 pays. PNUD, 1, United Nations Plaza, New York, N. Y. 10017 États-Unis (tél. 754.12.34).
• **Organisation des Nations Unies pour le développement industriel (ONUDI)**: agent d'exécution du PNUD, aide en particulier les pays en développement à créer de nouvelles industries ou à améliorer celles qui existent. ONUDI Wagramerstrasse, 5 Vienne XXII Autriche (tél. 26.31).
• **Programme des Nations Unies pour l'environnement (PNUE)**: organisme chargé de surveiller les modifications de l'environnement et de coordonner les actions dans ce domaine. PNUE, P. O. Box 30552, Nairobi, Kenya (tél. 33.39.30).
• **Organisation des Nations Unies pour l'alimentation et l'agriculture (FAO)**: cet organisme vise en particulier à améliorer le rendement des productions agricoles. FAO, Via delle Terme di Caracalla, 00100 Rome, Italie (tél. 57.971).
• **Organisation mondiale de la santé (OMS)**: a pour but d'amener tous les peuples au niveau de santé le plus haut possible. Impulse notamment d'importants programmes de vaccinations et la lutte contre les maladies tropicales. OMS, 20, avenue Appia, 1211 Genève 27, Suisse (tél. 91.21.11).
• **Organisation des Nations Unies pour l'éducation, la science et la culture (UNESCO)**: vise notamment à établir les bases scientifiques et techniques nécessaires au développement. UNESCO, 7, place Fontenoy, 75007 Paris (tél. 577.16.10).

• **Organisation météorologique mondiale (OMM)** : aide les pays à créer des services météo. SFI, 1818 H Street N. W., Washington D. C. 204 33, États-Unis (tél. (202) 477.12.34).

• **Agence internationale de l'énergie atomique (AEIA)** : s'efforce en particulier d'accroître la contribution de l'énergie atomique à la paix, la santé et la prospérité du monde et s'assure que son aide n'est pas utilisée à des fins militaires. AIEA, Vienna International Centre, P. O. Box 100, A 1400 Vienne, Autriche (tél. 23.60).

2. Autres organisations internationales

• **Communautés européennes** mettent en œuvre un plan d'ensemble de recherche-développement concernant les matières premières, l'énergie, la compétitivité des industries européennes, la protection de l'environnement etc. [478].
Commission des Communautés européennes, 200, rue de la Loi, 1049 Bruxelles, Belgique.
Centre d'information en France, 61, rue des Belles-Feuilles, 75782 Paris (tél. 501.58.85).

• **Conseil d'assistance économique mutuelle (CAEM ou COMECON)**, Organisme d'entraide des pays de l'Est, possédant une commission chargée de la coopération scientifique et technique entre ces pays [482].
COMECON, Prospekt Kalinina 56, Moscou, URSS.

• **Organisation des États américains (OEA)**, organisme d'assistance et de coopération entre les pays des deux Amériques. Possède un programme de développement scientifique et technique.
OEA, Washington DC, 20006 États-Unis.

III. REVUES SCIENTIFIQUES ET TECHNIQUES EN LANGUE FRANÇAISE[1]

• *AFP Sciences,* Agence France-Presse, 11-13-15, place de la Bourse BP 20, 75061 Paris Cedex 2 (bulletin d'information scientifique, technique et médicale de l'Agence France-Presse).

• *Biofutur,* 56, rue de l'Université, 75507 Paris (information sur la biotechnologie) [Cir. 7 000 ex.].

• *Courrier du CNRS,* 15, quai Anatole-France, 75700 Paris (vulgarisation des recherches menées dans le cadre du CNRS) [Cir. 35 000 ex.].

• *Courrier industriel et scientifique,* 23, rue du Boulet, Bruxelles [Cir. 8 000 ex.].

• *Hulotte (La),* Boult-aux-Bois, 08240 Buzancy (journal d'écologie pour la protection des espèces animales et végétales) [Cir. 75 000 ex.].

• *Impact : science et société,* 7-9, place de Fontenoy, 75700 Paris (revue de vulgarisation de l'UNESCO).

• *Industries et Techniques,* 40, rue du Colisée, 75381, Paris Cedex 8 (magazine technologique pour professionnels, ingénieurs et techniciens) [Cir. 40 000 ex.].

• *Ingénieurs : équipement industriel,* Drukkerij-Vitgeverig Uyncke, Savaan Straat 92, B-9000 Ghent (revue pour professionnels) [Cir. 8 000 ex.].

• *LED* (Loisirs électroniques d'aujourd'hui), 1, boulevard Ney, 75018 Paris (revue pour amateurs).

• *Pour la science,* 8, rue Férou, 75006 Paris (vulgarisation scientifique de haut niveau; traduction de *Scientific American*).

---

1. On a indiqué après chaque titre son chiffre moyen de circulation (ventes) pour 1982 (sources : *Annuaire de la presse française, Répertoire Ulriche de la presse internationale*).

• *Produits pour l'industrie québécoise*, Box 460, Milliken, Ont L O H 1 K O Canada (revue pour professionnels) [**Cir. 13 000 ex.**].

• *Le Progrès technique*, 101, av. Raymond-Poincaré, 75116 Paris (revue de l'Association nationale de la recherche technique).

• *Micro-systèmes*, 15, rue de la Paix, 75002 Paris (microprocesseurs, micro-ordinateurs, informatique appliquée).

• *Monde informatique (Le)*, 42, avenue Montaigne, 75008 Paris (actualité, analyse des tendances, des produits, des marchés, techniques de l'information des entreprises).

• *Québec Science*, Presses de l'Université du Québec, C P 250, Gillery, Que G 1 T 2 R 1, Canada (revue de vulgarisation pour grand public) [**Cir. 25 000 ex.**].

• *Recherche (La)*, 57, rue de Seine, 75006 Paris (revue de vulgarisation scientifique et technique de haut niveau) [**Cir. 80 000 ex.**].

• *Recherche – Invention – Innovation*, 45, rue Saint-Roch, 75001 Paris (sciences et techniques appliquées, banque des inventions et idées nouvelles) [**Cir. 7 500 ex.**].

• *Recherche et Nature*, 50, avenue Daumesnil, 75012 Paris (revue scientifique pour amateurs).

• *Revue du Palais de la Découverte*, Palais de la Découverte, avenue Franklin-Roosevelt, 75008 Paris [**Cir. 10 000 ex.**].

• *Sciences et Avenir*, 29, rue du Louvre, 75002 Paris [**Cir. 90 000 ex.**].

• *Science et Culture*, Association Science et Culture, BP 89, 400 Liège X, Belgique.

• *Science et Nature*, Société des amis du Muséum national d'histoire naturelle, 12 *bis*, place Henri-Bergson, 75008 Paris [**Cir. 10 000 ex.**].

• *Science et Vie*, 5, rue de la Baume, 75382 Paris Cedex 08 [**Cir. 320 000 ex.**].

• *Sciences et Techniques*, 19, rue Blanche, 75009 Paris (revue de la Société des ingénieurs et scientifiques de France) [**Cir. 7 500 ex.**].

• *Solaire 1 Magazine*, 57, rue Escudier, 92100 Boulogne (énergie, architecture, toutes les applications du solaire).

• *Télécommunications*, 20, avenue de Ségur, 75700 Paris (publiée par la direction générale des télécommunications du ministère des PTT).

• *Télésoft*, 43, rue de Dunkerque, 75010 Paris (micro-informatique, vidéo, communication; revue pour amateurs).

• *Temps réel, le magazine de l'informatique*, 40, rue du Colisée, 75008 Paris (toute l'informatique par les informaticiens, les utilisateurs, les décideurs).

• *Terminal*, 25, rue de la Gaieté, 94800 Villejuif (revue des applications de l'informatique).

• *Terminal 19/84*, 1, rue Keller, 75011 Paris (revue du Centre d'information et d'initiative sur l'informatisation).

• *Traitement de texte*, 35, rue Saint-Georges, 75009 Paris (technique du traitement de texte des entreprises).

• *L'Usine nouvelle*, 59, rue du Rocher, 75008 Paris (hebdomadaire traitant de tous les problèmes industriels) [**Cir. 60 000 ex.**].

• *01 Informatique* (hebdo ou mensuel), 41, rue de la Grange-aux-Belles, 75483 Paris Cedex 10.

ORGANISMES GOUVERNEMENTAUX

• France : Mission interministérielle de l'information scientifique et technique, 280 boulevard St-Germain, 75007 Paris.

• Belgique . Service de la programmation de la politique scientifique, rue de la science, 8, 1040 Bruxelles (tél. 230 41 00).

• Québec : Secrétariat à la science et à la technologie, 1020, rue Saint-Augustin, Québec GER5JE.

INDEX

Légende pour les mots-clés :
Sigles, institutions et noms géographiques.
Termes scientifiques et techniques.

Légende pour les renvois de pages :
27 : article principal correspondant au mot-clé.
82 : références dans le « calendrier scientifique ».
215 : autres références.

Table des matières

536

537

538

539

Les Éditions La Découverte/Maspero, ce sont aussi 25 autres collections parmi lesquelles :

- Petite collection Maspero
- La Découverte
- Repères
- L'État du Monde
- Pour Débutants (en bandes dessinées)
- Cahiers libres
- Fondations
- Textes à l'appui
- Actes et mémoires du peuple
- Voix
- Luttes sociales

et 2 revues :

- Critiques de l'économie politique
- Hérodote

Si vous désirez être tenu régulièrement au courant de nos parutions, il vous suffit d'envoyer vos nom et adresse aux Éditions La Découverte/Maspero, 1, place Paul-Painlevé, 75005 Paris. Vous recevrez gratuitement notre bulletin trimestriel *Livres Partisans*.

NOM ....

PRÉNOM ....

ADRESSE ....

....

L'État des sciences, 1983

ACHEVÉ D'IMPRIMER EN OCTOBRE 1983
SUR LES PRESSES DE L'IMPRIMERIE
HÉRISSEY À ÉVREUX
DÉPÔT LÉGAL : 4e TRIMESTRE 1983
NUMÉRO D'IMPRIMEUR : 32964
PREMIER TIRAGE : 24 000
ISBN 2-7071-1424-3